PAÍSES DE HABLA HISPANA

CUBA
- **Gentilicio:** cubano/a
- **Tamaño:** 44.218 millas cuadradas
- **Número de habitantes:** 11.061.886
- **Lenguas habladas:** el español
- **Moneda:** el peso cubano, el peso convertible
- **Economía:** azúcar, tabaco, turismo

REPÚBLICA DOMINICANA
- **Gentilicio:** dominicano/a
- **Tamaño:** 18.816 millas cuadradas
- **Número de habitantes:** 10.219.630
- **Lenguas habladas:** el español
- **Moneda:** el peso dominicano
- **Economía:** azúcar, café, cacao, tabaco, cemento

ESPAÑA
- **Gentilicio:** español/a
- **Tamaño:** 194.896 millas cuadradas
- **Número de habitantes:** 47.370.542
- **Lenguas habladas:** el castellano (español), el catalán, el gallego, el euskera
- **Moneda:** el euro
- **Economía:** maquinaria, textiles, metales, farmacéutica, aceituna, vino, turismo, textiles, metales

PUERTO RICO
- **Gentilicio:** puertorriqueño/a
- **Tamaño:** 3.435 millas cuadradas
- **Número de habitantes:** 3.674.209
- **Lenguas habladas:** el español y el inglés
- **Moneda:** el dólar americano
- **Economía:** manufactura (farmacéuticos), turismo

HONDURAS
- **Gentilicio:** hondureño/a
- **Tamaño:** 43.277 millas cuadradas
- **Número de habitantes:** 8.448.465
- **Lenguas habladas:** el español y lenguas indígenas amerindias
- **Moneda:** el lempira
- **Economía:** bananas, café, azúcar, madera, textiles

NICARAGUA
- **Gentilicio:** nicaragüense
- **Tamaño:** 50.193 millas cuadradas
- **Número de habitantes:** 5.788.531
- **Lenguas habladas:** el español y lengua indígena (miskito)
- **Moneda:** el córdoba
- **Economía:** procesamiento de alimentos, químicos, metales, petróleo, calzado, tabaco

VENEZUELA
- **Gentilicio:** venezolano/a
- **Tamaño:** 362.143 millas cuadradas
- **Número de habitantes:** 28.459.085
- **Lenguas habladas:** el español y lenguas indígenas
- **Moneda:** el bolívar fuerte
- **Economía:** petróleo, metales, materiales de construcción

COLOMBIA
- **Gentilicio:** colombiano/a
- **Tamaño:** 439.735 millas cuadradas
- **Número de habitantes:** 47.745.783
- **Lenguas habladas:** el español
- **Moneda:** el peso colombiano
- **Economía:** procesamiento de alimentos, petróleo, calzado, oro, esmeraldas, café, cacao, flores, textiles

GUINEA ECUATORIAL
- **Gentilicio:** guineano/a, ecuatoguineano/a
- **Tamaño:** 10.830 millas cuadradas
- **Número de habitantes:** 701.001
- **Lenguas habladas:** el español, el francés y lenguas indígenas (fang, bubi)
- **Moneda:** el franco CFA
- **Economía:** petróleo, madera, cacao, café

BOLIVIA
- **Gentilicio:** boliviano/a
- **Tamaño:** 424.165 millas cuadradas
- **Número de habitantes:** 10.461.053
- **Lenguas habladas:** el español y lenguas indígenas (quechua, aymara)
- **Moneda:** el boliviano
- **Economía:** gas, petróleo, minerales, tabaco, textiles

PARAGUAY
- **Gentilicio:** paraguayo/a
- **Tamaño:** 157.047 millas cuadradas
- **Número de habitantes:** 6.623.252
- **Lenguas habladas:** el español y lengua indígena (guaraní)
- **Moneda:** el guaraní
- **Economía:** azúcar, carne, textiles, cemento, madera, minerales

CHILE
- **Gentilicio:** chileno/a
- **Tamaño:** 292.257 millas cuadradas
- **Número de habitantes:** 17.216.945
- **Lenguas habladas:** el español y lengua indígena (mapudungun)
- **Moneda:** el peso chileno
- **Economía:** minerales (cobre), agricultura, pesca, vino

URUGUAY
- **Gentilicio:** uruguayo/a
- **Tamaño:** 68.037 millas cuadradas
- **Número de habitantes:** 3.324.460
- **Lenguas habladas:** el español
- **Moneda:** el peso uruguayo
- **Economía:** carne, metales, textiles, productos agrícolas

ARGENTINA
- **Gentilicio:** argentino/a
- **Tamaño:** 1.065.000 millas cuadradas
- **Número de habitantes:** 42.610.981
- **Lenguas habladas:** el español y lenguas indígenas (mapudungun, quechua)
- **Moneda oficial:** el peso argentino
- **Economía:** carne, trigo, lana, petróleo

- **Gentilicio:** Nationality
- **Tamaño:** Size
- **Número de habitantes:** Population
- **Lenguas habladas:** Spoken Languages
- **Moneda oficial:** Currency
- **Economía:** Economy

WileyPLUS with ORION

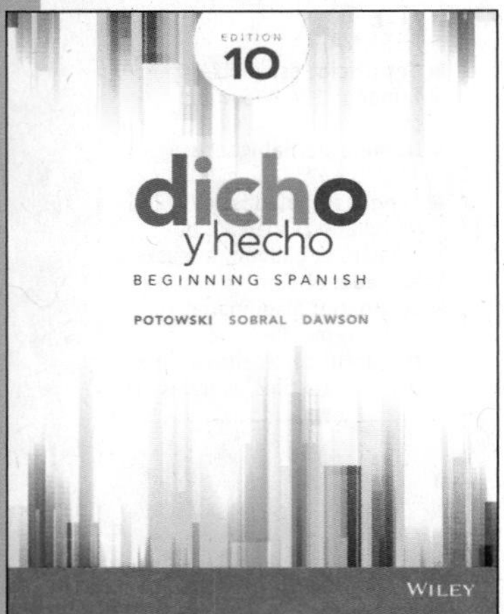

Based on cognitive science, *WileyPLUS* with ORION provides students with a personal, adaptive learning experience so they can build their proficiency on topics and use their study time most effectively.

BEGIN

Unique to ORION, students **BEGIN** by taking a quick diagnostic for any chapter. This will determine each student's baseline proficiency on each topic in the chapter. Students see their individual diagnostic report to help them decide what to do next with the help of ORION's recommendations.

PRACTICE

For each topic, students can either **STUDY**, or **PRACTICE**. Study directs students to the specific topic they choose in *WileyPLUS*, where they can read from the e-textbook or use the variety of relevant resources available there. Students can also practice, using questions and feedback powered by ORION's adaptive learning engine. Based on the results of their diagnostic and ongoing practice, ORION will present students with questions appropriate for their current level of understanding, and will continuously adapt to each student to help build proficiency.

MAINTAIN

ORION includes a number of reports and ongoing recommendations for students to help them **MAINTAIN** their proficiency over time for each topic.

Students can easily access ORION from multiple places within *WileyPLUS*. It does not require any additional registration, and there will not be any additional charge for students using this adaptive learning system.

ABOUT THE ADAPTIVE ENGINE

ORION includes a powerful algorithm that feeds questions to students based on their responses to the diagnostic and to the practice questions. Students who answer questions correctly at one difficulty level will soon be given questions at the next difficulty level. If students start to answer some of those questions incorrectly, the system will present questions of lower difficulty. The adaptive engine also takes into account other factors, such as reported confidence levels, time spent on each question, and changes in response options before submitting answers.

The questions used for the adaptive practice are numerous and are not found in the WileyPLUS *assignment area. This ensures that students will not be encountering questions in ORION that they may also encounter in their* WileyPLUS *assessments.*

ORION also offers a number of reporting options available for instructors, so that instructors can easily monitor student usage and performance.

***WileyPLUS* with ORION helps students learn by learning about them.™**

Annotated Instructor's Edition

Dicho y hecho

EDITION 10

Beginning Spanish

Kim Potowski
University of Illinois at Chicago

Silvia Sobral
Brown University

Laila M. Dawson
Professor Emerita, University of Richmond

WILEY

VICE PRESIDENT AND PUBLISHER	Laurie Rosatone
SPONSORING EDITOR	Elena Herrero
PROJECT EDITOR	Maruja Malavé
ASSISTANT EDITOR	Alejandra Barciela
EDITORIAL ASSISTANT	Joe Romano
EDITORIAL OPERATIONS MANAGER	Yana Mermel
DIRECTOR, MARKETING COMMUNICATIONS	Jeffrey Rucker
MARKETING MANAGER	Kimberly Kanakes
SENIOR MARKET SPECIALIST	Glenn A. Wilson
SENIOR PRODUCT DESIGNER	Thomas Kulesa
SENIOR PRODUCTION EDITOR	William A. Murray
MEDIA SPECIALISTS	Beth Pearson and James Metzger
PHOTO RESEARCH	Billy Ray
SENIOR DESIGNER	Thomas Nery
ILLUSTRATION STUDIO	Escletxa, Barcelona, Spain
COVER DESIGNER	Thomas Nery
COVER PHOTO CREDIT	Getty Images/traffic_analyzer

This book was set in ITC Highlander Book by codeMantra and printed and bound by Quad/Graphics.

ISBN: 978-1-118-61561-4
BRV ISBN: 978-1-119-02117-9
AIE ISBN: 978-1-118-99582-2

Printed in the United States of America

10 9 8 7 6 5 4 3 2 1

Kim Potowski

I was raised on Long Island, New York, where my interest in Spanish was nurtured by my teachers Mr. Martin Stone and Mr. Paul Ferrotti. After finishing my B.A. in Spanish at Washington University in St. Louis (and a wonderful sophomore year in Salamanca, Spain), I completed an M.A. in Hispanic linguistics at the University of Illinois at Urbana-Champaign. I took a two-year hiatus to teach English in Mexico City and an additional few months in Colmar, France, then returned to Urbana and completed a Ph.D. in Hispanic linguistics with a concentration in second language acquisition and teacher education. I have been at the University of Illinois at Chicago since 1999, where I direct the Spanish for Heritage Speakers program.

I thank my husband Cliff Meece and his parents, Gayle Meece and Cliff Meece Sr., for all of their support.

Soon after becoming *Licenciada* in English Philology in Spain, I arrived at the University of Illinois at Urbana-Champaign to pursue an M.A. in Teaching English as a Second Language. A few weeks later, I first faced a classroom believing that my job consisted in explaining grammar rules and their exceptions, giving examples, and correcting mistakes. My academic work in Applied Linguistics and experience teaching English and Spanish have proved to me that language learning and teaching are much more complex and exciting processes. ***Dicho y hecho*** brings together my experience and that of my co-authors for a text that we hope will facilitate teaching and learning while making it a meaningful, enjoyable endeavor.

Dedico este trabajo a mis profesores, estudiantes y colegas, de quienes sigo aprendiendo, y especialmente a mis padres, Eusebio y María de los Ángeles, por enseñarme, inspirarme y apoyarme siempre.

Silvia Sobral

Laila Dawson

Dicho y hecho's first edition had its beginnings during an 11,000-mile road trip through Mexico in the late 1970s. Since that time, ***Dicho*** has been an integral part of my life journey, with inspiration drawn from my passion for teaching and my love for Hispanic cultures. I was born in Buenos Aires and attended bilingual schools there and in Mexico City. This foundation led me to graduate studies at the University of Wisconsin and a teaching career, first at Virginia Union University and then at the University of Richmond, where I directed the Intensive Spanish Program. I also accompanied students on study-abroad programs in Spain and South America, and on service-learning experiences in Honduras. In my retirement I participate in community integration projects in the bicultural town of Leadville, Colorado and teach ESL to immigrant women. I continue to travel extensively and enjoy being *madrina* to four orphaned girls in Honduras

This tenth edition of ***Dicho*** will be my *despedida*, knowing that it will live on in the hands of Kim and Silvia, two truly extraordinary professionals. I dedicate it to the many generations of students who have been touched by ***Dicho***, discovering in its pages open doors to the Hispanic world.

	Así se dice	Así se forma

Capítulo 6

Left: © deansanderson/iStockphoto; Right: © Viorika/iStockphoto

Note: Activity directions are in Spanish beginning in *Capítulo 6* in this edition.

Capítulo 7

© Raga/mauritius images/agefotostock

Capítulo 8

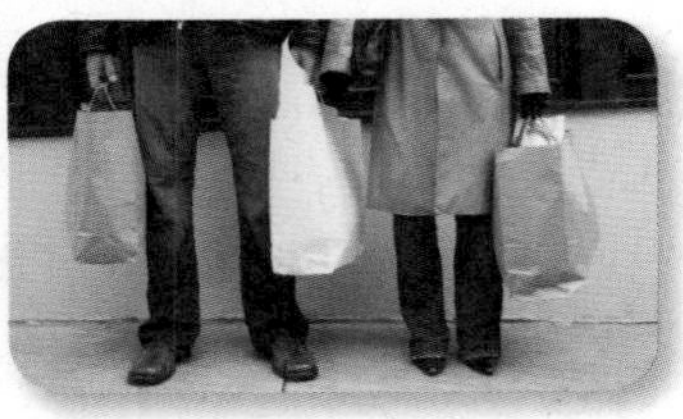

Blend Images/SUPERSTOCK

Capítulo 9

Blend Images/SUPERSTOCK

Note: From here on, where language becomes more complex, each chapter covers only three grammar topics.

Capítulo 10

© age fotostock Spain, S.L./Alamy

Preface

The ***Dicho y hecho*** that became one of the most widely used Spanish textbooks in the 20th century, has evolved over the last two editions into an innovative language program fit for 21st century learners and teachers. This edition retains its characteristic easy-to-implement and lively approach, preserves its emphasis on a sound, proven pedagogy, and is committed to innovation both in content and delivery of the materials for a learning and teaching experience that is highly flexible, enjoyable, and effective.

Over 40 years of research in second-language acquisition has shown that people learn languages best through focusing on meaning and authentic communication, and it is optimized when students are presented with new language in context and then use it in a carefully sequenced set of activities. This sequence starts with input-based activities, in which students are required to understand and respond to the new language. Only after this stage are they asked to produce output, moving from guided communicative practice to open-ended, task-based activities. This empirically proven language-teaching methodology informs the entire program:

- ***Dicho y hecho***'s revised vocabulary and grammar presentations allow the students to see the new language used in context.
- Activity sequences continue to be refined in an input-before-output and then guided-before-open-ended approach for a smooth learning process that not only puts the learners at the center of the learning experience but also works with learners' natural acquisition process.
- Throughout each chapter, a number of stepped activities take learners through all phases of the process—input, guided output with a focus on form-meaning connection, and open-ended expression/task completion—in a unified context.

Developing cultural competence is also an essential component of language learning.

- ***Dicho y hecho* Edition 10** continues to integrate cultural information at strategic points throughout the chapter, providing students with multiple opportunities to learn about other cultures.
- Students are encouraged to develop cultural awareness by discovering connections and making cross-cultural comparisons. Real-life stories personalize the intertwining of language and culture and invite learners to reflect on their own cultural perspectives.
- The cultures of all Spanish-speaking countries are explored, underscoring commonalities and at the same time exposing the wealth of diversity among Spanish-speaking communities around the world.

The dynamic yet manageable approach so characteristic of ***Dicho y hecho*** motivates students, makes learning Spanish an attainable goal, and offers students and instructors alike a truly enjoyable experience.

Hallmarks of the *Dicho y hecho* program

A complete program. With nearly 400,000 satisfied users and counting, ***Dicho y hecho*** offers a complete program designed to support you and your students as you create and carry out your course. Each chapter, integrating vocabulary, grammar, and cultural content into a cohesive unit, has been carefully developed to follow a consistent sequence of linguistic and cultural presentations, practice activities, and skill-building tasks both in print and online.

ACTFL Standards. From its first edition, ***Dicho y hecho*** has provided a framework for the development of language skills in activities that focus on meaningful and achievable communication. In recent editions, ACTFL's five Cs (communication, culture, connections, comparisons, and communities) have informed explanations, activities, culture notes, and cultural essays, strengthening the fabric of the entire program. This edition maximizes students' opportunities to develop all modes of communication (interpersonal, interpretive and presentational) by ensuring that all activities require interpreting and/or producing a message, and that there are more opportunities to listen and write than ever before.

Grammar as a means for communication. New grammar is first presented in context, allowing students to see it as a means for communication and observe how it works before a formal presentation is offered. Grammar explanations continue to be precise and simple, with clear charts and abundant examples that reinforce the connections between forms and their communicative use. Carefully sequenced activities take students from input comprehension to effective self-expression and task completion.

High-frequency vocabulary and active use. Thematic units in each chapter present a selection of varied, practical, and high-frequency vocabulary in visual and written contexts. Activities range from identification in the chapter-opening art scenes and other input-based exercises (e.g. categorizing, associations, etc.) to personal expression and situational conversations that require use of the new vocabulary, resulting in effective acquisition of new words.

Diverse and engaging activities. ***Dicho y hecho*** combines a broad array of class-tested and innovative activities that involve all language skills and communicative modes and range from input processing, to guided and structured output and opportunities for spontaneous and open-ended expression. Whole-class activities are interwoven with individual, paired, and small group exercises, all of which are sequenced to provide a varied pace and rhythm to every class meeting.

Integrated and interesting cultural information throughout. Through an appealing combination of readings, maps, photos, and realia in the *Cultura* section, and *Notas culturales* that appear frequently throughout each chapter, ***Dicho y hecho*** introduces students to the geography, politics, arts, history, and both traditional and contemporary cultural aspects of the countries and peoples that make up the Spanish-speaking world. In the *En mi experiencia* feature, students not unlike those using the book relate their experiences integrating into Spanish-speaking communities.

Flexible and easy-to-adapt. ***Dicho y hecho*** **Edition 10** offers great flexibility to fit the increasing variety of course formats, contact hours, and determinations of scope for beginning level courses. The program is available in its traditional 15-chapter format, or in a briefer 12-chapter format, each of which is thoroughly supported by *WileyPLUS*, an innovative, research-based, online environment for effective teaching and learning that supplements and complements the printed book.

Highlights of the Tenth Edition

This edition continues to focus on authentic, purposeful communication in activities driven by input-processing principles that move students comfortably and naturally from comprehension of input to production of output in meaningful, personal interactions.

- Improved presentation of new material, optimizing learners' ability to integrate new language while engaging and motivating them:
  - New dialogues and paragraphs introduce and contextualize new grammar, giving learners an opportunity to observe the forms and experience the meaning of the new language before formal explanations or English equivalents are offered.
  - New illustrations introduce vocabulary in the *Así se dice* spreads.
- Cultural content is updated throughout and includes more experiential, investigative, cross-cultural tasks in *Cultura* pages and *Notas culturales* and the new *En mi experiencia* boxes stories told by American college students about their experiences in Spanish-speaking countries. Culture is also more integrated within activities.
- Activity sets that optimize students' acquisition and lead to confidence in their communication skills.
  - Revised and refined activity sets to ensure a well-developed sequence that takes learners from input-based practice, through meaningful form-focused practice, and concluding with guided output and open-ended activities.
  - *Dicho* ensures a balance in the use of different skills as well as types of interaction throughout each chapter.
  - A new *Proyecto* spread after every five chapters gives students an opportunity to use the language they are learning creatively, in engaging collaborative tasks where they have to think critically, negotiate in groups and present their work to the rest of the class. In this section, students assimilate language from all five preceding chapters and put their knowledge into practice.

- Activity directions are in Spanish beginning in *Capítulo 5*.
- A new design visually enhances the straightforward, user-friendly nature of the program. Lexical and structural information is more clearly identified, and the progression from presentation to practice is now more obvious to students. A series of helpful icons also point out the skills being practiced, whether the activity involves pair work or group work, and when the use of technology can be integrated.
- Updated content and photos, focusing on key aspects of current lifestyles such as technology, social media, concerns about the environment, etc.
- Updated Teacher Annotations in the Instructors Annotated edition, including suggestions for students who are Heritage Speakers of Spanish, as well as additional suggestions and alternatives for the use of *WileyPLUS*.
- With the new edition of ***Dicho y hecho***, *WileyPLUS* has evolved to include ORION, a powerful adaptive learning experience. Following a simple set of diagnostic questions based on each of the chapter's learning objectives, ORION presents learners with a *Study* path leading to resources linked to a specific learning objective or a *Practice* path with additional questions that adapt to the individual learner's perceptions and performance. Reports for both learners and instructors allow all to monitor strengths and weaknesses and work efficiently and effectively to build confidence and proficiency.

Visual Walkthrough

Overview

Chapter openers establish the theme and Learning Objectives and set the cultural focus, listing all of the chapter's vocabulary, grammar, and culture sections, as well as the topics around which skills will be developed in the *Dicho y hecho* section.

CAPÍTULO 5

Nuestro tiempo libre

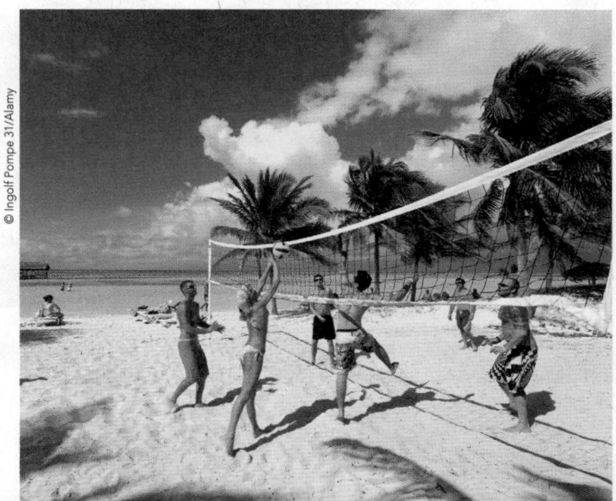

© Ingolf Pompe 31/Alamy

LEARNING OBJECTIVES

In this chapter, you will learn to:

- talk about hobbies, pastimes, and activities.
- talk about the weather and the seasons.
- express future actions.
- describe an action in progress.
- be familiar with recreational activities in Spanish-speaking countries.
- explore the importance of soccer.
- recognize African influences in the Caribbean islands.

Entrando al tema

1. ¿Cuál es tu deporte favorito? ¿Qué deporte crees que tiene el mayor número de fans en los Estados Unidos? Y ¿en el mundo hispanohablante?
2. ¿Has escuchado/bailado alguno de estos tipos de música: la salsa, el merengue, la bachata o el reguetón?

121

Entrando al tema

Thought-provoking questions spark thinking about the chapter theme and cultural topics.

Así se dice

Active vocabulary is presented not only in newly redrawn, updated illustrations with labels and speech bubbles, or in highly contextualized comprehensible texts, but also it is presented in texts or smaller illustrations throughout. English translations are provided for items that may be particularly difficult to understand solely through visual or textual context. *WileyPLUS* provides audio for each of the vocabulary words in *Así se dice* sections.

After each chapter opening vocabulary spread, new *¿Qué ves?* comprehension questions provide a first input-based activity based on the illustration. More *¿Qué ves?* questions are available in *WileyPLUS*. Also, new *¿Y tú?* questions invite students to think about the chapter topic from a personal perspective early on.

Así se forma

New grammar is first introduced in context, through a brief dialogue or text that allows learners to start making form-meaning connections. Formal presentations are precise, clear and visually enhanced. Explanations feature example sentences using the chapter context and vocabulary. *WileyPLUS* offers *Animated Grammar Tutorial* for each of the grammar points, and *Verb Conjugator* where needed.

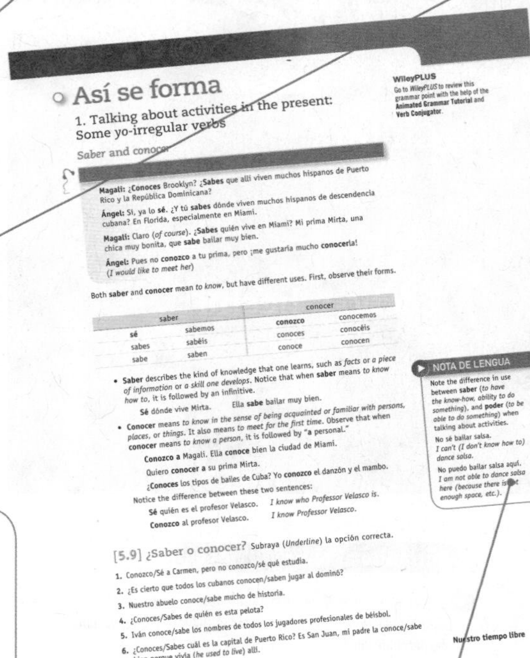

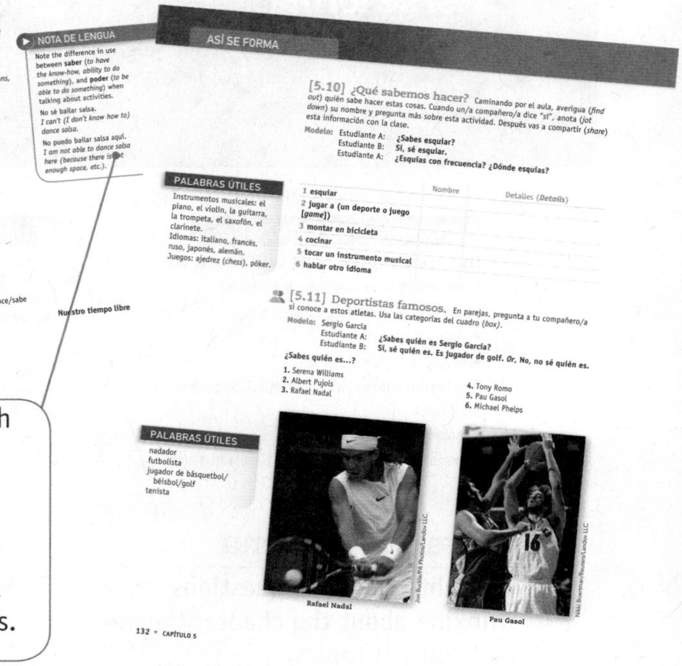

Nota de lengua

Short notes throughout each chapter provide additional grammatical and usage information relevant to the vocabulary and major structures presented as well as practiced in the activities.

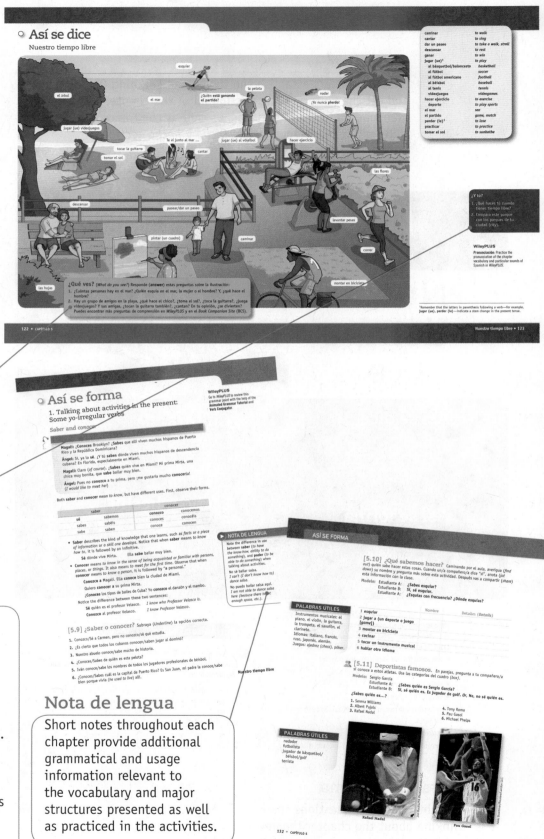

Actividades

Vocabulary and grammar presentations are followed by a carefully sequenced set of communicative activities that lead the student from input comprehension (student is required to understand the new language and respond to it) to production of output, guided at first and then in open-ended activities that invite original and spontaneous use of the new language for personal expression and authentic communication. Many of the text activities are also available online in *WileyPLUS*.

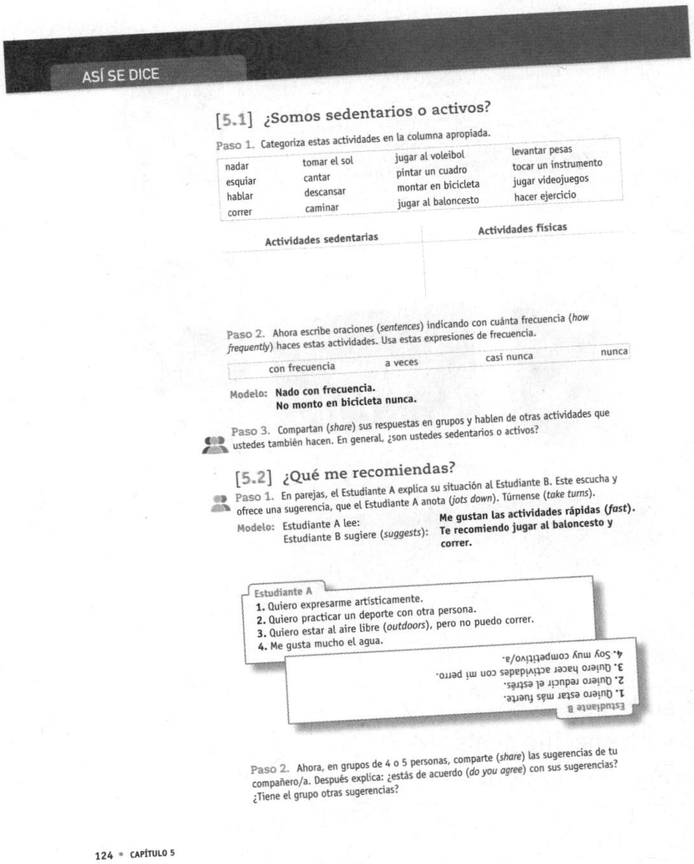

ASÍ SE DICE

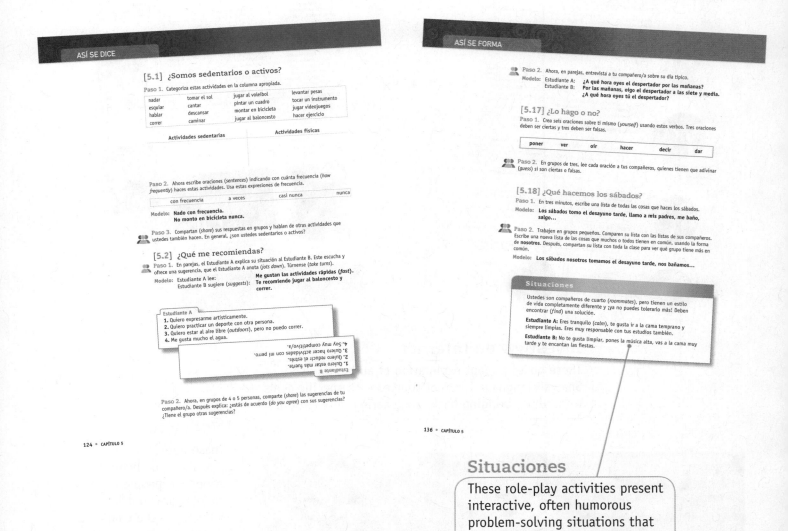

[5.1] ¿Somos sedentarios o activos?

Paso 1. Categoriza estas actividades en la columna apropiada.

nadar	tomar el sol	jugar al voleibol	levantar pesas
esquiar	cantar	pintar un cuadro	tocar un instrumento
hablar	descansar	montar en bicicleta	jugar videojuegos
correr	caminar	jugar al baloncesto	hacer ejercicio

Actividades sedentarias	Actividades físicas

Paso 2. Ahora escribe oraciones (*sentences*) indicando con cuánta frecuencia (*how frequently*) haces estas actividades. Usa estas expresiones de frecuencia.

con frecuencia | a veces | casi nunca | nunca

Modelo: **Nado con frecuencia.**
No monto en bicicleta nunca.

Paso 3. Compartan (*share*) sus respuestas en grupos y hablen de otras actividades que ustedes también hacen. En general, ¿son ustedes sedentarios o activos?

[5.2] ¿Qué me recomiendas?

Paso 1. En parejas, el Estudiante A explica su situación al Estudiante B. Este escucha y ofrece una sugerencia, que el Estudiante A anota (*jots down*). Túrnense (*take turns*).

Modelo: Estudiante A lee: **Me gustan las actividades rápidas (*fast*).**
Estudiante B sugiere (*suggests*): **Te recomiendo jugar al baloncesto y correr.**

Estudiante A
1. Quiero expresarme artísticamente.
2. Quiero practicar un deporte con otra persona.
3. Quiero estar al aire libre (*outdoors*), pero no puedo correr.
4. Me gusta mucho el agua.

Estudiante B
1. Quiero estar más fuerte.
2. Quiero reducir el estrés.
3. Quiero hacer actividades con mi perro.
4. Soy muy competitivo/a.

Paso 2. Ahora, en grupos de 4 o 5 personas, comparte (*share*) las sugerencias de tu compañero/a. Después explica: ¿estás de acuerdo (*do you agree*) con sus sugerencias? ¿Tiene el grupo otras sugerencias?

124 • CAPÍTULO 5

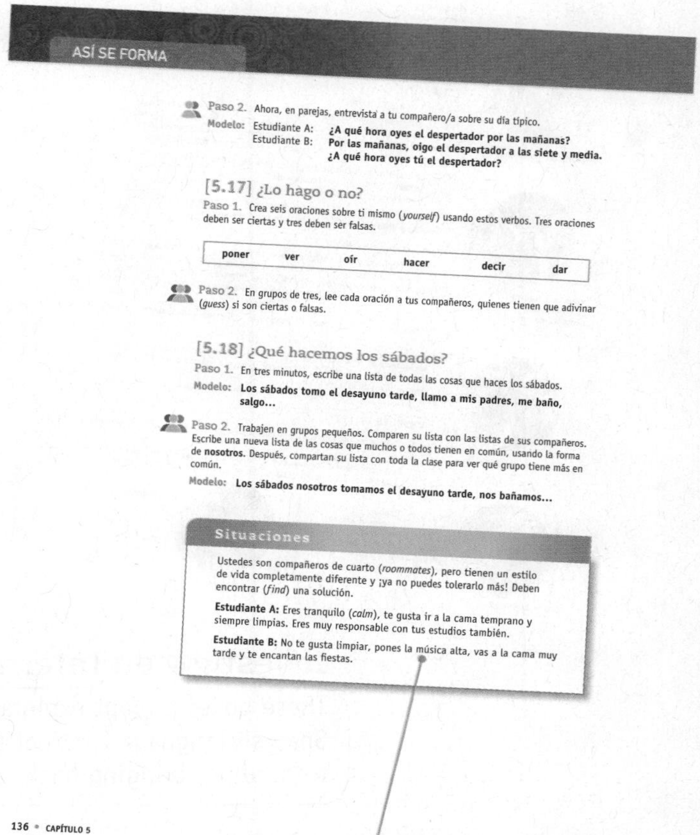

ASÍ SE FORMA

Paso 2. Ahora, en parejas, entrevista a tu compañero/a sobre su día típico.

Modelo: Estudiante A: **¿A qué hora oyes el despertador por las mañanas?**
Estudiante B: **Por las mañanas, oigo el despertador a las siete y media. ¿A qué hora oyes tú el despertador?**

[5.17] ¿Lo hago o no?

Paso 1. Crea seis oraciones sobre ti mismo (*yourself*) usando estos verbos. Tres oraciones deben ser ciertas y tres deben ser falsas.

poner | ver | oír | hacer | decir | dar

Paso 2. En grupos de tres, lee cada oración a tus compañeros, quienes tienen que adivinar (*guess*) si son ciertas o falsas.

[5.18] ¿Qué hacemos los sábados?

Paso 1. En tres minutos, escribe una lista de todas las cosas que haces los sábados.

Modelo: **Los sábados tomo el desayuno tarde, llamo a mis padres, me baño, salgo…**

Paso 2. Trabajen en grupos pequeños. Comparen su lista con las listas de sus compañeros. Escribe una nueva lista de las cosas que muchos o todos tienen en común, usando la forma de **nosotros**. Después, compartan su lista con toda la clase para ver qué grupo tiene más en común.

Modelo: **Los sábados nosotros tomamos el desayuno tarde, nos bañamos…**

Situaciones

Ustedes son compañeros de cuarto (*roommates*), pero tienen un estilo de vida completamente diferente y ¡ya no puedes tolerarlo más! Deben encontrar (*find*) una solución.

Estudiante A: Eres tranquilo (*calm*), te gusta ir a la cama temprano y siempre limpias. Eres muy responsable con tus estudios también.

Estudiante B: No te gusta limpiar, pones la música alta, vas a la cama muy tarde y te encantan las fiestas.

136 • CAPÍTULO 5

Situaciones

These role-play activities present interactive, often humorous problem-solving situations that must be worked out using the language presented and practiced in the chapter.

Cultura

The *Cultura* sections focus on a particular country or group of countries and offer an eclectic mix of brief readings, captioned photographs, and realia that bring to life the cultures of Spanish speakers around the world. Students are also asked related questions about their own cultures in order to make comparisons and build their cultural awareness.

Cultura

Cuba — República Dominicana

IT Stock/SUPERSTOCK — Corbis/SUPERSTOCK

Cuba y la República Dominicana

ANTES DE LEER

¿En qué aspectos de la cultura de Estados Unidos hay una fuerte influencia africana? Piensa en la música, la comida y otros elementos.

Cuba y la República Dominicana son un destino turístico popular por su agradable clima y belleza natural, y por su rica cultura caracterizada por una fuerte presencia africana entre sus habitantes. Esta influencia se nota en la música y baile, comida, e incluso (*even*) en algunas tradiciones religiosas.

La música y el baile

Los siguientes tipos de música caribeña son tradicionales pero simultáneamente muy populares hoy en día. En particular, se nota el uso de tambores (*drums*) como la conga y los bongós, que tienen origen africano. Busca por Internet unos videos de la música siguiente. ¿Cuál te gusta más? ¿Cuál parece más difícil bailar?

La **bachata:** Juan Luis Guerra, Grupo Infinito, Anthony Santos, etc.
La **salsa:** Celia Cruz, Los Van Van, etc.
El **merengue:** Juan Luis Guerra, Wilfrido Vargas, etc.

Hay estilos de música más recientes de estos países. Busca por Internet **Los Orishas** y **Wilo D'New**. ¿A qué concierto preferirías asistir?

La comida y la bebida

La comida cubana y la dominicana tienen influencias de España, África e indígena. De África llegaron el quimbombó (*okra*), los gandules (*pigeon peas*), el plátano macho (*plantains*) y la malanga (*taro root*). Busca por Internet los platillos siguientes y decide: ¿cuáles te gustaría probar? ¿Alguno es similar a algo que se come en Estados Unidos?

Congrí — Yuca con mojo — Ropa vieja — Sándwich 'medianoche' — Mangú

La religión

La **santería** es una mezcla (*mix*) del catolicismo con creencias de la religión yoruba de los esclavos africanos. Busca por Internet los diferentes ***orishas*** (espíritus) que forman parte de esta religión.

DESPUÉS DE LEER

1. ¿Cuál de los tipos de música te gustaría escuchar? o ¿qué comida te gustaría probar?
2. Busca por Internet los lugares y actividades turísticas más comunes de Cuba y la República Dominicana. ¿Cuáles son los lugares que te gustaría visitar?

Los Orishas (cubanos) — s_bukley/Newscom

Juan Luis Guerra (dominicano) – cantante del grupo 4.40. — Ebet Roberts /Redferns/Getty Images

Comida caribeña — Adalberto Rios Szalay/age fotostock

En el café cubano tradicional, ponen el azúcar durante la preparación. Así resulta un café más dulce que poniendo el azúcar después. — © Alexcrab/iStockphoto

Una mujer santera — St Petersburg Times/Tampa BayTimes/ZUMAPRESS.com/NewsCom

130 • CAPÍTULO 5

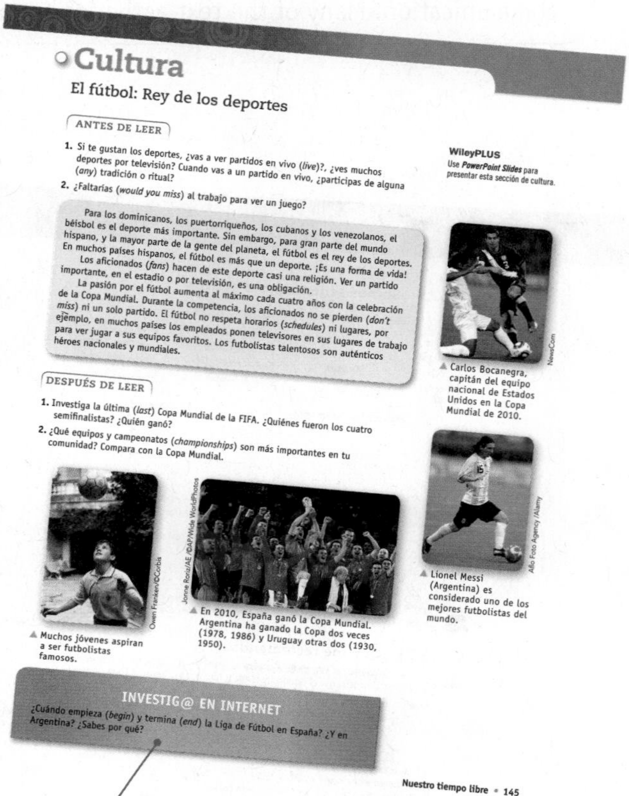

Cultura

El fútbol: Rey de los deportes

ANTES DE LEER

1. Si te gustan los deportes, ¿vas a ver partidos en vivo (*live*)?, ¿ves muchos deportes por televisión? Cuando vas a un partido en vivo, ¿participas de alguna (*any*) tradición o ritual?
2. ¿Faltarías (*would you miss*) al trabajo para ver un juego?

WileyPLUS
Use ***PowerPoint Slides*** para presentar esta sección de cultura.

Para los dominicanos, los puertorriqueños, los cubanos y los venezolanos, el béisbol es el deporte más importante. Sin embargo, para gran parte del mundo hispano, y la mayor parte de la gente del planeta, el fútbol es el rey de los deportes. En muchos países hispanos, el fútbol es más que un deporte. ¡Es una forma de vida!

Los aficionados (*fans*) hacen de este deporte casi una religión. Ver un partido importante, en el estadio o por televisión, es una obligación.

La pasión por el fútbol aumenta al máximo cada cuatro años con la celebración de la Copa Mundial. Durante la competencia, los aficionados no se pierden (*don't miss*) ni un solo partido. El fútbol no respeta horarios (*schedules*) ni lugares, por ejemplo, en muchos países los empleados ponen televisores en sus lugares de trabajo para ver jugar a sus equipos favoritos. Los futbolistas talentosos son auténticos héroes nacionales y mundiales.

DESPUÉS DE LEER

1. Investiga la última (*last*) Copa Mundial de la FIFA. ¿Quiénes fueron los cuatro semifinalistas? ¿Quién ganó?
2. ¿Qué equipos y campeonatos (*championships*) son más importantes en tu comunidad? Compara con la Copa Mundial.

▲ Carlos Bocanegra, capitán del equipo nacional de Estados Unidos en la Copa Mundial de 2010. — NewsCom

▲ Muchos jóvenes aspiran a ser futbolistas famosos. — Owen Franken/©Corbis

▲ En 2010, España ganó la Copa Mundial. Argentina ha ganado la Copa dos veces (1978, 1986) y Uruguay otras dos (1930, 1950). — Jonne Roriz/AE /©AP/Wide WorldPhotos

▲ Lionel Messi (Argentina) es considerado uno de los mejores futbolistas del mundo. — Año Foto Agency /Alamy

INVESTIG@ EN INTERNET

¿Cuándo empieza (*begin*) y termina (*end*) la Liga de Fútbol en España? ¿Y en Argentina? ¿Sabes por qué?

Nuestro tiempo libre • 145

Investig@ en Internet

These boxes prompt exploration of authentic Spanish-language Internet sources with specific goals for finding, bringing back, and sharing information.

Nota cultural

These notes on the products, practices, and important people of the country or countries featured in the chapter's *Cultura* section, as well as notes about cultural phenomena common to Spanish speakers across national boundaries, appear throughout each chapter, and appeal to a wide array of interests.

NOTA CULTURAL

El dominó

Dominoes is a favorite pastime in the Caribbean. Both in the Dominican Republic and in Cuba, one hears a constant "click" of the *fichas* (individual tiles) on a table. Although it may seem like a simple game, Caribbean *dominó* is full of suspense, energy, and strategy, as well as often being played for money. Partners know each other's style and hand signals and which *fichas* have not yet been played.

Look up the World Domino Tournaments on *ESPN Deportes*, which became very popular for trash-talking and table-smacking.

What board games are common in U.S. neighborhoods and parks?

© Charles O. Cecil/Alamy

En mi experiencia

John, Boise, ID

Enrique de la Osa/EPA/Newscom

"I thought I'd get to practice playing soccer when I spent two months in the Dominican Republic, but baseball is definitely the preferred sport. They have a league called the *Liga de Béisbol Profesional de la República Dominicana* with six teams spread across the island; many of the players eventually join U.S. Major League teams. The champion of LIDOM plays in the yearly Caribbean Series against Mexico, Venezuela, Cuba, and Puerto Rico. I lived in Santo Domingo in 2013 and since that team won the LIDOM, it was a lot of fun!"

The Dominican Republic holds the greatest number of Caribbean Series championships. Do you know of any Dominican players on U.S. baseball teams? If not, do a quick search on Internet. What other professional sports in the U.S. attract athletes from other nations?

En mi experiencia

This feature, new to the tenth edition, involves real experiences recounted by students raised in the U.S. who studied or lived abroad in Spanish-speaking countries. Their descriptions of sometimes humorous misunderstandings and situations they encountered constitute first-hand examples of cross-cultural comparisons. Each anecdote is followed with personalized questions for students to make connections to their own lives and to understand that all cultures have underlying values and ways of making sense of the world.

VideoEscenas

WileyPLUS

Un fin de semana en Sevilla

ANTES DE VER EL VIDEO

Escribe una lista de actividades de un fin de semana ideal. Después, comparte tu lista con un/a compañero/a.

A VER EL VIDEO

Paso 1. Mira el video una vez y selecciona la afirmación que describe mejor (*best*) la idea principal.

- ☐ Rocío y Carmen hacen planes para el fin de semana.
- ☐ Rocío y Carmen hablan sobre sus planes para el fin de semana.

Paso 2. Mira el video otra vez (*again*), prestando atención a los detalles, y marca todas las opciones que son verdad para cada afirmación. Lee las afirmaciones ahora para saber qué detalles debes escuchar más atentamente.

1. Rocío va a...
   - ☐ ver la tele.
   - ☐ salir con su novio.
   - ☐ ver un partido de fútbol.
   - ☐ jugar un partido de fútbol.
   - ☐ ir de compras.
2. Carmen va a...
   - ☐ visitar a su prima.
   - ☐ ir a todos los parques.
   - ☐ pasear por Sevilla.
   - ☐ montar en bicicleta.

Paso 3. Completa las siguientes oraciones:

1. ¿Cuándo sale Carmen para Sevilla?
2. ¿Qué recomendaciones tiene Rocío para Carmen?

© John Wiley & Sons, Inc.

▲ Rocío y Carmen se encuentran (*run into each other*) en el Parque del Retiro, en Madrid (España).

DESPUÉS DE VER EL VIDEO

En grupos pequeños, imaginen que Carmen viene a su ciudad para el fin de semana. ¿Qué sugerencias tienen para ella?

Modelo: **Tiene que visitar... Puede ir a ...**

Nuestro tiempo libre • 141

VideoEscenas

Activities based on a short, situational video segment develop listening practice. Each video segment uses the chapter's vocabulary and grammar in a concise, practical, and natural context. Activities that follow move from pre-viewing questions establishing the general context and triggering recall of vocabulary, to comprehension questions that check for understanding, and expansion questions that invite personal or critical response. Video for *VideoEscenas* can be found in *WileyPLUS*.

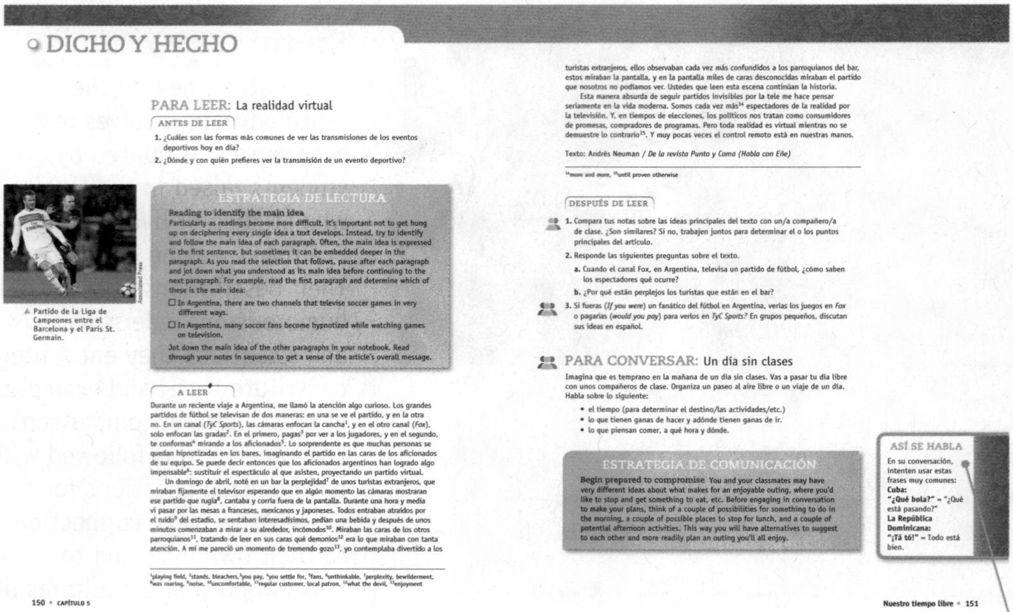

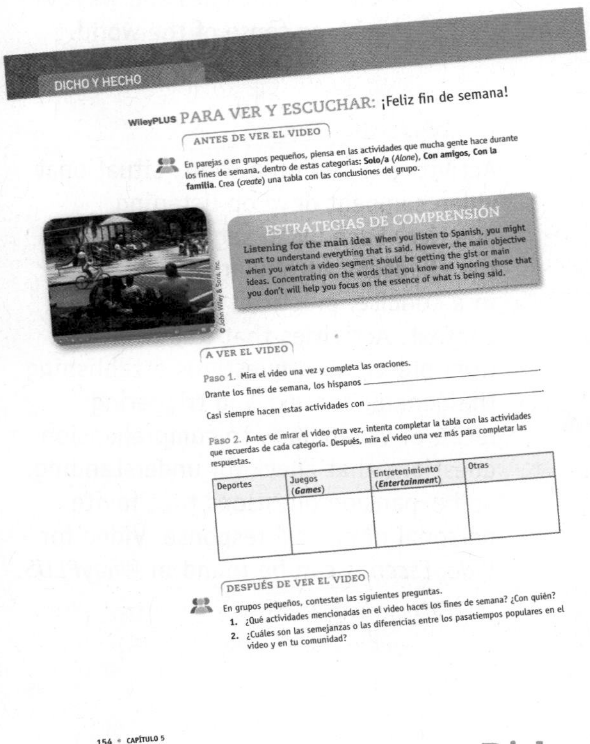

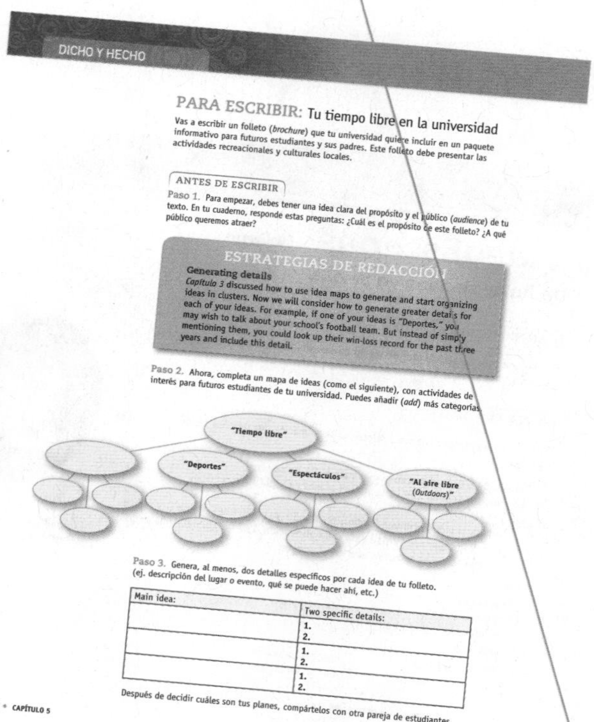

Dicho y hecho

The *Dicho y hecho* section now offers strategies for developing all four skills. New readings adapted from *Punto y coma,* a magazine published for Spanish language learners, are included in the *Para leer* section. Process writing is the focus of the *Para escribir* section, *Para conversar* develops interpersonal communication skills. The *Así se habla* feature in this section introduces students to informal vocabulary from different countries and encourages them to use it during their conversational activity. The *Para ver y escuchar* develops listening skills around documentary-style videos that explore cultural topics.

Repaso de vocabulario activo

Vocabulary presented within the chapter's *Así se dice* sections and practiced throughout in activities is collected here, organized into thematic groupings and parts of speech, and provided with English translations. All Spanish words are hyperlinked in *WileyPLUS* to listen to their pronunciation.

Repaso de vocabulario activo

Adjetivos
amarillo/a *yellow*
anaranjado/a *orange*
azul *blue*
beige *beige*
blanco/a *white*
claro/a *light*
gris *gray*
marrón *brown*
morado/a *purple*
negro/a *black*
oscuro/a *dark*
rojo/a *red*
rosado/a *pink*
verde *green*

Adverbios y expresiones adverbiales
el mes/año/verano que viene *next month/year/summer*
el próximo mes/año/verano *next month/year/summer*
solo *only*

Las estaciones *The seasons*
el invierno *winter*
el otoño *fall*
la primavera *spring*
el verano *summer*

El tiempo *The weather*
Está (muy) nublado/soleado. *It's (very) cloudy/sunny.*
Hace buen/mal tiempo. *The weather is nice/bad.*
) calor. *It's (very) hot.*
It's cool.
frío. *It's (very) cold.*
sunny.
't's windy.
iendo. *It's raining.*
ndo. *It's snowing.*
la nieve *snow*
la nube *cloud*
la tormenta *storm*
¿Qué tiempo hace? *What's the weather like?*

Sustantivos
Los deportes *Sports*
el baloncesto/el básquetbol *basketball*
el béisbol *baseball*
el ejercicio *exercise*
el equipo *team*
el fútbol *soccer*
el fútbol americano *football*
el golf *golf*
el partido *game, match*
la pelota *ball*
el tenis *tennis*
el videojuego *videogame*
el voleibol *volleyball*

En la playa *At the beach*
el árbol *tree*
la flor *flower*
la hoja *leaf*
el mar *sea*

Verbos y expresiones verbales
bailar *to dance*
caminar *to walk*
cantar *to sing*
conocer (irreg.) *to meet, know*
correr *to run*
dar (irreg.) *to give*
dar un paseo *to take a walk, stroll*
deber + infinitivo *should + verb*
decir (irreg.) *to say*
descansar *to rest*
encantar *to delight*
esquiar *to ski*
ganar *to win*
hacer (irreg.) ejercicio *to exercise*
deporte *to play sports*
ir de compras *to go shopping*
jugar (ue) *to play*
jugar al... *to play a sport*
levantar pesas *to lift weights*
limpiar *to clean*
llover (ue) *to rain*
manejar *to drive*
me encanta(n) *I really like it (them)*
montar en bicicleta *to ride a bicycle*
nadar *to swim*
nevar (ie) *to snow*
oír (irreg.) *to hear*
pasear/dar un paseo *to take a walk, stroll*
pensar (ie) + infinitivo *to think about doing something*
perder (ie) *to lose*
pintar *to paint*
poner *to put*
practicar *to practice*
saber *to know*
salir (irreg.) (de) *to leave*
tener (irreg.) calor *to be hot*
tener calor/frío *to be hot/cold*
tener ganas de + infinitivo *to feel like + infinitive*
tener que + infinitivo *to have to + infinitive*
tocar *to touch*
tocar (un instrumento musical) *to play an instrument*
tomar el sol *to sunbathe*
traer (irreg.) *to bring*
venir (irreg.) *to come*
ver *to see*
ver la tele(visión) *to watch TV*
viajar *to travel*

Nuestro tiempo libre • 155

Proyecto

Los premios Mejor dicho

© Cristian Baitg/iStockphoto

En este proyecto, van a conceder los premios *Mejor dicho* a lo mejor (*best*) de su comunidad: lugares para comer, actividades de tiempo libre, eventos, etc. El producto final será un artículo informativo y también entretenido (*entertaining*) para la revista de su campus o ciudad.

Paso 1. Van a trabajar en grupos. Cada grupo escoge (*select*) un aspecto de su comunidad, por ejemplo: comer, deporte y aire libre (*the outdoors*), diversión, vida universitaria, el trabajo y otros.

Paso 2. En su grupo, hacen una lluvia de ideas (*brainstorm*) para pensar en categorías. Pueden incluir unas categorías prácticas y otras más peculiares o divertidas. Por ejemplo:

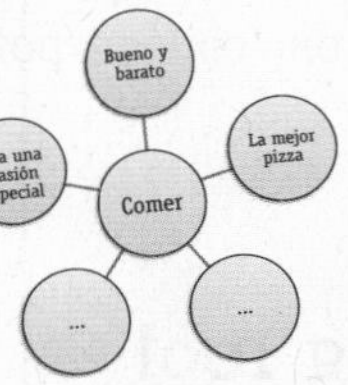

Paso 3. En su grupo, hacen tres nominaciones para cada categoría. Cada nominación debe incluir una imagen relevante y un breve texto sobre el lugar, evento, etc.

Modelo: Vida universitaria: Un lugar perfecto para comer.
La cafetería:
La comida es buena y barata. Es un buen sitio para hablar con los compañeros...

Paso 4. ¡Es hora de votar! Cada grupo presenta sus nominaciones y el resto de la clase vota. Finalmente se puede elaborar una publicación con una página para cada categoría con las fotos y textos presentados, e indicando el ganador y finalista y los votos alcanzados por cada uno.

Categoría	Primer premio	Segundo premio	Tercer premio

156 • CAPÍTULO 5

Proyecto

Proyecto, a new section to this edition, found after every fifth chapter, gives students an opportunity to use the language they are learning creatively, in engaging tasks.

The Complete Program

For a desk copy or electronic access to any of these program components, please contact your local Wiley sales representative, call our Sales Office at 1-800-CALL-WILEY (1-800-225-5945), or contact us online at www.wiley.com/college/potowski.

Student Textbook

978-1-118-61561-4

The textbook includes 15 thematically based chapters and access to video and audio resources on our Companion Sites at www.wiley.com/college/potowski.

Annotated Instructor's Edition

978-1-118-99582-2

The Annotated Instructor's Edition contains side notes with suggestions for teaching, meaningful structural exercises, suggestions for varying or expanding communicative activities, answers to the input activities, and transcripts of audio input for listening activities. These annotations are especially helpful for first-time instructors.

Activities Manual

978-1-118-99580-8

The Activities Manual is available in print and contains two sections:

- A Workbook that links reading and writing, builds vocabulary, practices grammar, and helps students develop personal expression and composition skills. Some activities are self correcting and the answer key appears at the end of the Activities Manual.
- A Lab Manual to be used with the Lab Manual Audio files available digitally on *WileyPLUS* and on the Instructor and Student Companion Sites. The Lab Manual includes a variety of contextualized listening comprehension activities, followed by the *Escenas,* at the end of each chapter, and the *Así se pronuncia* in chapters 1 to 8. The Answer Key to the written responses in the *Lab Manual* and the audio scripts are available as an electronic file on the ***Dicho y hecho*** Instructor Companion Site at www.wiley.com/college/potowski and in *WileyPLUS* as an Instructor Resource.

Online version of these activities are available in *WileyPLUS*.

WileyPLUS with ORION—Adaptive Learning Tool

www.wileyplus.com

With the new edition of ***Dicho y hecho***, *WileyPLUS* has evolved to include ORION, a powerful adaptive learning experience. Following a simple set of diagnostic questions based on each of the chapter's learning objectives, ORION presents learners with a *Study* path leading to resources linked to a specific learning objective or a *Practice* path with additional questions that adapt to the individual learner's perceptions and performance. Reports for both learners and instructors allow all to monitor strengths and weaknesses and work efficiently and effectively to build confidence and proficiency.

WileyPLUS is an innovative, online teaching and learning environment, built on a foundation of cognitive research that integrates relevant resources, including the entire digital textbook, in an easy-to-navigate framework that helps students study effectively. Online with ORION adaptive practice available in *WileyPLUS*, builds students' confidence because it takes the guesswork out of studying by providing a clear roadmap to academic success. With *WileyPLUS*, instructors and students receive 24/7 access to resources that promote positive learning outcomes. Throughout each study session, students can assess their progress against study objectives, and gain immediate feedback on their strengths and weaknesses so they can be confident they are spending their time effectively. Instructors can use our study objective filtering and pre-built assignments to efficiently design their course and their syllabus. They can also use the robust reporting tools available in *WileyPLUS* to track and manage their students' performance.

What do students receive with WileyPLUS?

Tools for engagement. With *WileyPLUS* for ***Dicho y hecho Edition 10,*** students receive 24/7 access to resources that promote positive learning outcomes. Students engage with related activities in various media, including:

- **Blackboard IM functionality:** Student collaboration tool with IM, whiteboard, and desktop-sharing capabilities.
- **Audio Program:** The Audio Program includes recordings for the listening activities in the textbook, for the contextualized grammar and vocabulary dialogues and texts that show up prior to their correspondent formal explanations, and in the list at the end of the chapters, and the listening activities in the *Activities Manual.* The Audio Program is available in *WileyPLUS* and on the Book Companion Site at www.wiley.com/college/potowski.
- **Videos:** Two fully integrated strands of video, one situational, the other cultural with the core tenth-edition textbook. Lively situational dialogs that use chapter vocabulary and structures in the new *VideoEscenas* section, and topical documentary segments in the *Dicho y hecho (Para ver y escuchar)* section are presented with straight-forward strategies and carefully crafted activities to develop solid listening skills through a process-based approach. Video segments are available digitally in *WileyPLUS* and on the Instructor and Student Companion Sites.
- **Voice Response Questions and VoiceBoards:** Recording functionality that allows instructors to test students' speaking skills.
- ***Autopruebas:*** Self-tests for additional practice.
- ***Preguntas de comprensión:*** Additional comprehension questions for extra practice of the vocabulary on the chapter illustration.
- **Practice Worksheets:** Additional vocabulary and grammar activities, for extra practice.
- **Electronic Activities Manual:** Allows instructors to assign Workbook and Lab Manual activities, which are then sent straight to the gradebook for automatic and manual grading options. Available in the assignment section in *WileyPLUS*.
- **In-text activities:** Assignable electronic versions of select textbook activities that test students' understanding of grammar and vocabulary.
- **Animated grammar tutorials:** Animation series that reinforces key grammatical lessons.
- **Audio flashcards:** Offers pronunciation, English/Spanish translations, and chapter quizzes.
- **Verb conjugator:** Practice for conjugating verbs.
- **English grammar checkpoints:** Alphabetical listing of the major grammar points from the textbook that allows students to review their use in the English language.
- ***La pronunciación:*** Guide that offers basic rules and practice for pronouncing the alphabet, diphthongs, accent marks, and more.

Measurable Outcomes: Throughout each study session, students can assess their progress and gain immediate feedback. *WileyPLUS* provides precise reporting of strengths and weaknesses, as well as individualized quizzes, so that students are confident they are spending their time on the right things. With *WileyPLUS*, students always know the exact outcome of their efforts.

What do instructors receive with WileyPLUS?

WileyPLUS provides reliable, customizable resources that reinforce course goals inside and outside of the classroom as well as tracking of individual student progress. Pre-created materials and activities help instructors optimize their time:

- **Sample Syllabi** are included for quarters and semesters.
- **PowerPoint Presentations:** The PowerPoint presentations complement some sections of the textbook, and selected activities to do in class.

- **Image Gallery:** Collection of the photographs, illustrations, and artwork from each chapter of the textbook.
- **Prebuilt Question Assignments:** Available in a variety of options, these prebuilt electronic quizzes allow instructors to test students' understanding of vocabulary, grammar, and culture, as well as their reading, writing, listening, and speaking skills.
- **Test Bank:** Collection of assignable questions that allow instructors to build custom exams; select Test Bank questions are also available in Word documents.
- **Ready to print exams with answer keys, audio files, and scripts:** All of the components that instructors need to distribute printed exams in class. There are three different exam versions per chapter.
- **Lab Manual audio scripts:** Scripts for each of the listening activities in the chapter.
- **Video scripts:** Scripts for each of the videos in the chapter, as well as their English translation.
- **Gradebook:** *WileyPLUS* provides access to reports on trends in class performance, student use of course materials, and progress toward learning objectives, helping inform decisions and drive classroom discussions.

The *En* vivo option

With the *En vivo* option, regularly scheduled, live, online coaching sessions reinforce language skills and further explore cultural notions. A special set of activities for each chapter provides a framework for conversation, and a native-speaking language coach encourages students to practice the Spanish they're learning in weekly coaching sessions. For more information, contact your Wiley representative or visit www.wiley.com/college/sc/envivo.

Spanish Reader

You can create your own cultural Spanish Reader to accompany ***Dicho y hecho Edition 10,*** choosing from a wide variety of authentic articles written by journalists and writers from the 21 Spanish-speaking countries. Visit mywiley.info/puntoycoma for more information.

Student Companion Site

www.wiley.com/college/potowski/

The Student Companion Site contains access to all the videos referenced in the textbook, all audio files that accompany in-text content and lab manual exercises, audio flashcards, an interactive Verb Conjugator, and a guide to pronunciation rules.

Instructor Companion Site

www.wiley.com/college/potowski/

The Instructor Companion Site includes the student resources above plus handouts, answer keys, scripts, and audio files to accompany chapter level, mid-term, and final exams. It also includes a Word version of the Test Bank, an image gallery, answer keys for the Lab Manual, and audio and video scripts.

Explore Your Ordering Options

The textbook is available in various formats. Consider an eBook, loose-leaf binder version, or a custom publication. Learn more about our flexible pricing, flexible formats, and flexible content at www.wiley.com/college/sc/dichoyhecho/options.html.

Acknowledgments

No project of the scope and complexity of *Dicho y hecho* could have materialized without the collaboration of numerous people. The author team gratefully acknowledges the contributions of the many individuals who were instrumental in the development of this work.

The professionalism, dedication, and expertise of the John Wiley & Sons, Inc. staff who worked with us have been both indispensable and inspirational. To Laurie Rosatone, Vice President and Publisher, who oversaw the administrative aspects of the entire project, bore the ultimate responsibility for its completion, and never failed to be approachable, we are very grateful. We are also very grateful to William A. Murray, Senior Production Editor, for his expertise, flexibility, creativity, inordinate patience, and dedication to the project. We extend our thanks and appreciation to Billy Ray, Photo Editor, for facilitating the photo selections that enhance the text. Nor can we neglect to thank the Marketing team lead by Jeffrey Rucker, Director of Marketing Communications, with Kimberly Kanakes, Marketing Manager, and Glenn Wilson, Senior Market Specialist, for creating a brilliant advertising program that will position *Dicho y hecho* favorably in the marketplace, and for their enthusiasm, creativity, and dedication in meeting Spanish instructors around the country.

We thank Tom Kulesa, Senior Product Designer, for his creativity in coordinating the outstanding media ancillaries that supplement the text, and Alejandra Barciela, the Assistant Editor. Our Project Editor Maruja Malavé did an absolutely outstanding job reading text, making insightful suggestions, and keeping the project on task and organized.

Marisa Garman's help was also indispensable as we brought the project to completion. Most of all, we offer heartfelt appreciation and most profound gratitude to our wonderful Sponsoring Editor, Elena Herrero, for her unfaltering devotion to *Dicho y hecho*, her tireless hands-on involvement with us, her talent, expertise, and diligence in turning a manuscript into a book, her kind flexibility with our demanding schedules, and—most importantly—her friendship and confidence in us as authors.

We are grateful to the loyal users of *Dicho y hecho,* who over the years have continued to provide valuable insights and suggestions. And finally, for their candid observations, their critically important scrutiny, and their creative ideas, we wish to thank the following reviewers and contributors for this edition from across the nation:

Susan Ackerman, *Santa Rosa Junior College;* Amy Adrian, *Ivy Tech Community College;* Ana Afzali, *Citrus College;* Silvia Albanese, *Nassau Community College (SUNY);* Pilar Alcalde, *University of Memphis;* Emmanuel Alvarado, *Palm Beach State College;* Rafael Arias, *Los Angeles Valley College;* Bárbara Ávila-Shah, *University at Buffalo, SUNY;* Ann Baker, *University of Evansville;* Miriam Barbaria, *Sacramento City College;* Sandra Barboza, *Trident Technical College;* J. Raúl Basulto, *Montgomery College;* Anne Becher, *Colorado University-Boulder;* María Beláustegui, *University of Missouri, Kansas City;* Mara-Lee Bierman, *SUNY Rockland Community College;* Virgilio Blanco, *Howard Community College;* Ana Boone, *Baton Rouge Community College;* Kate Bove, *Asheville-Buncombe Technical Community College;* Kathryn Bove, *Asheville Buncombe Community College;* Melany Bowman, *Arkansas State University;* Maryann Brady, *Rivier College;* Cathy Briggs, *North Lake College;* Suzanne Buck, *Central New Mexico Community College;* Majel Campbell, *Pikes Peak Community College;* Mónica Cantero, *Drew University;* Amy Carbajal, *Western Washington University;* Catalina Castillón, *Lamar University;* Chyi Chung, *Northwestern University-Evanston;* Dawn M. Ciciola, *Iona College;* Daria Cohen, *Rider University;* Heather Colburn, *Northwestern University-Evanston;* Marcos Contreras, *Modesto Junior College;* Rifka Cook, *Northwestern University;* Manuel Cortés-Castañeda, *Eastern Kentucky University;* Mayra Cortes-Torres, *Pima Community College;* Maximiliano Cuevas, *Pitt Community College;* Jackie Daughton, *University of North Carolina-Greensboro;* Debra Davis, *Sauk Valley Community College;* Patricia Davis, *Darton College, Main Campus;* William Deaver, Jr., *Armstrong Atlantic State University;* Laura Dennis, *University of the Cumberlands;* Aurea Diab, *Dillard University;* Dorian Dorado, *Louisiana State University;* Mark Dowell, *Randolph Community College;* Carolyn Dunlap, *Gulf Coast Community College;* Lucia Dzikowski, *Seminole State College;* Deborah Edson, *Tidewater Community College-Virginia Beach;* Linda Elliott-Nelson, *Arizona Western College;* Margaret Eomurian, *Houston Community College;* Luz Escobar, *Southeastern Louisiana University;* Tanya Farnung-Morrison, *University at Buffalo, North Campus;* Jill Felten, *Northwestern University;* María Ángeles Fernandez, *University of North Florida;* Oscar Flores, *SUNY Plattsburgh;*

Leah Fonder-Solano, *University of Southern Mississippi;* Sarah Fritz, *Madison Area Technical College;* Jennifer Garson, *Pasadena City College;* Elaine Gerber, *Wayne State University;* Thomas Gilles, *Montana State University;* Leonor Vázquez González, *University of Montevallo;* Andrew Gordon, *Mesa State College;* Ana Grey, *North Carolina State University;* James Gustafson, *Southern Utah University;* Dennis Harrod, *Syracuse University;* Mary Hartson, *Oakland University;* Candy Henry, *Westmoreland County Community College;* Yolanda Hernández, *College of Southern Nevada -Cheyenne Campus;* Lorena Hidalgo, *University of Missouri, Kansas City;* Christopher Hromalik, *Onondaga Community College;* Laurie Huffman, *Los Medanos College;* Martha Hughes, *Georgia Southern University;* Jessica E. Hyde-Cadogan, *University of New Haven;* Nuria Ibáñez, *University of North Florida;* Mary Lou Ippolito, *Trident Technical College;* William Jensen, *Snow College;* Amarilis Hidalgo de Jesús, *Bloomsburg University of Pennsylvania;* Ana Jimenez-Leary, *Pitt Community College;* Shelley Jones, *Montgomery College;* Dallas Jurisevic, *Metropolitan Community College -Elkhorn campus;* Hilda M. Kachmar, *St. Catherine University - St. Paul Campus;* Amos Kasperek, *Bob Jones University;* Vasiliki Kellar, *The Community College of Philadelphia;* Karl Keller, *University of Alabama in Huntsville;* Mary Jane Kelley, *Ohio University;* Isidoro Kessel, *Old Dominion University;* Pedro Koo, *Missouri State University;* Beth Kuberka, *SUNY Buffalo;* Sharyn Kuusisto, *City College of San Francisco;* Ryan Labrozzi, *Bridgewater State University;* Deborah Lemon, *Ohlone College;* María Helena López, *Northwest Florida State College;* Leticia P. López, *San Diego Mesa College;* Nuria R. López-Ortega, *University of Cincinnati;* Alisa Linarejos, *Brown University;* José López-Marrón, *CUNY Bronx Community College;* Joanne Lozano, *Dillard University;* Alfonso Abad Mancheno, *Guilford College;* Laura Manzo, *Modesto Junior College;* Dora Y. Marrón Romero, *Broward College;* Kara McBride, *St. Louis University, Frost Campus;* Peggy McNeil, *Louisiana State University;* Nelly A. McRae, *Hampton University;* Christopher Miles, *The University of Southern Mississippi;* Elaine Miller, *Christopher Newport University;* Nancy Mínguez, *Old Dominion University;* María Eugenia Moratto, *University of North Carolina, Greenboro;* María Yazmina Moreno-Florido, *Chicago State University;* Asha Nagaraj, *Northwestern University;* Sandy Oakley, *Palm Beach Community College;* María de los Santos Onofre-Madrid, *Angelo State University;* Denise Overfield, *University of West Georgia;* Marilyn Palatinus, *Pellissippi State Community College;* Sue Pechter, *Northwestern University;* Tina Peña, *Tulsa Community College;* Tammy Pérez, *San Antonio College;* Rose Pichón, *Delgado Community College;* Aida Ramos-Sellman, *Goucher College;* Kay Raymond, *Sam Houston State University;* Angelo Rodríguez, *Kutztown University of Pennsylvania;* Deborah Rosenberg, *Northwestern University;* Laura Ruiz-Scott, *Scottsdale Community College;* Christina Sabin, *Sierra College;* Clinia Saffi, *Presbyterian College;* Phillip Santiago, *Buffalo State College;* Román Santillán, *Medgar Evers College, CUNY;* Roman Santos, *Mohawk Valley Community College-Utica Campus;* Karyn Schell, *University of San Francisco;* William Schott, *University of Missouri, Kansas City;* Patricia Betancourt Segui, *Palm Beach State College;* Lilian Contreras Silva, *Hendrix College;* Luis Silva-Villar, *Mesa State College;* María Sills, *Pellissippi State Community College;* E. Esperanza Simien, *Baton Rouge Community College;* Roger Simpson, *Clemson University;* Dawn Slack, *Kutztown University of Pennsylvania;* Víctor Slesinger, *Palm Beach Community College;* Nori Sogomonian, *San Bernardino Valley College;* Juan Manuel Soto, *El Centro College;* Juan Manuel Soto, *Indiana University-Bloomington;* Lucy Soto, *Seminole State College;* Benay Stein, *Northwestern University;* Jorge Suazo, *Georgia Southern University;* John Sullo, *Iona College;* Roy Tanner, *Truman State University;* Joe Terantino, *Kennesaw State University;* Linda Tracy, *Santa Rosa Junior College;* Sara Tucker, *Howard Community College;* Mayela Vallejos-Ramírez, *Mesa State College;* Claudia Polo Vance, *University of North Alabama;* José L. Vargas-Vila, *Indian University-Purdue;* Michael Vermy, *SUNY Buffalo State College;* Celinés Villalba, *Rutgers, The State University of New Jersey;* Michael Vrooman, *Grand Valley State University;* Mary Wadley, *Jackson State Community College;* Valerie Watts, *Asheville-Buncombe Technical Community College;* Kathleen Wheatley, *University of Wisconsin-Milwaukee;* Sheridan Wigginton, *California Lutheran University;* Kelley Young, *The University of Missouri-Kansas City;* U. Theresa Zmurkewycz, *St. Joseph's University.*

Kim Potowski

Silvia Sobral

Laila Dawson

CAPÍTULO 1

La sección *Entrando al tema* cumple varios propósitos:
- presentar el tema/los temas del capítulo.
- animar a los estudiantes a explorar sus conocimientos previos sobre el mundo hispano.
- incitar la curiosidad del estudiante y motivarlo.

Nuevos encuentros

© Jeremy Woodhouse/Blend Images/age fotostock

LEARNING OBJECTIVES

In this chapter, you will learn to:

- meet and greet each other.
- state where you are from and learn the origins of others.
- describe yourself and others.
- exchange phone numbers, e-mail addresses, and birthdays.
- tell time.
- greet and refer to people in Spanish-speaking countries.
- be familiar with where Spanish is spoken around the world.

Entrando al tema

1. How many countries can you name where Spanish is spoken? Have you visited any of them?
2. The following people are Hispanic: Edward James Olmos, Cameron Díaz, Zoe Saldaña, Sonia Sotomayor, Bruno Mars, Rosario Dawson. Do you know them and what they do? Can you name other famous Hispanic people?

Expansión: El español es la segunda lengua más hablada en el mundo.
- Más de 450 millones de personas hablan español, bien como lengua materna o como segunda lengua.
- 14 millones de personas estudian español como lengua extranjera.
- Estados Unidos es actualmente el tercer país con mayor número de hablantes de español en el mundo.

Así se dice

Nuevos encuentros

Use *PowerPoint Slides* para presentar y practicar este vocabulario.

Javier
Pepita, te presento a mi amiga Natalia.
Natalia
Igualmente.
Soy de Nuevo México. ¿Y tú?
Octavio
Mucho gusto, Octavio.
la profesora Falcón
El gusto es mío. ¿De dónde es usted, profesora?
Soy de Colombia, ¿y tú?
Soy de Mendoza, Argentina.

¿Cómo te llamas? **¿Cómo se llama?**	***What's your name?***
Me llamo...	***My name is . . .***
Buenos días	***Good morning***
Te/Le presento a...	***I want to introduce you to . . .***
Encantado/a	***It's nice to meet you***
Mucho gusto	***I'm pleased to meet you***
¿De dónde eres?	***Where are you from?***
Soy de...	***I'm from . . .***

El *Capítulo 1* introduce el formato general de cada capítulo, aunque no incluye algunas de las secciones que aparecen de forma regular más adelante (*VideoEscenas,* y las preguntas *¿Qué ves?*). Por otro lado, se comienza a presentar información lingüística (*vocabulario y gramática*) de forma gradual y manteniendo al mínimo las explicaciones gramaticales explícitas. De este modo, los estudiantes se familiarizan con conceptos y estructuras lingüísticas en un contexto comunicativo antes de llegar a una explicación más detallada.

Sugerencias:

- Es importante crear un ambiente de cooperación que facilite la comunicación. Si es posible, haga que los estudiantes se sienten en un semicírculo (o varios concéntricos) para que puedan verse y comunicarse de forma más personal.
- Si quiere que los estudiantes practiquen estos diálogos, conviene que lo hagan primero en grupo (divida la clase en grupos grandes, de modo que cada grupo represente un personaje) y después trabajando en parejas. De esta manera se evita la ansiedad que puede crear el leer en voz alta solo/a delante de toda la clase.

¿Y tú?
How do you greet the following people?

- A classmate you know
- A new classmate
- A professor you do not know well
- An older family member

WileyPLUS

Pronunciación:
Practice pronunciation of the chapter vocabulary and particular sounds of Spanish in *WileyPLUS.*

Sugerencia: Escriba estas expresiones en papelitos y en otros papeles escriba **Formal**, **Informal** y **Both**. Pida a los estudiantes que, en grupos (un juego de materiales por grupo) o como clase, categoricen estas expresiones. Después pueden organizar en sub-categorías (greetings, asking how someone is, farewell expressions), crear conversaciones usando los papelitos y transformar estas conversaciones de formal a informal o viceversa.

Las presentaciones (*Introductions*).

In Spanish, there are two ways of addressing someone and, therefore, there are two equivalents of the English *you*: **tú** and **usted**. In general, use **tú** with classmates, relatives, friends, and others in a first-name-basis relationship; use **usted** with professors and other adults in a last-name-basis relationship.

Informal (with classmates)	Formal (with instructor)
Hola, me llamo...,	**Buenos días, me llamo...**
¿Cómo te llamas (tú)?[1]	**¿Cómo se llama (usted)?**

- To say you are pleased to meet someone, you can say:

Mucho gusto.
Encantado. (*said by males*)/**Encantada.** (*said by females*)

- To ask where someone is from, say:

Informal	Formal
¿De dónde eres?	**¿De dónde es usted?**

- To say where you are from, say: **Soy de...**

Saludos y despedidas (*Greetings and expressions of farewell*).

Observe and compare the following conversations. The first introduces some formal greetings (**los saludos**) and the second presents their informal equivalents, as well as expressions of farewell (**las despedidas**).

Sugerencia: Puede mencionar otras expresiones comunes (*¿Cómo te va?, ¿Y a ti?*). Conviene que los estudiantes tengan varias oportunidades de practicar. Primero, puede dividirse la clase en dos grupos de modo que cada grupo "interprete" un papel. Así, se familiarizan con el texto y la pronunciación antes de tener que hacerlo de forma individual. Después, en parejas, pueden leer de nuevo, cambiando los papeles mientras el instructor circula por la clase y los escucha.

FORMAL

Prof. Ruiz:	**Buenos días, señorita.**	*Good morning, Miss.*
	(Buenas tardes, señora.)	*(Good afternoon, Ma'am.)*
	(Buenas noches, señor.)	*(Good evening, Sir.)*
Susana:	**Buenos días. ¿Cómo está usted?**	*Good morning. How are you?*
Prof. Ruiz:	**Muy bien, gracias. ¿Y usted?**	*Very well, thanks. And you?*
Susana:	**Bien, gracias.**	*Fine, thanks.*

INFORMAL

Luis:	**¡Hola!**	*Hello!/Hi!*
Olga:	**¡Hola! ¿Cómo estás?**[2] **(¿Qué tal?)**	*How are you? (How's it going?)*
Luis:	**Fenomenal. ¿Y tú?**	*Terrific. And you?*
Olga:	**Regular.**	*OK./So-so.*
Luis:	**¿Qué pasa? (¿Qué hay de nuevo?)**	*What's happening? (What's new?)*
Olga:	**Pues nada. Voy a clase.**	*Not much. I'm going to class.*
Luis:	**Bueno (Pues), hasta luego.**	*Well, see you later.*
	(Hasta mañana.)	*(See you tomorrow.)*
	(Hasta pronto.)	*(See you soon.)*
	(Chao.)	*(Bye./So long.)*
Olga:	**Adiós.**	*Good-bye.*

[1]Spanish uses an upside-down question mark at the beginning of questions, and an upside-down exclamation point at the beginning of exclamations.
[2]You will study **estar** and the differences between **ser** and **estar** in later chapters.

> ▶ **NOTA DE LENGUA**
>
> There is no Spanish equivalent for Ms. Use **señora** or **señorita** as appropriate.
> • In many Spanish-speaking countries, **tarde** is used while there is still daylight.
> • **Buenos días** and **Buenas tardes/noches** are also used in informal settings, especially the first time you see people during a given day, and may also be used as a farewell.

> ▶ **NOTA DE LENGUA**
>
> The appropriate use of *tú* vs. *usted* for "you" varies from country to country. For example, if greeting a 30-year-old store clerk in Spain you would use *tú*, but in Mexico you would use *usted*. Expected uses can also change over time.
>
> In many Central American and South American countries, *vos* is used instead of *tú*:
>
> *¿Cómo te llamás vos?* *What is your name?*
>
> Ask your instructor whether s/he uses *tú* or *vos*, and how s/he would greet a 30-year-old store clerk: with *tú/vos* or with *usted*.

Input **[1.1] ¿Quién...?** Refer back to the illustration of **Así se dice: Nuevos encuentros,** to see who...

1. ...is using an informal greeting.
   (a.) Carmen y Alfonso **b.** Inés y la profesora Falcón
2. ...is formally introducing one person to another.
   (a.) Javier **b.** Inés
3. ...is introducing her/himself.
   a. Ana y Manuel (b.) Alfonso y Carmen
4. ...formally introducing one person to another.
   a Javier (b.) Inés
5. ...informally asking about someone's origin.
   (a.) La profesora Falcón **b.** Octavio

Input **[1.2] ¿Formal o informal?** Listen to the following people as they greet each other and indicate whether they are addressing each other in a formal or informal manner.

	Formal	Informal
1	☒	☐
2	☐	☒
3	☐	☒
4	☒	☐

Nota. Como guía al instructor, **Input** (comprensión) y **Output** (producción) indican "el aspecto del acto comunicativo que trabaja cada ejercicio" y señalan la organización de las actividades dentro del principio de "comprensión antes de producción".

1.1 Nota. Para completar esta actividad, el estudiante ha de comprender las diferencias entre las distintas formas de dirigirse a una persona (en este caso, las que comunican un trato formal o informal). Este tipo de ejercicio es comunicativo y no mecánico (en estos no es necesario comprender el mensaje para poder completar el ejercicio correctamente). Para más detalles sobre el concepto de trabajo comunicativo, vea el *Prefacio*.

Sugerencia: Puede hacer este ejercicio con toda la clase. Pida a los estudiantes que se fijen en las diferencias entre la conversación en la que participa un profesor y las conversaciones entre estudiantes, y que justifiquen sus respuestas en el texto, por ejemplo: la respuesta para 1 es *a*, porque Alfonso usa las formas *tú* y *te*, pero Inés usa la forma *le*.

1.2 Audio:

1. —Buenas tardes, señora Beltrán.
   —Buenas tardes, señorita Vargas, ¿cómo está usted?
   —Muy bien, gracias.
2. —Hola, Jorge, ¿qué tal?
   —Andrés, ¿todo bien?
   —Sí, muy bien.
   —Bueno, hasta luego.
3. —¡Hola Pedro!
   —Marta, ¿qué hay de nuevo?
   —No mucho, y tú ¿cómo estás?
   —Bien.
   —Bueno, voy a la clase de cálculo.
   —Sí, yo voy a una clase también. Hasta luego.
   —Chao.
4. —Buenos días, señor López.
   —¿Cómo está usted, señora Soler?
   —Bien, bien, ¿y usted?
   —Excelente, gracias.

1.3 Audio:
1. ¡Hola!
2. ¿Cómo estás?
3. ¿De dónde eres?
4. ¿Qué pasa?
5. Hasta mañana.

[1.3] ¿Cómo estás?

Input

Listen and choose the appropriate response to each greeting or question.

1. a. Me llamo Juan. (b.) Hola, ¿qué tal? c. Soy de Estados Unidos.
2. (a.) Muy bien, ¿y tú? b. Pues nada. c. Gracias.
3. a. Fenomenal. (b.) Soy de México, ¿y tú? c. Hasta pronto.
4. a. Muy bien, gracias. (b.) Pues nada. c. Bueno, pues, hasta luego.
5. a. ¿Qué pasa? b. Buenas tardes. (c.) Chao.

[1.4] Las presentaciones.

Input/Output

Paso 1. Move around the classroom and talk to at least five of your classmates and your instructor. Take notes with the information you learn in a chart like the one below.

- Greet them (remember to greet your instructor with formal forms!).
- Introduce yourself and learn their names.
- Find out where they are from.
- Say good-bye.

Modelo: Estudiante A: **Hola, me llamo Antonio. Y tú, ¿cómo te llamas?**
Estudiante B: **Me llamo Raquel. ¿Cómo estás?**
Estudiante A: **Muy bien, gracias. ¿De dónde eres?**

Nombre	Es de...

Paso 2. Find one of the classmates you met earlier and introduce her/him to the other classmates you met and the instructor. When your classmate introduces you to others, be sure to respond appropriately.

Modelo: **Roberto, te presento a mi amiga Raquel. Raquel es de...**
Profesor/a, le presento a...

1.4 Note que este es el primer ejercicio en el que los estudiantes tienen que producir un mensaje de forma independiente. La producción (*output*) ayuda a consolidar lo aprendido en la etapa de comprensión (*input*) y dar un nuevo paso comunicativo: el uso original y creativo de la lengua.

Los ejercicios en los que los estudiantes circulan por la clase ofrecen una oportunidad de comunicación con interlocutores diferentes y suelen ser los primeros en los que los estudiantes se atreven a usar la lengua de forma expresiva y creativa.

Sugerencias: Puede pedir a sus estudiantes que escriban preguntas y respuestas antes de la interacción oral.

Únase a la actividad para que los estudiantes tengan la oportunidad de practicar las expresiones formales. Conviene dar un límite de tiempo para este tipo de ejercicio y cumplirlo. Cierre la actividad con un: *¡Siéntense, por favor!* acompañado de gestos.

Cultura

Greetings

ANTES DE LEER

1. How do you and your friends usually greet each other?
2. How do you greet people you don't know - younger, your own age, and older? Do you think greeting practices vary around the U.S.?

Use *PowerPoint Slides* para presentar esta sección de cultura.

Corbis/SuperStock

In Spanish-speaking countries, women on a first-name basis usually greet each other, as well as greet male friends, with a single light kiss sometimes accompanied by a handshake. In Spain and some other countries, they kiss once on each cheek. Men sometimes greet male friends and family with a short hug in addition to a handshake.

When the two people are on a last-name basis, they use a handshake only.

When people take leave of each other, they tend to repeat the same gesture as when they greeted each other.

Hola/SuperStock

DESPUÉS DE LEER

1. How would the following Spanish-speakers probably greet and take leave each of other?
   a. Susana and Antonio, Peru
   b. Juan and Alfonso, Mexico
   c. Mr. González and Mrs. Burgos, Chile
   d. Elena and Linda, Spain
2. How comfortable would you feel greeting friends with one or two kisses on the cheek?
3. How might it be interpreted if someone refused to greet with a kiss in a country where that is standard practice? And how might it look if a person tried to greet with a kiss in the U.S.?

Si tiene unos cuantos estudiantes extrovertidos, puede pedirles que modelen el saludo de un beso o de dos besos. Les puede mencionar que también vale 'besar al aire'.

Sugerencia: Si tiene hablantes de herencia, puede preguntarles si en su familia se saludan/despiden con besos.

En mi experiencia

Bridget, Rochester, NY

"In Spain, I quickly learned that you're supposed to kiss on the cheek when you greet someone, but I kept almost crashing faces with people! Finally, I noticed that you always go left first, putting right cheek to right cheek. Also, when you arrive to a social gathering, you're expected to greet each person individually. Just waving a general "hello" when you enter a party might be considered very rude!"

Why might it be considered important to greet every person individually when you arrive to a social gathering?

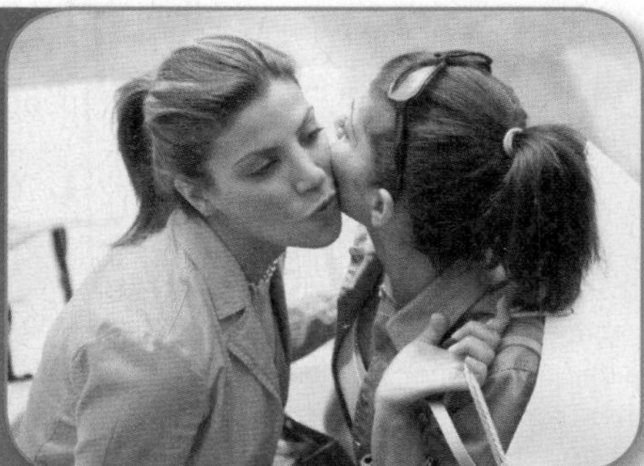

Así se dice

Dichos: *Cortesía y bien hablar, cien puertas nos abrirán.* ¿Qué significa el dicho?

WileyPLUS

Pronunciación:
Practice pronunciation of the chapter vocabulary and particular sounds of Spanish in *WileyPLUS*.

1.5 Use ***PowerPoint Slides*** para completar este ejercicio.

Extensión: Puede pedir a varios estudiantes que representen para la clase situaciones como las de los dibujos. La clase debe escoger la expresión de cortesía apropiada.

Expresiones de cortesía (*Expressions of courtesy*).

Con permiso.	*Pardon me./Excuse me. (to seek permission to pass by someone or to leave)*
Perdón./Disculpe.	*Pardon me./Excuse me. (to get someone's attention or to seek forgiveness)*
Lo siento (mucho).	*I'm (so/very) sorry.*
Por favor.	*Please.*
(Muchas) Gracias.	*Thank you (very much).*
De nada.	*You're welcome.*

Input **[1.5] ¡Son muy corteses!** Write an appropriate expression from the box under each drawing below.

Disculpe./Perdón.	**Muchas gracias**	**Lo siento mucho**
De nada	**Con permiso**	

1. El profesor Marín-Vivar a Natalia y Alfonso

Prof. Marín-Vivar is going to pass by Natalia and Alfonso. What does he say?

Con permiso.

2. Rubén a Camila

Rubén wants to speak to Camila, but she is talking with Carmen. What does Rubén say?

Disculpe./Perdón.

3. Esteban a Inés y Elena

Esteban drops his tray on Inés and Elena.

Lo siento mucho.

4. Linda a Manuel y Manuel a Linda

Manuel gives Linda a gift. What does she say?

Muchas gracias.

What does Manuel say to Linda?

De nada.

1.6 Extensión: Pida a los estudiantes que se levanten y caminen por el aula realizando las acciones descritas en las oraciones del ejercicio y usando las expresiones que escribieron. Insista en que los estudiantes cambien el orden de las acciones para que no hagan todos lo mismo a la vez.

Sugerencia: Pida a los estudiantes que graben sus conversaciones para escucharlas después o incluso compartirlas con la clase.

Output **[1.6] Somos muy corteses también.** Look at the situations below and write what you would say in each case. Pretend you do not know any of these people, so you need to use formal forms.

1. You drop a book on the bus, and another passenger picks it up and hands it to you. What would you say, and what would the person likely respond?

____

2. You excuse yourself before you walk in front of someone.

____

3. You lightly bump into someone and seek her/his forgiveness.

____

4. You get someone's attention and ask the person her/his name and where she/he is from.

____

Así se forma

Use *PowerPoint Slides* para presentar y practicar esta gramática.

1. Identifying and describing people: Subject pronouns and the verb *ser*

Me llamo Elena y soy estudiante, ¿y tú?
Soy Natalia y también soy estudiante. Yo soy de Nuevo México y tú, ¿de dónde eres?

Elena: Soy de Los Ángeles. **Soy** dinámica, atlética y extrovertida. Ah,... y **soy** muy puntual.

Natalia: Tú y yo **somos** similares. **Soy** responsable, generosa y muy puntual también.

In the previous section you used some subject pronouns to address people (**usted, tú**) and forms of the verb **ser** (*to be*): **¿De dónde *es* usted? ¿De dónde *eres*? *Soy* de...** Here are some more subject pronouns and forms of **ser**.

Subject pronouns	**Ser** *to be*
yo (*I*)	**soy** estudiante
tú (*you, singular informal*)[1]	**eres** inteligente
usted (Ud.) (*you, singular formal*)	**es** de Bolivia
él (he)/**ella** (*she*)	**es** profesor/profesora
nosotros/as (*we*)	**somos** estudiantes
vosotros/as (*you, plural informal*)	**sois** inteligentes
ustedes (Uds.) (*you, plural*)	**son** de Panamá
ellos (*they, masc.*)/**ellas** (*they, fem.*)	**son** profesores/profesoras

- **Vosotros/as** is used only in Spain. **Ustedes** is formal in Spain but both formal and informal in Hispanic America.
- Use subject pronouns only to *emphasize, to contrast,* or *to clarify*. Avoid them otherwise, since Spanish verb endings already indicate who the subject is.

  Yo soy de Cuba y **él** es de Chile. — *I am from Cuba* and *he is from Chile.*
  Soy de Cuba. — *I am from Cuba.*
  Somos estudiantes. — *We are students.*

- Use the verb **ser** to tell who a person is, where a person is from, and what a person is like.

  Natalia **es** estudiante. — *Natalia is a student.*
  Es de Nuevo México. — *She is from New Mexico.*
  Es muy independiente. — *She is very independent.*

NOTA DE LENGUA

To make a negative statement, place **no** before the verb.

No soy estudiante. — *I am not a student.*

In answering *yes/no* questions, repeat the **no**.

¿Eres pesimista? — *Are you a pessimist?*
¡No, no soy pesimista! — *No, I'm not a pessimist!*

WileyPLUS

Go to *WileyPLUS* to review this grammar point with the help of the **Animated Grammar Tutorial** and **Verb Conjugator**.

Las secciones **Así se forma** son introducidas por un breve texto que ilustra las formas y usos del punto gramatical estudiado. En estas notas ofreceremos sugerencias para un primer acercamiento inductivo basado en la observación de la lengua y formulación de hipótesis.

Con ayuda de sus estudiantes, señale las formas del verbo **ser** en las ilustraciones y el texto. Pida a sus estudiantes que hagan hipótesis sobre cuándo se usa cada forma. Pregunte después si es necesario mencionar siempre el sujeto (encontrarán la explicación en el texto).

Puede mencionar también que en español no existe un pronombre de sujeto equivalente a ***it***. Generalmente, cuando se usa ***it*** en inglés como sujeto, no es necesario expresarlo en español.

Es un gato. Es un carro.

Pida a los estudiantes que estudien las *Notas de lengua*. Estas notas suelen presentar información importante relacionada con la gramática o con las estructuras que se presentan en el capítulo.

[1] 'vos' is used instead of 'tú' in many parts of Latin America including Argentina, Costa Rica, El Salvador, Guatemala, Honduras, Nicaragua, Paraguay, and Uruguay. You will learn more about 'vos' in chapter 13.

NOTA DE LENGUA

Los cognados Cognates are words that are identical or similar in two languages and have the same meaning. For example, the adjectives in the boxes on this page are cognates. Since there are many cognates between English and Spanish, recognizing these is an important skill when learning a second language.[1]

Nota: El estudio de estos cognados ofrece un primer acercamiento al concepto de concordancia de género (masculino/femenino) en los adjetivos antes de llegar a su estudio formal en el **Capítulo 3**.

Señale que consideramos vocabulario activo el que aparece en negrita de las secciones **Así se dice** y **Así se forma**. En este caso, revise con su clase los cognados que deben estudiar: **flexible, independiente**, etc. Pueden encontrar una lista completa al final de cada capítulo en **Repaso de vocabulario activo.**

1.7 Sugerencia: Al final del libro (Apéndice 3) y *WileyPlus* puede encontrar una amplia lista de adjetivos descriptivos cognados de inglés. Puede copiarla y distribuirla en clase o proyectarla mientras hacen los ejercicios de esta sección.

Sugerencia: Suele resultar más difícil para los estudiantes reconocer los cognados cuando los escuchan que cuando los leen. Para ayudarlos, puede leer algunos cognados de las listas y pedir a los estudiantes que los identifiquen. Como práctica adicional, los estudiantes pueden hacer este mismo ejercicio en parejas: turnándose, un estudiante escoge y lee uno de los cognados y el otro lo identifica.

PALABRAS ÚTILES (*Useful Words*)

también *also*
tampoco *neither/not either*

Use ***PowerPoint Slides*** para presentar esta gramática.

2. Describing with adjectives: Gender and number agreement

Below you have a list of adjectives (words we use to describe people and things) that are commonly used with **ser** to describe people.

Note that some adjectives may be used to describe both males or females.

admirable	**flexible**	materialista	rebelde
arrogante	independiente	**optimista**	**responsable**
conformista	**inteligente**	paciente	sentimental
eficiente	irresponsable	**pesimista**	terrible
egoísta	liberal	puntual	tolerante

But other adjectives change **-o** to **-a** when referring to a female.

ambicioso/a	dinámico/a	**introvertido/a**	religioso/a
atlético/a	**extrovertido/a**	modesto/a	romántico/a
cómico/a	generoso/a	organizado/a	serio/a
creativo/a	impulsivo/a	práctico/a	**tranquilo/a**

To describe more than one person, add **–s** to adjectives that end in a vowel and **–es** to those ending in a consonant.

admirable → admirable***s***
sentimental → sentimental***es***

[1.7] ¿Similares o diferentes?
Can you figure out what the title of this activity is? The words are cognates!

Input **Paso 1.** Read the following sentences and mark whether they are true (**cierto**) or false (**falso**) for you. Then create another true sentence using the list of adjectives above.

	Cierto	Falso
1. Soy optimista.	☐	☐
2. Soy creativo/a.	☐	☐
3. Soy serio/a.	☐	☐
4. Soy responsable.	☐	☐
5. Soy extrovertido/a.	☐	☐
6. Soy paciente.	☐	☐
7. ______________________	☑	☐

Paso 2. Work with a partner and compare your answers orally. Then write sentences about your differences.

Modelo: **Soy optimista, pero Kate no es optimista.**
Soy optimista y Kate es optimista también (*as well*).
No soy optimista y Kate no es optimista tampoco (*either*).

---

[1]New vocabulary consisting of cognates will not be introduced with translation (but you can find translations for the boldfaced terms in the **Repaso de vocabulario activo** section at the end of each chapter.)

[1.8] ¿Cómo son?

Input

[1.8] ¿Cómo son? Write the number of each sentence you hear next to the photo of the person/people it describes. You will hear two descriptions for each photo.

Francis M. Roberts/Alamy Images

Jóvenes muralistas en Nueva York

_3_ y _7_

Jeff Greenberg/Alamy Limited

Hombre indígena ecuatoriano

_2_ y _8_

Nancy Kaszerman/NewsCom

La novelista Isabel Allende

_4_ y _5_

IT Stock/Age Fotostock America, Inc.

Chicas futbolistas

_1_ y _6_

1.8 Audio:
1. Son atléticas. 2. Es tranquilo.
3. Son artísticos. 4. Es creativa.
5. Es extrovertida. 6. Son ambiciosas.
7. Son generosos. 8. Es práctico.

1.8 A pesar de su sencillez, este ejercicio no es mecánico sino comunicativo, ya que requiere la comprensión del principio de concordancia (entre el sujeto y el verbo y entre el nombre y el adjetivo) y tiene un propósito claro (identificar la persona descrita).

Extensión: Puede ampliar este ejercicio de comprensión añadiendo oraciones con diferentes adjetivos.

NOTA CULTURAL

Una escritora chilena

Isabel Allende is a prolific Chilean author whose novels are bestsellers in many countries, including the United States. She was awarded Chile's National Literature Prize in 2010. Two of her novels, "**La casa de los espíritus**" (*The House of the Spirits*) and "**De amor y de sombra**" (*Of Love and Shadows*), were made into movies starring actors Javier Bardem, Benjamin Bratt, Meryl Streep, Glenn Close, Jeremy Irons, Winona Ryder, Antonio Banderas, Vanessa Redgrave, and others. Try to watch one of them and report back to the class.

[1.9] Personas famosas.

Output

[1.9] Personas famosas. Using adjectives from the following list, plus others that you can come up with and the clues given in parentheses, tell a classmate about the following famous people and two more of your choice. Say what they do and where they are from, and use one or two adjectives to describe them.

Modelo: Penélope Cruz (actriz/España)

Penélope Cruz *es* actriz y *es* de España. Es muy bell*a* y dinámic*a*.

atlético/a	creativo/a	famoso/a	popular	bello/a (*beautiful*)
dinámico/a	fuerte (*strong*)	romántico/a	serio/a	rebelde(*s*)

Kevork Djansezian/Staff/GettyImages, Inc.

1. Javier Bardem (actor/España)

Scott Gries/Getty Images

2. Shakira (cantante/Colombia)

Lisa Maree Williams/Stringer/Getty Images

3. Rico Rodriguez (actor, Estados Unidos)

MCT via Getty Images

4. Sonia Sotomayor (jueza/Puerto Rico)

1.9 Este ejercicio presenta de forma indirecta el uso del verbo *ser* para identificar, describir y hablar del origen de la persona, al mismo tiempo que se comienza a practicar la concordancia entre el nombre y el adjetivo en la fase de producción (*output*).

Extensión: Pida a los estudiantes que, en grupos, lean las descripciones de las personas famosas que añadieron a su lista sin mencionar sus nombres, para que sus compañeros intenten adivinar quiénes son.

Indique a los estudiantes que deben prestar atención al uso correcto de las formas masculinas o femeninas de los adjetivos.

1.10 Este ejercicio recicla los saludos y las presentaciones mientras se practica el verbo *ser* + adjetivos. Recuerde a los estudiantes que la forma de algunos adjetivos varía en género y, en este caso, depende de si se refieren a un hombre o a una mujer.

Para escribir: Es conveniente que los estudiantes tengan oportunidades de escribir en clase aunque sea en actividades breves. Esto les ayuda a consolidar tanto el nuevo vocabulario como las estructuras, al usarlos de forma original. Por ejemplo, puede dar estas instrucciones para una actividad que puede desarrollarse en clase o asignarse como tarea: **Write a dialog that takes place between yourself and a person you met for the first time and you want to get to know. Begin with a greeting and end with good-bye.**

Sugerencia: En una página de Internet (ej. blog, grupo de Facebook, etc.) pida a los estudiantes que compartan información sobre sus personalidades. Por ejemplo, puede pedir que cada uno contribuya indicando al menos una característica de su personalidad y buscando después a un compañero que tenga esa misma característica.

Input/ Output

[1.10] Mi personalidad.

Paso 1. In pairs, greet and introduce yourselves and talk about your origins. Then ask each other *yes/no* questions to determine your personality traits. Take notes, as you will need some of this information later.

Modelo: Estudiante A: **¿Eres (muy) extrovertido/a?**
Estudiante B: **Sí, soy muy extrovertido/a. / No, no soy (muy) extrovertido/a. ¿Y tú?**

Paso 2. Walking around the classroom, introduce your classmate to three other students. Tell her/his name, origin, and two personality traits.

Modelo: **Mi amigo/a se llama...** *o* **Te presento a mi amigo/a...**
Es de...
Es... y...

Paso 3. Tell the class one difference between you and your classmate and two things you have in common. Remember to add **-s** or **-es** to the adjective to form the plural.

Modelo: **(*Partner's name*) es... y yo soy...**
Él/Ella y yo somos... y...

NOTA DE LENGUA

As you may have noticed, we simply add question marks to a statement to form yes/no questions:

Eres inteligente → ¿Eres inteligente? No es cómico → ¿No es cómico?

With question words, the question word is typically followed by the verb, then the subject (if it is mentioned):

¿Cómo estás (tú)? ¿De dónde son (ustedes)?

En mi experiencia

Janice, Des Moines, IA

"In Mexico, people always call me **güera** (person with fair skin and/or hair). It's common to give individuals nicknames based on a physical characteristic, such as **flaco** ("skinny"), **chata** (pug-nosed) or **zahanoria** (carrot, for a redhead). At first I though this was kind of mean, but I came to learn that it's more a sign of affection."

© gehringj/iStockphoto

What kinds of underlying beliefs would allow people to feel affection from these kinds of nicknames? If you have a nickname (other than a shortened form of your own name), what is it, and how did you get it?

Así se dice

Los números del 0 al 99

Use *PowerPoint Slides* para presentar este vocabulario.

Carlos S. Pereyra/Age Fotostock America, Inc.

Glow Images/Age Fotostock America, Inc.

Apis/Abramis/Alamy Images

WileyPLUS

Pronunciación:
Practice pronunciation of the chapter vocabulary and particular sounds of Spanish in *WileyPLUS.*

0 cero	**10 diez**	**20 veinte**	**30 treinta**
1 uno	**11 once**	**21 veintiuno**	**31 treinta y uno**
2 dos	**12 doce**	**22 veintidós**	**32 treinta y dos**
3 tres	**13 trece**	**23 ventitrés**	**...**
4 cuatro	**14 catorce**	**24 veinticuatro**	**40 cuarenta**
5 cinco	**15 quince**	**25 veinticinco**	**50 cincuenta**
6 seis	**16 dieciséis**	**26 veintiséis**	**60 sesenta**
7 siete	**17 diecisiete**	**27 veintisiete**	**70 setenta**
8 ocho	**18 dieciocho**	**28 veintiocho**	**80 ochenta**
9 nueve	**19 diecinueve**	**29 veintinueve**	**90 noventa**

- **Uno** is used for counting, but before a noun we use the indefinite article **un** (masculine)/**una** (feminine). The same holds true for **veintiuno**, **treinta y uno**, and so on.

Un profesor, **una** profesora y **veintiún** estudiantes son de Texas. — *One* (*male*) professor, *one* (*female*) *professor, and twenty-one students are from Texas.*

- The numbers from 16 to 29 are usually written as one word: **diecisiete**, **veinticuatro.** Those from 31 on are written as three words: **treinta y tres**; **cincuenta y seis.**
- Note the numbers that carry accent marks: **dieciséis, veintidós, veintitrés, veintiséis.**

PALABRAS ÚTILES

y	+
menos	–
son	=

1.11 ***Paso 1.*** **Audio:**
1. Cuatro y cuatro son ocho.
2. Dos y tres son seis.
3. Nueve menos dos son siete.
4. Ochenta menos cuarenta son veinte.
5. Treinta más treinta son setenta.

1.11 ***Paso 2.*** **Audio:**
1. Veintiséis menos doce son... (***catorce***)
2. Cuarenta menos veintiuno son... (***diecinueve***)
3. Setenta y dos y dieciséis son... (***ochenta y ocho***)
4. Trece y cinco son... (***dieciocho***)
5. Sesenta y seis y treinta y tres son... (***noventa y nueve***)

[1.11] ¿Correcto o incorrecto?

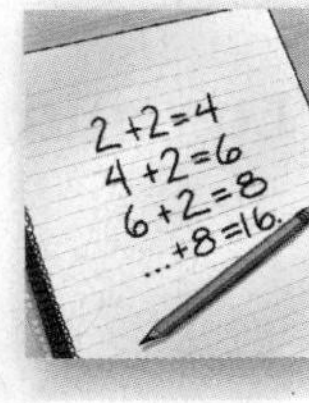

Input **Paso 1.** Listen to some math problems and decide whether the answer is correct (**correcto**) or incorrect (**incorrecto**).

1. (C) I **2.** C (I) **3.** (C) I **4.** C (I) **5.** C (I)

Output **Paso 2.** Now listen to a few more math problems. This time you have to provide the answers. Write them out in words in your notebook or on a sheet of paper.

[1.12] Más matemáticas.

Output Write five simple math problems like the ones you just heard. In pairs, take turns reading your problems to your partner and writing out answers to hers/his. Then, check each other's answers.

Modelo: Estudiante A: **Diez y ocho son...**
Estudiante B: **Dieciocho.**

[1.13] Números de teléfono.

In Spanish, the digits of phone numbers are usually given in pairs and the article el (*the*) precedes the phone number: **"Es el 4-86-05-72."**

Input **Paso 1.** Listen as your instructor reads telephone numbers from the phone list below. Raise your hand when you know whose number was read and tell whose number it is.

Modelo: Es el número de Juan Millán.

Input/Output **Paso 2.** Now, in pairs, take turns reading phone numbers and identifying the person whose number it is.

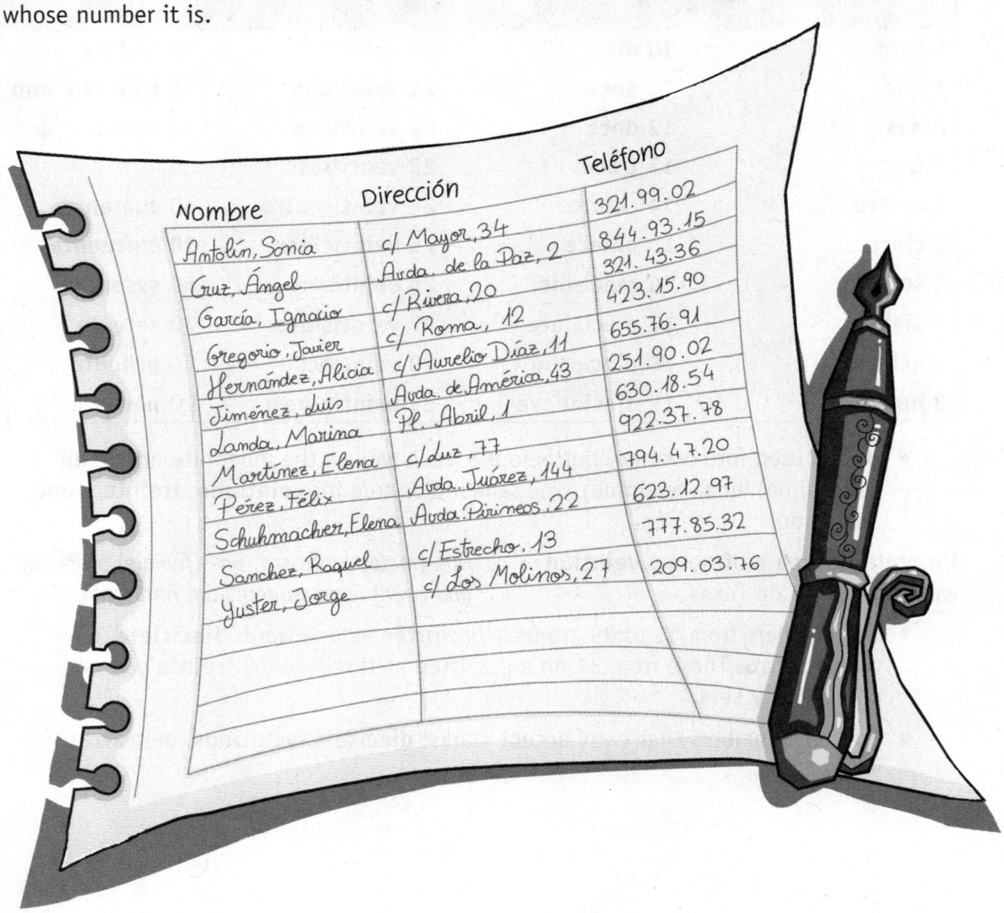

Nombre	Dirección	Teléfono
Antolín, Sonia	c/ Mayor, 34	321.99.02
Cruz, Ángel	Avda. de la Paz, 2	844.93.15
García, Ignacio	c/ Rivera, 20	321.43.36
Gregorio, Javier	c/ Roma, 12	423.15.90
Hernández, Alicia	c/ Aurelio Díaz, 11	655.76.91
Jiménez, Luis	Avda. de América, 43	251.90.02
Landa, Marina	Pl. Abril, 1	630.18.54
Martínez, Elena	c/ Luz, 77	922.37.78
Pérez, Félix	Avda. Juárez, 144	794.47.20
Schuhmacher, Elena	Avda. Pirineos, 22	623.12.97
Sanchez, Raquel	c/ Estrecho, 13	777.85.32
Yuster, Jorge	c/ Los Molinos, 27	209.03.76

PALABRAS ÚTILES

C/ → Calle	*Street*
Avda. → Avenida	*Avenue*
Pl. → Plaza	*Square*

1.12 Sugerencia: Otra actividad que puede realizarse para practicar los números (excelente como actividad de calentamiento al comienzo de otra clase) es un juego de ***bingo***. Pida a los estudiantes que dibujen un cuadro de 3 líneas x 3 columnas y que escriban números del 1 al 30 sin repetir ninguno. Usted debe escribir una lista con todos los números. Escriba en la pizarra las palabras ***línea*** y ***bingo***. Diga números de la lista en voz alta (táchelos en la lista para saber qué números ya ha mencionado), los estudiantes escuchan y marcan los números que tienen, diciendo ***línea*** o ***bingo*** cuando corresponda.

1.13 ***Paso 1.*** Lea dos o tres números de teléfono de la lista.

Use ***PowerPoint Slides*** para presentar este vocabulario.

ASÍ SE DICE

El alfabeto

The letters of the alphabet (**alfabeto** or **abecedario**) and their names follow. Listen and repeat.

a (a)	**A**rgentina	**j** (jota)	**J**uárez	**r** (ere)	Puerto **R**ico		
b (be)	**B**olivia	**k** (ka)	Nueva Yor**k**	**s** (ese)	**S**an **S**alvador		
c (ce)	**C**uba, **C**iudad Real	**l** (ele)	**L**aredo	**t** (te)	**T**egucigalpa		
d (de)	**D**allas	**m** (eme)	**M**anagua	**u** (u)	**U**ruguay		
e (e)	**E**cuador	**n** (ene)	**N**icaragua	**v** (uve)	**V**enezuela		
f (efe)	**F**lorida	**ñ** (eñe)	Espa**ñ**a	**w** (uve doble)	**W**ashington		
g (ge)	**G**uatemala, **G**erona	**o** (o)	**O**axaca	**x** (equis)	e**x**amen, Mé**x**ico		
h(hache)	**H**onduras	**p** (pe)	**P**anamá	**y** (ye)	**Y**ucatán		
i (i)	**I**quitos	**q** (cu)	**Q**uito	**z** (zeta)	**Z**acatecas, Cuzco		

[1.14] ¿Cómo se escribe? (*How do you spell it?*)

Input

Paso 1. Listen to the spelling of the names of some Hispanic cities and write them down.

1. ____________ 4. ____________
2. ____________ 5. ____________
3. ____________ 6. ____________

Input/ Output

Paso 2. Choose three countries or cities in the Spanish-speaking world (check the maps in the front inside cover) and write them down. Now work with a partner. Taking turns, spell the names of your places for your partner and write down the names of the places she/he spells for you.

Input/ Output

[1.15] Mi nombre y mi número de teléfono.

In groups, ask for and give each other your names, phone numbers, and e-mail addresses, spelling things out in Spanish. Write the information accurately, as it will be used later for a Class Directory.

Modelo: Estudiante A: **¿Cómo te llamas?**
Estudiante B: **Me llamo Mónica Smith: M–o–n...**
Estudiante C: **¿Cuál es tu número de teléfono?**
Estudiante B: **Es el cuatro ochenta y seis, cero, cinco, setenta y dos.**
Estudiante D: **¿Cuál es tu correo electrónico?**
Estudiante B: **Es monica3@dicho.com: d–i–c–h...**

PALABRAS ÚTILES

número de teléfono	*phone number*
correo electrónico	*e-mail address*
arroba	@
punto	*dot*
el celular (Lat. Am.)/ el móvil (Spain)	*cell phone*
¿Cuál es tu...?	What is your...?[1]

[1]We use *cuál* meaning what when we are asking about specific information or data, you will learn other Spanish words that correspond to different uses of "what" later on.

El alfabeto. Las combinaciones **ch (che)**, como por ejemplo en **Ch**ile; ll (elle), como por ejemplo en Mede**ll**ín; y **rr** (**erre**), como por ejemplo en Monte**rr**ey, se consideraban antes letras en sí. Señale a los estudiantes que así las encontrarán en diccionarios viejos.

Este puede ser un buen momento para trabajar la pronunciación con la sección ***Así se pronuncia***, ubicada en el ***Activities Manual***. Note que en este capítulo se presenta solamente la pronunciación de las vocales para no sobrecargar a los estudiantes. Mencione que la pronunciación de las consonantes se estudiará en los ***Capítulos 2–6***.

1.14 Audio:
Paso 1.
1. Barranquilla 4. Bogotá
2. Arequipa 5. Santiago
3. Veracruz 6. Querétaro

Paso 2.
Sugerencia: Cuando terminen la actividad, pida a los estudiantes que les muestren a sus compañeros los países y las ciudades que escogieron en los mapas del libro.

1.15 Sugerencia: Pida a un voluntario de cada grupo que compile los nombres y direcciones de correo electrónico de sus compañeros y que se los envíe para crear un directorio de la clase que puede distribuir después.

NOTA DE LENGUA

The letters **w** and **k** are rare in Spanish and appear mostly in foreign words. The letter **x** is pronounced as "ks" in most words (**examen**), but it is pronounced as "j" in many names of places (**México**) because the sound of "j" was spelled as *x* in old Spanish and the old spelling is still used.

WileyPLUS
Pronunciación:
Practice pronunciation of the chapter vocabulary and particular sounds of Spanish in *WileyPLUS*.

Use ***PowerPoint Slides*** para presentar este vocabulario.

Sugerencia: Recicle el alfabeto. Pida a los estudiantes que se agrupen en parejas y que tomen turnos para que uno deletree un día de la semana y el otro lo identifique.

Sugerencia: Para reciclar los números puede hacer preguntas sobre las semanas y los meses cuyas respuestas consistan en números: "¿Cuántos días hay en una semana? ¿Cuántos días hay en febrero?, etc."

NOTA CULTURAL

Many young people in Spanish-speaking countries make changes to the written language when they text or post on Facebook and other social media. Here are two examples: One from Mexico and the other from Spain:

Regular Spanish spelling	Adapted spelling
¡Gracias por los regalos (*gifts*)!	graziaz x loz regaloz!
¡Besos y saludos a todos!	bss y salu2 a t2!

What are some common texting replacements in English?

ASÍ SE DICE

Los días de la semana y los meses del año (*Days of the week and months of the year*)

¿Qué día es hoy? (*What day is it today?*)

septiembre

lunes	martes	miércoles	jueves	viernes	sábado	domingo
					1	2
3	4	5	6	7	8	9
10	11	12	13	14	15	16
17	18	19	20	21	22	23
24	25	26	27	28	29	30

el **día** — la **semana** — el **fin de semana**

- In Hispanic calendars, the week usually begins on Monday.
- The days of the week are not capitalized in Spanish.
- With the day of the week, the definite article **el** (singular) or **los** (plural) is used to indicate *on*.

  El sábado vamos a una gran fiesta. *On Saturday, we are going to a big party.*
  Los miércoles vamos al gimnasio. *On Wednesdays, we go to the gym.*
- The plural of **el sábado** and **el domingo** is **los sábados** and **los domingos.** The other days use the same form in the singular and in the plural: **el lunes** → **los lunes**.

Input

[1.16] El mes de septiembre. Listen to statements about what days of the week certain dates fall on, and mark whether the statements are true (**cierto**) or false (**falso**) based on the calendar on **Así se dice, Los días de la semana y los meses del año: ¿Qué día es hoy?**

1. (C) F **2.** C (F) **3.** C (F) **4.** (C) F **5.** (C) F

1.16 Audio:

1. El día 11 de septiembre es martes.
2. El 26 de septiembre es lunes.
3. El día 8 de septiembre es domingo.
4. Los días 22 y 23 de septiembre son fin de semana.
5. El 15 de septiembre no es viernes.

1.16 Extensión: Puede pedir a los estudiantes que creen oraciones similares a la que han escuchado y que, en parejas, continúen la actividad.

Input/ Output

[1.17] ¿Qué día es? In pairs, one of you will choose a day in the month of September from the calendar on **Así se dice, Los días de la semana y los meses del año: ¿Qué día es hoy?**, and the other will indicate on what day of the week it falls. Take turns.

Modelo: Estudiante A: **¿Qué día es el catorce de septiembre?**
Estudiante B: **Es viernes.**

1.17 Alternativa: Puesto que la estructura para dar fechas no se ha presentado antes, es importante que usted lea el modelo con la clase y comience el ejercicio con dos o tres ejemplos para que toda la clase responda, a modo de ensayo.

Input/ Output

[1.18] ¿Qué opinas? (*What do you think?*) Complete the statements with the appropriate day(s). Then in groups, share your answers with your classmates. Are your opinions similar?

1. Mi día de la semana favorito es ________________.
2. El peor (*worst*) día de la semana es ________________.
3. Tengo (*I have*) muchas clases ________________.
4. No tengo muchas clases ________________.
5. Un día malo (*bad*) para exámenes es ________________.
6. Un día bueno (*good*) para hacer fiestas es ________________.

1.18 Sugerencia: Si usa *WileyPlus*, puede pedir a sus estudiantes que colaboren en esta actividad usando la herramienta BlackBoard IM de *WileyPlus*.

NOTA CULTURAL

Cinco de Mayo

Cinco de Mayo is not "Mexican Independence Day"! It commemorates an important victory against the French in the town of Puebla. In Mexico, people have May 5th off, but it is not celebrated with parties as it is in the United States. Mexican Independence Day is on September 16th, when the *Grito de Independencia* is celebrated.

Search the Internet for "Grito de Independencia" in Mexico. In what ways is it similar to and different from Paul Revere's ride, or from Patrick Henry's "Give me liberty, or give me death!" speech at the 1775 Virginia Convention?

Agencia el Universal GDA PhotoService/Newscom

¿Cuál es la fecha de hoy?/¿Qué fecha es hoy? (*What's today's date?*)

Extensión: Para practicar los meses, escriba cada mes en una hoja de papel. Pida a 12 estudiantes que se levanten y se pongan de frente a la clase con una hoja de papel cada uno (distribuya las hojas al azar). El resto de la clase tiene que ponerlos en orden cronológico (pida que cierren sus libros).

Después, pida las hojas a los estudiantes, saque cuatro meses y redistribuya el resto al azar. La clase tiene que decir qué meses faltan.

JUNIO
13
Pero Alfonso, mi cumpleaños es el 13 de agosto.

- To express what day of the month it is, use cardinal numbers (**dos, tres, cuatro,...**). In Latin America, the first of the month is always expressed with **el primero**. In Spain, **el uno** is used.

  Hoy es (el)[1] cuatro de abril.
  Mañana es (el) primero de abril. (Latin America)
  Mañana es el uno de abril. (Spain)

- To express the month in a date, use **de** before the month. Months are not generally capitalized in Spanish.

  el 25 **de** diciembre   el diez **de** mayo

- When dates are given in numbers, the day precedes the month.

  4/7 = **el cuatro de julio**

Note the names of the months in this calendar.

2015

enero

L	M	M	J	V	S	D
			1	2	3	4
5	6	7	8	9	10	11
12	13	14	15	16	17	18
19	20	21	22	23	24	25
26	27	28	29	30	31	

febrero

L	M	M	J	V	S	D
						1
2	3	4	5	6	7	8
16	17	18	19	20	21	22
23	24	25	26	27	28	

marzo

L	M	M	J	V	S	D
						1
2	3	4	5	6	7	8
16	17	18	19	20	21	22
23	24	25	26	27	28	29
30	31					

abril

L	M	M	J	V	S	D
		1	2	3	4	5
6	7	8	9	10	11	12
13	14	15	16	17	18	19
20	21	22	23	24	25	26
27	28	29	30			

mayo

L	M	M	J	V	S	D
				1	2	3
4	5	6	7	8	9	10
11	12	13	14	15	16	17
18	19	20	21	22	23	24
25	26	27	28	29	30	31

junio

L	M	M	J	V	S	D
1	2	3	4	5	6	7
8	9	10	11	12	13	14
15	16	17	18	19	20	21
22	23	24	25	26	27	28
29	30					

julio

L	M	M	J	V	S	D
		1	2	3	4	5
6	7	8	9	10	11	12
13	14	15	16	17	18	19
20	21	22	23	24	25	26
27	28	29	30	31		

agosto

L	M	M	J	V	S	D
					1	2
3	4	5	6	7	8	9
10	11	12	13	14	15	16
17	18	19	20	21	22	23
24	25	26	27	28	29	30
31						

septiembre

L	M	M	J	V	S	D
	1	2	3	4	5	6
7	8	9	10	11	12	13
14	15	16	17	18	19	20
21	22	23	24	25	26	27
28	29	30				

octubre

L	M	M	J	V	S	D
			1	2	3	4
5	6	7	8	9	10	11
12	13	14	15	16	17	18
19	20	21	22	23	24	25
26	27	28	29	30	31	

noviembre

L	M	M	J	V	S	D
						1
2	3	4	5	6	7	8
16	17	18	19	20	21	22
23	24	25	26	27	28	29
30						

diciembre

L	M	M	J	V	S	D
	1	2	3	4	5	6
7	8	9	10	11	12	13
14	15	16	17	18	19	20
21	22	23	24	25	26	27
28	29	30	31			

[1] A word in parentheses ( ) in an example indicates that it is optional.

Input **[1.19] Días feriados (Holidays).** Match each of the following celebrations with the month when they are celebrated in the United States. For how many of them can you give the date as well, according to the calendar on the previous page?

Modelo: El Día de Navidad es en diciembre. Es el veinticinco de diciembre.

1.	La Nochebuena (*Christmas Eve*)	**a.**	enero
2.	El Día de Acción de Gracias (*Thanksgiving Day*)	**b.**	febrero
3.	El Día de los Reyes Magos (*Three Kings Day*)	**c.**	mayo
4.	El Día de los Enamorados (*Valentine's Day*)	**d.**	junio
5.	El Día de las Madres (*Mother's Day*)	**e.**	julio
6.	El Día de los Padres (*Father's Day*)	**f.**	septiembre
7.	El Día de la Independencia (*Independence Day*)	**g.**	noviembre
8.	El Día del Trabajo (*Labor Day*)	**h.**	diciembre

1.19 Respuestas:
1. h, el 24 de diciembre
2. g, el 26 de noviembre (cuarto jueves de noviembre)
3. a, el 6 de enero
4. b, el 14 de febrero
5. c, el 10 de mayo (segundo domingo de mayo)
6. d, el 21 de junio (tercer domingo de junio)
7. e, el 4 de julio
8. f, el 1 de septiembre

Enfatice que, para las fiestas con fechas variables, las respuestas se basan en el calendario que se puede encontrar en la sección de presentación de vocabulario de la página anterior.

Extensión: En parejas, un estudiante lee una de las fechas y el otro identifica la celebración.

Dichos: *En abril, aguas mil.* ¿Qué significa el dicho?

NOTA CULTURAL

Los días feriados

©Matthias Oesterle/Alamy

A *cabalgata* or Three Kings Parade

Not all holidays are celebrated equally or on the same dates in different Hispanic countries. For example, Father's Day is celebrated on March 19 in Spain, but on the second Sunday in June in other countries. Also, Mother's Day is always on May 10 in México and May 27 in Bolivia. Three Kings Day, or el **Día de los Reyes Magos** (*Wise Kings*), is the celebration of the Epiphany, honoring the arrival of the Three Wise Men to Jerusalem: Melchior, Balthazar, and Caspar. It is celebrated twelve days after Christmas (the "twelfth day of Christmas" in the famous Christmas carol). In the Hispanic world, the Three Kings bring gifts to children on this day, although **Santa Clos/San Nicolás** is gaining in popularity in many areas. Children often leave clumps of grass or hay for the Kings' camels to eat after their long journey.

Find out what a **Rosca de Reyes** is and what surprise is baked inside of it! What holiday customs are you familiar with that might compare to the customs described here?

INVESTIG@ EN INTERNET

Look for an e-card to send to one of the classmates whose e-mail address you know. Use a search engine to find free e-cards in Spanish to celebrate one of your favorite holidays.

1.20 Sugerencia: Diviértanse practicando los meses y los cumpleaños. Forme dos equipos. Cada equipo debe organizarse según las fechas de sus cumpleaños (día y mes solamente) preguntando: *¿Cuándo es tu cumpleaños?* y poniéndose en una fila, en orden según la fecha de sus cumpleaños. El primer equipo que se ponga en orden, gana la competencia. Pida a los estudiantes del equipo ganador que digan las fechas de sus cumpleaños para confirmar que están en el orden correcto.

Extensión: Puede llevar a cabo un pequeño sondeo para averiguar cuántos cumpleaños hay en cada mes.

Use ***PowerPoint Slides*** del calendario anual que aparece en Así se dice: ¿Cuál es la fecha de hoy?/¿Qué fecha es hoy? y pida a los estudiantes que se turnen diciendo las fechas de sus cumpleaños. Un secretario puede marcar las fechas mencionadas. Después puede hacer preguntas a la clase como: *¿Cuántos cumpleaños hay en enero? ¿Uno, tres... ?*

Sugerencia: Comparta con la clase algunas costumbres más sobre cumpleaños y santos en los países hispanos (ej. un tirón de una oreja por cada año cumplido, cantar las mañanitas) o comente algunas diferencias como qué cumpleaños son más simbólicos (los 15 y 18, frecuentemente, en vez de los 15 y 21 de EE. UU.)

1.21 Respuestas:
1. El santo de Elvira es el 25 de enero.
2. El santo de Gonzalo es el 10 de enero.
3. El santo de Martina es el 30 de enero.
4. El santo de Tomás es el 28 de enero.
5. El santo de Félix es el 14 de enero.

Input/Output

[1.20] Los cumpleaños (*Birthdays*).

Paso 1. Write the date of your birthday on a small piece of paper using numbers (**día/mes**) and give it to your instructor.

Paso 2. Your instructor will now give each student one of the pieces of paper. Move around the class to find the person whose birthday is written on it.

Modelo: Estudiante A: **¿Cuándo es tu cumpleaños?**
Estudiante B: **Mi cumpleaños es el ocho de octubre.**

Paso 3. Tell the class the name of the student whose birthday information you have and when her/his birthday is.

Modelo: El cumpleaños de Roberta es el ocho de octubre.

NOTA CULTURAL

El día del santo

In most Hispanic countries, it is common to celebrate your birthday and also your saint's day (based on the Catholic tradition). If your parents named you after the saint honored on the day of your birth, then your birthday and your saint's day are the same. If they named you after a saint honored on a different day of the year, you have two celebrations! Observe the names of the saints on the January calendar.

ENERO

LUNES	MARTES	MIÉRCOLES	JUEVES	VIERNES	SÁBADO	DOMINGO
LUNA LLENA DIA 1 - 31	C. MENGUANTE DIA 9	LUNA NUEVA DIA 17	C. CRECIENTE DIA 24	1 LA CIRCUNCISÍON	2 SAN BASILIO M.	3 SAN ANTERO PAPA
4 SAN PRISCO	5 S.TELESFORO	6 LOS S. REYES EPIFANÍA	7 SAN RAYMUNDO	8 SAN APOLINAR	9 SAN MARCELINO	10 SAN GONZALO
11 S. HIGINIO PAPA	12 S. ARCADIO M.	13 S. HILARIO OB.	14 SAN FÉLIX M.	15 SAN MAURO ABAD	16 SAN MARCELO	17 SAN ANTONIO ABAD
18 STA. PRISCA V.	19 SAN MARIO	20 SAN FABIÁN	21 SAN FRUCTUOSO	22 SAN VICENTE M.	23 SAN ALBERTO	24 SAN FRANCISCO DE S.
25 STA. ELVIRA V.	26 S. TIMOTEO OB.	27 STA. ÁNGELA V.	28 STO. TOMÁS DE A.	29 SAN VALERIO	30 STA MARTINA	31 SAN JUAN BOSCO

Output

[1.21] El día del santo.

Look at the calendar page above and find what days these people are celebrating their saints' day. Can you find a saint's day for someone you know?

Modelo: Ángela
El santo de Ángela es el 27 de enero.

1. Elvira **2.** Gonzalo **3.** Martina **4.** Tomás **5.** Félix

En mi experiencia

Kim, Long Beach, CA

©Ronnie Kaufman/Larry/Blend Images/age fotostock

"I was studying abroad in Oviedo, Spain. A friend and I took my host mom out to dinner for her birthday and we paid the bill without her knowing. When she found out, she was very upset. I explained to her that in the United States, it's polite to pay for dinner on someone's birthday. She said that in Spain it is the opposite: The birthday person pays for everyone."

Why might it be that the birthday individuals in Spain are the ones who treat their friends? Why might the birthday woman in this scenario have been offended?

ASÍ SE DICE

Decir la hora (*Telling time*).

- When you want to know what time it is, ask **¿Qué hora es?** For telling time on the hour, use **es** for *one o'clock* only. Use **son** for all other times.

Es la una.

Son las ocho.

- To state the number of minutes past the hour, say the name of that hour plus (**y**) the number of minutes.

Es la una **y** diez.

Son las cuatro **y** cuarto.
Son las cuatro **y** quince.

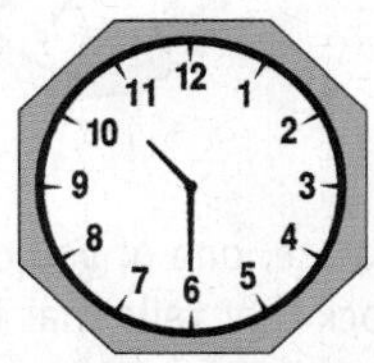

Son las diez **y** media.
Son las diez **y** treinta.

Son las once **y** cuarenta.

- To state the number of minutes before the coming hour, give the next hour less (**menos**) the number of minutes to go before that hour.

Es la una **menos** diez.

Son las nueve **menos** veinticinco.

- To differentiate between hours in the morning, afternoon, and evening, use the following expressions.

Son las seis **de la mañana.**

Son las seis **de la tarde.**[1]

Son las diez **de la noche.**

Es **mediodía.**

Es **medianoche.**

- To ask at *what time* a class or event takes place, use **¿A qué hora... ?**

  —¿**A qué hora** es la clase?
  —Es **a las 8:15** de la mañana.

[1]In most Spanish-speaking countries, **tarde** is used while there is still daylight, and thus may extend until 7:00 P.M. or even 8:00 P.M.

NOTA DE LENGUA

Speakers of Spanish rarely use A.M. and P.M., which are restricted to writing (although they are becoming more widely used in spoken Spanish in the United States). When speaking, one would say:

las seis **de la mañana**
las seis **de la tarde**

Use ***PowerPoint Slides*** para presentar este vocabulario.

Sugerencia: El uso de un reloj grande, real (de pared) o hecho con un plato de papel o cartón, es muy efectivo para ilustrar cómo se dice la hora.

Puede mencionar la variación *Faltan veinte para las tres* como equivalente a *Son las tres menos veinte.*

Use *PowerPoint Slides* para completar este ejercicio.

1.22 Audio:

Son las siete y cuarto de la mañana. (*Reloj 2*)

Es la una y diez de la tarde. (*Reloj 5*)

Son las diez menos cuarto de la mañana. (*Reloj 4*)

Es mediodía. (*Reloj 8*)

Son las once menos diez de la noche. (*Reloj 7*)

Son las ocho y media de la mañana. (*Reloj 3*)

Son las seis de la tarde. (*Reloj 1*)

Son las tres y veinticinco de la tarde. (*Reloj 6*)

[1.22] ¿Qué hora es?

Input

Paso 1. Listen to the times given and identify the clock (**reloj**) that tells each time.

Modelo: You hear: Son las ocho y media de la mañana.
You say: **Reloj 3.**

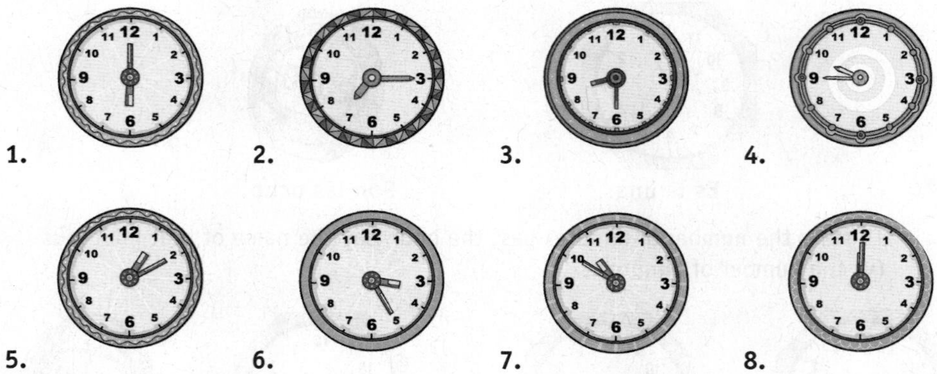

1. 2. 3. 4. 5. 6. 7. 8.

Input/Output

Paso 2. With a classmate, one of you chooses a clock and tells the time on it. Then the other identifies the clock that tells that time.

Modelo: Estudiante A: **Son las once y cinco de la mañana.**
Estudiante B: **Reloj 3.**

1. 2. 3. 4. 5. 6. 7. 8.

[1.23] ¿A qué hora? (*At what time?*) In pairs, each student looks at one of the following TV guides. Ask each other at what time the programs indicated are featured.

Input/ Output

Modelo: Estudiante A: **¿A qué hora es NX clusiva?**
Estudiante B: **A las ocho de la noche.**

Estudiante A	
Horario Univisión (Hora del este)	
En la mañana	
7:00 a. m. - 10:00 a. m.	¡Despierta América!
10:00 a. m. - 12:00 p. m.	La Rosa de Guadalupe
En la tarde	
12:00 p. m. - 1:00 p. m.	Hoy
1:00 p. m. - 2:00 p. m.	Casos de familia
2:00 p. m. - 3:00 p. m.	Amores Verdaderos
3:00 p. m. - 4:00 p. m.	Rebelde
4:00 p. m. - 5:00 p. m.	El Gordo y la Flaca
5:00 p. m. - 6:00 p. m.	Primer Impacto
6:00 p. m. - 6:30 p. m.	La Casa de la Risa
6:30 p. m. - 7:00 p. m.	Noticiero Univisión
En la noche	
7:00 p. m. - 8:00 p. m.	Heridas de Amor
8:00 p. m. - 9:00 p. m.	Noche de estrellas
9:00 p. m. - 10:00 p. m.	Corazón Indomable
10:00 p. m. - 11:00 p. m.	Historias para Contar
11:00 p. m. - 11:30 p. m.	Primer Impacto Extra
11:30 p. m. - 12:00 a. m.	Noticiero Univisión - Última Hora

Estudiante B	
Horario Galavisión (Hora del este)	
En la mañana	
7:00 - 10:00	Primero noticias
9:00 - 12:00	XH Derbez
En la tarde	
12:00 - 13:30	La Fea Más Bella
13:30 - 14:30	La escuelita VIP
14:30 - 15:30	Cero en Conducta
15:30 - 17:00	Noticiero con Paola Rojas
17:00 - 18:00	¿Qué nos pasa?
18:00 - 20:00	NX clusiva
En la noche	
20:00 - 21:00	El Chapulín Colorado
21:00 - 21:30	Mujeres, Casos de la Vida Real
21:30 - 22:30	Las noticias por Adela

Estudiante A

Ask about Galavisión's schedule:
1. Cero en Conducta
2. Primero noticias
3. La Fea más Bella
4. El Chapulín Colorado
5. Noticiero con Paola Rojas

Estudiante B

Ask about Univisión's schedule:
1. Noticiero Univisión Última Hora
2. Historias para contar
3. Casos de familia
4. El Gordo y la Flaca
5. ¡Despierta América!

Sugerencia: En esta actividad, los estudiantes no entenderán los títulos de los programas, pero pueden aprovechar esta ocasión para concentrarse en las preguntas y respuestas sobre las horas y la pronunciación. Si sus estudiantes insisten en tener traducciones de los títulos, puede darles unos minutos para identificar cognados e imaginar qué significan estos títulos. Luego, puede darles las traducciones reales.

Sugerencia: Invite a sus estudiantes a imaginar qué tipo de programa es cada uno. Puede escribir en la pizarra algunas categorías: Noticias, Telenovelas, Comedia, etc.

Sugerencia: Pida a sus estudiantes que busquen la programación actual en Internet.

1.24 Respuesta posible: Spanish is or has been an official language, or is widely spoken, in each of these countries.

Output **[1.24] El mundo hispano (*The Hispanic world*).** Times on the map below are given according to the 24-hour clock. Tell what time it is in the following cities according to the information on the map. What do these cities have in common?

Modelo: ¿Qué hora es en San Salvador, El Salvador?
Son las 7:30. *o* **Son las 7 y media de la mañana.**

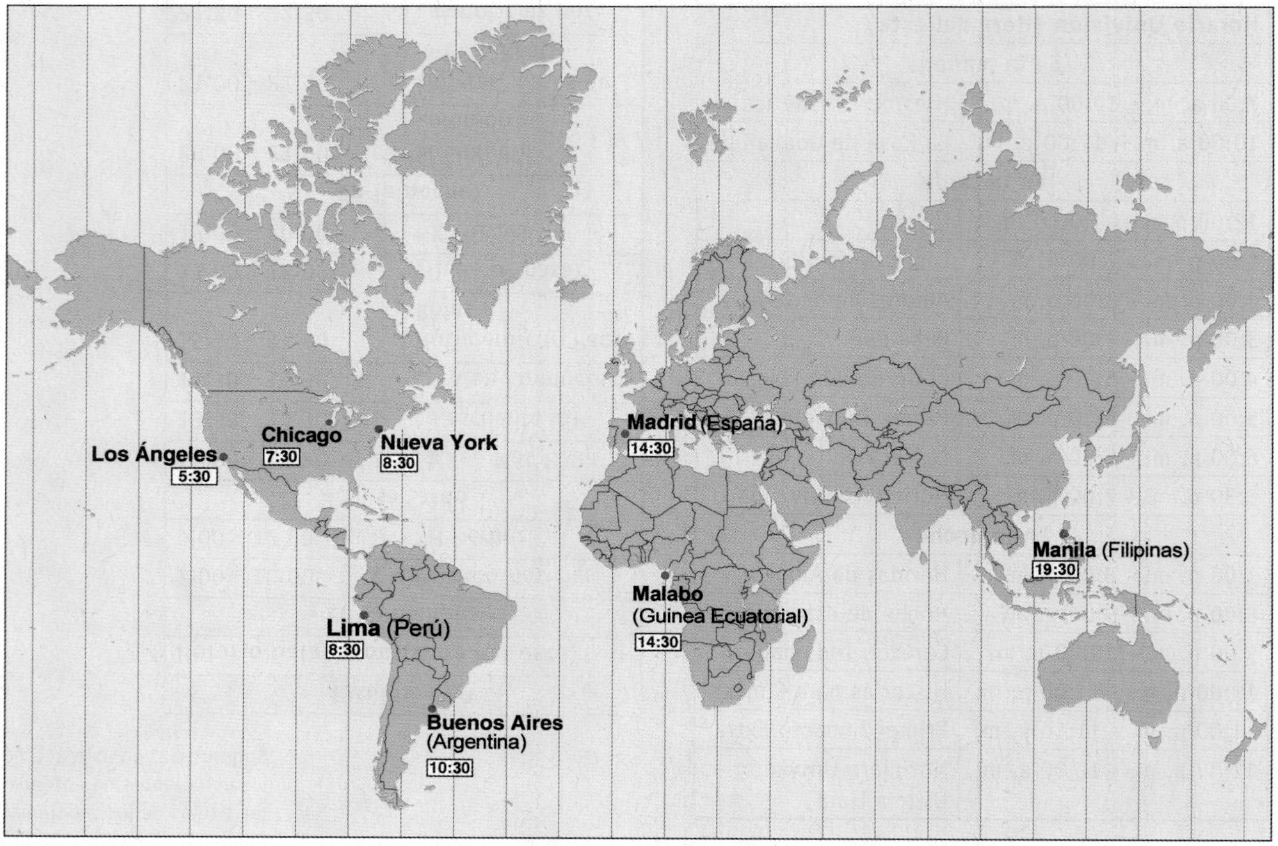

1. ¿Qué hora es en Lima?
2. ¿Qué hora es en Buenos Aires?
3. ¿Qué hora es en Los Ángeles?
4. ¿Qué hora es en Nueva York?
5. ¿Qué hora es en Madrid?
6. ¿Qué hora es en Chicago?
7. ¿Qué hora es en Manila?
8. ¿Qué hora es en Malabo?

Cultura

El español en el mundo

Use *PowerPoint Slides* para presentar esta sección de cultura.

ANTES DE LEER

1. Can you name 5 countries where Spanish is spoken?
2. Do you think the United States ranks high on the list of countries with large Spanish-speaking populations?

Spanish is the second most spoken language in the world:

Mandarin	955 million
Spanish	407 million
English	359 million

It is the primary language in 20 different countries—see the map on the front inside cover of your textbook to familiarize yourself with them—and it is also an official language in the African country of Equatorial Guinea.

Did you know that the United States has approximately 46 million Spanish speakers, making it the third largest Spanish-speaking country after Mexico and Spain? Spanish can be found widely in business contexts as well as on television, the Internet, and music.

What are some of the benefits of learning a second language—Spanish, in particular?

Las nacionalidades

When you travel to a Spanish-speaking country, you will likely be asked, **¿De dónde eres?** or **¿De dónde es usted?** If you are from the United States, your response would be, **Soy de Estados Unidos** or **Soy estadounidense**. Although we sometimes hear people from the U.S. referred to as americanos, in fact americano/a can refer to anyone in North, Central, or South America.

Note that several nationalities have two different forms:

Male	**mexicano, español**
Female	**mexicana, española**

Estadounidense has only one form for both males and females. For a complete listing of nationalities from around the world, see **Apéndice Países, profesiones, materias** at the end of the book.

Nota. Puesto que las nacionalidades no son parte del vocabulario activo aún, el ejercicio no requiere producción.

Sugerencia: Traiga fotos de hispanos famosos (puede encontrarlas en Internet) o, como alternativa, pida a sus estudiantes que lo hagan ellos como tarea. En este último caso puede pedirles también que traigan un poco de información sobre estas personas. Muestren las fotos en clase, para que los estudiantes identifiquen a las personas; usted puede informar sobre sus nacionalidades.

Blend Images/SUPERSTOCK

Soy cubano.

Photodisc/Getty Images, Inc.

Soy mexicana.

Digital Vision/Punchstock

Soy español.

Soy estadounidense.

Thomas Barwick/Riser/Getty Images, Inc.

DESPUÉS DE LEER

Do you know any Spanish-speakers in your community? What are their countries of origin?

DICHO Y HECHO

ANTES DE LEER

Do you use Facebook, Twitter, or other social media? Are you familiar with the common functions and tools they use?

This section will help you develop your reading, listening, writing, and oral skills in Spanish and offer strategies to do it more effectively. In this first chapter, you will work on reading, listening, and writing. In the next chapters, you will also work on oral skills.

PARA LEER: En las redes sociales (*social media*)

ESTRATEGIA DE LECTURA

Using previous knowledge

You have already learned to seek cognates to help your understanding of Spanish texts. You can also use other knowledge to help you better understand. Internet, newspapers, etc. often use common formats, icons, and images that you may recognize.

A LEER

Look at this social media page in Spanish. Can you tell what the different sections of the page are for? Can you figure out what the icons might mean? In pairs, mark the icons you can interpret and underline any words you understand (cognates, words you can figure out through context, etc.). When you finish, compare your findings with another pair.

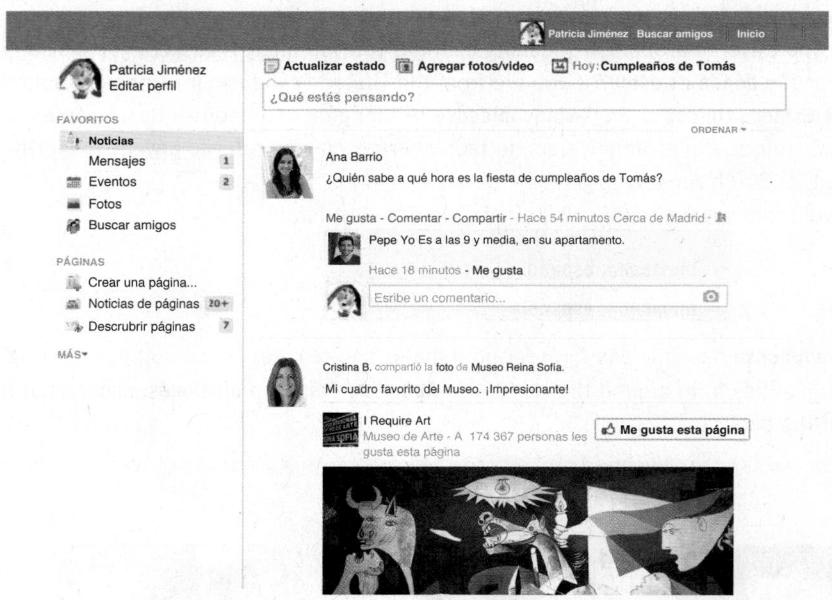

Credits (top to bottom): © Mark Bowden/iStockphoto, © Michael De Leon/iStockphoto, © Jani Bryson/iStockphoto, © denis doyle/Alamy, Bruce Yuanyue Bi/Lonely Planet Images/Getty Images

Sugerencias: Anime a sus estudiantes a cambiar la configuración de su cuenta de Facebook, Twitter, etc. a español durante unos días y prestar atención a los términos usados.

Si ha creado una página de Facebook para la clase, puede pedir a sus estudiantes que publiquen en ella algunas de sus tareas, como la de **Para escribir** en esta página.

DESPUÉS DE LEER

1. Find these words or sentences in the *MiRed* social media page and guess what they mean.

   * Noticias ______________
   * Páginas ______________
   * Perfil ______________
   * Buscar amigos ______________
   * ¿Qué estás pensando? ______________
   * Compartir ______________
   * Me gusta ______________
   * Cuadro ______________

PARA ESCRIBIR: Retrato en poesía

ANTES DE ESCRIBIR

Do you read or write poetry? Do you use this or another form of self-expression? Here are some ideas. Check the ones you do use or feel more affinity for.

Poesía/Escritura (*Poetry/Writing*)	Danza	Fotografía
Música	Pintura (*Painting*)	¿Otro? (*Other*?) ____________

Estrategia: Remember to use these connecting words in your writing: **y** (*and*), **también** (*also*), **o** (*or*), or **pero** (*but*).

A ESCRIBIR

You are going to write a brief portrait in the form of a poem, where you can describe a person who is important to you. And it does not have to rhyme! Here are some ideas to get you started:

- You have seen many examples of descriptive cognates throughout the chapter.
- You can also say where this person is from, if you'd like.
- You now know how to ask some questions; consider using one or more: *¿Cómo se llama?, ¿De dónde es?, ¿Cómo es?*
- Feel free to use any other vocabulary and phrases from the chapter to enhance your poem.

PALABRAS ÚTILES

(mejor) amigo/a	*best friend*
hermano/a	*brother/ sister*
padre/madre	*father/ mother*

Sugerencia: Puede ofrecer un modelo o, si le parece apropiado, una estructura para que los estudiantes completen.

DESPUÉS DE ESCRIBIR

After the class is divided into groups, share your poem with your group.

Sugerencia: Si ha creado un espacio en Internet para su clase, puede pedir a sus estudiantes que publiquen allí sus poemas.

PARA VER Y ESCUCHAR: ¡Bienvenido al mundo hispano!

WileyPLUS

ANTES DE VER EL VIDEO

1. ¿De dónde eres tú? ____________.
2. ¿De dónde son tus padres? ____________.

A VER EL VIDEO

Paso 1. Circle the countries mentioned in the video and write down one more that is not listed here.

(Argentina) Bolivia (Colombia) Costa Rica (Ecuador) El Salvador (Guatemala) (España) (México) Paraguay (Perú) Puerto Rico (Uruguay) (Venezuela)

Paso 2. Complete the sentences with the appropriate word(s) from the video. (Any words you have not learned are cognates. Try to spell them based on what you know about the alphabet.)

a. El español es el idioma oficial en __21__ países.

b. Los países del mundo hispano tienen mucha __historia__ y __cultura__ en común.

c. En España los amigos se saludan con __dos__ beso(s) y en Perú con __un__ beso(s).

d. ¿Cómo se saludan los viejos amigos? con un beso (con un abrazo)

DESPUÉS DE VER EL VIDEO

Had you heard about all these countries before? What countries are in North America, Central America, and South America? Would you be able to place them in a map?

Repaso de vocabulario activo

Saludos y expresiones comunes ***Greetings and common expressions***

Buenos días, señorita/señora/señor. *Good morning, Miss/Ma'am/Sir.*

Buenas tardes. *Good afternoon.*

Buenas noches. *Good evening.*

¡Hola! *Hello!/Hi!*

¿Cómo está usted? ¿Cómo estás? *How are you?*

¿Qué tal? *How is it going?*

Muy bien, gracias. *Very well, thanks.*

Fenomenal. *Great.*

Regular. *OK./So-so.*

¿Qué pasa? *What's happening?*

¿Qué hay de nuevo? *What's new?*

Pues nada. *Not much.*

Le presento a... *(formal) I would like to introduce you to ...*

Te presento a... *(informal) I want to introduce you to ...*

Mucho gusto. *Nice meeting you.*

Encantado/a. *Pleased to meet you.*

Igualmente. *Nice meeting you, too.*

El gusto es mío. *The pleasure is mine.*

¿Cómo se llama usted? ¿Cómo te llamas? *What's your name?*

Me llamo... *My name is ...*

¿De dónde es usted? ¿De dónde eres? *Where are you from?*

Soy de... *I am from ...*

Expresiones de cortesía ***Expressions of courtesy***

Perdón./Disculpe. *Pardon me. Excuse me. (≠ Con permiso.)*

Lo siento (mucho). *I am (very) sorry.*

Con permiso. *Pardon me. Excuse me. (≠ Perdón./Disculpe.)*

Por favor. *Please.*

(Muchas) gracias. *Thank you (very much.)*

De nada. *You're welcome.*

Adiós. *Good-bye.*

Hasta luego. *See you later.*

Hasta pronto. *See you soon.*

Hasta mañana. *See you tomorrow.*

Chao. *Bye./So-long.*

Adjetivos descriptivos ***Descriptive adjectives***

atlético/a *athletic*

cómico/a *funny, comical*

creativo/a *creative*

extrovertido/a *extroverted*

inteligente *intelligent*

flexible *flexible*

introvertido/a *introverted*

optimista *optimist*

pesimista *pesimist*

responsable *responsible*

tranquilo/a *calm, tranquil*

Verbo ***Verb***

ser *to be*

Los días de la semana ***The days of the week***

lunes *Monday*

martes *Tuesday*

miércoles *Wednesday*

jueves *Thursday*

viernes *Friday*

sábado *Saturday*

domingo *Sunday*

¿Qué día es hoy? *What day is it?*

el día *day*

la semana *week*

el fin de semana *weekend*

Los meses ***Months***

enero *January*

febrero *February*

marzo *March*

abril *April*

mayo *May*

junio *June*

julio *July*

agosto *August*

septiembre *September*

octubre *October*

noviembre *November*

diciembre *December*

¿Cuál es la fecha de hoy?/¿Qué fecha es hoy? *What's the date today?*

¿Qué hora es? ***What time is it?***

la hora *time/hour*

y/menos *and/less*

cuarto/media *quarter/half*

de la mañana/tarde/noche *in the morning/afternoon/evening*

Es mediodía/medianoche. *It's noon./midnight.*

Ya que no se ofrecen traducciones del nuevo vocabulario al presentarlo, sí se incluyen en esta sección.

Recuerde a los estudiantes que el ***Repaso de vocabulario activo*** está grabado como parte del programa de audio en *WileyPLUS*.

CAPÍTULO 2

La vida universitaria

RyFlip/Shutterstock

LEARNING OBJECTIVES

In this chapter, you will learn to:

- talk about computers, the language lab, and the classroom.
- talk about where you are going on campus.
- talk about your class schedule.
- talk about activities related to university life.
- compare universities in Spanish-speaking countries.
- discover Puerto Rico.

No es necesario ofrecer las respuestas correctas a los estudiantes en este momento. El objetivo de esta sección es despertar la curiosidad del estudiante.

Entrando al tema

1. Approximately what percentage of students at your school live in campus dormitories?
2. How popular are the following at your university: fraternities and sororities; t-shirts and other clothing with university logos; sports teams?

Así se dice

La vida universitaria

WileyPLUS
Pronunciación:
Practice pronunciation of the chapter vocabulary and particular sounds of Spanish in *WileyPLUS.*

Use ***PowerPoint Slides*** para presentar y practicar este vocabulario.

¿Qué ves? (*What do you see?*) Answer these questions about the illustration:

1. Alberto está en el laboratorio, ¿qué usa para imprimir el trabajo, la impresora o la papelera?
2. ¿Dónde hay papel? ¿Hay papel en la papelera? ¿Hay papel en la impresora?
3. Carmen practica español en el laboratorio, ¿qué usa, un CD o un diccionario? (...)

You can find more comprehension questions on *WileyPLUS* and on the *Book Companion Site* (BCS).

Sugerencia: Señale que el vocabulario de las secciones *Así se dice* es vocabulario activo, es decir, para estudiar.

el aula	*the classroom*
buscar	*to look for*
enviar/mandar	*to send*
navegar por la red	*to surf the Web*
la pantalla	*screen (in TV, computer, movies)*
el papel (una hoja de papel)	*paper (a sheet of paper)*
la tarea	*homework*
el trabajo (escrito)	*an academic paper/essay*

New vocabulary is better learned when you make the connection between the thing or concept and the Spanish word directly, without an English translation. Therefore, we only include translations for new words when illustrations or context are not enough to figure out their meaning. All new words are translated in the section **Repaso de vocabulario activo** at the end of each chapter.

Sugerencia: Para el vocabulario que no aparece traducido aquí, ayude a sus estudiantes preguntando qué palabras son cognados del inglés, pidiendo que se fijen en las ilustraciones o animándoles a usar el contexto. Señale también que las palabras que tienen artículos son nombres y las que terminan en *–ar, –er, –ir* suelen ser verbos.

Refer students to the ***Expresiones útiles en clase*** at the front of the textbook.

Sugerencia. Para iniciar el trabajo de comprensión y respuesta al nuevo vocabulario (actividades de *input*) refiérase a las preguntas de comprensión **¿Qué ves?** en *WileyPLUS* y en el *Book Companion Site* (BCS). En ellas se usa el nuevo vocabulario de forma comunicativa, ya que el estudiante debe comprender el vocabulario para poder responder correctamente, pero aún no tiene que producirlo de forma independiente, sino escogiendo entre opciones, etc., por ejemplo: *¿Usa bolígrafo o lápiz?*

¿Y tú?

1. ¿Vas (*Do you go*) a clase con tu computadora portátil? ¿Prefieres tomar notas en tu cuaderno, el libro o la computadora?
2. ¿Usas una computadora personal o vas al laboratorio?

NOTA DE LENGUA

Hay means *there is* or *there are* in a statement, and *is there* or *are there* in a question. It is used with singular and plural forms.

Hay una ventana en el aula.	***There is*** *a window in the classroom.*
Hay veinte estudiantes.	***There are*** *twenty students.*
¿**Hay** mucha tarea?	***Is there*** *a lot of homework?*

Input **[2.1] Asociación de palabras.** Indicate which word does not fit with the others, then add one that does.

1. la impresora	el ratón	la computadora	la tiza	______
2. el bolígrafo	el lápiz	la pluma	el cuaderno	______
3. el alumno	la mesa	la ventana	la puerta	______
4. el reloj	el mapa	el borrador	la mochila	______
5. los auriculares	el papel	el cuaderno	el diccionario	______
6. navegar por la red	escuchar	la calculadora	el sitio Web	______

2.2 Extensión: Practique de modo informal **hay** (vea la Nota de Lengua en la página anterior) y **¿cuántos/cuántas?** a través de ejemplos y preguntas, extendiendo la actividad para incluir más del nuevo vocabulario: *Entonces, en el aula hay tres ventanas, ¿cuántas puertas hay?, ¿una?, ¿dos?*

Si hay un laboratorio de computadoras que probablemente todos los estudiantes conozcan, puede hacer preguntas similares: *En el laboratorio de computadoras de (nombre del edificio), ¿hay impresoras?, ¿hay computadoras Mac?, ¿hay computadoras PC?, ¿hay audífonos?*

[2.2] ¿Cuántos *(How many)* hay?

Input **Paso 1.** Look around and indicate below how many of each item there are (**hay**) in your classroom today (you may count students' belongings, too). Add one more item you feel it is important to have.

En el aula hay...

sillas ______ proyectores ______

escritorios y mesas ______ relojes ______

computadoras ______ pizarras ______

ventanas ______ libros ______

Output **Paso 2.** In pairs, decide how well equipped (**bien equipada**) your classroom is and add some things you would want for the classroom and/or yourselves.

El aula está equipada ☐ muy bien ☐ adecuadamente ☐ insuficientemente. También queremos (we want) ______ para (*for*) el aula y ______ para nosotros (*for us*).

Output **[2.3] Las categorías.** In pairs, how many words can you write down for each category in 3 minutes?

El aula: la puerta, la tiza... ______ ...
El material escolar (*school supplies*)**:** ______ ...
La tecnología: ______ ...

En mi experiencia

Raul, Tucson, AZ

© Caro/Alamy

"In Spain, I needed notebooks and supplies for my classes. I went to a *papelería* store and, instead of being able to browse, I had to tell the clerk what I was looking for. She would bring everything to the counter, and I would decide what I wanted. I felt a little guilty if I ended up not buying anything after she went through all the trouble."

Are there any small shops in your town where things are kept behind the counter and independent browsing is not possible? Are there advantages and disadvantages to this kind of store?

Así se forma

1. Identifying gender and number: Nouns and articles

Los estudiant**es** están en **la** clase. **Un** alumn**o** escribe en **el** cuaderno. **Una** estudiante y **un** estudiante escriben en **la** pizarra. **La** profesor**a** conversa con **unas** alumn**as**.

Cada sección de gramática comienza ilustrando la estructura gramatical en contexto. Puede pedir a la clase que simplemente lea el texto como introducción a la explicación que sigue, o puede guiar a sus estudiantes en un ejercicio de observación de las características y reglas de la estructura gramatical presentada. El audio de este texto está disponible en *WileyPLUS*. Aquí, por ejemplo, pregunte qué formas diferentes se observan, y qué parecen expresar estas formas (variación de género/número y uso de los artículos definidos/indefinidos).

All nouns in Spanish have two important grammatical features: gender (masculine and feminine) and number (singular and plural). Note that, although gender may reflect a biological distinction in some nouns referring to persons and animals, it is merely a grammatical feature in nouns that refer to nonliving things.

Gender: Masculine and Feminine Nouns

Masculino	Femenino
• Most nouns referring to a male: **el** estudiante **el** profesor **el** señor	• Most nouns referring to a female: **la** estudiante **la** profesor**a** **la** señor**a**
• Most nouns that end in **–o**: **el** escritori**o** **el** diccionari**o**	• Most nouns that end in **–a**[1]: **la** impresor**a** **la** puert**a**
• Most nouns that end in **–r** or **–l**: **el** televiso**r** **el** borrado**r** **el** pape**l**	• Almost all nouns ending in **–ón** and **–d**: **la** informaci**ón** **la** oraci**ón** **la** actitu**d**
• BUT some nouns that end in **–a**: are masculine: **el** map**a** **el** dí**a** **el** problem**a** **el** program**a**	• BUT some nouns that end in **–o** are feminine: **la** man**o** **la** radi**o**

Finally, some nouns ending in **–e** and **–ista** can be either masculine or feminine:

el estudiante **el** tur**ista** **la** estudiante **la** tur**ista**

la estudiante

el estudiante

WileyPLUS

Go to *WileyPLUS* to review this grammar point with the help of the **Animated Grammar Tutorial**.

Use ***PowerPoint Slides*** para presentar y practicar esta gramática.

Number

- Singular nouns ending in a vowel form the plural by adding **–s**.
  un estudiante → dos estudiante**s**
- Nouns ending in a consonant add **–es**.
  un reloj → dos reloj**es**
- But nouns ending in –z change to **–ces**.
  un lápiz → dos lápi**ces**[2]

HINT

If you memorize the article when you learn a new noun, you will remember its gender. For example: **la** clase (feminine), **el** lápiz (masculine).

[1]**Aula** is feminine even though it uses the article **el**. The plural form is **las aulas**.
[2]Spanish-spelling rules disallow the combination **z** + **e**. Instead change the **z** to a **c**.

ASÍ SE FORMA

NOTA DE LENGUA

Note that when talking about a group that includes both masculine and feminine nouns, we use the masculine plural.

dos chicos y tres chicas → unos chicos

Definite and indefinite articles

The articles that accompany nouns must agree with respect to gender and number. Therefore, articles have masculine and feminine forms as well as singular and plural forms.

	Definite articles (*the*)		Indefinite articles (*a/an; some*)	
	singular	plural	singular	plural
masculino	**el** alumno	**los** alumnos	**un** alumno	**unos** alumnos
femenino	**la** alumna	**las** alumnas	**una** alumna	**unas** alumnas

- In general, definite articles indicate that the noun is specific or known.

El libro de historia es fantástico.	*The history book is fantastic.*
La puerta de **la** oficina está cerrada.	*The office door is closed.*

- Indefinite articles are used to refer to new information, and indicate that the noun is unspecified or unknown.

Hay **un** libro en la mesa.	*There is a book on the table.*
¿Buscas **un** diccionario?	*Are you looking for a dictionary?*

[2.4] Vamos a comparar (*Let's compare*) mochilas.

Input **Paso 1.** What is in Sara's backpack today? Underline the correct forms for the items you see in her backpack as well as for an appropriate article.

En la mochila de Sara		¿Hay eso (*that*) en mi mochila?
Modelo: Hay un/una/unos/unas	cuaderno/ cuadernos.	**Sí, hay un cuaderno./Sí, hay unos cuadernos./No, no hay.**
1. Hay un/una/unos/unas	pluma/plumas.	
2. Hay un/una/unos/unas	computadora portátil/computadoras portátiles.	
3. Hay un/una/unos/unas	lápiz/lápices.	
4. Hay un/una/unos/unas	libro/libros.	
5. Hay un/una/unos/unas	celular/celulares.	

Output **Paso 2.** Work with a partner. Write down your guesses about the contents of his/her backpack. Here are some more words that you may want to use.

Modelo: En la mochila de Karen hay unas plumas, unos libros...

2.4. Paso 2. Extensión: Pregunte a la clase: ¿Quién es minimalista en la clase? (¿Qué hay en tu mochila?) ¿Quién no es minimalista? (¿Qué hay en tu mochila?)

Vladimir Dmitriev/iStockphoto

el iPod

© RyanJLane/iStockphoto

la botella de agua

© nico_blue/iStockphoto

la cartera

© mbortolino/iStockphoto

el iPad/tableta

Courtesy of Kim Potowski

las llaves

Floyd Anderson/iStockphoto

la computadora portátil

eteimaging/Shutterstock

la tarjeta de estudiante

Input/Output **Paso 3.** Now read your guesses to each other and respond.

Modelo: [Karen's possible response to example above]

Sí, en mi mochila hay unas plumas, pero no hay unos libros, hay un libro.

Output

[2.5] En mi cuarto (*room*).

Complete with appropriate articles. Think both about whether you should use a definite or indefinite article and the correct gender/number agreement.

Mi cuarto está bien equipado para estudiar (*to study*.) Hay ___un___ escritorio, ___una___ silla, ___una___ computadora y ___unas___ ventanas. ___El___ escritorio es grande (*big*) y ___la___ silla es muy cómoda (*comfortable*.) Hay ___un___ problema: no hay ___una___ impresora en ___el___ cuarto, pero hay ___un___ laboratorio de computadoras cerca (*nearby*).

2.5 Extensión: Puede pedir a sus estudiantes que escriban un párrafo sobre su cuarto usando este ejercicio como referencia.

NOTA CULTURAL

El coquí

There is a tiny tree frog in Puerto Rico called **coquí**; its name is similar to the sound that it makes at night. The sound of **coquíes**, often very loud in the countryside, is dearly missed by many Puerto Ricans who are away from the island, since the coquí is a beloved symbol of Puerto Rico. **Coquíes** brought to the mainland United States usually do not survive, although they have flourished in the state of Hawaii due to the tropical climate.

See if you can find a video of a **coquí** making its calling noise. Can you imitate it by whistling? Do you know of a noisy insect or animal where you live?

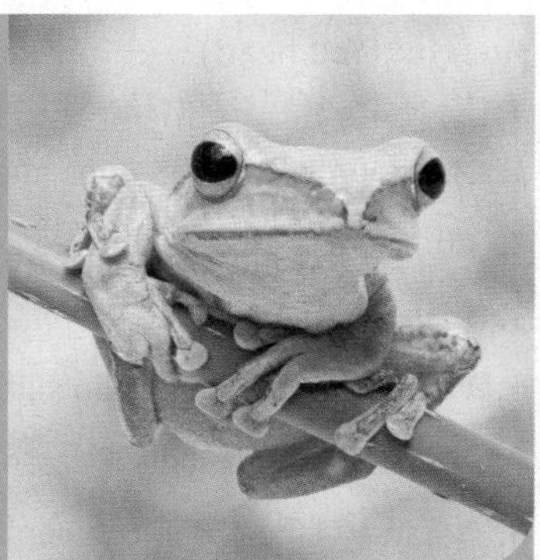
Panachai Cherdchucheep/Shutterstock

Así se dice

Las clases universitarias

Indique a la clase que el vocabulario en la sección azul a la izquierda en la página web no se trata de vocabulario activo, es decir, no es vocabulario para estudiar. No obstante, pueden intentar reconocer los cognados.

WileyPLUS

Pronunciación: Practice pronunciation of the chapter vocabulary and particular sounds of Spanish in *WileyPLUS*.

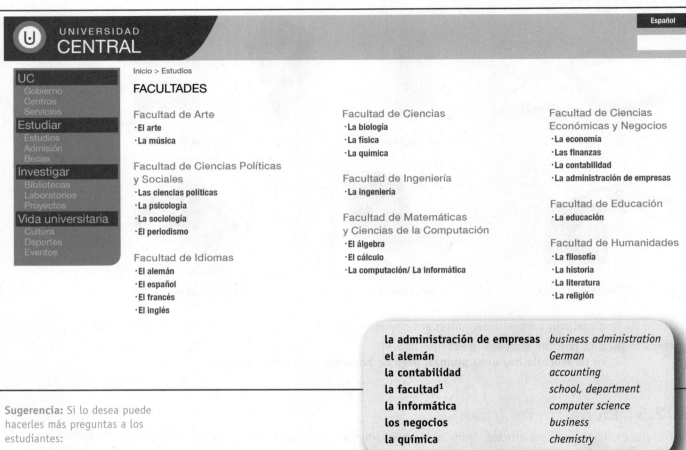

Español | English

UNIVERSIDAD CENTRAL

UC
Gobierno
Centros
Servicios
Estudiar
Estudios
Admisión
Becas
Investigar
Bibliotecas
Laboratorios
Proyectos
Vida universitaria
Cultura
Deportes
Eventos

Inicio > Estudios

FACULTADES

Facultad de Arte
- **El arte**
- **La música**

Facultad de Ciencias Políticas y Sociales
- **Las ciencias políticas**
- **La psicología**
- **La sociología**
- **El periodismo**

Facultad de Idiomas
- **El alemán**
- **El español**
- **El francés**
- **El inglés**

Facultad de Ciencias
- **La biología**
- **La física**
- **La química**

Facultad de Ingeniería
- **La ingeniería**

Facultad de Matemáticas y Ciencias de la Computación
- **El álgebra**
- **El cálculo**
- **La computación/ La informática**

Facultad de Ciencias Económicas y Negocios
- **La economía**
- **Las finanzas**
- **La contabilidad**
- **La administración de empresas**

Facultad de Educación
- **La educación**

Facultad de Humanidades
- **La filosofía**
- **La historia**
- **La literatura**
- **La religión**

la administración de empresas	*business administration*
el alemán	*German*
la contabilidad	*accounting*
la facultad[1]	*school, department*
la informática	*computer science*
los negocios	*business*
la química	*chemistry*

Sugerencia: Si lo desea puede hacerles más preguntas a los estudiantes:

1. ¿Ofrece tu universidad cursos en estas materias?

2. Este semestre, ¿qué materias de esta lista estudias?

2.6 Audio:

1. Es la clase de biología.
2. Es la clase de historia.
3. Es la clase de música.
4. Es la clase de química.
5. Es la clase de sociología.
6. Es la clase de literatura.

Extensión: Después de escuchar las afirmaciones incorrectas, puede pedir a los estudiantes que las modifiquen para que sí sean correctas.

[2.6] ¿Es lógico?

Input

Paso 1. Listen to the statements and indicate whether they are logical or illogical, based on what the following individuals are using.

	Lógico	Ilógico
Modelo: (You hear:) *Es la clase de francés.* (You see:) **Carmen usa un libro de español.**	☐	☑
1. Marta y Alberto usan unos microscopios.	☑	☐
2. Alfonso usa un programa de cálculo para la computadora.	☐	☑
3. Inés usa un violín.	☑	☐
4. Yo uso un tubo con ácido sulfúrico.	☑	☐
5. Tú usas un libro sobre Picasso.	☐	☑
6. Natalia y Linda usan una copia de Hamlet.	☑	☐

[1]Note that **la facultad** refers to a *school* or department as an administrative division within a university. It does not refer to the professors. To talk about the *faculty*, use el **profesorado.**

Output **Paso 2.** Now, write sentences guessing where the following students are.

Modelo: Manuel usa una calculadora.
Es la clase de matemáticas.

1. Sofía y Maribel usan un libro sobre (*about*) Abraham Lincoln. historia
2. Nosotros usamos libros sobre Sigmund Freud. psicología
3. Ustedes usan un libro sobre la Biblia y el Corán. religión
4. Usas un libro sobre el sistema educativo. educación
5. Uso un libro sobre los mercados financieros (*financial markets*). economía, finanzas, administración de empresas

Sugerencia: Recuerde a los estudiantes que el sujeto y el verbo deben concordar.

Output

[2.7] ¿Qué clase es?

Paso 1. Write down the name of the class that, in your opinion, best fits each description.

1. Es muy interesante, pero difícil. ____________
2. Es fascinante. ____________
3. Es muy fácil (*easy*). ____________
4. Es muy popular. ____________
5. Es muy importante. ____________
6. Es recomendable. ____________

Paso 2. Now, in small groups, compare your answers. Do you agree in your opinions?

Output

[2.8] Nuestras clases.

In your notebook, write a list of your classes this semester. Then walk around the class and ask your classmates what their classes are. Write the name of the students who have the same class as you next to that class.

Modelo: Estudiante A: **¿Cuáles son tus clases este semestre?**
Estudiante A: **Mis clases son Español 101,... ¿cuáles son tus clases?**

¿En qué clases hay dos o más estudiantes de esta (*this*) clase de español?

PALABRAS ÚTILES

estoy de acuerdo	*I agree*
no estoy de acuerdo	*I disagree*
es verdad	*it is true*
para mí no	*not for me*

En el campus universitario

WileyPLUS

Pronunciación: Practice pronunciation of the chapter vocabulary and particular sounds of Spanish in *WileyPLUS*.

Sugerencia: Si lo desea puede hacerles más preguntas a los estudiantes:

1. ¿Vives en una residencia estudiantil? ¿Está cerca de tus clases?
2. ¿Estudias en tu cuarto o casa, o en la biblioteca?
3. ¿Cuántas cafeterías hay en tu campus? ¿Qué cafetería es tu favorita?
4. ¿Compras (*Do you buy*) los libros de texto en la librería de tu universidad?, ¿en Internet?

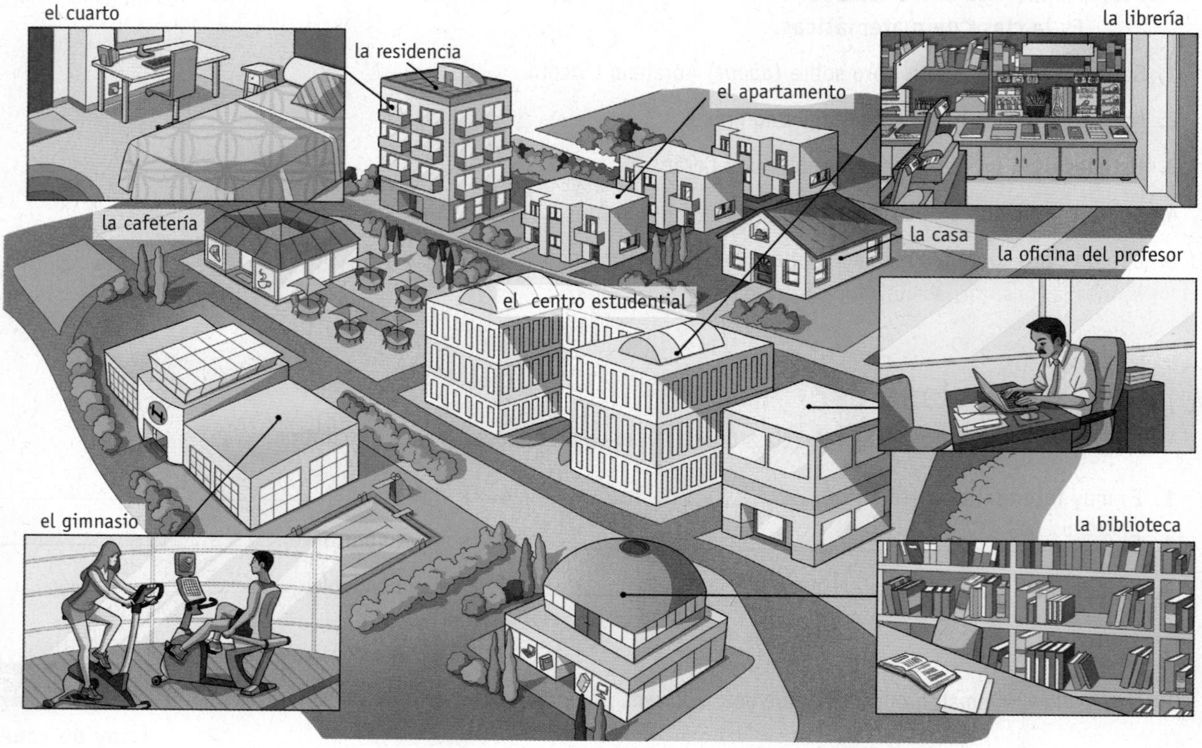

[2.9] ¿Dónde? (*Where?*)

Input

Listen to the following places and write down the name of each place next to the right description. Note that some places may fit more than one description.

1. Hay estudiantes. Duermen. *(They are sleeping)* la residencia
2. Hay estudiantes. Estudian. la biblioteca/el centro estudiantil
3. Hay profesores. la oficina del profesor
4. Hay estudiantes. Comen. *(They're eating)* la cafetería
5. Hay máquinas de ejercicio. el gimnasio

2.9 Audio:

el centro estudiantil
la oficina del profesor
la cafetería
la residencia
la biblioteca
el gimnasio
el cuarto

2.10 En este ejercicio los estudiantes producen (pero solamente repitiendo el modelo, no de forma independiente) algunos de los verbos que van a aprender próximamente (*ir a* + destino; *tener*), de manera que ya estarán familiarizados con ellos cuando se presenten formalmente.

[2.10] ¿Adónde? (*Where to?*)

Output

Paso 1. Indicate where you would go in these situations.

1. ¡No tengo (*I don't have*) bolígrafos! Voy a (*I'm going to*)...
2. Tengo (*I have*) mucha tarea de español esta tarde. Voy a...
3. No estoy bien, estoy cansado (*I'm tired*). Voy a...
4. ¡La clase de ingeniería es muy difícil! Voy a...
5. Tengo un examen. Necesito (*I need*) concentración para estudiar. Voy a...

Paso 2. In small groups, compare your preferences.

Modelo: **Cuando** (*When*) **no tengo bolígrafos voy a la librería. Scott también va** (*he goes*) **a la librería, pero Ivy los compra en Amazon.**

[2.11] La Universidad de Puerto Rico. Imagine that you are studying abroad at the Río Piedras campus of the University of Puerto Rico (UPR). Using the campus map as a guide, answer the following questions in the first column. Then, answer for your own campus in the second column.

¿Adónde van los estudiantes para...	La UPR	Mi universidad
1. ...comer *(to eat)?*		
2. ...comprar *(to buy)* libros?		
3. ...ver *(to see)* arte?		
4. ...obtener una fotografía para su tarjeta de identificación (ID)?		
5. ...visitar al médico?		
6. ...consultar libros?		
7. ...practicar deportes?		
8. ¿Cuántos estacionamientos hay?		
9. ¿A qué facultad van los estudiantes para una clase de historia? ¿Y para una clase de biología?		
10. ¿Cuántas residencias estudiantiles hay?		

2.11 Sugerencia: Traiga a clase copias de su campus y explique a los estudiantes que la universidad espera visitantes hablantes de español y les ha pedido ayuda para indicar en el mapa los edificios importantes en español. Por ejemplo: la biblioteca de Ciencias, el centro estudiantil University Hall, la facultad de matemáticas, etc.

PALABRAS ÚTILES

Facultad de...	*School of...*
estacionamiento	*parking lot*

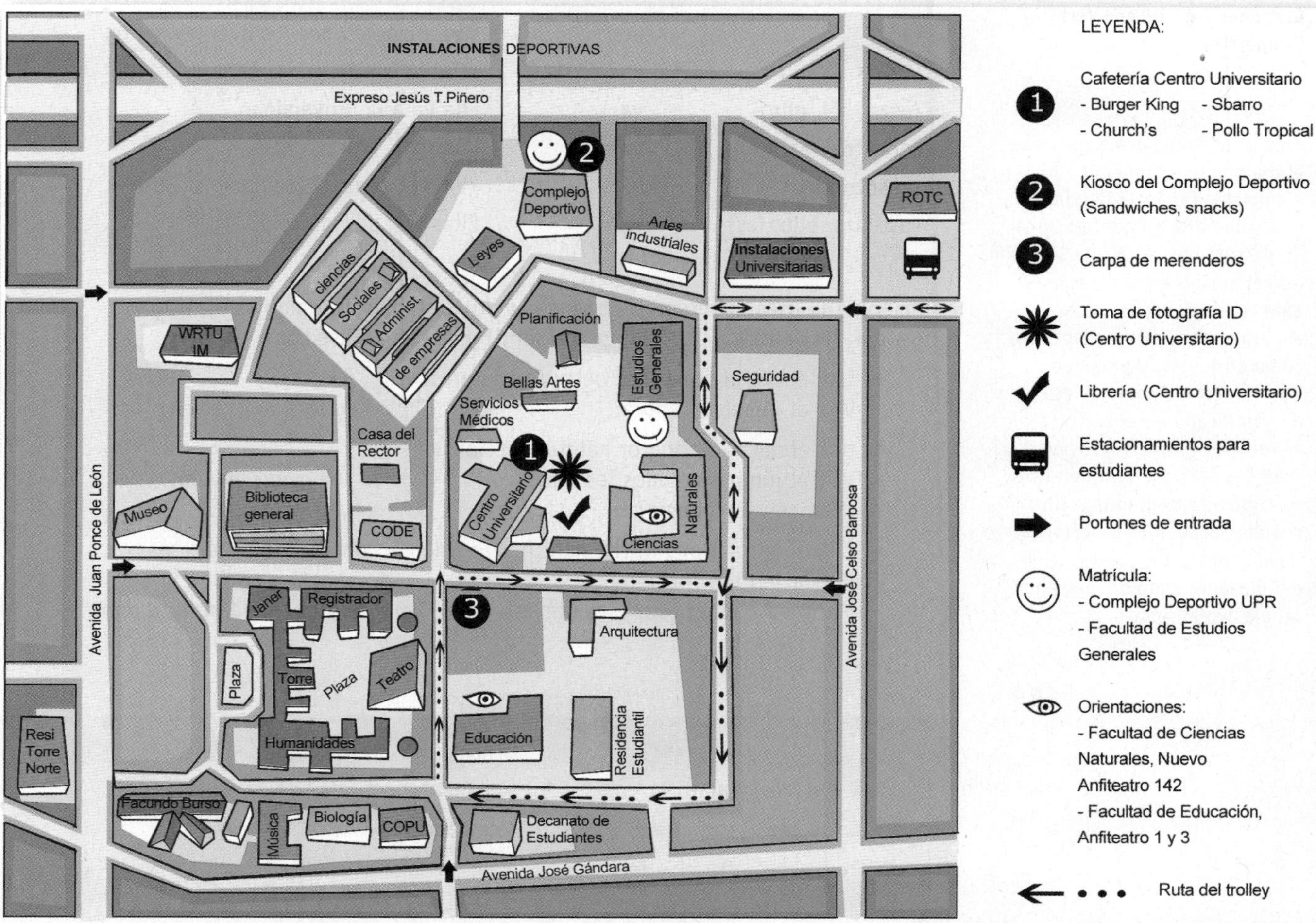

Así se forma

2. The present tense and talking about going places: *Ir* + *a* + destination

¿Adónde vas?
Voy a clase de álgebra.

Camila: Hola Vicente, **¿adónde vas** tan rápido (*so quickly*)?

Javier: Voy a clase de álgebra. Hoy hay una prueba, y voy tarde (*I am late*).

Camila: Oye, **¿vas a la fiesta** de Alicia el viernes?

Javier: No, los viernes **voy a un club**.

Camila: ¿Todos los viernes **vas al club** a bailar (*to dance*)? ¿Qué club es?

Javier: Pues, el club de matemáticas.

NOTA DE LENGUA

¿Dónde? = Where?
¿Dónde estás?

¿Adónde? = Where to?
¿Adónde vas?

Use ***PowerPoint Slides*** para presentar y practicar esta gramática.

WileyPLUS

Go to *WileyPLUS* to review this grammar point with the help of the **Animated Grammar Tutorial** and **Verb Conjugator**.

Pida a sus estudiantes que lean el diálogo con atención a los ejemplos de *ir* + *a* + destino (así como a la pregunta acerca de destino con adónde). Señale que el presente puede usarse para expresar acciones de eventos habituales o repetidos, como en inglés, y pida que encuentren ejemplos de ese tipo de significado en el texto (ej. *los viernes voy a un club/vas al club*). Pida después que busquen otros ejemplos e intenten describir cuándo suceden esas acciones. Puede contrastar con los usos del presente simple y presente progresivo en inglés.

To state where you are going, use the verb **ir** (*to go*) + **a** (*to*) + destination.

ir (*to go*)		
(yo)	**voy**	**Voy** a clase todos los días (*every day*).
(tú)	**vas**	¿**Vas** al cuarto por la tarde?
(usted, él, ella)	**va**	Ella **va** a la universidad.
(nosotros/as)	**vamos**	**Vamos** al restaurante.
(vosotros/as)	**vais**	¿**Vais** al centro estudiantil?
(ustedes, ellos/as)	**van**	Ellas **van** al gimnasio.

Observe the uses of the present tense as illustrated with examples of **ir** + **a** + destination. The Spanish present tense can be used to:

- talk about actions that occur in the present.
  Voy al gimnasio ahora. — *I'm going to the gym now.*
- talk about recurring or habitual actions.
  Voy al gimnasio todos los días. — *I go to the gym every day.*
  ¿**Vas** con frecuencia? — *Do you go frequently?*
- talk about actions in the near future when accompanied by phrases indicating the future.
  María **va** a una fiesta esta noche. — *María **will go/is going** to a party tonight.*

NOTA DE LENGUA

a (*to*) + **el** (*the*) = **al**	Vamos **al** cuarto de Anita.
a + **la, los, las** = *no change*	Vamos **a la** biblioteca.
de (*from, about, of*) + **el** = **del**	Vamos a la oficina **del** profesor.
de + **la, los, las** = *no change*	Vamos a la oficina **de la** profesora.

ASÍ SE FORMA

¿Cuándo vamos? (*When do we go?*)

ahora	*now*
antes de/después de (clase)	*before/after (class)*
esta mañana/tarde/noche	*this morning/this afternoon/tonight*
más tarde	*later*
por/en la mañana/la tarde/la noche	*in the morning/afternoon/night*
todas las mañanas	*every morning*
todas las tardes	*every afternoon*
todos los días	*every day*
todos los fines de semana	*every weekend*

NOTA DE LENGUA

Note the difference between

todas las mañanas *every morning* (frequency) **vs.**

toda la mañana *all morning* (duration)

todos los días *every day* vs.

todo el día *all day*

Nota de lengua: Puede hacer un breve ejercicio oral para comprobar que la diferencia entre estas expresiones está clara:

Tomo café en la cafetería ¿toda la mañana o todas las mañanas?
Voy a mi cuarto ¿todas las noches o toda la noche?
Vamos a clase ¿todos los días o todo el día?

¿Con qué frecuencia? (*How often?*)

+ siempre — casi (*almost*) siempre — con frecuencia — a veces — casi nunca — nunca **−**

¿Con qué frecuencia? Puede hacer a la clase algunas preguntas de *input* (es decir, sin que tengan que producir las nuevas formas en sus respuestas): **¿Van ustedes a clase todos los días, de lunes a viernes? ¿Quién va a la cafetería todas las mañanas?** Insista en los usos del presente con valor futuro, ya que no corresponden a los usos de presente en inglés: **¿Quién va a la biblioteca esta tarde?**, etc.

NOTA DE LENGUA

The placement of expressions of frequency is flexible. Note that when **casi nunca** and **nunca** are placed after the verb, we need **no** before the verb.

Nunca voy a la biblioteca.
No voy a la biblioteca **nunca**.

[2.12] ¿Cuándo? (*When?*)

Input **Paso 1.** Read the sentences below and indicate whether they are referring to a current moment present (**ahora**) action, to habitual/recurrent (**habitual**) actions, or to an action in the near future (**futuro**).

	ahora	habitual	futuro
1. ¡Juan, espera (*wait*)! ¿Adónde vas?	☑	☐	☐
2. A veces vamos al gimnasio.	☐	☑	☐
3. El sábado, Irene y Cristina van a una fiesta.	☐	☐	☑
4. Ahora voy a la clase de inglés...	☑	☐	☐
5. ...y esta tarde voy a clase de historia.	☐	☐	☑
6. Siempre vas tarde a clase.	☐	☑	☐

Output **Paso 2.** Based on the cues, tell where you think these people are going now, or go habitually or are going to go in the near future.

1. En mi mochila hay una calculadora,...

2. ¡Pedro y Rafa son muy fuertes! Ellos...

3. Hay examen en tu clase de alemán mañana. Tú...

4. Hay horas de oficina esta tarde. El profesor...

5. ¡Es sábado! Tú y yo...

Dichos: En las notas al profesor se incluyen algunos dichos y refranes relacionados con los temas del capítulo que puede comentar con sus estudiantes, por ejemplo: *La vida es la mejor escuela.*

Sugerencia: Después de completar el ejercicio, pida a la clase que identifiquen el valor temporal de cada oración: *¿Es la acción presente, habitual o futura?*

En mi experiencia

Andrew, Fayetteville, NC

"I studied abroad in Argentina, where the legal drinking age is 18. I think because students have already had social drinking experiences, by the time they get to college they are not as 'obsessed' with alcohol as some seem to be on my campus in the U.S. I appreciated the more mature approach to alcohol there."

Is alcohol abuse a problem on your campus? What can be done to reduce it? Search for the legal drinking age in different countries around the world.

[2.13] El horario *(Schedule)*. Work with a classmate (write her/his name in the chart below).

Output **Paso 1.** Tell your classmate what your classes are this semester and write down his/hers. Then, take turns asking each other about your classes and activities on a typical week, and write them in the calendar below. (Use the last row for classes or activities after 5:00 p. m.)

Modelo: Estudiante A: **Este semestre voy a clase de química, historia de Estados Unidos,...**

Estudiante B: **¿Qué días vas a clase de química? (...) ¿A qué hora vas? (...) ¿Vas a la cafetería/biblioteca/...? (...)**

El horario de ________________

	lunes	martes	miércoles	jueves	viernes
8:00 a. m.					
9:00 a. m.					
10:00 a. m.					
11:00 a. m.					
1:00 p. m.					
2:00 p. m.					
3:00 p. m.					
4:00 p. m.					
5:00 p. m.					

REMEMBER

¿Qué hora es? = *What time is it?*
¿A qué hora... = *At what time...*

Paso 2. Now, compare your schedules. Are they similar or different? Write a short report and prepare to share it with the class.

Output

Modelo: Nuestros horarios son similares/diferentes: por las mañanas yo voy... y/pero Jason va.../Jason y yo vamos...

NOTA CULTURAL

Bioluminescent bay

Vieques is a small island off the east coast of Puerto Rico that has a mangrove swamp with special inhabitants: millions of tiny half-plant, half-animal organisms called *dinoflag*, measuring 1/500 of an inch, that emit a flash of bluish light when agitated at night. It's like swimming in glitter! Few places in the world have such a high concentration of dinoflagellates, which results from a shallow entry into a big bay. La Parguera is another location in Puerto Rico with a bioluminescent bay. Go online to search for more pictures of bioluminescent bays.

People recommend visiting these areas in small boats, with skin that is free of chemical products, and after a full moon. Why do you think this is? Do you know of other water-based recreational activities that make similar suggestions?

Paul Zahl/National Geographic/Getty Images

[2.14] La vida universitaria.

Input **Paso 1.** Indicate how often you go to the following places.

	(casi) todos los días	con frecuencia	a veces	casi nunca
1. Voy a la biblioteca.	☐	☐	☐	☐
2. Voy al laboratorio de computadoras.	☐	☐	☐	☐
3. Voy a la oficina de un profesor.	☐	☐	☐	☐
4. Voy al centro estudiantil.	☐	☐	☐	☐
5. Voy al gimnasio.	☐	☐	☐	☐
6. Voy a la cafetería.	☐	☐	☐	☐
7. Voy a un restaurante.	☐	☐	☐	☐
8. Voy a fiestas.	☐	☐	☐	☐

Output **Paso 2.** In your notebook, complete the following sentences by saying the places where you or you and your friends go in these situations.

Modelo: Para desayunar, **casi siempre voy a la cafetería o al centro estudiantil, pero a veces mis amigos y yo vamos a *Café y Té*.**

1. Por la mañana temprano,...

2. Antes de esta clase,... y después de esta clase...

3. Para comer, casi siempre...

4. Después de las clases, generalmente..., pero a veces...

5. Esta noche,...

6. Este fin de semana mis amigos y yo...

2.14 Insista en que los estudiantes comparen sus respuestas oralmente y no miren las notas de sus compañeros para que la comunicación oral sea necesaria.

Alternativas: El Paso 3 puede hacerse en grupos o con toda la clase. Puede ampliar la actividad preguntando a la clase si hay tendencias similares para practicar la forma de **ustedes:** *¿Cuántos de ustedes van a fiestas con frecuencia?*

Extensión: Para practicar con las formas de tercera persona singular, puede pedir a los estudiantes que escriban dos o tres oraciones en las que imagine qué hace usted y con qué frecuencia, por ejemplo: *El profesor/La profesora de español va la oficina todas las mañanas...* Después pueden leer sus oraciones y usted las confirma o rectifica.

2.15 Extensión: Ponga las ideas de los grupos en común. ¿Están de acuerdo en general? También puede pedir que, como tarea, escriban un breve párrafo describiendo en qué cosas son estudiantes típicos o no.

Output

Paso 3. In small groups, compare your activities from Paso 1 and Paso 2, and write down your findings.

Modelo: Estudiante A: **¿Van a la biblioteca con frecuencia?**
Estudiante B: **No, casi nunca voy.**
Estudiante C: **Yo sí, voy casi todos los días.**
You write: **Mike y yo no vamos a la biblioteca casi nunca...**

[2.15] ¿Estudiantes típicos?

Output

Paso 1. Complete the left column indicating when or how frequently you think most students at your college do these things. Add two more things they frequently do or they never do.

Los estudiantes típicos de esta universidad...

Mi opinión	La opinión del grupo
Modelo: Van a clase **por la mañana.**	**...la mañana y por la tarde temprano.**
Estudian (*they study*) en su cuarto ________	
Van a la biblioteca ________	
Van a la oficina del profesor ________	
Usan (*they use*) libros electrónicos ________	
Usan computadoras portátiles en clase ________	
________ Trabajan (*they work*)	
Hacen trabajo voluntario (*they do volunteer work*) ________	
Van a fiestas ________	

Paso 2. In groups, compare your sentences and try to agree on statements that describe what typical students do. Write those in the right column.

Cultura

La isla de Puerto Rico

© TexPhoto/iStockphoto

ANTES DE LEER

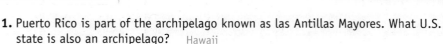

1. Puerto Rico is part of the archipelago known as las Antillas Mayores. What U.S. state is also an archipelago? Hawaii
2. How does being an island affect the culture of the people who live there?

Puerto Rico es una isla relativamente pequeña (*small*)—de aproximadamente 100 millas de largo y 40 millas de ancho—pero contiene mucha diversidad. En un mapa de Puerto Rico se ven numerosas ciudades, muchos parques grandes como El Yunque, Maricao y Río Abajo, montañas y playas. También hay muchas universidades públicas y privadas.

Los primeros habitantes, los indios taínos, llamaban a la isla "Borinquén". Hoy, mucha gente de Puerto Rico usa la palabra ***boricua*** para describirse. La isla tiene dos idiomas oficiales, el español y el inglés, pero 70% de sus habitantes hablan principalmente el español.

Años importantes

1493 Cristóbal Colón llega a la isla.

1898 Puerto Rico se incorpora a Estados Unidos.

1917 Los puertorriqueños reciben la nacionalidad estadounidense. No hace falta pasaporte para viajar desde Estados Unidos a Puerto Rico.

1952 Puerto Rico se convierte en Estado Libre Asociado (*Commonwealth*) con su propio (*own*) gobierno. Las leyes (*laws*) federales de Estados Unidos se aplican en Puerto Rico, pero no es parte del territorio nacional y no hay representante con voto en el Congreso.

Los vejigantes

El vejigante es un personaje muy popular en las celebraciones de carnaval de Puerto Rico. Representa una fusión de las influencias africanas, españolas y caribeñas de la cultura de la isla. El carnaval más popular tiene lugar (*takes place*) en Loiza, un pueblo con mucha influencia africana al norte de Puerto Rico. Las máscaras (*masks*) se hacen de cáscaras de coco (*coconut shells*) y se pintan de colores brillantes.

Nicholas Pitt/Alamy Images

▲ Un grupo de vejigantes en la isla de Puerto Rico.

DESPUÉS DE LEER

1. How long do you calculate it would take to drive the entire circumference of Puerto Rico?
2. What United States cities have carnivals? What kinds of materials are used to make the costumes?

Así se forma

3. Talking about actions in the present: Regular *–ar* verbs

WileyPLUS
Go to *WileyPLUS* to review this grammar point with the help of the **Animated Grammar Tutorial** and **Verb Conjugator.**

Use *PowerPoint Slides* para presentar y practicar esta gramática.

Sugerencias: Señale que las palabras en negrita de los textos forman parte del vocabulario activo (para estudiar) del capítulo.

Si quiere que los estudiantes practiquen pronunciación y lectura, puede pedir a la clase que lea el párrafo. Después de que se hayan familiarizado con el material, puede pedirles que lean oraciones o partes del texto de forma individual. A los estudiantes más tímidos es preferible escucharlos cuando leen o trabajan en parejas o grupos, en lugar de ponerlos en una situación que les pueda producir ansiedad.

Pida a la clase que observen las formas verbales que aparecen en el texto e identifiquen las formas correspondientes en el cuadro que sigue.

Alicia y Carolina **llegan** a la universidad a las ocho de la mañana. Alicia **desayuna** cereal o tostadas en la cafetería, pero Carolina solo (*only*) **compra** un té. Primero (*First*), van a la clase de psicología. Allí (*There*) **escuchan** al profesor y **toman apuntes** en sus computadoras portátiles. Después, Carolina va a la clase de francés donde **practica, habla** y **estudia** con los compañeros de clase. Por la tarde, **regresan** a sus cuartos para **estudiar** y **preparar** sus lecciones. Son excelentes estudiantes y **sacan** buenas notas en las pruebas y en los exámenes. Ahora son las seis de la tarde, Alicia **navega** por la red y Carolina **trabaja** en la cafetería. Pero a las ocho van al cine (*to the movies*) con sus amigas (*friends*).

cenar	*to have dinner*	**regresar**	*to return, go back*
comprar	*to buy*	**sacar buenas/ malas notas**	*to get good/ bad grades*
desayunar	*to have breakfast*		
hablar	*to speak*	**tomar apuntes**	*to take notes*
llegar	*to arrive*	**trabajar**	*to work*

Spanish infinitive verb forms (the form you would find in a dictionary) have three possible endings: –**ar**, –**er**, or –**ir**, each type having different conjugation endings. In this section, you will learn about the present form of regular –**ar** verbs. To form the present tense of –**ar** verbs, we replace the –**ar** ending with the endings in this table, each ending reflecting the subject of the verb.

hablar *to speak* **hablar → habl-**			
(yo)	habl**o**[1]	(nosotros/as)	habl**amos**
(tú)	habl**as**	(vosotros/as)	habl**áis**
(usted, él/ella)	habl**a**	(ustedes, ellos/as)	habl**an**

Puede repasar con los estudiantes los usos del presente y pedirles que busquen en el texto un ejemplo de cada uno:

* present actions and states: Carolina **trabaja** en la biblioteca.
* routines and habitual actions: Natalia **desayuna** todas las mañanas.
* actions that are being done right now: (Ahora) Carolina **trabaja** en la biblioteca.
* actions planned for the near future: A las ocho van al cine con sus amigas.

¿Tarde o temprano? (*Late or early?*)

Natalia llega **temprano.**

Elena llega **a tiempo.**

Esteban llega **tarde.**

[1]Unlike nouns, Spanish verbs do not have gender: Both males and females say **hablo** (*I speak*).

Input

[2.16] ¿Quién habla?

Listen to Alicia as she describes some of Carolina 's activities and her own activities on a regular school day. She will ask you some questions as well. Mark whether each statement refers to **Alicia** (*yo*), **Carolina** (*ella*) or **las dos** (*both, nosotras*), and then mark your answers to her questions under **Tú.**

	Alicia (yo)	Carolina (ella)	Las dos (nosotras)	Tú
1.			X	
2.	X			
3.			X	
4.		X		
5.	X			
6.		X		

2.16 Audio:
1. Llegamos a la universidad muy temprano. // Y tú, ¿llegas a la universidad temprano?
2. Nunca desayuno. // Y tú, ¿desayunas?
3. Siempre escuchamos al profesor de psicología con atención. // Y tú, ¿escuchas a tus profesores con atención?
4. Hablar francés en la clase.// Y tú, ¿hablas español en la clase?
5. Trabajo casi todas las tardes. // Y tú, ¿trabajas?
6. Después de cenar, navega por Internet. // Y tú, ¿navegas por Internet frecuentemente?

[2.17] Un día en la clase de español.

Output **Paso 1.** Complete the statements below, saying how frequently you do these activities in Spanish class.

Modelo: llegar tarde **Casi nunca/A veces llego tarde a clase.**

1. llegar tarde ______________________________
2. tomar apuntes ______________________________
3. hablar inglés ______________________________
4. preparar la lección ______________________________
5. completar la tarea ______________________________
6. estudiar la gramática y el vocabulario ______________________________

Paso 2. In small groups, ask your classmates and share your answers as well. Then write a brief paragraph answering the questions below:

Modelo: Estudiante A: **¿Ustedes llegan tarde con frecuencia?**
Estudiante B: **No, nunca llego tarde./ A veces llego tarde...**

En general, ¿son tus hábitos de estudio de español similares o diferentes de tus compañeros? ¿Son ustedes estudiantes de español "ideales"?

Modelo: En general, somos similares/diferentes. No llegamos tarde a clase casi nunca...

Output

[2.18] Imagina.

2.18 Alternativa: Si tiene una clase numerosa puede cambiar el formato de esta actividad. En grupos de 4 o 6 personas, cada estudiante escoge otro de su grupo, escribe oraciones sobre él/ella individualmente y después se leen las oraciones solamente para el grupo. Así todos los estudiantes pueden leer sus oraciones sin tomar mucho tiempo.

Paso 1. In pairs, select one person from the class to guess about. Write down five guesses about what you think that person does. Use verbs you have learned so far or from the **Palabras útiles** box.

Modelo: You select: Tina
You write: **Después de las clases, va a la biblioteca y estudia. Envía muchos mensajes electrónicos a sus amigos. Después, mira la televisión en su cuarto. Baila todas las noches y regresa a su cuarto muy tarde...**

Paso 2. Now, share some of your sentences with the class. The selected person will indicate whether your guesses are true (**cierto**) or false (**falso**).

Paso 3. Now think about what good students and not-so-good students do during a typical week. Write at least four activities per student.

Los estudiantes buenos... **Los estudiantes no tan buenos...**

PALABRAS ÚTILES

bailar	*to dance*
mirar	*to watch*
cocinar	*to cook*
descansar	*to rest*
viajar	*to travel*
limpiar	*to clean*
visitar	*to visit*

Cultura

La vida universitaria en el mundo hispano

Use *PowerPoint Slides* para presentar y practicar esta gramática.

INVESTIG@ EN INTERNET

You really want to learn more Spanish and start looking into Spanish language summer programs in Puerto Rico. Find a program you are interested in and print out or write down all the important information (dates, price, what is included in the program). Be ready to explain why you chose that program.

ANTES DE LEER

1. What percent of U.S. students do you think take out loans to pay for college?
2. What are some of your favorite aspects about college so far?
   - ☐ Living in a dorm
   - ☐ Sports
   - ☐ Ability to take a wide range of courses
   - ☐ Music groups
   - ☐ Greek organizations
   - ☐ Other: ________________
3. At what point do U.S. college students typically decide their major?

La mayoría de las universidades hispanas son instituciones públicas. En muchos países (*countries*) hispanos, el gobierno (*government*) financia el costo de la educación en la universidad; los estudiantes solo (*only*) compran los libros (o a veces, ¡hacen fotocopias!). No es muy común tener préstamos (*loans*). Por ejemplo, la universidad pública de Oaxaca, México, cuesta unos $100 dólares por semestre. Sin embargo (*however*), también existen universidades privadas más caras (*expensive*).

Los estudiantes normalmente viven con sus padres porque estudian en la misma ciudad (*the same city*) y es más económico. Algunas universidades tienen residencias estudiantiles, pero no todas.

Las clases son muy especializadas y los programas son rígidos. Un estudiante de medicina, por ejemplo, solo toma cursos de medicina, no toma cursos en otras áreas. Por eso (*for this reason*), los estudiantes seleccionan una carrera (*major*) antes de comenzar sus estudios.

A diferencia de las universidades estadounidenses, no hay muchos equipos deportivos (*sports teams*), ni ropa (*clothes*) con el logo de la universidad, ni tampoco organizaciones como las fraternidades; aunque (*although*) en Puerto Rico, las fraternidades y sororidades son más comunes que en el resto del mundo hispano.

Los ***tunas*** son grupos musicales de estudiantes universitarios originados en España. Usan ropa tradicional de los años 1700 y tocan canciones antiguas con guitarras, bandurrias (*type of stringed lute*) y panderetas (*tambourines*). Las tunas de diferentes universidades compiten en grandes concursos (*contests*). Hoy, hay tunas en muchos países hispanos. Busca por internet "tuna Puerto Rico" para ver algunos ejemplos.

▲ La tuna estudiantina de Guanajuato, México.

DESPUÉS DE LEER

Compare your college/University to the ones in the Hispanic world.

Factor	En el mundo hispano	En mi universidad
1. Equipos deportivos		
2. Residencias estudiantiles		
3. Costo		
4. Ropa con el logo universitario		
5. Fraternidades/sororidades		
6. Grupos musicales		

VideoEscenas:

WileyPLUS

¿Estudiamos o no?

ANTES DE VER EL VIDEO

Answer these questions before you watch the video.

1. ¿Dónde estudias casi siempre: en tu cuarto, en la biblioteca o en un lugar (*place*) diferente?
2. ¿Estudias solo/sola (*alone*) o con un amigo (*with a friend*)?
3. ¿Qué es importante para sacar buenas notas?

estudiar	las fiestas (*parties*)	los libros de texto
ir a la biblioteca	salir todas las noches	tomar buenos apuntes

4. ¿Qué es importante para participar bien en clase?

un bolígrafo	las fiestas	el libro de texto
el café	salir todas las noches	un cuaderno

▲ Jaime and Ana are meeting at the library to study.

En la sección *VideoEscenas*, los estudiantes tienen la oportunidad de desarrollar su capacidad de comprensión auditiva a través de videos cortos, sencillos y que ilustran el uso de una parte del vocabulario y la gramática del capítulo. La secuencia de pasos incluye actividades de preparación antes de ver el video, y de comprensión de ideas generales primero, y detalles más específicos después.

Opción: Si prefiere, los estudiantes pueden escuchar y leer el texto al mismo tiempo. También, puede mostrar o pedir a sus estudiantes que vean los videos con subtítulos (escogiendo esta opción en la parte derecha del panel de video) en *WileyPLUS*.

Opción: Si hace esta actividad en clase, puede pedir que completen la sección **Después de ver el video** en parejas.

A VER EL VIDEO

Read the following questions and their possible responses and watch the video once. Then watch the video again, pausing to answer each question.

1. Ana llega __________ para estudiar con Jaime.
   a) a las 11:30 c) a la biblioteca
   b) una hora tarde d) temprano
2. Ana __________ todas las mañanas.
   a) saca notas c) llega a tiempo
   b) toma café d) estudia en la biblioteca
3. Según (*According to*) Jaime, para sacar buenas notas, Ana debe (*should*) __________
   a) llegar temprano. c) estudiar más.
   b) tomar café. d) salir con sus amigas.
4. ¿Adónde va Ana?
   a) A comprar un café c) A estudiar matemáticas
   b) A la biblioteca d) A la clase de matemáticas

DESPUÉS DE VER EL VIDEO

As a student, are you more like Ana or more like Jaime? Write a few lines describing how you are more similar to one or the other.

Modelo: **Soy similar a Ana. A veces, llego tarde a clase...**

Así se forma

4. Talking about actions in the present: Regular –*er* and –*ir* verbs; *hacer* and *salir*

WileyPLUS
Go to *WileyPLUS* to review this grammar point with the help of the **Animated Grammar Tutorial** and **Verb Conjugator**.

Read what Ángel has to say about his university life.

Sugerencia: Recuerde a sus estudiantes que las palabras en negrita son parte del vocabulario activo que deben estudiar.

Me llamo Ángel y **asisto** a la Universidad Politécnica de California. **Hago** cursos de ciencias políticas, literatura e informática. En las clases de literatura **leemos** y **escribimos** mucho y yo participo con frecuencia en las discusiones. En la clase de informática analizamos sistemas y **aprendemos** a usar *software*. A veces no **comprendo** todo, pero un compañero de clase **comparte** sus notas conmigo (*with me*). Cuando (*when*) **salimos** de clase, vamos a la cafetería. Allí **comemos**, **bebemos** y hablamos de mil cosas (*a thousand things*). **Vivo** en la residencia estudiantil. Los sábados por la mañana voy al gimnasio y por la noche **salgo** con mis amigos. No **hago** mucho los domingos.

Y tú, ¿a qué universidad **asistes**?, ¿y qué cursos **haces**?, ¿**aprendes** mucho también?

aprender	*to learn*	**escribir**	*to write*
asistir a	*to attend*	**hacer**	*to do, make*
beber	*to drink*	**leer**	*to read*
comer	*to eat*	**salir**	*to go out*
compartir	*to share*	**salir de**	*to leave (a place)*
comprender	*to understand*	**salir a**	*to go to (a place, to do something)*

Regular –*er* and –*ir* verbs

Sugerencia: Como en el caso de los verbos terminados en –ar, pida a la clase que observen las formas verbales que aparecen en el texto e identifiquen las formas correspondientes en el cuadro que sigue. Pida que observen y señalen similitudes y diferencias entre las formas del presente en –er e –ir, así como con las formas de *hacer* y *salir*.

Observe the forms for **comer** and **vivir** in the present tense. Note that you drop the **–er/–ir** from the infinitive and replace it with endings to agree with the subject of the verb. Note, also, that **–er** and **–ir** verbs have identical endings except in the **nosotros** and **vosotros** forms.

	comer *to eat* comer → com-	**vivir** *to live* vivir → viv-
(yo)	com**o**	viv**o**
(tú)	com**es**	viv**es**
(usted, él/ella)	com**e**	viv**e**
(nosotros/as)	com**emos**	viv**imos**
(vosotros/as)	com**éis**	viv**ís**
(ustedes, ellos/ellas)	com**en**	viv**en**

Hacer and *salir*

The verbs **hacer** (*to do, make*) and **salir** (*to leave, go out*) are irregular only in the **yo** form.

hacer:	**hago**, haces, hace, hacemos, hacéis, hacen
salir:	**salgo**, sales, sale, salimos, salís, salen

Hago la tarea todas las noches. — ***I do** homework every night.*

Salgo con mis amigos los fines de semana. — ***I go out** with my friends on weekends.*

Input

[2.19] ¿En qué clase?

Paso 1. Indicate what classes you have this semester, and mark which statements are true for each.

En mi clase de...	español	________	________	________
1. aprendo cosas muy interesantes.				
2. hacemos mucha tarea.				
3. hablo y participo en clase.				
4. comprendo todo o casi todo.				
5. asistimos a clase muchas horas por semana.				
6. hago muchos exámenes.				
7. investigo (*I research*) en Internet.				
8. escribo muchos trabajos.				

Output

Paso 2. In small groups, ask each other questions and share your responses to the statements above.

Output

Paso 3. Of the classes you just heard about, which one would you like to take? Write briefly about why you would like to take that class.

Modelo: Quiero (*I want to*) tomar la clase de ________ porque los estudiantes aprenden cosas interesantes.

Output

[2.20] ¿Qué hacen los estudiantes en Puerto Rico?

As we saw in **Cultura** *La vida universitaria en el mundo hispano*, there are several differences in university life between Latin America and the United States. From the list of phrases below, create sentences that describe what typical students in Puerto Rico do and don't do.

1. asistir a eventos deportivos del campus
2. vivir en una residencia
3. aprender inglés
4. salir con amigos
5. participar en una fraternidad o sororidad
6. hacer la tarea

Situaciones

Work in pairs. Both of you have a part-time job in the mornings, where you work together, and go to classes in the evenings. Your boss needs someone to cover for another employee on Thursday from 3:00 P.M. until 9:00 P.M. but both of you have extracurricular activities or other plans for Thursday evening. Discuss your situation, explaining to each other why you cannot work on Thursday and trying to arrive at a solution.

Situaciones: Cada capítulo ofrece una actividad para hacer en parejas que presenta una situación o problema que los estudiantes han de representar o resolver a través del uso creativo, informal e incluso humorístico de la lengua. En este tipo de actividades se debe tolerar en mayor medida los posibles errores gramaticales, puesto que el objetivo fundamental es la comunicación efectiva. Si se producen errores que pueden interferir con el mensaje, puede comentarlos con la clase cuando todos hayan terminado. Recuerde dar un límite de tiempo para estas actividades (por ejemplo, tres minutos en este caso, aunque puede aumentar el tiempo a lo largo del curso, cuando los estudiantes tengan más recursos para mantener una conversación).

Sugerencia: Recuerde a sus estudiantes que el presente puede expresar futuro, de manera que cuando hablen sobre sus planes para el jueves pueden hacerlo usando formas del presente.

Output [2.21] ¿Qué hacemos en...?

PALABRAS ÚTILES

el bar	*bar*
el cine	*movie theater*
el teatro	*theater*
la discoteca	*nightclub*
un partido deportivo	*sporting match, game*

Paso 1. Write two or three activities that you do in the places below. Add one more place on campus that you usually go to.

Modelo: En la biblioteca.
Voy a la biblioteca todos los días después de la clase de español; hago la tarea de cálculo y estudio filosofía. A veces, leo o investigo para un trabajo escrito...

1. En la biblioteca...
2. En mi cuarto...
3. En la residencia/el laboratorio/el centro estudiantil...
4. ¿ ?

Paso 2. Interview a classmate about her/his activities in the places above. Take turns asking questions about the activities she/he does there, when she/he goes, etc.

Modelo: **¿Cuándo vas a la biblioteca?**
¿Estudias allí (*there*)?
¿Haces la tarea allí?

Now take a vote: Which is the class' favorite place (**el lugar favorito**)?

2.22 Sugerencia: Cuando se cumplan los diez minutos haga que los estudiantes tomen asiento. Pida a algunos voluntarios que compartan con la clase qué hacen en su tiempo libre y pregunte a la clase quién hace lo mismo.

[2.22] Sondeo (*Survey*): El tiempo libre (*Leisure time*).

Output **Paso 1.** Complete the first column in the chart below with what you like to do in your time off. Add one more activity of your choice at the end.

Output **Paso 2.** Walk around the classroom to find out who shares your preferences. Transform your statements into questions (see the example in parentheses) to ask your classmates. When someone answers affirmatively, write her/his name in the second column. How many affirmative answers can you get in 10 minutes? Your professor may ask you to share your results with the class.

Actividades de tiempo libre		¿Quién?
Modelo: Asistir a...	**Asisto a los conciertos de rock.** (**¿Asistes a los conciertos de rock?**)	**Megan**
1. Asistir a...		
2. Ir a...		
3. Salir a... con...		
4. Hablar con...		
5. Comer... en...		
6. Mirar...		
7. Leer...		
8. ¿ ... ?		

Sugerencia: Puede pedir a los estudiantes que, en grupos pequeños, compartan y comparen sus historias. También puede pedir a algunos voluntarios que las lean en voz alta para toda la clase.

Output **[2.23] El profesor.** You have talked a lot about what you and other students do. What do you think your teachers do? Write a short paragraph describing what you imagine is a typical day for your Spanish teacher. Try to add details and be creative!

DICHO Y HECHO

PARA LEER: Salamanca: Un clásico

Nota: Las secciones de ***Dicho y hecho*** recogen y reciclan lo aprendido a lo largo del capítulo, aunque se centran en el desarrollo de las habilidades comunicativas orales, de comprensión auditiva, lectura y escritura.

ANTES DE LEER

If you were planning to spend a semester abroad, what criteria would be important to you in terms of the institution and the location?

ESTRATEGIA DE LECTURA

Skimming

A common pitfall for students reading a text in Spanish is trying to understand every single word encountered. Skimming the text first, that is looking over it quickly to get a sense of the topic and main ideas, will help you focus on what is relevant when you read in more detail. When skimming, also pay attention to the title, introduction, and subtitles, since these often point at the key ideas.

Para leer: Si hace la actividad de leer por encima (***skimming***) en clase, conviene dar un límite de tiempo (por ejemplo, un minuto) para forzar a los estudiantes a dar un vistazo rápido al texto, en vez de leer palabra por palabra.

A LEER

1. Skim over the text quickly and write down in a sentence or two what you think this text is about.
2. Now, read the text. Try to focus on the words you know and recognize and on getting the main ideas. Do not worry if you do not know some words or cannot understand every detail.

Opción: Si quiere que los estudiantes lean el texto en casa, como tarea, es buena idea explorar la pregunta en ***Antes de leer*** y presentar la ***Estrategia de lectura*** en la clase anterior, de manera que los estudiantes estén mejor preparados para interpretar el texto correctamente y usar las estrategias presentadas.

Segura, adaptable y cultural, Salamanca es una ciudad[1] ideal para los estudiantes de español. Solo en 2007, recibió unos 26,000 estudiantes de español.

Una ciudad ideal Salamanca tiene 180,000 habitantes, incluyendo 35,000 estudiantes españoles universitarios. Su universidad, fundada en 1218, es una de las más antiguas de Europa y la responsable académica de los prestigiosos exámenes DELE (Diploma de Español como Lengua Extranjera[2]). Además, la Universidad Pontificia y numerosas escuelas privadas también ofrecen clases de español. Por tanto, hay opciones para todas las necesidades.

Una ciudad joven[3] Como ciudad, Salamanca es perfecta para estudiantes. Es pequeña[4] y manejable, con muchas actividades culturales y un ambiente muy joven. Muchos estudiantes de español prefieren Salamanca por su calidad de vida. Los estudiantes gastan[5] entre 500 y 700 euros al mes, algo que en Madrid, por ejemplo, es casi imposible. Los estudiantes que hacen un curso intensivo de seis semanas gastan aproximadamente 1,000 euros en total, con el curso y el alojamiento[6] incluidos. Además, el hecho de que muchos estudiantes españoles decidan estudiar su carrera[7] allí, facilita la integración de los estudiantes foráneos, porque hay muchos apartamentos mixtos de españoles y extranjeros. Estina, una estudiante noruega, nos dice: "Es una ciudad muy viva[8], hay muchos estudiantes, se puede andar por todas partes[9]... Sí, me gusta[10] la gente[11] de aquí".

© Robert Fried/Alamy

▲ Estudiantes en las afueras de la Universidad Pontificia, en Salamanca.

Texto: Clara de la Flor / *De la revista Punto y coma (Habla con eñe)*

[1]city, [2]foreign, [3]young, [4]small, [5]spend, [6]lodging, [7]university studies, [8]lively, [9]**se...** one can walk everywhere, [10]**me...** I like, [11]people

Alternativa: Pida a los estudiantes que busquen en Internet información sobre los cursos de español en al menos dos escuelas (ej. Universidad de Salamanca, Universidad Pontificia de Salamanca, Enforex, Don Quijote, Berceo) y escojan uno. Deben decidir a qué programa van a asistir, cuándo, qué tipo de alojamiento prefieren, etc.

DESPUÉS DE LEER

1. Select the statement that best summarizes the text.

☐ Salamanca is an ideal city for students of Spanish because there are many young people and bars, so it is lively and fun.

☑ Salamanca is an ideal city for students of Spanish because there are many different Spanish programs, many Spanish and international students, and a high quality of life.

2. Indicate which words are applicable for each statement, according to the text.

a. En Salamanca hay muchos/as...

☑ estudiantes ☐ residencias ☐ bibliotecas ☐ escuelas de español ☐ bares

b. Es una ciudad...

☐ moderna ☐ tradicional ☑ antigua ☐ cara (*expensive*) ☐ viva

c. Hay estudiantes...

☑ universitarios españoles ☑ universitarios extranjeros ☐ de español

3. In small groups, discuss whether you would like to study abroad. If so, share where you would like to go and why.

Nota: *Para conversar* es una actividad comunicativa que ofrece la oportunidad de usar el vocabulario, estructuras y conocimientos adquiridos en el capítulo. Dé unos cinco minutos para completar la conversación y, después, haga preguntas enfatizando lo que puede ser interesante o relevante para los estudiantes.

PARA CONVERSAR: El fin de semana

In small groups, you will make plans for both a study group meeting and a fun activity this weekend.

Paso 1. In your notebook, draw and complete a calendar of your activities for next Friday, Saturday, and Sunday.

Sugerencia: Pida a sus estudiantes que completen su calendario de fin de semana como preparación antes de clase.

Paso 2. Your classmates and you want to get together to study Spanish and also to do something fun (see the *Palabras útiles* box on the next page), but you are all quite busy this weekend.

- Ask questions and share information about what you are doing and when, as you try to find all the possible times that you are all available.
- Once you have found available times, decide when and where you are going to meet to study Spanish, when you are going to do something fun, and what you will do.

Sugerencia: Puede pedir a la clase que dé algunos ejemplos de oraciones modelo para las diferentes partes de la conversación: preguntas (*¿Qué haces el sábado a las dos?*), posibles respuestas (*El sábado a las dos juego al tenis con mi amiga*) y sugerencias (*¿Vamos al cine el sábado a las 6 de la tarde?*)

ESTRATEGIA DE COMUNICACIÓN

Simplifying your expression

As you begin sharing ideas in Spanish, you may feel you have a lot more you want to say than you can actually express. Avoid trying to translate complex sentences from English to Spanish, and instead try to formulate your ideas more simply in Spanish, using the vocabulary and structures you have learned. For example, instead of translating *I attend a regularly scheduled study group for my organic chemistry class on alternating Sunday afternoons*, you can say **A veces, estudio con mis compañeros de la clase de química los domingos.**

PALABRAS ÚTILES

el centro comercial	*the mall*
el supermercado	*the supermarket*
mirar la televisión/una película	*to watch TV/a movie*
descansar	*to rest*
hacer ejercicio	*to exercise, work out*
jugar al tenis/baloncesto/fútbol americano/béisbol	*to play tennis/basketball/football/baseball*
de... (time) a... (time)	*from... until...*

ASÍ SE HABLA

En su conversación, intenten usar estas frases muy comunes en Puerte Rico:

chévere = *cool*
pana = *buddy, friend*
¡Ay bendito! = *Oh my gosh!*
¡Wepa! = *Awesome!*

PARA ESCRIBIR: ¿Soy un/a estudiante típico/a?

In this composition, you will describe your campus activities and argue either that you are a typical student or that you are an atypical student on your campus. The audience for this composition is a friend of yours who goes to a different school.

ESTRATEGIA DE REDACCIÓN

Generating ideas: Brainstorming

The first stage of the writing process consists of generating ideas. A very effective way to do that is by brainstorming, jotting down any and all ideas that come to mind when thinking about your topic. The goal is to explore the topic, so do not worry about how those ideas connect, which would be better for your composition, grammar, spelling, etc. As much as possible, try to brainstorm in Spanish, recalling words you have already learned.

ANTES DE ESCRIBIR

Paso 1. Think about "typical" students on your campus. What do they do during an average school week? Jot down any ideas that come to mind in your notebook. You may refer to the paragraphs about "**Alicia and Carolina**" (en la sección **Así se forma 3**) and "**Ángel**" (en la sección **Así se forma 4**) for ideas.

Durante la semana, los estudiantes típicos de mi campus...

Paso 2. Now, think about what *you* do during a typical school week. Write down your ideas in your notebook.

Durante la semana, yo...

Paso 3. Compare the activities you wrote for the **estudiante típico** in **Paso 1** to the ones you wrote for yourself in **Paso 2.** Are you a typical student, an atypical student, or a bit of both?

- ☐ Soy un/a estudiante totalmente típico/a.
- ☐ Soy un/a estudiante totalmente atípico/a.
- ☐ Bueno (*well*), soy un/a estudiante un poco típico/a, pero también un poco diferente.

A ESCRIBIR

Write a composition in which you summarize this information. The following outline can help you organize your composition.

Note to the student: Writing is an important means of communication and many of us write every day: leaving a note for a roommate, sending e-mails to friends, completing academic papers, etc. To help you develop your Spanish writing abilities, each chapter will guide you through some of the key aspects involved in the process of writing (*Estrategia de redacción.*) To start, here are some general recommendations:

- Try to come up with simple ways to express your ideas in Spanish, making the most of the language you already know. Thinking in English and then trying to translate will have you seeking for structures and vocabulary you have not learned yet, ending up in frustration and a poorly written text.
- Remember that writing is a multistep process and requires one or more revisions.
- Focus on the ideas you want to convey first, and worry about the right grammar and correct spelling later.
- Do not use an English–Spanish dictionary until you learn how to do it well.

PALABRAS ÚTILES

las mismas (*same*) actividades
actividades similares
actividades muy diferentes

Párrafo (*paragraph*) 1: En esta composición, voy a (*I am going to*) comparar las actividades de los estudiantes típicos con mis actividades, para (*in order to*) determinar si soy típico/a o no.

Párrafo 2: Las actividades de los estudiantes típicos...

Párrafo 3: Mis actividades...

Párrafo 4: En conclusión...

Para escribir mejor: Here are a few more connecting words to add and contrast ideas:

también	*also, as well* **También** leo mucho. /Leo mucho también.	Used at the beginning or end of a sentence.
además	*besides, in addition* **Además** leo mucho.	Typically used at the beginning of a sentence.
aunque	*although, even though* **Aunque** no leo todos los días.	Used at the beginning of a sentence.

Sugerencia: Puede pedir a los estudiantes que revisen la composición de un/a compañero/a. Indique que deben usar las preguntas de ***Después de escribir*** como criterio. Además, puede darles la rúbrica que usted usará para evaluar su trabajo para que entiendan mejor sus expectativas.

Nota: ***Para ver y escuchar*** es una actividad de comprensión auditiva que puede realizarse en clase (con el Video) o ser asignada como tarea ya que el segmento se encuentra en ***WileyPLUS***.

Recuerde que tiene a su disposición transcripciones de los videos en ***WileyPLUS***, además de la opción de ver los videos con subtítulos.

DESPUÉS DE ESCRIBIR

Revisar y editar: El contenido. Once you have generated a first draft of your composition, set it aside for at least one day. Return to it and review the content, that is, the ideas you included and whether they adequately address the topic. You may want to ask yourself questions such as:

- ☐ Are the main topic and purpose of my composition clear?
- ☐ Does it describe 4 or 5 activities that "typical" students do during the week?
- ☐ Does it describe 4 or 5 activities that I do during the week?
- ☐ Does it explain whether I consider myself a typical student or not?
- ☐ Are the ideas relevant and sufficiently developed for the purpose of the text?
- ☐ Will the intended reader understand what I am describing, or should I provide greater detail?

WileyPLUS PARA VER Y ESCUCHAR: Una visita a la UNAM

ANTES DE VER EL VIDEO

Paso 1. In small groups, answer the following questions.

1. ¿Cuántos estudiantes hay en tu universidad?
2. ¿Es tu universidad pública o privada?
3. En tu universidad, ¿hay estudiantes internacionales? ¿De dónde son?
4. ¿Qué idiomas ofrece tu universidad? ¿Qué idiomas son más populares?
5. ¿Hay en tu universidad un programa de inglés para estudiantes internacionales?

© John Wiley & Sons, Inc.

▲ Estudiantes de la UNAM

Paso 2. Look at this list of possible factors to consider in choosing a location to study Spanish abroad. Rank them in order of importance for you personally.

______ Número de estudiantes por clase
______ Reputación general de la Universidad
______ Actividades culturales
______ Destinos históricos o turísticos cercanos (*nearby*)
______ Oportunidades de relacionarse con estudiantes locales
______ País y ciudad
______ Tipo de alojamiento (*lodging*), por ejemplo en residencia, apartamentos o casas de familias locales
______ Clima (*climate*)

ESTRATEGIA DE COMPRENSIÓN

Ignoring words you don't know Although ideally we strive to understand all words in a conversation or video that is presented to us, sometimes being overly concerned about every single word can actually be counterproductive. It may cause you to get caught up in one small portion and not allow your attention to continue to follow the action and the dialogue. Thus, it can sometimes be a better strategy to temporarily ignore words that you don't immediately understand. You can return to them later and replay the segment as many times as you like to get the full meaning. For now, see how much you can understand and what you may need to ignore the first time you listen.

A VER EL VIDEO

Paso 1. View the video the first time without subtitles, and see how much you comprehend. Try not to get stuck on words that you don't immediately understand. In small groups, share what you understood.

Paso 2. Before you watch the video a second time, look at the statements below. After watching, state whether they are true (**cierto**) or false (**falso**). Rewrite the statements to make them correct.

	Cierto	Falso
1. Los estudiantes del video estudian muchas materias (*subjects*).	☐	☐
2. El joven estadounidense estudia español para (*in order to*) obtener un trabajo bueno en Estados Unidos.	☐	☐
3. Los estudiantes normalmente trabajan individualmente.	☐	☐
4. Hay muchas oportunidades para practicar el español.	☐	☐

DESPUÉS DE VER EL VIDEO

After viewing the video, answer the questions and list several ways in which the UNAM is similar to and different from your university.

1. According to the young man from the United States, why is it important to study Spanish? Do you agree with him?
2. Are you considering studying abroad in a Spanish-speaking country? What would be the benefits and difficulties?
3. List several ways in which the UNAM is similar to and different from your university.

La UNAM es similar a mi universidad porque...
La UNAM es diferente a mi universidad porque...

Repaso de vocabulario activo

Adverbios y expresiones adverbiales

ahora *now*
a tiempo/temprano/tarde *on time/early/late*
a veces *sometimes*
antes de/después de *before/after*
casi nunca *rarely*
esta mañana/tarde/noche *this morning/afternoon/evening*
el día *day*
el fin de semana *weekend*
con frecuencia *frequently*
más tarde *later*
nunca *never*
por/en la mañana/tarde/noche *in the morning/afternoon/evening*
siempre *always*
todas las mañanas/tardes/noches *every morning/afternoon/evening*

En la clase/el aula

el alumno/el estudiante *student (male)*
la alumna/la estudiante *student (female)*
los apuntes *notes*
el bolígrafo/la pluma *pen*
el borrador *eraser*
la calculadora *calculator*
el cuaderno *notebook*
el diccionario *dictionary*
el (reproductor de) DVD *DVD, DVD player*
el escritorio *desk*
el examen/la prueba *exam*
el lápiz *pencil*
el libro *book*
el mapa *map*
la mesa *table*
la mochila *backpack*
la nota *grade*
el papel/una hoja de papel *paper/a sheet of paper*
la papelera *wastebasket*
la pizarra *blackboard*
la pizarra inteligente *smartboard*
el profesor *teacher/professor (male)*
la profesora *teacher/professor (female)*
la puerta *door*
el proyector *proyector*
el reloj *clock*
la silla *chair*
la tarea *homework*
el televisor *television set*
la tiza *chalk*
el trabajo (escrito) *academic paper, essay*
la ventana *window*

En el laboratorio

los auriculares *headphones*
la computadora *computer*
el correo electrónico/el e-mail *e-mail address*
el disco compacto/el CD *compact disc*
el (teléfono) celular/móvil *cell phone*
la impresora *printer*
el mensaje (electrónico) *(e-mail) message*
la página web *Web page*
la pantalla *screen*
la red *the web/Internet*
el ratón *mouse*
el sitio web *website*
el teclado *keyboard*

Las materias

la administración de empresas *business administration*
el alemán *German*
el álgebra *algebra*
el arte *art*
la biología *biology*
el cálculo *calculus*
las ciencias políticas *political science*
la computación/informática *computer science*
la contabilidad *accounting*
la economía *economy*
la educación *education*
el español *Spanish*
la filosofía *philosophy*
las finanzas *finances*
la física *physics*
el francés *French*
la historia *history*
el inglés *English*
la ingeniería *engineering*
la literatura *literature*
las matemáticas *mathematics*
la música *music*
los negocios *business*
el periodismo *journalism*
la psicología *psychology*
la química *chemistry*
la religión *religion*
la sociología *sociology*

Lugares ***Places***

la casa *home/house*
el apartamento *apartment*
la biblioteca *library*
la cafetería *cafeteria*
el centro estudiantil *student center*
el cuarto *room*
la facultad *school or department within a university*
el gimnasio *gymnasium*
la librería *bookstore*
la oficina del profesor *office*
la residencia estudiantil *student dorm*
el restaurante *restaurant*
la universidad *university*

Verbos y expresiones verbales

aprender *to learn*
asistir a *to attend*
beber *to drink*
buscar *to look for*
cenar *to have dinner*
comer *to eat, have lunch*
comprar *to buy*
compartir *to share*
comprender *to understand*
desayunar *to have breakfast*
enviar *to send*
escribir *to write*
escuchar *to listen to*
estudiar *to study*
hablar *to talk*
hacer *to do, make*
hay *there is, there are*
imprimir *to print*
ir *to go*
leer *to read*
llegar *to arrive*
mandar *to send*
navegar por la red/Internet *to surf the Web*
practicar *to practice*
preparar *to prepare*
regresar *to return, to go back*
sacar buenas/malas notas *to get good/bad grades*
salir *to go out*
ser *to be*
tomar apuntes *to take notes*
trabajar *to work*
usar *to use*
vivir *to live*
(*e-mail*) *message*

Palabras interrogativas

¿Cuándo? *When?*
¿Adónde? *Where to?*

CAPÍTULO 3

Así es mi familia

Ariel Skelly/Age Fotostock America, Inc.

LEARNING OBJECTIVES

In this chapter, you will learn to:

- talk about the family.
- tell your age.
- indicate possession.
- describe people and things.
- indicate location.
- describe mental and physical conditions.
- understand the importance of the family in the Spanish-speaking world.
- discover the Latino community in the United States.

Entrando al tema

1. When you think of "my family," who are the people you think of?
2. How many family members live in your home? While growing up, did you share a bedroom or have one to yourself?
3. How many people of Hispanic origin live in your town/city (or the place where you are from)? Do you know what their countries of origin or heritage are?

Así se dice

Así es mi familia

Use ***PowerPoint Slides*** para presentar y practicar este vocabulario.

Mencione que *novia/novio* también se refiere a los contrayentes en la boda (*bride/groom*).

Me llamo Juanito. Andrés y Julia son mis **padres**[1], y tengo (*I have*) dos **hermanas:** Elena y Clara. Mis **abuelos** son José, Tina (los padres de mi papá), Noé y Lucía (los padres de mi mamá). El **tío** Antonio es hermano de mi mamá y la **tía** Elisa es su **esposa.** Ellos tienen (*they have*) un **hijo**, Ricardo, y una **hija**, Tere, que son mis **primos.**

Andrés y Julia, novio y novia (2005)

Andrés y Julia, marido y mujer (2007)

¿Qué ves? (*What do you see?*) Answer these questions about the illustration:

1. ¿Es cierto o falso? Noé es el abuelo de Ricardo; Tere es nieta de Lucía; Julia es prima de Elisa; Andrés el hijo de José; Julia es hija de Tina; Elena es nieta de Tina; Ricardo es primo de Clara; Noé es tío de Antonio; Julia es tía de Tere; Noé es suegro de Julia.
2. Observa las fotos. En la foto de Andrés y Julia, ¿son esposo y esposa? ¿Son novio y novia? ¿Andrés es el novio o la novia? ¿Quién es la novia?

You can find more comprehension questions on *WileyPLUS* and on the Book Companion Site (BCS).

El abuelo con los nietos (2012)

Los niños Elena, Juanito y Clara (2013)

[1]In Spanish, the masculine plural can refer to a group of both males and females. Examples: **padres** = *parents*, **abuelos** = *grandparents*, **tíos** = *aunts and uncles*, **hermanos** = *brothers and sisters* (*siblings*).

Listen to all the new vocabulary in **Repaso de vocabulario activo** at the end of the chapter.

NOTA DE LENGUA

There are different terms to refer to a romantic partner: **esposo/a, marido/mujer** when married; **novio/a, enamorado/a** (parts of Lat. Am.) when dating; **prometido/a** when engaged. A general term that anyone can use is **pareja** (partner, significant other).

Sugerencia: Para iniciar el trabajo de comprensión y respuesta al nuevo vocabulario (actividades de ***input***) refiérase a las preguntas de comprensión **¿Qué ves?** en *WileyPLUS* y en el Book Companion Site (BCS).

¿Y tú?

1. ¿Tienes una relación cercana (*close*) con tu familia extendida? ¿Los ves frecuentemente?
2. ¿Qué celebraciones haces con tu familia nuclear? ¿Y con tu familia extendida?

WileyPLUS

Pronunciación:
Practice pronunciation of the chapter vocabulary and particular sounds of Spanish in *WileyPLUS.*

3.1 Audio
1. La hermana de mi madre es mi tía.
2. La abuela de mi hermana es mi abuela.
3. Los hijos de mis tíos son mis nietos.
4. El padre de mi madre es mi tío.
5. Mi hermana es la hija de mi tía y mi tío.
6. El padre de mi padre es el suegro de mi madre.

[3.1] La familia: ¿cierto o falso?

Input

Paso 1. Listen to the following statements (each one will be repeated twice) and decide whether they are true (**cierto**) or false (**falso**.)

Modelo: (You hear) El hijo de mis padres es mi hermano.
(You mark) **Cierto** ☑ **Falso** ☐

1. Cierto ☑	Falso ☐	4. Cierto ☐	Falso ☑
2. Cierto ☑	Falso ☐	5. Cierto ☐	Falso ☑
3. Cierto ☐	Falso ☑	6. Cierto ☑	Falso ☐

Output

Paso 2. Write 3 statements explaining who various members of the family are. With a classmate, take turns reading your statements and identifying the family members described.

Modelo: Estudiante A: **Es el hijo de mi tía.**
Estudiante B: **Es tu primo.**

3.1 Paso 1 Extensión: Have students listen again and write down the sentences that are false, then ask them to rewrite them so they are correct.

ASÍ SE DICE

Nota: Las secciones de *Así se dice* presentan nuevo vocabulario en contexto, con traducciones solo en los casos en que el contexto no sea suficiente para deducir el significado de la palabra. Recuerde a los estudiantes que las palabras en negrita son palabras que deben estudiar. Pueden encontrar una lista completa de vocabulario activo al final del capítulo.

Sugerencia: Señale que *la familia* es un nombre singular y, por tanto, requiere una forma verbal singular, por ejemplo: La familia es interesante.

La familia, los parientes y los amigos

Camila tells Inés about her family, relatives, and friends.

Inés: Camila, eres de la República Dominicana, ¿verdad?
Camila: Sí, pero mi familia y yo vivimos (*live*) en Nueva York. Mi familia es interesante porque mis padres son **divorciados** y ahora mi madre tiene (*has*) otro esposo: mi **padrastro**.
Inés: Y, **¿cuántos** hermanos tienes?
Camila: Bueno, aquí en Nueva York mi padrastro tiene dos hijos: mi **hermanastro** Pablo y mi **hermanastra** Mónica. Mi madre y su esposo no tienen hijos, por eso (*therefore*) no tengo (*have*) **medio hermanos**. Pero sí tengo un hermano **mayor**, Raúl, y una hermana **menor**, Paula.
Inés: **¿Dónde** están?
Camila: Están en Santo Domingo, y también mi **cuñada** Marta, la esposa de mi hermano, y sus hijos, mis **sobrinos** Pablo y Martita.
Inés: **¿Quién** más de tu familia está en Santo Domingo?
Camila: Están allá mi padre, mis cuatro abuelos, mi **bisabuela** (abuela de mi padre) y otros **parientes**. Mi **mejor amiga**, Pilar, es de Santo Domingo también. Sin embargo (*however*), ya (*already*) tengo excelentes amigos aquí en Estados Unidos.

el bisabuelo/la bisabuela	*great-grandfather/great-grandmother*
el hermanastro/la hermanastra	*stepbrother/stepsister*
el medio hermano/la medio hermana	*half-brother/half-sister*
mayor	*older*
el mejor amigo/la mejor amiga	*best friend* (*male/female*)
menor	*younger*
los parientes	*relatives*
¿Cuántos/Cuántas?	*How many?*
¿Quién/Quiénes?	*Who?*
¿Dónde?	*Where?*

Input
Output

[3.2] La familia de Camila.

Paso 1. Based on what you know about Camila's family, indicate whether these statements are true (**cierto**) or false (**falso**). Then correct the false statements so they are true.

	Cierto	**Falso**
1. El padre de Camila está divorciado.	✓	☐
2. Mónica es la hija de su mamá y su padrastro.	☐	✓
3. Camila es la hermana menor de Raúl.	✓	☐
4. Marta es hermana de Paula.	☐	✓
5. Un sobrino es un hijo de un hermano.	✓	☐
6. Camila tiene tres parientes.	☐	✓
7. Todos sus amigos son de la República Dominicana.	☐	✓

Sugerencia: Como modelo, escriba en la pizarra 5 oraciones sobre su familia, con detalles que puedan ser interesantes o poco frecuentes, e incluyendo al menos dos oraciones falsas. Pida a la clase que intente adivinar cuáles son falsas.

Paso 2. Write 5 statements about your family; some should be true and some false. Then, in small groups, read the statements to your classmates, who will try to guess which statements are true.

En mi experiencia

Erica, Plymouth, MA

© Dorothy Alexander/Alamy

"My best friend is Mexican American. When I first started visiting her house as a kid, I noticed that her mom called her *m'ija* (my daughter) and she would call her son *m'ijo* (my son). Sometimes she would also call them *mami/mamita* (mommy/little mommy) or *papi/papito* (father/little father). They're terms of affection, sort of like calling children "mini" mothers/fathers. My Puerto Rican friends, on the other hand, refer to their parents as *mami/papi* (mom/dad) when talking about them. That was strange to me because when talking to my friends, I would say "**my** mom" and not just "mom."

What terms are used in your community to refer to one's children? Are you aware of different ways to refer to mothers and fathers in English in the U.S.?

Nota: La ***a* personal** aparece en negrita porque se considera parte del vocabulario activo para estudiar.

NOTA DE LENGUA

La a personal
Observe the use of the word **a** in the above description of Carmen's life. It precedes a direct object that is a specific person (or persons). It is called **a personal** and there is no equivalent in English. Note that **a + el** → **al.**

— ¿**A** quién buscas?
Who(m) are you looking for?
— Busco **a** mi amigo/**al** profesor.
I am looking for my friend/the professor.

Note that when the direct object is not a person, there is no **a.**

— ¿Qué buscas?
What are you looking for?
— Busco su apartamento.
I am looking for his apartment.

Sugerencia: Para presentar de forma visual la ***a* personal**, escriba *busco* y *a* en sendas hojas de papel. En otras hojas escriba frases nominales que puedan ser objeto directo de ***busco***, tanto personas: ***María, mis padres, un amigo…;*** como cosas/conceptos abstractos: ***un taxi, la tranquilidad.*** Distribuya las hojas entre varios estudiantes. El estudiante con ***busco*** se pone de pie frente a la clase y, uno a uno, los estudiantes con nombres se colocan a su lado mientras la clase dice si ***a*** tiene que situarse entre los dos o no.

Relaciones personales

See what an important role Carmen's family plays in her very busy lifestyle.

Carmen trabaja, estudia y es madre **soltera.** Sus hijas gemelas (*twins*), Tina y Mari, tienen tres años. Carmen **ama a** sus hijas con todo el corazón (*heart*). Cuando va al trabajo o a la universidad, su tía o la niñera (*babysitter*) **cuida a** las niñas. Todas las mañanas, al salir de la casa, Carmen **besa** y **abraza *a*** Tina y ***a*** Mari. Con frecuencia **llama *a*** sus padres y abuelos, que viven en Ponce, Puerto Rico. Ellos **visitan *a*** Carmen y ***a*** sus nietas dos veces al año.

abrazar	*to hug*	**cuidar**	*to take care of*	**soltero/a**	*single*
amar	*to love*	**llamar**	*to call*	**visitar**	*to visit*
besar	*to kiss*				

[3.3] Tú y tu familia.

Input **Paso 1.** In the table below, answer the questions about you and your family (both immediate and extended) in the column "**Yo.**"

Output **Paso 2.** Ask these questions to a classmate and write his/her answers under **Mi compañero/a**. Do not forget to use "*a personal*" in your answers! Can you find any similarities?

	Yo	**Mi compañero/a**
1 ¿A quién en tu familia amas mucho (*a lot*)?		
2 ¿A quién abrazas con frecuencia?		
3 ¿A quién besas?		
4 ¿A quién llamas por teléfono con frecuencia?		
5 ¿A qué parientes visitas con más frecuencia?		
6 ¿A quién admiras (*admire*) mucho?		
7 ¿A quién escuchas siempre (*always*)?		

Así se forma

1. The verb *tener* and *tener... años* to indicate possession and tell age

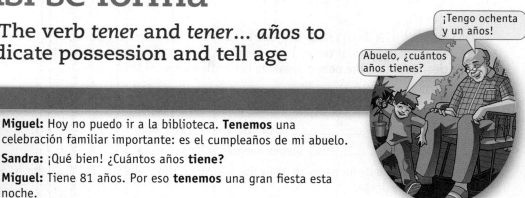

¡Tengo ochenta y un años!
Abuelo, ¿cuántos años tienes?

Miguel: Hoy no puedo ir a la biblioteca. **Tenemos** una celebración familiar importante: es el cumpleaños de mi abuelo.

Sandra: ¡Qué bien! ¿Cuántos años **tiene?**

Miguel: Tiene 81 años. Por eso **tenemos** una gran fiesta esta noche.

Sandra: ¿**Tienes** un regalo (*gift*) para él?

Miguel: Uy, no... ¡No **tengo** nada! Voy a la librería, allí siempre **tienen** libros interesantes.

The verb *tener*

You have already informally used **tener** (*to have*) to express possession, as in **tengo dos hermanos.** Now observe the following forms (note that **tener** is irregular in the present).

Tener (irreg.)		
(yo)	**tengo**	**Tengo** un hermano.
(tú)	**tienes**	¿**Tienes** bisabuelos?
(usted, él/ella)	**tiene**	Mi madre **tiene** cuatro hermanas.
(nosotros/as)	**tenemos**	Mi hermano y yo **tenemos** un perro.
(vosotros/as)	**tenéis**	¿**Tenéis** coche?
(ustedes, ellos/ellas)	**tienen**	Mis tíos **tienen** una casa nueva.

Tener... años (To be . . . years old)

Whereas English uses *to be . . .* to tell age (*She is eighteen years old.*), Spanish uses **tener... años.** To inquire about age, the question **¿Cuántos años... ?** (*How many years . . . ?*) is used with **tener**.

—¿Cuántos años tiene él?	*How old is he?*
—Tiene veintiún años.	*He is twenty-one years old.*

Input **[3.4] ¿Quién dice (*says*) esto?** Based on the family pictures on p. 62, who is saying the following?

1. Tenemos dos primos.	☐ Ricardo y Tere	☒ Elena y Juanito	☐ Elena
2. Tengo tres sobrinitos.	☐ Andrés y Julia	☒ Elisa	☐ Tina
3. Mi hijo tiene dos hermanas.	☒ Andrés	☐ José	☐ Antonio
4. Mi suegro tiene dos nietos.	☒ Elisa	☐ Tina	☐ Julia
5. Tenemos cinco nietos.	☐ José y Tina	☒ Noé y Lucía	☐ Noé
6. En este cumpleaños, tengo seis años.	☐ Noé	☐ Ricardo	☒ Juanito

WileyPLUS

Go to *WileyPLUS* to review this grammar point with the help of the **Animated Grammar Tutorial** and **Verb Conjugator**.

Use ***PowerPoint Slides*** para presentar y practicar esta gramática.

Sugerencia: Anime a los estudiantes a identificar las formas de **tener** (tiene -> el/ella/usted) y adivinar las formas no presentes (tenéis, tienen.) Señale también el uso de **tener** para expresar edad.

A veces es útil para los estudiantes conocer las traducciones literales de expresiones que son diferentes en inglés y español. Puede mencionar que la traducción literal es *"to have . . . years"*.

3.4 Sugerencia: Haga un sondeo rápido para averiguar quién tiene más hermanos y hermanas, cuántos estudiantes tienen aún a todos sus abuelos, etc.

Extensión: Como práctica adicional con el verbo ***tener***, ahora o más adelante, puede proponer un juego. Pida a los estudiantes que adivinen las cosas que tiene en su bolsa. Prepare la bolsa antes y ponga cinco objetos que los estudiantes ya conozcan (lápiz, bolígrafo, diccionario... puede poner también algunas "sorpresas" como un mapa). Agite su bolsa para darles una pista sobre lo que puede haber.

Pregunte: ***¿Qué tengo en la bolsa? Tengo cinco cosas...*** Y escriba en la pizarra un modelo: ***Tiene un/una...***

Output

[3.5] La familia de Fernando.

Complete the statements below with appropriate forms of **tener**. Then, based on those statements, complete this family tree. Note that the person speaking is identified (**yo**) in the tree.

1. Mi abuelo Miguel tiene una nieta, se llama Esther.
2. Yo tengo el mismo (*same*) nombre de mi papá: Fernando.
3. Mis abuelos tienen dos hijos: Daniel y Fernando.
4. Mi mamá tiene una ex-suegra, se llama Teresa.
5. La cuñada de mi padre se llama Rosana. Su esposo y ella tienen dos hijos: Jesús y Jorge.
6. (Yo) Tengo una hermana, Esther. Nosotros tenemos una medio hermana: Irene.
7. Hugo tiene una hija y dos hijastros, su esposa Cristina tiene un hijo y dos hijas.

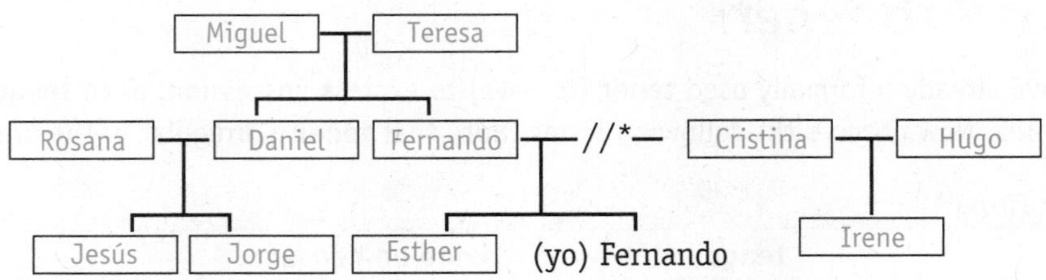

* divorcio

Este ejercicio recicla los numerales, **llamarse** y la expresión de origen con **ser de**. Recuerde a los estudiantes...

[3.6] Mi árbol genealógico (*My family tree*).

Paso 1. Draw your family tree in your notebook, including 3 generations (grandparents, parents, aunts and uncles, siblings and cousins) and any pets you have. Next to their names, write down their ages and where they are from, if you know.

3.6 Puede asignar el árbol genealógico como tarea o dar un límite de tiempo estricto si lo hacen en la clase. Si escoge esta última opción, dibuje su propio árbol en la pizarra mientras los estudiantes dibujan los suyos. Este les servirá de modelo y despertará su interés (¡A los estudiantes les encanta saber cosas sobre sus instructores!).

Output

Paso 2. You and a classmate are going to interview each other about your families. Here are some examples of questions you can use, but first you need to complete them with the correct forms of **tener**.

1. ¿Cuántos años tienes (tú)?
2. ¿ Tienes (tú) hermanos o hermanas mayores? ¿Cómo se llaman y cuántos años tienen ?
3. ¿Sabes (*do you know*) cuántos años tienen tus padres aproximadamente?
4. ¿ Tienes (tú) abuelos? ¿Cuántos años tienen tus abuelos?
5. ¿Tu familia tiene perros o gatos? ¿Cuántos?

Paso 3. Work with a partner and find out about his/her family members using the questions above. Try to draw his/her family tree without looking at his/hers. Then, write a short report stating what your families have in common and what is different.

Modelo: **Ricardo tiene un hermano y yo tengo una hermana. Mi hermana tiene veinte años, pero el hermano de Ricardo tiene dieciocho años.**

Use ***PowerPoint Slides*** para ver el árbol genealógico. Los estudiantes pueden descargarlo, llenarlo, imprimirlo y traerlo a clase.

Cultura

Use ***PowerPoint Slides*** para presentar esta sección de cultura.

Los hispanos en Estados Unidos

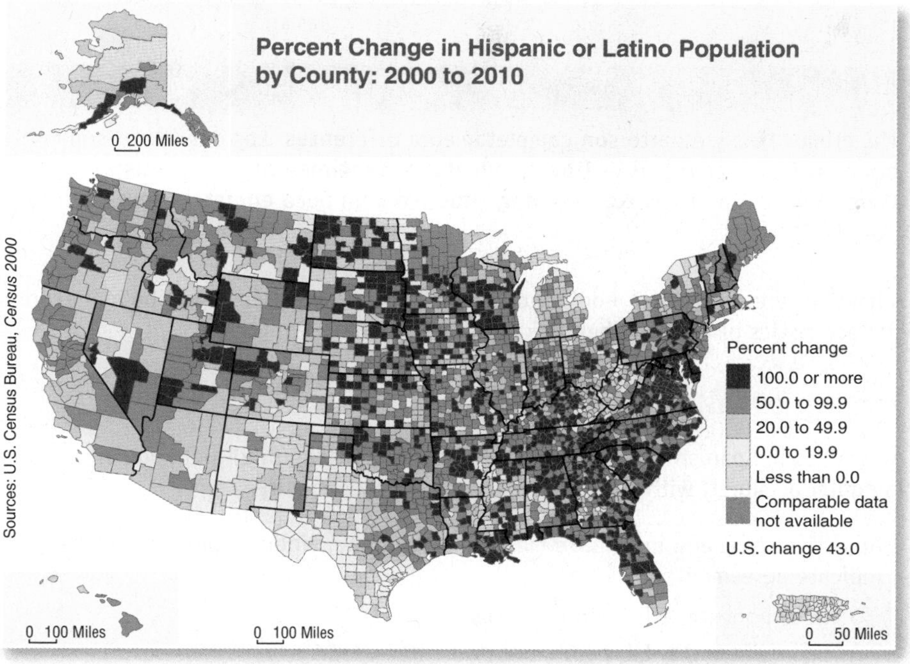

ANTES DE LEER

1. Do you know (or can you guess) what percentage of the U.S. population is Hispanic?
2. Looking at the map, is there anything you did not expect?

▼ Hoy hay más de un millón de puertorriqueños en la ciudad de Nueva York. La comunidad dominicana más grande del país también reside en esta ciudad.

Rudi Von Briel/PhotoEdit

La influencia hispana

La vida diaria (*daily*) de EE. UU. integra numerosos elementos de las artes, la comida y el idioma de las diferentes culturas hispanas. Por ejemplo, hay muchos restaurantes y tiendas con productos hispanos y se puede escuchar el español en muchas partes.

Los hispanos también hacen contribuciones muy valiosas (*valuable*) a la política, las ciencias y las artes del país. Ellen Ochoa fue la primera mujer hispana astronauta en navegar en el espacio; Henry Cisneros sirvió en el gabinete del presidente Bill Clinton; Ana Castillo es una escritora muy famosa; y Sonia Sotomayor es juez de la Corte Suprema.

DESPUÉS DE LEER

1. Look at the following table with data from the 2010 Census. Search for "census.gov" and fill in information from your city or zip code.

	Number of Latinos	Percent of the city's population that is Latino	Majority Latino group(s)
New York City	2,160,554	27%	Puerto Rican, Dominican
Los Ángeles	1,719,073	47%	Mexican
Chicago	753,644	26%	Mexican, Puerto Rican
El Paso	431,875	77%	Mexican
Miami	238,351	66%	Cuban
My town or zip code			

2. Search online for 2-3 differences between two Hispanic groups in the U.S. (for example, between Mexicans and Puerto Ricans).

INVESTIG@ EN INTERNET

Find names of places in the U.S. with Spanish names: states, cities, mountains, rivers, etc. Are there any in your region?

Así se forma

2. Descriptive adjectives

Use *PowerPoint Slides* para presentar y practicar esta gramática.

WileyPLUS

Go to *WileyPLUS* to review this grammar point with the help of the **Animated Grammar Tutorial.**

Para hacer trabajo inductivo antes de leer la explicación gramatical, pida a los estudiantes que hagan una lista de terminaciones adjetivales presentes, y pida que hagan algunas observaciones (es posible que identifiquen la terminación de plural, observen que existen adjetivos terminados en -a para referirse a nombres masculinos, etc.). Señale que los adjetivos en negrita forman parte del vocabulario para estudiar en este capítulo.

Sugerencia: Escriba *él, ella, ellos* y *ellas* en una columna en la pizarra o dibuje figuras para representar cada categoría. Demuestre las variaciones posibles en adjetivos como ***honesto, romántico, inteligente, excelente*** y ***sentimental,*** según se refieran a unos pronombres/figuras u otros.

Mis primos Luis y Alberto **son** completamente **diferentes**. Los dos (*both*) son **buenos** chicos, pero Luis es **liberal**, **idealista**, **sentimental** y muy **sensible** (*sensitive*), y Alberto es **conservador**, **práctico** y un poco **egoísta** a veces.

Adjectives are words that modify nouns. Descriptive adjectives describe and express characteristics of nouns (**liberal, idealista, práctico**...).

Formation of adjectives

Adjectives in Spanish agree in gender (masculine or feminine) and number (singular or plural) with the nouns or pronouns they modify.

- Adjectives that end in **-o** have masculine/feminine, singular/plural forms to indicate agreement.

  Él es honest**o**. Ellos son honest**os.**
  Ella es honest**a**. Ellas son honest**as**.

- Adjectives ending in **-e** or **-ista,** and most ending in a **consonant**, have only singular and plural forms.

  Él/Ella es inteligent**e**, ideal**ista** y libera**l**.
  Ellos/Ellas son inteligent**es**, ideal**istas** y libera**les**.

- Adjectives ending in **-dor** add **-a** to agree with a feminine singular noun:

  Él es conserva**dor**, pero ella no es conserva**dora.**

Adjective position

- In contrast to English, Spanish descriptive adjectives usually follow the noun they describe.

  Marta es una **estudiante responsable.**

- Adjectives of quantity (such as numbers) precede the noun, as in English.

  Tres estudiantes son de Nuevo México.
  Muchos estudiantes van al concierto.

- **Bueno/a** (*good*) and **malo/a** (*bad*) may be placed either before or after a noun. When placed before masculine singular noun, **bueno** becomes **buen**, and **malo** becomes **mal.**

  Es un estudiante **bueno/malo**. Or, Es un **buen/mal** estudiante.
  Es una profesora **buena/mala**. Or, Es una **buena/mala** profesora.

Así se dice

Adjetivos descriptivos con *ser*

Read more about Luis and Alberto and notice the use of **ser** with descriptive adjectives.

Mis primos Luis y Alberto son inteligentes y responsables, pero también son muy diferentes. Luis es **moreno, bajo** y, bueno, no es **gordo**, pero tiene unos kilos de más. Alberto es **rubio, alto** y **delgado.** Luis es **muy amable, divertido** y **simpático.** Alberto no habla mucho, es serio y **un poco aburrido.** La verdad es que a veces es **antipático.** Los dos son mis primos, **pero** ¡qué contraste!

Sugerencia: Pida a sus estudiantes que escriban dos columnas ecabezadas por Luis y Alberto, anotando los adjetivos que describen a cada uno en la columna apropiada. Al terminar, deben unir con líneas los adjetivos opuestos.

Extensión: Pida que reescriban el texto imaginando que hablan de dos primas: Lupe y Lola.

Descriptive adjectives are used with the verb **ser** to indicate characteristics or qualities that are considered inherent or natural to the person or thing described. They indicate what the person or thing is *like*.

aburrido/a	*boring*	**moreno/a**	*dark-skinned, brunette*
alto/a	*tall*	**rubio/a**	*blond/e*
amable	*nice, kind*	**serio/a**	*serious*
antipático/a	*unpleasant, disagreeable*	**simpático/a**	*friendly, likeable*
delgado/a	*slim, thin*	**muy**	*very*
divertido/a	*amusing, fun, funny*	**pero**	*but*
gordo/a	*fat*	**un poco**	*a bit, somewhat*

NOTA DE LENGUA

You often use more than one adjective when describing a person. In doing so, note the following:

y (*and*) becomes **e** before words beginning with **i** or **hi**.
Mi madre es bonita **e** inteligente.

o (*or*) becomes **u** before words beginning with **o** or **ho**.
¿El presidente es deshonesto **u** honesto?

Observe the following pairs of opposite adjectives, often used with the verb **ser** to describe inherent characteristics.

fuerte ≠ debil

joven ≠ mayor[1]

difícil ≠ fácil

pequeño(a) ≠ grande
viejo(a) ≠ nuevo(a)

Other opposites are:

bueno/a	*good*	**malo/a**	*bad*
listo/a	*smart, clever*	**tonto/a**	*silly*
perezoso/a	*lazy*	**trabajador/a**	*hardworking*
pobre	*poor*	**rico/a**	*rich*
feo/a	*ugly*	**bonito/a; hermoso/a; guapo/a**[2]	*pretty, good looking*

Sugerencias: Traiga fotografías de personas muy diferentes (ancianos, personas "exóticas", etc.) y pida a los estudiantes que las describan no solo en cuanto a sus características físicas, sino también imaginando su personalidad. Se puede ampliar más imaginando cómo son sus parientes.

[1]The plural of **joven** is **jóvenes.** Although the most common Spanish word for old is **viejo,** it is not polite to use it to describe people. Use **mayor** instead.

[2]Note that **guapo/a** is used for people, not things.

3.7 Extensión: Pregunte a la clase si había algunas respuestas repetidas y/u originales.

Paso 2: Para facilitar la tarea, puede pedir que limiten los personajes a personajes de ficción, o personas famosas vivas.

HINT

You may want to look up more descriptive adjectives at the end of this chapter.

[3.7] ¿Quién?

Input **Paso 1.** Answer the following questions with the names of famous people or fictional characters.

Modelo: ¿Quién es muy divertido? **Jimmy Fallon es muy divertido.**

1. ¿Quién es feo pero simpático?
2. ¿Quién es muy mala?
3. ¿Quién es muy rico?
4. ¿Quién es joven y guapo?
5. ¿Quién es amable?
6. ¿Quién es bonita y divertida?
7. ¿Quién es antipático?
8. ¿Quiénes son muy listos?
9. ¿Quiénes son mayores y aburridos?
10. ¿Quién es un poco tonto?

Share your ideas with a classmate. Did you coincide in any of your answers?

Paso 2. Now, write four sentences describing famous people or fictional characters. Then, in groups, you will read your sentences to your classmates, without mentioning who the person or character is. They will try to guess who you are talking about.

Modelo: Estudiante 1: **Es tonto, pero también es buen padre. Es un poco gordo. Tiene un hijo y dos hijas. (Homer Simpson)**
Estudiante 2: **¿Es Homer Simpson?**
Estudiante 1: **Sí./No.**

3.8 Audio:
1. morena y muy guapa
2. fuerte y alto
3. divertidos
4. generalmente buenas, pero a veces muy malas
5. inteligente
6. jóvenes
7. trabajador y responsable
8. muy simpáticos

Este ejercicio ofrece a los estudiantes una oportunidad de familiarizarse con el concepto de concordancia y practicarlo en el ámbito de la comprensión antes de tener que producirlo.

[3.8] ¿Quién es?

Paso 1. Listen to Juanito talk about his family and write the adjectives next to the people he is referring to: his mother, father, sisters, or cousins. If an adjective fits in more than one place, write it in both.

la mamá: morena y muy guapa, inteligente

el papá: fuerte y alto, inteligente, trabajador y responsable

las hermanas: generalmente buenas, pero a veces muy malas, jóvenes

los primos: divertidos, jóvenes, muy simpáticos

Output **Paso 2.** Now describe one of the people in each set using adjectives of your choice.

1. Mi mamá/abuela: ____________
2. Mi papá/abuelo: ____________
3. Mis hermanos/amigos: ____________
4. Mis hermanas/ amigas: ____________

3.8 Extensión: Pida a los estudiantes que, en parejas, compartan lo que han escrito y hagan preguntas adicionales a su compañero/a. Después puede pedir a algunos estudiantes que compartan lo averiguado sobre los parientes de su compañero/a.

Output **Paso 3.** In most families there are people who are similar in some ways but very different in other ways. Think about two people in your family like this (you and a sibling, your parents, two grandparents, etc.) and describe their similarities and differences in your notebook.

Modelo: Mi ____________ y ____________ son similares porque...
Pero también son diferentes. Por ejemplo, mi ____________ ..., pero mi____________ ...

[3.9] Los anuncios personales.

3.9 **Posibles parejas:** 1-8; 2-7, 3-5, 4-6.

Input **Paso 1.** Read these personal ads and decide who would make a good couple.

1. **Soy una señorita enérgica,** honesta y práctica. Tengo veintidós años y deseo conocer a un caballero romántico. En el futuro, quiero tener muchos hijos.

2. **¿Buscas a un hombre** maduro y optimista? Tengo cuarenta y dos años, soy viudo (*widower*) y tengo una hija.

3. **Persona trabajadora y** responsable busca a persona caribeña (*Caribbean*) tradicional y seria.

4. **Busco a una persona** exótica y joven. Tengo veinticinco años y soy muy trabajador.

5. **Señorita dominicana** de treinta años busca a un hombre inteligente y divertido. Soy muy religiosa.

6. **Tengo veinte años y trabajo** en un estudio de tatuajes (*tattoos*). Busco a un hombre rico y guapo.

7. **Soy una madre divorciada.** Tengo cuarenta años y tengo dos hijas. Quiero encontrar a un señor amable y responsable.

8. **Tengo treinta años y** busco a una mujer enérgica y liberal. Soy muy romántico y quiero una familia grande.

Output **Paso 2.** Share your matchmaking decisions with a partner. You might want to use these terms:

Modelo: Creo que la persona (...) hace / no hace buena pareja (*makes a good couple*) con la otra persona (...) porque... tienen mucho en común / no tienen nada en común. Por ejemplo...

En mi experiencia

Robert, San Antonio, TX

Tony Freeman/PhotoEdit

"I was invited to a neighbor's *quinceañera*—a party celebrating when she turned 15. First, we went to a mass at the local church, where the girl gave thanks to her family and made a promise to carry out her religious values. She was wearing a really formal dress, and she had four female attendants in matching dresses (called *damas*) along with four male attendants (*chambelanes*) in suits. After mass, we went to a reception, where the *damas* and *chambelanes* did an elaborate dance. Then, the girl changed from flat shoes into high heels, which they told me is supposed to represent her transition from childhood to adulthood, and then she shared a special dance with her father. It reminded me of a wedding but without the groom!"

In what ways are *quinceañeras* similar to and different from a Sweet 16 party or a debutante/cotillion ball? What are the underlying values that these events share?

Sugerencia: Si tiene hablantes de herencia, pregúnteles si tuvieron o han asistido a una quinceañera, y si quieren ofrecer una descripción.

PALABRAS ÚTILES

Here are some more opposites and physical descriptions:

Tener pelo (*hair*) negro (*black*)/canoso (*gray*)/ser pelirrojo *(redhead)*.
Tener ojos (*eyes*) azules (*blue*)/verdes (*green*)/negros/ café (*brown*).

3.10 Extensión: Se puede pedir a algunos estudiantes que lean las descripciones de sus parejas perfectas a la clase y expliquen si realmente ésta sería una pareja ideal o no. Recuerde a los estudiantes que los adjetivos terminados en ***-ista*** tienen la misma forma para masculino y femenino.

Ponga un límite, ya sea en el número de preguntas que se pueden hacer a cada personaje, o bien en el tiempo que pueden usar para descubrir quién es (por ejemplo, cuatro minutos).

Situaciones: Si la clase es grande, puede dividirla en dos grupos. Controle el tiempo y diga ***"¡Tiempo!"*** para que los estudiantes cambien de pareja. Cuando termine la actividad pregunte a algunos estudiantes qué persona es interesante para ellos y por qué. Después, pida que descubran su identidad. ¡Esta parte puede ser muy divertida!

Alternativa: Si lo prefiere, omita la primera parte de la actividad y prepare tarjetas con nombres de personajes famosos reales o ficticios que todos conozcan y que puedan crear parejas interesantes y divertidas. Puede también así controlar que no haya personajes repetidos, etc.

Output

[3.10] Mi anuncio personal.

Paso 1. On a sheet of paper, write a short list of the traits that best describe you, both physically and in terms of personality.

(No) Soy... **(No) Tengo...**

Paso 2. Now, write a description of yourself based on the list you wrote in **Paso 1**, and add other relevant details. Feel free to be either truthful or inventive. Write your name on the back and give it to your instructor, who will redistribute the descriptions.

Paso 3. Read the description you receive (but not the name of the student who wrote it) and write a personal ad that describes the perfect mate for your classmate. Do it on a piece of paper you can later give to her/him.

Output
Input

[3.11] Adivinanzas (*Guessing game*).

One student will assume the role of a well-known celebrity but will not divulge her/his identity. The other students will ask questions to discover her/his identity. Use the adjectives you have studied in this chapter and from *Palabras útiles* above. The mystery celebrity may respond only with **Sí** or **No.**

Modelo: **¿Eres actor? ¿Eres joven/mayor? ¿Eres cómico/a?**

Situaciones

Think about a well-known personality you like a lot (or one you do not like at all.) Write his/her name on a piece of paper and briefly describe this person and what you like or do not like about him/her. Now imagine you are this well-known person. You have been unlucky in love lately, so you go to a speed-dating event in town. You have three minutes to talk to eligible singles (one at a time), tell them about yourself, and ask about them. Do not tell them who you are!

NOTA CULTURAL

El español en Estados Unidos

U.S. Spanish has some features brought about by its contact with English. For instance, many U.S. Spanish speakers adapt English vocabulary: they may say **aplicar** meaning *to apply*, while in Latin America and Spain, the word typically used is **solicitar**. It is also common to alternate the use of English and Spanish while speaking.

> José: ¿Me das diez dólares *so I can buy lunch*? Se me quedó el *wallet* en casa.
> Marta: *I'll go look in my desk*, creo que tengo dinero allí.

Contrary to popular belief, such alternation of languages is not random; it follows certain grammatical rules. Some people refer to this kind of language mixing as "Spanglish," while others feel that this term is derogatory.

Go to http://potowski.org/debate-spanglish for a debate in Spanish about this topic (there is a complete transcript in Spanish, and a summary in English). What is your opinion? Is the term "Spanglish" a positive one, or does it reflect and create harmful connotations?

Cultura

La familia hispana

Use ***PowerPoint Slides*** para presentar esta sección de cultura.

ANTES DE LEER

How often do you see the members of your extended family? For what occasions do you get together?

Exactostock/SuperStock

Para la mayoría de los hispanos, la familia es una pequeña comunidad unida por la solidaridad y el cariño (*affection*). El concepto hispano de la familia incluye a los parientes más inmediatos (madre, padre, hijos, hermanos) y también a los abuelos, tíos, primos y numerosos otros parientes. En la familia tradicional, especialmente en las zonas rurales, es común tener muchos hijos. Esta tabla demuestra (*shows*) el tamaño promedio (*average*) de las familias de varios grupos en Estados Unidos.

En los países hispanos, los padres, los hijos y los abuelos viven con frecuencia en la misma (*same*) casa. Los abuelos son muy importantes en la crianza (*raising*) de sus nietos y, por lo general, los cuidan cuando los padres salen. Tradicionalmente, el padre trabaja y la madre cuida de la casa y de los niños. Por lo general, los hijos solteros viven en la casa de sus padres mientras (*while*) asisten a la universidad o trabajan.

Sin embargo, hoy en día el concepto de la familia hispana está cambiando (*changing*). Dos de los cambios más notables son que la familia es más pequeña y que muchas mujeres trabajan fuera de (*outside*) casa.

Por lo general, la familia, ya sea tradicional o moderna, es el centro de la vida social. Abuelos, nietos, padres, tíos, padrinos (*godparents*) y primos se reúnen con frecuencia para celebrar los cumpleaños, bautizos (*baptisms*), quinceañeras, comuniones y otras fiestas. Las relaciones familiares ocupan un lugar (*place*) esencial en la sociedad hispana.

Tamaño promedio de las familias (Censo de EE. UU. 2000)	
Hispanos	3.87
Asiáticos	3.80
Afroamericanos	3.00
Blancos no-hispanos	2.58

DESPUÉS DE LEER

1. Compare the typical characteristics of Hispanic and non-Hispanic families in the U.S. Use a Venn diagram to signal what is unique about each group and what the two groups have in common. Think about the following concepts:
   - –Number of children
   - –Who lives in the household
   - –Roles of the family members
   - –Age at which children leave home
2. Watch a film that portrays Hispanic families, such as *Mi familia* (1995), *Selena* (1997), *Real Women Have Curves* (2002) or *Under the Same Moon* (2008). What similarities and differences do you notice between the family in the movie and your own family? If you know a Hispanic family well, you may also mention what you have learned about them.

Así se forma

Use *PowerPoint Slides* para presentar y practicar esta gramática.

3. Possessive adjectives and possession with *de*

WileyPLUS
Go to *WileyPLUS* to review this grammar point with the help of the **Animated Grammar Tutorial**.

En las vacaciones toda **mi** familia va a la casa de **mis** abuelos: **mis** tíos y primos, **mis** padres, **mi** hermano y yo ¡Ah! Y **nuestra** perrita Luna. **Nuestras** vacaciones en familia son siempre la mejor parte del año.

Mis primos y yo, de vacaciones.

Possessive adjectives

You have already seen some possessive adjectives: **mis abuelos, mi padre.** Possessive adjectives show ownership (**mi perro, mis libros**) or a relationship of belonging with people (**mi mejor amiga**) or things (**mi clase de filosofía**).

Puede ilustrar la expresión de la posesión en español escogiendo objetos de los estudiantes (libro, lápiz, bolígrafo, cuaderno, mochila, etc.) e identificando a quién pertenecen: **El lápiz es de Ricardo.** Después pregunte a la clase: **¿De quién es el lápiz?** Ellos responden con oraciones como: **Es de Ricardo.**

Los adjetivos posesivos

Singular	Plural	
mi tío	**mis** tíos	*my*
tu[1] hermana	**tus** hermanas	*your (sing. informal)*
su abuelo	**sus** abuelos	*your (sing. formal), his, her, its*
nuestro/a amigo/a	**nuestros/as** amigos/as	*our*
vuestro/a primo/a	**vuestros/as** primos/as	*your (pl. informal, Spain)*
su abuelo	**sus** abuelos	*your (pl.), their*

The choice of pronoun (**mi** vs. **tu**) depends on the possessor. Note that the possessive adjective agrees in number (**mi** vs. **mis**) and sometimes gender (**nuestro** vs. **nuestra**) with the thing possessed or person related (the noun they modify), <u>not</u> with the possessor.

HINT
de + el = del

Susana tiene **nuestros libros.** — *Susana has **our books**.*
Mis padres y yo vivimos en **nuestra casa.** — ***My parents** and I live in **our house**.*

In the first example, *we* own the books (**nuestr-**) and the object that we possess is masculine and singular (**–os**): **nuestros libros.** In the second example, *we* (**mis padres y yo**) are also the owners (**nuestr-**), but the object that is possessed is feminine singular (**-a**): **nuestra casa.**

Possession with de

Whereas English uses *'s* (or *s'*) + noun to indicate possession, Spanish uses **de** + noun.

Es la casa **de** mi abuela. — *It's my grandmother's house.*
Es la casa **de** mis abuelos. — *It's my grandparents' house.*
Las hijas **de** Carmen son simpáticas. — *Carmen's daughters are nice.*
Las fotos **del** señor Soto son interesantes. — *Mr. Soto's photos are interesting.*

Extensión: Señale que **su** puede traducirse como *his/her/you* (formal)/ *their/ you all* (formal) cuando lo poseído es singular, y de forma similar **sus** puede significar *his/her/you* (formal)/ *their/ you all* (formal) cuando lo poseído es plural:

la clase de Juan/ de Rosa/ de usted/ de Juan y Pepe/ de Rosa y Clara/ de ustedes → **su clase**

las clases de Juan/ de Rosa/ de usted/ de Juan y Pepe/ de Rosa y Clara/ de ustedes → **sus clases**

- When ownership referred to by **su/sus** is not clear from the context, you may use this alternate form for clarity: **de** + pronoun or **de** + name.

  Es **su carro**. Or, Es el carro **de él/ella/usted/ellos/ellas/ustedes.**
  Es el carro de **Elena.**

- To express the equivalent of the English *Whose?*, Spanish uses **¿De quién?**

  — **¿De quién** es el álbum? **¿Es de** Susana? — *Whose album is it? Is it Susan's?*
  — **¿De quiénes** son los perros? **¿Son de** Pedro? — *Whose dogs are they? Are they Pedro's'?*

[1] **Tú** (with written accent) = *you;* **tu** (without written accent) = *your.* **Tú** tienes **tu** libro, ¿verdad? (*You have your book, right?*)

Input **[3.12] Tu álbum de fotos.** You are preparing labels to put in your new family photo album, but the computer ruined your formatting. Match items in the left column with those in the right column to reconstruct your labels.

1. Esta foto es de mis queridos c	**a.** coche.
2. Mi mamá y sus f	**b.** casa.
3. Esta es nuestra b	**c.** abuelos maternos.
4. Y este es nuestro a	**d.** gatitas.
5. Aquí está mi hermana con su e	**e.** novio.
6. Las princesas (*princesses*) de la casa: nuestras d	**f.** hermanas (mis tías).

Output **[3.13] Relaciones familiares.** Complete what Julia says as she shows you some pictures on her phone by filling the spaces with possessive adjectives.

Este (*This*) es __mi__ esposo, se llama Andrés. Esta foto es del día de __nuestra__ boda. Aquí estamos con __nuestros__ padres. __Mi__ hermano y __mi__ cuñada no están en esta foto, pero... ah sí, están aquí (*here*): __mi__ hermano Antonio y __su__ esposa Elisa. __Sus__ hijos, Ricardo y Tere, son muy buenos amigos de __mis__ hijos mayores. Pero Clara, la bebé, prefiere a __sus__ abuelos, porque siempre la miman (*spoil her*).

¿Y __tu__ familia? ¿Tienes fotos de __tus__ parientes en __tu__ teléfono?

Output **[3.14] Nuestras fotos.** On a piece of paper, write what posters or photos you have in your room, computer, and cell phone (e.g., family, pets, friends, places, film/music-related, etc.). Then work in pairs, comparing the photos you have and where they are. Take notes; you may be asked to report to class.

Modelo: Estudiante A: **Tengo una foto de mis padres en mi cuarto, ¿y tú?**
Estudiante B: **No, no tengo una foto de mis padres en mi cuarto, pero tengo muchas en mi computadora.**
Escriben: **Los dos (*both*) tenemos fotos de nuestros padres, pero yo tengo una foto en mi cuarto y mi compañero/a en su computadora.**

Output **[3.15] ¿Cómo es su Universidad?** In small groups, discuss what you think about the following elements of your college, as in the model:

Modelo: las residencias **Nuestras residencias son viejas, pero mi cuarto es grande. ¿Y sus cuartos?**

- el campus: las aulas, las bibliotecas, el gimnasio...
- las residencias: los cuartos (*rooms*), los baños (*bathrooms*)...
- las clases, los profesores, los estudiantes.

3.15 Esta actividad recicla el vocabulario sobre la Universidad.

Extensión: Comparen y comenten respuestas con toda la clase. Puede ampliar la conversación con otras preguntas (la cafetería, los recursos tecnológicos, los espacios verdes, los espacios para hacer ejercicio o deportes, los equipos deportivos, etc.)

VideoEscenas

WileyPLUS

Mi cuñado favorito

© John Wiley & Sons, Inc.

▲ Ernesto receives a message from an online dating service he has signed up for.

Sugerencia: Puede mostrar el video más de una vez. Si decide hacerlo, anúncielo a la clase antes de empezar este Paso. Eso reducirá la ansiedad. También puede mostrarlo haciendo pausas si le parece que las exigencias cognitivas de ver el video y tomar notas son demasiado grandes.

Extensión: Pida a la clase que escriba un diálogo entre dos amigas similar al que han visto en el video, incluyendo también una sorpresa final. Después, pueden representarlo en clase.

Después de ver el video: Si completan esta actividad en clase, pueden hacerlo oralmente en grupos. Como alternativa, pueden escribir sus respuestas en clase o en casa, como tarea.

ANTES DE VER EL VIDEO

1. Do you use social networking sites (e.g., Facebook)? What do you like or dislike about them?
2. Have you ever met a friend or boyfriend/girlfriend online?
3. What are the positives and potential negatives of meeting people online?

A VER EL VIDEO

Read the following questions and their possible responses and watch the video once. Then watch the video again, pausing to answer each question.

1. ¿Qué estudia la primera (*first*) chica?
a) Historia c) Arte e) Alemán
b) Psicología d) Matemáticas f) Religión

2. ¿Qué piensa el chico de la primera chica?
a) Es guapa y perfecta para él. c) Es guapa pero muy alta para él.
b) Es fea y muy baja. d) Es fea y alta.

3. ¿Cómo es la segunda (*second*) chica?
a) Es rubia, alta y baja. c) Es morena, baja y peruana.
b) Es morena, guapa y colombiana. d) Es rubia, baja y peruana.

4. ¿Cuántos años tiene la segunda chica?
a) 18 b) 19 c) 28 d) 29

5. ¿Quién es la segunda chica?
Es la ___hermana___ de Javier.

DESPUÉS DE VER EL VIDEO

¿Te parece buena idea salir con el/la hermano/a de un/a amigo/a, o con un/a amigo/a de tu hermano/a? ¿Por qué?

Así se forma

4. The verb *estar*

Indicating location of people, places, and things: *¿Dónde están?*

David McNew/Getty Images

Normalmente **estamos en la ciudad** de Los Ángeles. Nuestra casa y toda nuestra familia **están aquí.**

John and Lisa Merrill/Danita Delimont

Ahora **estoy en la playa,** con mi familia. Nos encanta **estar** cerca del (*near*) océano.

You have used **estar** with the expressions **¿Cómo está usted?** and **¿Cómo estás?** When **estar** is used with the preposition **en** (in, at), it indicates the location of people, places, or objects.

Study the forms of the present tense of the verb **estar** (*to be*), as well as the sample sentences.

Estar (irreg.)		
(*yo*)	**estoy**	**Estoy** en la universidad.
(*tú*)	**estás**	**¿Estás** en casa?
(*usted, él/ella*)	**está**	Acapulco **está** en México.
(*nosotros/as*)	**estamos**	**Estamos** en clase.
(*vosotros/as*)	**estáis**	**¿Estáis** en el apartamento de Beatriz?
(*ustedes, ellos/ellas*)	**están**	Mis amigas **están** en clase.

Digital Vision/Getty Images

▲ Mi primita Susana **está en el colegio.**

Michael Newman/PhotoEdit

▲ Mi primito Ricardo **está en la escuela.**

William Howard/Stone/Getty Images

▲ Mi hermana **está en el trabajo.**

Bill Frymire/Masterfile

▲ Aquí **estamos en las montañas** de Colorado.

© Roberto A Sanchez/iStockphoto

▲ En esta foto, **estamos** de vacaciones **en el campo.** La casa de mis abuelos está **allí.**

WileyPLUS

Go to *WileyPLUS* to review this grammar point with the help of the **Animated Grammar Tutorial** and **Verb Conjugator**.

Use *PowerPoint Slides* para presentar y practicar esta gramática.

Sugerencia: Señale la diferencia entre **hay** *y* **estar,** contrastando los conceptos de **existencia** vs. **localización.**

Hay 30 estudiantes en la clase. vs. Los estudiantes están en la clase.

Puede señalar, como información relacionada con el tema cultural de este capítulo, que tanto *Colorado* como *Los Ángeles* son topónimos españoles y que en ambos lugares hay una gran concentración de población hispana.

Pida a los estudiantes que observen los ejemplos del verbo **estar** y piensen en cómo traducirlos en inglés. Después pida que observen el contexto y los contrasten con los ejemplos anteriores de ser. ¿Pueden hacer hipótesis sobre algunas diferencias de uso?

Señale que el vocabulario en negrita es vocabulario activo, es decir, deben estudiarlo.

NOTA DE LENGUA

Note the meaning of **a** and **en**, when referring to place.

a = *to* (*destination*)	Vamos **a** la playa.	*We are going to the beach.*
en = *in*, *at* (*location*)	Estamos **en** la playa.	*We are at the beach.*
	~~Estamos a la playa.~~	

3.16 Audio:
a. Estamos en el trabajo.
b. Estás en las montañas.
c. Está en el colegio.
d. Están en el campo.
e. Estamos en la universidad.
f. Estoy en casa.
g. Estás en la playa.
h. Están en la ciudad.

Input

[3.16] ¿Dónde están?

Listen to where these people are and write each number next to the appropriate description.

Modelo: Juanito está en clase con su maestra. Tiene seis años.
Está en la escuela.

1. Sandra toma varias clases. Tiene muchos maestros.
   Está en el colegio.
2. Tenemos varios profesores. Somos adultos. Las clases son difíciles.
   Estamos en la universidad.
3. Trabajamos desde las 9:00 de la mañana hasta las 5:00 de la tarde.
   Estamos en el trabajo.
4. Tomo una siesta. Miro la televisión. Hablo por teléfono.
   Estoy en casa.
5. Estás de vacaciones. El océano es muy bonito.
   Estás en la playa.
6. Estás de vacaciones. Usas tus suéteres y tus esquís.
   Estás en las montañas.
7. Los González dicen (*say*) que hay mucho tráfico allí.
   Están en la ciudad.
8. Los Martínez dicen que hay animales, flores y mucha tranquilidad allí.
   Están en el campo.

Extensión: Haga otras preguntas a la clase: En un día ideal, ¿dónde estás? En un martes típico de febrero, ¿dónde estás? El 25 de diciembre, ¿dónde estás? ...

3.17 Extensión: Puede pedir a sus estudiantes que hablen en sus grupos sobre donde están otras personas a esas mismas horas: el/la profesor/a de español, un pariente cercano, su mejor amigo/a, el Presidente de EE. UU., etc.

Output

[3.17] ¿Dónde estoy?

Complete the column **"Yo"** indicating where you are at the indicated times. Then, in groups of 4, share your information and take notes under **"Mis compañeros."** Are your daily activities similar?

Modelo: **Generalmente, los lunes a las 8 de la mañana estoy en el gimnasio, ¿dónde están ustedes?**

	Yo	Mis compañeros
lunes – 8:00 a. m.		
martes – 9:30 a. m.		
miércoles – 10:45 a. m.		
jueves – 1:30 p. m.		
viernes – 3:00 p. m.		
sábado – 10:00 p. m.		
domingo – 8:00 a. m.		

ASÍ SE FORMA

Describing conditions

Estar can also be used with descriptive words to indicate the mental, emotional, or physical condition in which the subject is found at a given time.

Estoy cansado/a.	*I'm tired.* (physical)
¿Estás preocupado?	*Are you worried?* (mental/emotional)
¡Carlos **está** furioso!	*Carlos is furious!* (emotional).

¿Cómo están?

Rubén está **aburrido.**

Camila está **enojada.**

Octavio está muy **cansado.**

Linda está **contenta** y **bien.** Pero Manuel está **mal** y **triste.**

Natalia está **ocupada.**

Carmen está **nerviosa, preocupada** y **estresada.**

La puerta y el libro están **cerrados.** La ventana y el cuaderno están **abiertos.**

¡Pobre Alfonso! **Está mal.** Está en la cama porque **está muy enfermo.**

Here is some more vocabulary to describe states.

aburrido/a	*bored*	**mal**	*bad, badly, sick*
bien	*well*	**ocupado/a**	*busy*
contento/a	*happy*	**preocupado/a**	*worried*
enojado/a	*angry*	**triste**	*sad*

[3.18] Condiciones

Listen to the following descriptions and indicate who they describe from the illustrations above. Then comment on that person's current state.

Output **Modelo:** Está en una clase que no le gusta. No quiere prestar atención.
Es Rubén. Está aburrido.

1. Es Alfonso. Está muy enfermo.
2. Es Natalia. Está en la oficina.
3. Es Octavio. Está muy cansado.
4. Es Carmen. Está nerviosa.
5. Es Camila. Está enojada.
6. Es Linda. Está contenta.

Use *PowerPoint Slides* para presentar el concepto *estar* + *condición*. Pida a los estudiantes que califiquen cada condición como mental, emocional o física. Dado que las diapositivas no incorporan los rótulos de vocabulario, puede usarlas más adelante para reciclar esta estructura y/o el vocabulario.

Si le parece apropiado, puede presentar otras condiciones: emocionado/a *(excited)*, deprimido/a *(depressed)*, etc.

NOTA DE LENGUA

Bien and **mal** are adverbs and do not change in gender (masculine/feminine) or number (singular/plural) as adjectives do. **Bien** and **mal** are often used with **estar**. Note the difference between these examples:

Mis padres **están** muy **bien.**
My parents are very well.

Mis padres **son** muy **buenos.**
My parents are very good (people).

3.18 Audio

1. Está en la cama. Tiene una temperatura de 102 grados.
2. Está en la oficina, habla por teléfono y toma notas.
3. Está en el gimnasio, juega al básquetbol.
4. Está en la universidad. Tiene un examen muy difícil.
5. Está en su casa. ¡Su novio llega una hora tarde!
6. ¡No tiene tarea este fin de semana!

Sugerencia: Una actividad que puede usar para reforzar *estar + condición* ahora o reciclar más adelante es un juego de **caras y gestos** (*charades*) en el que un estudiante debe representar solamente a través de gestos una de las condiciones presentadas en este capítulo.

El ejercicio 3.20 recicla y contrasta... *ser y estar.* En el Capítulo 5 encontrarán una descripción formal.

Output

[3.19] ¿Cómo estás?

Choose three of the adjectives you just learned in this section and think of a situation in which you would feel each one. Read your situations to a partner. Your partner will try to guess the appropriate adjective.

Modelo: Estudiante A: **Estoy así** (*like this*) **cuando mis amigos no llaman para mi cumpleaños.**
Estudiante B: **Estás enojado/a.**

Output

[3.20] Nuestro amigo Javier.

In small groups, describe what Javier is like (**ser** + *characteristics*) and/or imagine how he is feeling (**estar** + *condition*) according to the circumstances. Use the adjectives provided and others you think of.

cansado	**contento**	**enfermo**	**estresado**	**fuerte**
inteligente	**ocupado**	**preocupado**	**trabajador**	

Modelo: Javier juega al tenis toda la mañana.
No es perezoso, pero está muy cansado.

1. Saca buenas notas.
2. Va al gimnasio y levanta pesas.
3. Hoy está en la clínica.
4. Toma cinco clases, es voluntario y trabaja en el laboratorio por la noche.
5. Tiene dos exámenes mañana.
6. ¡Marlena, su mejor amiga, llega este fin de semana!

Sugerencia: Como práctica adicional o para reciclar en otro momento, traiga a clase fotografías de personas en situaciones interesantes o con gestos expresivos, para que los estudiantes imaginen la historia de estas fotografías: quién es la persona, cómo es, dónde está, cómo está, etc. Lo pueden hacer individualmente, en parejas, etc. y tanto oralmente como por escrito.

Output

[3.21] Mi amigo y yo.

Write a few lines describing where you are and how you are feeling, elaborating on the details. Then imagine where a friend or close relative is at this moment and how that person is feeling. Close your paragraph with a final thought on whether you are in a similar situation.

NOTA CULTURAL

Los hispanos "mixtos"

Mixed Hispanics are common in Latino communities. Someone may have, for instance, a Mexican father and an Ecuadorian mother; a Dominican father and a Colombian mother; or an African American father and a Cuban mother. In Chicago and New York City, there are many *MexiRicans*, who often have elements from both Mexican and Puerto Rican cultures.

Some research suggests that MexiRicans' Spanish tends to sound more like their mother's dialect: it sounds more Mexican if the mother is Mexican, and more Puerto Rican if the mother is Puerto Rican. Ask your instructor or search online for examples of these two dialects, which sound very different from each other, much like the English from England vs. Canada.

La bandera mexicana y la puertorriqueña.

DICHO Y HECHO

PARA LEER: El español en Estados Unidos

ANTES DE LEER

1. Of the 50.5 million Latinos in the United States, some 37 million speak Spanish at home. Look at the following list and determine the position that the United States occupies in the world.

Poblaciones más grandes, países con hispanohablantes:

País	**Población (millones)**
México	112.3
Colombia	47.7
España	47.3
Argentina	41.1
Venezuela	30.0

   a. According to official numbers, the U.S. is the # 5 Spanish-speaking country in the world.

   b. When we add the 9 million Spanish speakers in the country without documents (and who often do not appear in census counts), the total is 46 million. This places the United States in position # 2 on the list of Spanish-speaking countries in the world.

2. What differences might there be between the amount of Spanish spoken by someone who immigrates from a Spanish-speaking country at the age of 18 vs. someone who immigrates at the age of 5?

A LEER

De las comunidades hispanohablantes en Estados Unidos, el 60% nace[1] en este país y el otro 40% son inmigrantes. Generalmente, consideramos como "primera generación" a las personas que llegan durante o después de la pubertad. Estas personas son consideradas hablantes nativos de español. La "segunda generación" son los hijos de los miembros de la primera generación y llegan a EE. UU. antes de los 6 años de edad (o nacen aquí). Casi[2] siempre los individuos de la segunda generación son bilingües: aprenden español en casa con sus papás y otros miembros de la familia, y empiezan a aprender inglés cuando van a la escuela. De adultos, su inglés casi siempre llega a ser[3] más fuerte que su español. Cuando la segunda generación tiene hijos—la "tercera generación"—es muy común que estos niños aprendan solo[4] un poco de español, porque sus papás hablan mucho inglés en casa. En general, prefieren usar el inglés, en parte porque[5] hay mucha presión social para hablarlo.

El español de la segunda generación normalmente se ve[6] un poco diferente al español de la primera generación.

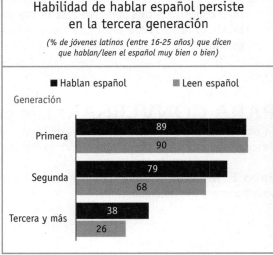

Habilidad de hablar español persiste en la tercera generación

(% de jóvenes latinos (entre 16-25 años) que dicen que hablan/leen el español muy bien o bien)

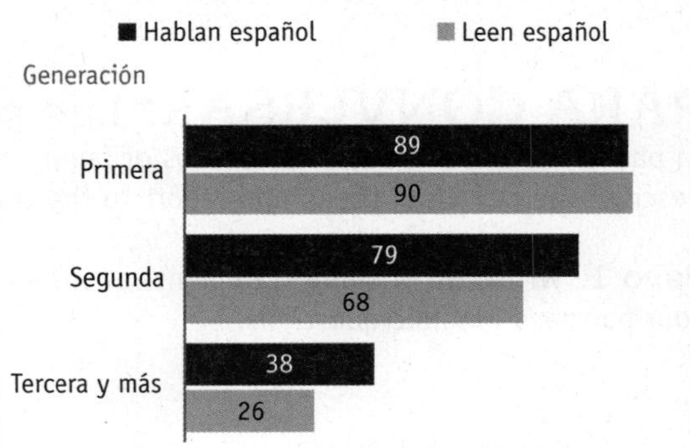

[1]born, [2]almost, [3]becomes, [4]only, [5]because, [6]appears

ESTRATEGIA DE LECTURA

Cognates Cognates are words that look very similar in English and Spanish and have the same meaning. For example, in this reading you will see cognates such as **generaciones** (*generations*) and **individuos** (*individuals*). These words can help you significantly in understanding the meaning of the Spanish sentences in which they appear.

However, you have to watch out for false cognates (words that share a similar spelling but which actually mean different things). For example, **actual** in Spanish means *current* in English. Context will help you identify and sort out useful cognates from false cognates.

As you read the following article, circle the cognates you find to see how the English word's meaning can help you understand the Spanish.

Por ejemplo, la lingüista Carmen Silva-Corvalán estudió el sistema verbal del español de la primera, segunda y tercera generación en Los Ángeles. Encontró[7] que el sistema verbal en español de la segunda generación está más simplificado que el sistema de la primera generación, y el sistema de la tercera generación está aun[8] más simplificado.

Varios factores afectan el grado de español que aprenden los niños de la segunda y la tercera generación. Un factor importante para la tercera generación es la presencia de los abuelos: aprenden más español si los abuelos viven en la casa con ellos. Otros factores relevantes son:

- El **número** de hispanohablantes en la zona donde viven. Un niño hispano que vive en Miami, por ejemplo, normalmente habla mucho más español que un niño que vive en una comunidad donde no hay muchos hispanohablantes.
- La **edad**[9] que tiene un niño de la segunda generación cuando llega a EE. UU. Uno que tiene 10 años cuando llega normalmente tiene un español más fuerte como adulto comparado con otro niño que llega a los 6 años.
- El tipo de programa de **educación**. Los niños que asisten a una escuela bilingüe que enseña parte del día en español aprenden más español – y ¡su inglés no sufre!

Es cierto que las generaciones nacidas en EE. UU. hablan menos el español, pero las investigaciones[10] en todo el país indican que los hispanos tienen actitudes muy positivas hacia[11] el español y son orgullosos[12] de ser bilingües.

---

[7]found, [8]even, [9]age, [10]research, [11]towards, [12]proud

Respuestas: 1. Cuarta generación; Generación 1.5; 2. Normalmente, los hijos mayores adquieren más español porque sus papás se lo hablan y no tiene hermanos mayores que les hablen en inglés. A los hijos menores les suelen hablar en inglés sus hermanos mayores, además de que los papás adquieren más inglés con el paso del tiempo. 3. (Answers may vary.) 4. (Answers may vary.)

Sugerencia: Si tiene hablantes de herencia, hágales las siguientes preguntas: ¿A qué generación perteneces? ¿Qué factores te ayudaron a aprender el español? ¿Qué efectos tiene en tu vida ser bilingüe? ¿Por qué te gustaría fortalecer tu español?

DESPUÉS DE LEER

1. How do you think the children of the third generation would be called? What about those who immigrate between 6 and 12 years of age? (not mentioned in this reading)
2. How do you think birth order affects the use of Spanish in second generation children?
3. All families in the US are descendants of immigrants or groups who spoke indigenous languages. What do you know about your family's linguistic history?
4. Do you know anyone whose parents or grandparents speak a language other than English? Is this language lost in any generation? What do you think are the main factors? Are those the same factors that affect the Spanish-speaking communities?

PARA CONVERSAR: Las personas especiales

In pairs, you will share two (2) photos of family members, your partner, or friends. Describe the people in them, and report to the class about one of your partner's photos.

Paso 1. Write two or three statements about each of your photos, in preparation for your partner's possible questions.

EXPRESIONES ÚTILES

¿A qué se dedica?
What does she/he do?
¿Dónde vive?
¿Cuántos años tiene?
¿Quién es?
¿Cómo es?
¿Por qué es especial para ti?

ESTRATEGIA DE COMUNICACIÓN

Predicting the type of information you will exchange

How does the type of information you would expect to hear vary according to the topic of conversation? Before looking at your classmate's photos, think about how your questions will vary according to whether the photos are of family members, a partner, or friends. If your classmate shows you a photo of siblings, for example, you might want to know how old they are, whereas if your classmate shows you a photo of her/his partner, you might want to know how long they've been together. Based on the photos you are going to share, what questions do you think you can expect from your classmate?

ASÍ SE HABLA

In your conversation, try to use some of these Spanish phrases that are common in the U.S.:

Inglés	**Español de Estados Unidos**	**Español general**
realistic	realístico/a	realista
retired	retirado/a	jubilado/a
rude	rudo/a	grosero/a
disabled	deshabilitado/a	discapacitado/a
sensitive	sensitivo/a	sensible

Paso 2. Exchange your two photos with your partner. Study the photos and think of two or three questions you'd like to ask your partner about each photo. You may jot down quick notes about what you'd like to ask. Then, ask each other your questions, jotting down notes about the answers.

Paso 3. Now present one of your partner's photos to the rest of the class.

Sugerencias: Traiga un par de fotos adicionales en caso de que se le olvide, a algún estudiante, traer fotos.

PARA ESCRIBIR: Retrato de familia (*family portrait*)

In this writing assignment, you will produce a description of your family and family life for a distant relative who is doing a genealogy project to document your family tree.

ESTRATEGIA DE REDACCIÓN

Organizing: Idea maps Idea maps are also good ways to help you generate ideas and to start organizing your writing. Start by identifying the central topic or idea and placing it in the center of your page. Then, diagram related ideas in connected clusters. You can map out your ideas further by adding more clusters, indicating relationships between them, etc.

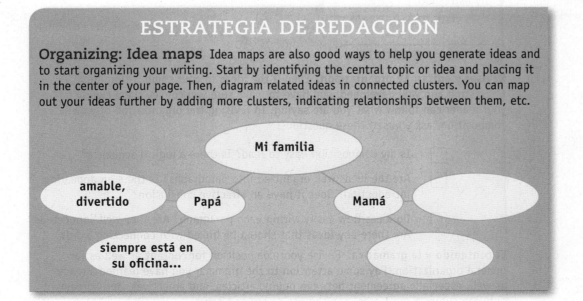

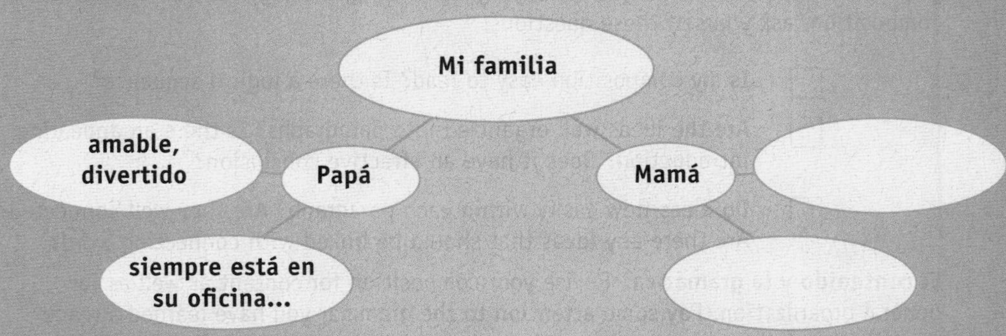

ANTES DE ESCRIBIR

Start your own idea map, in Spanish, with **Mi familia** in the center of the page. Add clusters for your direct relatives. You can also add other relatives you would like to talk about, or a pet. Extend your idea map, adding something to say about each member of the family: age, physical descriptions, personality features, where they are, activities they do or you do with them, etc.

A ESCRIBIR

Decide what you would like to say about your family in this written portrait. In this composition, use your idea map as a source for ideas and organization. Try to make it personal and interesting, rather than a mere collection of facts about them. You might want to follow an outline similar to this:

Primer (*first*) párrafo: Introduce the topic by describing your family in one sentence; for instance:

Mi familia es... / Tengo una familia...

Párrafos centrales: Describe your relatives in one or more cohesive paragraphs; for instance:

Mis padres... Mi papá... Y mi mamá...

También tengo ____ hermano/a/os...

Y, para mí, es muy importante mi... porque...

Párrafo final: End your composition with a final thought that sums up who your family is, your feelings about them, etc. Recall that the purpose is to help a distant relative who is doing a genealogy project understand your family. You might begin with:

Por eso, mi familia...

Para escribir mejor:

Here are two connectors that will help you express relationships between ideas in your writing.

porque *because* — expresses cause
Estoy estresado porque tengo dos exámenes hoy.

por eso *for that reason, that's why, so* — expresses consequence
Hoy tengo dos exámenes, por eso estoy estresado.

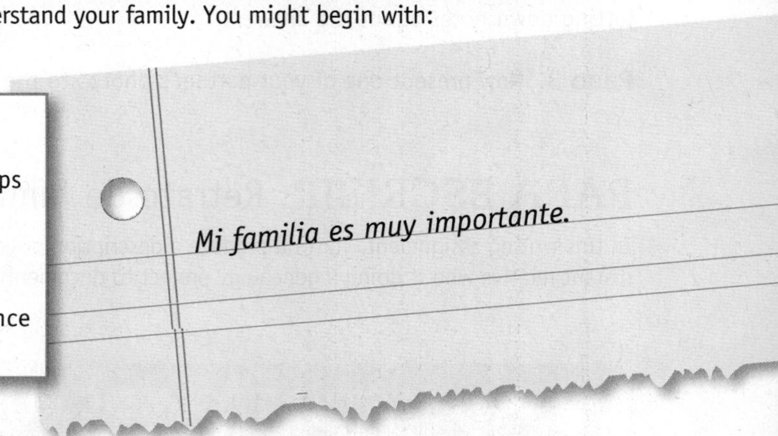
Mi familia es muy importante.

DESPUÉS DE ESCRIBIR

Revisar y editar: La organización. Even if the ideas in your composition are interesting and well developed, you have to make sure you convey them clearly and your reader can follow what you are saying. In revising the organization of your composition, ask yourself these questions:

- ☐ Is my composition easy to read? Is there a logical sequence?
- ☐ Are the ideas well organized into paragraphs? Is there an appealing introduction? Does it have an effective conclusion?
- ☐ Do ideas flow easily within each paragraph? Are they well connected? Are there any ideas that should be linked with connecting words?

El contenido y la gramática. Revise your composition for content as well as for general organization. Pay some attention to the grammar you have learned already as well, especially agreement between nouns, articles, and adjectives, and agreement between subjects and verbs, and the use of **ser** and **estar**.

PARA VER Y ESCUCHAR: Todo en familia

WileyPLUS

ANTES DE VER EL VIDEO

Before you watch the video, answer these questions to be better prepared to understand what you see.

- Look at the title of the video and the still shot. What do you think this video will be about? What are some possible topics or ideas that may be mentioned?
- Do you spend time with your family? Do you plan family events? What kind of activities do you do together as a family? Who is usually present in those events or activities?
- What do you know about weddings in general? Who celebrates a wedding? Who is usually present in the celebration?

ESTRATEGIA DE COMPRENSIÓN

Using background knowledge to anticipate and interpret Most of the times that you listen to a conversation, lecture, watch TV, etc., you already know something about the topics mentioned and the context of the conversation. Consider what you know about a topic before listening, as well as while you are listening, in order to anticipate what might be mentioned, so that you can better interpret what you hear.

A VER EL VIDEO

Paso 1. Watch the video once. For now, focus on getting the gist of it. How many of the ideas that you anticipated did you see or hear mentioned?

Paso 2 Before you watch the clip again, look at the following questions. If you can answer any now, do so. Then watch the clip, checking your answers and completing them as needed.

1. ¿Cuántos hijos tienen ahora Rocío y Rogelio? Tienen una hija.
2. ¿Cómo están los suegros de Rocío? Están muy contentos.
3. ¿De dónde son los tíos de Rogelio? Son de Guadalajara.
4. ¿Cuántos nietos tiene la abuela de Rocío?
   ¿Y cuántos bisnietos tiene? Tiene veintisiete nietos y diez bisnietos.
5. ¿Cuántos hijos tiene la tía Graciela? Tiene dos hijos.

DESPUÉS DE VER EL VIDEO

¿Es la boda de Rocío y Rogelio similar a una boda en tu país de origen? ¿Cómo son similares o diferentes? Describe las actividades que hacen diferentes personas en una boda típica de tu cultura.

Repaso de vocabulario activo

Adjetivos
abierto/a *open*
(estar) aburrido/a *to be bored*
alto/a *tall*
amable *friendly, kind*
antipático/a *unpleasant*
bajo/a *short*
bonito/a *good looking, pretty/handsome*
bueno/a *good*
cansado/a *tired*
cerrado/a *closed*
contento/a *happy*
débil *weak*
delgado/a *thin*
difícil *difficult*
divertido/a *amusing, fun*
divorciado/a *divorced*
enfermo/a *sick*
enojado/a *angry*
estresado/a *stressed*
fácil *easy*
feo/a *ugly*
flaco/a *skinny*
fuerte *strong*
gordo/a *fat*
grande *big*
guapo/a *good looking, pretty/handsome*
hermoso/a *good looking, pretty/handsome*
inteligente *intelligent*
joven *young*
listo/a *smart, clever*
malo/a *bad*
mayor *old/older*
menor *younger*
moreno/a *dark-skinned, brunette*
nervioso/a *nervous*
nuevo/a *new*
ocupado/a *busy*
pequeño/a *small*
perezoso/a *lazy*
pobre *poor*
preocupado/a *worried*
rico/a *rich*
rubio/a *blond/e*
serio/a *serious*
simpático/a *nice*
soltero/a *single*
tonto/a *dumb, silly*
trabajador/a *hardworking*
triste *sad*
viejo/a *old*

Adverbios
allí *there*
aquí *here*
bien *well*
mal *badly*
muy *very*
un poco *a bit, somewhat*

Conjunciones
o/u *or*
pero *but*
y/e *and*

Sustantivos

La familia
el abuelo/la abuela *grandfather/ grandmother*
los abuelos *grandparents*
el bisabuelo/la bisabuela *great-grandfather/ great-grandmother*
el cuñado/la cuñada *brother-in-law/ sister-in-law*
el esposo, el marido/la esposa *husband/wife*
el hermano/la hermana *brother/sister*
el hermanastro/la hermanastra *stepbrother/tepsister*
el hijo/la hija *son/ daughter*
la madrastra *stepmother*
la madre (mamá) *mother (mom)*
el medio hermano/la media hermana *half-brother/ half-sister*
el nieto/la nieta *grandson/ granddaughter*
el padrastro *stepfather*
el padre (papá) *father (dad)*
los padres *parents*
el/la pariente *relative*
el primo/la prima *cousin (male/female)*
el sobrino/la sobrina *nephew/niece*
el suegro/la suegra *father-in-law/mother-in-law*
el tío/la tía *uncle/aunt*

Otras personas
el amigo/la amiga *friend (male/female)*
mi mejor amigo/a *my best friend*
el/la bebé *baby*
el chico/la chica *boy/girl*
el hombre *man*
el muchacho/la muchacha *boy/girl*
la mujer *woman*
el niño/la niña *boy/girl*
el novio/la novia *boyfriend/girlfriend*
mi pareja *my partner, significant other*

Las mascotas *Pets*
el gato *cat*
el perro *dog*

Las cosas y los lugares *Things and places*
el auto *car*
el campo *country, country side*
el carro *car*
la ciudad *city*
el coche *car*
el colegio *school/high school*
la escuela *school*
la montaña *mountain*
la playa *beach*
el trabajo *work*

Verbos y expresiones verbales
abrazar *to hug*
amar *to love*
besar *to kiss*
cuidar *to take care of*
estar (irreg.) *to be*
llamar *to call*
tener (irreg.) *to have*
tener... años *to be ... years old*
¿Cuántos años tienes? *How old are you?*
visitar *to visit*

Palabras interrogativas
¿Cuántos/as? *How many?*
¿Dónde? *Where?*
¿Quién/es? *Who?*

CAPÍTULO 4

¡A la mesa!

Hill Street Studios/Blend Images/GettyImages, Inc.

LEARNING OBJECTIVES

In this chapter, you will learn to:

- buy and talk about food in a market, restaurant, etc.
- express likes and dislikes.
- talk about actions, desires, and preferences in the present.
- express large quantities, prices, and dates.
- ask for specific information.
- discuss differences in food and eating practices in the Spanish-speaking world.
- discover Mexico.

Entrando al tema

1. Which factors do you think most strongly influence your eating habits in general: cost, time, flavor, health, family, etc?
2. What foods from the Spanish-speaking world have you tried? Have you heard of any that you would like to try?

Así se dice

¡A la mesa!

Use *PowerPoint Slides* para presentar y practicar este vocabulario.

¿Qué ves? (*What do you see?*) Answer these questions about the illustration:

1. En el Mercado Central, ¿ves (*do you see*) verduras?, ¿carne?, ¿mariscos?, ¿legumbres? Y en el Supermercado Futuro, ¿ves frutas?, ¿pescado?, ¿verduras?, ¿carne?

You can find more comprehension questions on *WileyPLUS* or on the *Book Companion Site* (BCS).

Sugerencia: Para iniciar el trabajo de comprensión y respuesta al nuevo vocabulario (actividades de *input*) refiérase a las preguntas de comprensión **¿Qué ves?** en *WileyPLUS* y en el *Book Companion Site* (BCS).

WileyPLUS

Pronunciación:
Practice pronunciation of the chapter vocabulary and particular sounds of Spanish in *WileyPLUS*.

el aguacate	*avocado*
el ajo	*garlic*
el bistec	*steak*
los camarones	*shrimp*
la carne	*meat*
la carne de res	*beef*
el cerdo	*pork*
la chuleta (de cerdo)	*pork chop*
comprar	*to buy*
costar (ue)	*to cost*
desear	*to wish, desire*
los frijoles	*beans*
los guisantes	*peas*
el jamón	*ham*
las judías verdes	*green beans*
la langosta	*lobster*
las legumbres	*vegetables (in pods), legumes*
los mariscos	*seafood, shellfish*
necesitar	*to need*
el pescado	*fish*
vender	*to sell*
las verduras	*vegetables*

NOTA CULTURAL

Las variaciones del español

Spanish is spoken differently around the world, and these differences are noticeable in names used for food. For example, **papas/patatas; plátano/banana/guineo;** and **frijoles/habichuelas**. Do you know of a food item in English that is called something different in another part of the U.S. or the English-speaking world?

¿Y tú?

1. ¿Hay en tu comunidad mercados similares a los de la ilustración?
2. ¿Quién hace la compra (*goes grocery shopping*) en tu familia generalmente? ¿Quién cocina (*cooks*)?

4.1 Audio: 1. las papas/las patatas; 2. las manzanas; 3. las chuletas de cerdo; 4. el ajo; 5. el pollo; 6. la salchicha; 7. las naranjas; 8. el pescado.

Coménte a los estudiantes que algunas personas se consideran vegetarianas aun si comen pescado, mientras que otras personas las llamarían "pescatarianos".

4.1 En el caso del pescado algunos estudiantes pueden tener respuestas diferentes, ya que algunos vegetarianos consumen pescado mientras otros no consumen ningún tipo de alimento de origen animal.

4.1 Extensión. Pida a los estudiantes que, en parejas y por turnos, lean nombres de diferentes alimentos a su compañero/a para que este/a indique si lo comería una persona vegetariana o no. Si le parece que sus estudiantes están listos para producir el vocabulario, pida que digan nombres de comidas sin leerlas del libro.

NOTA CULTURAL

El vegetarianismo

Although somewhere between 4% and 7% of people in the United States are vegetarians, such diets are not as common in Spanish-speaking countries.

Ingredientes para ____________

Input

[4.1] ¿Vegetariano o no?

Write down the foods that you hear and decide whether a vegetarian person would eat them (**Sí**) or not (**No**).

1. ____________ Sí ☑ No ☐
2. ____________ Sí ☑ No ☐
3. ____________ Sí ☐ No ☑
4. ____________ Sí ☑ No ☐
5. ____________ Sí ☐ No ☑
6. ____________ Sí ☐ No ☑
7. ____________ Sí ☑ No ☐
8. ____________ Sí ☑ No ☑

Output

[4.2] ¿Qué es?

Read these descriptions and identify the foods they are referring to.

1. Fruta ovalada y muy grande, perfecta para un picnic el 4 de julio. la sandía
2. Son frutas de un árbol (*tree*), pequeñas, rojas (*red*), abundantes en junio. las cerezas
3. La carne de la pata (*leg*) de un cerdo. el jamón
4. Esta fruta es el ingrediente esencial del guacamole. el aguacate
5. Verdura pequeña y blanca (*white*), de sabor (*flavor*) muy fuerte. el ajo
6. Crustáceo grande, exquisito. ¡Cuesta mucho! la langosta
7. Granos muy pequeños y blancos, esenciales en la comida de Asia. el arroz
8. El salmón, las sardinas, el atún (*tuna*.) el pescado

NOTA DE LENGUA

We use the definite article when we speak in general terms (the concept or totality of something):

La fruta es muy sana.	*Fruit is very healthy.*
Las manzanas tienen vitaminas.	*Apples have vitamins.*

The indefinite article is often omitted after **hay** and other verbs (**tener**, **necesitar**, **querer**, etc.) when we refer to the type of thing, not specific ones or that thing in general.

Necesitamos (unas) manzanas.	*We need (some) apples.*
¿Tenemos manzanas?	*Do we have any apples?*

Note the difference between:

Las manzanas no cuestan mucho. (all apples, in general)
Siempre tengo manzanas. (some, nonspecific)

Output

[4.3] Una cena (*dinner*) con amigos.

Work in pairs. You two are organizing a potluck party, and you are making the dishes below. Decide who is going to prepare each one:

Estudiante A: sopa de verdura y pollo **Estudiante B:** ensalada de fruta

Paso 1. Individually, write a list of ingredients you need for your dish in the space on the left or in your notebook.

Paso 2. Each of you has a few items at home (see below.) Cross out in your ingredient list in Paso 1 any items you already have. Then, ask your classmate whether s/he has the other ingredients you need, and mark on your list any ingredients s/he can give you.

Extensión: Están organizando una cena (en grupos o con toda la clase) y cada estudiante va a contribuir un plato. Dé unos minutos para que cada estudiante piense qué quiere hacer y los ingredientes que necesita. Después compartan sus ideas.

Estudiante A
Tienes cebollas, ajo, arroz, frijoles, aguacate, naranjas y duraznos.

Estudiante B
Tienes salchichas, papas, zanahorias, maíz, fresas y un limón.

Modelo: Estudiante A: **¿Tienes zanahorias?**
Estudiante B: **No, no tengo zanahorias.**

Paso 3. What ingredients do you still need? You are going to the grocery store together, so write a shopping list with all the things you need to buy to complete your dishes.

En mi experiencia

Emmanuel, Atlanta, GA

"In Spain, my host mother rarely went to the nearby supermarket. Instead she'd go every 2-3 days to the local market or **mercado.** She had loyal relationships with individual vendors—she would buy fruit from only one particular stall, fish from another person, etc. The food was always very fresh, but you had to pay in cash, and you could buy only what you could carry home."

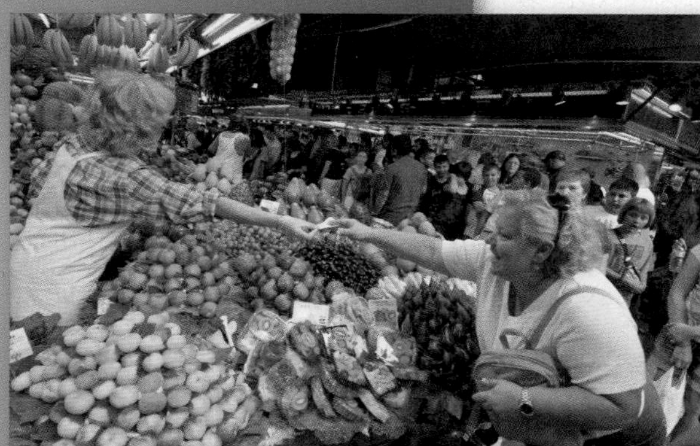

© Rafael Campillo/age fotostock

Is there a market like this or a farmer's market where you live? What are the advantages and disadvantages of shopping at one? Why might people prefer to buy food every 2-3 days rather than make large purchases a few times a month?

Input/ Output

[4.4] Chef Merito.

Paso 1. Look at the image on the next page.

1. Based on its format and visuals, it probably is...

☐ a scientific article. ☐ a brochure. ☑ an ad.

2. It is probably about...

☐ healthy eating. ☑ a brand of spices. ☐ a supermarket.

Paso 2. Look for cognates in the text and write them down in your notebook.

Paso 3. Skim for general content focusing on cognates and other words you understand, and write a sentence to summarize the main idea in this ad.

Paso 4. Look at the tasks below and read the ad again. Then, write your answers where appropriate.

INVESTIG@ EN INTERNET

Busca en Internet el sitio de Chef Merito. ¿Qué producto es nuevo para ti (*for you*)? ¿Qué producto deseas probar (*try*)?

1. Identifica las carnes, verduras y frutas del anuncio.
2. Indica las cualidades de los productos de Chef Merito, según el anuncio (*according to the ad*).

☐ Son baratos (*cheap*).	☑ Son variados.	☑ Tienen buen sabor (*flavor*).
☐ Son orgánicos.	☑ Tienen garantía de calidad.	☑ Tienen fecha de expiración.

Chef Merito Inc. & *Chef Merito* are Trademarks owned by Chef Merito, Inc., a California Corp.

Paso 5. ¿Y ustedes?

1. ¿Usan ustedes salsa picante? ¿En qué comidas?
2. ¿Qué sazonadores (*seasonings*) usan ustedes para preparar sus comidas favoritas? ¿Qué sazonadores del Chef Merito desean comprar?

Así se forma

1. Expressing likes and dislikes: The verb *gustar*

Read the following dialogue between Octavio and Inés. Pay attention to the forms of **gustar**.

Inés: ¿**Te gusta** (*Do you like*) la comida de la cafetería de la universidad?
Octavio: Sí, **me gusta** (*I like it*) mucho.
Inés: ¿De veras? A mí **no me gusta** para nada y a mi compañera de cuarto **no le gusta** (*doesn't like it*) tampoco (*either*).
Octavio: ¿Por qué no **les gusta**?
Inés: No **nos gusta** porque no es nutritiva ni fresca (*fresh*).
Octavio: Pues esta sopa de camarones es deliciosa. Los camarones **me gustan** mucho.
Inés: A mí también **me gustan** los camarones, pero el problema es que estos no son camarones, nadie sabe (*nobody knows*) qué son.

Spanish expresses likes and dislikes with the verb **gustar**, which literally means *to be pleasing* (*to someone*).

Spanish expression with gustar	English equivalent	Literal translation
Me gusta el aguacate.	*I like avocado.*	*Avocado is pleasing to me.*
¿Te gustan las fresas?	*Do you like strawberries?*	*Are strawberries pleasing to you?*
No le gusta comer marisco.	*He doesn't like to eat shellfish.*	*Eating shellfish is not pleasing to him.*

As you can see in the examples, the subject pronouns (**yo, tú, él...**) are not used with **gustar**. To express who is doing the liking (or literally, to whom something is pleasing), the forms **me, te, le, nos, os,** and **les** are used.[1] The verb takes the singular form **gusta** when the thing that is pleasing is a single item and the plural form **gustan** when the thing liked is plural.

Person(s) who like +	gusta(n) +	thing(s) liked
me		**el helado**
te	**gusta**	**la fruta**
le		**comer**
nos		**las uvas**
os	**gustan**	**las fresas**
les		**los camarones**

- The definite article is used with the thing/things liked:

  Me gusta **el** pescado. *I like fish.*
  Me gustan **las** fresas. *I like strawberries.*

[1]The indirect-object pronouns, meaning *to me, to you, to you/him/her, to us, to you, to you/them,* will be studied in detail in **Capítulo 7**.

WileyPLUS

Go to *WileyPLUS* to review this grammar point with the help of the **Animated Grammar Tutorial** and **Verb Conjugator.**

Use ***PowerPoint Slides*** para presentar y practicar esta gramática.

Pida a sus estudiantes que observen las formas en negrita y hagan hipótesis sobre su significado. Después, pueden observar por un lado los pronombres, intentando identificar si se refieren a la persona que expresa una preferencia o el objeto, y por otro las formas verbales, observando cuándo aparecen en singular o plural.

Alternativa: Pida a un estudiante que se ponga de pie frente a la clase. Dele dos hojas de papel, una con ***Nos gusta*** y otra con ***Nos gustan*** en letras grandes que la clase pueda leer. A continuación, nombre cosas (el arroz, las uvas, las fiestas, los exámenes) y pida a la clase que responda con ***nos gusta*** o ***nos gustan*** (o en forma negativa), mientras el estudiante con las hojas de papel levanta la hoja correspondiente. Nota: Este mismo ejercicio se puede hacer sin las hojas de papel, simplemente escribiendo ***Nos gusta*** y ***Nos gustan*** en la pizarra como ayuda visual.

- If what is pleasing is an activity or a series of activities, use the singular form **gusta** with the infinitive (**-ar, -er, -ir** form) of the appropriate verb(s):

Nos **gusta comer.**	*We like to eat.*
Les **gusta cenar** en restaurantes y **asistir** a conciertos.	*They like to have dinner in restaurants and attend concerts.*

- To clarify the meaning of **le** and **les**, add **a** + person: **a Pedro, a ella, a las niñas, a ellos,** etc.:

Pedro y Ana toman el desayuno juntos.	*Pedro and Ana have breakfast together.*
A **Pedro** le gusta tomar café, pero **a ella** le gusta el té.	*Pedro likes to drink coffee, but she likes tea.*

- For emphasis, add **a mí, a ti, a usted, a nosotros,** etc., and to ask follow-up questions, use **¿Y a ti? ¿Y a usted?**, etc.

A mí no me gustan los camarones, **¿y a ti?**	*I don't like shrimp, do you?*
A él le gustan, ¿verdad?	*He likes them, right?*

4.5 Audio: 1. Me gustan; 2. Me gustan; 3. No me gusta; 4. Me gusta mucho; 5. No me gusta para nada; 6. Me gusta.

4.5 El ejercicio trabaja el aspecto de comprensión del acto comunicativo, ya que es necesario entender la diferencia entre las formas para comprender el mensaje. Al mismo tiempo, permite al instructor comprobar si los estudiantes entienden la estructura antes de tener que producirla.

[4.5] ¡Me gusta!

You will hear a series of statements. Decide which food item is being talked about in each one.

Modelo: You hear: Me gusta.
You choose: ☐ los limones ☒ el ajo

1.	☒ las zanahorias	☐ el pescado	**4.**	☒ el bistec	☐ las naranjas
2.	☐ la lechuga	☒ las fresas	**5.**	☐ las peras	☒ la langosta
3.	☐ las cerezas	☒ el jamón	**6.**	☒ el pollo	☐ los camarones

Output

[4.6] Y a ti, ¿te gusta?

Paso 1. Write sentences stating whether you like these foods, paying attention to the verb form.

Modelo: las peras
Las peras me gustan mucho / no me gustan para nada / etc.

1. la sopa de verduras	**3.** beber agua	**5.** la ensalada de frutas	**7.** ir al mercado
2. los camarones	**4.** el ajo	**6.** comer carne	**8.** los guisantes

Paso 2. Compare your likes and dislikes with a partner.

Modelo: Estudiante A: **Las peras me gustan mucho.**
Estudiante B: **A mí me gustan mucho también.** *or* **A mí no me gustan.**

PALABRAS ÚTILES

también	*also, to agree with a positive statement*
tampoco	*either, to agree with a negative statement*

Input

[4.7] ¿A quién le gusta?

Read the following statements or questions and decide who each statement refers to.

Modelo: Le gusta la langosta.	☐ A ellos	☒ A ella
1. Te gustan los tomates.	☒ A ti	☐ A él
2. Les gusta mucho el pescado.	☒ A Carmen y a Ana	☐ A nosotros
3. Le gustan los plátanos.	☐ A ustedes	☒ A Jorge
4. Nos gusta la piña.	☒ A nosotros	☐ A ellos
5. ¿Le gusta el ajo?	☒ A usted	☐ A ti
6. Me gusta el maíz.	☐ A Elena	☒ A mí

Output **[4.8] Una cena con los amigos.** You want to have your friends Luis, Óscar, and Andrea over for a Mexican inspired dinner, so you call Luis to find out what they like. Complete the dialogue with the appropriate pronouns (**me/te/le/nos/os/les**) and **gustar** forms.

Alberto Coto/Photodisc/Getty Images, Inc.

▲ Ceviche de mariscos

age fotostock/SuperStock

▲ Pollo en mole

Tú: Hola Luis, voy a preparar una cena para los amigos el sábado, y tengo algunas ideas. Por ejemplo, ¿a ti ___te gustan___ los camarones?

Luis: Sí, a mí los mariscos ___me gustan___ mucho. Pero a Óscar no ___le gustan___. Bueno, en realidad, tiene alergia.

Tú: Uy, no, no, entonces el ceviche de mariscos no es buena idea. ¿Y a ustedes ___les gusta___ la sopa de tortilla?

Luis: Sí, a Óscar y a mí ___nos gusta___ mucho.

Tú: Muy bien. Y el pescado, ¿___les gusta___?

Luis: Bueno, creo que a Óscar y a Andrea sí ___les gusta___, pero a mí no ___me gusta___ mucho. ¿Por qué no preparas pollo en mole? A Óscar y a Andrea ___les gusta___ muchísimo.

Tú: Y a ti, ¿también (*also*) ___te gusta___?

Luis: Sí, sí, especialmente con arroz y frijoles.

Tú: Bueno, a mí no ___me gustan___ los frijoles mucho, pero no hay problema. También voy a preparar guacamole. Y después, ¿crema de mango?

Luis: ¡Uhm, delicioso! El mango ___nos/les gusta___ a todos.

Output **[4.9] En la universidad.**

Paso 1. Answer the following questions in your notebook about your university and college life using full sentences (see **Palabras útiles** box). In items 7 and 8, write about other aspects of college you like or do not like.

1. ¿Te gusta la universidad?

2. ¿Te gustan las clases este semestre?

3. ¿Te gustan los profesores?

4. ¿Te gusta el campus?

5. ¿Te gusta estudiar en la biblioteca?

6. ¿Te gusta aprender español?

7. ____________________

8. ____________________

PALABRAS ÚTILES

Me gusta mucho +
bastante
un poco
poco
No me gusta nada –

4.9 Extensión: Puede terminar la actividad haciendo preguntas a la clase sobre otras actividades que les gusta hacer para revisar vocabulario de capítulos anteriores (leer, navegar en Internet, etc.) y facilitar la transición al ejercicio 4.10.

Después del Paso 2, en clase o como tarea, puede pedir a sus estudiantes que escriban un párrafo comparando sus preferencias y las de sus compañeros, o hablando sobre las preferencias de los estudiantes en general.

Paso 2. In pairs or small groups, compare your impressions, asking about the questions above as well as the aspects you added in items 7 and 8. Ask for more details and take notes.

Modelo: Estudiante A: **¿Te gustan las clases este semestre?**
Estudiante B: **Sí.**
Estudiante A: **¿Qué clases tomas? ¿Te gustan todas?**
Estudiante B: **Casi todas. Me gustan las clases de español y biología, pero no me gusta mucho la clase de química.**

En mi experiencia

Hannah, Seattle, WA

"I lived in Oaxaca, Mexico, during my junior year of high school. During lunch or recess, kids would often buy snack foods, like bags of chips or cookies. I learned that if someone near you is not eating something, it is considered rude to eat in front of them without offering some of what you have. Sometimes, I would only get to eat half of my bag of chips if a few of my friends were around! But at other times, I got to share what they were eating."

Where you live, what is common behavior when you have a snack and are near a friend who is not eating? Why might be a culture value sharing food in this way?

© mediaphotos/iStockphoto

Input/ Output

[4.10] Preguntas para tu profesor/a.

Paso 1. In pairs, complete the sentences in the left column, guessing what your instructor likes/does not like to do. Add a new item in the last row.

Modelo: **No le gusta mucho** bailar.

	A nuestro/a profesor/a...	Detalles (*Details*)
1.	______________ leer novelas.	¿Qué tipo? ¿Cuál es su novela favorita?
2.	______________ cenar en restaurantes.	¿Qué tipo de comida? ¿Cómo se llama su restaurante favorito?
3.	______________ mirar la televisión.	¿Qué tipos de programas mira? ¿Qué programa no le gusta?
4.	______________ asistir a conciertos.	¿Qué tipo de música? ¿Qué cantantes o grupos musicales son sus favoritos?
5.	______________ usar redes sociales (*social networks*).	¿Con mucha frecuencia? ¿Qué redes sociales? ¿Solamente lee o escribe también?
6.	______________________________.	¿______________?

Paso 2. Now, take turns asking your instructor whether she/he likes to do those things, and follow up with the questions in the column **Detalles** or others of your own. Be sure to note her/his answers. How well do you know your instructor? Did you guess correctly?

Modelo: **¿Le gusta leer novelas? ¿Qué tipo?**

Paso 3. In small groups, and based on what you now know about your instructor, write some recommendations for him/her: novels to read, restaurants (and even specific dishes) to try, etc.

NOTA CULTURAL

Las tortillas

In Mexico, a *tortilla* is a round and flat disc made of corn or flour. In Spain, a *tortilla* is a pie-like food made of potatoes, eggs, and onions.

Stuart Westmorland/SuperStock

▲ tortillas mexicanas

Ingram Publishing/SuperStock

▲ tortilla española

En mi experiencia

Paul, Lexington, KY

© Julian Castle/Loop Images/age fotostock

"Having worked as a waiter in the U.S., I know how important it is to 'turn' tables quickly, because you make more tips the more people you serve. We are also trained to be very friendly and personable, and check back on the table frequently. However, in Argentina, it was often difficult to get the waiter's attention during the meal, or to get the bill. They will never bring it to you if you don't ask for it. Lingering over the meal and chatting at the table after eating is fully expected—this is called the *sobremesa*—and now I feel kind of rushed if my group leaves right after they finish eating. I also think the waiters there are paid more and don't expect a 15% tip."

What cultural values would lead U.S. servers to be friendly and personable and to bring the check quickly, versus in other cultures where servers are more perfunctory and expect diners to occupy a table for long periods of time?

Cultura México

Use *PowerPoint Slides* para presentar esta sección de cultura.

Graphic design/Shutterstock

▲ En la bandera (*flag*) mexicana, hay un águila (*eagle*) con una serpiente en la boca encima de un nopal (*prickly pear cactus*).

ANTES DE LEER

1. Which indigenous people lived in Mexico before the Spanish arrived?

   ☐ Mayans ☐ Aztecs ☐ Olmecs ☑ All of these, plus many others

2. How many languages are spoken in Mexico today?

   ☐ One ☐ Approximately 20 ☑ Approximately 60

3. True or false: Mexico's climate is very hot all year round.

   ☐ True ☑ False

Un territorio diverso

México es un país (*country*) muy diverso. En el norte del país, incluyendo a Monterrey, Chihuahua y Hermosillo, hace frío (*it's cold*) en invierno. El centro del país, que incluye Aguascalientes, San Luis Potosí, Puebla y la Ciudad de México, es una vasta región de valles, donde el clima no es muy frío (*cold*) ni muy caluroso (*warm*). La región centro-oeste, incluyendo Guadalajara y Mazatlán, es una zona muy fértil con mucha agricultura y ganadería (*cattle ranching*). En el sureste, por ejemplo en Cancún, hay mucho turismo.

	enero		abril		julio		octubre	
Ciudad	**Máx**	**Min**	**Máx**	**Min**	**Máx**	**Min**	**Máx**	**Min**
Acapulco	87	72	87	73	89	77	89	77
México, D.F.	66	42	77	51	73	53	70	50

Máx = temperatura máxima; Min = temperatura mínima.

La historia

México tiene una de las poblaciones indígenas más numerosas de Latinoamérica. En el pasado, existían muchos grupos diversos como los olmecas, los totonacos, los mayas y los aztecas. Cada grupo hablaba un idioma diferente. Hoy, todavía (*still*) existen unas 60 de estas lenguas en el territorio mexicano.

Cuando llegaron los conquistadores españoles, los aztecas eran (*were*) el grupo dominante. Controlaban 371 grupos indígenas diferentes y todos hablaban la lengua náhuatl. La capital azteca, Tenochtitlán, era una ciudad de puentes (*bridges*) y canales en medio de un lago (*lake*). En el año 1500, tenía (*it had*) una población de 300,000 personas y era uno de los centros urbanos más grandes del mundo.

Cuando el español Hernán Cortés llegó a Tenochtitlán en 1519, el emperador era Moctezuma. Cortés era muy blanco (*white*) y tenía barba (*beard*). Algunos historiadores imaginan que los aztecas identificaron a Cortés con el dios (*god*) Quetzalcóatl, y le dieron (*gave him*) una gran bienvenida (*welcome*). Pero Cortés conquistó a los aztecas en 1521 con la importante ayuda (*help*) de La Malinche, una mujer que sirvió como (*as*) intérprete entre los españoles y los varios grupos indígenas.

Roger-Viollet/Topham/The Image Works

▲ La Malinche, intérprete y esposa de Cortés. Es considerada "la Madre del México moderno" porque sus hijos con Cortés representan la primera mezcla de españoles con indígenas.

Cortés y Moctezuma

Gallo Gallina/Getty Images, Inc.

Busque en *YouTube* "Ciudad de México, DF, 1 de 4". Hay un video de 9 minutos 28 segundos. Si piensa mostrarlo en clase, recuerde a los estudiantes que no es importante comprender todo para apreciar las imágenes.

La capital

Hoy, el antiguo Tenochtitlán es todavía (*still*) la capital del país, pero se llama la Ciudad de México, el Distrito Federal, el D.F., o simplemente México. Actualmente (*currently*), el D.F. tiene una población de 24 millones de personas y es la séptima (*seventh*) ciudad del mundo (*world*) en número de personas. La cultura indígena es visible en los murales que decoran la capital y en las caras (*faces*) de muchos de los habitantes. En las avenidas del centro de la ciudad hay tiendas (*stores*), restaurantes, teatros y hoteles elegantes.

Antes (*before*), Tenochtitlán

Ahora (*now*), la Ciudad de México

La "Riviera Maya"

▲ Las ruinas mayas de Tulum, en la costa mexicana del Caribe.

El turismo

México tiene muchos lugares interesantes para visitar. Los pueblos (*towns*) coloniales como Taxco, Guanajuato, Cuernavaca y Oaxaca conservan hermosos edificios (*beautiful buildings*) del siglo XVI. También hay playas (*beaches*) famosas como Cancún y Puerto Vallarta, y otras playas espectaculares como Playa del Carmen, Ixtapa/Zihuatanejo y Huatulco.

La economía

México es la tercera (*third*) economía más importante de América, después de Estados Unidos y Brasil. El petróleo es la industria principal. El turismo es la segunda industria del país y la tercera fuente de ingresos (*income*) son las remesas: el dinero (*money*) que envían (*send*) a México los mexicanos y mexicano-americanos que viven y trabajan en los Estados Unidos. En el año 2013, el total de las remesas fue (*was*) de unos 21,500 millones[1] (*Twenty one and a half billion*) de dólares.

[1] **Mil millones** is one *billion* in Spanish.

DESPUÉS DE LEER

1. Go back to the questions in **Antes de leer**. Do you want to change any of your answers?
2. Put the following industries in the order of economic importance in Mexico today.

   __2__ tourism   __3__ remittances from abroad   __1__ oil
3. Take a close look at the flag of Mexico. What animal does it contain that is also an important national symbol in the United States? eagle
4. Consider the role of La Malinche (look up further details on the Internet if you wish). Do you know of an indigenous woman in United States history who also played an important role as a language interpreter? Pocahontas

Así se dice

Las comidas y las bebidas

WileyPLUS
Pronunciación:
Practice pronunciation of the chapter vocabulary and particular sounds of Spanish in *WileyPLUS*.

Use ***PowerPoint Slides*** para presentar y practicar este vocabulario.

El desayuno

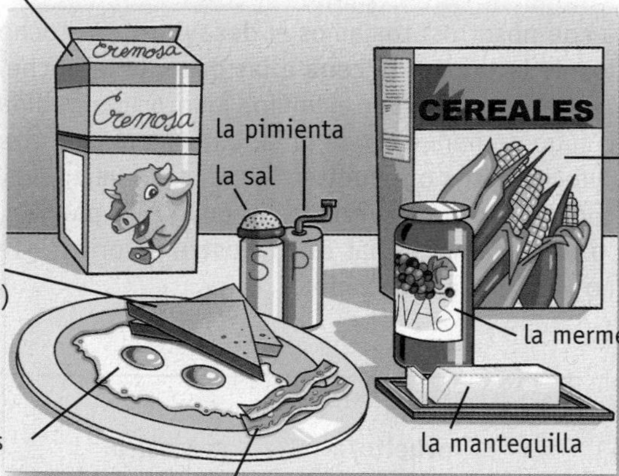

El almuerzo

El postre

La bebida

En la mesa

el aceite	*oil*	**la mermelada**	*jam*
la aceituna	*olive*	**el refresco**	*soft drink*

Sugerencia: Señale diferencias dialectales, por ejemplo, que **pastel** puede referirse a *cake, pie* o *pastry* dependiendo de la región.

Dichos: Desayuna como un rey, almuerza como un burgués y cena como un mendigo. ¿Qué significa este dicho?

¿Cuál es tu preferencia?

Imagine that you are studying abroad in Mexico and staying with a Spanish-speaking family. Shortly after your arrival, your host mother (a great cook) has many questions for you. She aims to please!

Puedes tomar tres **comidas** en casa con nosotros: tomamos el **desayuno** a las ocho de la mañana, el **almuerzo** a las dos de la tarde y la **cena** a las ocho de la noche. En la mañana, ¿prefieres **tomar** una **bebida fría**, por ejemplo, jugo o una bebida **caliente** como café o té? ¿Prefieres jugo de naranja o de piña? ¿Tomas el café **con** azúcar o **sin** azúcar? ¿Prefieres los huevos **fritos** o **revueltos?** Para el almuerzo, voy a preparar sopa, ensalada y pollo con papas fritas. ¿Prefieres el pollo **a la parrilla**, **frito** o **al horno**? ¿Comes **mucha** o **poca** carne? ¿Cuál es tu **postre** favorito? ¿Te gusta el pastel de tres leches? Como ves, ¡me gusta **cocinar**!

al horno	*baked, roasted*	**postre**	*dessert*
a la parrilla	*grilled*	**revuelto/a**	*scrambled*
cocinar	*to cook*	**mucho/a/os/as**	*much, a lot, many*
la comida	*food, meal, main meal*	**poco/a/os/as**	*little (quantity), few*
la bebida	*drink, beverage*	**con**	*with*
frito/a	*fried*	**sin**	*without*

NOTA DE LENGUA

- **Mucho** and **poco** do not change in gender and number when they modify verbs.
  Comemos **mucho/poco**. *We eat a lot/little.*

  When they modify nouns, **mucho** and **poco** do change in gender and number to agree with the noun.
  Comemos **muchas** verduras y **poca** carne.

- Spanish uses the preposition **de** (*of*) to join two nouns for the purpose of description.
  helado **de** fresa — *strawberry ice cream*
  jugo **de** naranja — *orange juice*
  How many combinations can you come up with?

Sugerencia: Anime a los estudiantes a inventar combinaciones: *helado de..., jugo de..., pastel de...*

4.11 Extensión: Puede ampliar esta actividad y trabajar la comprensión auditiva mencionando otros platos que los estudiantes añadirán a la columna apropiada.

4.11 Audio:
1. pan tostado con mantequilla y mermelada
2. sopa y sándwich
3. pastel de manzana
4. ensalada de camarones
5. huevos revueltos con tocino
6. jugo de naranja
7. vino
8. bocadillo de jamón y queso
9. arroz con pollo
10. café y té
11. hamburguesa con papas fritas
12. bistec a la parrilla con papas
13. ensalada de tomate
14. helado de vainilla
15. leche
16. galletas

[4.11] El menú. You work at a café and the cook is telling you the dishes available for the day. Write each item under the column where it belongs on the menu board. If an item can go in more than one column, add it to both.

Input

Desayuno	Almuerzo	Cena	Postres

[4.12] ¿Qué es? In pairs, you both work at a café and it is time to set the tables for dinner, but you have forgotten the names of some objects. Select three items you still need and describe what they are for so your partner can identify them.

Modelo: Estudiante A: **Es para beber agua, jugo o leche.**
Estudiante B: **Es un vaso.**

[4.13] Asociaciones.

Output

Paso 1. Individually, select three words from the vocabulary in **Así se dice 2, Las comidas y las bebidas.** Then, for each of those words, write a list of ideas that you associate with it (see **Palabras útiles** box.)

Modelo: **el té: caliente, desayuno, mi mamá, bebida, azúcar**

Paso 2. Read your lists of associated words to your partner, who will try to identify the original words.

Modelo: Estudiante A: **Mi lista es: caliente, desayuno, mi mamá, bebida, azúcar**
Estudiante B: **¿Es tu palabra "té"?**

PALABRAS ÚTILES

cortar	*cut*
limpiar	*clean*
poner	*put*

4.13 Extensión: Puede ampliar o reciclar esta actividad en otro momento, pidiendo a los estudiantes que escojan otras palabras del vocabulario del capítulo y escriban listas de palabras.

[4.14] Tu comida ideal.

Output

Paso 1. What would make an ideal day for you in terms of food? Include everything that you would like for each meal (beverages, sides, desserts, etc.)

Desayuno	
Almuerzo	
Merienda	
Cena	

Paso 2. In small groups, compare your ideal meals. What can you tell about the eating habits and preferences of your peers? Are they similar to yours?

Modelo: **Mi desayuno perfecto son dos huevos fritos, tostadas con mantequilla...**

[4.15] ¿Qué comes? In pairs and taking turns, one of you reads the situation you are in to your partner, who listens and suggests what you could eat and drink. Write down your partner's suggestions.

Estudiante A

1. Después del gimnasio estoy muy cansado y necesito energía.
2. Voy tarde a clase, pero necesito desayunar un poco.
3. Estoy en la cafetería de la universidad.
4. ¡Gané (*I won*) la lotería! Vamos a comer (*Let's eat*) tu comida preferida en tu restaurante favorito.[1]

Estudiante B

1. Son las 11 de la noche, estoy en mi cuarto/casa.
2. Estoy enfermo.
3. Esta noche hago una cena especial para una persona especial.
4. Necesito almorzar pero tengo solamente (*only*) 5 dólares.

4.15 Extensión: Puede pedir a algunos estudiantes que lean las sugerencias de su compañero/a a la clase y compararlas, especialmente en las situaciones que puedan dar lugar a conversaciones auténticas y relevantes, como las opciones de comida en la cafetería de la Universidad, la necesidad de un desayuno apropiado, o cómo comer algo nutritivo con poco dinero.

[1]El restaurante favorito de tu compañero/a.

Así se forma

2. Talking about actions, desires, and preferences in the present: Stem-changing verbs

Use ***PowerPoint Slides*** para presentar y practicar esta gramática.

WileyPLUS

Go to *WileyPLUS* to review this grammar point with the help of the **Animated Grammar Tutorial** and **Verb Conjugator**.

Elena: Rubén, ¿**quieres almorzar** con nosotras?
Rubén: Pues... bueno, ¿adónde **piensan** ir?
Elena: Casi siempre **almorzamos** en la cafetería, ¿y tú?
Rubén: Pues yo **prefiero** ir a una pizzería.
Elena: No **puedo** comer pizza, tengo alergia al queso...
Rubén: No hay problema, también sirven pasta con parmesano.
Camila: ¡Ay, ay, ay!

No puedo comer pizza, tengo alergia al queso...
También sirven pasta con parmesano.
¡Ay, ay, ay!

Dichos: *Querer es poder.*

Stem-changing (irregular) verbs have the same endings as regular **-ar**, **-er**, and **-ir** verbs but differ from these in that a change occurs in the stem[1] vowel in all forms except **nosotros** and **vosotros**. There are three stem-changing patterns, as shown below. Note that anytime a stem-changing verb is presented, the stem change will be noted in the entry in parenthesis, as in the examples below:

e → ie **querer** *to want, to love*: qu**ie**ro, qu**ie**res, qu**ie**re, queremos, queréis, qu**ie**ren

querer (ie)	*to want, to love*	No **quiero** comer ahora.
preferir (ie)	*to prefer*	**Prefiero** comer más tarde.
entender (ie)	*to understand*	¿**Entienden** el problema?
pensar[2] (ie)	*to think*	¿**Piensas** que hay un problema?

o → ue **dormir** *to sleep*: d**ue**rmo, d**ue**rmes, d**ue**rme, dormimos, dormís, d**ue**rmen

dormir (ue)	*to sleep*	¿**Duermes** bien?
almorzar (ue)	*to have lunch*	¿A qué hora **almuerzas**?
poder (ue)	*to be able*	¿**Puedes** cenar a las 7:00?
volver (ue)	*to return, go back*	¿A qué hora **vuelves** a la casa?

e → i **pedir** *to ask for*: p**i**do, p**i**des, p**i**de, pedimos, pedís, p**i**den

pedir (i)	*to ask for, request, order*	Ella siempre **pide** pizza.
servir (i)	*to serve, to be good (for something)*	¿**Sirven** langosta aquí? Esta cebolla **sirve** para la sopa.

[1]The stem is the part of the verb that remains after the **-ar**, **-er**, or **-ir** ending is removed.
[2]When seeking an opinion, ask **¿Qué piensas de... ?** (*What do you think about . . . ?*). When giving your opinion, say **Pienso que...** (*I think that . . .*). **Pensar en** means to think about (someone/something.)

[4.16] Comer en la universidad.

Input **Paso 1.** Listen to what Esteban says about his eating habits, writing down the missing stem-changing verbs.

Sí, es verdad. Es difícil tener una dieta sana (*healthy*) en la universidad. Algunos estudiantes toman cereal o yogur con fruta por la mañana, pero yo __prefiero__ comer algo más... tradicional, como huevos y tocino. Por la tarde, __almuerzo__ una hamburguesa con papas y un refresco. Después, __vuelvo__ a mi cuarto y __duermo__ la siesta. Antes de hacer la tarea, tomo un café para estar alerta y unas galletas. No __puedo__ estudiar cuando no tomo café; __pienso__ que necesito la cafeína. Generalmente, ceno en la cafetería de la universidad. Hay verduras y ensaladas, pero casi todos los días también __sirven__ pizza o pollo frito y __puedo__ comer todo lo que __quiero__. __Entiendo__ que no es muy sano (*healthy*), pero ¡yo __quiero__ comer estas delicias!

Now listen to the following statements about Esteban and mark whether they are true (**C = Cierto**) or false (**F = Falso.**)

1. C (F) **2.** (C) F **3.** C (F) **4.** C (F) **5.** C (F) **6.** C (F)

4.16 Audio: Cierto o falso

1. Prefiere desayunar cereal.
2. Almuerza poco.
3. Después de almorzar, vuelve a las clases.
4. No puede tomar café cuando estudia.
5. En la cafetería no sirven comida sana.
6. Quiere comer ensalada.

Output **Paso 2.** Complete what Esteban says using appropriate forms of the verbs provided. Use all the verbs at least once. You will have to use some verbs more than once.

almorzar	**poder**	**preferir**	**servir**	**pedir**
entender	**pensar**	**volver**	**querer**	

Yo no __entiendo__ por qué a muchos estudiantes no les gusta la cafetería. Naturalmente, todos (nosotros) __preferimos__ la comida casera (*homemade*), pero yo __pienso__ que la comida de la cafetería está bien, siempre __sirven__ algo (*something*) que __quiero__ comer. Algunos estudiantes __piden__ más verduras y frutas frescas. Bueno, ya tenemos una barra de ensaladas (*salad bar*) con varias verduras. Además, siempre hay otras opciones. Muchos estudiantes __almorzamos/almuerzan__ en restaurantes de comida rápida. Si (*if*) tú __quieres__, __puedes__ comer en uno diferente todos los días de la semana. En mi opinión, la comida en la universidad no está mal. Pero, claro, cuando __vuelvo__ a casa, la comida de mi mamá me gusta mucho más.

Output **Paso 3.** Write a short paragraph comparing yourself to Esteban.

Modelo: **Esteban y yo somos similares/diferentes. Esteban prefiere un desayuno tradicional y yo... // Esteban y yo almorzamos...**

Output [4.17] La comida de la universidad.

A student from Mexico is coming to your university next semester and he e-mails you asking about the university's food. Answer his questions.

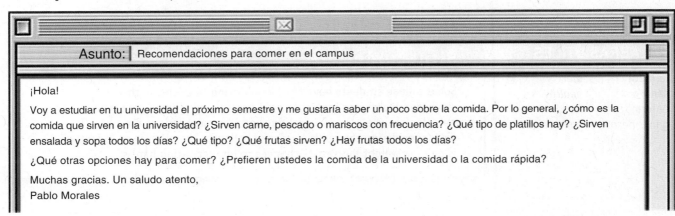

Asunto: Recomendaciones para comer en el campus

¡Hola!

Voy a estudiar en tu universidad el próximo semestre y me gustaría saber un poco sobre la comida. Por lo general, ¿cómo es la comida que sirven en la universidad? ¿Sirven carne, pescado o mariscos con frecuencia? ¿Qué tipo de platillos hay? ¿Sirven ensalada y sopa todos los días? ¿Qué tipo? ¿Qué frutas sirven? ¿Hay frutas todos los días?

¿Qué otras opciones hay para comer? ¿Prefieren ustedes la comida de la universidad o la comida rápida?

Muchas gracias. Un saludo atento,
Pablo Morales

4.18 Sugerencia: Mientras los estudiantes trabajan, escriba los números de las preguntas en la pizarra, dejando espacio para escribir las respuestas. Pida a un estudiante de cada grupo que escriba las respuestas de su grupo en la pizarra y coméntelos después con la clase.

Opción: Esta actividad puede ser un buen punto de partida para una práctica escrita. Pida a los estudiantes que escriban un pequeño informe sobre los hábitos alimentarios de los estudiantes en general. El informe puede hacerse en clase o ser asignado como tarea.

Output [4.18] Sondeo de hábitos alimentarios.

Paso 1. Answer the survey questions below about yourself on a separate sheet of paper.

CENTRO DE SALUD DEL ESTUDIANTE

Sondeo de hábitos alimentarios

1. ¿Desayunas? (Si la respuesta es "no", ¿por qué?) ¿Dónde? ¿Qué desayunas? __________
2. ¿Dónde almuerzas? Describe dos almuerzos típicos para ti. __________
3. ¿Dónde prefieres cenar durante la semana? Describe dos cenas típicas para ti. __________
4. ¿Qué piensas de las cafeterías y restaurantes universitarios? Explica tu elección.
   a. excelentes **b.** buenos **c.** mediocres **d.** malos **e.** terribles
5. ¿Qué piensas de la comida rápida (*fast food*) en el campus? Explica tu respuesta.
   a. excelente **b.** buena **c.** mediocre **d.** mala **e.** terrible
6. ¿Qué restaurante(s) prefieres para una comida rápida en el campus? Explica tu elección.
7. ¿Puedes cocinar (cook) en tu residencia/apartamento? Si tu respuesta es "sí": ¿Con qué frecuencia cocinas? ¿Qué cocinas?
8. ¿Comes en restaurantes locales? ¿Qué restaurantes ¿Qué pides?

Paso 2. Now, in groups of four, share your answers and take notes on the group's answers as well. Be ready to report back to the class.

PALABRAS ÚTILES

la dieta	*diet*
sano/a	*healthy*
enfermo/a	*ill, sick*
ganar peso	*gain weight*

Situaciones

Some college students have trouble adjusting to choosing their own meals and make poor food choices. In pairs, one of you is the school nutritionist, who will ask questions and offer suggestions for a healthy diet (considering the realities of your college.) The other is a student who is gaining weight but resists changes in his/her eating habits.

Así se dice

Use *PowerPoint Slides* para presentar y practicar este vocabulario.

En el restaurante

Read the conversation between Elena and the waiter at a local cafe.

Mesero: Buenas tardes, señorita. ¿Desea usted ver **el menú**?
Elena: No, no es necesario. **Me gustaría** comer un sándwich de jamón y queso, y **también** una ensalada. ¿Las ensaladas son grandes? **¡Tengo hambre!**
Mesero: Sí, las ensaladas son bastante (*quite*) grandes. Y para tomar, ¿qué desea?
Elena: Una limonada grande, por favor. **Tengo mucha sed.**
Mesero: A la orden (*at your service*), señorita.

(Después de unos minutos.)

Mesero: ¿Desea usted algo **más**?
Elena: Sí, **todavía** tengo hambre y sed. **Otro** sándwich y **otra** limonada, por favor, pero con **menos** hielo. Y una ración de torta...
Mesero: ¡Vaya, qué apetito! Con mucho gusto, señorita.
Elena: Y **la cuenta**, por favor.

el/la mesero/a	*waiter*	**también**	*also*
la cuenta	*check, bill*	**tener hambre**	*to be hungry*
más/menos	*more/less, fewer*	**tener sed**	*to be thirsty*
Me gustaría	*I would like (polite)*	**todavía**	*still, yet*
otro/a	*another*		

NOTA DE LENGUA

In Spanish, the verb **tener** has many uses. In **Capítulo 3** you learned the expression **tener... años** (to be . . . years old). **Tener hambre** and **tener sed** follow the same pattern.

¡Tengo mucha hambre!
I am very hungry.

Also note that **otro/a** does not use the indefinite article **un/una.**

Me gustaría ~~una~~ otra limonada, por favor.
I would like another lemonade, please.

Input **[4.19] Un nuevo restaurante.** You and your friend are eating at a new restaurant. Match your statements and your friend's responses.

1. Todavía tengo hambre. e
2. Me gustaría comer flan. d
3. Tengo sed. f
4. Quiero pedir la cuenta. b
5. El vaso está sucio (*dirty*). a
6. ¡Qué buena es esta ensalada! c

a. Debes pedir otro.
b. Ahí está el mesero.
c. Vamos a (*Let's*) ordenar otra más.
d. No hay postres en el menú.
e. ¿Quieres comer más?
f. ¿Por qué no pides un vaso de agua?

Output **[4.20] ¡Queremos comer!** Work in groups of three. Two of you are going to the restaurant, the third student is a waiter. Come up with an interesting situation and work together on a dialogue, trying to use some of the words and expressions you just learned. Be ready to act it out for the class.

Sugerencia: Puede preparar de antemano algunas situaciones especiales y dárselas a diferentes grupos antes de empezar. Por ejemplo: los clientes son vegetarianos y tienen mucha hambre, pero casi todos los platos tienen carne; hay algunos problemas con la comida; el mesero sirve comida diferente de la orden; etc.

NOTA CULTURAL

La comida mexicana vs. la comida Tex-Mex

"Tex-Mex" is a term given to food, music, and other cultural products based on the combined cultures of Texas and Mexico. Many ingredients of Tex-Mex cooking are common in Mexican cuisine, although other ingredients are unknown in Mexico. Tex-Mex food includes burritos, chimichangas, nachos, fajitas, tortilla chips with salsa, and chili con carne.

Have you tried any of these foods?

Jeff Oshiro/JPhotolibrary/Getty Images

Cultura

Use *PowerPoint Slides* para presentar esta sección de cultura.

Las comidas en el mundo hispano

Chad Slattery/Stone/Getty Images

▲ Pan dulce (*sweet*) en una panadería mexicana.

ANTES DE LEER

1. At what times are breakfast, lunch, and dinner typically eaten in the United States? Which is usually the heaviest meal of the day?
2. Are you familiar with dishes consisting of a flour crust and meat filling, either fried or baked?
3. If you've tried both types, do you prefer corn or flour tortillas? Have you seen other types of tortillas, such as whole wheat?

El desayuno hispano es normalmente entre las 6 y las 9 de la mañana. Comparado con el desayuno tradicional estadounidense, el desayuno hispano es muy ligero (*light*). Muchos españoles e hispanoamericanos desayunan una taza de café con leche y pan con mantequilla o mermelada o pan dulce.

El almuerzo (en muchos países también se llama la comida), generalmente es entre la 1 y las 2 de la tarde y es la más abundante del día. Puede incluir una ensalada, sopa, arroz o verduras, carne o pescado y postre. En algunos países, a las 4 o a las 5 de la tarde es común comer la merienda, que consiste en café o té, leche, galletas, pastel o un bocadillo.

Generalmente, los hispanos cenan más tarde que los estadounidenses, pero es una comida más ligera por ejemplo, una torta, un yogur o una fruta. La cena hispana típicamente es entre las 8 y las 9 de la noche, y en España puede ser incluso más tarde, entre las 10 y las 12 de la noche.

Algunos platos (*dishes*) típicos del mundo hispano

Answers: 1. Los churros, 2. La empanada, 3. La paella, 4. El flan

▼ Empareja (*match*) la comida con su descripción, escribiendo el nombre del plato debajo de cada foto.

© Alex Segre/Alamy

1. ____________________

Erik Rank/JPhotolibrary/ Getty Images

2. ____________________

Matthew Klein/Photo Researchers

3. ____________________

Food and Drink/ SuperStock

4. ____________________

El **flan**: un postre hecho de huevos, leche, azúcar y vainilla, cocido en un molde al horno con almíbar (*syrup*) de caramelo.

La **empanada**: masa de harina rellena generalmente con carne, cebolla, huevo y aceituna, frita o al horno.

Los **churros**: una masa de harina cilíndrica y frita. Frecuentemente se sirven con café con leche o con chocolate caliente.

La **paella** (España): plato de arroz con pollo, mariscos y guisantes, sazonado con azafrán (*saffron*).

DESPUÉS DE LEER

1. Based on the text you have just read, determine whether the following meals are typical of the U.S., a Hispanic country, or both.
   - **a.** desayuno con pan y café con leche
   - **b.** almuerzo con sopa, carne, arroz y postre
   - **c.** desayuno con cereales, huevos y tocino
   - **d.** cena a la medianoche
   - **e.** cena con una pizza y refresco
   - **f.** merienda con leche y galletas
   - **g.** almuerzo con un sándwich
2. Name two differences between *when* people eat in Hispanic countries and in the U.S.
3. What dishes mentioned in the text would you like to try? Which would you prefer not to try, and why?
4. If you were writing a textbook for students learning English, what foods would you include as "typical" of the United States?

Así se forma

3. Counting from 100 and indicating the year

In *Capítulo* 1, you learned numbers up to 99. Here are the numbers over 100.

cien	100	**ochocientos/as**	800
ciento uno/a	101	**novecientos/as**	900
doscientos/as	200	**mil**	1,000
trescientos/as	300	**dos mil**	2,000
cuatrocientos/as	400	**cien mil**	100,000
quinientos/as	500	**doscientos/as mil**	200,000
seiscientos/as	600	**un millón** (**de** + *noun*)[1]	1,000,000
setecientos/as	700	**dos millones** (**de** + *noun*)	2,000,000

Use ***PowerPoint Slides*** para presentar y practicar esta gramática.

- **Cien** is used before a noun or as the number 100 when counting. **Ciento** is used with numbers 101 to 199.

  Hay **cien** estudiantes en la clase. **Cien, ciento uno...**

  Sólo tengo **cien** pesos. La torta cuesta **ciento un** pesos.

- In Spanish, there is no **y** between hundreds and a smaller number, although *and* is often used in English.

  205 (*two hundred and five*) = **doscientos cinco**

  ~~**doscientos y cinco**~~

- When the numbers 200–900 modify a noun, they agree in gender.

  trescient**os** alumnos y quinient**as** alumnas

- Years above 1000 are not broken into two-digit groups as they are in English.

  1971 (*nineteen seventy one*) = **mil novecientos setenta y uno**

  ~~**diecinueve setenta y uno**~~

NOTA DE LENGUA

Marking thousands and decimals.

Traditionally, Spanish and other romance languages use a dot (.) to mark thousands, and a comma (,) to mark decimals. Most Spanish speakers in the U.S. follow the English convention of marking thousands with a comma and decimals with a dot (or "point," or "period"). Usage varies in Spanish-speaking countries, but it is increasingly becoming commonplace to use the comma for thousands and the dot for decimals.

Las Américas	**Europa**
$121,250.50	$121.250,50

[4.21] Datos sobre México.

Input

Listen to the following numbers and write them down as numerals.

1. 111,000,000 la población aproximada de México (en 2010)
2. 1,969 la frontera entre Estados Unidos y México, en millas (*miles*)
3. 1821 el año de la Independencia de México
4. 1,500,000 el número aproximado de hablantes de la lengua indígena náhuatl
5. 723 el número de especies de reptiles que hay en México
6. 1943 el año de nacimiento (*birth*) del volcán Paricutín, el más joven del mundo (*world*)

4.21 Audio: 1. ciento once millones; 2. mil novecientos sesenta y nueve; 3. mil ochocientos veintiuno; 4. un millón quinientos mil; 5. setecientos veintitrés; 6. mil novecientos cuarenta y tres

[1]When **millón/millones** is immediately followed by a noun, the word **de** must be used: **un millón de pesos, dos millones de euros**; but **un millón doscientos mil quetzales.**

4.22 Audio: Restaurante La Diligencia. Tarragona, España, 1515; Casa Botín, Madrid, España, 1725; Hostería de Santo Domingo, Ciudad de México, México, 1860; Venta de Aires, Toledo, España, 1891; Café Richmond, Buenos Aires, Argentina, 1917; Restaurante El Faro, Nueva York, 1927; Paladar La Guarida, La Habana, Cuba, 1996.

Nota: Los paladares son restaurantes familiares que el gobierno de Cuba permite abrir en una casa privada.

[4.22] ¿En qué año?

Input

Here is a list of some well-known restaurants with a long history. Listen and fill in the last column with the date that it opened.

Nombre del restaurante	Año
La Diligencia, un antiguo hostal (*old guesthouse*) de Tarragona, España	
El Faro, primer restaurante español en Nueva York	
Hostería de Santo Domingo, primer restaurante de la Ciudad de México	
Venta de Aires, famoso por sus platos tradicionales, en Toledo, España	
Café Richmond, un elegante restaurante de Buenos Aires, Argentina	
Casa Botín, ¡el restaurante más antiguo del mundo![1] en Madrid, España	
Paladar La Guarida, famoso restaurante familiar, La Habana, Cuba	

¿Cuál es el restaurante más antiguo (*oldest*) de esta lista? ¿Sabes (*do you know*) cuál es el restaurante más antiguo de tu ciudad?

[4.23] ¿Cuándo?

Output

In pairs, determine in what year the following events took place, then write out the year in words, following the model.

Modelo: Estudiante A lee: El desastre del Challenger
Estudiante B dice: **1986** **Mil novecientos ochenta y seis**

1. c Los ataques terroristas en Nueva York — **a.** 1989 Mil novecientos ochenta y nueve
2. d Los Juegos Olímpicos en Londres (*London*) — **b.** 1945 Mil novecientos cuarenta y cinco
3. b Bomba atómica en Hiroshima — **c.** 2001 Dos mil uno
4. a La caída del Muro (*wall*) de Berlín — **d.** 2012 dos mil doce
5. e La independencia de los Estados Unidos — **e.** 1776 mil setecientos setenta y seis

Los ejercicios 4.24 y 4.25 refuerzan el uso de algunos de los verbos irregulares estudiados en este capítulo, como **querer** y **costar.**

[4.24] Vamos a cambiar (*exchange*) dólares.

In pairs, one of you is a teller (**cajero/a**) at a money exchange booth at the Miami International airport and the other is a client traveling to Hispanic countries. Listen to the amount of dollars your client wants to exchange and tell her/him how much money that is in the currency of the countries she/he will be visiting. Use the exchange rates in the chart below. Follow the model and take turns as the **cajero/o** and **cliente/a.**

País	1 dólar de EE. UU. son
Bolivia	7 bolivianos
Colombia	1,982 pesos colombianos
Costa Rica	557 colones
Guatemala	8 quetzales
Honduras	19 lempiras
México	13 pesos mexicanos
Perú	3 nuevos soles
Venezuela	6 bolívares fuertes

[1]According to *Guinness World Records*.

Modelo: Cliente/a: **Buenos días, quiero cambiar doscientos dólares a pesos mexicanos, por favor.**

Cajero/a: **Aquí tiene, dos mil seiscientos pesos.**

Estudiante A

Eres el cliente, vas a visitar estos países. Cambia los dólares indicados y anota el dinero local recibido.

México	725 dólares	Son	9,425	pesos mexicanos.
Guatemala	425 dólares	Son	3,400	quetzales.
Honduras	350 dólares	Son	6,650	lempiras.
Costa Rica	600 dólares	Son	334,200	colones.

Estudiante B

Eres el cliente, vas a visitar estos países. Cambia los dólares indicados y anota el dinero local recibido.

Colombia	425 dólares	Son	842,350	pesos colombianos.
Venezuela	350 dólares	Son	2,100	bolívares fuertes.
Perú	600 dólares	Son	1,800	nuevos soles.
Bolivia	725 dólares	Son	5,075	bolivianos.

[4.25] El precio justo.

Output

Today you are playing *The Price is Right!* In small groups, guess the price of each of the following items and write it down. A secretary will list your answers on the board to compare them with the correct price (previously determined by your teacher). The group that comes closest to the correct price for the most items, without going over, wins. Remember: In this activity, the teacher is always right!

1. una cena elegante para dos en un restaurante de cinco estrellas (*stars*) en la Ciudad de Nueva York
2. una mansión en Beverly Hills, California
3. un televisor LED de 50 pulgadas (*inches*)
4. una computadora portátil Mac muy ligera (*light*)
5. un iPad de última (*latest*) generación
6. la matrícula de un año en la universidad
7. un carro híbrido *nuevo*

En mi experiencia

Jennifer, Philadelphia, PA

© Siepmann/imageBROKER/age fotostock

"In the U.S., I always eat on the bus or subway if I'm running late. But people look at you funny if you do that in Barcelona! No one really eats on the go. In fact, I have some friends in Alicante, Spain, who went to the only fast-food drive through there, got their order, and then parked the car to go inside and sit down to eat it!"

What might be the underlying value in a culture where people almost never eat on the go? What do you think is the underlying value in the U.S. that causes people to do this more frequently?

4.25 Sugerencia: Antes de clase, prepare ocho hojas de papel con un número en cada una, del 1 al 8 (correspondientes a cada producto de la actividad) y el precio que puede costar (ej. número 3 - $2,000). En clase, divida la clase en grupos y pídales que calculen un precio aproximado para cada producto. Dibuje una tabla en la pizarra (columnas: Grupo 1, Grupo 2, Grupo 3, etc.; filas: 1, 2... 8), y un secretario para cada grupo llena los espacios con los precios que su grupo haya determinado. Después muestre los precios que usted escribió. Comparen los precios entre grupos y con los de usted.

4.25 Alternativa: Para una versión más auténtica del concurso, prepare su propia lista con artículos específicos (puede incluir detalles y fotografías) y precios exactos con los que jugar.

VideoEscenas

WileyPLUS

¿La nueva cocina?

© John Wiley & Sons, Inc.

▲ Paloma y Pedro pasean por la tarde, quieren tomar algo y deciden entrar en un restaurante.

ANTES DE VER EL VIDEO

Answer these questions before you watch the video.

Sugerencia: Si hace esta actividad en clase, puede pedir que completen esta sección en parejas.

1. What types of cuisine and specific dishes do you like best when you eat out?
2. What is the strangest thing you have eaten?
3. What do you think "new cuisine" could be like?

A VER EL VIDEO

Paso 1. Read the following questions and their possible responses and watch the video once. Then watch the video again, pausing to answer each question.

1. ¿Qué quiere comer la pareja?
   - a) una cena especial
   - b) el desayuno
   - (c) café y postre
   - d) carne y papas
2. ¿Qué pide la mujer para su novio?
   - a) pan tostado con chocolate
   - b) helado de chocolate
   - c) pan tostado con miel y almendras (*almonds*)
   - (d) helado de almendras
3. ¿Qué piden para tomar?
   - (a) dos cafés con crema
   - b) un café y un chocolate
   - c) dos chocolates con café
   - d) dos cafés sin crema
4. ¿Por qué tiene asco (*disgust*) el novio?
   - a) Porque el mesero está loco.
   - b) Porque el helado es pequeño.
   - (c) Porque el helado es extraño.
   - d) Porque el helado es picante (*spicy*).

Paso 2. Look at the questions below and watch the video again. This time focus on the specific information you need to answer the questions. You may take notes as you listen.

1. ¿Por qué quiere entrar Paloma en este restaurante? Porque sirve comida de la nueva cocina.
2. ¿Qué ingredientes tienen los postres de Paloma y Pedro? Paloma: Pan (tostado), chocolate, aceite (de oliva) y sal; Pedro: almendras, ajo y vinagre.
3. ¿Les gusta a Paloma y Pedro la comida de este restaurante? A Paloma le gusta, pero a Pedro no le gusta.

DESPUÉS DE VER EL VIDEO

¿Quieres probar (*try*) este tipo de "nueva cocina"? ¿Por qué sí o por qué no? En general, ¿eres aventurero/a con respecto a la comida?

Situaciones

In pairs or groups of three, you and your friend(s) are going out for dinner tonight, but you each want to go to a different restaurant. Try to persuade your friends to go to your favorite restaurant by telling them what type of food it serves, describing the dish(es) you think they would really like, what the restaurant offers for dessert, etc. Make a decision and be ready to share it with the class.

Así se forma

4. Asking for specific information: Interrogative words (A summary)

Vi a Octavio con una chica muy...
¿Con quién? ¿Cuándo? ¿Dónde?

Here are some of the questions asked at the fruit stall this morning.

¿**Qué** quiere usted?	**¿Qué?**	*What?*
¿**Qué** frutas tienen hoy?		
¿**Cómo** están las fresas hoy?	**¿Cómo?**	*How?*
¿**Cuándo** llegan las piñas?	**¿Cuándo?**	*When?*
¿**Por qué** no hay cerezas?	**¿Por qué?**	*Why?*
¿**Quién** es el último (*last in line*)?	**¿Quién/Quiénes?**	*Who?*
¿**De quién** es esta bolsa (*bag*)?	**¿De quién?**	*Whose?*
Hay manzanas rojas y verdes, ¿**cuáles** prefieres?	**¿Cuál/Cuáles?**	*Which (one/ones)?*
¿**Cuánto** es en total?	**¿Cuánto?**	*How much?*
¿**Cuántos** tomates quiere? ¿**Cuántas** peras quiere?	**¿Cuántos/ Cuántas?**	*How many?*
¿**Dónde** están los ajos?	**¿Dónde?**	*Where?*
¿**Adónde** va?	**¿Adónde?**	*(To) where?*
¿**De dónde** es esta fruta? ¿Es local?	**¿De dónde?**	*From where?*

WileyPLUS

Go to *WileyPLUS* to review this grammar point with the help of the **Animated Grammar Tutorial.**

- Note the difference between **¿qué?** and **¿cuál?:**

¿Qué + noun? When followed by a noun, use **qué.**

¿Qué postre deseas? — *What (Which) dessert do you want?*

¿Qué/Cuál + ser? When followed by the verb **ser**, use **qué** to ask for a definition or explanation; use **cuál** to ask for specific data or a piece of information.

¿Qué es una dirección? — *What is an address?*

An appropriate answer to the question above, with **qué**, would be: *It is the information about where a place is located or where somebody lives.*

¿Cuál es tu dirección? — *What is your address?*

An appropriate answer to the question above, with **cuál**, would be: *It is 34 Longwood Avenue.*

¿Qué/Cuál + verb? When followed by a verb other than **ser**, use **qué** to ask about a general choice; use **cuál** to ask about a choice among given options.

¿Qué quieres comprar? — *What do you want to buy?*

¿Cuál quieres, el rojo o el azul? — *Which one do you want, the red one or the blue one?*

- Note that all the interrogative words above have written accents. When they appear without it, they often introduce a clause (a separate thought, with its own verb) rather than ask a question.

que	*that, which, who*	Siempre voy al mercado **que** está en la plaza.
cuando	*when*	**Cuando** tengo hambre, voy a la cafetería.
porque	*because*	Quiero una pizza grande **porque** tengo mucha hambre.

Use *PowerPoint Slides* para presentar y practicar esta gramática.

Sugerencia: Puede señalar que en México y otros lugares, es común usar *cuál* antes de sustantivos, ej. *¿Cuál postre deseas?*

Sugerencia: Aunque también existen casos en los que se puede usar *qué* en preguntas de selección (ej. *¿Qué prefieres, café o té?*), nos parece conveniente dejar de lado estos casos a favor de una explicación más sencilla.

Input **[4.26] ¿Qué palabra interrogativa?** Imagine that one classmate interviewed another for a class assignment. Match the questions with the appropriate answers.

1. ¿Cómo estás?
2. ¿A qué hora es tu primera clase?
3. ¿Dónde prefieres estudiar?
4. ¿Cuándo vas a dormir?
5. ¿Cuál es tu clase favorita?
6. ¿Qué clases tienes?
7. ¿Cuánto cuestan tus libros?
8. ¿A quién pides ayuda con los problemas?
9. ¿Cuántas horas estudias cada día?
10. ¿Cómo es la comida en la cafetería?
11. ¿Qué haces después de las clases?

a. __9__ Tres o cuatro.
b. __11__ Voy al gimnasio o a la biblioteca.
c. __7__ Quinientos dólares más o menos.
d. __1__ Muy bien, gracias.
e. __6__ Español, historia y biología.
f. __2__ A las 9 de la mañana.
g. __10__ Buena... a mí me gusta.
h. __4__ Normalmente, a medianoche.
i. __5__ ¡Español, claro!
j. __8__ A mi consejero/a (*advisor*).
k. __3__ En mi cuarto.

Input **[4.27] ¿Qué o cuál?** Mark the correct interrogative word, keeping in mind the given answers.

1. —¿☐ Qué ☒ Cuál es tu dirección de correo electrónico?
—Es mar2@mail.com.
2. —¿☒ Qué ☐ Cuál es una manzana?
—Es una fruta.
3. —¿☒ Qué ☐ Cuál estudias?
—Estudio economía y finanzas.
4. —¿☒ Qué ☐ Cuál postre desea usted?
—Quisiera un helado.
5. —¿☐ Qué ☒ Cuál prefiere, el helado de chocolate o el de vainilla?
—El de chocolate.

Output **[4.28] Vamos a ser honestos.** You and your classmate have been friends for a while, but have not always been honest with each other. Finally you decide to come clean. Take turns telling each other about your secrets and ask for the truth. Add one more secret of your own.

Modelo: Estudiante A: **La verdad (*truth*) es que tus raviolis no son mi plato favorito.**
Estudiante B: **¿No? ¿Cuál es tu plato favorito?**
Estudiante A: **Los tamales.**

Estudiante A

1. No me llamo...
2. No tengo... años.
3. No estudio...
4. Mi cantante (*singer*) favorito/a no es...
5. ...

Estudiante B

1. No soy de...
2. No vivo en una residencia estudiantil.
3. Después de las clases no voy a la biblioteca.
4. Mi película favorita no es...
5. ...

DICHO Y HECHO

PARA LEER: Chocolate, comida de dioses[1]

ANTES DE LEER

What is your favorite food? Do you have a favorite dish or recipe that includes that food?

ESTRATEGIA DE LECTURA

Using text format and visuals

Becoming familiar with the topic and main ideas of the text will greatly help you interpret it correctly when you read it in detail. Recognizing a particular text format and paying attention to any visuals and their captions can give you a good sense of what the text is about. For example, look at the selection that follows. Read the title and introduction to the text, look at the text and format and pictures. Then answer the following questions:

- What food is this text going to talk about?
- There are two different types of text here; how would you categorize each of them?
- What cues in the title, introduction, format, and visuals have you used to answer the questions above?

A LEER

Si es usted similar a la mayoría de sus amigos, vecinos y compañeros de trabajo, le gusta el chocolate. En sus múltiples variantes, el cacao es el protagonista de desayunos, meriendas, postres y celebraciones en gran parte del mundo[2]. Y, al contrario de la opinión general, tiene muchas propiedades beneficiosas para la salud[3].

Aunque hoy en día el chocolate es dulce[4], el término original azteca "chocolātl" significa agua amarga[5]. Su consumo en Centroamérica data del 1500 A.C., cuando los olmecas tomaban una bebida de cacao fermentado. Los mayas, y más tarde los aztecas, mezclaban cacao molido con agua, harina de maíz, vainilla y chile en un néctar reservado para ofrendas a los dioses. El fruto del *Theobroma cacao* ("comida de dioses"), preparado en una bebida caliente con azúcar, conquistó la aristocracia europea del siglo XVII. Poco a poco el chocolate original evolucionó a productos que consumimos ahora y su magia llega ya a todas las clases sociales.

En la actualidad[6], la mayoría de los 4 millones de toneladas de cacao producidas cada año provienen de Costa de Marfil y Ghana. En el continente americano, solamente Brasil y Ecuador tienen una producción importante de cacao. Pero, ¿quién come todo este chocolate? Los europeos consumen *la mitad*[7], especialmente suizos, alemanes y belgas, con 12 kilos anuales per cápita, mientras que los estadounidenses consumen unos 6 kilos.

Sin duda el chocolate tiene un papel fundamental en nuestra cultura. Simboliza el placer, el amor, la festividad, y así está presente en casi todas las celebraciones: tortas de cumpleaños, bombones de San Valentín, huevos de chocolate en Semana Santa, monedas y cacao caliente con menta en Navidad... Además ahora su sabor no es la única razón para disfrutarlo[8]: varias investigaciones recientes demuestran que el chocolate no es un factor importante en la obesidad y además ayuda[9] a prevenir problemas cardiovasculares, disminuye el colesterol malo, etc.

---

[1] gods, [2] world, [3] health, [4] sweet, [5] bitter, [6] currently, [7] half, [8] enjoy it, [9] helps

Anna Kurzaeva/iStockphoto

Receta de trufas de chocolate

Ingredientes:

- 500 gramos (18 onzas) de chocolate puro[10], derretido[11]
- 1 paquete (8 onzas) de queso crema[12]
- 350 gramos (12 onzas) azúcar en polvo[13]
- 1½ cucharadita de vainilla
- Cacao en polvo, o fideos[14] de chocolate
- Moldes de papel para trufas

Elaboración:

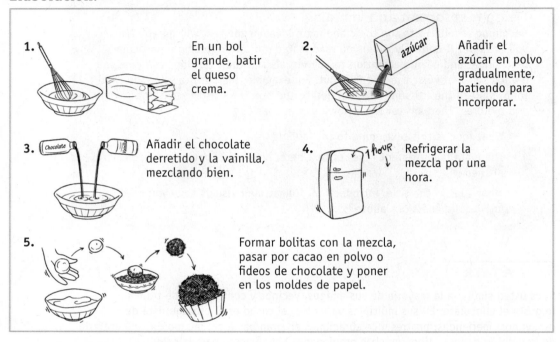

1.  En un bol grande, batir el queso crema.

2. 

Añadir el azúcar en polvo gradualmente, batiendo para incorporar.

3. 

Añadir el chocolate derretido y la vainilla, mezclando bien.

4. 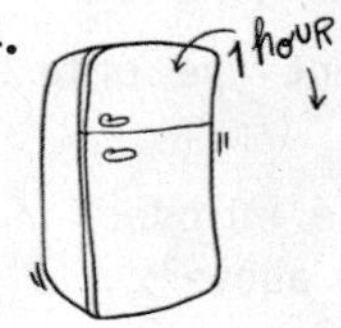

Refrigerar la mezcla por una hora.

5.  Formar bolitas con la mezcla, pasar por cacao en polvo o fideos de chocolate y poner en los moldes de papel.

DESPUÉS DE LEER

Extensión: Pida a la clase que investigue acerca de otros alimentos comunes en la cocina occidental provenientes de las Américas.

1. Indicate if the following statements are true or false, according to the text. If they are false, correct them.

a. Muchas personas piensan que el cacao es muy sano.
Falso. Muchas personas piensan que el cacao no es muy sano.

b. En Centroamérica, el consumo de cacao tiene más de 3,000 años. cierto

c. Los mayas y aztecas ofrecían (*offered*) bebidas de cacao a sus dioses. cierto

d. En la Europa del siglo XVII, la aristocracia europea comía (*ate*) chocolate con azúcar. falso

e. Un alemán come aproximadamente la mitad de chocolate que (*than*) un estadounidense. Falso. Un alemán come más chocolate que un estadounidense.

f. El chocolate no causa obesidad. Cierto, no es un factor importante en la obesidad.

2. The steps to make truffles got mixed up. Number them in the correct order.

1. Batir el queso
__4.__ Enfriar.
__5.__ Moldear las trufas.
__6.__ Cubrir (*cover*) las trufas.
__3.__ Mezclar el cacao y la vainilla con el queso azucarado.
__2.__ Incorporar el azúcar.

3. Are you a good cook, or is microwave popcorn your highest achievement in the kitchen? In small groups, tell your classmates what you can and like to cook, what the ingredients are and try to explain how to make it.

PALABRAS ÚTILES

pelar	*to peel*
cortar	*to cut*
hervir	*to boil*
freír	*to fry*
asar	*to roast*
hornear	*to bake*

[10]semi-sweet chocolate, [11]melted, [12]cream cheese, [13]confectioner's sugar, [14]sprinkles

PARA CONVERSAR: ¿Qué comemos?

Paso 1. Work in groups of three. You are in the Cancún airport traveling back home from vacation. Two of you decide to eat in El Rincón, where traditional Mexican food is served. You are hungry and thirsty but you only have 200 pesos (about $15) left, so you might need to share some dishes. The third student will play the role of the server.

Paso 1. Individually, each traveller decides what she/he would like to eat based on personal preferences and cost. Meanwhile, the server studies the menu and comes up with two specials of the day.

El Rincón – Almuerzo

Sopas		
Consomé azteca (pollo, arroz, cilantro, cebolla y aguacate[1])		71
Sopa de tortilla (tortilla de maíz, tomate, chipotle[2], queso y aguacate)		67
Sopa de frijol		65
Sopa del día (pregunte a su mesero/a)		65
Ensaladas	Mediana	Grande
El Rincón (lechuga, pollo, tortilla frita, jícama[3] y piña asada)	60	98
De toronja (lechuga, toronja[4], aguacate y cebollitas)	55	88
Enchiladas (de pollo o queso, con guarnición[5] de frijoles)		
Rojas, verdes o chipotle		95
De mole[6] poblano (con salsa de chiles y chocolate)		98
Suizas (con espinacas y salsa de crema agria)		95
Especialidades El Rincón		
Carne de res en salsa de tomate		115
Cerdo en salsa verde (con tomatillos[7], chiles güeros[8] y papas)		105
Pollo en mole		110
Pescado a la Veracruzana (con tomate, aceitunas y alcaparras[9])		125
Chile relleno con queso		98

Bebidas		**Postres**	
Jugos naturales (naranja, toronja o guanábana[10])	28	*Flan*	36
Coca-Cola, Fanta, Sprite, Fresca	17	*Arroz con leche*	32
Agua mineral	15	*Helados*	32

Paso 2. It's time to order! First, the server should describe the specials of the day, then ask questions. Discuss your options with your partner and order your food. The server will try to help by offering several suggestions. After your meal, ask for the check, pay your bill, and let the waiter know how your meal was.

[1]avocado, [2]smoke-dried chili, [3]jicama – a crispy, sweet edible root, [4]grapefruit, [5]side dish, [6]Mexican sauce made with chili peppers, chocolate, and a variety of other ingredients; garnish, [7]green tomatoes, [8]banana peppers; [9]capers, [10]soursop – a tropical fruit

EXPRESIONES ÚTILES

el mesero/la mesera
- ¿Qué desean ustedes?
- ¿Y para usted?
- ¿Qué desean tomar?
- Les recomiendo (comidas/bebidas)...
- Nuestros (platos especiales/postres...) son exquisitos.

el/la cliente
- Me gustaría...
- ¿Cuál es la sopa del día?
- ¿Qué nos recomienda?
- ¿Sirven arroz y frijoles con todos los platos?
- Podemos compartir el pollo.
- Muchas gracias.
- ¡La cuenta por favor!

HINT

Remember that prices are in **pesos** (1 dollar equals about 13 **pesos**).

ASÍ SE HABLA

In your conversation, try to use some of these phrases that are common in Mexico:

¡Órale! = *OK!*
¿Mande? = *Excuse me?/ What?*
¡Híjole! = *Wow!*

ESTRATEGIA DE COMUNICACIÓN

Facial expression and attitude How will the nature of each conversation be reflected in your facial expression and your general attitude toward the person you're speaking with? Give this some thought, then try to use an appropriate facial expression and attitude in your conversations.

PARA ESCRIBIR: Comer en la universidad

In this section you will be able to choose among different writing options in order to describe your experiences eating on campus. You will choose one of the audiences below.

ESTRATEGIA DE REDACCIÓN

Consider audience and context The audience (who you are writing for) and the context of writing (e.g., letter, e-mail, essay, etc.) determine to a great extent the content, form, and type of language you should use. For instance, if you are writing about your first weeks in college to your freshman advisor, the content, form and level of formality will be different from what you would write to your best friend or relative.

ANTES DE ESCRIBIR

Paso 1. You will describe your eating experiences on your campus. In small groups, discuss how this composition would be different if you were writing for the following audiences. Consider:

- **Purpose:** What would be your goal in each of the following situations? Can you think of examples of how such purposes may affect your composition?
- **Content:** What would be the message that you are trying to convey? What type of information would be appropriate in each case? Can you think of anything that might be appropriate for one of the contexts and not for another?
- **Writing format:** How are the three types of writings described differently in what we expect them to contain?
- **Tone:** Would the language in each be formal or informal? What would the tone of each be like?

	Purpose	Content	Writing format	Tone
An e-mail to your uncle, who often sends you money for school				
An article for the student newspaper				
A report requested by the Director of Dining Services, to assess student satisfaction with campus dining options				

Para escribir mejor: How to use a bilingual dictionary
In general, you should try to generate your compositions entirely in Spanish, using the words and structures that you already know. However, you will probably want to use a dictionary occasionally to stretch your communicative abilities.

When you look up a word in the dictionary, be sure to note whether it is a noun or a verb. Using the example "I can fly to New York," look up *can* and *fly* in the online dictionary www.wordreference.com, using the "English to Spanish" section, and write what you find:

can noun = ____________________

verb = ____________________

fly noun = ____________________

verb = ____________________

What is the correct translation of "I can fly to New York"?

____

Paso 2. Choose one of the three options described in **Paso 1**. Start planning your writing by brainstorming for a few minutes, writing down everything that comes to mind, or developing an idea map with subtopics and clusters of ideas. Now, choose the three or four most important ideas that you want to develop in your composition. Each idea should form the topic sentence of a paragraph.

Alternativa: El instructor puede asignar situaciones diferentes a los estudiantes para asegurar variedad en las composiciones.

A ESCRIBIR

Write the letter of your choice from **Paso 1**, making an effort to convey relevant, well-developed ideas in a logical, easy-to-follow sequence. Remember to write appropriately for your purpose and reader.

DESPUÉS DE ESCRIBIR

Revisar y editar: El contenido y la organización. Revise your composition for content and organization. Specifically ask yourself these questions:

- ☐ Does each paragraph contain one main idea? Is all of the other information in the paragraph related to that main idea?
- ☐ Is the tone appropriate for the type of audience I have selected? (uncle, newspaper, or Director of Dining Services)
- ☐ Have I provided enough details? Are there a few more details I could include?

Opciones: Puede pedir a los estudiantes que ayuden a un compañero/a a revisar y corregir su trabajo en esta parte de la actividad. Puede darles una copia de su rúbrica de evaluación para guiarlos en su trabajo de revisión.

Puede organizar a los estudiantes en grupos en los que cada estudiante haya escogido una opción diferente para que, después de escribir y revisar sus composiciones, las comparen y observen las diferencias de contenido y forma.

PARA VER Y ESCUCHAR: La comida hispana WileyPLUS

ANTES DE VER EL VIDEO

In pairs, and before you watch the video, write a list of Hispanic dishes you know (include the ones you remember from this chapter and others you might have known before). Together, try to remember as much as you can about these dishes.

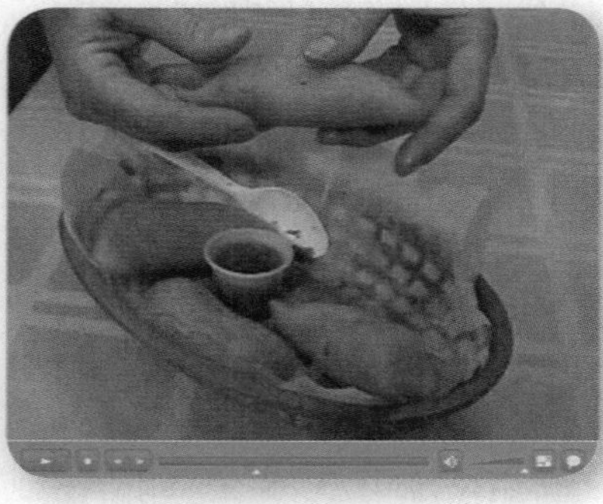

ESTRATEGIA DE COMPRENSIÓN

Silent viewing Visual information can help us greatly when watching television or a video segment; we can learn about the context, events, and people involved, and use this information to better comprehend what we hear in the segment. In order to get the most out of that visual information, view the segment without any sound first. This will allow you to focus on what you see and use that information to anticipate and interpret what is being said. This exercise will also help you train yourself to pay attention to all those visual cues when watching Spanish-language TV or movies.

A VER EL VIDEO

Paso 1. In the video, you will hear about the foods served in two different restaurants. View the video once without sound and pay attention to the places, people, and food you see. Then, in small groups, share all the ideas and details you remember. You can also guess what some things may be!

Paso 2. Before you watch the video again, look at the words in the **Palabras útiles** box. After watching the video, now with sound, say whether the following statements are true or false. Rewrite the false statements to make them correct.

	Cierto	Falso
1. El restaurante Macitas sirve comida cubana.	☐	☑
2. Macitas sólo sirve cenas.	☐	☑
3. Macitas también vende comida para llevar a casa.	☑	☐
4. El restaurante Botín se especializa en tapas.	☐	☑
5. Los españoles salen de tapas con su familia.	☑	☐

PALABRAS ÚTILES

aperitivo	*appetizer*
bacalao	*cod*
camarones = gambas (España)	*shrimp*
morcilla	*blood sausage*
jamón serrano	*dry cured ham*
pimientos	*peppers*
pulpo	*octopus*

Paso 2. Respuestas: 1. Sirve comida colombiana; 2. Sirve desayunos, almuerzos y cenas; 4. Se especializa en asado, cochinillo y cordero.

Ayude a sus estudiantes con preguntas sobre los lugares: *¿Reconocen las ciudades? ¿Qué tipos de restaurantes son: modernos, tradicionales, familiares? ¿Qué platos o ingredientes reconocen?* Puede también guiarlos para que hablen de elementos culturales que les hayan llamado la atención, en el caso de este video, el hecho de que haya mesas de restaurantes en la calle, que se comparta la comida, el concepto de tapas, etc.

Paso 3. Complete the following sentences with any information you might remember. Then, watch the video again to check and complete your answers.

1. En el restaurante Macitas el calentado es un desayuno típico, que consiste en ________________.
2. En la panadería de Macitas venden ________________.
3. Las empanadas de Macitas son de ________________.
4. Se sirven con una salsa de ________________.
5. La especialidad de Botín son las carnes asadas, pero también sirven distintas tapas. Algunas tapas populares en España son ________________.

DESPUÉS DE VER EL VIDEO

1. ¿Qué comida quieres probar de Macitas o de Botín?
2. La costumbre de "salir de tapas", ¿es similar a la "Happy Hour" de los Estados Unidos? ¿Por qué?

Repaso de vocabulario activo

Adjetivos y expresiones adjetivales
al horno *baked, roasted*
a la parrilla *grilled*
caliente *hot*
frío/a *cold*
frito/a *fried*
mucho/a/os/as *much, a lot, many*
otro/a/os/as *another/other*
poco/a/os/as *little (quantity), few*

Adverbios
más/menos *more/less*
mucho/poco *a lot/a little*
también *also*
todavía *still*

Conjunciones
cuando *when*
porque *because*
que *that, which, who*

Palabras interrogativas
¿Adónde? *(To) where?*
¿Cómo? *How?*
¿Cuál/es? *Which (one/s)?*
¿Cuándo? *When?*
¿Cuánto/a/os/as? *How much?/ How many?*
¿De dónde? *From where?*
¿De quién? *Whose?*
¿Dónde? *Where?*
¿Por qué? *Why?*
¿Qué? *What? Which?*
¿Quién/es? *Who?*

Preposiciones
con *with*
sin *without*

Sustantivos
Las comidas del día ***Meals***
el almuerzo *lunch*
la cena *dinner*
el desayuno *breakfast*

Las legumbres y las verduras ***Legumes and vegetables***
el brócoli *broccoli*
la cebolla *onion*
los frijoles *beans*
los guisantes *peas*
las judías verdes *green beans*
la lechuga *lettuce*
el maíz *corn*
la papa/la patata *potato*
las papas fritas *French fries*
el tomate *tomato*
la zanahoria *carrot*

Las frutas ***Fruits***
el aguacate *avocado*
la banana/el plátano *banana*
la cereza *cherry*
la fresa *strawberry*
el limón *lemon*
la mandarina *mandarin, tangerine*
la manzana *apple*
el melocotón/el durazno *peach*
la naranja *orange*
la pera *pear*
la piña *pineapple*
la sandía *watermelon*
la uva *grape*

Las carnes, los pescados y los mariscos ***Meat, fish, and seafood***
el bistec *steak*
el camarón *shrimp*
la carne de res *beef*
el cerdo *pork*
la chuleta (de cerdo) *pork chop*
la hamburguesa *hamburger*
el jamón *ham*
la langosta *lobster*
el pescado *fish*
el pollo *chicken*
la salchicha/el chorizo *sausage*
el salmón *salmon*
la tocineta/el tocino *bacon*

Las bebidas ***Beverages***
el agua *water*
el café *coffee*
la cerveza *beer*
el jugo/el zumo *juice*
la leche *milk*

el refresco *soda drink*
el té *tea*
el vino *wine*

Los postres ***Desserts***

la galleta *cookie*
el helado *ice cream*
el pastel *pie, pastry*
la torta *cake*

Otras comidas y condimentos ***Other foods and condiments***

el aceite *oil*
la aceituna *olive*
el ajo *garlic*
el arroz *rice*
el azúcar *sugar*
el cereal *cereal*
la crema *cream*
la ensalada *salad*
el hielo *ice*
el huevo *egg*
los huevos revueltos/fritos *scrambled/fried eggs*
la mantequilla *butter*
la mermelada *jam*
el pan *bread*
el pan tostado *toast*
la pimienta *pepper*
el queso *cheese*
la sal *salt*
el sándwich/el bocadillo *sandwich*
la sopa *soup*
el vinagre *vinegar*

En el restaurante ***At the restaurant***

el restaurante *restaurant*
el/la mesero/a *waiter/waitress*
la cuenta *check, bill*

En la mesa ***At the table***

la copa *goblet*
la cuchara *spoon*
la cucharita *teaspoon*
el cuchillo *knife*
el plato *plate*
la servilleta *napkin*
la taza *cup*
el tenedor *fork*
el vaso *glass*

Verbos y expresiones verbales

almorzar (ue) *to have lunch*
cocinar *to cook*
comprar *to buy*
costar (ue) *to cost*
desear *to want, to wish*
dormir (ue) *to sleep*
entender (ie) *to understand*
gustar *to like*
necesitar *to need*
pedir (i) *to ask for, to order*
pensar (ie) *to think*
poder (ue) *to be able, can*
preferir (ie) *to prefer*
preparar *to prepare*
querer (ie) *to want, to love*
servir (i) *to serve*
tomar *to take, to drink*
vender *to sell*
volver (ue) *to return, to go back*
me gustaría *I would like*
tener (irreg.) hambre *to be hungry*
tener sed *to be thirsty*

CAPÍTULO 5

Nuestro tiempo libre

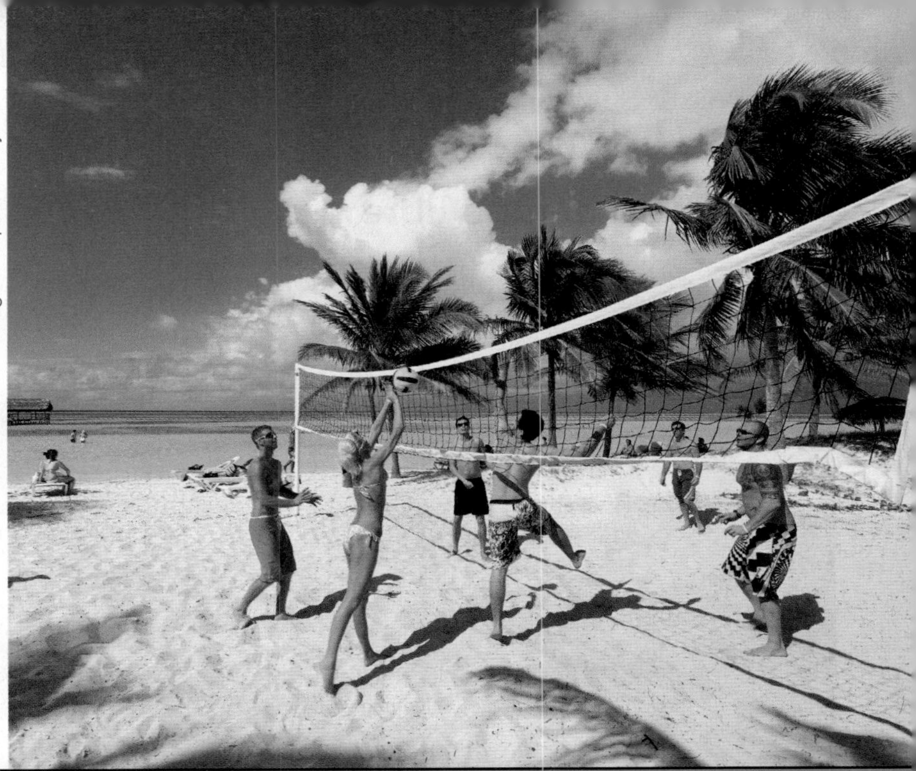

© Ingolf Pompe 31/Alamy

LEARNING OBJECTIVES

In this chapter, you will learn to:

- talk about hobbies, pastimes, and activities.
- talk about the weather and the seasons.
- express future actions.
- describe an action in progress.
- be familiar with recreational activities in Spanish-speaking countries.
- explore the importance of soccer.
- recognize African influences in the Caribbean islands.

Entrando al tema

1. ¿Cuál es tu deporte favorito? ¿Qué deporte crees que tiene el mayor número de fans en los Estados Unidos? Y ¿en el mundo hispanohablante?
2. ¿Has escuchado/bailado alguno de estos tipos de música: la salsa, el merengue, la bachata o el reguetón?

Así se dice

Nuestro tiempo libre

Use ***PowerPoint Slides*** para presentar y practicar este vocabulario.

¿Qué ves? (*What do you see?*) Responde (**answer**) estas preguntas sobre la ilustración:

1. ¿Cuántas personas hay en el mar? ¿Quién esquía en el mar, la mujer o el hombre? Y, ¿qué hace el hombre?
2. Hay un grupo de amigos en la playa, ¿qué hace el chico?, ¿toma el sol?, ¿toca la guitarra?, ¿juega videojuegos? Y sus amigas, ¿tocan la guitarra también?, ¿cantan? En tu opinión, ¿se divierten?

Puedes encontrar más preguntas de comprensión en *WileyPLUS* y en el *Book Companion Site* (BCS).

caminar	***to walk***
cantar	***to sing***
dar un paseo	***to take a walk, stroll***
descansar	***to rest***
ganar	***to win***
jugar (ue)[1]	***to play***
al básquetbol/baloncesto	***basketball***
al fútbol	***soccer***
al fútbol americano	***football***
al béisbol	***baseball***
al tenis	***tennis***
videojuegos	***videogames***
hacer ejercicio	***to exercise***
deporte	***to play sports***
el mar	***sea***
el partido	***game, match***
perder (ie)[1]	***to lose***
practicar	***to practice***
tomar el sol	***to sunbathe***

Sugerencia: Para iniciar el trabajo de comprensión y respuesta al nuevo vocabulario (actividades de **input**) refiérase a las preguntas de comprensión **¿Qué ves?** en *WileyPLUS* y en el Book Companion Site (BCS).

¿Y tú?

1. ¿Qué haces tú cuando tienes tiempo libre?
2. Compara este parque con los parques de tu ciudad (*city*).

WileyPLUS

Pronunciación: Practice the pronunciation of the chapter vocabulary and particular sounds of Spanish in *WileyPLUS*.

[1]Remember that the letters in parenthesis following a verb—for example, **jugar (ue), perder (ie)**—indicate a stem change in the present tense.

5.1 Esta actividad recicla expresiones de frecuencia.

Extensión: Puede pedir a la clase que comparta sus respuestas y hacer un gráfico en la pizarra con los resultados del grupo.

[5.1] ¿Somos sedentarios o activos?

Input **Paso 1.** Categoriza estas actividades en la columna apropiada.

nadar	tomar el sol	jugar al voleibol	levantar pesas
esquiar	cantar	pintar un cuadro	tocar un instrumento
hablar	descansar	montar en bicicleta	jugar videojuegos
correr	caminar	jugar al baloncesto	hacer ejercicio

Actividades sedentarias	Actividades físicas
hablar, tomar el sol, descansar, cantar, pintar un cuadro, tocar un instrumento, jugar videojuegos	nadar, esquiar, correr, caminar, jugar al voleibol, montar en bicicleta, jugar al baloncesto, levantar pesas, hacer ejercicio (jugar videojuegos)

Output **Paso 2.** Ahora escribe oraciones (*sentences*) indicando con cuánta frecuencia (*how frequently*) haces estas actividades. Usa estas expresiones de frecuencia.

con frecuencia	a veces	casi nunca	nunca

Modelo: **Nado con frecuencia.**
No monto en bicicleta nunca.

Output **Paso 3.** Compartan (*share*) sus respuestas en grupos y hablen de otras actividades que ustedes también hacen. En general, ¿son ustedes sedentarios o activos?

5.2 Sugerencia: Puede pedir a los estudiantes que tomen nota de las sugerencias de su compañero/a para compartirlas con la clase después.

Extensión: La clase puede comparar sugerencias para cada idea y discutir cuáles son más apropiadas, otras alternativas, lugares en la comunidad donde se puede practicar cada actividad, etc.

Output [5.2] ¿Qué me recomiendas?

Paso 1. En parejas, el Estudiante A explica su situación al Estudiante B. Este escucha y ofrece una sugerencia, que el Estudiante A anota (*jots down*). Túrnense (*take turns*).

Modelo: Estudiante A lee: **Me gustan las actividades rápidas (*fast*).**
Estudiante B sugiere (*suggests*): **Te recomiendo jugar al baloncesto y correr.**

Estudiante A
1. Quiero expresarme artísticamente.
2. Quiero practicar un deporte con otra persona.
3. Quiero estar al aire libre (*outdoors*), pero no puedo correr.
4. Me gusta mucho el agua.

Estudiante B
1. Quiero estar más fuerte.
2. Quiero reducir el estrés.
3. Quiero hacer actividades con mi perro.
4. Soy muy competitivo/a.

Paso 2. Ahora, en grupos de 4 o 5 personas, comparte (*share*) las sugerencias de tu compañero/a. Después explica: ¿estás de acuerdo (*do you agree*) con sus sugerencias? ¿Tiene el grupo otras sugerencias?

[5.3] ¿Qué te gusta hacer?

Output **Paso 1.** Tu compañero/a y tú van a entrevistarse (*interview each other*) sobre las actividades que hacen frecuentemente. Tienes que (*You have to*) hacer preguntas sobre los detalles.

Modelo: Estudiante A: **¿Qué te gusta hacer en tu tiempo libre (*leisure time*)?**
Estudiante B: **Me gusta nadar.**
Estudiante A: **¿Nadas con frecuencia? ¿Prefieres nadar en una piscina (*pool*) o en el mar?**

5.3 Esta actividad recicla *gustar*.

Sugerencia: Pida a los estudiantes que den ejemplos de actividades de ocio y, si ellos no las mencionan, sugiera actividades estudiadas en otros capítulos: ***leer, tomar café, salir con los amigos...*** También puede pedir a la clase que dé ejemplos de los tipos de preguntas que pueden hacer en la entrevista. Algunos ejemplos son: ***¿Cuántos días por semana? ¿Dónde? ¿Haces esto con amigos, solo/a?, etc.***

PALABRAS ÚTILES

la película	*movie*
la revista	*magazine*
hacer trabajo voluntario	*to do volunteer work*
jugar	*to play*
a las cartas/al ajedrez/a los juegos de mesa	*cards/chess/board games*
patinar (sobre ruedas)	*to skate (rollerblade)*
practicar yoga/pilates	*to practice yoga/pilates*

Paso 2. Ahora escribe un párrafo (*paragraph*) comparando tus actividades y las de tu compañero/a.

Modelo: **A Ana le gusta nadar, y lo hace dos o tres veces (*times*) por semana en la piscina.**

NOTA CULTURAL

El dominó

Dominoes is a favorite pastime in the Caribbean. Both in the Dominican Republic and in Cuba, one hears a constant "click" of the *fichas* (individual tiles) on a table. Although it may seem like a simple game, Caribbean *dominó* is full of suspense, energy, and strategy, as well as often being played for money. Partners know each other's style and hand signals and which *fichas* have not yet been played.

Look up the World Domino Tournaments on *ESPN Deportes*, which became very popular for trash-talking and table-smacking.

What board games are common in U.S. neighborhoods and parks?

© Charles O. Cecil/Alamy

ASÍ SE DICE

Use *PowerPoint Slides* para presentar y practicar este vocabulario.

Los colores

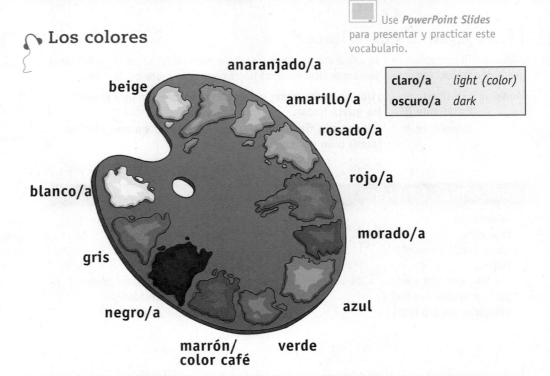

claro/a	*light (color)*
oscuro/a	*dark*

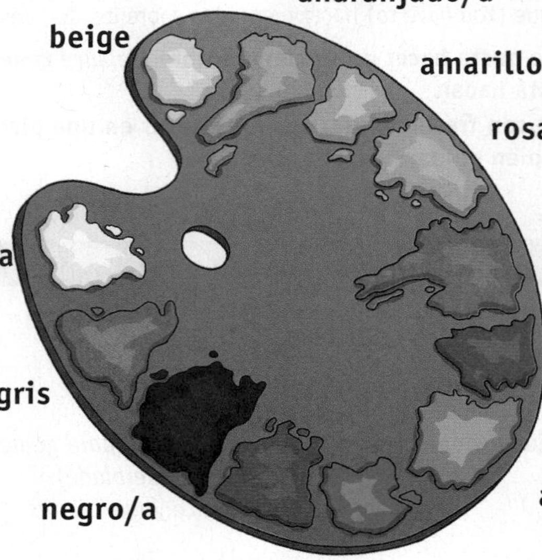

WileyPLUS
Pronunciación:
Practice pronunciation of the chapter vocabulary and particular sounds of Spanish in *WileyPLUS.*

NOTA DE LENGUA

All of the colors shown are adjectives. Those that end in **–o** change to reflect both gender and number: **blanco, blanca, blancos, blancas.** Those that end in **–e** (**verde**) or a consonant (**gris, marrón, azul**) have two forms: singular and plural (**verde, verdes**). **Las flores son azules y amarillas.**

5.4. Extensión: Para practicar ahora más o reciclar en otro momento, pida a los estudiantes que indiquen el color asociado a varios conceptos (ej. el dinero, la pasión, la tristeza, etc.), cosas (ej. el mar, la noche, etc.) o comidas (ej. la leche, las fresas, las bananas, etc.) Se puede continuar la práctica en grupos, donde un estudiante da una palabra y el resto del grupo identifica el color asociado.

[5.4] Alimentos (*food items*) coloridos.

En parejas, y en cinco minutos, escriban el mayor (*largest*) número posible de alimentos o bebidas de cada color. ¿Qué pareja tiene más?

En mi experiencia

John, Boise, ID

Enrique de la Osa/EPA/Newscom

"I thought I'd get to practice playing soccer when I spent two months in the Dominican Republic, but baseball is definitely the preferred sport. They have a league called the *Liga de Béisbol Profesional de la República Dominicana* with six teams spread across the island; many of the players eventually join U.S. Major League teams. The champion of LIDOM plays in the yearly Caribbean Series against Mexico, Venezuela, Cuba, and Puerto Rico. I lived in Santo Domingo in 2013 and since that team won the LIDOM, it was a lot of fun!"

The Dominican Republic holds the greatest number of Caribbean Series championships. Do you know of any Dominican players on U.S. baseball teams? If not, do a quick search on Internet. What other professional sports in the U.S. attract athletes from other nations?

[5.5] ¿Cuáles son tus colores?

Los colores de los equipos deportivos (*sports teams*) son símbolos muy importantes. Los reporteros deportivos a veces usan estos colores para referirse a un equipo: **"los blancos ganan el partido"** (*the white team wins the game*).

Input **Paso 1.** Escucha las descripciones de las camisetas (*jerseys*) de cinco equipos populares de fútbol y béisbol. Empareja (*Match*) el nombre del equipo con la foto correspondiente.

PALABRAS ÚTILES

la camiseta	*jersey/t-shirt*
el pantalón (corto)	*pants (shorts)*
la raya horizontal/vertical/diagonal	*stripe*

1. Boca Juniors __b__
2. Águilas Cibaeñas __a__
3. River Plate __e__
4. Club América __c__
5. Tigres de Ponce __d__

Extensión: Pida a sus estudiantes que investiguen acerca de un equipo deportivo de un país hispano que les interese (o uno de los del ejercicio 5.5) y estén preparados para compartir algunos datos con la clase.

Sugerencia: Si tiene hablantes de herencia, pregúnteles lo siguiente: ¿Tienen ellos o sus parientes cercanos equipos favoritos?

5.5 Audio:

1. La camiseta del Boca Juniors es azul con una raya horizontal amarilla. El pantalón corto es azul.
2. La camiseta del equipo Águilas Cibaeñas es amarilla. El pantalón es blanco.
3. La camiseta del River Plate es blanca con una raya diagonal roja. El pantalón corto es negro.
4. La camiseta del Club América es amarilla con unas partes pequeñas azules. El pantalón corto es azul.
5. La camiseta de los Tigres de Ponce es roja con negro.

Jose Bueno/EFE/Newscom

Daniel Garcia/AFP/Getty Images, Inc.

Enrique Marcarian/Reuters/Landov LLC

Tomas Bravo/Reuters/Landov LLC

ASSOCIATED PRESS

Output **Paso 2.** En grupos de 2 o 3 personas, describan los colores de un equipo deportivo popular. Después van a leer su descripción a la clase y sus compañeros tienen que adivinar (*have to guess*) el equipo.

Modelo: Su camiseta es... Juegan al baloncesto/béisbol...

HINT

Para decir *I am a fan of...*, se puede decir:
"Soy del/de los..."
"Soy de los Boston Bruins."
"Le voy al/a los..."
"Le voy a los Chicago Bears".

Sugerencia: Señale que el verbo ***encantar*** funciona como ***gustar.*** Dé como ejemplo: ***Me encanta practicar tenis. Me encantan los partidos de béisbol.*** Explique que al igual que ***gustar*** corresponde a ***to be pleasing*** en inglés y por lo común se traduce con el verbo activo ***to like, encantar*** corresponde a ***to delight*** y suele traducirse con ***to love***.

Más actividades y deportes

*Manuel y Linda están saliendo juntos (*are dating*) pero tienen intereses diferentes. Estas son sus respuestas a un cuestionario de compatibilidad.*

¡Quiero ver el fútbol!
¡Pues yo prefiero la telenovela!

Use ***PowerPoint Slides*** para presentar y practicar este vocabulario.

Cuestionario de compatibilidad

	Nombre: Linda	**Nombre:** Manuel
1. ¿Qué le gusta hacer en su tiempo libre (leisure time)?	Me ***encanta***[1] pasear y salir con mis amigos, y me gusta ***bailar*** salsa.	Me gusta ir a fiestas o a la discoteca y a bailar con Linda.
2. ¿Le gusta **ver la televisión**? ¿Qué tipo de programas ve?	Sí, veo partidos de tenis; también me gustan las telenovelas (*Hospital General*).	Me gusta ver la tele, especialmente los deportes: *partidos de fútbol, béisbol,* torneos de *golf…*
3. ¿Qué hace los fines de semana?	Generalmente ***limpio*** mi cuarto y ***voy de compras***. A veces cocino para mis amigos.	Me encanta ***manejar***[2] mi carro nuevo y casi siempre llevo a Linda cuando va de compras.
4. ¿Practica algún **deporte** con regularidad?	Mi deporte favorito es el fútbol americano, pero juego al tenis.	Mi deporte favorito es el fútbol, pero en Estados Unidos no es muy popular… También me gusta el béisbol.
5. ¿Cuál es su **equipo** favorito?	Mi equipo son los Dolphins.	Mi equipo de béisbol favorito son los Marlins.
6. ¿Escucha música? ¿De qué tipo?	Sí, en casa casi siempre escucho música y me gusta todo tipo de música.	Sí, siempre escucho música en casa, en el carro, con mi iPod. Me gustan el rock latino y el hip hop. Mi grupo favorito es Orishas, un grupo de hip hop cubano.
7. ¿Qué hace para relajarse?	Casi siempre doy un paseo y, a veces, leo un libro.	¿Relajarme? No tengo tiempo, **solo** descanso cuando duermo.
8. ¿Le gusta **viajar**? ¿Adónde?	Me encantan los viajes a lugares exóticos, pero casi nunca hago viajes porque no tengo dinero.	No, **solo** viajo si es necesario. En las vacaciones prefiero descansar en casa.

WileyPLUS
Pronunciación:
Practice pronunciation of the chapter vocabulary and particular sounds of Spanish in *WileyPLUS*.

bailar	*to dance*	**manejar**	*to drive*
encantar	*to love*	**solo**	*only*
el equipo	*team*	**ver la televisión**	*to watch TV*
ir de compras	*to go shopping*	**deporte**	*sport*
limpiar	*to clean*	**viajar**	*to travel*

[1] Note that **encantar** has a similar structure to that of **gustar:** Me *gusta* bailar/ Me *encanta* bailar. Me *gustan* los deportes/ Me *encantan* los deportes.

[2] **Manejar = conducir** in Spain. Present tense: **conduzco, conduces, conduce, conducimos, conducís, conducen.**

[5.6] Compatibilidad.

Input

Paso 1. Escucha estas oraciones (*statements*) y decide si se refieren a Linda, Manuel o a los dos (*both*). Marca la columna apropiada o las dos columnas.

	Manuel	Linda
1.	☑	☑
2.	☐	☑
3.	☑	☐
4.	☑	☑
5.	☐	☑
6.	☑	☑
7.	☑	☐
8.	☑	☑

Output

Paso 2. Ahora, en grupos, respondan estas preguntas (*answer these questions*):

¿Tienen Linda y Manuel muchos intereses y hábitos en común? ¿Son muy similares o diferentes? ¿Piensas que son compatibles? Explica tu opinión.

5.6 Audio:
1. Ve deportes en la tele.
2. Limpia su cuarto frecuentemente.
3. Maneja casi siempre.
4. Le gusta bailar.
5. A veces va de compras.
6. Escucha música.
7. Nunca se relaja con un libro.
8. Hace deporte.

5.6 Sugerencia: Puede ampliar la actividad pidiendo a los estudiantes que piensen si ellos son compatibles con Manuel o Linda (como pareja o como compañeros de cuarto). Puede ser una actividad oral (por ejemplo, en parejas) o escrita (en clase o como tarea).

[5.7] Nuestros hábitos.

Output

En parejas, hablen sobre sus actividades, con detalles como dónde, cuándo y con qué frecuencia haces estas actividades, etc. Después decidan si (*whether*) ustedes son compatibles como compañeros de cuarto (*roommates*) o no.

Modelo: Estudiante A: **Nunca veo la televisión.**
Estudiante B: **Yo sí, pero no todos los días. Solo veo deportes los sábados y domingos.**

Estudiante A: **Cristina y yo (no) somos compatibles como compañeras de cuarto/apartamento porque...**

1. Tocar un instrumento/cantar.

2 Caminar/montar en bicicleta/manejar para ir a clase/de compras.

3 Hacer reuniones (*get-togethers*) o fiestas para escuchar música y bailar.

4 Hacer ejercicio por la mañana/tarde/noche.

5. Ir de compras los fines de semana.

6. Limpiar mi cuarto/apartamento.

7. Escuchar música rock/pop/country a un volumen alto en mi cuarto.

8. Jugar videojuegos.

5.7 Sugerencia: Antes de empezar puede revisar las expresiones de frecuencia y otras expresiones temporales en el Capítulo 2 y animar a sus estudiantes a usarlas en esta actividad. (ej. ***¿Haces ejercicio en casa? ¿Todos los días? ¿Por la mañana o por la tarde? ¿A qué hora?, etc.).***

[5.8] Mis actividades favoritas.

Output

Paso 1. Individualmente, escribe una lista de tus actividades favoritas. Añade (*add*) detalles como cuándo haces estas actividades, dónde, con quién, etc.

Paso 2. En grupos, compartan sus listas. Escucha a tus compañeros y pide detalles de las actividades más interesantes para ti. Toma notas.

Paso 3. Escribe sobre (*write about*) una actividad de las listas de tus compañeros que te parece interesante (*seems interesting to you*) o quieres probar (*you want to try*).

Modelo: **Quiero tocar la guitarra, como (*like*) Roberto, porque...** ***Or,***
Roberto toca la guitarra. Es interesante porque...

5.8 Sugerencia: Puede ayudar a sus estudiantes mencionando su pasatiempo favorito y pidiendo a la clase que le haga preguntas. Escriba estas preguntas en la pizarra y sugiera otras que puedan ser útiles.

Cultura

Cuba

IT Stock/ SUPERSTOCK

República Dominicana

Corbis/ SUPERSTOCK

Use ***PowerPoint Slides*** para presentar esta sección de cultura.

Cuba y la República Dominicana

ANTES DE LEER

¿En qué aspectos de la cultura de Estados Unidos hay una fuerte influencia africana? Piensa en la música, la comida y otros elementos.

s_bukley/Newscom

Los Orishas (cubanos)

Ebet Roberts /Redferns/Getty Images

Juan Luis Guerra (dominicano) – cantante del grupo 4.40.

Adalberto Ríos Szalay/age fotostock

Comida caribeña

Cuba y la República Dominicana son un destino turístico popular por su agradable clima y belleza natural, y por su rica cultura caracterizada por una fuerte presencia africana entre sus habitantes. Esta influencia se nota en la música y baile, comida, e incluso (*even*) en algunas tradiciones religiosas.

La música y el baile

Los siguientes tipos de música caribeña son tradicionales pero simultáneamente muy populares hoy en día. En particular, se nota el uso de tambores (*drums*) como la conga y los bongós, que tienen origen africano. Busca por Internet unos videos de la música siguiente. ¿Cuál te gusta más? ¿Cuál parece más difícil bailar?

La **bachata:** Juan Luis Guerra, Grupo Infinito, Anthony Santos, etc.
La **salsa:** Celia Cruz, Los Van Van, etc.
El **merengue:** Juan Luis Guerra, Wilfrido Vargas, etc.

Hay estilos de música más recientes de estos países. Busca por Internet **Los Orishas** y **Wilo D'New**. ¿A qué concierto preferirías asistir?

La comida y la bebida

La comida cubana y la dominicana tienen influencias de España, África e indígena. De África llegaron el quimbombó (*okra*), los gandules (*pigeon peas*), el plátano macho (*plantains*) y la malanga (*taro root*). Busca por Internet los platillos siguientes y decide: ¿cuáles te gustaría probar? ¿Alguno es similar a algo que se come en Estados Unidos?

Congrí   Yuca con mojo   Ropa vieja   Sándwich 'medianoche'   Mangú

La religión

La **santería** es una mezcla (*mix*) del catolicismo con creencias de la religión yoruba de los esclavos africanos. Busca por Internet los diferentes ***orishas*** (espíritus) que forman parte de esta religión.

DESPUÉS DE LEER

1. ¿Cuál de los tipos de música te gustaría escuchar? o ¿qué comida te gustaría probar?
2. Busca por Internet los lugares y actividades turísticas más comunes de Cuba y la República Dominicana. ¿Cuáles son los lugares que te gustaría visitar?

© Alexcrab/iStockphoto

En el café cubano tradicional, ponen el azúcar durante la preparación. Así resulta un café más dulce que poniendo el azúcar después.

St Petersburg Times/Tampa BayTimes/ZUMAPRESS.com/ NewsCom

Una mujer santera

Así se forma

1. Talking about activities in the present: Some yo-irregular verbs

Saber and conocer

Magali: ¿**Conoces** Brooklyn? ¿**Sabes** que allí viven muchos hispanos de Puerto Rico y la República Dominicana?

Ángel: Sí, ya lo **sé**. ¿Y tú **sabes** dónde viven muchos hispanos de descendencia cubana? En Florida, especialmente en Miami.

Magali: Claro (*of course*). ¿**Sabes** quién vive en Miami? Mi prima Mirta, una chica muy bonita, que **sabe** bailar muy bien.

Ángel: Pues no **conozco** a tu prima, pero ¡me gustaría mucho **conocer**la! (*I would like to meet her*)

Both **saber** and **conocer** mean *to know*, but have different uses. First, observe their forms.

saber		conocer	
sé	sabemos	**conozco**	conocemos
sabes	sabéis	conoces	conocéis
sabe	saben	conoce	conocen

- **Saber** describes the kind of knowledge that one learns, such as *facts* or *a piece of information* or *a skill one develops*. Notice that when **saber** means *to know how to*, it is followed by an infinitive.

  Sé dónde vive Mirta. Ella **sabe** bailar muy bien.

- **Conocer** means *to know in the sense of being acquainted or familiar with persons, places*, or *things*. It also means *to meet for the first time*. Observe that when **conocer** means *to know a person*, it is followed by "**a** personal."

  Conozco a Magali. Ella **conoce** bien la ciudad de Miami.

  Quiero **conocer a** su prima Mirta.

  ¿**Conoces** los tipos de bailes de Cuba? Yo **conozco** el danzón y el mambo.

  Notice the difference between these two sentences:

  Sé quién es el profesor Velasco. *I know who Professor Velasco is.*

  Conozco al profesor Velasco. *I know Professor Velasco.*

Input **[5.9] ¿Saber o conocer?** Subraya (*Underline*) la opción correcta.

1. Conozco/Sé a Carmen, pero no conozco/sé qué estudia.
2. ¿Es cierto que todos los cubanos conocen/saben jugar al dominó?
3. Nuestro abuelo conoce/sabe mucho de historia.
4. ¿Conoces/Sabes de quién es esta pelota?
5. Iván conoce/sabe los nombres de todos los jugadores profesionales de béisbol.
6. ¿Conoces/Sabes cuál es la capital de Puerto Rico? Es San Juan, mi padre la conoce/sabe bien porque vivía (*he used to live*) allí.

WileyPLUS

Go to *WileyPLUS* to review this grammar point with the help of the **Animated Grammar Tutorial** and **Verb Conjugator**.

Use ***PowerPoint Slides*** para presentar y practicar esta gramática.

Antes de continuar, pida a sus estudiantes que observen los usos de **saber** y **conocer**, y completen estas afirmaciones.

To say that we know facts or specific information, we use ______________.

To say that we are familiar with a person, place or thing, we use ______________.

To say that we know how to do something, we use ______________.

To talk about meeting a person, we use ______________.

NOTA DE LENGUA

Note the difference in use between **saber** (*to have the know-how, ability to do something*), and **poder** (*to be able to do something*) when talking about activities.

No sé bailar salsa.
I can't (I don't know how to) dance salsa.

No puedo bailar salsa aquí.
I am not able to dance salsa here (because there is not enough space, etc.).

5.9 Respuestas: 1. Conozco, sé; 2. saben; 3. sabe; 4. Sabes; 5. sabe; 6. Sabes, conoce

5.10 Puede pedir a la clase algunos ejemplos de preguntas sobre esta actividad y escribirlas en la pizarra como modelos. *¿Qué deporte practicas? ¿Montas en bicicleta con frecuencia? ¿Qué plato sabes cocinar? ...*

Output **[5.10] ¿Qué sabemos hacer?** Caminando por el aula, averigua (*find out*) quién sabe hacer estas cosas. Cuando un/a compañero/a dice "sí", anota (*jot down*) su nombre y pregunta más sobre esta actividad. Después vas a compartir (*share*) esta información con la clase.

Modelo: Estudiante A: **¿Sabes esquiar?**
Estudiante B: **Sí, sé esquiar.**
Estudiante A: **¿Esquías con frecuencia? ¿Dónde esquías?**

	Nombre	Detalles (*Details*)
1 **esquiar**		
2 **jugar a (un deporte o juego [*game*])**		
3 **montar en bicicleta**		
4 **cocinar**		
5 **tocar un instrumento musical**		
6 **hablar otro idioma**		

PALABRAS ÚTILES

Instrumentos musicales: el piano, el violín, la guitarra, la trompeta, el saxofón, el clarinete.
Idiomas: italiano, francés, ruso, japonés, alemán.
Juegos: ajedrez (*chess*), póker.

5.11 Respuestas:
1. jugadora de tenis de Estados Unidos;
2. jugador de béisbol de la República Dominicana;
3. jugador de tenis de España;
4. jugador de fútbol americano de los Dallas Cowboys, es mexicano-americano;
5. jugador de básquetbol de España;
6. nadador de Estados Unidos

Output **[5.11] Deportistas famosos.** En parejas, pregunta a tu compañero/a si conoce a estos atletas. Usa las categorías del cuadro (*box*).

Modelo: Sergio García
Estudiante A: **¿Sabes quién es Sergio García?**
Estudiante B: **Sí, sé quién es. Es jugador de golf.** *Or,* **No, no sé quién es.**

¿Sabes quién es...?

1. Serena Williams
2. Albert Pujols
3. Rafael Nadal
4. Tony Romo
5. Pau Gasol
6. Michael Phelps

PALABRAS ÚTILES

nadador
futbolista
jugador de básquetbol/
béisbol/golf
tenista

Expansión: Puede pedir a sus estudiantes que mencionen (o busquen en Internet, como tarea) los nombres de otros deportistas hispanos importantes.

Jon Buckle/PA Photos/Landov LLC
Rafael Nadal

Nikki Boertman/Reuters/Landov LLC
Pau Gasol

Output **[5.12] ¿Quieres conocerlos?** En grupos pequeños, imaginen que pueden conocer a cualquier (*any*) persona famosa. ¿A quién quieren conocer? Deben ponerse de acuerdo (*You must agree*).

Note: Use the pronouns **lo** (to refer to males, like *him*) and **la** (to refer to females, like *her*) as in the Modelo. (You will learn more about these pronouns in *Capítulo 6*.) If you don't know who the person is, just say: **No sé quién es.**

Modelo: Estudiante A: **Yo quiero conocer a Jennifer López porque...**
Estudiante B: **Sí, la quiero conocer también. / No, no la quiero conocer porque...**

5.12 Recuerde a los estudiantes que deben usar la ***a* personal** con personas, pero no con lugares o cosas.

Extensión: Como segundo paso, puede pedir que escojan lugares (países, ciudades, etc.) que quieren conocer también.

Output **[5.13] ¿Saber o conocer?** Celia pregunta a Antonio sobre un restaurante cubano que está cerca de su casa. Completa su conversación con las formas correctas de **saber** o **conocer**, según (*according to*) el contexto.

Celia: Antonio, ¿ sabes cómo se llama el restaurante cubano de tu calle?

Antonio: Sí, claro que lo sé, se llama Café Oriental. Además, lo conozco muy bien. Comemos allí frecuentemente porque mis padres conocen a los dueños (*owners*).

Celia: Y ¿ sabes qué platos típicos sirven?

Antonio: Tienen *moros y cristianos*, y también sirven un *ajiaco* buenísimo.

Celia: ¿Ajiaco? No lo conozco. ¿Qué es?

Antonio: Bueno, es una sopa de carne y verdura, pero no sé todos los ingredientes.

5.13 En los ejercicios de producción anteriores, se ha trabajado con un uso único de **saber** o **conocer**. Ahora los estudiantes deben determinar qué verbo es apropiado.

▲ Ajiaco cubano.

[5.14] ¿Lo/La conoces bien?

Output **Paso 1.** Individualmente, llena los espacios (*fills the blanks*) con **sabes** o **conoces**.

¿A quién de la clase conoces bien?

¿ Sabes dónde vive?

¿ Sabes cuántos años tiene?

¿ Sabes qué clases toma este semestre?

¿ Sabes qué actividades le gustan?

¿ Conoces a sus amigos?

¡Pienso que (no) lo/la conoces muy bien!

Paso 2. En parejas, entrevista a tu compañero/a usando las preguntas del Paso 1 como guía (*as a guide*). Después cambien los papeles (*reverse roles*), el/la otro/a estudiante hace las preguntas.

5.14 Expansión: Revise con toda la clase. Puede repetir esta actividad (quizá en otro momento, como repaso) esta vez pensando en una persona famosa en vez de un compañero de clase, y pidiendo que escriban preguntas apropiadas.

Use *PowerPoint Slides* para presentar y practicar esta gramática.

Pida a la clase que busque ejemplos de las formas irregulares de los verbos **salir**, **hacer** y **tener** en el párrafo introductorio, y use estas formas como punto de partida para estudiar los verbos presentados en esta sección.

Additional yo-irregular verbs

Elena describe sus actividades típicas de fin de semana.

▲ A veces hago ejercicio en casa.

¿Cómo es un sábado típico para mí? Bueno, **salgo** de[1] casa para correr a las 8 de la mañana. A veces, mi amiga Sara también **viene** a correr. Cuando llueve (*When it rains*), **hago** ejercicio en casa. Después, si (*if*) no **tengo** tarea, **oigo** un poco de música o **pongo** la televisión y **veo** las noticias. Por la tarde, **doy** un paseo con mis amigos o ellos **vienen** a mi casa y **vemos** una película (*watch a film*).

You have already learned some verbs with an irregular **yo** form: **salir** and **hacer** (Capítulo 2) as well as a verb with an irregular **yo** form in addition to stem changes: **tener** (Capítulo 3.) Review those verbs and observe the verbs that follow:

dar *to give*	poner *to put, turn on* ***(TV, music...)***	traer *to bring*	ver *to see, watch*	decir *to say, tell*	oír *to hear, listen to*	venir *to come*
doy	**pongo**	**traigo**	**veo**	**digo**	**oigo**	**vengo**
das	pones	traes	ves	**dices**	**oyes**	**vienes**
da	pone	trae	ve	**dice**	**oye**	**viene**
damos	ponemos	traemos	vemos	decimos	oímos	venimos
dais[2]	ponéis	traéis	veis[2]	decís	oís	venís
dan	ponen	traen	ven	**dicen**	**oyen**	**vienen**

HINT

Think of the following verbs as the **"yo-go** verbs"—verbs whose **yo** forms end in **-go: salir, hacer, traer, poner, oír, tener, venir,** and **decir.**

Note that there is usually a difference in meaning between these pairs of verbs:

oír	*to hear*	No **oigo** nada.
escuchar	*to listen*	**Escuchamos** al profesor con atención.
ver	*to see*	**Veo** una pelota en la playa.
mirar	*to watch, look at*	Juan **mira** el partido de béisbol.

But many Spanish speakers can use **oír** to mean *listen to* with music or the radio, and **ver** to mean *watch* with TV or a movie.

Me gusta **oír** música cuando hago ejercicio.

Por las noches **veo** la tele o una película.

[1] Note that **salir** is followed by **de** when the subject is leaving a stated place. **Salgo de** casa vs. **Salgo** con mis amigos.
[2] Note that there is no accent in **dais** or **veis**.

[5.15] ¿Qué hace tu profesor/a?

Input **Paso 1.** Tu profesor/a hace estas afirmaciones. Decide si son **ciertas** (*true*) o **falsas** (*false*).

Cierto	Falso	
☐	☐	**1.** Salgo de mi casa a las 6 de la mañana.
☐	☐	**2.** Oigo las noticias (*news*) en el carro.
☐	☐	**3.** Traigo comida a la clase de español.
☐	☐	**4.** Digo "Buenos días" cuando entro a la clase.
☐	☐	**5.** Doy mucha tarea de español los viernes.
☐	☐	**6.** Tengo dos gatos.

Paso 2. Ahora pregunta a tu profesor/a si hace estas cosas. ¿Quién en la clase conoce al profesor/la profesora bien?

[5.16] ¿Qué hace Elena?

Output **Paso 1.** Este es un día típico para Elena. Decide el orden de las ilustraciones, escribiendo los números del 1 al 8. Después, imagina cómo (*how*) Elena describe sus actividades usando estos verbos.

decir	**hacer**	**llegar**	**llevar**	**oír**	**ver**	**salir de**

6, hago la tarea

7, hago ejercicio

1, oigo el despertador

4, digo: ¡Hola!

5, salgo de clase

2, salgo de casa

8, veo la tele

3, llego a clase

5.15 Ofrezca a su clase las respuestas correctas y dé algunos detalles más, aprovechando para ofrecer más ejemplos de las formas verbales que se practican aquí. Por ejemplo: ***No, no salgo de mi casa a las 6:00 de la mañana. Salgo a las 7 y cuarto.***

5.16 Extensión: Pida a algunos estudiantes que compartan sus respuestas con la clase, esta vez hablando de Elena con formas de 3a persona: *Oye el despertador a las siete y media,* etc. También puede pedir que escriban un párrafo que describa un día típico de sus estudiantes, basándose en lo que ha averiguado en esta actividad y lo que sabe sobre otros estudiantes. Pida que usen formas de ***nosotros***: Ejemplo: ***Por lo general, los estudiantes oímos el despertador muy temprano...***

Opción: Puede encontrar una actividad similar en ***PowerPoint Slides***.

Las actividades **5.16** y **5.17** reciclan verbos regulares e irregulares.

Paso 2. Ahora, en parejas, entrevista a tu compañero/a sobre su día típico.

Modelo: Estudiante A: **¿A qué hora oyes el despertador por las mañanas?**
Estudiante B: **Por las mañanas, oigo el despertador a las siete y media. ¿A qué hora oyes tú el despertador?**

5.17 Sugerencias: Para ahorrar tiempo de clase, puede asignar el Paso 1 como tarea el día anterior y hacer el Paso 2 en clase.

Si anticipa que a su clase le puede resultar difícil crear oraciones originales, pida primero que, en grupos o como clase, hagan una lluvia de ideas para cada verbo: hacer -> tarea, deporte, la cena, etc. y de otros detalles que pueden añadir: ¿cuándo?, ¿dónde?, etc.

[5.17] ¿Lo hago o no?

Output Paso 1. Crea seis oraciones sobre ti mismo (*yourself*) usando estos verbos. Tres oraciones deben ser ciertas y tres deben ser falsas.

poner	**ver**	**oír**	**hacer**	**decir**	**dar**

Paso 2. En grupos de tres, lee cada oración a tus compañeros, quienes tienen que adivinar (*guess*) si son ciertas o falsas.

[5.18] ¿Qué hacemos los sábados?

Input Paso 1. En tres minutos, escribe una lista de todas las cosas que haces los sábados.

Modelo: **Los sábados tomo el desayuno tarde, llamo a mis padres, me baño, salgo...**

Paso 2. Trabajen en grupos pequeños. Comparen su lista con las listas de sus compañeros. Escribe una nueva lista de las cosas que muchos o todos tienen en común, usando la forma de **nosotros**. Después, compartan su lista con toda la clase para ver qué grupo tiene más en común.

Modelo: **Los sábados nosotros tomamos el desayuno tarde, nos bañamos...**

Situaciones

Ustedes son compañeros de cuarto (*roommates*), pero tienen un estilo de vida completamente diferente y ¡ya no puedes tolerarlo más! Deben encontrar (*find*) una solución.

Estudiante A: Eres tranquilo (*calm*), te gusta ir a la cama temprano y siempre limpias. Eres muy responsable con tus estudios también.

Estudiante B: No te gusta limpiar, pones la música alta, vas a la cama muy tarde y te encantan las fiestas.

Así se dice

Preferencias, obligaciones e intenciones

¿Qué piensas hacer?
Tengo que estudiar mucho.

Esteban: Esta noche voy con mis amigos a la discoteca. Y tú, ¿tienes planes para esta noche? ¿Qué **piensas hacer**?

Alfonso: Tengo un examen de química mañana, **tengo que estudiar** mucho.

Esteban: ¡Qué aburrido! ¿No quieres salir? ¿No **tienes ganas de venir** con nosotros a la discoteca?

Alfonso: No puedo, **debo estudiar** química. Además, ¡a mí no me gusta bailar!

Note the meaning of these expressions in the chart below. What other verbs and expressions do you already know that you can add to the table?

Preferencia, deseo (***desire***)	Obligación	Intención, planes
tener ganas de + *infinitivo*	**tener que** + *infinitivo* **deber** + *infinitivo*	**pensar** + *infinitivo*
preferir		
querer/desear		

Output **[5.19] ¿Preferencias u obligaciones?** Imagina qué dijeron estas personas (*what these people said*) antes de hacer las actividades en los dibujos.

Modelo: Esteban: **¡Qué bueno! Tengo muchas ganas de...**

1. Esteban

2. Inés

3. Javier

4. Camila

5. Natalia

6. Rubén

7. Elena

8. Octavio

Sugerencia: Cerciórese de que los estudiantes entienden los significados de estas expresiones correctamente antes de comenzar las actividades de práctica. Recuérdeles también que pueden encontrar traducciones para todas estas expresiones en ***Repaso de vocabulario*** activo al final del capítulo.

Use *PowerPoint Slides* para presentar este vocabulario.

NOTA DE LENGUA

The expression *to need to* is often used to express obligation in English, but in Spanish, **necesitar** is used less often with this meaning. The preferred forms to express obligation are **tener que** or **deber**.

Tengo que/Debo estudiar esta noche. ***I need*** *to study tonight*.

Use *PowerPoint Slides* para realizar esta actividad.

El único nuevo elemento léxico en esta sección es **deber**, por lo que consideramos apropiado comenzar la práctica con un ejercicio de producción guiado. Si lo prefiere puede hacer un ejercicio de comprensión oral primero, dando ejemplos orales a sus estudiantes para que identifiquen si la oración expresa preferencia, obligación o planes. Ej. Esta noche quiero ver un partido de fútbol en la tele (preferencia) pero tengo que preparar la clase para mañana (obligación)...

5.20 Extensión: Reorganice a los estudiantes de modo que cada nuevo grupo tenga estudiantes de los diferentes grupos anteriores. Pida que compartan sus respuestas y que el resto del grupo les dé algunas ideas o recomendaciones adicionales.

Esta actividad recicla **estar + condición**.

Output

[5.20] Un plan de acción.

Paso 1. La vida universitaria es muy exigente (*demanding*), pero también es necesario hacer ejercicio físico y descansar. En grupos pequeños, escriban sugerencias para estas situaciones frecuentes usando los verbos y expresiones del cuadro. Piensen también en otra situación común para el número 5.

tener que...	**deber...**	**tener ganas de...**	**preferir...**	**querer...**	**pensar...**

Modelo: Estamos muy preocupados porque tenemos examen mañana.
Tenemos que estudiar mucho esta noche; no debemos ver la tele...

1. Tenemos muchas tareas y proyectos esta semana.
2. Estamos muy ocupados con la vida social de la universidad.
3. Estamos cansados y estresados.
4. ¡Tenemos una semana de vacaciones!
5. ____________________

Paso 2. Compartan sus sugerencias con la clase. Juntos escriban un plan de acción con 5 o 6 consejos (*pieces of advice*) para el resto del curso.

EXPRESIONES ÚTILES

¿Sabes? *You know . . . ?*
¡Vamos! *Come on!*
(Verás), es que... *(You see/ Well), the thing is...*

Situaciones

Estudiante A: Tu compañero/a de cuarto te invita a una fiesta con sus amigos, pero sus amigos no te gustan mucho y no tienes ganas de ir con ellos. Inventa una excusa.
Estudiante B: Vas a una fiesta con tus amigos. Invitas a tu compañero/a de cuarto, pero es tímido/a y piensas que no quiere ir porque tiene vergüenza (*is embarrassed*). Insiste.

NOTA CULTURAL

La guayabera

Sophia Vourdoukis/Getty Images

The *guayabera* shirt is worn both in the office and at formal occasions in tropical climates all over the world, especially the Caribbean. It has either two or four pockets and two vertical rows of *alforzas* (fine pleats) along the front and back of the shirt. The bottom often has slits on both sides and a straight hem, thus it is not worn tucked in.

The origin of the *guayabera* remains a mystery; it seems to have existed since the 18th century in various locations such as Spain and the Philippines.

Guayaberas traditionally existed only in white or pastel colors, and were associated with older men. Today, they come in a variety of colors and are now worn by men of all ages—but still not often by women (although some female *guayaberas* are available.)

In 2010, Cuba declared the guayabera to be its "official formal dress garment." The guayabera is called something different in the Dominican Republic—see if you can find out on Internet.

Note: The guayabera is called *chacabana* in the Dominican Republic.

Así se forma

2. Making future plans: *Ir + a +* infinitive

WileyPLUS
Go to *WileyPLUS* to review this grammar point with the help of the **Animated Grammar Tutorial** and **Verb Conjugator**.

Use ***PowerPoint Slides*** para presentar y practicar esta gramática.

Enrique: ¿Qué **vas a hacer** esta noche? ¿Tienes planes?

Carmen: Sí, **voy a salir** con una amiga. **Vamos a ver** la nueva película de Los juegos de hambre (*The Hunger Games*). Y tú, **¿vas a estudiar** para tu examen?

Enrique: Pues... creo que **voy a ir** al cine contigo y con tu amiga.

Aclare que **ir + a + infinitivo** es una forma de expresar futuro, pero hay otras. Señale que estudiarán el tiempo futuro en el Capítulo 11.

To talk about plans and actions yet to occur, use **ir + a + infinitive.**

voy	
vas	
va	
vamos	**+ a + infinitivo**
vais	
van	

NOTA DE LENGUA

Note the difference between **ir a + infinitive** and **ir a + location**

Vamos a hacer ejercicio.
We are going to exercise.

Vamos al gimnasio.
We are going to the gym.

The following expressions are useful to talk about the future.

En el futuro	
este mes/año/verano	*this month/year/summer*
el mes/año/verano que viene	*next month/year/summer*
el próximo mes/año/verano	*next month/year/summer*

Input **[5.21] ¿Qué voy a hacer?**

Lee las oraciones y describe las circunstancias cuando dices esto.

Modelo: "Voy a dormir".
Son las dos de la mañana. Tengo sueño (*I'm sleepy*). No tengo ganas de estudiar más.

1. "Voy a correr en el parque". **Debo hacer deporte...**
2. "Voy a llamar a mi mamá". **Tengo ganas de hablar con ella...**
3. "Voy a comer un sándwich". **Tengo hambre...**
4. "Voy a ver la tele". **Quiero ver una película...**
5. "Voy a tomar un vaso de agua". **Tengo sed...**
6. "Voy a descansar". **No tengo ganas de estudiar...**
7. "Voy a ir a la biblioteca". **Tengo que estudiar...**
8. "Voy a estudiar". **Tengo un examen...**

5.21 Esta actividad recicla ***tener hambre/sed.***

[5.22] ¿Qué vamos a hacer?

Output

En la columna **Yo**, describe tus acciones en las siguientes situaciones. Después, habla con un/a compañero/a y completa la columna **Mi compañero/a** con sus respuestas. ¿Son ustedes similares o diferentes?

Modelo: El día está bonito.
Estudiante A: **¿Qué vas a hacer?**
Estudiante B: **Voy a dar un paseo.**

PALABRAS ÚTILES

el trabajo	*job*
buscar	*to look for*
invitar	*to invite*
pagar	*to pay*
viajar	*to travel*

	Yo	Mi compañero/a
¡Tengo un billete de lotería premiado (a *winning lottery ticket*)!	Voy a...	Va a...
Mis padres vienen este fin de semana, pero va a llover.		
Tenemos un mes de vacaciones en enero.		
Necesito dinero.		

[5.23] El grupo de estudio.

Unos compañeros de clase y tú tienen un grupo de estudio (3 o 4 personas) para preparar el examen de español.

Output

Paso 1. Crea y completa una hoja de agenda como la de abajo con tus actividades para **hoy** y **mañana**.

Paso 2. Ahora habla con tus compañeros e intenta encontrar un espacio de 1 a 2 horas para estudiar juntos en la biblioteca.

Modelo: Estudiante A: **¿Pueden ir a la biblioteca esta tarde a las 2:00?**
Estudiante B: **No, voy a estar en mi clase de química.**
Estudiante C: **Y yo voy a jugar al fútbol de 1:30 a 3:00.**

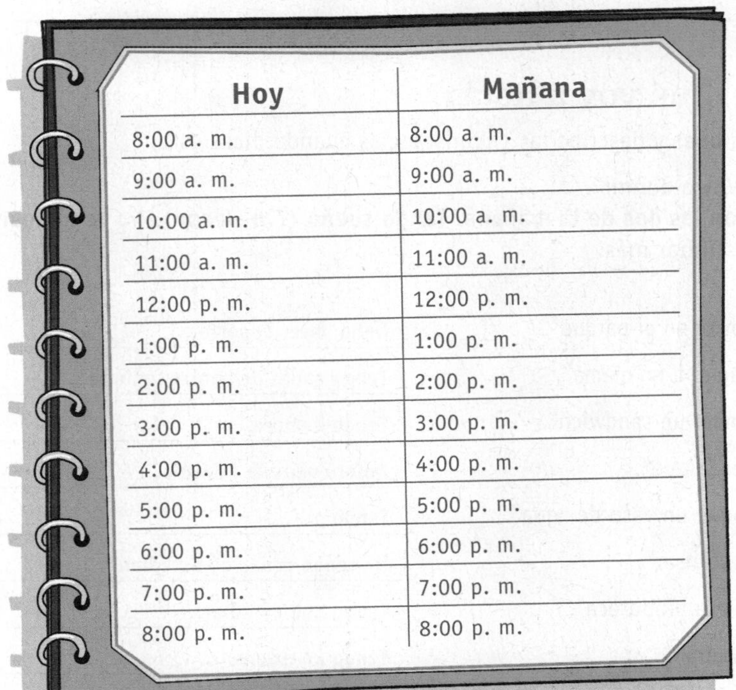

Hoy	Mañana
8:00 a. m.	8:00 a. m.
9:00 a. m.	9:00 a. m.
10:00 a. m.	10:00 a. m.
11:00 a. m.	11:00 a. m.
12:00 p. m.	12:00 p. m.
1:00 p. m.	1:00 p. m.
2:00 p. m.	2:00 p. m.
3:00 p. m.	3:00 p. m.
4:00 p. m.	4:00 p. m.
5:00 p. m.	5:00 p. m.
6:00 p. m.	6:00 p. m.
7:00 p. m.	7:00 p. m.
8:00 p. m.	8:00 p. m.

VideoEscenas

WileyPLUS

Un fin de semana en Sevilla

ANTES DE VER EL VIDEO

Escribe una lista de actividades de un fin de semana ideal. Después, comparte tu lista con un/a compañero/a.

▲ Rocío y Carmen se encuentran (*run into each other*) en el Parque del Retiro, en Madrid (España).

A VER EL VIDEO

Paso 1. Mira el video una vez y selecciona la afirmación que describe mejor (*best*) la idea principal.

- ☑ Rocío y Carmen hacen planes para el fin de semana.
- ☐ Rocío y Carmen hablan sobre sus planes para el fin de semana.

Paso 2. Mira el video otra vez (*again*), prestando atención a los detalles, y marca todas las opciones que son verdad para cada afirmación. Lee las afirmaciones ahora para saber qué detalles debes escuchar más atentamente.

1. Rocío va a...

- ☐ ver la tele.
- ☐ salir con su novio.
- ☑ ver un partido de fútbol.
- ☐ jugar un partido de fútbol.
- ☑ ir de compras.

2. Carmen va a...

- ☑ visitar a su prima.
- ☐ ir a todos los parques.
- ☑ pasear por Sevilla.
- ☐ montar en bicicleta.

Paso 3. Completa las siguientes oraciones:

1. ¿Cuándo sale Carmen para Sevilla? el viernes

2. ¿Qué recomendaciones tiene Rocío para Carmen? Debe ir a un parque (el Parque de María Luisa) y puede montar en una bicicleta para dos o cuatro personas.

DESPUÉS DE VER EL VIDEO

En grupos pequeños, imaginen que Carmen viene a su ciudad para el fin de semana. ¿Qué sugerencias tienen para ella?

Modelo: Tiene que visitar... Puede ir a ...

Expansión: Puede pedir a los estudiantes que, en parejas, escriban y después graben una continuación a la conversación entre Rocío y Carmen. Si usa *WileyPLUS*, pueden hacerlo allí.

Así se dice

¿Qué tiempo hace? (*What's the weather like?*)

Es 22 de abril, es **primavera. Hace buen tiempo.** Ahora **hace fresco** y **está un poco nublado.** Esta tarde va a estar **soleado.**

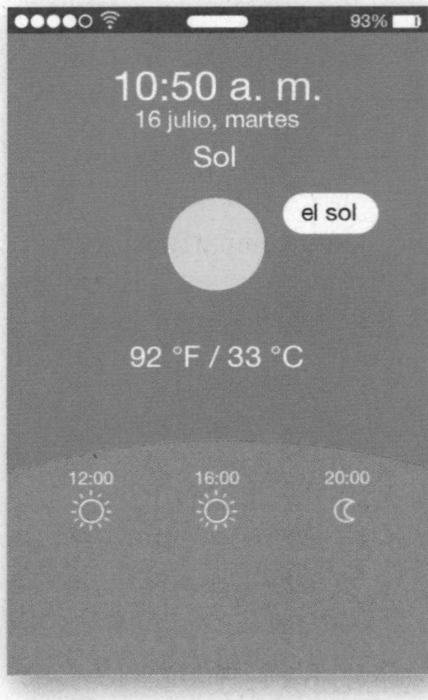

Es el 16 de julio, es **verano. Hace sol** y **hace mucho calor.** Cuando **tengo mucho calor**, voy a la playa.

Es el 8 de noviembre, es **otoño. Hace mal tiempo**, **está nublado** (hay muchas nubes) y **llueve.** Esta tarde va a hacer viento y puede haber **tormentas.**

Es el 2 de enero, es **invierno.** Hace mucho **frío** y **está nevando Tengo frío,** pero me encanta **la nieve.**

WileyPLUS
Pronunciación:
Practice pronunciation of the chapter vocabulary and particular sounds of Spanish in *WileyPLUS.*

El tiempo			**Las estaciones**	**Las personas**
hace	(muy) buen/mal tiempo		la primavera	tener calor/frío
	sol		el verano	
	fresco		el otoño	
	(mucho) calor		el invierno	
	(mucho) frío			
	(mucho) viento			
llover (ue)	→	la lluvia		
nevar (ie)	→	la nieve		

Sugerencias: Dibuje o interprete con mímica (o pida a los estudiantes que lo hagan) varias expresiones para hablar del tiempo. Por ejemplo, puede dibujar un círculo con rayos o mirar hacia arriba mientras se protege los ojos con la mano mientras dice: ***Hace sol.***

To ask what the weather is like, say: **¿Qué tiempo hace?**

Use ***PowerPoint Slides*** para ilustrar diferentes condiciones meteorológicas y estaciones del año. Añada expresiones relevantes para la zona en la que se encuentran, por ejemplo: ***Hay mucha humedad,*** *etc.*

fresco	*cool*	**el sol**	*sun*
la nube	*cloud*	**la tormenta**	*storm*
nublado	*cloudy*	**el viento**	*wind*

Recicle los meses cuando presente las estaciones, por ejemplo, escriba en la pizarra: ***¿Primavera, verano, otoño o invierno?*** y pregunte: ***¿Qué estación asocian a estos meses? Febrero, agosto, marzo, noviembre... ¿Qué estación asocian a estos fenómenos? La nieve, el viento, el calor, un huracán...***

NOTA DE LENGUA

Notice that **el tiempo** can either refer to time or weather (context will help you interpret it correctly):

—¿Qué hora es? Tengo clase a las 5:00.

—Son las 4:00. ¿Tienes tiempo para tomar café?

—Sí. ¿Qué tiempo hace? ¿Necesito un abrigo (*coat*)?

—Sí, hace frío.

NOTA CULTURAL

Grados Fahrenheit vs. grados centígrados (*Celsius*)

Most Spanish-speaking countries measure air temperature in degrees Celsius rather than in degrees Fahrenheit. Here is the formula for converting from one to the other.

To convert from °F to °C ___ °C = (___ °F – 32) ÷ 1.8

To convert from °C to °F ___ °F = 1.8 x (___ °C) + 32

The thermometer reads 50°F. What's the temperature in degrees Celsius?
If the temperature is 40°C, is it really hot or really cold?

Sugerencia: Puede enseñar a la clase cómo describir la temperatura: La temperatura es de 28 grados (Fahrenheit). La temperatura es de 2 grados bajo cero (centígrados).

50 °F = 10 °C
40 °C = Hot (104 °F)

[5.24] El informe del tiempo.

Input

Paso 1. Escucha estos informes del tiempo (*weather reports*) de una estación de radio hispana de Nueva York. Identifica los iconos que representan cada descripción.

___2___

___4___

___1___

___3___

5.24 Audio:

1. ¡Hoy domingo es un día para la playa o el aire acondicionado! Hace sol y mucho calor, las temperaturas máximas llegarán a los 85 grados.
2. Tarde de sol y nubes con algunas lluvias débiles. Temperaturas entre 60 y 70 grados Fahrenheit.
3. Un día soleado y fresco en la ciudad, temperaturas cerca de los 65 grados Fahrenheit y vientos fuertes.
4. Frío y nieve en esta tarde invernal. Los termómetros van a indicar temperaturas mínimas de 20 grados Fahrenheit.

Expansión: Puede preguntar a la clase a que estación del año pertenece cada descripción y si estas descripciones corresponden a las de su ciudad, creando una transición para el Paso 2.

Paso 2. Eres el "hombre/mujer del tiempo" en la radio en español de tu escuela. Describe el clima de un día típico para estos meses en tu región. Como (*since*) muchos hispanohablantes usan grados centígrados (*Celsius*), expresa la temperatura en grados Fahrenheit y centígrados. Usa la fórmula: (___ F° – 32) ÷ 1.8 = ___C°.

Mes	Tiempo
enero	
abril	
julio	
octubre	

5.25 Use *PowerPoint Slides* para completar este ejercicio e ilustrar la belleza y la variedad del mundo hispano.

Opción: Presente una expresión meteorológica y pida a la clase que identifique la ubicación geográfica.

[5.25] Por el mundo hispano.

Output **Paso 1.** En parejas, y por turnos, uno de ustedes selecciona una fotografía, describe el tiempo que hace en ese lugar e identifica la estación del año, y el otro identifica el lugar (*place.*)

Modelo: Estudiante A: **Hace frío y hay mucha nieve. Es invierno.**[1]
Estudiante B: **Es el Parque Nacional Los Glaciares, Argentina.**

Art Wolfe/Getty Images
▲ Parque Nacional Los Glaciares, Argentina

©AP/Wide World Photos
▲ Huracán Georges, Puerto Rico

Courtesy Laila Dawson
▲ Playa Manuel Antonio, Costa Rica

Buddy Mays/©Corbis Images
▲ Estación de esquí, Chile

Michael Busselle/Getty Images
▲ Maestrazgo, España

©Everton/The Image Works
▲ Tres Piedras, Nuevo México

Paso 2. Investiga en Internet uno de los lugares del mundo hispano del Paso 1, y compara por escrito su clima y el clima de tu región en las diferentes estaciones del año.

Sugerencia: En este punto del capítulo los estudiantes sabrán que la República Dominicana tiene un clima tropical (si no, consulten el mapa de la región y pregunte qué tipo de clima se da aquí). Puede revisar con la clase las características de este clima para después contrastarlo con el de su localidad.

Output

[5.26] El clima y las estaciones.

Paso 1. Una futura estudiante universitaria de la República Dominicana quiere venir a los Estados Unidos por un semestre, y quiere saber un poco más sobre el tiempo de algunas ciudades y las actividades que puede hacer allí en diferentes estaciones. Lee su correo electrónico y habla sobre estas preguntas con un/a compañero/a de clase.

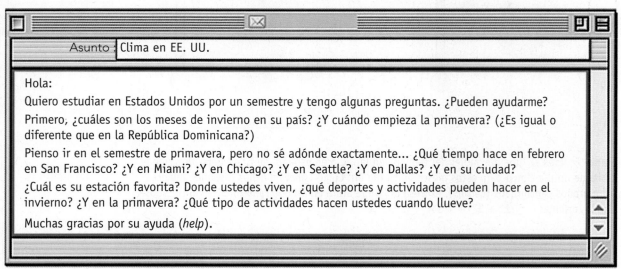

Asunto: Clima en EE. UU.

Hola:

Quiero estudiar en Estados Unidos por un semestre y tengo algunas preguntas. ¿Pueden ayudarme?

Primero, ¿cuáles son los meses de invierno en su país? ¿Y cuándo empieza la primavera? (¿Es igual o diferente que en la República Dominicana?)

Pienso ir en el semestre de primavera, pero no sé adónde exactamente... ¿Qué tiempo hace en febrero en San Francisco? ¿Y en Miami? ¿Y en Chicago? ¿Y en Seattle? ¿Y en Dallas? ¿Y en su ciudad?

¿Cuál es su estación favorita? Donde ustedes viven, ¿qué deportes y actividades pueden hacer en el invierno? ¿Y en la primavera? ¿Qué tipo de actividades hacen ustedes cuando llueve?

Muchas gracias por su ayuda (*help*).

Paso 2. Después, responde todas sus preguntas en un correo electrónico.

Ahora, responde su mensaje. Asegúrate de responder todas sus preguntas y de ofrecer una recomendación sobre qué ciudad crees que ella debe escoger y por qué.

[1] The seasons of the year are reversed in the northern and southern hemispheres; for example, when it is winter in Argentina, it is summer in the United States and Canada.

Cultura

El fútbol: Rey de los deportes

ANTES DE LEER

1. Si te gustan los deportes, ¿vas a ver partidos en vivo (*live*)?, ¿ves muchos deportes por televisión? Cuando vas a un partido en vivo, ¿participas de alguna (*any*) tradición o ritual?
2. ¿Faltarías (*would you miss*) al trabajo para ver un juego?

Para los dominicanos, los puertorriqueños, los cubanos y los venezolanos, el béisbol es el deporte más importante. Sin embargo, para gran parte del mundo hispano, y la mayor parte de la gente del planeta, el fútbol es el rey de los deportes. En muchos países hispanos, el fútbol es más que un deporte. ¡Es una forma de vida!

Los aficionados (*fans*) hacen de este deporte casi una religión. Ver un partido importante, en el estadio o por televisión, es una obligación.

La pasión por el fútbol aumenta al máximo cada cuatro años con la celebración de la Copa Mundial. Durante la competencia, los aficionados no se pierden (*don't miss*) ni un solo partido. El fútbol no respeta horarios (*schedules*) ni lugares, por ejemplo, en muchos países los empleados ponen televisores en sus lugares de trabajo para ver jugar a sus equipos favoritos. Los futbolistas talentosos son auténticos héroes nacionales y mundiales.

WileyPLUS
Use ***PowerPoint Slides*** para presentar esta sección de cultura.

NewsCom

▲ Carlos Bocanegra, capitán del equipo nacional de Estados Unidos en la Copa Mundial de 2010.

DESPUÉS DE LEER

1. Investiga la última (*last*) Copa Mundial de la FIFA. ¿Quiénes fueron los cuatro semifinalistas? ¿Quién ganó?
2. ¿Qué equipos y campeonatos (*championships*) son más importantes en tu comunidad? Compara con la Copa Mundial.

Aflo Foto Agency /Alamy

▲ Lionel Messi (Argentina) es considerado uno de los mejores futbolistas del mundo.

Owen Franken/©Corbis

▲ Muchos jóvenes aspiran a ser futbolistas famosos.

Jonne Roriz/AE /©AP/Wide WorldPhotos

▲ En 2010, España ganó la Copa Mundial. Argentina ha ganado la Copa dos veces (1978, 1986) y Uruguay otras dos (1930, 1950).

INVESTIG@ EN INTERNET

¿Cuándo empieza (*begin*) y termina (*end*) la Liga de Fútbol en España? ¿Y en Argentina? ¿Sabes por qué?

Así se forma

3. Emphasizing that an action is in progress: The present progressive

WileyPLUS
Go to *WileyPLUS* to review this grammar point with the help of the **Animated Grammar Tutorial** and **Verb Conjugator**.

Use *PowerPoint Slides* para presentar y practicar esta gramática.

Después de leer el diálogo, pida a sus estudiantes que observen las formas en negrita e intenten crear una regla de formación (todas se forman con estar + forma del verbo terminada en -ando/-iendo) y hacer hipótesis sobre su significado (es probable que observen el paralelismo con el presente progresivo en inglés.)

Extensión: Escriba ejemplos del presente progresivo en la pizarra e interprételos con mímica: ***Estoy cantando/hablando/comiendo/escribiendo.***

Después de presentar la formación del presente progresivo, practique con verbos de este capítulo y los anteriores.

Madre: ¿Sabes que son las dos de la mañana?, ¿qué **estás haciendo** en tu computadora tan tarde (*so late*)?

Hijo: Pues... estoy trabajando en una presentación para la clase de historia.

Madre: ¿Sí? ¿Y qué **están haciendo** esos soldados (*soldiers*) en la pantalla? **¡Estás jugando** un videojuego!

Hijo: Sí, pero así **estoy aprendiendo** sobre la guerra...

Spanish uses the present progressive to indicate and emphasize that an action is in progress. It is formed with conjugated **estar + present participle (–ndo)**.

estar (***to be***)		+	present participle		
(yo)	estoy				
(tú)	estás				
(usted, él/ella)	está		estudi**ando**	com**iendo**	escrib**iendo**
(nosotros/as)	estamos				
(vosotros/as)	estáis				
(ustedes, ellos/as)	están				

Note how the present participle is formed.

	stem	+ ending	= present participle
–ar verbs	**estudi**ar	**–ando**	**estudiando**
–er verbs	**com**er	**–iendo**	**comiendo**
–ir verbs	**escrib**ir	**–iendo**	**escribiendo**

NOTA DE LENGUA

Note that there are important differences between Spanish and English regarding the use of the present participle. Remember, for instance, that we use the infinitive and not the present participle with **gustar.** (See *Capítulo 4*.)
No me gusta **correr** en el parque.
I don't like running in the park.

- All **–ir** verbs with a stem change, also have stem changes in the present participle. In some verbs the change is the same as in the present tense, in others it is different.
  pedir (i, i[1]) **p*i*diendo** preferir (ie, i) **pref*i*riendo**
  dormir (ue, u) **d*u*rmiendo**
- A few other present participle forms are ***irregular***.
  leer (irreg.) **leyendo** oír (irreg.) **oyendo**

Unlike in English, the present progressive in Spanish emphasizes that the action is in progress at the moment. It is generally not used to talk about habitual and repeated actions, nor is it used to talk about the future.

¿Ustedes todavía **están** viendo la tele? ***Are you** still watching TV?*

Juego/Voy a jugar al baloncesto *en una hora*. ***I am playing basketball*** in an hour.

[1] Lists and glossary entries of stem changing verbs will show the stem changes in parentheses. When two changes are shown, the second is the present participle change, for example: pensar (ie) p**ie**nso, pensando; dormir (ue, u) d**ue**rmo, d**u**rmiendo.

Input

[5.27] ¿Qué están haciendo?

Paso 1. Escucha las oraciones y escribe el número de cada una debajo del dibujo correspondiente.

Output

Paso 2. Con un/a compañero/a, escriban dos actividades adicionales que cada persona está haciendo simultáneamente. Después, compartan sus ideas con la clase.

Modelo: **Javier está estudiando.**
Está leyendo un libro de química.

5.27 Audio:
1. Está estudiando.
2. Está levantando pesas.
3. Están bailando.
4. Está viendo una película.
5. Está cocinando.
6. Está jugando al fútbol.
7. Está tocando el piano.

Input

[5.28] Probablemente.

Trabajen en parejas. Primero, en la columna **Yo**, escribe dos cosas que probablemente estás haciendo en cada situación o lugar. Después, en la columna **Tú**, escribe dos cosas que, en tu opinión, tu compañero/a probablemente está haciendo. ¿Qué tienen en común?

Modelo: En un concierto de salsa.
Estudiante 1: **En un concierto de salsa, ¿estás bailando y cantando?**
Estudiante 2: **Sí, probablemente estoy bailando, pero no estoy cantando. Estoy escuchando.**

	Yo	Tú
En el gimnasio	**1.** Estoy... **2.** Estoy...	**1.** Estás... **2.** Estás...
En la Playa de Varadero	**1.** **2.**	**1.** **2.**
En un restaurante cubano	**1.** **2.**	**1.** **2.**
En tu cuarto	**1.** **2.**	**1.** **2.**

5.28 Use *PowerPoint Slides* para completar este ejercicio.

Tips Images/SuperStock

▲ Playa de Varadero, Cuba. Investiga en Internet por qué es la playa más popular de Cuba.

Así se forma

Use *PowerPoint Slides* para presentar y practicar esta gramática.

WileyPLUS

Go to *WileyPLUS* to review this grammar point with the help of the **Animated Grammar Tutorial** and **Verb Conjugator**.

4. Describing people, places, and things: *Ser* and *estar* (A summary)

Enfatice el contraste en el caso de ser/estar + adjetivos, ilustrando con los ejemplos del cuadro en los que el uso del adjetivo transforma el significado de una oración idéntica por lo demás.

Sugerencias: Escriba cada concepto o categoría en la pizarra (origen/ nacionalidad/ condición, etc.) y presente oraciones "personalizadas" para la clase. Pida a los estudiantes que identifiquen el concepto al que corresponde.

Señale e ilustre la diferencia entre ***Camila es/está delgada***. Después, pida a los estudiantes que expliquen las diferencias entre ***Paco es/está nervioso. ¿Cómo es/está Pepe?***

Use *ser*	Use *estar*
• to identify *who* or *what the subject is* (religion, profession, etc.): Ese chico es **mi profesor de guitarra**. Alex **es jugador** de baloncesto. • to indicate *origin* (where the subject is from) and *nationality*: Es de Puerto Rico. Es puertorriqueño. • To express *day, date, season*: **Es lunes. Es el 8 de julio. Es verano.** • To tell *time*: Son las nueve de la mañana. • To indicate *possession*: Esa raqueta es de Susana.	• to indicate *the physical location of a person, thing,* or *place*. El equipo de fútbol está en el estadio. • to indicate *an action in progress* (present progressive): **estar + -ando/-iendo** Está jugando al tenis.
***Ser* + adjectives** • to indicate *what the subject is* like—inherent or essential traits or qualities. Contrast these examples with the ones on the right: **Es alto, simpático y muy fuerte.** Oscar **es nervioso.** La nieve **es fría.** Adela **es muy guapa** (*is very pretty*). Therefore, **ser** is the only option with adjectives that can only express inherent qualities: Santiago **es inteligente y trabajador.** ~~Santiago está inteligente y trabajador.~~	***Estar* + adjectives** • to indicate *physical or emotional state, condition* or *non inherent traits*—often a change from the usual: Ahora **está un poco enfermo.** **Oscar está nervioso**, tiene un examen. Esta sopa **está fría.** Adela **está muy guapa** (*looks very pretty*) hoy. **Estar** is the only option with adjectives that can only express states: Santiago **está triste y cansado** (*tired*). ~~Santiago es triste y cansado.~~
• Some adjectives express different meanings when used with **ser** and **estar**: **ser aburrido** *to be boring* Esa clase **es aburrida.** *That class is boring.* **ser agotador** *to be tiring* **Correr es agotador.** *Running is tiring.*	• Some adjectives express different meanings when used with **ser** and **estar**: **estar aburrido** to *be bored* Siempre **estoy aburrido** en esa clase. *I am always bored in that class.* **estar agotado** *to be tired* Hoy, **estoy muy agotado.** *Today, I am very tired.*

NOTA DE LENGUA

We use **ser** with the adjectives **bueno/malo** to describe something or someone, and **estar** with the adverbs **bien/mal** to indicate how something or someone is.
Ana es buena/mala. *Ana is good/bad.*
Ana está bien/mal.
Ana is (doing) well/badly.

5.29 Recuerde a sus estudiantes que no lean el nombre de la persona famosa al compartir sus ideas.

Alternativa: En una clase numerosa o si tiene poco tiempo, puede pedir a los estudiantes que trabajen en grupos para compartir sus ideas con los otros.

Output

[5.29] En este momento. En parejas, piensen en una persona muy conocida (*well-known.*) Primero, describan cómo es y después describan las actividades que él o ella probablemente está haciendo en este momento. Luego, van a leer sus ideas para sus compañeros, que van a intentar identificar a la persona famosa.

Modelo: **Es una cantante muy bella y famosa. Es... Ahora está leyendo las noticias y tomando café. Probablemente está hablando con su asistente...**

[5.30] ¿Quieres salir con él/ella? Completa esta conversación con formas de **ser** o **estar**.

Output

Nuria: ¿Cómo se llama tu amigo/a?

Oscar: Roberto. ___Es___ de la Ciudad de Nueva York.

Nuria: ¿ ___Es___ estudiante?

Oscar: Sí, de esta (*this*) universidad. Y también ___es___ atleta. Le gusta jugar al tenis y al básquetbol, montar en bicicleta, levantar pesas...

Nuria: Pues, ¿cómo ___es___? Descríbemelo/la.

Oscar: ___Es___ bueno, muy amable.

Nuria: ¿___Es___ guapo/a?

Oscar: Sí, ___es___ muy guapo/a y muy divertido/a (*fun*). ¿Quieres conocerlo/la?

Nuria: Sí, ¡por supuesto (*of course*)! ¿Dónde ___está___ ahora?

Oscar: Creo que ___está___ en el laboratorio de biología. Seguro que ___está___ trabajando ahora porque ___es___ asistente del profesor.

Nuria: No importa. ¡Vamos al laboratorio!

5.30 Extensión: Puede personalizar esta actividad. Pida a los estudiantes que piensen en algún amigo o amiga para quien les gustaría arreglar una cita a ciegas, y que estén preparados para describir a esa persona. Luego, dígales que circulen por la clase, hablando los unos con los otros sobre sus amigos hasta encontrar a un/a compañero/a cuyo/a amigo/a sea compatible con el/la suyo/a.

[5.31] Sugerencias (*Suggestions*). Escribe sobre (*about*) tres o cuatro personas que conoces bien. Describe cómo son **normalmente** y describe una situación o estado temporal diferente (**a veces, ahora...**) En parejas, tomen turnos: un estudiante lee su descripción y el otro ofrece una sugerencia. Deben estar preparados para reportar a la clase si están de acuerdo (*if you agree*) con las sugerencias de su compañero/a o no y por qué.

Output

Modelo: Estudiante A: **Mi hermano *normalmente* es muy enérgico, pero *ahora* está cansado porque está en el equipo de fútbol y practica todos los días.**

Estudiante B: **Debe/Tiene que descansar los domingos.**

PALABRAS ÚTILES

callado/a	*quiet*
enojado/a	*angry*
grosero/a	*rude*
impaciente	*impatient*
tranquilo/a	*calm*

5.31 Sugerencia: Recuerde a los estudiantes que revisen los adjetivos descriptivos de emoción del Capítulo 3.

En mi experiencia

Julia, Hartford, CT

© Digoarpi/iStockphoto

"I like to exercise, so while studing in Santiago (Dominican Republic), I would put on a tank top and shorts and jog around my neighborhood. But I received a lot of funny looks. So I asked my 'house mom' about it. She said that locals only exercise in a gym or at the park, and both men and women dress a bit more conservatively while exercising. So I began jogging only around the park, wearing a t-shirt and sweatpants. I noticed other joggers dressed similarly, which made me feel a lot more integrated."

What might be the underlying cultural values where it is acceptable to run on the streets wearing a sports bra (women) or no shirt (men)? What might be the cultural values where such attire is not accepted?

DICHO Y HECHO

Sugerencia: Pida a los estudiantes que comparen sus apuntes sobre la idea principal de cada párrafo en grupos de tres o cuatro y que cada grupo trabaje para articular esa idea en español.

PARA LEER: La realidad virtual

ANTES DE LEER

1. ¿Cuáles son las formas más comunes de ver las transmisiones de los eventos deportivos hoy en día?
2. ¿Dónde y con quién prefieres ver la transmisión de un evento deportivo?

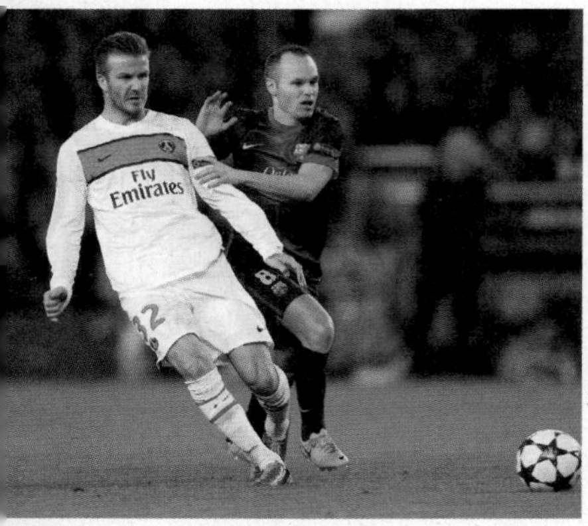

Associated Press

▲ Partido de la Liga de Campeones entre el Barcelona y el Paris St. Germain.

ESTRATEGIA DE LECTURA

Reading to identify the main idea

Particularly as readings become more difficult, it's important not to get hung up on deciphering every single idea a text develops. Instead, try to identify and follow the main idea of each paragraph. Often, the main idea is expressed in the first sentence, but sometimes it can be embedded deeper in the paragraph. As you read the selection that follows, pause after each paragraph and jot down what you understood as its main idea before continuing to the next paragraph. For example, read the first paragraph and determine which of these is the main idea:

☐ In Argentina, there are two channels that televise soccer games in very different ways.

☐ In Argentina, many soccer fans become hypnotized while watching games on television.

Jot down the main idea of the other paragraphs in your notebook. Read through your notes in sequence to get a sense of the article's overall message.

A LEER

Durante un reciente viaje a Argentina, me llamó la atención algo curioso. Los grandes partidos de fútbol se televisan de dos maneras: en una se ve el partido, y en la otra no. En un canal (*TyC Sports*), las cámaras enfocan la cancha[1], y en el otro canal (*Fox*), solo enfocan las gradas[2]. En el primero, pagas[3] por ver a los jugadores, y en el segundo, te conformas[4] mirando a los aficionados[5]. Lo sorprendente es que muchas personas se quedan hipnotizadas en los bares, imaginando el partido en las caras de los aficionados de su equipo. Se puede decir entonces que los aficionados argentinos han logrado algo impensable[6]: sustituir el espectáculo al que asisten, proyectando un partido virtual.

Un domingo de abril, noté en un bar la perplejidad[7] de unos turistas extranjeros, que miraban fijamente el televisor esperando que en algún momento las cámaras mostraran ese partido que rugía[8], cantaba y corría fuera de la pantalla. Durante una hora y media vi pasar por las mesas a franceses, mexicanos y japoneses. Todos entraban atraídos por el ruido[9] del estadio, se sentaban interesadísimos, pedían una bebida y después de unos minutos comenzaban a mirar a su alrededor, incómodos[10]. Miraban las caras de los otros parroquianos[11], tratando de leer en sus caras qué demonios[12] era lo que miraban con tanta atención. A mí me pareció un momento de tremendo gozo[13], yo contemplaba divertido a los

[1]playing field, [2]stands, bleachers, [3]you pay, [4]you settle for, [5]fans, [6]unthinkable, [7]perplexity, bewilderment, [8]was roaring, [9]noise, [10]uncomfortable, [11]regular customer, local patron, [12]what the devil, [13]enjoyment

turistas extranjeros, ellos observaban cada vez más confundidos a los parroquianos del bar, estos miraban la pantalla, y en la pantalla miles de caras desconocidas miraban el partido que nosotros no podíamos ver. Ustedes que leen esta escena continúan la historia.

Esta manera absurda de seguir partidos invisibles por la tele me hace pensar seriamente en la vida moderna. Somos cada vez más[14] espectadores de la realidad por la televisión. Y, en tiempos de elecciones, los políticos nos tratan como consumidores de promesas, compradores de programas. Pero toda realidad es virtual mientras no se demuestre lo contrario[15]. Y muy pocas veces el control remoto está en nuestras manos.

Texto: Andrés Neuman / *De la revista Punto y Coma (Habla con Eñe)*

---

[14]more and more, [15]until proven otherwise

DESPUÉS DE LEER

1. Compara tus notas sobre las ideas principales del texto con un/a compañero/a de clase. ¿Son similares? Si no, trabajen juntos para determinar el o los puntos principales del artículo.
2. Responde las siguientes preguntas sobre el texto.
   a. Cuando el canal Fox, en Argentina, televisa un partido de fútbol, ¿cómo saben los espectadores qué ocurre?
   b. ¿Por qué están perplejos los turistas que están en el bar?
3. Si fueras (*If you were*) un fanático del fútbol en Argentina, verías los juegos en *Fox* o pagarías (*would you pay*) para verlos en *TyC Sports?* En grupos pequeños, discutan sus ideas en español.

Respuestas:

2a. Al ver las caras de los fanáticos presentes en el juego.

2b. Porque no podían ver el juego que se estaba jugando.

Para conversar. Sugerencia: Puede dar ciertas guías (ej: cantidad específica de dinero por persona) u otras consideraciones (ej. puede asignar papeles: un amante de la naturaleza, una persona urbana, etc.)

Cree un blog donde los estudiantes planifiquen una salida en grupo. Todos los miembros del grupo deben contribuir con el plan.

Sugerencia: Pída a los estudiantes que graben su conversación y luego que la escuchen en la clase.

PARA CONVERSAR: Un día sin clases

Imagina que es temprano en la mañana de un día sin clases. Vas a pasar tu día libre con unos compañeros de clase. Organiza un paseo al aire libre o un viaje de un día. Habla sobre lo siguiente:

- el tiempo (para determinar el destino/las actividades/etc.)
- lo que tienen ganas de hacer y adónde tienen ganas de ir.
- lo que piensan comer, a qué hora y dónde.

ESTRATEGIA DE COMUNICACIÓN

Begin prepared to compromise You and your classmates may have very different ideas about what makes for an enjoyable outing, where you'd like to stop and get something to eat, etc. Before engaging in conversation to make your plans, think of a couple of possibilities for something to do in the morning, a couple of possible places to stop for lunch, and a couple of potential afternoon activities. This way you will have alternatives to suggest to each other and more readily plan an outing you'll all enjoy.

ASÍ SE HABLA

En su conversación, intenten usar estas frases muy comunes:
Cuba:
"¿Qué bola?" = "¿Qué está pasando?"
La República Dominicana:
"¡Tá tó!" = Todo está bien.

Sugerencia: Pídales a los estudiantes que desarrollen una pieza promocional multimedia con ilustraciones, música y texto. Pídales que presenten su proyecto a la clase.

PARA ESCRIBIR: Tu tiempo libre en la universidad

Vas a escribir un folleto (*brochure*) que tu universidad quiere incluir en un paquete informativo para futuros estudiantes y sus padres. Este folleto debe presentar las actividades recreacionales y culturales locales.

ANTES DE ESCRIBIR

Paso 1. Para empezar, debes tener una idea clara del propósito y el público (*audience*) de tu texto. En tu cuaderno, responde estas preguntas: ¿Cuál es el propósito de este folleto? ¿A qué público queremos atraer?

ESTRATEGIAS DE REDACCIÓN

Generating details

Capítulo 3 discussed how to use idea maps to generate and start organizing ideas in clusters. Now we will consider how to generate greater details for each of your ideas. For example, if one of your ideas is "Deportes," you may wish to talk about your school's football team. But instead of simply mentioning them, you could look up their win-loss record for the past three years and include this detail.

Paso 2. Ahora, completa un mapa de ideas (como el siguiente), con actividades de interés para futuros estudiantes de tu universidad. Puedes añadir (*add*) más categorías.

Paso 3. Genera, al menos, dos detalles específicos por cada idea de tu folleto. (ej. descripción del lugar o evento, qué se puede hacer ahí, etc.)

Main idea:	Two specific details:
	1. **2.**
	1. **2.**
	1. **2.**

Después de decidir cuáles son tus planes, compártelos con otra pareja de estudiantes.

A ESCRIBIR

Ahora, describe en tu folleto las principales atracciones de tu región. Quieres atraer a los estudiantes y a sus familias, por eso debes usar adjetivos positivos y un tono animado. Puedes también usar **ir + a + infinitivo** cuando describas las actividades para hacerlas más vívidas.

Modelo: **En el Centro Deportivo, vas a poder jugar al baloncesto, nadar, tomar clases de yoga...**

Para escribir mejor: Considera dónde puede ser apropiado dar ejemplos o explicar lo que quieres decir. Estos conectores te serán útiles:

por ejemplo *for example, for instance*
Hay muchos parques para pasear o descansar. **Por ejemplo**, el Parque Lincoln está cerca del campus, y es muy tranquilo.

como *as, such as*
Hay importantes eventos culturales durante el otoño, **como** el Festival de Cine Latinoamericano.

DESPUÉS DE ESCRIBIR

Revisar y editar: Formas correctas. Un buen uso de la gramática en la escritura consiste en usar formas y estructuras que mejor expresan tus ideas. Después de revisar el contenido y la organización, revisa la gramática considerando las siguientes preguntas:

- ☐ ¿Tienen las oraciones (*sentences*) los elementos necesarios (sujeto, verbo, artículos, etc.)?
- ☐ ¿Usas las formas que mejor (*best*) expresan tus ideas? Por ejemplo, revisa si usas los tipos de palabras apropiados (como el adjetivo **bueno/a** para describir una cosa o persona, o el adverbio **bien** para describir un evento o condición).
- ☐ Revisa la precisión (*accuracy*) de la gramática, especialmente las formas de verbos irregulares y el uso de **ser** y **estar**.

Sugerencia: Puede mostrar el video sin sonido primero, como se sugería en el Capítulo 3, y pedir a los estudiantes que hagan una lista de las actividades y lugares que han observado. Esto les facilitará la comprensión más adelante.

WileyPLUS PARA VER Y ESCUCHAR: ¡Feliz fin de semana!

ANTES DE VER EL VIDEO

En parejas o en grupos pequeños, piensa en las actividades que mucha gente hace durante los fines de semana, dentro de estas categorías: **Solo/a** (*Alone*), **Con amigos, Con la familia**. Crea (*create*) una tabla con las conclusiones del grupo.

ESTRATEGIAS DE COMPRENSIÓN

Listening for the main idea When you listen to Spanish, you might want to understand everything that is said. However, the main objective when you watch a video segment should be getting the gist or main ideas. Concentrating on the words that you know and ignoring those that you don't will help you focus on the essence of what is being said.

A VER EL VIDEO

Paso 1. Mira el video una vez y completa las oraciones.

Drante los fines de semana, los hispanos juegan al fútbol, van al cine, etc.

Casi siempre hacen estas actividades con su familia.

Paso 2. Antes de mirar el video otra vez, intenta completar la tabla con las actividades que recuerdas de cada categoría. Después, mira el video una vez más para completar las respuestas.

Deportes	Juegos (*Games*)	Entretenimiento (*Entertainment*)	Otras
Fútbol Golf Natación	Monopolio Parchís Ajedrez	Ir al cine Ir a comer Ver (una película) en la televisión Ir a fiestas	Ir a misa Visitar a la familia Pintar

Extensión: Puede pedir a sus estudiantes que escriban un pequeño párrafo describiendo las semejanzas y diferencias entre las actividades que llevan a cabo durante el fin de semana los hispanos y los estadounidenses.

DESPUÉS DE VER EL VIDEO

En grupos pequeños, contesten las siguientes preguntas.

1. ¿Qué actividades mencionadas en el video haces los fines de semana? ¿Con quién?
2. ¿Cuáles son las semejanzas o las diferencias entre los pasatiempos populares en el video y en tu comunidad?

Repaso de vocabulario activo

Adjetivos
amarillo/a *yellow*
anaranjado/a *orange*
azul *blue*
beige *beige*
blanco/a *white*
claro/a *light*
gris *gray*
marrón *brown*
morado/a *purple*
negro/a *black*
oscuro/a *dark*
rojo/a *red*
rosado/a *pink*
verde *green*

Adverbios y expresiones adverbiales
el mes/año/verano que viene *next month/year/summer*
el próximo mes/año/verano *next month/year/summer*
solo *only*

Las estaciones ***The seasons***
el invierno *winter*
el otoño *fall*
la primavera *spring*
el verano *summer*

El tiempo ***The weather***
Está (muy) nublado/soleado. *It's (very) cloudy/sunny.*
Hace buen/mal tiempo. *The weather is nice/bad.*
Hace (mucho) calor. *It's (very) hot.*
Hace fresco. *It's cool.*
Hace (mucho) frío. *It's (very) cold.*
Hace sol. *It's sunny.*
Hace viento. *It's windy.*
Llueve./Está lloviendo. *It's raining.*
la lluvia *rain*
Nieva./Está nevando. *It's snowing.*
la nieve *snow*
la nube *cloud*
la tormenta *storm*
¿Qué tiempo hace? *What's the weather like?*

Sustantivos
Los deportes ***Sports***
el baloncesto/el básquetbol *basketball*
el béisbol *baseball*
el ejercicio *exercise*
el equipo *team*
el fútbol *soccer*
el fútbol americano *football*
el golf *golf*
el partido *game, match*
la pelota *ball*
el tenis *tennis*
el videojuego *videogame*
el voleibol *volleyball*

En la playa ***At the beach***
el árbol *tree*
la flor *flower*
la hoja *leaf*
el mar *sea*

Verbos y expresiones verbales
bailar *to dance*
caminar *to walk*
cantar *to sing*
conocer (irreg.) *to meet, know*
correr *to run*
dar (irreg.) *to give*
dar un paseo *to take a walk, stroll*
deber + infinitivo *should + verb*
decir (irreg.) *to say*
descansar *to rest*
encantar *to delight*
esquiar *to ski*
ganar *to win*
hacer (irreg.) ejercicio *to exercise*
deporte *to play sports*
ir de compras *to go shopping*
jugar (ue) *to play*
jugar al... *to play a sport*
levantar pesas *to lift weights*
limpiar *to clean*
llover (ue) *to rain*
manejar *to drive*
me encanta(n) *I really like it (them)*
montar en bicicleta *to ride a bicycle*
nadar *to swim*
nevar (ie) *to snow*
oír (irreg.) *to hear*
pasear/dar un paseo *to take a walk, stroll*
pensar (ie) + infinitivo *to think about doing something*
perder (ie) *to lose*
pintar *to paint*
poner *to put*
practicar *to practice*
saber *to know*
salir (irreg.) (de) *to leave*
tener (irreg.) calor *to be hot*
tener calor/frío *to be hot/cold*
tener ganas de + infinitivo *to feel like + infinitive*
tener que + infinitivo *to have to + infinitive*
tocar *to touch*
tocar (un instrumento musical) *to play an instrument*
tomar el sol *to sunbathe*
traer (irreg.) *to bring*
venir (irreg.) *to come*
ver *to see*
ver la tele(visión) *to watch TV*
viajar *to travel*

Proyecto

Los premios *Mejor dicho*

© Cristian Baitg/iStockphoto

En este proyecto, van a conceder los premios *Mejor dicho* a lo mejor (*best*) de su comunidad: lugares para comer, actividades de tiempo libre, eventos, etc. El producto final será un artículo informativo y también entretenido (*entertaining*) para la revista de su campus o ciudad.

Paso 1. Van a trabajar en grupos. Cada grupo escoge (*select*) un aspecto de su comunidad, por ejemplo: comer, deporte y aire libre (*the outdoors*), diversión, vida universitaria, el trabajo y otros.

Paso 2. En su grupo, hacen una lluvia de ideas (*brainstorm*) para pensar en categorías. Pueden incluir unas categorías prácticas y otras más peculiares o divertidas. Por ejemplo:

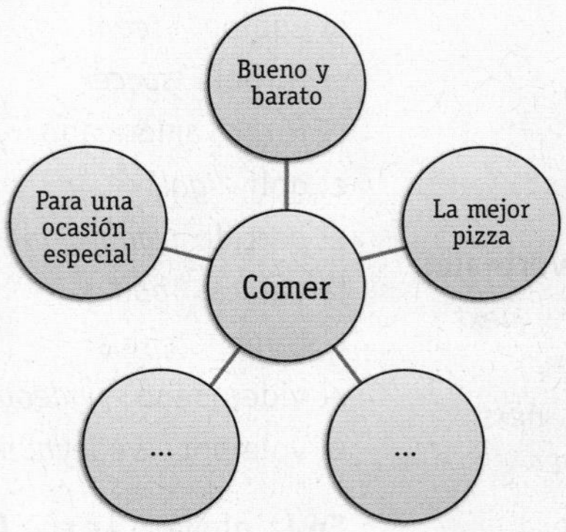

Un lugar perfecto para comer.

Paso 3. En su grupo, hacen tres nominaciones para cada categoría. Cada nominación debe incluir una imagen relevante y un breve texto sobre el lugar, evento, etc.

Modelo: Vida universitaria: Un lugar perfecto para comer.

La cafetería:
La comida es buena y barata. Es un buen sitio para hablar con los compañeros...

Paso 4. ¡Es hora de votar! Cada grupo presenta sus nominaciones y el resto de la clase vota. Finalmente se puede elaborar una publicación con una página para cada categoría con las fotos y textos presentados, e indicando el ganador y finalista y los votos alcanzados por cada uno.

Categoría	Primer premio	Segundo premio	Tercer premio

Sugerencias:
Puede enfocar más el proyecto concentrándose en su campus o, si están en una gran ciudad, en una zona específica con la que todos estén familiarizados.

Puede ofrecer otras ideas de categorías para inspirar a su clase: un equipo deportivo, una fiesta divertida, un sitio para conocer gente, un símbolo de la universidad, etc.

Las nominaciones se presentan con pósters o, si tienen los recursos necesarios, en un documento electrónico para proyectar en clase.

Sugerencia: Después de completar los Capítulos 1-5, los estudiantes están preparados para hacer este Proyecto en grupos pequeños.

CAPÍTULO 6

La vida diaria

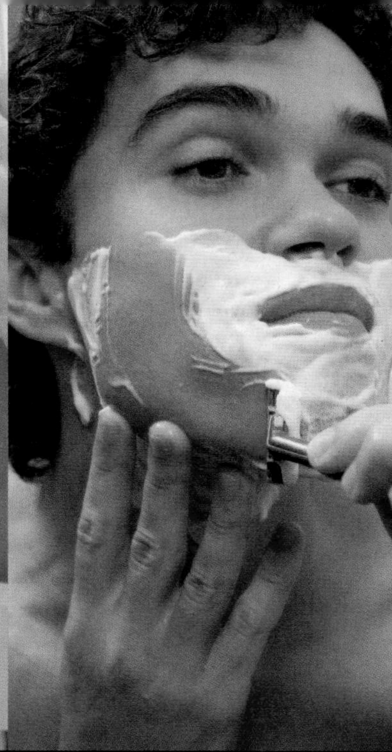

Left: © deansanderson/iStockphoto; Right: © Viorika/iStockphoto

LEARNING OBJECTIVES

In this chapter, you will learn to:

- talk about daily routines
- talk about actions in the past
- talk about job-related issues
- discuss differences in daily routines in Spanish-speaking countries
- discover interesting things about Spain

Entrando al tema

1. ¿Es aceptable ir a clase con el cabello mojado (*wet hair*), sin afeitar (*unshaven*) o con pantalón de pijama? ¿Lo haces a veces?
2. ¿Qué culturas tuvieron (*had*) gran influencia en España?
   ☑ árabes ☐ ingleses ☐ chinos ☑ judíos (*Jewish*)
3. ¿Cuál es la moneda (*currency*) de España? (Nota: España es parte de la Comunidad Económica Europea.) El euro

Así se dice

La vida diaria

Use *PowerPoint Slides* para presentar y practicar este vocabulario.

Por la mañana

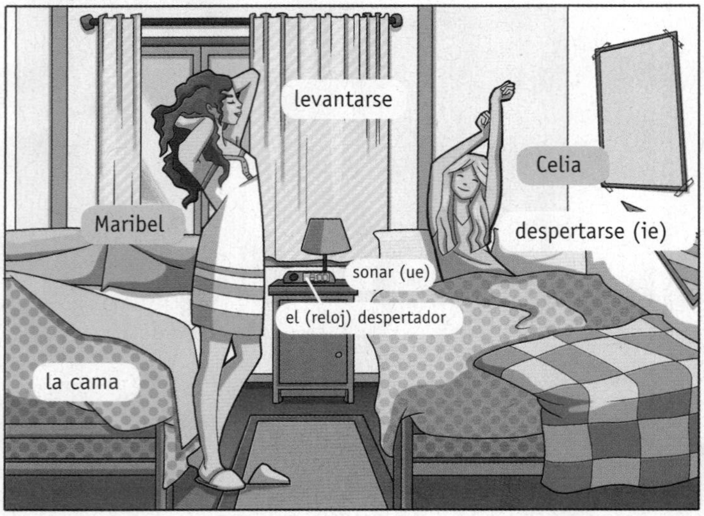

WileyPLUS

Pronunciación: Practice the pronunciation of the chapter vocabulary and particular sounds of Spanish in *WileyPLUS*.

Por la noche

¿Y tú?

1. ¿Cómo es tu rutina similar o diferente a las rutinas de estas personas?
2. ¿Cómo te relajas al final del día? ¿Sales a divertirte con tus amigos durante la semana o solamente los fines de semana?

acostarse (ue)	*to go to bed*
despertarse (ie)	*to wake up*
divertirse (ie, i)	*to have a good time*
dormirse (ue, u)	*to fall asleep, to go to sleep*
lavarse (la cara, las manos)	*to wash (one's face, hands)*
levantarse	*to get up, arise*
pasarlo bien/mal	*to have a good/bad time*
quitarse (la ropa)	*to take off (one's clothes, etc.)*
secarse (el pelo, las manos, etc.)	*to dry (one's hair, hands, etc.)*
sonar (ue)	*to ring, sound*
tener sueño	*to be sleepy*
vestirse (i, i)	*to get dressed*

Sugerencia: Recuerde a los estudiantes que indicamos cambios de raíz en los verbos entre paréntesis: la primera, y a veces única letra, indica un cambio en el presente; la segunda letra indica un cambio en el participio de presente (también en la 3a persona sing. del pretérito, pero esta información no es relevante ahora).

¿Qué ves? Responde a estas preguntas sobre la ilustración:

1. Es por la mañana, y el despertador suena en la habitación de Maribel y Celia, ¿quién se levanta antes, Maribel o Celia? ¿Quién se despierta más tarde?
2. Alex y Tomás ¿se visten o se desvisten? ¿Quién se pone la ropa? ¿Quién se pone los zapatos?

Puedes encontrar más preguntas de comprensión en *WileyPLUS* y en el *Book Companion Site* (BCS).

[6.1] La rutina diaria.

Input **Paso 1.** Organiza estas actividades en orden cronológico, según (*according to*) tu rutina diaria personal. Numéralas del 1 al 15.

_____ acostarse
_____ bañarse/ducharse
_____ cenar
_____ cepillarse los dientes
_____ desayunar
_____ despertarse
_____ dormirse
_____ ir a clase
_____ estudiar
_____ levantarse
_____ peinarse
_____ quitarse la ropa
_____ relajarse
_____ vestirse/ponerse la ropa
_____ ver la tele
_____ divertirse/pasarlo bien

Paso 2. Ahora compara tu lista con la lista de un/a compañero/a (*classmate*). ¿Son sus rutinas similares o diferentes?

[6.2] Nuestras actividades diarias.

Input/Output ¿Qué actividades asocias con los siguientes objetos? Intenta (*try to*) pensar en el mayor (*largest*) número posible.

Modelo: el reloj despertador **despertarse, levantarse, sonar...**

1. la ropa
2. el champú
3. el pelo
4. las tijeras
5. el peine
6. la pasta de dientes
7. el maquillaje
8. el jabón
9. el desodorante
10. la cama
11. la toalla
12. el cepillo

[6.3] ¡Adivina! *(Guess!)*

Output En parejas, uno de ustedes lee las descripciones 1–5 mientras (*while*) el otro escucha e intenta identificar las actividades o cosas descritas. Después, el Estudiante B lee las descripciones 6-10 y el Estudiante A identifica.

Estudiante A

1. Un líquido para lavarse en la ducha.
2. Un objeto para cepillarse los dientes. Pones la pasta de dientes en él.
3. Una máquina para despertarse por la mañana. Suena mucho.
4. La acción de quitarse pelo con una rasuradora o con una máquina.
5. Después de la ducha o después de lavarse. Se hace con una toalla.

Estudiante B

6. Un objeto para cortarse el pelo o las uñas, para cortar papel, etc.
7. Un producto para lavarse la cara, las manos.
8. Ir a la cama para dormir.
9. Las chicas usan esto para estar guapas.
10. Un producto para lavarse el pelo.

En mi experiencia

Liz Torres, Chicago, IL

© Backyard Productions/ Alamy

"In Mexico, the plumbing systems in most homes (and some hotels) are very delicate—including the size and angles of the water supply—so people don't flush toilet paper down the toilet. Needless to say, it took a while for me to get used to that. A friend came to visit me and I forgot to tell her, and believe me, depositing toilet paper in the trash is much preferable to having to call a plumber to fix the toilet!"

Have you ever had to follow this toilet paper practice? What are other toilet-related measures that people take to conserve resources?

Use *PowerPoint Slides* para completar la actividad 6.1

6.1 Sugerencia: Escriba cada actividad en una hoja de papel. Luego, distribúyalos entre los estudiantes (use una cantidad mayor o menor de actividades según el número de estudiantes; en una clase grande, se pueden hacer varios grupos, por ejemplo un grupo puede trabajar actividades que se realizan por la mañana y el otro, con actividades nocturnas). Sin mostrarse los papeles, los estudiantes de un mismo grupo deben determinar el orden cronológico de las actividades y colocarse en fila según este orden. Algunas actividades pueden escribirse en más de un papel si se realizan en diferentes momentos del día.

Extensión: Lluvia de ideas: escriba en la pizarra 4 o 5 palabras nuevas (***levantarse, lavarse...***) y pídale a la clase que, en parejas o grupos pequeños, escriban palabras relacionadas en un tiempo limitado (ej. 1 minuto) para que la actividad sea dinámica. En clases con poca motivación, se puede presentar como una competencia entre grupos.

6.2 Respuestas: Es posible que algunos estudiantes piensen en otras.
1. vestirse/ponerse/quitarse; 2. lavarse el pelo; 3. peinarse/cepillarse/cortarse/lavarse/secarse; 4. cortarse; 5. peinarse; 6. cepillarse los dientes; 7. maquillarse; 8. lavarse/ducharse/bañarse; 9. ponerse; 10. dormir/dormirse; 11. secarse; 12. cepillarse/el pelo.

6.2 Sugerencia: Traiga varios objetos de higiene personal (un peine, jabón, etc.) y muéstrelos a la clase. Pida a los estudiantes que nombren cada objeto u ofrezca dos o tres alternativas para que identifiquen la correcta.

6.3 Respuestas: 1. el gel; 2. el cepillo de dientes; 3. el reloj despertador; 4. afeitarse; 5. secarse; 6. las tijeras; 7. el jabón; 8. acostarse; 9. el maquillaje; 10. el champú.

[6.4] Dentalvit Micro-Cristal.

Output **Paso 1.** Mira el siguiente (*following*) anuncio (*ad*) y, antes de leerlo, contesta estas preguntas.

- ¿Qué está anunciando?
- Escribe una lista de ideas y palabras que posiblemente vas a encontrar en el anuncio.

Paso 2. Lee el anuncio y contesta las preguntas de abajo.

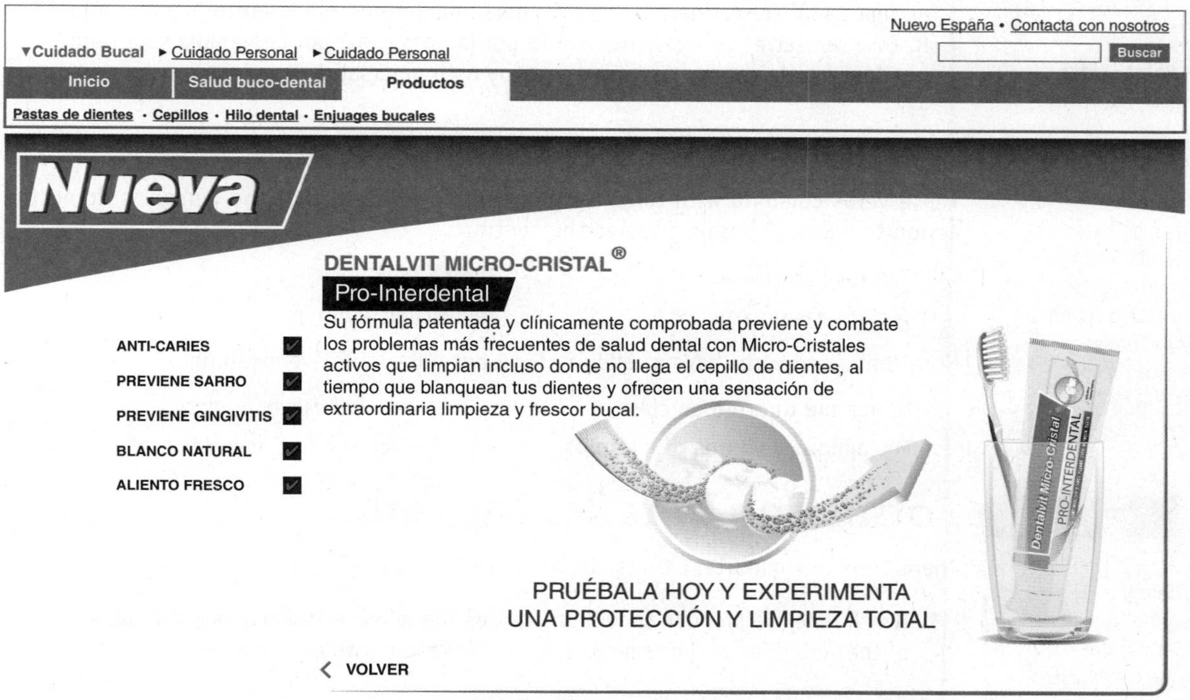

1. ¿Qué problemas de salud dental combate Dentalvit Micro-Cristal? ¿Qué otros beneficios ofrece? Combate las caries y el sarro. También previene la gingivitis, hace los dientes más blancos y da frescor al aliento.
2. ¿En qué se diferencia Dentalvit de otras pastas de dientes? Contiene Micro-Cristales activos que limpian donde no llega el cepillo de dientes.
3. ¿Cuáles de las ideas y palabras que anticipaste están en el texto?

Paso 3. En grupos pequeños, comenten las siguientes (*following*) preguntas sobre sus preferencias respecto a los productos de higiene personal.

1. ¿Qué marca (*brand*) de pasta de dientes usas?
2. Respecto a productos de higiene personal, ¿tienes marcas preferidas? ¿Hay marcas que no te gustan para nada (*at all*)?
3. ¿Qué factor es más importante cuando compras estos productos? ¿El precio? ¿El olor (*scent*) o el sabor (*taste*)? ¿Prefieres los productos clásicos o los nuevos?

6.4 Sugerencia: Haga una encuesta sobre productos de higiene que sus estudiantes usan/prefieren/odian, etc. Por ejemplo: *¿Qué champú usas? ¿Qué prefieres para ducharte, jabón o gel de ducha? ¿Qué pasta de dientes odias?*

PALABRAS ÚTILES

las caries	*cavities*
el sarro	*tartar*
el aliento	*breath*

NOTA DE LENGUA

Many name brands in Hispanic countries are the same as in the United States, but with a Spanish pronunciation. How do you think Spanish-speakers pronounce these brands?

Colgate
Palmolive
Vicks VapoRub
Avon
Oral-B

Así se forma

1. Talking about daily routines: Reflexive verbs

WileyPLUS
Go to *WileyPLUS* to review this grammar point with the help of the **Animated Grammar Tutorial** and **Verb Conjugator**.

Use ***PowerPoint Slides*** para presentar y practicar esta gramática.

Pida a sus estudiantes que observen las formas verbales en el texto, prestando especial atención a los dos pronombres que se usan (pregunte a quién se refieren estos pronombres) y en qué posición aparecen respecto al verbo.

Tengo una clase a las 8:30 de la mañana y debo **levantarme** temprano, pero mi compañero de cuarto **se acuesta** muy tarde todos los días y no **me** puedo **dormir** hasta las 2 de la mañana. Por eso no **me despierto** fácilmente: programo la alarma de mi celular para las 7, pero generalmente no **me levanto** hasta casi las 8. Este semestre **me estoy duchando** por la noche, así por la mañana solo tengo que **lavarme** la cara y, **vestirme** y ¡estoy listo para salir!

These verbs combine with reflexive pronouns to indicate that the person is doing the action to herself/himself. Observe the contrast:

Teo **lava** su coche. vs. Teo **se lava**.
Teo washes his car. *Teo washes himself.*

Note that some verbs have a reflexive form but not a reflexive meaning.

Nunca **me duermo** en clase. *I never fall asleep in class.*
Mis amigos y yo **nos divertimos**. *My friends and I have fun.*

Formation of reflexive verbs

ASÍ SE FORMA

Para ilustrar la diferencia entre verbos reflexivos y no reflexivos, traiga a la clase un par de tijeras, un jabón y un peine. Demuestre las diferencias entre cortar un papel/cortarse el pelo; lavar a un estudiante/lavarse; peinar a un estudiante/peinarse, etc.

There are a few important things to consider:

1. Which reflexive pronoun should you chose? The reflexive pronoun and the subject of the verb refer to the same person, so they agree with each other.

vestirse			
(yo)	**me** vist**o**	(nosotros/as)	**nos** vesti**mos**
(tú)	**te** vist**es**	(vosotros/as)	**os** vest**ís**
(usted, él/ella)	**se** vist**e**	(ustedes, ellos/ellas)	**se** vist**en**

2. Where should you place the reflexive pronoun? This depends on the sentence structure:

- Immediately before a conjugated verb.

  Me despierto a las seis. *I wake up at six.*
  No **nos** acostamos tarde. *We don't go to bed late.*

- If a conjugated verb is followed by an infinitive or present participle (**-ando**/**-iendo** form), place the reflexive pronoun either *immediately before the conjugated verb* or *after and attached to the infinitive or present participle.*

  Me debo levantar temprano.
  Debo levantar**me** temprano. — *I have to get up early.*

  Marina **se** está divirtiendo.
  Marina está divirtiéndo**se.** — *Marina is having a good time.*

- Note that when the reflexive pronoun is attached to a present participle, we need to add a written accent on the vowel that carries the emphasis.

  Marina esta divirti**é**ndose.
  Estoy bañ**á**ndome.

NOTA DE LENGUA

The definite article (not a possessive) is normally used to refer to parts of the body or articles of clothing.

Voy a cepillarme **los** [~~mis~~] dientes.
¿No te pones **el** [~~tu~~] suéter?

[6.5] La rutina de Camila e Inés.

Input **Paso 1.** Observa las ilustraciones que representan la rutina matutina de Camila e Inés. Después, escucha las descripciones y escribe cada número y descripción bajo la ilustración correspondiente.

Camila

3. Se despierta tarde.

9. Se baña.

7. Se viste.

10. Se peina.

12. Sale de la casa a las once.

5. Llega tarde a su primera clase.

Inés

1. Se levanta temprano.

8. Se cepilla los dientes.

4. Se seca el pelo.

11. Se maquilla.

2. Sale de casa a las nueve menos cuarto de la mañana.

6. Llega puntual a su primera clase.

6.5 Audio: 1. Se levanta temprano. 2. Sale de casa a las nueve menos cuarto de la mañana. 3. Se despierta tarde. 4. Se seca el pelo. 5. Llega tarde a su primera clase. 6. Llega puntual a su primera clase. 7. Se viste. 8. Se cepilla los dientes. 9. Se baña. 10. Se peina. 11. Se maquilla. 12. Sale de la casa a las once.

6.5 Extensión: Pida a los estudiantes que, en parejas o en grupos pequeños, comenten la siguiente pregunta: *¿Te pareces más a Camila o a Inés? ¿Por qué?* Otra alternativa es que escriban un pequeño párrafo respondiendo la misma pregunta.

Sugerencia: Las respuestas pueden variar para este ejercicio. Especialmente, para el punto 6. Anime a los estudiantes a comentar sus respuestas y a razonarlas.

Paso 2. Ahora indica quién crees que hace estas actividades. Para el número 8, añade (*add*) una actividad que, en tu opinión, hacen las dos chicas.

	Camila	**Inés**
1. Se quita la ropa y la pone en el piso (*on the floor*).	☐	☐
2. Va a acostarse a las 2:00 de la mañana.	☐	☐
3. Se corta el pelo[1] en una peluquería (*hair salon*) elegante.	☐	☐
4. Nunca se pone camisas o pantalones de vestir (*dressy*).	☐	☐
5. No se quiere despertar temprano los sábados.	☐	☐
6. Se divierte viendo una película extranjera (*foreign movie*).	☐	☐
7. Se duerme mientras estudia.	☐	☐
8. ______________________________.	☑	☑

6.6 Si lo considera oportuno, deje que los estudiantes escuchen el texto dos veces antes de revisar las respuestas.

6.6 Audio: Creo que mi rutina en el Colegio Mayor es bastante normal. El despertador suena a las 7 de la mañana y me levanto unos quince minutos más tarde. Entonces me ducho, me afeito, me peino y me visto. Después desayuno con mis compañeros y vuelvo a mi cuarto para cepillarme los dientes y ponerme el abrigo. Tomo mi mochila y voy a clase. Por la tarde, vuelvo a mi cuarto para estudiar, me quito los zapatos, me pongo ropa de casa y estudio toda la tarde. Después de cenar, me cepillo los dientes, me lavo la cara y me peino. Me visto y me pongo zapatos otra vez para salir con mis amigos. Todas las noches salimos y nos divertimos mucho. Cuando vuelvo a casa, me quito los zapatos y miro la televisión. Generalmente me duermo viendo la tele y cuando me despierto ya es muy tarde. Entonces me acuesto en la cama.

Sugerencia: Esta actividad ofrece una buena oportunidad para hacer una breve práctica de escritura. Pida a los estudiantes que escriban un párrafo, en clase o como tarea, resumiendo la rutina de Pepe y comentando si es típica o no.

Input/Output

[6.6] La rutina de Pepe.

Paso 1. Pepe, un estudiante español, va a describir su rutina en el *Colegio Mayor* (una residencia de estudiantes). Observa la tabla y complétala con las actividades del cuadro, indicando cuándo piensas que Pepe las hace. Después escucha a Pepe hablar de su rutina y comprueba (*check*) tus respuestas en el cuadro (*chart*).

levantarse	**peinarse**	**cepillarse los dientes**	**lavarse la cara**
dormirse	**despertarse**	**acostarse**	**vestirse**
quitarse los zapatos	**ponerse ropa de casa**	**ducharse**	**afeitarse**
			divertirse

Por la mañana	Por la tarde	Por la noche	Por la mañana y por la noche
se levanta	se quita los zapatos	se duerme	se viste
se ducha	se pone ropa de casa	se acuesta	se lava la cara
se afeita			se cepilla los dientes
			se peina
			se despierta

Paso 2. Con un/a compañero/a, comenten la rutina de Pepe y si (*if*), en su opinión, es común o no.

Modelo: **Pepe se cepilla los dientes...**
Pienso que es/no es común.

[1]**Cortarse el pelo** is a peculiar reflexive verb in that it does not necessarily mean that one cuts her/his own hair. Often, it means: *to get/have a haircut.*

[6.7] ¿Y cuál es tu rutina diaria?

Input/ Output **Paso 1.** Lee las siguientes (*following*) preguntas sobre actividades diarias. En la columna *Tú*, decide si las oraciones son ciertas (**sí**) o falsas (**no**) para ti.

	Tú		Tu compañero/a	
Por las mañanas...	**Sí**	**No**	**Sí**	**No**
¿te despiertas con un reloj despertador?	☐	☐	☐	☐
¿te levantas antes de las 8 de la mañana?	☐	☐	☐	☐
¿te duchas en 5 minutos o menos (*less*)?	☐	☐	☐	☐
¿te cepillas los dientes antes de desayunar?	☐	☐	☐	☐
¿te afeitas o te maquillas?	☐	☐	☐	☐

	Tú		Tu compañero/a	
Por las noches...	**Sí**	**No**	**Sí**	**No**
¿te diviertes con tus amigos?	☐	☐	☐	☐
¿te duermes cuando ves la televisión?	☐	☐	☐	☐
¿te bañas para relajarte?	☐	☐	☐	☐
¿te peinas o cepillas el pelo?	☐	☐	☐	☐
¿te acuestas después de las 12 de la noche?	☐	☐	☐	☐

Paso 2. Ahora, en parejas, entrevisten (*interview*) a su compañero/a con las preguntas del Paso 1. Pidan (*ask for*) y ofrezcan más detalles. Tomen nota de las respuestas de su compañero/a en la columna correspondiente. Después, expliquen a la clase si sus rutinas son similares o diferentes, dando ejemplos.

Modelo: Estudiante A: **Por las mañanas, ¿te despiertas con un despertador?**
Estudiante B: **No, no necesito un despertador porque mi compañero de cuarto siempre pone la televisión.**

• **Actrices y actores.** Escriba en varias tarjetas actividades que se realicen a diario. Divida a los estudiantes en grupos de 5 o 6 personas. Cada estudiante recibe una tarjeta y representa esta actividad con mímica, pero sin hablar. El resto del grupo debe adivinar de qué actividad se trata y expresarla con el presente progresivo (*Tina está bañándose.* o, *Tina se está bañando*). Cuando terminen, los miembros del grupo se ponen de pie y se colocan según el orden cronológico en que se realizan estas actividades. Las actividades que puede escribir en las tarjetas son: vestirse; despertarse; peinarse; cepillarse los dientes; secarse; lavarse el pelo.

[6.8] Los estudiantes en general.

Input/ Output **Paso 1.** Selecciona la opción u opciones que probablemente son ciertas para la mayoría (*most*) de los estudiantes universitarios. Escribe tres afirmaciones más usando los verbos en paréntesis. Mira la Nota de lengua en la siguiente página como referencia.

1. Normalmente nos levantamos... muy temprano/ temprano/ tarde/ muy tarde.
2. Nunca/ a veces/ frecuentemente/ todos los días/ ...desayunamos.
3. Nunca/ a veces/ generalmente/ siempre/ ...nos vestimos de manera muy informal.
4. Nunca/ a veces/ casi siempre ...nos afeitamos o nos maquillamos.
5. Para ir a clase a veces nos ponemos... pantalón de pijama (*pj pants*)/ gorra (*cap*)/ chancletas (*flip-flops*)
6. (relajarse) ______________________________.
7. (divertirse) ______________________________.
8. (acostarse) ______________________________.

Paso 2. En grupos, compartan (*share*) sus respuestas. ¿Están de acuerdo (*do you agree*) en la mayoría de los casos? Deben estar listos (*ready*) para compartir sus ideas con el resto de la clase más tarde.

6.8 Puede aprovechar este ejercicio para hablar de algunas diferencias entre los estudiantes universitarios de Estados Unidos y los estudiantes universitarios de los países hispanos.

6.8 Extensión: Puede pedir a sus estudiantes que, en grupos pequeños, piensen en las semejanzas y diferencias entre los estudiantes de secundaria y los estudiantes universitarios, o entre los estudiantes y las personas que trabajan, para practicar así las formas de 3a persona del plural.

Sugerencia: Puede aprovechar también este ejercicio para hablar de algunas diferencias

Nota de lengua: Escriba adjetivos como *posible, personal* y *rápido* en la pizarra e ilustre de forma gráfica cómo se forman los adverbios que terminan en *–mente*. Pida a los estudiantes que identifiquen los adjetivos que dan lugar a los adverbios de la lista anterior.

NOTA DE LENGUA

Los adverbios

Adverbs are words that tell *how, how much, how often, when, why,* or *where* an action takes place. You know some already: **bien, mal, ahora, hoy, mañana, a veces, nunca, tarde, aquí, allí,** and **siempre.** Other adverbs are formed by adding **–mente** (equivalent to the English –ly) to an adjective.

- Add **–mente** to adjectives ending in **–e** or a consonant.
  - posible → **posiblemente**
  - general → **generalmente**
- Add **–mente** to the feminine singular form of adjectives ending in **–o/–a.**
  - rápido → rápida → **rápidamente**
  - tranquilo → tranquila → **tranquilamente**
- Adjectives with written accents maintain the written accent in the adverbial form.
  - rápido → **rápidamente**
  - fácil → **fácilmente**

En mi experiencia

Lee, Lexington, KY

© Philip Game/Alamy

"At my home campus in St. Louis, Missouri, many students (including me) showed up to our morning classes with wet hair, unshaven faces, baseball caps, and sometimes in clothes that resembled pajamas. When I studied abroad in Salamanca, Spain, I noticed that all of my classmates looked a bit more 'put together'—I'd say they always looked as if they were ready for dinner at a nice restaurant. I quickly learned that I would blend in better if I spent a few extra minutes on my morning routine."

What might be some of the underlying values when university students feel comfortable going to class in the ways described by this student at his home campus? What might be the underlying values in places where students tend to be more 'put together' when they attend class?

[6.9] Los instructores.

Input/ Output **Paso 1.** Piensa ahora sobre (*about*) tus profesores. Escoge la opción que, en tu opinión, describe mejor a la mayoría de ellos. Escribe dos afirmaciones más.

1. Se levantan	☐ antes de las 7 de la mañana.	☐ entre las 7 y las 8 de la mañana.	☐ después de las 8 de la mañana.
2. Se afeitan (ellos) o se maquillan (ellas)	☐ todos los días.	☐ con frecuencia.	☐ a veces.
3. Se visten de manera	☐ informal.	☐ formal.	☐ muy formal.
4. Van a la universidad	☐ a pie (*by foot*) o en bicicleta.	☐ en coche.	☐ en autobús/tren.
5. Se divierten en clase	☐ siempre.	☐ con frecuencia.	☐ a veces.
6. Se acuestan	☐ antes de las 12 de la medianoche.	☐ entre las 12 y la 1 de la mañana.	☐ después de la 1 de la mañana.

7. ____.

8. ____.

Paso 2. En parejas, comparen sus respuestas. Después, pregunten a su instructor sobre algunas de sus actividades.

Modelo: **¿A qué hora se levanta usted?**

6.9 Extensión. Puede pedir a los estudiantes que escriban un párrafo breve comparando la rutina de usted con la de ellos. Puede ofrecer algún ejemplo en la pizarra, pero evite usar comparativos:

Mi instructor y yo tenemos rutinas (muy) similares, pero obviamente también hay diferencias. Los dos/ Yo... pero él/ella...

[6.10] Hábitos diarios.

Input/ Output Muchos estudiantes universitarios se sienten (*feel*) cansados y se enferman (*get sick*) con frecuencia. El Centro de Salud (*health*) de tu universidad quiere investigar la causa de este problema y tú vas a colaborar en este estudio.

Paso 1. Responde a las preguntas 1 a 7. Después, anota otros datos relevantes sobre tu estilo de vida, por ejemplo, ejercicio físico, hábitos alimenticios (*eating habits*), etc.

Estudio: Hábitos de vida
Centro de Salud

1. ¿Tienes sueño ahora? ☐ sí ☐ un poco ☐ no
2. ¿A qué hora te levantas los días de clase? ____________________
3. ¿A qué hora te acuestas normalmente? ____________________
4. ¿Te duermes cuando estudias o ves la televisión? ☐ siempre ☐ a veces ☐ nunca
5. ¿Necesitas un reloj despertador para despertarte? ☐ siempre ☐ a veces ☐ nunca
6. ¿Cuántas tazas de café o té tomas cada día? ____________________
7. ¿Desayunas antes de ir a clase? ☐ siempre ☐ a veces ☐ nunca

Otra información:

____

____

____

6.10 Sugerencia: Prepare una tabla (puede hacerla en la pizarra, mientras los estudiantes trabajan en la actividad) para anotar las respuestas a las preguntas 1–7. Haga un sondeo de las respuestas y cierre la actividad con una breve conversación sobre los hábitos de vida de la clase y de los estudiantes universitarios en general.

6.11 La Actividad 6-11 refuerza el uso del **reflexivo** + *infinitivo* y recicla las construcciones de doble verbo *(deber + infinitivo)*.

Sugerencia: Para cerrar la actividad, pregunte a algunos estudiantes si están de acuerdo con los consejos que han recibido.

PALABRAS ÚTILES

el estrés	*stress*
estar estresado/a	*to be stressed*
por eso	*That's why*
preocuparse	*to be worried*
sentirse	*to feel (physically, emotionally)*
tomar una siesta	*to take a nap*

Paso 2. En grupos, compartan sus respuestas y tomen notas. Según sus respuestas y lo que saben sobre otros estudiantes, ¿pueden hacer alguna generalización sobre los hábitos de vida de los estudiantes universitarios? ¿Cuáles son las consecuencias de estos hábitos?

Modelo: **Muchos de nosotros nos acostamos tarde y tenemos sueño en clase. Por eso, ...**

Output

[6.11] Consejos *(Advice)*.

Tu compañero/a y tú quieren ayudar a otros estudiantes a tener un estilo de vida más saludable (*healthy*). Por eso quieren ser voluntarios en la campaña (*campaign*) del Centro de Salud. Como parte de su entrenamiento (*training*), van a participar en algunas dramatizaciones (*role-plays*).

Paso 1. Tomen turnos para indicar qué tipo de problema tienen y escuchen los consejos (*advice*) de su compañero/a.

Modelo: Estudiante A: **Siempre tengo sueño.**
Estudiante B: **Debes acostarte más temprano/tomar una siesta** *(take a nap)*.

Estudiante A

1. Nunca me despierto con el despertador y llego tarde a clase.
2. Siempre estoy débil.
3. Estoy estresado porque estudio, trabajo y hago actividades extra-curriculares todos los días.

Estudiante B

1. Me canso mucho (*I get very tired*) cuando camino a mis clases.
2. No puedo dormirme cuando me acuesto.
3. Me duermo en la clase de Contabilidad.

Paso 2. Ustedes quieren colaborar en la creación del folleto (*brochure*) del Departamento de Salud. Piensen y escriban juntos (*together*) los tres consejos más importantes que tienen para los estudiantes universitarios.

En mi experiencia

Cliff, San Francisco, CA

"I noticed a more easy-going pace in Spain. Whenever deciding on a time to meet, there always seemed to be a 30-minute window when people would arrive—particularly if someone ran into a friend on the way, because you always stop to talk even if just briefly. Also, it was common for neighbors and friends to pop over unannounced for visits. I found myself needing to relax my expectations and specific plans for how my day was going to proceed."

© Juice Images/Alamy

In general, in your social circles, how punctual do events tend to be? And how common is it to make unannounced social visits? What might be some of the underlying values in a culture that has a more flexible concept of an acceptable time to arrive to a social gathering and less insistence on planning visits in advance?

Cultura

España contemporánea

ANTES DE LEER

1. Mira un mapa de España. ¿Qué países tienen frontera con España? Y ¿cuánta distancia hay entre Marruecos y España?
2. Empareja la persona de España a cada (*each*) español de la lista con su profesión.

c	Penélope Cruz	a. Artista, 1881–1973
d	Miguel de Cervantes	b. Escritora, periodista
a	Pablo Picasso	c. Actriz
b	Rosa Montero	d. Escritor, autor de *Don Quijote*
e	Rafa Nadal	e. Atleta

3. ¿Qué proporción de españoles piensas que toma una siesta todos los días?

Use ***PowerPoint Slides*** para presentar esta sección de cultura.

Sugerencia: Puede asignar como tarea escribir un párrafo sobre lo que imaginan es la rutina diaria de uno de los componentes de la familia real: el Rey Felipe VI, la Reina Doña Letizia, la princesa, Leonor... Anime a los estudiantes a usar su imaginación y un poco de humor.

La herencia (*heritage*)

Por toda España se observa la herencia de varias culturas y civilizaciones entre ellas la árabe. Los árabes (o "moros", *Moors*) vivieron en España durante casi 800 años (711–1492). El palacio La Alhambra en la ciudad de Granada y la Mezquita (*mosque*) de Córdoba son ejemplos exquisitos de la arquitectura de esa época. También las comunidades judías (*Jewish*) dejaron influencias importantes durante esta época.

J.d. Dallet/Age Fotostock America, Inc.

▲ Patio de los leones en la Alhambra

La familia real

¡En España hay reyes, príncipes y princesas! El Rey Don Juan Carlos I tuvo un importante papel en la transición que llevó la democracia a España después de 40 años de dictadura militar. Juan Carlos I abdicó en 2014, y su hijo es ahora el Rey Felipe VI. Su papel es simbólico.

Un aspecto interesante sobre la familia real es su relación con los deportes: varios miembros de la familia real han participado en competiciones deportivas internacionales, incluyendo campeonatos de vela (sailing) en los Juegos Olímpicos.

MC/EFOQUE/SIPA/NewsCom

▲ El Rey Felipe VI y su esposa, la Reina Doña Letizia

INVESTIG@ EN INTERNET

¿Qué sabes sobre la familia real española? Busca los nombres del rey y la reina, sus parientes, y cualquier (*any*) otra información de interés que puedas averiguar (*find out*) sobre ellos. Además, descubre quién es el sucesor o sucesora al trono.

Como alternativa o complemento a las preguntas de *Investiga en Internet* puede pedir a algunos estudiantes que investiguen qué miembros de la familia real han participado en los Juegos Olímpicos, cuándo y qué resultados obtuvieron.

Image Source/Getty Images

◀ La Fuente de Cibeles, en frente del Ayuntamiento (*City Hall*) en el centro de Madrid.

Don Quixote, 1955 (gouache on paper); Picasso, Pablo (1881–1973)/Private Collection; © DACS/Peter Willi/The Bridgeman Art Library International

Una de las obras (*works*) literarias más importantes del mundo es *Don Quijote de la Mancha*, escrito por el español Miguel de Cervantes en 1615. El artista español Pablo Picasso pintó este famoso cuadro de Don Quijote y su escudero (*squire*) Sancho Panza.

▼ Barcelona

Factoria Singular/Age Fotostock America, Inc.

▼ Museo Guggenheim, Bilbao

Hemis.fr/SuperStock

La modernidad

Las varias regiones de España constituyen diferentes zonas culturales con sus propios bailes, comidas, vestidos (*attire*) típicos, música, etc. La música y baile flamenco son típicos de Andalucía, región del sur de España donde se encuentra Sevilla. ¿Hay bailes típicos en la región donde vives tú?

En la España contemporánea existe una vigorosa cultura que combina la herencia de un pasado brillante con las nuevas posibilidades del futuro. La arquitectura futurista del Museo Guggenheim en Bilbao refleja la vitalidad de la vida cultural de España.

Es uno de los destinos turísticos más populares de Europa, y es el país número 3 para estudiar al extranjero (*study abroad*) de los estudiantes de Estados Unidos. Se puede esquiar en los Pirineos, ir a playas como las de Ibiza o el resto de las Islas Baleares y conocer ciudades como Madrid, Barcelona y Bilbao, sede de un museo Guggenheim.

España tiene un horario un poco más nocturno que en el resto de Europa. A las 22:00 horas en otros países la gente se prepara para ir a dormir, mientras que en España a esa hora se sirve la cena y comienza el 'prime time' en la televisión. Antes era común tomar una siesta durante el día, pero hoy muy poca gente lo hace. Sin embargo (*however*), muchos lugares cierran entre las 14:00 y las 16:00, cuando la gente va a comer, y quedan abiertos hasta las 19:00.

España tiene cuatro idiomas oficiales: el castellano (español), el catalán, el gallego y el vasco. Mira las diferencias entre estos cuatro idiomas.

inglés	**castellano (español)**	**catalán**	**gallego**	**vasco**
dog	perro	gos	can	txakurra
water	agua	aigua	auga	ur
sister	hermana	germana	irma	arreba

DESPUÉS DE LEER

1. En un viaje a España de 10 días, ¿a qué tres lugares te gustaría ir y por qué? Si quieres, puedes buscar información adicional en Internet.
2. Los moros (árabes) vivieron en España durante ____ años. Eso representa aproximadamente ____ veces el número de años que ha existido Estados Unidos.
3. ¿Te gustaría parar de trabajar entre las 14:00-16:00 y después trabajar hasta las 19:00? ¿Qué ventajas (*advantages*) y desventajas tiene este horario?

Así se forma

2. Talking about each other: Reciprocal constructions

Este semestre estoy estudiando en España y tengo muchos amigos aquí. **Nos vemos** todos los días porque tenemos casi todas las mismas (*the same*) clases y si no, **nos mandamos** mensajes de texto y **nos encontramos** (*we meet*) más tarde. Aquí los compañeros de clase estudian juntos, **se prestan** (*lend*) notas de clase, **se ayudan** con la tarea y ¡lo pasan bien juntos también!

English uses the phrases *each other* and *one another* to express reciprocal actions: *They love each other/one another*. Spanish uses the pronouns **nos** and **se**, accompanied by the corresponding verb forms, to express reciprocal or mutual actions.

Mi amiga Sara y yo **nos llamamos** mucho.	*My friend Sara and I call each other a lot.*
Los compañeros de clase **se prestan** las notas.	*Classmates lend each other their class notes.*

Input **[6.12] ¿Reflexivo o recíproco?** Lee las siguientes oraciones e indica si es una construcción reflexiva o recíproca:

1. Nos bañamos. Ref.
2. Nos escribimos mensajes. Rec.
3. Nos miramos en el espejo. Ref.
4. Nos vemos los sábados. Rec.
5. Nos dormimos muy tarde. Ref.
6. Nos despertamos todas las noches. Ref./Rec.

Input **[6.13] ¿Similares o diferentes?** Indica si estas afirmaciones son ciertas para estas personas en general.

	Los amigos	Los novios	Los padres e hijos
1. Se ayudan con la escuela/el trabajo.	☐	☐	☐
2. Se prestan ropa.	☐	☐	☐
3. Se dicen mentiras (*lies*) a veces.	☐	☐	☐
4. Se llaman varias veces al día.	☐	☐	☐
5. Se consultan las decisiones importantes.	☐	☐	☐
6. Se dicen que se quieren.	☐	☐	☐

[6.14] Tu mejor amigo/amiga y tú.

Output **Paso 1.** En tu cuaderno, contesta las siguientes preguntas sobre tu mejor amigo/a y tú.

1. ¿Cómo se comunican? ¿Se llaman por teléfono? ¿Se mandan correos electrónicos o mensajes de texto por teléfono?
2. ¿Se ven frecuentemente? ¿Dónde se encuentran? Si no viven en la misma ciudad, ¿se ven con un programa de videochat?
3. ¿Se cuentan (*tell*) sus problemas? ¿Se cuentan secretos?
4. ¿Se ayudan con los estudios?
5. ¿Qué cosas se prestan? ¿Dinero, ropa...?
6. ¿Se hacen reír (*make each other laugh*)?
7. ¿Se enojan (*get upset*) a veces también?

Paso 2. Comparte con un/a compañero/a tus respuestas sobre tu amigo/a y tú. Pídele (*ask her/him*) más detalles sobre sus respuestas y también elabora tus respuestas.

Modelo: Estudiante A: **Mi amigo Dan y yo no nos llamamos todos los días, pero nos mandamos correos electrónicos.**

Estudiante B: **Mi amiga Julia y yo nos escribimos en Facebook, ¿ustedes también?**

Use ***PowerPoint Slides*** para presentar y practicar esta gramática.

Extensión: Presente la construcción recíproca con ejemplos escritos en la pizarra o en *Power Point Slides*. Dibuje las caras de un hombre y de una mujer e invente oraciones sobre ellos: *Se quieren mucho, se besan,* etc.

WileyPLUS

Go to *WileyPLUS* to review this grammar point with the help of the **Animated Grammar Tutorial**.

6.12 Sugerencia: Puede añadir algunos ejemplos más de construcciones ambiguas como el número 6 en este ejercicio y explicar que, en estos casos, se suele usar la expresión "el uno al otro" si se trata de un uso recíproco.

6.13 Extensión: Puede pedir a sus estudiantes que, en grupos o con toda la clase, piensen en otras diferencias en las relaciones entre estas personas. Algunas ideas para comenzar la conversación, incluyendo más verbos recíprocos: *¿Con cuánta frecuencia se hablan? ¿Con cuánta frecuencia se ven? ¿Cómo se saludan? ¿Se abrazan?*

Si hay estudiantes que trabajan, puede también animarles a comparar los casos anteriores a las relaciones entre colegas de trabajo, como anticipación temática del trabajo y las profesiones, en este capítulo.

6.14 Extensión: Puede pedir a los estudiantes que, en parejas, escriban otras acciones recíprocas que hacen los amigos.

Cultura

Los días festivos

ANTES DE LEER

¿Hay celebraciones donde vives tú que no se celebran en otras partes del país? ¿Cuáles son y cómo se celebran?

Use ***PowerPoint Slides*** para presentar esta sección de cultura.

Sugerencia: Pregunte a los estudiantes si conocen otras fiestas hispanas y pida que compartan lo que saben con la clase. A muchos estudiantes les gusta compartir sus experiencias personales o familiares, o lo que conocen a través de amigos, etc. Además, se enfatiza la idea de la clase como una comunidad donde todos colaboran en la construcción y ampliación de conocimientos, en vez de un lugar donde el texto y el instructor son las únicas fuentes.

Los días festivos marcan un cambio en la rutina diaria. Normalmente, estas festividades son de dos tipos: religiosas o cívicas. Las fiestas religiosas celebran las tradiciones de la religión católica y las cívicas, los hechos (*events*) históricos. Cada país tiene sus propias (*their own*) fiestas, pero hay muchas que todos los hispanos conmemoran.

Orban Thierry/© Corbis

▲ Semana Santa en Sevilla, España

La celebración religiosa hispana más popular es la Semana Santa (*Holy Week*). Muchos participan en procesiones por las calles, llevando imágenes de Cristo o de la Virgen María, y se hacen representaciones de escenas bíblicas. Las actividades culminan el sábado y el domingo con bailes y fuegos artificiales (*fireworks*), para celebrar la resurrección de Cristo.

Pablo Blazquez Dominguez/Getty Images

Las festividades nacionales son especialmente populares en Latinoamérica. El Día de la Independencia es una de las fechas más importantes. Generalmente, esta celebración consiste en grandes desfiles (*parades*). En algunas comunidades participan las fuerzas armadas y los estudiantes de las escuelas. Un gran número de banderas decoran las ciudades y la gente se divierte hasta muy tarde en la noche en las ferias y los bailes.

Otras festividades religiosas honran al santo patrón de una ciudad o de un país. Durante la fiesta de San Fermín, en Pamplona, España, sueltan toros por algunas calles (*streets*). Los habitantes de la ciudad y una enorme cantidad de turistas se visten de blanco con pañuelos (*handkerchiefs*) y cinturones (*sashes*) rojos y corren detrás (*behind*) o delante (*in front of*) de los toros. La fiesta atrae a 1.5 millones de turistas todos los años. Desde 1925, 15 personas han muerto durante el evento y unas 300 se lastiman (*are injured*) cada año.

DESPUÉS DE LEER

1. ¿Hay celebraciones en Estados Unidos que se consideran peligrosas, como los San Fermines en Pamplona?
2. Completa el cuadro siguiente con algunos ejemplos específicos.

	Fiestas cívicas	Fiestas religiosas
España/Latinoamérica		
Estados Unidos		

Así se dice

El trabajo y las profesiones

Use ***PowerPoint Slides*** para presentar y practicar este vocabulario.

WileyPLUS

Pronunciación:
Practice pronunciation of the chapter vocabulary and particular sounds of Spanish in *WileyPLUS.*

El señor Vega es **abogado.** Hoy defiende un caso en el tribunal (*court*).

La señora Vega es una **mujer de negocios** con mucho talento.

El Dr. López es **médico.** Es **doctor**[1] cirujano de tórax.

La señorita Rojas es **enfermera.** Trabaja en el hospital.

La señora Ruiz es **programadora de computadoras.**

El señor Gómez es **contador.** Trabaja para una **compañía** multinacional.

La señorita Cortés es **maestra** de segundo grado.

La señora Casona es **ama de casa.** ¡Es un trabajo muy exigente (*demanding*)!

Carmen es **secretaria** y **recepcionista.**

Linda es **dependienta** en una tienda de ropa.

Alfonso es **mesero** en un restaurante y Natalia es **cajera.**

Octavio es **periodista.** Escribe para el periódico (*newspaper*) de la universidad.

El trabajo

El **trabajo** es una de las actividades más importantes de nuestra vida. Muchos adultos tienen un trabajo **a tiempo completo** y trabajan todo el día, pero otros, por ejemplo muchos estudiantes, tienen trabajos **a tiempo parcial** y trabajan menos horas. No todos los trabajos compensan igual: los doctores, los abogados y otros, generalmente **ganan** mucho **dinero**, pero los maestros y las secretarias normalmente ganan poco. Algunas personas prefieren trabajar para una **compañía** grande, como una multinacional; otras personas prefieren **empresas** pequeñas o familiares. Hay personas que trabajan en una oficina, otras en una escuela o en una universidad, en una **tienda** o en un centro comercial, o por toda la ciudad, como los **policías.** Otros son **empleados** de una **fábrica**, de un restaurante o de un supermercado. ¿Qué tipo de trabajo prefieres tú?

NOTA DE LENGUA

Some countries, like Spain, use the word **camarero/a** *to refer to a waiter, while Mexico and other countries use* **mesero/a** *(which is related to the word* **mesa***).*

[1]**El médico/la médica** and **el doctor/la doctora** are synonyms.

Extensión: Para consolidar el nuevo vocabulario, haga preguntas sobre estas profesiones: qué objetos/herramientas se usan, a qué horas trabajan, etc. Por ejemplo: *¿Qué cosas necesita Carmen para su trabajo? ¿Necesita una computadora?; ¿Linda trabaja durante el día, o en la noche? ¿Creen que trabaja los sábados?*

el amo/ama de casa	*homemaker*	**la empresa**	*firm*
el/la cajero/a	*cashier*	**la fábrica**	*factory*
el/la dependiente/a	*salesclerk*	**ganar**	*to earn (money); to win*
la compañía	*company*		
el/la contador/a	*accountant*	**el/la periodista**	*journalist*
el dinero	*money*	**el policía/la mujer policía**[2]	*policeman/woman*
la tienda	*store*		
el/la empleado/a	*employee*	**a tiempo completo/parcial**	*full-time/part-time*

NOTA DE LENGUA

When stating a person's profession or vocation without further qualifiers or description, the indefinite article **un** or **una** is not used. When an adjective is added, the indefinite article is used.

Mi madre es **abogada.** BUT Mi madre es **una abogada** excelente.
~~Mi madre es una abogada.~~

6.15 Audio: 1. Juan vende coches; es recepcionista. 2. Ernesto es mesero; trabaja en un restaurante. 3. Ana tiene un trabajo de jornada completa; trabaja todo el día. 4. Yo soy mesero; cocino muchas pizzas en el restaurante. 5. Tú eres dependienta; trabajas en una oficina. 6. En el supermercado hay muchas cajeras.

[6.15] ¿Sí o no?

Input

Escucha los siguientes enunciados y decide si son lógicos (**sí**) o ilógicos (**no**).

1. ☐ Sí ☑ No **3.** ☑ Sí ☐ No **5.** ☐ Sí ☑ No
2. ☑ Sí ☐ No **4.** ☐ Sí ☑ No **6.** ☑ Sí ☐ No

6.16 Extensión: Pida a los estudiantes que hablen, en grupos, sobre las personas que conocen que tengan alguna de estas profesiones y que compartan lo que saben sobre su trabajo. Puede finalizar la actividad preguntando a la clase sobre sus empleos o sobre el tipo de trabajo que les gustaría tener: *¿Quién tiene un trabajo ahora? ¿Dónde trabajan? ¿Trabajan a tiempo completo o a tiempo parcial? ¿Qué tipo de trabajo prefieren?*

[6.16] ¿Quién es?

Output

Paso 1. Lee las siguientes descripciones e identifica cada profesión. Pon atención a si es un hombre o una mujer.

1. Cuida a (*looks after*) sus pacientes día y noche: toma su temperatura, observa su estado, administra medicinas, etc. la enfermera/el enfermero
2. Revisa las finanzas de su empresa o cliente, calcula los impuestos (*taxes*), etc. el contador/la contadora
3. Dependiendo de dónde trabaja, puede vender ropa, zapatos, libros, etc. el dependiente/la dependienta
4. Recibe las visitas y contesta el teléfono. Generalmente, también hace otras tareas administrativas. el recepcionista/la recepcionista
5. Pasa casi todo el día en un aula. Tiene que leer muchas tareas. el maestro/la maestra
6. Diagnostica y pone tratamiento a sus pacientes. A veces está de guardia y tiene que estar disponible durante el fin de semana o por la noche. el médico o doctor/la médica o doctora
7. Toma la orden de los clientes y sirve comida en un restaurante. el mesero/la mesera
8. Informa sobre las noticias y hace entrevistas. el periodista/la periodista

[2]Note that **la policía** means the police force, the institution. Therefore, to refer to a female who works as a police woman, we say **la mujer policía**.

Paso 2. En grupos, escojan tres o cuatro de las ocupaciones anteriores. ¿Qué saben sobre ellas? Aquí tienen algunas preguntas para empezar:

- ¿Qué aspectos positivos y negativos tienen estas profesiones?
- ¿Qué cualidades personales o conocimientos son necesarios para desempeñar (*carry out*) esta profesión con éxito (*successfully*)?
- ¿Tienes experiencia personal o conoces a alguien con esta profesión? ¿Cuál es tu experiencia o la experiencia de esa persona?

PALABRAS ÚTILES

la creatividad	*creativity*
la flexibilidad	*flexibility*
la responsabilidad	*responsibility*
agotador	*tiring, draining*
exigente	*demanding*
emocionante	*exciting*
liviano	*light, easy*
peligroso	*dangerous*
prestigioso	*prestigious*

[6.17] La vida profesional.

Output **Paso 1.** Elige (*choose*) una de las profesiones nombradas anteriormente y escribe un párrafo corto sobre un día en la vida de una persona con esa profesión.

Modelo: Cada mañana esta persona se levanta a las...

Paso 2. En grupos, compartan sus descripciones y adivinen (*guess*) a qué profesión se refiere cada descripción.

Sugerencia: Puede asignar el Paso 1 como tarea el día anterior y completar la actividad con el Paso 2 en clase.

Situaciones

Uno/a de ustedes es un consejero/a de orientación profesional y el otro/a es él/ella mismo/a, buscando consejos sobre su futura carrera (*career*).

Consejero/a:

1. Vas a entrevistar a un/una estudiante. Debes hacerle las siguientes preguntas, y dos preguntas más que consideres relevantes (escríbelas abajo). Escucha y toma notas.
2. Escucha las respuestas de tu compañero/a, sugiere (*suggest*) una profesión apropiada para él/ella y explícale por qué es una buena opción para él/ella.

Estudiante:

1. Escucha las preguntas del consejero de orientación profesional y responde honestamente y con muchos detalles.
2. Escucha las sugerencias del consejero de orientación profesional. Dile si estás o no de acuerdo con su sugerencia, y explica por qué.

Cuestionario de orientación profesional. Nombre: ____________

1. ¿Tienes experiencia laboral? (Si respondes "No", salta (*skip*) al número 5.) ____________
2. ¿En qué trabajo(s) tienes experiencia? ____________
3. ¿Qué aspectos de esos trabajos te gustan? ____________
4. ¿Qué aspectos no te gustan? ____________
5. ¿Qué estudias? ____________
6. ¿Cuáles son tus clases favoritas? ____________
7. ¿Dónde quieres trabajar? En un lugar grande, la ciudad... ____________
8. ¿Es importante para ti ganar mucho dinero? ____________
9. ¿ ... ? ____________
10. ¿ ... ? ____________

Sugerencias: Si hay suficiente tiempo, se puede repetir con parejas diferentes, de modo que todos los estudiantes cambien de papel. Por ejemplo, se puede pedir que todos los consejeros se levanten e intercambien asientos con otros consejeros. Una vez que hayan cambiado de pareja, explique que quienes antes eran consejeros ahora son estudiantes y viceversa. Cuando hayan terminado, puede pedir a las parejas que hablen sobre las cualidades necesarias para la profesión elegida y que escriban una lista con las cinco más importantes.

Así se forma

3. Talking about actions in the past: The preterit of regular verbs and *ser/ir*

WileyPLUS

Go to *WileyPLUS* to review this grammar point with the help of the **Animated Grammar Tutorial** and **Verb Conjugator**.

Use ***PowerPoint Slides*** para presentar y practicar esta gramática.

Sugerencia: Para presentar el pretérito, prepare una transparencia o escriba en la pizarra una tabla con columnas para estudiar, volver, salir, ser/ir. Pida a la clase que le ayude a colocar las formas de pretérito del texto en las columnas correspondientes. Pueden también hacer hipótesis sobre el resto de las formas y comprobar si eran correctas después. Para presentar el resto de las formas puede contar su rutina (presente) y contrastarla con lo que hizo ayer (pretérito), pidiendo a la clase que identifique las formas de pretérito. Intente incluir formas de *ser, ir* y algunos verbos reflexivos. Por ejemplo:

Mi rutina es siempre igual: Todos los días me levanto a las 8 de la mañana, tomo un café y como cereal...

Pero ayer fue un día diferente: Ayer me levanté a las 8 y media, tomé jugo de naranja y comí pan tostado...

Después, pregunte a los estudiantes qué hicieron ayer, comente qué hicieron todos (nosotros), etc. para completar la tabla. Use preguntas que los estudiantes puedan contestar sin tener que producir la forma: *Y tú, ¿ayer te levantaste temprano o tarde?*

Sandra: —Ayer **te levantaste** temprano, ¿no?

Violeta: —Sí, **me levanté** a las siete, **me vestí** rápidamente, **tomé** café y **fui** a mi entrevista de trabajo.

Sandra: —¿Tu entrevista **fue** esta mañana? Y, ¿qué tal?

Violeta: —**Llegué** tarde. Ayer no **leí** bien la dirección y **fui** al lugar equivocado.

Sandra: —¡Ay, no! Entonces, ¿qué **pasó** (*what happened*)?

Violeta: —**Llamé** por teléfono y **expliqué** la situación. **Fueron** muy amables, ¡me **ofrecieron** otra entrevista hoy!

The preterit tense is used to talk about actions or states viewed as completed in the past.

Ayer...	
Me levanté a las siete, **me vestí** y **tomé** café.	*I got up, got dressed and had coffee.*
Llegué tarde a la entrevista.	*I arrived late to the interview.*
¡Me **ofrecieron** otra entrevista!	*I was offered another interview!*

Preterit form of regular verbs

	estudiar	**volver** (*to return*)	**salir** (*to leave*)
(yo)	estudi**é**	volv**í**	sal**í**
(tú)	estudi**aste**	volv**iste**	sal**iste**
(usted, él/ella)	estudi**ó**	volv**ió**	sal**ió**
(nosotros/as)	estudi**amos**[1]	volv**imos**	sal**imos**
(vosotros/as)	estudi**asteis**	volv**isteis**	sal**isteis**
(ustedes, ellos/ellas)	estudi**aron**	volv**ieron**	sal**ieron**

- Note that **–er**/**–ir** preterit verb endings are identical.
- In the preterit tense, **–ar** and **–er** verbs never undergo stem changes (See **volver** above.)

Other preterit forms

- Verbs ending in **–gar**, **–car**, and **–zar** have spelling changes in the preterit in order to maintain their pronunciation in the **yo** form.

- gar g → gu	jugar, llegar	**jugué**, jugaste, jugó, ...
- car c → qu	tocar, buscar	**toqué**, tocaste, tocó, ...
- zar z → c	abrazar, almorzar	**abracé**, abrazaste, abrazó, ...

[1]The **nosotros** form of **-ar** and **-ir** verbs in the preterit are the same as their respective present-tense forms.
[2]You will learn about preterit forms of **–ir** stem-changing verbs in *Capítulo 7*.

- In the verbs **leer** and **oír** there are also changes in the third person forms: **-ió** → **yó**; **-ieron** → **-yeron**. Notice the written stress in all the forms except third person plural.

leer	leí, leíste, **leyó**, leímos, leísteis, **leyeron**
oír	oí, oíste, **oyó**, oímos, oísteis, **oyeron**

- There are some verbs with irregular preterit forms. **Ser** and **ir** have identical irregular preterit endings; the context clarifies which verb is used.

ser/ir	**fui, fuiste, fue, fuimos, fuisteis, fueron**	
(ir)	**Fueron** a la playa ayer.	*They went to the beach yesterday.*
(ser)	**Fue** un día extraordinario.	*It was an extraordinary day.*

Here are some time expressions that set a specific, limited amount of time in the past, or the beginning or end of such a past time, and are commonly used with the preterit.

ayer	*yesterday*	**primero**	*first*
anteayer	*the day before yesterday*	**después**	*afterwards*
anoche	*last night*	**entonces**	*then*
la semana pasada	*last week*	**luego**	*then, later*
el mes pasado	*last month*	**ya**	*already*
el año pasado	*last year*		

[6.18] ¿Antes o ahora?

Input

Escucha estas afirmaciones e indica si se refieren al presente o al pasado. En algunos casos pueden ser ambos.

1. Pasado Presente
2. Pasado Presente
3. Pasado Presente
4. Pasado Presente
5. Pasado Presente
6. Pasado Presente
7. Pasado Presente
8. Pasado Presente
9. Pasado Presente

[6.19] ¿Cómo fue tu día ayer?

Input **Paso 1.** Lee las siguientes oraciones y, si son ciertas para ti, escribe *Sí*. Si no, reescríbelas en tu cuaderno, haciéndolas (*making them*) ciertas para ti.

1. ____ Me levanté temprano.
2. ____ Fui al gimnasio.
3. ____ Desayuné en la cafetería de la universidad.
4. ____ Llegué temprano a mis clases.
5. ____ Mis amigos y yo comimos juntos.
6. ____ Estudié en la biblioteca.
7. ____ Mi amigo/a y yo fuimos a cenar a un restaurante.
8. ____ Leí una novela en mi cuarto.
9. ____ Me acosté a las 11 de la noche.

Output **Paso 2.** Ahora, describe en un párrafo tu día de ayer usando las oraciones relevantes del Paso 1 y añadiendo otros detalles. Usa por lo menos (*at least*) tres de las expresiones de tiempo de arriba (*above*).

Paso 3. En parejas o grupos pequeños, compartan sus descripciones y comparen las similitudes y diferencias en su día de ayer.

6.18 Audio:
1. Trabajo en una tienda.
2. Trabajó ocho horas el sábado.
3. No ganamos mucho dinero.
4. Asistimos a la reunión.
5. Habló con el supervisor.
6. Salimos de la oficina a las tres.
7. Leo los reportes del contador.
8. No oyó el despertador y llegó tarde.
9. Llego temprano al trabajo.

6.18 Este ejercicio de comprensión se concentra en formas que suelen causar confusión: presente de persona en **–ar** (trabajo) y pretéritos de 3a persona de los mismos verbos (trabajó), en las que la única diferencia es la posición de acento oral, y formas de primera persona plural en **–ar,** que pueden ser presente o pretérito.

6.19 Esta actividad lleva al estudiante de la comprensión a la práctica y comunicación guiadas con las formas de primera persona singular y plural.

6.20 Audio:
1. Enseña español. 2. Fue al cine con sus estudiantes. 3. Lee su correo electrónico. 4. Va a un restaurante con sus amigos. 5. Enseñó muchas clases. 6. Leyó ciento veinte composiciones. 7. Ayuda a sus estudiantes. 8. Almorzó con sus colegas. 9. Tocó una canción con su guitarra. 10. Es muy simpática.

[6.20] La profesora Rodríguez.

Input **Paso 1.** Escucha las siguientes afirmaciones sobre la profesora Rodríguez e indica si se refieren a sus actividades habituales o actividades específicas de la semana pasada.

	Siempre	La semana pasada		Siempre	La semana pasada
1.	☑	☐	**6.**	☐	☑
2.	☐	☑	**7.**	☑	☐
3.	☑	☐	**8.**	☐	☑
4.	☑	☐	**9.**	☐	☑
5.	☐	☑	**10.**	☑	☐

PALABRAS ÚTILES

ayudar *to help*
enseñar *to teach*

Output **Paso 2.** **¿Y tu profesor o profesora?** Escribe un párrafo indicando varias actividades que hace habitualmente. Después imagina que ayer fue un día extraordinario para él/ella, usa tu imaginación y describe sus actividades por escrito.

6.20 Paso 2 Extensión: Anime a sus estudiantes a escribir una historia imaginativa y divertida.

6.21 Extensión: Pida a los estudiantes que escriban un breve párrafo sobre otras cosas interesantes que hicieron el año pasado.

[6.21] El último año.

Output **Paso 1.** En la columna **El año pasado**, completa estas preguntas para tus compañeros de clase sobre si tuvieron (*had*) estas experiencias en el último año.

Modelo: comprar un coche nuevo **¿Compraste un coche nuevo?**

	El año pasado	¿Quién?
1. viajar a un lugar interesante	¿ Viajaste... ? ¿Adónde?	
2. ver una película excelente	¿ Viste... ? ¿Cuál?	
3. hablar con alguien famoso o importante	¿ Hablaste... ? ¿Quién?	
4. probar (*to try*) una comida nueva	¿ Probaste... ? ¿Cuál?	
5. ir a un lugar peligroso (*dangerous place*)	¿ Fuiste... ? ¿Adónde?	
6. leer un libro inolvidable	¿ Leíste... ? ¿Cuál?	
7. estudiar o aprender algo nuevo	¿ (Estudiaste o aprendiste...) ? ¿Qué?	
8. ¿?	¿ ______ ?	

Paso 2. Ahora, camina por la clase y lee tus preguntas a tus compañeros. Cuando un compañero/a responda *"Sí"*, escribe su nombre en la columna **¿Quién?**, pide más detalles sobre esa experiencia y anótalos también.

Paso 3. En grupos de cuatro o cinco personas, comenten lo que descubrieron. ¿Quién tuvo el año más interesante?

Output **[6.22] El sábado pasado.** Observa las ilustraciones sobre las actividades de Javier y su hermano menor, Samuel, durante el sábado. Escribe un número debajo de cada ilustración, indicando en qué orden piensas que las hicieron. Después escribe un párrafo describiendo su día. Incluye otros detalles y expresiones de tiempo (después, luego, etc.)

______

______

______

______

______

______

6.22 Extensión: Pida a la clase que, en parejas, elijan una pareja famosa (Homer y Marge Simpon, Bill y Melinda Gates, etc.) y que escriban cinco oraciones sobre lo que hicieron ayer. Después deben leer sus oraciones a otros estudiantes para que identifiquen quién es la pareja famosa.

Output **[6.23] Un día normal.** Lee el mensaje que Natalia le envió a su hermana ayer y completa los espacios con la forma apropiada de cada verbo.

De: Natalia <natamarq@uni.edu>
Date: 15 de marzo
Para: Beatriz <bealabella@dicho.com>
Asunto: Esta semana

¡Hola, hermanita! ¿Cómo estás? ¿Y papá y mamá? Anteayer y ayer (ser) fueron días bastante ordinarios. Ayer, por ejemplo, primero (levantarse) me levanté temprano y (correr) corrí tres millas. Luego, a eso de las siete de la mañana, (bañarse) me bañé, (desayunar) desayuné con mi amiga Ana, y después Ana y yo (asistir) asistimos a nuestra clase. Luego, Ana (ir) fue a otra clase. Entonces, yo (almorzar) almorcé y (ir) fui al Centro Estudiantil para encontrarme con mis amigos Octavio y Rubén para estudiar. Los tres (ir) fuimos juntos (*together*) a la biblioteca. Allí (estudiar) estudiamos y (mandar) mandamos unos correos electrónicos. Mis amigos también (leer) leyeron algunas revistas (*magazines*) de deportes. Después, yo (regresar) regresé al restaurante de la uni para cenar y (volver) volví a mi cuarto. Como siempre, (escuchar) escuché un poco de música y (acostarse) me acosté. Ya sabes que me encanta dormir, pero también me gusta correr temprano... Ahora tengo que ir a clase. Un beso, hermanita.

6.23 Use ***PowerPoint Slides*** para esta actividad.

6.23 Nota: A diferencia de los ejercicios anteriores, enfocados en una o dos formas de conjugación verbal, esta actividad requiere el uso de varias formas de conjugación.

Output **[6.24] Un fin de semana interesante.**

Paso 1. Escribe un párrafo con muchos detalles sobre lo que hiciste el sábado pasado. No escribas tu nombre en el papel.

Paso 2. Cuando toda la clase haya acabado (*has finished*), el instructor va a repartir (*distribute*) todas las historias. Lee la historia que recibas y adivina quién la escribió.

6.24 Puede asignar el Paso 1 como tarea en casa, pidiendo que escriban en una hoja de papel suelta con su nombre en la parte de atrás.

En clase, pida a los estudiantes que lean algunas de las narraciones en voz alta para que toda la clase intente adivinar quiénes las escribieron.

VideoEscenas

WileyPLUS

La rosa sevillana

▲ En el Capítulo 5, Rocío y Carmen hablaron de sus planes para el fin de semana. Carmen fue a visitar a una amiga en Sevilla. Ahora está en Madrid y habla con Rocío otra vez.

Opción: Si hace esta actividad en clase, puede pedir que completen esta sección en parejas.

Sugerencia: Pida a los estudiantes que hagan una lluvia de ideas sobre los preparativos para una salida de noche: **acostarse, maquillarse, cepillarse los dientes, ducharse/bañarse, cortarse el pelo, peinarse, dormirse, vestirse, afeitarse,** etc.

ANTES DE VER EL VIDEO

1. ¿Qué dos actividades te gusta hacer los fines de semana por la noche?
2. ¿Qué haces para prepararte para salir el sábado por la noche?
3. Di (*tell*) a un/a compañero/a adónde fuiste este fin de semana. ¿Fueron ustedes a algún lugar (*any place*) similar?

A VER EL VIDEO

Paso 1. Mira el video una vez y resume brevemente (briefly) el fin de semana de Carmen.

Paso 2. Lee las siguientes preguntas o afirmaciones y sus posibles respuestas. Si sabes las respuestas, márcalas ahora. Después, mira el video de nuevo, comprueba (*check*) o completa tus respuestas.

1. ¿Qué lugar **no** visitó Carmen en Sevilla?

   a. El Parque de María Luisa
   b. El Museo de Bellas Artes
   c. El Alcázar
   d. La Catedral

2. Antes de salir por la noche, ¿qué hizo Carmen para prepararse?

   a. lavarse
   b. ducharse
   c. afeitarse
   d. maquillarse
   e. peinarse
   f. vestirse

3. ¿Adónde fueron Carmen y su amiga por la noche?
4. Carmen recibió un regalo (*gift*) de un bailaor[1] en el espectáculo. Para Carmen, ¿cuál fue la razón? ¿Piensa Rocío lo mismo (*the same*)?

DESPUÉS DE VER EL VIDEO

Imagina: tu amiga piensa que un chico está interesado románticamente en ella, pero tú sabes que no es verdad, ¿qué haces?

[1]Flamenco dancers are called **bailaores/bailaoras**, which other dancers are **bailarines**.

Así se forma

4. Direct object pronouns

Luis: —¿**Te** llamó Carlos?

Rodrigo: —Sí, **me** llamó ayer. Dice que olvidó (*forgot*) aquí su libro de alemán, pero yo no **lo** vi.

Luis: —Ah, sí, **lo** encontré en el pasillo (*corridor*) y **lo** llevé a mi cuarto.

Rodrigo: —Ah, muy bien. ¿Y tienes mi calculadora?

Luis: —Sí, **la** puedo llevar a tu cuarto ahora.

Rodrigo: —Gracias, necesito usar**la** esta tarde.

WileyPLUS

Go to *WileyPLUS* to review this grammar point with the help of the **Animated Grammar Tutorial** and **Verb Conjugator**.

A direct object is the person or thing that directly receives the action of the verb. It often answers the question *what?* or *who/whom?* about the verb. Observe the direct objects in bold:

Compré **el carro.** *I bought the car.* (*what did I buy* → ***the car***)

Vi **a Laura.**[1] *I saw Laura.* (*whom did I see* → ***Laura***)

We use direct object pronouns to replace a direct object when it has been previously mentioned, to avoid repetition. Observe the use of the direct object pronoun **lo** below, replacing *el carro*.

- Compré el carro.
- ¿Sí? ¿Finalmente **lo** compraste? ¿**Lo** puedo ver? ¿Dónde **lo** tienes?

Antes de leer la explicación, puede pedir a la clase que identifique a qué o quién se refieren las palabras en negrita en el texto. Si cree que están preparados para ello, puede también preguntar qué función tienen todas estas palabras en las oraciones donde se encuentran.

Pronombres de objeto directo

me	Carlos no **me** llamó.	*Carlos did not call **me**.*
te	¿**Te** llamó Carlos?	*Did Carlos call **you**?*
lo	No **lo** conozco. (a Juan/a usted, *m.*) No **lo** tengo. (el libro)	*I don't know **him/you** (m.).* *I don't have **it** (m.).*
la	Juan **la** conoce. (a Lola/a usted, *f.*) Juan **la** come. (la fruta)	*Juan knows **her/you** (f.).* *Juan eats **it** (f.).*
nos	Laurie **nos** visitó anoche.	*Laurie visited **us** last night.*
os	¿Quién **os** visitó?	*Who visited **you** (pl.)?*
los	Voy a llamar**los.** (a ellos/a ustedes, *m.*) Voy a preparar**los.** (los cafés)	*I am going to call **them/you** (m.).* *I am going to prepare **them** (m.).*
las	Pedro **las** admira. (a ellas/a ustedes, *f.*) Pedro **las** va a preparar. (las bebidas)	*Pedro admires **them/you** (f.).* *Pedro is going to prepare **them** (f.).*

Use ***PowerPoint Slides*** para presentar y practicar esta gramática.

Sugerencia: Escriba los pronombres de objeto directo en una transparencia o en la pizarra. Presente ejemplos con afirmaciones y preguntas (use nombres de estudiantes): *Pedro me llamó, ¿Te llamó?, Pedro lo llamó* (señale a un estudiante masc.), *Pedro la llamó* (señale a una estudiante fem.), etc. Use estos ejemplos para ilustrar el uso del pronombre para reemplazar un nombre con función de objeto directo. Por ejemplo: *Pedro conoce a Marta.* → *Pedro la conoce.*

- Direct object pronouns must agree with the nouns they replace.
  —¿Compraste **la pasta de dientes**? —Sí, **la** compré esta mañana.
  —Ayer conocí **a los nuevos empleados.** —Yo también **los** conocí.
- Direct object pronouns are placed immediately before a conjugated verb. If the verb is negative, *no* must be placed before the pronoun.
  Lo compré pero no **lo** tengo ahora.
- If the conjugated verb is followed by an infinitive (**–ar, –er, –ir** form) or a present participle (**-ando, -iendo** form) you may place the direct object pronoun either

[1]Remember that, when the direct object is a person, it requires the **personal a** (see Nota de lengua, **La a personal, Así se dice, Relaciones personales**, and observe examples in this section.)

Sugerencia: Para ilustrar la posición del pronombre de objeto directo, escriba cada una de las siguientes palabras en una hoja de papel: *no, te, llamo, quiero, llamar, estoy* y *llamando*. Pida a tres estudiantes que se pongan frente a la clase, en pie, y deles las hojas con las palabras *llamo, te* y *no*. Pida a la clase que les ayude a ponerse en el orden necesario para que la frase sea correcta. Sustituya la palabra *llamo* con *quiero* y dé a otro estudiante *llamar*. De nuevo, la clase debe pensar en las dos opciones correctas: *No te quiero llamar. / No quiero llamarte.* Complete esta demostración dando las palabras *estoy* y *llamando* a otros dos estudiantes.

6.25 Audio:
1. ¿Vas a comprar jabones para lavarnos las manos? 2. ¿Y tienes el gel de ducha? 3. ¿Buscaste mi pasta de dientes favorita? 4. ¿Tienes el dinero? 5. ¿Tienes tu tarjeta de crédito? 6. Entonces, ¿puedes comprar esas cosas o no?

Sugerencia: Si les resulta difícil a sus estudiantes recordar el objeto directo del enunciado a la hora de escoger el pronombre correcto, pida que escriban el objeto directo al escuchar cada oración y después escojan el pronombre.

6.26 Use ***PowerPoint Slides*** para revisar las respuestas.

immediately before the conjugated verb (examples ***a*** below) or attached after the infinitive or present participle[1] (examples ***b***.) It cannot be placed between both forms.

a. **La** voy a invitar. OR b. Voy a invitar**la**. *I am going to invite* ***her***.
a. **La** estoy llamando. OR b. Estoy llamándo**la**. *I am calling* ***her***.

NOTA DE LENGUA

Note that the pronoun *it* can only be translated as **lo/la** when *it* functions as a direct object. The English *it* subject pronoun is usually omitted in Spanish.

I ate it. → **Lo comí.** We didn't write it. → **No lo escribimos.**

BUT

It is expensive. → **Es caro.** It opens at 8 A.M. → **Abre a las 8 de la mañana.**

Input

[6.25] De compras. Estás en la farmacia para comprar algunas cosas que necesitan tú y tu compañera de cuarto. Eres un poco despistada (*absent-minded*) así que tu compañera te llama para asegurarse (*make sure*) de que no olvidas nada. Escucha y elige la respuesta correcta.

1.	☐ Sí, lo voy a comprar.	☐ Sí, la voy a comprar.	☑ Sí, los voy a comprar.	☐ Sí, las voy a comprar.
2.	☑ Sí, lo tengo.	☐ Sí, la tengo.	☐ Sí, los tengo.	☐ Sí, las tengo.
3.	☐ Sí, lo busqué.	☑ Sí, la busqué.	☐ Sí, los busqué.	☐ Sí, las busqué.
4.	☑ No, no lo tengo.	☐ No, no la tengo.	☐ No, no los tengo.	☐ No, no las tengo.
5.	☐ No, no lo tengo.	☑ No, no la tengo.	☐ No, no los tengo.	☐ No, no las tengo.
6.	☐ No, no lo puedo comprar.	☐ No, no los puedo comprar.	☐ No, no la puedo comprar.	☑ No, no las puedo comprar.

Output

[6.26] ¿Quién tiene mis tijeras? Vives en la residencia de la ilustración de **Así se dice**, **La vida diaria**, y siempre prestas (*lend*) tus cosas a tus compañeros, pero ahora ¡no sabes quién las tiene! En parejas, el Estudiante A pregunta sobre sus cosas (números 1 a 5) y el Estudiante B, mirando las ilustraciones, responde. Después, el Estudiante B hace preguntas y el Estudiante A responde.

Modelo: tijeras
Estudiante A: **¿Quién tiene mis tijeras?**
Estudiante B: **Natalia *las* tiene. *Las* está usando para cortarse el pelo.**

Cosas del Estudiante A:
1. secador de pelo
2. peine
3. cepillo
4. maquillaje
5. champú

Cosas del Estudiante B:
6. máquina de afeitar
7. pasta de dientes
8. despertador
9. desodorante
10. guitarra

[1]In other instances, you must attach the pronoun to the infinitive or the **–ando/–iendo** form.
Voy al laboratorio para ver**lo**.
Aprendo los verbos practicándo**los**.

Output

[6.27] La telenovela *Un día de la vida.*

Van a hacer una prueba *(audition)* para los papeles de Aurora y Anselmo, dos personajes de una telenovela cursi *(cheesy)*: ***Un día de la vida.*** Primero, completen el diálogo con los objetos directos **me, te** o **lo.** Después, léanlo muy dramáticamente. ¡Realmente quieren obtener los papeles!

Anselmo: —Mi amor, estás muy triste. ¿Qué pasa?... __Me__ amas, ¿verdad?

Aurora: —__Te__ amo con todo mi corazón, pero tengo que ser muy franca. También adoro a Rafael y sé que él __me__ adora a mí.

Anselmo: —Pero yo también __te__ adoro. Eres el amor de mi vida. __Me__ necesitas, ¿verdad?

Aurora: —Claro que __te__ necesito, pero no puedo imaginar mi vida sin Rafael. También __lo__ necesito a él. __Lo__ extraño (*miss*) mucho.

Anselmo: —Mi cielo, tú sabes muy bien que no va a volver, y tú sabes que yo estoy aquí y que __te__ quiero.

Aurora: (*Ella solloza* [sobs].) —Pero él es único. Yo no __te__ quiero a ti como __lo__ quiero a él.

Anselmo: *(También solloza.)* —Tengo que reconocer (*admit*) que también __lo__ quiero. Yo también __lo__ extraño.

Aurora: —Nunca vamos a encontrar otro perro como él.

6.27 Opción: Usted es el/la director/a de la telenovela. Explique que está buscando actores y actrices para estos papeles y pida parejas voluntarias para hacer una prueba. El resto de la clase puede votar por quién merece obtener el trabajo.

6.28 El instructor debe decir a los estudiantes cuál es el cambio ese día (euro vs. dólar).

6.28 Sugerencia: Una alternativa es que los estudiantes escriban sus propias listas con cuatro objetos que quieran vender en una hoja de papel y que incluyan el estado y el precio que piden (el instructor puede mostrar un ejemplo en una transparencia). Los estudiantes circulan por la clase entre 7 y 8 minutos intentando vender sus objetos. Después, cada estudiante calcula lo que ganó. Al final comparten sus resultados con la clase. ¿Quién es el/la mejor hombre/mujer de negocios?

Esta actividad recicla los números y *estar* + *adjetivos de estado.*

Output

[6.28] Cosas (*Things*) para vender.

Imagina que eres un estudiante universitario en España. Necesitas dinero y quieres vender algunas cosas que ya no usas.

Paso 1. En tu cuaderno, haz una lista con dos objetos del cuadro que vas a vender. Piensa en una cosa más que tienes y quieres vender. Para cada objeto, decide en qué condición está (**nuevo, casi nuevo, usado, muy usado**) y escribe el precio (en euros) que quieres. ¡Tus compañeros no deben verlo!

una máquina de afeitar	un radio-despertador	un teléfono celular
un libro de psicología	una impresora/scáner a color	un sofá
un televisor LCD grande	una computadora IBM	unos CD de música clásica

Modelo: 1. *un libro de psicología, casi nuevo - € 39*

Paso 2. Ahora, piensa en dos cosas de la lista anterior que quieres comprar. Anota (*jot down*) el precio que puedes pagar para cada cosa. Puedes gastar (*spend*) más si encuentras (*if you find*) algo especial.

Paso 3. Camina por la clase, hablando con tus compañeros para vender tus cosas y comprar las cosas que necesitas. No olvides vender el objeto que añadiste (*you added*) a la lista: intenta hacerlo interesante para los compradores. Anota qué vendes, qué compras y por cuánto dinero.

Modelo:
Estudiante A: **Tengo una pelota de baloncesto para vender. Está casi nueva.**
Estudiante B: **¿Cuánto cuesta?**
Estudiante A: **La vendo por diecinueve euros. ¿Quieres comprarla?**
Estudiante B: **Sí, la compro./ Es un poco cara** *(expensive)*, **¿la vendes por...?**

INVESTIG@ EN INTERNET

Since Spain is a member of the European Union (EU), its currency is the euro (€). Can you find out the current exchange rate from USD to euros? Then think of an item you have purchased recently and convert the dollar amount to euros.

DICHO Y HECHO

PARA LEER: Vivir a la española

ANTES DE LEER

Antes de leer, 2. Si sus estudiantes no tienen muchas ideas al respecto, puede dirigir la actividad con toda la clase y hacer preguntas para guiar la conversación. Por ejemplo, con la pregunta: *¿Saben algo sobre los horarios de comer y dormir?*, es posible que la clase recuerde la sección cultural del Capítulo 4 o que mencionen la idea de la siesta. Si tiene acceso a Internet en su aula, puede mostrar el video *48 horas en Madrid* en clase.

1. Observa el formato de este texto y decide cuál es la descripción correcta:
   - ☐ Es un informe sobre los hábitos de los españoles.
   - ☒ Son entrevistas (*interviews*) sobre la vida en España.
2. ¿Qué ideas asocias con la vida en España? Piensa en costumbres, hábitos, tradiciones, etc. Escribe 2 o 3 ideas.
3. Busca en Internet sobre la beca (*scholarship*) Erasmus. ¿De qué se trata?

ESTRATEGIA DE LECTURA

Activate your background knowledge

You can get an idea of the topic and main ideas in a text by looking at the title, headings and visuals, and skimming over it. Then is a good idea to think about what you know about the topic before you start to read. Applying that knowledge, you'll be better able to interpret the text. Keep in mind the ideas that you came up with in question 2 above, as well as anything else you may have learned about Spain as you read the selection that follows.

A LEER

Punto y coma magazine article: Vivir a la española

▲ Alberta Arvalli, de Padua, Italia

Punto y coma magazine article: Vivir a la española

▲ Phillip Stark, de Ohio, Estados Unidos

El cliché relaciona a España con los toros[1], el flamenco, la juerga[2] y el sol. Cierto o no, entrevistamos a dos jóvenes extranjeros[3] que viven aquí y les preguntamos sobre su vida en nuestro país.

ALBERTA ARVALLI 25 años, Padua (Italia)

Lleva cinco meses en Madrid, pero antes vivió un año en Sevilla porque ganó la beca Erasmus.

¿Por qué decidiste volver a España?

Porque, bueno, España me encanta por la manera que tienen los españoles de vivir y Madrid es una ciudad preciosa que ya conocía y, nada, porque encontré al final trabajo aquí.

¿Crees que hay diferencia entre la gente[4] española y la gente italiana?

Yo creo que la gente del sur de España es más parecida[5] a la gente del sur de Italia. La gente del norte de España, más parecida a la del norte de Italia. La cultura es un poco diferente, pero la gente es muy similar.

Has mencionado la cultura española, ¿qué piensas de ella?

A mí me encanta. A mí me encanta leer y creo que hay muchos libros, mucha literatura española que la gente tiene que leer porque España tiene una cultura muy amplia.

PHILLIP STARK 28 años, Toledo (Ohio)

Llegó a Bilbao hace seis años y desde entonces vive en España. Empezó trabajando como profesor de inglés y hoy en día dirige una revista[6], tiene un negocio en Internet y realiza documentales.

¿Por qué decidiste venir a España?

Pues... yo había visto un folleto[7] para estudiar español en el extranjero y me parecía muy interesante Bilbao. Entonces, fui a Bilbao y lo pasé genial[8], y me dije "yo me quedo aquí para siempre".

¿Para ti qué es lo mejor que tiene España?

A ver... lo mejor que tiene España... es una cultura muy tranquila, gente tranquila, las cosas van un poco más lentas. Me gusta la comida, me gusta Madrid porque es como vivir en Nueva York pero sin tanta locura.

Y ahora que vives en Madrid, ¿para ti cómo es un día ideal en esta ciudad?

¿En Madrid? Pues un día ideal es irme a un bar de viejos, hablar con el camarero un poquito, tomarme una cañita[9] y una tapa y ya está, no me hace falta más.

Texto: Elena Giménez/*De la revista Punto y coma (Habla con eñe)*

---

[1]bullfighting, [2]partying, [3]foreign, [4]people, [5]similar, [6]magazine, [7]brochure, [8]I had a great time, [9]draft beer

DESPUÉS DE LEER

1. ¿Menciona el texto algunas ideas que tú y tus compañeros tenían sobre la vida en España antes de leerlo? ¿Cuáles?
2. Escoge la opción más apropiada de acuerdo con las opiniones de los entrevistados.
   a. Los españoles son parecidos a/diferentes de/más lentos que los italianos.
   b. La literatura española es muy famosa/excesiva/extensa.
   c. Madrid es similar a Nueva York porque es una ciudad tranquila/es una ciudad loca/ofrece variedad de eventos culturales.
3. Imagina que eres el periodista que entrevistó a Alberta y Phillip. ¿Qué otras preguntas tienes para ellos?

Extensión: Pida a los estudiantes que, en parejas, se hagan entrevistas sobre la vida cotidiana en la ciudad donde viven o su ciudad de origen. Pueden usar las preguntas del texto y las que hayan escrito para el número 3 de la sección *Después de leer* como modelos.

PARA CONVERSAR: ¿Somos compatibles?

Tres amigos/as y tú están pensando en alquilar (*to rent*) un apartamento juntos, pero hay dos dormitorios (*bedrooms*) y un cuarto de baño (*bathroom*).

Paso 1. Descríbeles a tus compañeros/as tus actividades en un día normal. En particular, incluye las cosas que haces en casa y cuándo. También debes escuchar las descripciones de ellos/ellas y hacer preguntas.

Paso 2. Decidan como grupo si son compatibles o no. Deben decidir si son compatibles para compartir el apartamento, quiénes van a compartir dormitorio y cómo van a organizar el uso del baño y la cocina.

ASÍ SE HABLA

En su conversación, intenten usar estas frases muy comunes en España:

vale = *ok*
tío/tía = *similar to "dude" or "man"*
guay = *cool*

ESTRATEGIA DE COMUNICACIÓN

Establishing timeframe and sequence

Giving structure to your description of the events of a regular day will make your message easier for your listener to understand. Organize the events into morning events **(Por la mañana...)**, and afternoon events **(Por la tarde...)**, and within each timeframe, use expressions such as the following to mark sequence.

Primero...	*First...*	**Después...**	*Afterwards...*
Luego...	*Then...; Later...*	**Finalmente...**	*Finally..., Lastly...*

PARA ESCRIBIR: Un día inolvidable (*unforgettable*)

Vas a describir un día que fue inolvidable por alguna razón, usando verbos en el pretérito. Este texto es parte de tu autobiografía, que vas a publicar pronto (*soon*).

ANTES DE ESCRIBIR

Paso 1. ¿Qué día quieres describir?

- ☐ el mejor día de mi vida
- ☐ el día más feliz de mi vida
- ☐ ____________________
- ☐ el día más triste de mi vida
- ☐ el día más extraño de mi vida

ESTRATEGIA DE REDACCIÓN

Topic sentences

While you're learning to write in Spanish, it's a good idea to stick with clear, simple organization. Each paragraph should begin with a topic sentence that tells the reader what the rest of the paragraph is going to discuss. You shouldn't try to include information in a paragraph that isn't directly related to the topic sentence. Here's a short paragraph in Spanish. After reading, decide which of the two options that follow would be the best topic sentence to begin this paragraph.

> Es muy común ver a la gente correr en las calles en Estados Unidos. Sin embargo, en Latinoamérica, la gente típicamente va a un gimnasio o a una pista para correr. Una vez, en México, salí a la calle a correr, y un vecino (*neighbor*) me preguntó: "¿Cuál es la emergencia? ¿Te pasó algo? ¿Adónde vas?".

Which one would be the best topic sentence?

- ☐ Es un poco raro (*strange*) correr en público en Latinoamérica.
- ☒ Hay diferencias entre Estados Unidos y Latinoamérica respecto a la práctica de algunos deportes.

Paso 2. **¿Qué pasó ese día?** Ahora piensa en al menos (*at least*) cuatro eventos que ocurrieron ese día y escríbelos en el pretérito. Intenta evitar verbos con formas de pretérito irregulares, pero si los necesitas, consulta las tablas de conjugación al final del libro.

Modelo: El despertador no **funcionó**...

A ESCRIBIR

Escribe un primer borrador (*draft*) para describir ese día. Usa los eventos del Paso 2 de *Antes de escribir* como oraciones temáticas de tus párrafos.

Para escribir mejor: Estas palabras de conexión probablemente te pueden ayudar a escribir mejor al igual que en la conversación.

primero	*first*	**finalmente**	*finally*
segundo	*second*	**por último**	*lastly*
después	*next/then*	**además**	*in addition*

En tu conclusión, puedes usar frases como estas:

No quiero tener nunca otro día como este.
Este día fue realmente fantástico.

DESPUÉS DE ESCRIBIR

Revisar y editar: Después de escribir el primer borrador de tu composición, déjalo a un lado (*put it aside*) por un mínimo de un día sin leerlo. Cuando vuelvas (*you return*) a leerlo, corrige la organización, el contenido, la gramática y el vocabulario. Hazte (*ask yourself*) estas preguntas:

- ☐ ¿Tiene cada (*each*) párrafo una oración temática?
- ☐ ¿Tiene cada idea, en cada párrafo, relación con la oración temática?
- ☐ ¿Describí los cuatro eventos con suficientes detalles?
- ☐ ¿Usé palabras de conexión entre los eventos?
- ☐ Subraya (*underline*) cada verbo. ¿Usé correctamente el pretérito?
- ☐ ¿Usé correctamente los pronombres de objeto directo?

PARA VER Y ESCUCHAR: La feria de San Isidro

WileyPLUS

ANTES DE VER EL VIDEO

© John Wiley & Sons, Inc.

Piensa en las celebraciones típicas de Estados Unidos. ¿Cómo se festejan (*are they celebrated*)?

La gente...	Celebraciones
... se pone ropa especial.	
... come algo en particular.	
... toca música.	
... va a un servicio religioso.	

ESTRATEGIA DE COMPRENSIÓN

Taking notes

When listening to a lecture, instructions or whenever you need to recall specific information, it is useful to take notes. It is key to keep in mind your purpose (for example, are you interested in the main ideas or specific details?) so that you can focus on taking notes that are relevant.

A VER EL VIDEO

1. Mira el video concentrándote en las ideas generales. Puedes tomar notas breves de ideas o palabras clave. Después, escribe un resumen de las ideas principales del video.

La Feria de San Isidro es...
Algunas actividades típicas durante la feria son...

2. Lee las siguientes preguntas. Después mira el video otra vez y toma nota de los detalles relevantes para responder a las preguntas.

a. ¿Cuándo y dónde se celebra el día de San Isidro? El 15 de mayo. En Madrid, España.

b. ¿Qué hace la gente en la iglesia de San Isidro? Beben el agua de la fuente del Santo. Piden un deseo.

c. Después van a la Plaza Mayor, ¿qué hacen allí? Bailar, cantar y comer.

d. ¿Cuántos tipos de rosquillas hay? ¿Cómo es cada tipo? Tres: con azúcar, sin azúcar y con crema.

e. ¿Qué tipos de música y baile se escuchan y ven durante esta fiesta? Escuchan música típica española y bailan bailes tradicionales.

DESPUÉS DE VER EL VIDEO

¿Tiene algo en común la Feria de San Isidro con alguna celebración que conoces en Estados Unidos?

Repaso de vocabulario activo

Adverbios y expresiones adverbiales

el (año/mes/verano, etc.) pasado *last (year/month/summer)*
anoche *last night*
anteayer *the day before yesterday*
ayer *yesterday*
después *later*
entonces *then*
el fin de semana pasado *last weekend*
luego *later, then*
más tarde *later*
primero *first*
la semana pasada *last week*
ya *already*

Sustantivos

La rutina diaria ***Daily routine***

la cama *bed*
el cepillo (de dientes) *(tooth) brush*
el champú *shampoo*
la crema de afeitar *shaving cream*
el desodorante *deodorant*
el gel (de ducha) *(shower) gel*
el jabón (líquido) *soap*
el maquillaje *makeup*
la máquina de afeitar *electric shaver*
el papel higiénico *toilet paper*
la pasta de dientes *toothpaste*
el peine *comb*
la rasuradora *razor*
el (reloj) despertador *alarm clock*
el secador de pelo *hair dryer*
las tijeras *scissors*
la toalla *towel*

El trabajo ***Work***

la compañía *company*
el dinero *money*
la empresa *a business, company*
la fábrica *factory*
la tienda *store, shop*
de ropa *clothing store*
a tiempo completo/parcial *full-time/part-time*

Más personas y profesiones

el/la abogado/a *lawyer*
el amo/a de casa *homemaker*
el/la cajero/a *cashier*
el/la contador/a *accountant*
el/la dependiente/a *salesclerk*
el/la empleado/a *employee*
el/la enfermero/a *nurse*
el hombre/la mujer de negocios *businessperson*
el/la maestro/a *teacher*
el/la médico/a *doctor*
el/la mesero/a *waiter/waitress*
el/la periodista *journalist*
el/la programador/a de computadoras *computer programmer*
el/la recepcionista *receptionist*
el/la secretario/a *secretary*

Verbos y expresiones verbales

acostarse (ue) *to go to bed*
afeitarse *to shave*
bañarse *to take a bath*
cepillarse los dientes/el pelo *to brush one's teeth/hair*
cortarse el pelo/las uñas/el dedo *to cut one's hair/nails/a finger*
despertarse (ie) *to wake up*
divertirse (ie, i) *to have fun*
dormirse (ue, u) *to sleep*
ducharse *to take a shower*
encontrarse *to meet*
ganar *to earn, make (money)*
lavarse las manos/la cara, etc. *to wash one's hands/face, etc.*
levantarse *to get up*
maquillarse *to put on makeup*
pasarlo bien/mal *to have a good/bad time*
peinarse *to comb one's hair*
ponerse los zapatos/la ropa, etc. (irreg.) *to put on one's shoes/clothes, etc.*
prestar (prestarse) *to lend (to lend each other)*
quitarse (la ropa) *to take off (one's clothes)*
relajarse *to relax*
secarse *to dry (oneself)*
tener (irreg.) sueño *to be sleepy, tired*
trabajar para... *to work for*
sonar (ue) *to ring, sound*
vestirse (i, i) *to get dressed*

CAPÍTULO 7

Por la ciudad

© Raga/mauritius images/agefotostock

LEARNING OBJECTIVES

In this chapter, you will learn to:

- talk about places and things in the city.
- carry out transactions at the post office and the bank.
- talk about actions in the past.
- talk about to whom or for whom something is done.
- understand city life in Spanish-speaking countries.
- discover Argentina and Chile.

Entrando al tema

1. La foto muestra la ciudad de Santiago, la capital de Chile. Tiene 5 millones de habitantes, una infraestructura muy moderna y está a dos horas de la costa. ¿Es similar a alguna ciudad en Estados Unidos?
2. ¿Cuáles son las ventajas y desventajas de vivir en una gran ciudad?
3. De las ciudades del mundo hispano que conoces, ¿en cuál te gustaría (*would you like to*) vivir?

Así se dice

Por la ciudad

WileyPLUS
Pronunciación: Practice the pronunciation of the chapter vocabulary in *WileyPLUS*.

Use *PowerPoint Slides* para presentar y practicar este vocabulario.

¿Qué ves? Responde a estas preguntas sobre la ilustración:

1. Observa el centro de esta ciudad. ¿En qué avenida están el Banco Central y el Almacén Torres? ¿Cuántas personas van a entrar en el almacén?
2. ¿Qué puedes comprar en la pastelería? ¿Y en la pizzería? ¿Puedes comprar algo para comer en el quiosco? ¿En la joyería? ¿En la iglesia? ¿En el centro comercial?

Puedes encontrar más preguntas de comprensión en *WileyPLUS* y en el *Book Companion Site* (BCS).

el almacén/la tienda por departamentos	*department store*
el banco	*bank; bench*
el centro comercial	*shopping center, mall*
el edificio	*building*
entrar (en/a)[1]	*to enter, go in*
esperar	*to wait for*
la gente	*people*
hacer cola/hacer fila	*to get/stand/wait in line*
la parada (de autobús, metro)	*(bus, subway) stop*
la película	*film, movie*
la plaza	*town square*
el rascacielos	*skyscraper*

[1]**Entrar a** is more common in Latin America, while **entrar en** is more common in Spain.

Sugerencia: Para iniciar el trabajo de comprensión y respuesta al nuevo vocabulario (actividades de *input*) refiérase al resto de las preguntas de comprensión **¿Qué ves?** en *WileyPLUS* y en el *Book Companion Site* (BCS).

¿Y tú?

1. ¿Qué lugares (*places*) de esta ciudad existen también en tu ciudad? ¿Hay algo en esta ciudad que no es típico en una ciudad de Estados Unidos?
2. Vas a pasar una tarde en esta ciudad, ¿qué vas a hacer?, ¿a qué lugares y tiendas quieres ir?

En el centro de la ciudad

▲ Calle Corrientes, Buenos aires, Argentina

¡Hola Alberto! Mañana me visitas, ¿verdad? Te voy a **explicar** mi plan: Vamos a **pasar** el día en el centro porque allí encontramos los **lugares** más interesantes de la ciudad. Primero, tenemos que saber a qué hora **abren** las tiendas y los museos en la mañana, y a qué hora **cierran** en la tarde. También, queremos **preguntar** dónde podemos comprar **entradas** para una **obra de teatro**, y a qué hora **empieza** la representación. Por la mañana, queremos ir de compras a las tiendas pequeñas y también al centro comercial. Después, podemos visitar un museo, tomar algo y luego pasar la tarde en un parque o dar un paseo en un jardín botánico o el zoológico. El **mejor** restaurante también está en el centro y quiero **invitar**[1] a mi amigo a cenar allí. Si la obra de teatro **termina** tarde, podemos regresar a casa tomando el metro o un taxi.

empezar (ie)	*to start, begin*	**la obra (de teatro)**	*play*
la entrada	*ticket*	**pasar (tiempo)**	*to spend (time)*
el lugar	*place*	**preguntar**	*to ask (a question)*
el/la mejor	*the best*	**terminar**	*to finish, end*

7.1. Sugerencia: Otro día, para reciclar este vocabulario sobre la ciudad, pida a los estudiantes al llegar a clase que dibujen en la pizarra algo que pueden encontrar en la ciudad. Después, en grupos o parejas, los estudiantes pueden describir esta ciudad que se acaba de formar. También se pueden añadir personas y animales al dibujo para que los estudiantes describan lo que pasa o inventen una historia. Puede pedir a grupos o parejas de voluntarios que lean sus descripciones a la clase.

Input

[7.1] En mi ciudad.

Indica si la comunidad donde vives tiene estos lugares. Si marcas el cuadro (*box*), escribe el nombre de uno específico.

1	**un parque**	☐ ________	6	**una avenida**	☐ ________
2	**un café**	☐ ________	7	**un quiosco**	☐ ________
3	**una zapatería**	☐ ________	8	**una iglesia**	☐ ________
4	**una estatua**	☐ ________	9	**un cine**	☐ ________
5	**un rascacielos**	☐ ________	10	**una parada de metro**	☐ ________

[7.2] ¿Dónde?

Ouput

Paso 1. Escucha varias actividades que vas a hacer. ¿Dónde haces cada actividad?

Modelo: Oyes: Quieres comprar una pizza.
Escribes: **Voy a una pizzería.**

1. la joyería
2. el cine
3. la parada de autobús
4. el quiosco
5. la plaza
6. el bar
7. el banco
8. la pastelería

7.2 Audio:
1. Quieres comprar una joya con diamantes.
2. Te gustaría ver una película.
3. Tienes que tomar el autobús.
4. Piensas comprar una revista o un periódico.
5. Estás en la calle, pero quieres descansar o leer el periódico.
6. Quieres tomar una cerveza con tus amigos.
7. Necesitas dinero.
8. Vas a comprar una torta de chocolate.

Paso 2. En parejas, escriban otras actividades que quieren hacer. Después, con otra pareja, lean sus oraciones, sus compañeros van a sugerir dónde pueden hacerlo en su comunidad.

Modelo: Pareja A: **Queremos comprar unos zapatos.**
Pareja B: **Pueden ir a la zapatería Heels, en la Avenida Norte.**

Input/ Output

[7.3] ¿Qué pueden hacer?

En parejas, el Estudiante A explica una serie de problemas al Estudiante B, que ofrece sugerencias, y viceversa. Añadan (*Add*) un problema nuevo a su lista. Pueden referirse a (*refer to*) la ciudad donde viven ahora o una ciudad grande cercana (*nearby*.)

---

[1] **Invitar** requires the preposition **a** when followed by the infinitive: **Me invitó *a* cenar.**

Estudiante A

1. Mi amigo y yo queremos comer pizza pero nuestro restaurante favorito está lejos y hace mucho frío.
2. Quiero comprar un periódico o una revista, pero no conozco ningún quiosco en esta ciudad.
3. Jesús va a la joyería para comprar un regalo a su novia, pero dejó su dinero en casa.
4. Mis amigos quieren ir a una obra de teatro y después a un bar cerca del teatro, pero no saben dónde y no tienen coche.
5. ______________________________

Estudiante B

1. Necesito enviar esta carta, pero no recuerdo si hay una oficina de correos cerca.
2. Quiero comprar regalos para toda mi familia, pero hace mucho frío para pasar tiempo en la calle.
3. Mis padres van a visitarme y quiero invitarlos a cenar en el mejor restaurante de la ciudad.
4. También quieren ver un museo interesante y edificios bonitos o históricos.
5. ______________________________

[7.4] Nuestras actividades comunes.

Input **Paso 1.** ¿Con qué frecuencia haces estas actividades? Indícalo en las columnas bajo *(under) Yo*.

	Yo			Mi compañero/a		
	Mucho	A veces	Nunca	Mucho	A veces	Nunca
1. leer el periódico						
2. ver una obra de teatro						
3. ir a una iglesia, una mezquita (*mosque*) o un templo						
4. tomar el autobús						
5. ver una exposición en un museo						
6. ir al cine						
7. invitar a un/a amigo/a a cenar en un restaurante						
8. pasar todo el día con amigos						

Output **Paso 2.** Ahora pregunta a un/a compañero/a con qué frecuencia hace estas actividades e indícalo en las columnas bajo *Mi compañero/a*. Pidan más detalles.

Modelo: Estudiante A: **¿Con qué frecuencia vas al cine?**
Estudiante B: **Voy al cine mucho. Casi siempre voy al cine en el centro comercial, ¿y tú?**

7.4 Extensión: Pida a los estudiantes que escriban un párrafo comparando sus respuestas con las de su compañero/a, en clase o como tarea. Puede ofrecer la siguiente oración para comenzar el párrafo: *(John) y yo somos muy (similares/diferentes). Por ejemplo,...*

En mi experiencia

Jennifer, Seattle, WA

"When I lived in Santiago, Chile, I went to the movies about once a week with my friends. Most new films being shown in U.S. theaters were also available there. I noticed that you could choose a dubbed version or a subtitled version—except for kids' movies, which were always dubbed. I later learned that this is common all over Latin America."

© David R. Frazier Photolibrary, Inc./Alamy

Why might a movie-going public prefer to watch a subtitled movie rather than a dubbed one? Which do you prefer and why?

Así se forma

1. Indicating relationships: Prepositions

Prepositions of location and other useful prepositions

¿Sabes dónde está el apartamento de Carmen?
Sí, está cerca del museo.

Natalia: ¿Sabes dónde está el apartamento de Carmen?

Camila: Sí, está en la Avenida Sur, **cerca del** museo y **frente al** parque.

Natalia: ¿Hay estacionamiento **debajo del** edificio?

Camila: Sí, pero **en vez de** estacionar allí, podemos dejar el coche en la calle, casi siempre hay espacio **delante de** su casa.

WileyPLUS
Go to *WileyPLUS* to review this grammar point with the help of the **Animated Grammar Tutorial.**

Use ***PowerPoint Slides*** para presentar y practicar esta gramática.

Sugerencia: Señale que los ejemplos de preposiciones de lugar describen la ilustración de las páginas de **Así se dice 1: Por la ciudad.**

Sugerencias: Para presentar las preposiciones de lugar traiga a la clase una caja y un objeto interesante (por ejemplo, una araña de plástico) que quepa en la caja. Coloque el objeto en posiciones diferentes respecto a la caja y pregunte a los estudiantes dónde está. Para trabajar en la comprensión, conviene dar opciones como *¿Dónde está la araña, sobre la caja o detrás de la caja?*, antes de pasar a preguntas como *¿Dónde está la araña?*

Otro día, para reciclar este vocabulario, asigne preposiciones a los estudiantes y pídales que se sitúen en algún lugar que ilustre su preposición. Después, la clase intentará identificar la preposición: *Juan está debajo de la mesa; María está entre Patricia y José,* etc.

Prepositions are words that express a relationship between nouns (or pronouns) and other words in a sentence. You have already learned some prepositions such as: **a** (*to, at*), **en** (*in, on, at*), **de** (*from, of, about*), **con** (*with*), and **sin** (*without*). Below are some additional prepositions to describe location and movement through a place.

Preposiciones de lugar		
cerca de **lejos de**	*near* *far from*	El almacén Torres está **cerca de** la Plaza Colón. Los rascacielos están **lejos de** la Plaza Colón.
dentro de **fuera de**	*inside* *outside*	Hay muchas oficinas **dentro del** Banco Central. Hay un buzón **fuera de** la oficina de correos.
debajo de **encima de**	*beneath, under* *on top of, above*	La estación de metro está **debajo de** la plaza. Hay apartamentos **encima de** la pastelería.
detrás de **delante de**	*behind* *in front of*	El niño corre **detrás de** su perro. El perro corre **delante del** niño.
enfrente de, frente a	*in front of, opposite*	El banco está **frente al** quiosco.
al lado de	*beside, next to*	El Museo de Arte Colonial está **al lado del** cine.
sobre, en	*on*	Hay periódicos **sobre el** suelo, al lado del quiosco.
entre	*between, among*	La joyería está **entre** la zapatería y el mesón.
por	*by, through, alongside, around*	La niña pasea en bicicleta **por** la plaza. El autobús pasa **por** la avenida Colón.

Otras preposiciones útiles		
antes de **después de**	*before* *after*	Quiero leer el menú **antes de** pedir la comida. Podemos tomar un café **después de** comer.
en vez de	*instead of*	Yo quiero té **en vez de** café.
para + *infinitive*	*in order to (do something)*	Necesito dinero **para tomar** un taxi.
al + *infinitive*	*upon (doing something)*	Tienes que levantar la mano **al pedir** un taxi.

¡Importante! In Spanish, a verb following a preposition is always in the infinitive **(–ar, –er, –ir)** form. In contrast, English uses the *–ing* form.

Antes de ir al teatro, vamos a cenar. — *Before going to the theater, we're going to have dinner.*
~~Antes de yendo al teatro...~~

Pronouns with prepositions

The pronouns that follow prepositions (**pronombres preposicionales**) are the same as subject pronouns except for **yo** and **tú**, which become **mí** and **ti**.

—¿Es este cuadro para **mí?** *Is this painting for me?*
—Sí, es para **ti.** *Yes, it's for you.*

Pronombres Preposicionales (a, de, para, por, sin, etc.)	
para **mí**	para **nosotros/as**
para **ti**	para **vosotros/as**
para **usted**	para **vosotros/as**
para **él/ella**	para **ellos/ellas**

The combination of **con + mí** or **ti** becomes **conmigo** (*with me*) or **contigo** (*with you*), respectively.

—¿Quieres ir **conmigo?** *Do you want to go with me?*
—¡Sí! Voy **contigo.** *Yes! I'll go with you.*

HINT

Remember that with verbs like **gustar, a +** *prepositional pronoun* is sometimes used for emphasis or clarification.
A él no **le** gustó la película.
He *didn't like* the *movie*.
A mí tampoco **me** gustó.
I *didn't like it, either.*

Sugerencia: Enfatice las semejanzas entre los pronombres de sujeto y los preposicionales y señale las diferencias en la primera y segunda persona singular.

[7.5] ¿Cierto o falso?

Input/ Output **Paso 1.** Tu amigo/a dice que conoce esta ciudad (en las páginas de **Así se dice 1: Por la ciudad.**) perfectamente, pero en realidad está un poco confundido/a. Lee sus comentarios, decide si son **ciertos** o **falsos** y, si son falsos, corrígelos (*correct them*).

Modelo: La pizzería está al lado de la joyería.
No, la pizzería está al lado de la pastelería.

1. El buzón está detrás de la oficina de correos, ¿verdad?
2. Y el cine Colón está entre el restaurante Mar de Plata y el Centro Comercial.
3. El autobús pasa por la Calle 3, ¿no?
4. Creo que el Museo de Arte está cerca del Almacén Torres.
5. El Banco Central está delante de la zapatería y de la joyería.
6. En la Plaza Colón, hay personas bailando enfrente del quiosco, ¿verdad?
7. Todas las mesas del Mar de Plata están dentro del restaurante, ¿verdad?
8. No hay ningún rascacielos cerca de la Plaza Colón, ¿verdad?
9. Y hay una plaza enfrente de la iglesia, ¿no?
10. En la Plaza Colón hay una estatua de Hernán Cortés muy bonita delante del cine, ¿verdad?

Input/ Output **Paso 2.** Escribe dos oraciones ciertas y dos falsas similares a las del **Paso 1**, pero en referencia a tu campus o ciudad. Después, en parejas, lee tus oraciones a tu compañero/a, que debe confirmar si son correctas y corregir el error si son falsas.

NOTA DE LENGUA

Spanish speakers use the following question tags to seek agreement: After an affirmative statement, use either **¿verdad?** or **¿no?** After a negative statement, use **¿verdad?**

Tienes tiempo, ¿verdad/no?
No tienes tiempo, ¿verdad?

7.5 Use ***PowerPoint Slides*** para que no tengan que ir de una página a otra y puedan hacer la actividad más rápidamente.

7.5 Respuestas: 1. Falso, está al lado del quiosco. 2. Cierto. 3. Falso, pasa por otra calle. 4. Falso, está lejos del Almacén Torres. 5. Falso, está entre el estacionamiento y el Almacén Torres. 6. Cierto. 7. Falso, hay dos mesas fuera del restaurante. 8. Cierto. 9. Cierto. 10. Falso, hay una estatua de Cristóbal Colón.

7.6 Esta actividad recicla el vocabulario de la clase y *estar + ubicación*.

Sugerencia: Use *PowerPoint Slides* de la ilustración de las páginas de **Así se dice 1: Por la ciudad**, y escriba en un papel el nombre de un objeto y dónde lo ha escondido en la ciudad. *(Mi mochila está detrás del buzón.)* Explique a la clase que su mochila está en un lugar secreto y tienen que encontrarla haciendo preguntas sobre su ubicación. Usted responderá ***"frío"*** o ***"caliente"***, dependiendo de si están lejos o cerca, hasta que adivinen. Después, pueden hacer lo mismo en grupos pequeños.

7.7 Extensión: Pida a cada grupo que cree una pequeña guía turística para estudiantes que visitan la universidad. Este trabajo puede comenzar en clase, continuar como tarea buscando material adicional (detalles sobre los lugares escogidos, fotografías, etc.) y terminar en un segundo periodo de clase.

7.8 Esta actividad recicla expresiones de frecuencia y vocabulario de actividades diarias.

Extensión: Complete la actividad preguntando a la clase qué hábitos tienen los miembros de su familia.

Ouput

[7.6] ¿Qué o quién es?

Paso 1. Escoge cuatro objetos o personas que ves en la clase y escribe oraciones describiendo dónde están.

Modelo: **Esta persona/cosa está entre la puerta y Sara.**
Está detrás de Tom y al lado de...

Paso 2. En parejas, lee tus oraciones a tu compañero/a. Él/Ella va a intentar (*try*) identificar a la persona o cosa a la que te refieres.

Ouput

[7.7] Nuestros lugares interesantes.

Un estudiante de Chile acaba de llegar a estudiar en tu universidad. ¿Qué lugares interesantes del campus o de la ciudad puedes recomendarle?

Paso 1. Escribe una lista de cinco lugares y explica dónde están con el mayor detalle posible (*with as much detail as possible*). Usa las preposiciones de lugar.

Paso 2. En grupos pequeños, comparen sus listas y escojan los diez lugares más interesantes.

Input/Output

[7.8] Tus hábitos.

Paso 1. Completa estas oraciones pensando en tus hábitos y preferencias.

Modelo: Casi siempre **voy a la biblioteca** para **hacer la tarea**.

1. Casi siempre voy a __________ para comer.
2. Necesito __________ para sentirme (*feel*) bien.
3. No me gusta __________ sin __________.
4. Me gusta __________ antes de __________.
5. A veces yo __________ en vez de estudiar.
6. Nunca, nunca __________ después de __________.

Paso 2. Ahora, en grupos pequeños, comparte esta información con tus compañeros/as y pregunta si ellos/as también lo hacen.

Modelo: Estudiante A: **Casi siempre voy a la biblioteca para hacer la tarea.**
Estudiante B: **Yo no voy a la biblioteca para hacer la tarea, pero voy a veces para estudiar.**
Estudiante C: **Pues yo siempre voy a mi cuarto para hacer la tarea y para estudiar.**

En mi experiencia

Olivia, Lubbock, Texas

AFP PHOTO/MAXI FAILLA

"I'm from a relatively small, quiet town. When I lived in Buenos Aires for 5 months, I had to get used to all the sounds coming from the street announcing various services: the gas truck, milk delivery, drinking water salespeople, etc. Each truck has its own sound so you know when to go outside to hail the vendor."

Do you prefer exact times for deliveries and other services, or are you more tolerant of ambiguity? What advantages and disadvantages would there be to the practices described here?

Output **[7.9] Una noche romántica.** Completa la conversación con los pronombres apropiados. Después, en parejas, comparen sus respuestas e inventen el final.

Violeta habla por teléfono con su novio Miguel.

Miguel: Violeta, ¿quieres salir con<u>migo</u>______ esta noche? Me muero (*I'm dying*) por verte.

Violeta: Sí, mi amor. Voy con<u>tigo</u>______ a donde quieras.

Miguel: Pues, te voy a llevar a un lugar muy especial y... ¡tengo una sorpresa maravillosa para ___ti___!

Violeta: ¿Para ___mí___? ¡Eres un ángel, Miguel! A ___mí___ me encantan las sorpresas. Yo también tengo una sorpresa para ___ti___.

Miguel: ¿Ah, sí? ¿Cuál es?

Violeta: Pues, no vamos a estar solos esta noche porque mi hermanito menor tiene que venir con ___nosotros___.

Miguel: ¿Con ___nosotros___? ¿No pueden quedarse (*stay*) tus padres con ___él___?

Violeta: Miguelito, sé (*be*) flexible. ¿No quieres hacerlo por ___mí___?

Miguel: Bueno, está bien.

Violeta: ¡Gracias, mi amor! Por cierto, ¿qué sorpresa tienes para ___mí___?

Miguel: ____

____

7.9. **Sugerencia:** Puesto que estas formas fueron ya introducidas y practicadas en el Capítulo 4, en su uso después de **a** con el verbo **gustar**, es adecuado hacer un ejercicio de producción (*output*) sin uno de comprensión (*input*) previo.

Extensión: Puede asignar a parejas que escriban diálogos cortos (de siete a ocho líneas) con una sola regla: usar las preposiciones y los pronombres que usted indique, por ejemplo: **para mí, contigo** y **sin ti.** Anímelos a que sean creativos y escriban diálogos originales y cómicos.

NOTA CULTURAL

¿Hablas "lunfardo"?

So many Italians settled in the city of Buenos Aires, Argentina in the 19th and 20th centuries that many Italian words made their way into the Spanish of the region. This local dialect is called *lunfardo*, and it was common in the lyrics of tango music. Some *lunfardo* words are popularly used in nearby Chile and Paraguay as well. A few have even been recognized by the Spanish Royal Academy of Language.

See if you can match the *lunfardo* words below to their meanings.

___ *fiaca* a. to work (from Italian *lavorare*, "to work")

___ *laburar* b. laziness, or lazy person (from the Italian *fiacca*, "laziness, sluggishness")

___ *manyar* c. to eat (from the Italian *mangiare*, "to eat").

SeppFriedhuber/© SeppFriedhuber/iStockphoto

Bailando tango en La Boca, un barrio (*neighborhood*) con mucha influencia italiana.

Sugerencia: Si tiene estudiantes que son hablantes de herencia, pregúnteles si conocen alguna palabra con origen indígena--por ejemplo, del náhuatl en el español mexicano, del quechua en el español peruano, etc.

Respuestas: fiaca b, laburar a, manyar c

Cultura

Argentina y Chile

IT Stock/SUPERSTOCK

▲ Argentina

IT Stock/SUPERSTOCK

▲ Chile

Use ***PowerPoint Slides*** (mapa) para revisar las respuestas.

ANTES DE LEER

¿Cierto o falso?

1. Cuando es invierno en Estados Unidos, es verano en el Cono Sur. Cierto
2. El agua se desagua (*drains*) en sentido horario (*clockwise*) en Estados Unidos pero en sentido antihorario en el Cono Sur. Falso

Dos gigantes del Cono Sur

Chile y Argentina son dos países que tienen mucho en común:

- Se nota una fuerte influencia europea. Se estima que un 97% de los argentinos tienen ascendencia europea (y el 60% viene de Italia). En Chile se determinó que el 65% de la genética humana viene de Europa, el 35% es amerindio y el 1% es "otro".
- Los dos han tenido mujeres presidentes y las dos han sido elegidas dos veces. En Argentina es Cristina Fernández de Kirchner (2007-ahora). En Chile, Michelle Bachelet fue presidente de 2006–2010 y de nuevo empezando en 2014.
- Sus habitantes son los menos religiosos de Latinoamérica. Menos del 60% indica que la religión es importante en su vida.
- Los dos han ganado la Copa Mundial de Futbol (FIFA) dos veces; con Brasil, son los únicos tres países fuera de Europa que lo han hecho.
- Los dos países producen vinos con excelente reputación internacional.
- La carne asada (*barbecue*) es una gran tradición culinaria en el Cono Sur, donde los gauchos (*cowboys*) son símbolos de identidad nacional.

Por cierto (*by the way*), ¡es un mito que el agua baje en sentido contrario en el Cono Sur! Pero es cierto que las estaciones del año son opuestas en el Hemisferio Sur. Los meses de junio, julio y agosto son los más fríos del año.

Argentina

Argentina es el país hispanohablante más grande del mundo, con una extensión de casi 1,100,000 millas cuadradas (*square*) y tiene la cuarta población más grande de los países hispanohablantes (42,000,000) después de México, España y Colombia.

A pesar de la gran extensión del territorio de Argentina, la vida se centra en su capital, Buenos Aires, llamada la "París de las Américas". Más del 30% de la población de Argentina vive en el área de Buenos Aires y se les llama "porteños" (que significa "del puerto"). En Buenos Aires nació Jorge Luis Borges, escritor filosófico y del "realismo mágico" que algunos consideran el más importante en la lengua española desde Cervantes.

En Buenos Aires, una gran metrópolis con tiendas elegantes, restaurantes y una intensa vida nocturna, las artes son muy importantes. Allí nació el tango, un baile con influencias europeas y africanas, en los barrios humildes (*lower-class*) de Buenos Aires. Sufrió un periodo de persecución durante los años 1960-1980, pero con el fin de la dictadura y el prestigio del que gozaba (*was enjoying*) en París, Londres y Berlín, el tango recobró (*regained*) popularidad en Argentina. En 2009 se declaró parte de la "herencia cultural mundial" por la UNESCO.

Muestre un video de tango en clase (por ejemplo, busque "Tete y Silvia tango vals" en Internet) y, como comparación intercultural, pregunte a la clase si conocen algún otro baile que, como el tango, haya sufrido algún tipo de represión o haya sido clandestino en algún momento.

Richard Mildenhall/ArenaPAL/Topham/The Image Works

▲ En Buenos Aires nació el tango, el apasionado baile que todo el mundo asocia con Argentina. ¿Sabes bailar tango? Busca en Internet "Tete y Silvia tango vals" para ver un auténtico ejemplo del tango.

Chad Ehlers/Getty Images

◀ La Avenida 9 de Julio, la más ancha (*wide*) del mundo. ¿Cuántos carriles (*lanes*) tiene esta avenida? Busca en Internet lo que ocurrió el 9 de julio en Argentina.

Chile

Chile tiene una configuración geográfica interesante. Tiene 2,690 millas de largo y solamente 291 millas de ancho; es el país más largo (*long*) del mundo. Los Andes recorren gran parte del país de Norte a Sur, paralelos a la cercana costa. Es posible practicar esquí acuático en el mar por la mañana y esquiar en la nieve de las montañas por la tarde.

La capital, Santiago, se fundó en 1541. Hoy es una metrópolis moderna con un sistema de transporte muy avanzado, teatros, restaurantes y el edificio más alto de Latinoamérica, la Gran Torre Santiago. En las afueras de la ciudad hay muchos viñedos (*vineyards*) de alta calidad.

Barnabas Bosshart/© Corbis

▲ Santiago de Chile

Leo Rosenthal/Getty Images

▲ En 1945, la poeta chilena Gabriela Mistral (1889–1957) fue la primera persona latinoamericana en ganar el Premio Nobel de Literatura.

DESPUÉS DE LEER

1. Revisa tus respuestas a las preguntas "Antes de leer". ¿Quieres cambiar alguna?
2. ¿Hay regiones en los Estados Unidos que, como Argentina y Chile, tienen fama por las carnes asadas y los gauchos? ¿Qué región de Estados Unidos también produce vino y sufre de terremotos?
3. ¿Qué ciudades en Estados Unidos son más o menos del mismo tamaño? ¿Crees que tienen otras cosas en común? Buenos Aires, Argentina tiene 3 millones de habitantes; Santiago, Chile tiene 310,000.

Ciudad y país	Población	Ciudad en Estados Unidos	Población
Buenos Aires, Argentina	3 millones		
Santiago, Chile	310,000		

INVESTIG@ EN INTERNET

Imagina que vas a pasar unas cortas vacaciones en Santiago de Chile y quieres organizarlo todo antes de (*before*) llegar. Busca un hotel cerca del (*near*) centro y planifica actividades para cinco días, incluyendo detalles sobre el transporte, los lugares que quieres visitar, algunos restaurantes donde te gustaría comer, etc. Calcula aproximadamente cuánto dinero vas a necesitar.

NOTA CULTURAL

El mate

Mate is a tea-like beverage consumed mainly in Argentina, Chile, Uruguay, Paraguay, and southern Brazil. The name *mate* derives from the word for the gourd that is traditionally used to drink the infusion. Mate is sipped using a metal or wood decorative straw and filter called **bombilla**. Sharing a cup of mate among close friends and family, using the same *bombilla*, is a sign of acceptance and friendship. Some mate varieties contain as little as 25 mg of caffeine, but others contain almost 150 mg, the same amount in most cups of coffee.

Is there a food or drink item that people in your community share in similar ways to the sharing of a *bombilla de mate*?

Bobbi Fabian/Photolibrary/Getty Images

Alamy Images

Así se forma

2. Demonstrative adjectives and pronouns

¿Quién es ese muchacho que está con Noelia?
¿Ese? Es su novio.

Nicolás: Mira Arturo, **esa** chica es Noelia, ¿verdad? ¡Qué guapa!

Arturo: Sí, es Noelia. **Esta** tarde vamos a estudiar juntos en **aquel** café italiano de la plaza. ¿Quieres venir?

Nicolás: Sí, sí, pero ¿quién es **ese** chico que está con ella?

Arturo: ¿**Ese**? Es su novio.

WileyPLUS
Go to *WileyPLUS* to review this grammar point with the help of the **Animated Grammar Tutorial.**

Use ***PowerPoint Slides*** para presentar y practicar esta gramática.

Sugerencias: Presente los demostrativos señalando a algunos estudiantes en la clase y diciendo: *este hombre, ese hombre, aquel hombre, esta mujer,* etc.

Para ayudarles a memorizar los demostrativos, puede decirles la rima: *"This and these have the t's"* (este, esta, estos, estas).

Señale que la diferencia entre *ese* y *aquel* es subjetiva, ya que depende de la percepción de la persona que habla. Mencione que esos demostrativos también se pueden usar para cuantificar distancia en el tiempo: *¿Te gustó aquella película de Antonio Banderas?*

Los adjetivos demostrativos neutros se presentan solamente como vocabulario pasivo. Si usted quiere trabajar con ellos de forma activa, puede escribir varias oraciones exclamativas en la pizarra, como: *¡Eso es ridículo!; ¡Eso es horrible!; ¡Eso es magnífico!* Después, diga oraciones a las que los estudiantes puedan responder con una de las oraciones escritas en la pizarra, por ejemplo: *Estos jeans cuestan $150; La matrícula para esa universidad cuesta $20,000; No hay exámenes finales en esta universidad,* etc.

Demonstratives point out the location of nouns (such as objects and people) with respect to the speaker, whether in terms of physical space or time. Like other adjectives and pronouns, they agree in gender and number with the noun they refer to.

close to speaker		at a short distance		at a great distance	
este bar	esta calle	ese bar	esa calle	aquel bar	aquella calle
estos bares	estas calles	esos bares	esas calles	aquellos bares	aquellas calles

Me gusta **este** parque pero no me gusta **esa** fuente. — *I like this park but I don't like that fountain.*
Aquellos edificios son bonitos también. — *Those buildings (over there) are nice too.*

Demonstratives can function as adjectives, preceding a noun, or pronouns, replacing an already mentioned noun.

Compramos en **esta** (adjective) tienda y en **aquella** (pronoun). — *We shop in this store and that one.*

— ¿Te gustan **estos** (adjective) zapatos? — *Do you like these shoes?*

— No. Prefiero **esos** (pronoun). — *No. I prefer those.*

NOTA DE LENGUA

The demonstratives **esto** (this) and **eso** (that) are neutral in gender (neither masculine nor feminine) because they refer to an idea, situation or statement, or to an object that has not yet been identified.

—¿Qué es **esto?** — *What is this?*
—¡No sé! — *I don't know!*
—No quiere pagar la cuenta. — *He doesn't want to pay the bill.*
—¡**Eso** es ridículo! — *That's ridiculous!*

[7.10] ¿Dónde está?

Input

Estás paseando por la ciudad con una amiga. Escucha las oraciones que dice y decide si los lugares que menciona están cerca, un poco lejos o muy lejos. ¡Presta atención al adjetivo demostrativo que menciona tu amiga!

Modelo: Me gusta este parque. ☑ Está cerca.
Vamos a comer en aquella pizzería. ☑ Está muy lejos.

1. ☐ Está cerca. ☑ Está un poco lejos. ☐ Está muy lejos.
2. ☑ Está cerca. ☐ Está un poco lejos. ☐ Está muy lejos.
3. ☐ Está cerca. ☐ Está un poco lejos. ☑ Está muy lejos.
4. ☐ Está cerca. ☐ Está un poco lejos. ☑ Está muy lejos.
5. ☐ Está cerca. ☑ Está un poco lejos. ☐ Está muy lejos.

7.10 Audio:
1. ¿Conoces esa iglesia?
2. Mis tíos viven en esta calle.
3. La oficina de mi padre está en aquel rascacielos.
4. Esa zapatería siempre tiene zapatos bonitos.
5. Aquella avenida es la más larga de la ciudad.

Output **[7.11] Soy guía turístico.** Imagina que trabajas para una agencia de turismo en Buenos Aires y le muestras (*show*) la ciudad a un grupo de visitantes. Usa adjetivos demostrativos para simplificar las oraciones.

Modelo: La iglesia que (*that*) está un poco lejos es del período colonial.
Esa iglesia es del período colonial.

1. El rascacielos que está muy lejos es el más moderno de la ciudad. Aquel rascacielos...
2. La estatua que está un poco lejos es del presidente. Esa estatua...
3. La estación del metro que está cerca fue la primera (*the first*) de la ciudad. Esta estación...
4. El parque que está un poco lejos es muy famoso. Ese parque...
5. Las ceremonias importantes se celebran en la iglesia que está muy lejos. ...en aquella iglesia.
6. Los almacenes que están cerca venden de todo. Estos almacenes...
7. El restaurante que está un poco lejos sirve parrilladas (*barbecue*) y otros platos argentinos. Ese restaurante...

Dicho: *De aquellos polvos vienen estos lodos.* ¿Qué significa este dicho?

7.12 Use ***PowerPoint Slides*** para revisar esta actividad.

Esta actividad recicla el vocabulario de comida y los números.

Señale que, en la pastelería, el estante de abajo está más cerca de los clientes y el de arriba está más cerca de la dependienta. Deben tener esto en cuenta para escoger adjetivos y pronombres demostrativos apropiados.

Output **[7.12] ¡Tengo hambre! ¿Cuánto cuestan?** Después del paseo por Buenos Aires, tienes hambre y vas a la Pastelería Río de la Plata. Trabaja con un compañero/a, que va a ser el/la dependiente/a. Pregunta los precios de los productos, el/la dependiente/a contesta consultando los precios de la lista en la próxima página.

Modelo: Cliente/a: **¿Cuánto cuesta este pastel de limón?**
Dependiente/a: **Ese cuesta dos pesos, cincuenta y cinco centavos.**

Al final, decide qué vas a comprar y completen la transacción.

Cliente/a: **Voy a comprar ese/esa... y ...**
Dependiente/a: **Muy bien, son... pesos.**

PALABRAS ÚTILES

empanada	*turnover*
medialuna	*croissant*

Río de la Plata

galletas de chocolate – $4.75 la docena
de azúcar – $4.00 la docena

pastel de manzana – $2.50 (el pedazo)
de limón – $2.75 (el pedazo)

torta de chocolate – $12.95
de fresa – $13.25

pan de queso – $2.25
de aceitunas – $2.60

empanada de carne – $1.60 cada una
vegetariana – $1.15 cada una

medialuna de jamón y queso – $1.90 cada una
de chocolate – $1.80 cada una

Cultura

El transporte en las ciudades hispanas

Use *PowerPoint Slides* para presentar esta sección de cultura.

ANTES DE LEER

¿Cómo te mueves por tu pueblo o ciudad? ¿Es importante un buen sistema de transporte público?

▲ Microbús, la Ciudad de Panamá

▲ E-bike, Argentina

El transporte es un tema de vital importancia en cualquier ciudad o pueblo. En el mundo moderno, la gente se tiene que desplazar entre varios lugares como la casa, el trabajo, la escuela o universidad, el mercado y otros lugares. Debido a la contaminación causada por el motor de combustible, muchos planificadores urbanos se dedican a establecer sistemas de transporte público, que también ahorran (*save*) miles de horas anuales, reducen los gastos (*expenditures*) vehiculares y mejoran la seguridad vial (*road safety*).

Muchas ciudades en el mundo hispano tienen un sistema subterráneo llamado el metro. Por ejemplo, el metro de Madrid tiene más de 300 estaciones, y es el sexto metro más largo del mundo. En muchas estaciones pueden apreciarse piezas de arte en las paredes, e incluso en la estación Andén 0 se encuentra un museo.

Hay otros modos de transporte público como los autobuses, varios tipos de 'microbuses,' los taxis (privados y colectivos) y los bicitaxis. Un problema con algunos microbuses es que no cuentan con permisos oficiales ni con la supervisión del gobierno, lo cual presenta un riesgo (*risk*) a la seguridad vial.

Durante 2013, aumentó el transporte público sostenible en varias capitales latinoamericanas. En la Ciudad de México se inauguró la quinta ruta Metrobús, se extendió el sistema Ecobici y se abrió una calle peatonal (*pedestrian*) en el centro histórico. Mientras tanto, en Buenos Aires empezó la tercera línea del Metrobús y el gobierno expandió su programa "Buenos Aires, mejor en bici" que incluye las bicicletas eléctricas.

En Bogotá, Colombia el Autobús TransMilenio ha tenido un impacto positivo en la congestión vial—antes de su implementación ¡se estimaba casi 7 millones de horas perdidas por día en el tráfico!

En la Ciudad de México, hay un día de la semana en el que cada coche no puede circular, dependiendo del último número de la placa (*license plate*). Los coches que tienen menos de 9 años de fabricación generalmente son exentos (*exempt*) del programa y pueden circular todos los días.

Las motos (*motorcycles*) también son populares en algunos países de Latinoamérica. En Estados Unidos, las motos forman solo un 3% de todos los vehículos motorizados, pero en Colombia son el 40% y en Uruguay el 47%.

▲ El TranSantiago, Santiago de Chile

Día que no circula	Último número de la placa
Lunes	5, 6
Martes	7, 8
Miércoles	3, 4
Jueves	1, 2
Viernes	9, 0

DESPUÉS DE LEER

1. Si tienes coche y lo llevas a la Ciudad de México, ¿qué día no circula?
2. ¿Qué mejoras (*improvements*) te gustaría ver en el transporte público donde vives?
3. Busca en Internet "bicicleta eléctrica Latinoamérica". ¿Qué problemas se asocian con este medio de transporte?

Así se forma

WileyPLUS

Go to *WileyPLUS* to review this grammar point with the help of the **Animated Grammar Tutorial** and **Verb Conjugator.**

3. Talking about actions in the past: The preterit of stem-changing verbs and the verb *hacer*

¿Quién pidió los espaguetis?

Mesero: ¿Quién **pidió** los espaguetis?

Esteban: Los **pedí** yo.

Mesero: Entonces usted **prefirió** el sandwich, ¿verdad?

Alfonso: Sí, gracias... pero aún no me **sirvió** la ensalada.

Mesero: ¿Ensalada? Disculpe, voy a ver si el cocinero ya la **hizo**.

In chapter 6, you learned that stem-changing verbs in **-ar** and **-er** have regular forms in the preterit. However, **-ir** verbs with a stem change in the present tense also change in the preterit. This stem change only occurs in third person forms (**él/ella/usted** and **ustedes/ellas/ellos**) and it is the same change that takes place in the present participle, so all preterit stem changes are either **o** → **u** or **e** → **i**

Pida a sus estudiantes que observen las formas verbales en el diálogo y pregunte qué tienen en común estos verbos desde el punto de vista de su forma gramatical. Es posible que sus estudiantes recuerden que casi todos estos verbos tienen cambios vocálicos en sus formas presentes, y que el verbo *hacer* es irregular. Es probable que señalen también la diferencia entre las formas de 1a y 3a persona en los ejemplos con el verbo *pedir*.

dormir (ue, u)[1]	
dormí	dormimos
dormiste	dormisteis
d**u**rmió	d**u**rmieron

pedir (i, i)	
pedí	pedimos
pediste	pedisteis
p**i**dió	p**i**dieron

preferir (ie, i)	
preferí	preferimos
preferiste	preferisteis
pref**i**rió	pref**i**rieron

Here are more examples of stem-changing **-ir** verbs in their preterit forms.

o → ue; u	**morir** (ue, u)	*to die*	Gabriela Mistral **murió** en 1957.
e → ie; i	**divertirse** (ie, i)	*to have a good time*	¿**Se divirtieron** en el restaurante anoche?
e → i; i	**pedir** (i, i)	*to ask for, request*	Tina **pidió** una paella de mariscos.
	servir (i, i)	*to serve*	¿Qué más **sirvieron**?
	repetir (i, i)	*to repeat*	El mesero **repitió** la lista de postres.
	vestirse (i, i)	*to get dressed*	Más tarde se **vistieron** y fueron a un baile.

In chapter 6 you learned the preterit of two high frequency irregular verbs (**ser/ir.**) Here you have the preterit of **hacer**. Note that the stem (**hic**–) is constant and that **c** → **z** before **o** to maintain the pronunciation. Also observe the special preterit endings **-e** and **-o.**

Sugerencia: Conviene revisar las formas presentes de los verbos con cambios en la raíz antes de cubrir las formas de pretérito de estos mismos verbos.

hacer: **hic**e, **hic**iste, **hiz**o, **hic**imos, **hic**isteis, **hic**ieron

—¿Qué **hiciste** anoche?	*What did you do last night?*
—Fui al gimnasio e **hice ejercicio.**	*I went to the gym and worked out.*

Use ***PowerPoint Slides*** para presentar y practicar esta sección de gramática. Convendría repasar el presente de *hacer* antes de empezar esta sección.

[1]Remember that stem changes are indicated in parenthesis, the first (and sometimes only) change shows present simple changes and the second one shows present participle/preterit changes.

Extensión: Puede preguntar a sus estudiantes si hicieron estas actividades, para repetir el *input*, por ejemplo: ¿Quién hizo tarea ayer? ¿Hicieron tarea de francés? ¿Quién hizo tarea de español? ¿Quién repitió palabras del vocabulario para aprenderlas?, etc.

Input

[7.13] Las actividades de Alicia.

¿Qué hizo Alicia ayer? Relaciona las actividades de la columna A con las actividades correspondientes de la columna B.

A	B
_e_ **1.** Por la tarde, hizo su tarea de francés y escuchó el audio del Capítulo 7.	**a.** Las chicas prefirieron la torta de chocolate.
_d_ **2.** Luego, para descansar un poco, buscó un periódico.	**b.** Todas pidieron pasta con camarones y ensalada.
_b_ **3.** A las siete de la tarde, ella y dos de sus amigas cenaron en un restaurante.	**c.** No durmió mucho.
_a_ **4.** El mesero les sirvió tres postres diferentes.	**d.** Leyó que tres personas murieron en un accidente. ¡Qué triste!
_c_ **5.** Después de cenar, estudió casi toda la noche en la biblioteca.	**e.** Repitió las palabras del vocabulario.

7.14 Las respuestas pueden variar. Como práctica escrita adicional puede pedir a los estudiantes que, usando el día de Jaime como modelo, describan lo que ocurrió en un día típico suyo: *Me desperté...*

Output

[7.14] El día de Jaime.

Primero, imagina el orden cronológico de las actividades de Jaime. Luego, escribe en tu cuaderno lo que hizo usando el pretérito.

Modelo: Se levantó a las siete de la mañana. Luego,...

_4_ irse al trabajo	_6_ pedir café con leche y pan
_2_ bañarse	_11_ acostarse a medianoche
_5_ desayunar en un café	_12_ dormirse
_9_ salir con sus amigos	_8_ cenar en casa
_1_ levantarse a las siete	_10_ divertirse mucho
_3_ vestirse	_7_ regresar a casa después del trabajo

7.15 Audio:

1. Mis amigos hacen planes para salir.
2. Hizo muy mal tiempo.
3. No hice nada interesante por la mañana.
4. Hago compras por la tarde.
5. Mi hermano y yo hacemos una visita a los abuelos.
6. Pedro y Ana hicieron una cena en su casa.

Incluimos un ejercicio de diferenciación auditiva de formas del presente y del pretérito del verbo *hacer*, ya que algunas son similares y pueden llevar a confusión.

Input

[7.15] Los sábados de Javier.

Escucha las siguientes oraciones e indica si Javier se refiere a los sábados en general (verbo en presente) o al sábado pasado (verbo en pasado).

1. los sábados ☑ el sábado pasado ☐	**4.** los sábados ☑ el sábado pasado ☐
2. los sábados ☐ el sábado pasado ☑	**5.** los sábados ☑ el sábado pasado ☐
3. los sábados ☐ el sábado pasado ☑	**6.** los sábados ☐ el sábado pasado ☑

Output [7.16] El sábado pasado.

Paso 1. Lee abajo la descripción que hace Javier de sus sábados. Con base en esto, ¿qué hizo Javier el sábado pasado? Cambia los verbos en **negrita** (*boldface*) al pretérito.

¿Qué **hago** los sábados? Pues **duermo** hasta tarde, no **me levanto** hasta las nueve. Después **me visto** y **desayuno** en casa. A las diez **juego** al tenis con mi hermano o con un amigo. Luego **almuerzo** con mi familia y por la tarde **hacemos** una visita a mis abuelos. **Vamos** a la hora de merendar y la abuela **hace** café y chocolate caliente, y **sirve** sus galletas especiales. Más tarde mis padres **hacen** las compras para la semana, pero yo **prefiero** salir con mis amigos. **Cenamos** en un restaurante y **vamos** al cine. **Nos divertimos** mucho y **volvemos** a casa tarde. **Llego** tan cansado... que los domingos no **hago** ¡nada!

Modelo: ¿Qué **hice** el sábado pasado? Pues...

Paso 2. Ahora escribe un párrafo comparando tu sábado pasado con el de Javier.

Modelo: Javier se levantó tarde, pero yo me levanté a las 6:00 de la mañana...

7.16 Esta actividad recicla el pretérito de algunos verbos del Capítulo 6. Anime a los estudiantes a prestar atención al contraste de las formas de presente y de pretérito al reescribir el texto, ej. hago → hice; me levanto → me levanté, etc.

Output [7.17] Y ayer, ¿qué hiciste?

Paso 1. Piensa en lo que hiciste ayer y completa la columna *Yo* con tus actividades.

	Yo	Mi compañero/a _____
por la mañana temprano		
a media mañana (*midmorning*)		
al mediodía (*noon*)		
por la tarde		
por la noche		

Paso 2. Ahora entrevista a un/a compañero/a. Haz preguntas sobre los detalles: ¿Dónde? ¿Con quién? ¿Qué? (¿Qué película viste? ¿Qué comiste?). Anota sus respuestas en la columna **Mi compañero/a** en el Paso 1. Túrnense. ¿Quién tuvo el día más interesante?

Modelo: Estudiante A: **¿Qué hiciste ayer por la mañana temprano?**
Estudiante B: **Bueno, me levanté a las ocho de la mañana, me duché y tomé el desayuno.**
Estudiante A: **¿Sí? ¿Qué tomaste? (¿Dónde? ¿Fuiste con alguien? ...)**

Extensión: Puede pedir como tarea que cada estudiante escriba un párrafo acerca del día de su compañero/a describiendo si les parece típico, interesante, divertido, etc. y justificando sus respuestas.

7.17 Esta actividad recicla los pretéritos regulares.

Pregunte a la clase si sus actividades fueron similares y pida ejemplos. Pregunte también quién tiene un/a compañero/a que hizo algo especialmente interesante, aburrido, original, peligroso...

EXPRESIONES ÚTILES

¿Sí?/¿De verdad?
These expressions look for confirmation (similar to *Really?*).

No me digas.
This expresses disbelief/surprise and encouragement to continue (as in *No way!*).

Yo también/tampoco.
This expresses agreement (equivalent to *Me too/neither.*).

[7.18] Nos divertimos. En parejas, entrevista (*interview*) a tu compañero/a sobre una visita pasada a una gran ciudad. Haz preguntas sobre temas del cuadro, y pide muchos detalles:

Output

Modelo: Estudiante A: **¿Cuál fue tu visita favorita a una gran ciudad?**
Estudiante B: **Fui a Nueva York el año pasado.**
Estudiante A: **¿Fuiste al cine? (¿Con quién? ¿Qué película viste?..)**

Estudiante A
- ir al cine, teatro o a un concierto.
- comprar comida en la calle
- ir de compras a un centro comercial, almacén, etc.
- otras actividades

Estudiante B
- ir a un museo o lugar interesante.
- comer en un restaurante excelente
- tomar el transporte público
- otras actividades

[7.19] ¿Qué te pasó? En grupos de cinco o seis estudiantes, van a inventar la historia de algo increíble que pasó ayer. Tomando turnos, cada estudiante debe añadir (*add*) una oración de la historia usando uno de los verbos en el cuadro. Un secretario toma nota para compartir con la clase después.

Output

abrazar	buscar	despertarse	divertirse	ganar	ir
leer	llegar	pedir	ponerse	tocar	ver

NOTA CULTURAL

Los mapuches de Chile

The Mapuche, or "people of the earth," are the most numerous indigenous group in Chile and the only one to have successfully resisted attacks from both the Incas and the Spaniards. After Chile gained its independence from Spain in 1818, a long, armed conflict between the government and the Mapuche led to a significant reduction in the Mapuche territory. As a result, many Mapuches moved to urban areas. However, in central and southern Chile, the Mapuches still maintain a strong cultural identity. Their ancestral beliefs are traditionally passed on by women in Mapundungun, the Mapuche language.

Do you know of Native American groups in the United States who live on special territories and also in urban or semi-urban areas?

Martin Thomas/Reuters/NewsCom

VideoEscenas

WileyPLUS

Y ¿luego fueron al cine?

▲Álvaro le cuenta a María lo que hizo ayer.

ANTES DE VER EL VIDEO

Responde a estas preguntas antes de ver el video.

1. ¿Con quién sales los fines de semana?
2. ¿Adónde van tú y tus amigos cuando salen?

Sugerencia: Si hace esta actividad en clase, puede pedir que completen esta sección en parejas.

A VER EL VIDEO

1. Mira el video prestando atención (*paying attention*) a la idea principal. Después, resume (*summarize*) lo que hizo Álvaro completando estas oraciones.

Álvaro ___salió___ con sus amigos para ___ir al cine___.

Ellos ___hicieron___ muchas cosas, pero no ___fueron al cine___.

2. Lee las siguientes preguntas. Si sabes algunas respuestas (*answers*), puedes escribirlas ahora. Después, mira el video otra vez para comprobar (*check*) y completar tus respuestas.

   a. ¿Cómo se divirtieron Álvaro y sus amigos? Se divirtieron sin hacer nada.

   b. ¿Adónde fueron los chicos primero y para qué? Fueron a la oficina de correos para mandar un paquete a la abuela de Álvaro.

   c. ¿Adónde fueron después y para qué? Fueron a un café con Internet y Manolo miró su correo electrónico.

   d. ¿Adónde fueron más tarde y para qué? Fueron al banco porque Alberto tenía que sacar dinero.

   e. ¿Adónde fueron los chicos finalmente y por qué? Se fueron a casa porque era demasiado tarde.

Sugerencia: Puede mostrar el video más de una vez. Si decide hacerlo, anúncielo a la clase antes de empezar este paso. Eso reducirá la ansiedad. También puede mostrarlo haciendo pausas, si le parece que las exigencias cognitivas de ver el video y tomar notas son demasiado grandes.

DESPUÉS DE VER EL VIDEO

Cuando ves a tus amigos, ¿tienen planes específicos antes de salir? ¿Hay ocasiones cuando no hacen nada más que pasar tiempo juntos?

Así se dice

En el correo y en el banco

Aunque actualmente nos comunicamos con mensajes de texto, correos electrónicos y redes sociales (*social networking sites*), **el correo** tradicional todavía tiene una importante función. Yo voy a la oficina de correos para **mandar** y **recoger paquetes**, **enviar cartas** importantes o **tarjetas**... Además, también me gusta mucho **recibir** cartas o tarjetas en Navidad o para mi cumpleaños. Y siempre estoy atenta a cuando pasa **el cartero** para ver si hay una sorpresa en el buzón.

En la oficina de correos

Quiero **mandar**/**enviar** esta tarjeta postal a mi amigo.

Recibí una **carta** de mi amiga.

Quiero **contestar** hoy. Escribo la **dirección** en el **sobre.**

Necesito comprar una **estampilla**/un **sello**.

¿Para quién es este **paquete?**

el cartero	*postman*	**mandar**	*to send*	**recoger**	*to pick up*
contestar	*to answer*	**recibir**	*to receive*	**el sobre**	*envelope*
enviar	*to send*				

Input **[7.20] Combinaciones.** Escribe combinaciones lógicas usando al menos una palabra de cada línea.

enviar	mandar	recibir	contestar	escribir	carta
cartero	dirección	paquete	sello	tarjeta	sobre

Modelo: enviar la carta, escribir la dirección en el sobre...

7.21 Esta actividad recicla el pretérito.

Sugerencias: Escriba las siguientes situaciones en tarjetas. En parejas (cliente/a y empleado/a de la oficina de correos), los estudiantes hablan para completar las siguientes transacciones:

- comprar estampillas para mandar una tarjeta postal a...
- comprar estampillas para mandar una carta a...
- recoger (*to pick up*) un paquete que acaba de llegar a la oficina de correos
- mandarle un paquete a tu familia en...

Output **[7.21] La historia de una carta.** Imagina y escribe la historia de una carta, de principio a fin (*from beginning to end*) con muchos detalles. Inventa un final emocionante, sorprendente o divertido.

El año pasado una carta cambió mi vida. Por eso quiero contar su historia. Primero, escribí la carta con mucho trabajo y atención. Después...

Output **[7.22] Y tú, ¿cómo te comunicas?**

Paso 1. En grupos, cada grupo asume una posición: defensores del correo tradicional, o del correo electrónico, o de los mensajes de texto y redes sociales como medios de comunicación. Escriban juntos una lista de razones para justificar su preferencia. Consideren también qué desventajas pueden mencionar sobre los otros métodos.

Paso 2. Formen nuevos grupos, con un "defensor" de cada herramienta (*tool*) de comunicación y debatan el tema.

Modelo: Estudiante A: **El correo electrónico es muy rápido.**
Estudiante B: **Sí, es cierto, el correo tradicional no es muy rápido, pero no requiere tener computadora.**
Estudiante C: **Los mensajes de texto...**

El dinero y los bancos

Nicolás **gana** un poco de dinero trabajando por las tardes.

A veces **gasta** su dinero en una tienda.

Pero ahora quiere **ahorrar**. Primero **cuenta** su dinero...

... y decide abrir **una cuenta** en el banco. Allí puede **depositar** su dinero, o **invertirlo**.

El sistema de bancos no es igual en todos los países hispanos. Por ejemplo, los bancos abren y cierran a horas diferentes dependiendo del país y, a veces, también varían de verano a invierno. Aunque en Estados Unidos es frecuente **pagar** con **cheques personales** y **tarjetas**, en otros países se usa mucho más **el efectivo**. Si viajas a otro país es importante llevar diferentes formas de dinero: un poco de efectivo en **la moneda** local, **cheques de viajero** y **tarjetas de crédito**; también debes averiguar si es fácil **encontrar** muchos **cajeros automáticos** o no, si puedes usar tu **tarjeta de débito** en el país que visitas, qué **tarifas cobra** el banco local y tu banco por **cambiar** o **retirar** dinero, o qué hacer si **pierdes** tu tarjeta.

el cajero automático	*ATM machine*	**depositar**	*to deposit*
cambiar	*to change, exchange*	**invertir (ie, i)**	*to invest*
el cambio	*change, exchange*	**la moneda**	*currency, money, coin*
el cheque (de viajero)	*check (traveler's check)*	**pagar (la cuenta)**	*to pay (for) (the bill, check)*
cobrar	*to cash; charge*	**perder (ie)**	*to lose*
contar (ue)	*to count*	**retirar**	*to withdraw*
el efectivo	*cash*	**la tarjeta de crédito/débito**	*credit/debit card*
encontrar	*to find*		

NOTA DE LENGUA

Note the difference between the use of **gastar** (dinero/energía) vs. **pasar** (tiempo)

Gastamos mucho **dinero** en libros. — *We spend a lot of money on books.*
Jorge **pasa** bastante **tiempo** estudiando. — *Jorge spends a lot of time studying.*

7.23 Sugerencia: Puede pedir a sus estudiantes como preparación antes de la clase que busquen datos sobre moneda, cambio, horarios de bancos, etc. en Santiago de Chile.

Sugerencia: El dinero es un tema personal y muchos estudiantes prefieren no comentar sus finanzas personales. Puede pedirles que no hablen de ellos personalmente sino del "estudiante universitario medio", o puede distribuir papelitos con un rol que deben asumir, ej.: un estudiante universitario, un joven profesional soltero y sin hijos, un hombre de mediana edad muy responsable, etc.

Recicla las expresiones de obligación (tener que, deber.)

Input/ Output

[7.23] Tus finanzas.

Paso 1. Marca tus respuestas a esta encuesta (*survey*) sobre tus hábitos financieros.

Usted y el dinero

1. Indique qué cuentas bancarias o productos financieros tiene:
   - ☐ cuenta corriente
   - ☐ tarjeta de crédito
   - ☐ cuenta de ahorro
   - ☐ tarjeta de débito
   - ☐ cuenta de inversión
   - ☐ préstamo (*loan*) de estudios
   - ☐ hipoteca (*mortgage*)
2. Tiene cuentas bancarias o de inversión en:
   ☐ un banco físico ☐ un banco en Internet ☐ los dos
3. Si tiene cuentas en un banco físico, generalmente hace sus transacciones:
   ☐ en persona en la oficina ☐ electrónicamente
4. Casi siempre pago…
   ☐ con efectivo ☐ con tarjeta de débito ☐ con tarjeta de crédito
5. Intento ahorrar…
   ☐ un 10% de mi salario ☐ un 25% de mi salario ☐ No ahorro nada.
6. Cuando tengo monedas…
   ☐ las uso ☐ no las quiero ☐ las ahorro y luego las llevo al banco
7. Reviso mis gastos…
   ☐ cada semana ☐ cada mes ☐ nunca
8. Organizo mis finanzas:
   ☐ con lápiz y papel ☐ con un programa de software ☐ con una aplicación/sitio web
9. Mis tarjetas de crédito…
   ☐ tienen un saldo (balance) pequeño ☐ tienen un saldo grande ☐ ¿Qué tarjetas de crédito?
10. Invierto…
    ☐ en la bolsa (stock market) ☐ en productos seguros (safe) ☐ No invierto en nada.
11. Pago mis cuentas a tiempo...
    ☐ siempre ☐ a veces ☐ casi nunca

Paso 2. Ahora, en parejas, comparen sus respuestas y decidan si sus hábitos son similares o diferentes. Comenten también si, en su opinión, sus actitudes y hábitos respecto al dinero son típicas entre los estudiantes.

Paso 3. En grupos, escriban una pequeña *Guía de consejos financieros para estudiantes*.

[7.24] Una visita al banco.

Output

En grupos pequeños, tienen cinco minutos para describir la escena ilustrada en el dibujo. Mencionen lo que está pasando, lo que pasó y lo que va a pasar. Escriban también los diálogos entre los empleados del banco y los clientes. Un/a estudiante sirve de secretario/a y apunta las ideas. ¡Usen su imaginación! ¿Qué grupo puede escribir la descripción más completa?

PALABRAS ÚTILES

se escapa	*escapes*
recoger	*to pick up*
suelo	*floor*

7.24 Cuando los estudiantes hayan completado la actividad, muestre ***PowerPoint Slides*** y pida al/a la secretario/a de cada grupo que presente su descripción a la clase. La clase puede elegir la más interesante, la más completa o la más imaginativa.

Esta actividad recicla el presente progresivo, el pretérito y la construcción *ir + a + infinitivo*, mientras se refuerza el vocabulario sobre el banco y el dinero.

Situaciones

Estás en el aeropuerto y decides tomar un taxi con una persona que no conoces, y compartir el precio del viaje para llegar al centro. Cuando llegas a tu destino, ¡descubres que no tienes tu billetera (*wallet*)! ¿Qué dices? ¿Cómo reacciona el otro pasajero? Intenten llegar a una solución. Las expresiones útiles a continuación les pueden ayudar.

Estudiante A: No tienes dinero para pagar el taxi. Debes pedir disculpas y proponer alternativas al otro pasajero hasta encontrar una solución.

Estudiante B: Tu compañero/a de taxi dice que no tiene dinero. Estás enojado y, por supuesto (*of course*), no quieres pagarlo todo tú. Defiende tu postura hasta llegar a una solución justa.

EXPRESIONES ÚTILES

¡Ay, Dios mío!
Oh, my God!
¡Lo siento muchísimo!
I am very sorry!
¿Qué le parece si... ?
What do you think about . . . ?
(No) Me parece bien/mal...
I (do not) think it's okay/ not okay . . .

Así se forma

4. Indicating to whom or for whom something is done: Indirect object pronouns

WileyPLUS
Go to *WileyPLUS* to review this grammar point with the help of the **Animated Grammar Tutorial.**

Use ***PowerPoint Slides*** para presentar y practicar esta gramática.

Antes de leer la explicación, pida a sus estudiantes que identifiquen a qué o quién se refieren las palabras en negrita en el texto y, a continuación, qué función tienen estas palabras en las oraciones donde se encuentran. Puede ser de ayuda identificar los ODs primero y recordar que la estructura del verbo gustar se construye con un pronombre de OI.

Fede y Virginia hablan del fin de semana:

Fede: **Me** contó Juan que fueron juntos a ver una obra de teatro. ¿**Te** gustó?

Virginia: Sí, **me** gustó mucho. De hecho, **les** voy a comprar entradas **a mis padres** para verla. Es su aniversario y quiero hacer**les** un regalo especial.

Fede: ¿Qué hicieron después? ¿Algo romántico? Juan **me** dijo que **le** gustas mucho...

Virginia: ¿De verdad? Pues a **mí** no **me** dijo nada... solo (*only*) **le** di las gracias, **nos** dijimos adiós y regresé a casa.

An indirect object identifies the person *to whom* or *for whom* something is done. Thus, this person receives the action of the verb *indirectly*.

To whom?	*I gave the package **to her.** / I gave **her** the package.*
For whom?	*I bought some tea **for him.** / I bought **him** some tea.*

HINT

Review direct object pronouns in *Capítulo 6*. Remember to ask the questions *Who(m)? or What?* to identify the direct object.

In contrast, remember that the direct object indicates who or what directly receives the action of the verb.

Who(m)?	*I saw **her** yesterday.*
What?	*Did you buy **the newspaper?***

Indirect object nouns are generally introduced by **a.**

Dimos una sorpresa **a Juan.**
(*OD*) (*OI*)

Sugerencia: Conviene recordar a los estudiantes que los OD de persona también necesitan *a*.

Vi *a* Juan ayer.

Pronombres de objeto indirecto

You already know the indirect object pronouns: they are the forms used with the verb **gustar** to indicate *to whom* something is pleasing.

A Carlos **le** gustó mucho la plaza. *Carlos liked the plaza very much.*
(*OI*) (*S*)

Revise con la clase los pronombres de objeto directo e indique cómo se diferencian de los pronombres de objeto indirecto en la tercera persona.

Señale con ejemplos la distinción entre las dos clases de objeto:

Vi a Marta (¿Qué/A quién vi?) → La vi.

Di un libro a Marta (¿Qué di? (OD); ¿Para quién? (OI)) → *Le* di el libro.

Los pronombres de objeto indirecto		
me	*me (to/for me)*	José **me** dio una foto de los mapuches.
te	*you*	¿**Te** dio una carta?
le	*you (formal)* *him* *her*	Él quiere dar**le** un libro a usted. Yo quiero dar**le** un libro a él. Quiero dar**le** un libro a ella también
nos	*us*	Nuestros amigos **nos** compraron chocolates.
os	*you*	¿**Os** pidieron algo?
les	*you/them*	¿Ellos **les** mandaron tarjetas postales **a ustedes?**

Position of indirect object pronouns

The indirect object pronoun, like the direct object pronoun and reflexive pronoun, is placed immediately before a conjugated verb, but may be attached to an infinitive or a present participle.

Me dijeron que esa película es muy buena.	*They told me that that movie is really good.*
¿Vas a comprar**me** esa revista? **¿Me** vas a comprar esa revista?	*Are you going to buy me that magazine?*
Estoy dándo**le** mi tarjeta de crédito. **Le** estoy dando mi tarjeta de crédito.	*I'm giving her/him my credit card.*

- **Redundancy.** Even though it may sound redundant, third-person indirect object pronouns **(le/les)** are generally used in conjunction with the indirect object noun.

  Les escribí **a mis primos.** — *I wrote to my cousins.*
  También **le** escribí **a Mónica.** — *I wrote to Mónica, too.*

- **Le** and **les** are often clarified with the preposition **a** + *pronoun.*
  Le escribí **a ella** anoche. — *I wrote to her last night.*

  It is also common to use the forms **a mí, a ti, a usted, a él, a ella, a nosotros/as, a vosotros/as, a ustedes, a ellos, a ellas** with the indirect object pronoun for emphasis.

  Sancho **me** mandó el paquete **a mí.** — *Sancho sent the package* to me. (*not to someone else*)

Dar and other verbs that frequently require indirect object pronouns

The verb **dar** (*to give*) is almost always used with indirect objects. Review its present tense conjugation and study the preterit.

dar			
Presente		**Pretérito**	
doy	damos	di[1]	dimos
das	dais	diste	disteis
da	dan	dio	dieron

- Some verbs that frequently have indirect objects are **contestar, decir, enviar, escribir, mandar,** and **pedir**, as one generally tells, sends, or asks for something (OD) **to someone** (OI).

Here are some new verbs that frequently have indirect objects:

ayudar[2]	*to help*	**preguntar**	*to ask*
contar (ue)[3]	*to tell, narrate (a story or incident)*	**prestar**	*to lend*
enseñar[2]	*to teach, show*	**regalar**	*to give (as a gift)*
explicar	*to explain*		

[1]Note that in the preterit **dar** uses **–er/–ir** endings, but with no written accent.
[2]**ayudar** and **enseñar** both take a complement with "a" to indicate what someone helps with or teaches how to do. For instance: Javier me ayudó a preparar la cena y me enseñó a hacer empanadas.
[3]You learned the verb **contar (ue)** earlier in the chapter meaning to count. Note that, when it means to tell or narrate, it often takes both a direct and indirect object (we tell something to somebody.)

Sugerencias: Escriba frases cortas en la pizarra (o en una transparencia) para presentar estos verbos en contexto, por ejemplo: *dar un libro, mandar un paquete,* etc. Añada el nombre de una persona a quien afectan las acciones, por ejemplo a Mónica. Pida a los estudiantes que formen oraciones con estos verbos en primera persona del pretérito e incluyendo el pronombre de objeto indirecto ***le:*** *Le di un libro a Mónica, etc.*

Señale la diferencia entre **preguntar** (*to ask something to someone*) y **pedir** (*to ask/make a request of/to somebody*), y entre los verbos **devolver**, que presentamos aquí, y **volver**.

7.25 Puede completar la actividad preguntando a los estudiantes si hicieron o van a hacer algo similar, por ejemplo: *¿Quién le escribe cartas a sus abuelos?; ¿Quién le envió un regalo a su mamá para su cumpleaños?* ...

Si le parece apropiado para su clase, puede usar esta actividad para un repaso gramatical. Pida a los estudiantes que identifiquen los objetos indirectos en la columna de la derecha y sus referentes (los nombres a los que se refieren) en la columna de la izquierda.

7.26 Sugerencia: Enfatice la diferencia entre *¿A quién le pides consejo?* y *¿Quién te pide consejo?* Señale la diferencia en cuanto a sujetos (formas verbales) y objetos indirectos (pronombres y presencia de *a* en *¿A quién?*).

Este ejercicio es una buena oportunidad para comparar diferencias personales y también culturales (por ejemplo, con quién se comparte cierto tipo de información, como las notas.)

Input

[7.25] ¿Qué hice o qué voy a hacer?

Relaciona las declaraciones de la columna A con las actividades correspondientes de la columna B. Lee las oraciones relacionadas.

A	B
_e_ **1.** Mis abuelos siempre quieren saber lo que estoy haciendo en la universidad.	**a.** Voy a prestarle mi carro.
_f_ **2.** Es el cumpleaños de mi madre.	**b.** ¿Puedes darme la dirección?
_a_ **3.** Mi amiga Natalia no tiene medio de transporte y necesita ir al centro.	**c.** Le conté toda la historia (*story*).
_b_ **4.** Quiero ir al restaurante argentino esta noche. Tú sabes dónde está, ¿verdad?	**d.** Te voy a explicar cómo funcionan.
_c_ **5.** Mi hermana quería saber lo que pasó anoche.	**e.** Voy a escribirles una carta.
_d_ **6.** ¿No entendiste los pronombres?	**f.** Le mandé un regalo (*gift*).

Input/Output

[7.26] Sondeo: Cuestiones personales.

Casi todos tenemos buenas relaciones con nuestros padres, hermanos, mejores amigos, etc., pero ¿hasta qué punto?

Paso 1. Indica tus respuestas a las siguientes preguntas.

	padre	madre	hermanos/as	mejor amigo/a	pareja	otros
¿A quién...						
... le pides consejo?						
... le cuentas todo?						
... le dices tus notas?						
... le prestas tus apuntes de clase?						
... le prestas libros, discos, etc.?						
¿Quién...						
... te pide consejo?						
... te cuenta todo?						
... te dice sus notas?						
... te presta sus apuntes de clase?						
... te presta libros, discos, etc.?						

Paso 2. Ahora, en grupos, hablen sobre sus respuestas y discutan las posibles diferencias personales.

Modelo: **Yo les pido consejo a mi madre y a mi padre porque... pero no les pido consejo a mis hermanos porque...**

Output **[7.27] La tarjeta perdida (*lost*).** Completa las oraciones. Usa los pronombres **lo/la** (directos) o **le** (indirecto) según la situación.

Ayer Manuel ___le___ pidió un favor a su novia Linda. ___Le___ dio su tarjeta del cajero automático y ___le___ dijo: "¿Puedes ir al cajero esta tarde y sacar ___me___ $100?" Cuando Linda llegó al cajero y buscó la tarjeta ¡no ___la___ pudo encontrar! ___La___ buscó en su mochila y en los bolsillos (*pockets*). ¿Quizá ___la___ dejó en su cuarto? Llamó a su compañera y ___le___ preguntó: "¿Hay una tarjeta en mi escritorio?" Su compañera ___le___ respondió que no. Pero unos segundos después, dijo: "¡ ___La___ encontré! Está al lado de la puerta!" Cuando por fin Linda ___le___ llevó el dinero a Manuel, no ___le___ contó nada de la tarjeta perdida.

[7.28] Cosas especiales.

Output **Paso 1.** Escribe oraciones sobre tus experiencias siguiendo el modelo.

Modelo: regalar
Mis padres me regalaron algo (*something*) fantástico
o **Yo le regalé a mi mejor amiga algo divertido.**

1. regalar ________________________________
2. enseñar ________________________________
3. decir ________________________________
4. enviar ________________________________
5. ayudar ________________________________

Paso 2. Comparte tus oraciones con un compañero/a y responde sus preguntas. Escucha también a tu compañero/a y pide más detalles.

Modelo: Estudiante A: **Mis padres me regalaron algo fantástico.**
Estudiante B: **¿Qué te regalaron? ¿Cuándo? ¿Por qué te gustó?...**

NOTA CULTURAL

Pablo Neruda

Pablo Neruda (1904-1973) was Chilean, but spent a good part of his adult life in various countries in Asia and Europe. Neruda is among the most distinguished Latin American poets of the twentieth century. His prolific writing, considered exceptional, earned him the Nobel Prize for Literature in 1971. He died with eight books still unpublished. A movie called 'Il postino" was made about Neruda's life. Try to see it.

▲ Il postino

7.27 Esta actividad recicla el pronombre de objeto directo *lo/la* y lo contrasta con el pronombre de objeto indirecto *le*.

Si les resulta difícil a los estudiantes, ayúdelos a analizar cada oración: pídales que piensen en el verbo y el objeto directo. Si hace falta un OD en la oración, deben identificar qué debería ser el objeto del verbo y escribir el pronombre correspondiente. Si el OD está presente, deben pensar en a quién afecta la acción y escribir el pronombre de OI. Si se trata del verbo *gustar*, recuerde a los estudiantes que *gustar* y otros verbos similares solo tienen OI.

7.28 Esta actividad recicla el pretérito.

Este ejercicio puede hacerse por escrito en clase o como tarea. Después algunos voluntarios pueden compartir sus respuestas. Si lo usa como ejercicio escrito, puede pedir a los estudiantes que indiquen si cada uso de *me* funciona como objeto directo o indirecto (ej.: *Me llevaron por toda la ciudad* = directo. *Me cocinaron algo especial* = indirecto.)

DICHO Y HECHO

PARA LEER: El Tortoni: Café con historia

ANTES DE LEER

1. ¿Qué cafés hay cerca de tu casa o de tu campus? ¿Qué hace la gente allí, aparte de tomar café?
2. Busca en Internet la lista de los "10 cafés más bellos del mundo" publicada por UCityGuides. ¿Qué país tiene tres cafés en la lista?
3. Busca en Internet un poco de información sobre 3-4 de las siguientes personas:

Jorge Luis Borges	Carlos Gardel	José Ortega y Gasset
Federico García Lorca	Vittorio Gassman	Alfonsina Storni

ESTRATEGIA DE LECTURA

Writing down unfamiliar words

As you read through a text for the first time, write down unfamiliar words that seem important in understanding the overall meaning. Note: This does not mean that you should write down every word you don't understand. As you read each paragraph, focus on new words that seem key in understanding its message.

As you read through the article about el *Café Tortoni* for the first time, write down two or three unfamiliar words in each paragraph. Then, as you read each paragraph more closely a second time, decide which of the words you've written down still seem key to unlocking its meaning and go ahead and look those up.

A LEER

Pocos turistas visitan Buenos Aires sin entrar al famoso Café Tortoni, seleccionado por UCityGuides como uno de los diez cafés más bellos del mundo. Fue fundado en 1858 por el francés Jean Touan con el nombre "Tortoni" en referencia a un café de París donde se reunía la élite en el siglo XIX.

Durante sus 150 años de existencia, ha formado una parte importante en la historia de la ciudad, y su nombre está asociado con el tango y la literatura, el jazz y la pintura, la política y las artes. Sus mesas fueron frecuentadas por personajes célebres como Jorge Luis Borges, Carlos Gardel, Vittorio Gassman y Federico García Lorca, dándole al café fama internacional.

En 1926, un grupo de clientes habituales llamado la "Agrupación Gente de Artes y Letras" pero popularmente conocidos como "La Peña" ("el club") piden permiso al dueño para reunirse en la bodega (*wine cellar*). Son un grupo de pintores, escritores, periodistas y músicos que se dedica a la difusión de la cultura mediante conciertos, recitales, conferencias, etc. Entre los asistentes figuraban celebridades de todas las disciplinas: Ortega y Gasset, Albert Einstein, Alfonsina Storni, Juana de Ibarbourou y Arthur Rubinstein. La Peña funcionó hasta 1943, cuando se cerró la bodega y el grupo se disolvió.

Hoy en día, el propietario del Café Tortoni es el Touring Club Argentino y la bodega es escenario habitual para artistas de distinto género. El tango, por ejemplo, siempre ha tenido un sitio preferente en el Café Tortoni, y en la primera planta del mismo edificio se encuentra la Academia Nacional del Tango. Otras actividades incluyen presentaciones de libros, concursos de poesía y exposiciones de pintura.

Texto: Carlos Paredes/*De la revista Punto y coma (Habla con eñe)*

DESPUÉS DE LEER

© Emiliano Rodriguez/Alamy

1. ¿Por qué es el Café Tortoni un destino popular para turistas?
2. ¿Qué similitudes y diferencias hay entre el Tortoni de los años 20 (*in the 20s*) y el actual (*the current one*)?
3. ¿Crees que un grupo artístico como "La Peña" o la "Asociación Amigos del Café Tortoni" podría formarse en un café de cadena (*chain*) como Starbucks? ¿Por qué sí o no?
4. ¿Para qué vas a un café (o para que va la gente)? ¿Cuáles piensas que son las diferencias entre los cafés en los países hispanos y los de Estados Unidos?

1- Por su belleza, historia y sus actividades culturales.

2- Es similar en que es muy popular y hay muchos eventos culturales. Es diferente porque antes los intelectuales y artistas (La Peña) se reunían allí y organizaban eventos culturales, ahora los dueños organizan eventos.

PARA CONVERSAR: ¿Qué compramos?

En parejas, imaginen que son hermanos de visita en Buenos Aires, pero pronto vuelven a casa. Tienen $250 pesos argentinos (ARS), que es aproximadamente el equivalente a $60 dólares estadounidenses, y quieren gastarlos antes de irse. Cada uno (*Each one*) de ustedes quiere comprar un recuerdo (*souvenir*), pero también quieren llevar regalos a sus padres.

ESTRATEGIA DE COMUNICACIÓN

Expressing emphatic reaction

You and your classmate may not agree on how to spend all of your money. Look at the list of items available to get a sense of what things you think are well priced and what things you think are too expensive. Think about what things are useful, practical, etc. and which might be frivolous (to you). As you discuss what to buy with your classmate, react emphatically to her/his suggestions when you don't agree. Here are some useful expressions.

¡(Pero) hombre/mujer...!	(roughly equivalent to *Come on now!*)
¿Cómo?	*What!?*
¡Ay no!	*No way!*
¡Ni pensarlo!	*Don't even think about it!; Not a chance!*

PALABRAS ÚTILES

A mí me gusta más...
Yo prefiero...
(No) Me parece buena idea...

caro/a	*expensive*
barato/a	*inexpensive, cheap*
un buen precio	*a good price*

Dos libras (*pounds*) de mate y una bombilla	$ 97	ARS
Una cartera de cuero (*leather*)	$116	ARS
Una botella de vino de Mendoza	$ 77	ARS
Un CD de tango	$ 77	ARS
Una camiseta del grupo de rock Los Piojos	$ 96	ARS
Un libro de recetas de comida argentina	$ 58	ARS

ASÍ SE HABLA

En su conversación, intenten usar estas frases muy comunes en Argentina y Chile:

Argentina:
che = *"man"* or *"pal"*
¡Qué copado! = *How cool!*

Chile:
¿Cachai? = *Do you understand?*
fome = *inferior, not cool*

Alternativa: Si prefiere, puede ofrecer la siguiente opción.

Guía turística de la universidad Tu universidad quiere crear una guía turística para visitantes. Vas a preparar una propuesta para un itinerario de tres días en la ciudad donde está tu universidad. El Departamento de Admisiones otorga un premio al mejor itinerario.

Modelos: Si usted elige la opción de la visita al campus, puede ofrecer los siguientes modelos:

Modelo 1 (organizado por tipos de actividades)
Párrafo 1: La universidad ________ es un lugar ideal para estudiar y vivir porque ________ . Si visitan nuestro campus, les recomendamos no perderse los siguientes lugares.
Párrafo 2: Eventos culturales (días 1 y 3): Qué museos visitar, cuánto cuestan las entradas, etc.
Párrafo 3: Eventos deportivos (día 2)
Párrafo 4: De compras (días 2 y 3): Lo que voy a comprar, dónde, etc.
Conclusión: Su visita va a ser (interesante/fantástica/inolvidable/etc.) porque...

Modelo 2 (organizado por localización)
Párrafo 1: La universidad ________ es un lugar ideal para estudiar y vivir porque ________. Si visitan nuestro campus, les recomendamos no perderse los siguientes lugares.
Párrafo 2: Día 1: Visita al campus.
Párrafo 3: Día 2: Visita a la ciudad.
Párrafo 4: Día 3: Otros lugares interesantes.
Conclusión: Su visita va a ser (interesante/fantástica/inolvidable/etc.) porque...

PARA ESCRIBIR: Tres días en Santiago o en Buenos Aires

Vas a preparar una propuesta (*proposal*) para un itinerario de tres días en una capital de América del Sur: Santiago, Chile, o Buenos Aires, Argentina. Tu propuesta es para una agencia de viajes que va a regalar un viaje al autor del mejor itinerario.

ANTES DE ESCRIBIR

Elige la ciudad que "visitaste" y cuándo (elige un mes):

☐ Santiago, Chile en ________ (mes)

☐ Buenos Aires, Argentina en ________

Haz un mapa de ideas con la información que aprendiste sobre la ciudad en este capítulo. También busca detalles adicionales en Internet. Nota: Es muy importante que consideres cómo es el tiempo en América del Sur en el mes de tu itinerario. Por ejemplo, recuerda que el verano allá es de noviembre a enero.

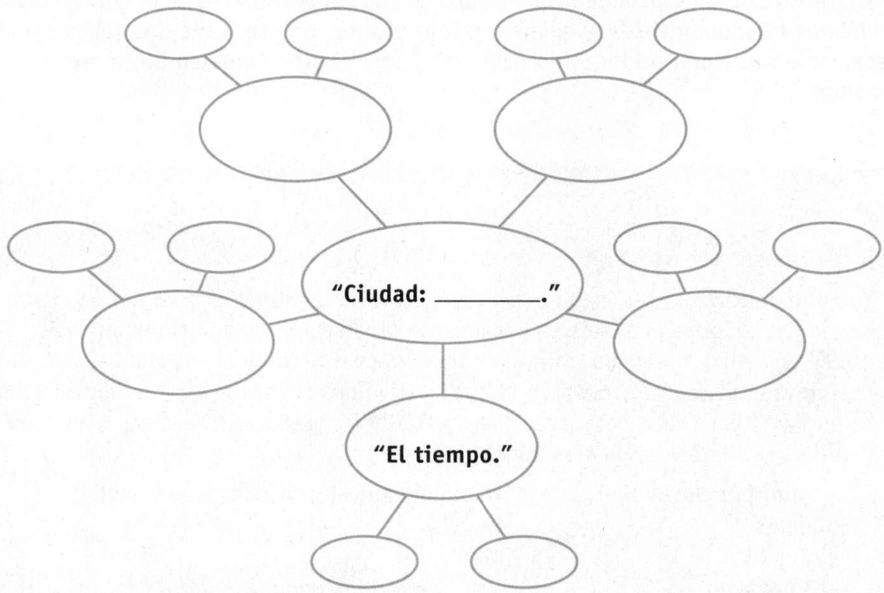

ESTRATEGIA DE REDACCIÓN

Outlines

In *Capítulo 3* you learned how to use idea maps to generate concepts. Once you have a number of good ideas, it's necessary to organize them in a clear and logical way. An outline helps you determine the best order in which to present and develop your ideas. What order is best depends on the type of writing you are doing—a narrative, for example, often uses chronological order to sequence the events of its plot.

It is important to remember that outlines are tools to help you get started, but that they shouldn't limit or restrict you! As part of the writing process, we often change our ideas, and can simply go back and change the outline. Don't be afraid to change your outline as your ideas develop!

Choose one of the models below, or your own thoughts about organization, to outline the ideas you will develop to describe your imagined trip.

Modelo 1	Modelo 2
Párrafo 1: La ciudad que elegí es ________ porque ________. Ahora voy a describir mi propuesta para un itinerario de tres días en esta ciudad.	**Párrafo 1:** La ciudad que elegí es ________ porque ________. Ahora voy a describir mi propuesta para un itinerario de tres días en esta ciudad.
Párrafo 2: Eventos culturales (días 1 y 3): Qué museos visitar, cuánto cuestan las entradas, etc.	**Párrafo 2:** Día 1: Todo lo que quiero hacer.
Párrafo 3: Eventos deportivos (día 2)	**Párrafo 3:** Día 2: Todo lo que quiero hacer.
Párrafo 4: De compras (días 2 y 3): Lo que voy a comprar, dónde, etc.	**Párrafo 4:** Día 3: Todo lo que quiero hacer.
Conclusión: Mi itinerario es fantástico porque...	**Conclusión:** Mi itinerario es muy original porque...

A ESCRIBIR

Escribe un primer borrador que describa tu itinerario con muchos detalles. ¡La agencia de viajes va a pagar un viaje de verdad para la descripción más detallada y entusiasta!

Para escribir mejor: Estas formas de enfatizar adjetivos te pueden ayudar.

muy + adjetivo	*very + adjective*	muy bello
adjetivo + -ísimo/a	*very + adjective*	bellísimo
tan + adjetivo	*so + adjective*	tan bello
realmente + adjetivo	*really + adjective*	realmente bello
enormemente + adjetivo	*greatly + adjective*	enormemente bello

Aquí tienes otras palabras útiles.

incomparable	*incomparable*	**impresionante**	*impressive, stunning*
extraordinario	*outstanding*		

DESPUÉS DE ESCRIBIR

Revisar y editar: El vocabulario. Al escribir es importante escoger palabras y expresiones apropiadas y que expresen nuestras ideas de forma precisa. Presta especial atención al uso de falsos cognados y, si usas un diccionario, comprueba que escoges palabras correctas. También debes evitar la repetición e intentar usar el vocabulario que estás aprendiendo. Hazte (*Ask yourself*) estas preguntas:

- ☐ ¿Uso vocabulario preciso y apropiado? ¿Uso vocabulario variado? ¿Demuestra el texto el vocabulario que sé en español?
- ☐ ¿Estoy seguro/a (*sure*) de que no hay falsos cognados o expresiones traducidas (*translated*) literalmente del inglés?

La organización y el contenido. Después de escribir el primer borrador de tu composición, no lo leas (*do not read it*) al menos por un día. Cuando vuelvas (*you return*) a leerlo, corrígelo en términos de contenido, organización y gramática. Después, revisa también el uso de vocabulario con las preguntas de arriba. Además, hazte estas preguntas:

- ☐ ¿Está clara la organización?
- ☐ ¿Hay suficientes detalles?
- ☐ ¿Comunica entusiasmo la composición? ¿Es apropiada para competir por un premio?
- ☐ ¿Es correcta la gramática? ¿Usé correctamente los verbos en pretérito?

WileyPLUS

PARA VER Y ESCUCHAR:

La plaza: Corazón de la ciudad

ANTES DE VER EL VIDEO

En parejas o grupos pequeños, respondan a estas preguntas.

1. ¿Qué lugares o áreas son importantes en esta ciudad? ¿Por qué?
2. ¿Hay alguna plaza en esta ciudad? ¿Qué hace la gente allí?

Sugerencia: Si hace esta actividad en la clase, pause el video después de cada intervención de la narradora y las diferentes personas que forman parte del video. Después, muestre el video completo una o dos veces.

No es de esperar que los estudiantes tomen nota de todos los eventos y actividades a los que hace referencia el video. Puede dibujar el cuadro en la pizarra y pedir a la clase que compartan sus respuestas y puede añadir después las que falten.

Explique el nuevo vocabulario: *billar, ajedrez, tianguis* (mercadillo ambulante, en México).

ESTRATEGIA DE COMPRENSIÓN

Repeated viewing and pausing

When you view and/or listen to recorded materials, you can play the video/audio several times. Focus on the main ideas first, and listen for details later. When listening for specific information, you can also use the pause function to take notes of each idea you heard so that you can concentrate on the next segment. Although you might not have a pause or replay option in a conversation in Spanish, you can also ask your interlocutor to repeat (**¿Perdón?** or **¿Puede repetir, por favor?**) or pause (**Un momento, por favor.**)

A VER EL VIDEO

Paso 1. Mira el video y responde a estas preguntas.

1. ¿Cuál era la función original de las plazas? Se utilizaban para unir diferentes poderes.
2. ¿Qué función tienen ahora las plazas? Se utilizan con diferentes fines sociales y culturales.

Paso 2. Observa la siguiente tabla y presta atención a la información que debes obtener. Vas a escuchar el video dos veces (*twice*). La primera vez, usa la pausa después de cada sección para tomar notas. La segunda vez, intenta completar tus notas sin usar la pausa.

Plazas que vemos en el video	Eventos en las plazas actuales	Actividades y entretenimiento
Plaza Mayor, Madrid Plaza de España, Sevilla Zócalo, México D.F. Plaza de Armas, Lima	Conciertos/Mariachis Mercados de artesanías Feria de libros Bodas	Pasear Visitar tiendas y tianguis Jugar billar Jugar ajedrez Ir al cine Estar tranquilo

Extensión: Puede pedir a sus estudiantes que escriban un pequeño párrafo describiendo las semejanzas y diferencias entre las plazas hispanas y las estadounidenses.

DESPUÉS DE VER EL VIDEO

En grupos pequeños, respondan a estas preguntas.

1. ¿En qué son similares y diferentes las plazas hispanas y las de tu comunidad?
2. ¿Hay otros lugares en tu comunidad que tienen una función similar a la plaza hispana?

Repaso de vocabulario activo

Adjetivo

el/la mejor *the best*

Preposiciones

al lado de *beside, next to*
antes de *before*
cerca de *near, close to*
debajo de *beneath, under*
delante de *in front of*
dentro de *inside*
después de *after*
detrás de *behind*
en *in, on*
encima de *on top of, above*
enfrente de *opposite, facing*
entre *between, among*
en vez de *instead of*
frente a *opposite, facing*
fuera de *outside*
lejos de *far from*
para + infinitivo *in order to + do something*
por *by, through, alongside, around*
sobre *on*

Sustantivos

En el banco ***In the bank***

el cajero automático *ATM machine*
el cambio *change, small change, exchange*
el cheque *check*
(de viajero) *(traveler's check)*
la cuenta *account*
el efectivo *cash*
la moneda *currency, money, coin*
la tarifa *rate*
la tarjeta de crédito/débito *credit/ debit card*

En la ciudad ***In the city***

el almacén/la tienda por departamentos *department store*
el autobús *bus*
la avenida *avenue*
el banco *bank; bench*
el bar *bar*
el café *café, coffee shop*
la calle *street*
el centro comercial *shopping center, mall*
el cine *movie theater, cinema*
el edificio *building*
la entrada *entrance; ticket*
el estacionamiento *parking*
la estatua *statue*
la gente *people*
la iglesia *church*
la joyería *jewelry store*
la librería *bookstore*
el lugar *place*
el metro *metro, subway*
el museo *museum*
la obra de teatro *play (theater)*
la parada de autobús *bus stop*
el parque *park*
la pastelería *pastry shop, bakery*
la película *film, movie*
el periódico *newspaper*
la pizzería *pizzeria*
la plaza *plaza, town square*
el quiosco *kiosk, newsstand*
el rascacielos *skyscraper*
el restaurante *restaurant*
la revista *magazine*
el taxi *taxi*
el teatro *theater*
la zapatería *shoe store*

En la oficina de correos ***In the post office***

el buzón *mailbox*
la carta *letter*
la dirección *address*

la estampilla/el sello *stamp*
el paquete *package*
el sobre *envelope*
la tarjeta postal *postcard*

Verbos y expresiones verbales

abrir *to open*
ahorrar *to save*
ayudar *to help*
cambiar *to change, exchange*
cerrar (ie) *to close*
cobrar *to cash; to charge*
contar (ue) *to count, tell, narrate*
contestar *to answer, reply*
depositar *to deposit*
empezar (ie) *to start*
encontrar (ue) *to find*
enseñar *to teach*
entrar (en/a) *to enter, go in*
enviar *to send*
esperar *to wait (for)*
explicar *to explain*
gastar *to spend (money)*
hacer cola/fila *to be in line*
invertir (ie, i) *to invest*
invitar *to invite*
morir (ue, u) *to die*
pagar *to pay (for)*
pasar *to pass, go by; to spend (time)*
perder (ie) *to lose*
preguntar *to ask*
prestar *to lend*
recibir *to receive*
regalar *to give (as a gift)*
repetir (i, i) *to repeat*
retirar *to withdraw (money)*
terminar *to finish*

CAPÍTULO 8

De compras

Blend Images/SUPERSTOCK

LEARNING OBJECTIVES

In this chapter, you will learn to:

- talk about and purchase clothing.
- indicate and emphasize possession.
- talk about actions in the past.
- express negation.
- avoid repetition using double object pronouns.
- be familiar with shopping in Spanish-speaking countries.
- discover Peru, Ecuador, and Bolivia.

Entrando al tema

1. Para ti, ¿es la ropa (*clothing*) algo necesario y funcional o una forma de expresar tu estilo?
2. ¿Te gusta ir de compras? ¿Vas solo/a o con amigos? ¿Es divertido o una tarea (*chore*) necesaria?
3. ¿Sabes cuál es la moneda oficial de Ecuador?
   ☐ el peso ☐ el sucre ☑ el dólar

Así se dice

De compras

Use ***PowerPoint Slides*** para presentar y practicar este vocabulario.

¿Qué ves? Responde a estas preguntas sobre la ilustración. Observa las prendas de ropa (*clothing items*) de invierno.

1. ¿Qué maniquí lleva (*is wearing*) una blusa, el hombre o la mujer? ¿De qué color es? ¿De qué es la blusa, de seda o de cuero? ¿Quién lleva camisa? ¿De qué color es? La mujer que camina por la calle ¿lleva suéter o camiseta? ¿De qué es probablemente el suéter, de lana o de seda?
2. ¿Quién lleva traje? ¿Quién lleva jeans? También hay una falda, ¿de qué color es? ¿Es larga o corta?

Puedes encontrar más preguntas de comprensión en *WileyPLUS* y en el *Book Companion Site* (BCS).

corto/a	*short (things, not people)*
de tacón alto/bajo	*high-heeled/flat (shoe)*
el algodón	*cotton*
el cuero	*leather*
el oro	*gold*
las rebajas	*sales*
la cartera/ la billetera	*wallet*
la manga	*sleeve*
largo/a	*long*
la plata	*silver*
la lana	*wool*
la seda	*silk*
las joyas	*jewelry*
llevar	*to wear*

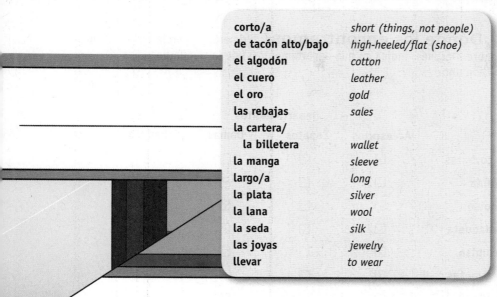

WileyPLUS

Pronunciación:
Practice pronunciation of the chapter vocabulary and particular sounds of Spanish in *WileyPLUS*.

Sugerencia: Para iniciar el trabajo de comprensión y respuesta al nuevo vocabulario (actividades de *input*) refiérase al resto de las preguntas de comprensión **¿Qué ves?** en *WileyPLUS* y en el Book Companion Site (BCS). Puede usar esta ilustración o una sin etiquetas de vocabulario (ambas disponibles en *WileyPLUS*.)

NOTA DE LENGUA

There is much regional variation in clothing vocabulary. Keep these differences in mind when you travel.

- la chaqueta → el saco (Argentina); la chamarra (México)
- el suéter → el jersey (España); el pulóver (Argentina)
- la falda → la pollera (Argentina)
- el abrigo → el tapado (Argentina); el sobretodo (Colombia)

¿Y tú?

1. ¿Qué tipos de prendas (*clothing items*) de esta tienda tienes? ¿Hay algunos tipos de prendas que no usas?
2. ¿Qué complementos y joyas usas?

Input **[8.1] ¿Dónde los encontramos?** Primero, empareja cada artículo con su nombre. Después, indica en qué departamento(s) de la tienda podemos encontrar cada uno.

Sugerencia: Señale que, en algunos casos, puede haber más de una opción correcta.

	Departamentos			
	Accesorios	**Zapatos**	**Damas**	**Caballeros**
b **las corbatas**	☑	☐	☐	☑
h **la falda**	☐	☐	☑	☐
f **el bolso**	☐	☐	☑	☐
d **la chaqueta**	☐	☐	☑	☑
g **la camisa**	☐	☐	☐	☑
c **los guantes**	☑	☐	☑	☑
e **los tenis**[1]	☐	☑	☑	☑
a **la gorra**	☑	☐	☑	☑
i **la pulsera**	☑	☐	☑	☑

a.

b.

c.

d.

e.

f.

g.

h.

i.

[1]**Los tenis** is a common way of referring to **los zapatos de tenis.**

[8.2] ¿De hombre o de mujer?

Escucha la mención de varios artículos de ropa y decide si cada uno normalmente se asocia con las mujeres, los hombres o los dos.

Input

	Mujeres	Hombres	Los dos		Mujeres	Hombres	Los dos
1.	☐	☐	☑	6.	☐	☑	☐
2.	☑	☐	☐	7.	☐	☐	☑
3.	☐	☐	☑	8.	☑	☐	☐
4.	☐	☐	☑	9.	☑	☐	☐
5.	☐	☐	☑	10.	☐	☐	☑

[8.3] ¿De quién es?

Tus amigos olvidaron (*forgot*) algunas cosas en tu cuarto.

Input **Paso 1.** Lee las siguientes oraciones y completa el cuadro para deducir quién olvidó cada prenda de vestir (*article of clothing*).

1. La bolsa es negra.
2. Sandra no tiene prendas o accesorios de cuero.
3. La gorra es de algodón.
4. Una prenda es de seda, otra es blanca y roja.
5. Raquel no olvidó una gorra.
6. La corbata es azul con lunares blancos.
7. Óscar olvidó una prenda de algodón.
8. Una chica olvidó su bolsa de cuero.
9. La bufanda es de rayas verdes y blancas.
10. La prenda de Sandra es de lana.

Amigo/a	Prenda	Material	Color
Oscar	una gorra	de algodón	blanca y roja
Sandra	una bufanda	de lana	rayas verdes y blancas
Raquel	una bolsa	de cuero	negra
Alberto	una corbata	de seda	azul con lunares blancos

Output **Paso 2.** Ahora, escribe cuatro oraciones para describir las prendas que tus amigos/as olvidaron. Piensa en ropa o complementos que usan frecuentemente.

Modelo: **Andrea olvidó una blusa de algodón amarilla.**

8.2 Audio:
1. los pantalones cortos
2. las medias
3. los zapatos
4. los vaqueros o ***jeans***
5. los lentes de sol
6. la corbata
7. los guantes
8. la falda
9. la pulsera
10. los calcetines

8.2 Extensión: Pida a los estudiantes que, en parejas, continúen la actividad con otras prendas de ropa y accesorios.

PALABRAS ÚTILES

de/a rayas	*striped*
lunares	*dots*

8.3 Señale que algunas oraciones no serán útiles de inmediato. Tienen que llenar el cuadro con la información que pueden utilizar y volver después a otros detalles.

Respuestas:
Óscar olvidó una gorra blanca y roja de algodón.
Sandra olvidó una bufanda de lana de rayas verdes y blancas.
Raquel olvidó una bolsa negra de cuero.
Alberto olvidó una corbata azul de seda con lunares blancos.

8.4 Audio:
1. pantalones cortos, una camiseta y zapatos de tenis
2. *jeans,* un suéter de algodón y zapatos de tenis
3. una falda corta y una camiseta, pulseras y pendientes de moda
4. un traje, una camisa de manga larga y zapatos
5. un traje de baño, una gorra o un sombrero y sandalias
6. un vestido largo de seda, zapatos elegantes

8.4 Sugerencia: Compare las opiniones de la clase. Después de que lean "En mi experiencia" que sigue a la Actividad 8.8 de este capítulo, haga que llenen otra vez la columna ***Las clases*** con un bolígrafo de otro color, imaginando que están en España o América Latina. Comenten sus respuestas señalando las diferencias en cuanto a la ropa que se considera aceptable para asistir a clase en los países hispanos y en Estados Unidos.

Extensión: Pida a sus estudiantes que describan atuendos completos para dos ocasiones del **Paso 1** (deben escoger también si cada atuendo es para un hombre o una mujer.) Después, en grupos, o con toda la clase, los estudiantes leen sus descripciones y sus compañeros identifican la ocasión.

8.6 Esta actividad recicla expresiones del tiempo (clima).

8.6 Sugerencia: Divida a los estudiantes en grupos y pídales que preparen un gran desfile de modas para la próxima clase. Puede asignar un tema diferente a cada grupo (moda urbana, rural, alternativa, clásica, etc.) o pedir a los grupos que piensen en un tema para su colección. En la próxima clase, un/a estudiante de cada grupo presenta el desfile, mientras los otros desfilan para el resto de la clase.

[8.4] ¿Qué ropa es apropiada?

Input

Paso 1. Escucha las siguientes descripciones e indica en qué ocasión es apropiado llevar esta ropa. (Algunas opciones pueden ser apropiadas para más de una ocasión.)

_5_ para la playa

_4_ para una entrevista de trabajo (*job interview*)

_1_ para correr en el parque

_2_ para las clases

_6_ para una cena formal

_3_ para la discoteca

Paso 2. Indica qué ropa y accesorios son apropiados para estas situaciones.

	La playa	Las clases	Una entrevista de trabajo	Una cena formal
joyas de oro				
una camiseta vieja				
una corbata				
una gorra				
sandalias				
jeans				
pantalones cortos				
una falda corta				
una camisa				

Paso 3. En grupos pequeños, comparen sus respuestas. ¿Tienen opiniones similares? ¿Qué prendas de ropa y complementos consideran inapropiados para cada ocasión?

[8.5] ¿Quién es?

Output

Paso 1. Observa a tus compañeros de clase y a tu instructor/a. Escoge a dos personas y, en tu cuaderno, describe su ropa con detalle.

Paso 2. En grupos, y por turnos, cada estudiante lee una de tus descripciones sin mencionar el nombre de la persona. Tus compañeros deben identificar quién es.

Output

[8.6] ¿Qué necesitamos?

Paso 1. El próximo año vas a estudiar en Ecuador y estás pensando qué empacar (*pack*) para el viaje. ¿Qué ropa y accesorios vas a necesitar para ir a los siguientes lugares? Busca información por Internet sobre el clima en estos lugares y meses.

Las playas de Guayaquil (agosto)	Volcán Chimborazo (noviembre)	Selva amazónica (septiembre)	Cena en la Embajada de EE. UU. en Quito (octubre)

Paso 2. ¡Qué casualidad! Tu compañero/a también va a ir a Ecuador. Comparen sus listas y expliquen por qué van a llevar estas cosas. ¿Quieres eliminar, añadir (*add*) o cambiar algo en tu lista?

[8.7] El color perfecto para cada ocasión.

Input/Output **Paso 1.** En parejas o grupos pequeños, contesten estas preguntas:

- ¿Cuál es tu color favorito? ¿Por qué te gusta? ¿Tienes mucha ropa de ese color?
- ¿Qué impresión te da una persona que lleva amarillo?, ¿y rojo?, ¿azul?, ¿negro?

Paso 2. Lee el texto a continuación y contesta las preguntas que siguen.

El color perfecto para cada ocasión

• **ROJO.** Se relaciona con éxito, energía, pasión y peligro. ¿Sabías que el rojo estimula la respiración y el ritmo cardiaco? • **NARANJA.** Es el color de la comunicación. La persona que lo lleva transmite energía positiva, vitalidad y buen humor. • **AMARILLO.** Es el color del sol, y por tanto inspira emociones cálidas, de luz y optimismo, pero también simboliza traición y mentira. Es un color difícil de asimilar para el ojo, por tanto es conveniente usarlo en dosis pequeñas o en tonos claros. • **VERDE.** Es el color del dinero y la naturaleza. Da la impresión de independencia y naturalidad. El verde claro produce relajación y bienestar. • **AZUL.** Transmite seguridad, calma, pero también autoridad y poder, y es el color más frecuente en eventos diplomáticos y políticos.• **MARRÓN.** El color de la tierra, transmite comodidad, seguridad y estabilidad. • **MORADO.** El color de la realeza y nobleza. Expresa grandeza, misterio y elegancia. • **BLANCO.** Un color clásico, sinónimo de pureza, inocencia, paz, pero también puede ser severo y dar una sensación clínica. • **NEGRO.** Es un color de autoridad, seriedad, drama e incluso tristeza, pero puede ser muy elegante y sofisticado, y también da un aire de misterio.

PALABRAS ÚTILES

el éxito	*success*
el peligro	*danger*
la respiración	*breathing*
cálido/a	*warm*
la traición	*betrayal*

1. ¿Son tus impresiones sobre estos colores similares a las que describe el texto? ¿Dice el texto algo que te pareció interesante, sorprendente o dudoso (*doubtful*)?
2. Según (*According to*) el texto, ¿qué se asocia con tu color favorito? ¿Crees que estas características describen tu personalidad correctamente? Si el artículo no menciona tu color favorito, ¿qué color es? ¿Y qué crees tú que puede sugerir?

Paso 3. Basándote en el texto *El color perfecto para cada ocasión,* ayuda a estas personas a escoger ropa apropiada para las siguientes ocasiones.

Modelo: Rosa quiere pedir un aumento (*raise*) en el trabajo.
Puede llevar un traje negro porque es elegante y profesional, y una blusa verde para atraer (*attract*) el dinero.

1. El Sr. Donoso va a comer con un cliente importante.
2. Pedro va a trabajar cuidando a niños esta noche.
3. Bernardo tiene una cita (*a date*) esta noche.
4. Andrea va a hacer una presentación en la clase de historia mañana.
5. Leo va a visitar a su abuela en el hospital.

La transformación de Manuela

Mañana es mi cumpleaños y decidí empezar este nuevo año con un cambio de imagen. Para empezar, fui al oftalmólogo y cambié mis gafas por **lentes de contacto.** Después, fui a un salón de belleza y peluquería y ¡qué diferencia! Me sentí (*I felt*) más guapa, pero también más alegre y optimista. Eso me motivó a organizar mi **ropero.** Saqué mucha **ropa** que no me sienta bien (*fit me*), lavé otras cosas **sucias**, **devolví** ropa nueva que no uso, y ahora está todo **limpio** y ordenado. Llamé a mi amiga Irene para ir de compras, ella siempre me da buenos consejos y sabe encontrar ropa de **calidad** y bastante (*quite*) **barata**, porque ¡ir a **la moda** puede ser muy **caro**! **Miramos** en varias tiendas, donde nos **mostraron** mucha ropa bonita. **Me probé** muchas **cosas** y compré algunas (*some*) a buen **precio.** ¡Ahora sé cuál es mi **talla** real! Estoy lista para mi cumpleaños y ya recibí un **regalo** fantástico: mi nueva yo.

NOTA DE LENGUA

While shopping, one usually looks for, looks at, and sees various items. Observe the differences between the verbs **buscar** (*to look for*), **mirar** (*to look at*), and **ver** (*to see*). Natalia y Camila...

buscan un regalo, *are looking for* a gift,
miran varias gafas de sol *look at* various sunglasses,
y **ven** las que quieren comprar. and *see* the ones they want to buy.

Antes

Después

barato/a	*cheap*	**mostrar (ue)**	*to show*
caro/a	*expensive*	**probarse**[2]	*to try on*
la calidad	*quality*	**el regalo**	*gift*
la cosa	*thing*	**la ropa**	*clothing/ clothes*
devolver (ue)	*to return, give back*	**el ropero**	*closet*
limpio/a	*clean*	**sucio/a**	*dirty*
la moda[1]	*fashion, style*	**la talla**	*size*

[8.8] ¿Qué prefieres?

8.8 Sugerencia: Puede completar esta actividad haciendo un sondeo de las preferencias de la clase y conversando sobre tendencias, estilos, etc.

Input/ Output **Paso 1.** Indica tus preferencias respecto a la ropa y las compras. Puedes marcar más de un cuadro.

[1]While **ir/estar a la moda** is used to refer to people (to dress with style), **estar de moda** is used to talk about a particular article of clothing, color, etc. that is in fashion: **El negro está de moda.**

[2]Note that **probar** means *to try out* (something new), while **probarse** means *to try on* clothes or complements.

Almacenes Mara – Estudio de mercado

1. Prefiero ropa	☐ elegante	☐ de calidad	☐ a la moda
	☐ cómoda (*comfortable*)	☐ funcional	
2. Me encantan	☐ los zapatos	☐ las camisetas	
	☐ las joyas	☐ ________________	
3. Mi prenda o complemento favorita/o es ________________________________			
4. Compro	☐ ropa barata frecuentemente	☐ poco, pero de gran calidad	
	☐ cosas con buena relación de calidad y precio		
5. Siempre miro	☐ la composición	☐ el país de origen	☐ el precio
	☐ cómo limpiarlo	☐ Si me gusta, no miro nada	
6. Me pruebo la ropa	☐ en la tienda	☐ en casa	
	☐ no me pruebo la ropa antes de ponérmela		
7. Compro	☐ en tiendas especializadas	☐ en el centro comercial	
	☐ en Internet	☐ en hipermercados (Walmart, Target)	
	☐ en tiendas de segunda mano		
8. Voy de compras	☐ solo/a	☐ con un pariente	
	☐ con un amigo/a	☐ con un grupo	
9. Voy de compras	☐ frecuentemente	☐ a veces	
	☐ poco	☐ solo en rebajas	
	☐ para mirar, como diversión	☐ cuando necesito algo específico	
10. Devuelve sus compras	☐ frecuentemente	☐ a veces	
	☐ poco	☐ nunca	
	☐ porque cambio de opinión	☐ porque la prenda no me queda bien	

Paso 2. En grupos, comparen sus preferencias, haciendo preguntas y dando detalles.

En mi experiencia

Anthony, Rockford, IL

"At my home campus, it's normal for students to attend class in sweatpants and other informal clothes. But when I studied a semester in Quito, Ecuador, I noticed that no one dressed that way. I quickly learned that by rotating 4-5 polo shirts, a few pairs of khakis or jeans, and shoes (not sneakers!), I fit in a lot better. Also, all of the kids in my neighborhood wore uniforms to school."

Danita Delimont/Gallo Images/Getty Images

What are the advantages and disadvantages to a more formal dress code and to uniforms? If you wore a uniform when you were in school, what was your opinion about it?

8.9 Esta actividad recicla los números dentro del contexto de la ropa.

Extensión. Comparen precios en grupos o con toda la clase: para cada artículo, ¿cuál fue el precio medio? ¿quién puso el precio más alto y bajo?

[8.9] El precio correcto.

Output

Trabajan en el Almacén Galerías de la Moda y deben poner las etiquetas de precios en estos artículos. Pero, ¿dónde está la lista de precios? En parejas, decidan qué precio corresponde a cada artículo.

Modelo: Estudiante A: **—Yo creo que el reloj cuesta 370 dólares.**
Estudiante B: **—¿Tú crees? Me parece un precio barato.**
Estudiante A: **—Pero no es de oro, ¿verdad?...**

$3,450
$2,500
$25
$6
$10
$175
$125
$36
$65

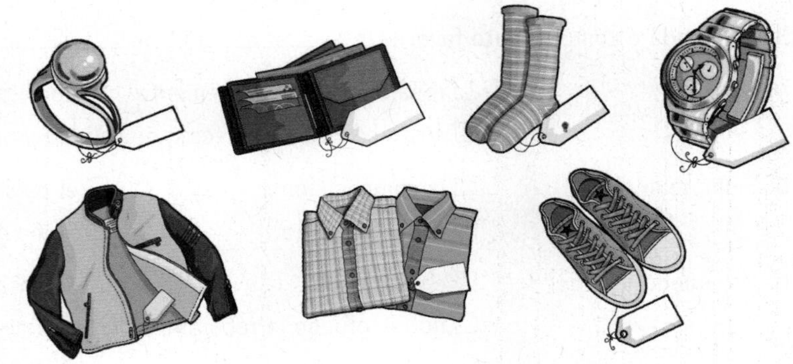

EXPRESIONES ÚTILES

¿Tú crees?
Do you think so?
¿Estás seguro/a?
Are you sure?
¿Qué te parece?
What do you think?
Me parece (caro/barato)
It seems (expensive/ cheap)

NOTA DE LENGUA

The prepositions **por** and **para** can be problematic for English speakers because they both can be equivalent to for. Which one is used depends on the meaning we want to convey. You have already studied some uses of **por** and **para** (*Capítulo 7*). Additional uses are:

Para + *person/thing = for + the recipient/beneficiary of something*

Esta blusa es **para** mi novia.	*This blouse is for my girlfriend.*
Necesita una silla **para** su oficina.	*He needs a chair for his office.*

Por + *an amount = for, in exchange for*

En el mercado de las pulgas conseguí un collar de perlas **por** $20.	*At the flea market I got a pearl necklace for $20.*

~~Pagué $200 **para** el collar.~~

EXPRESIONES ÚTILES

¡Qué barato/caro!
How cheap/expensive!
¡No me digas!
Really?/Seriously?/No way!

8.10 Esta actividad recicla demostrativos, pronombres de objeto directo y números.

Anime a los estudiantes a ser creativos al asignar regalos a sus parientes y explicar sus razones.

[8.10] Regalos para todos.

Output

El Almacén Galerías de la Moda tiene rebajas y ustedes compran muchos regalos para su familia y sus amigos. Habla con tu compañero/a y dile qué compraste, para quién es cada regalo y cuánto dinero gastaste. Haz preguntas y comentarios sobre sus compras. Túrnense.

Modelo: Estudiante A: **Estos guantes son para mi hermana. Los compré por cuatro dólares.**
Estudiante B: **¡Qué baratos! Pero ahora no hace mucho frío.**
Estudiante A: **No, pero mi hermana siempre tiene frío.**

NOTA CULTURAL

Los mercados y el regateo (*Bargaining*)

You can buy things from various places in many Spanish-speaking countries, including street vendors, open-air markets, modern indoor shopping malls, specialty stores, etc. Normally, a degree of bargaining is expected with street vendors and in markets, particularly for arts and crafts, clothing, and jewelry. When bargaining, never insult the quality of the item or the vendor. Simply suggest a lower price than the one that is offered, and be prepared to meet somewhere in the middle. Bargain only for items that you intend to purchase. Shopping malls and department stores almost always have fixed prices, so bargaining is inappropriate there. For what things do we bargain in the U.S.?

▲ Mercado de Otavalo, Ecuador.

Sugerencia: If you have Heritage speakers in your class, ask them the following: Have you seen or heard any of your family members engage in bargaining in Spanish?

Situaciones

Usen como referencia la foto del mercado de Otavalo, arriba en la Nota cultural.

Estudiante A: Estás en el mercado de Otavalo, en Ecuador. Quieres comprar una blusa bordada para tu madre, un cinturón de cuero para tu mejor amigo/a y un poncho para ti, pero no tienes mucho dinero. Pregunta al vendedor detalles sobre su mercancía, precios e intenta regatear (*haggle*).

Estudiante B: Tienes un puesto de ropa y complementos artesanales en el mercado de Otavalo, en Ecuador. Responde a las preguntas del cliente, háblale de la calidad de tus productos e intenta hacer una venta (*sale*).

PALABRAS ÚTILES

bordado/a	*embroidered*
hecho a mano	*hand-made*
el poncho tradicional	*traditional poncho*
talla pequeña/mediana/grande	*small/medium/large size*

INVESTIG@ EN INTERNET

Investiga dónde puedes comprar ropa, joyas o artesanía (*crafts*) de Latinoamérica en tu ciudad o en Internet. Escoge dos o tres cosas que te gustaría comprar para ti o para alguien que conoces. Describe sus características y precio y dónde comprarlo y, si puedes, incluye una foto.

Así se forma

1. Emphasizing possession: Stressed possessives

WileyPLUS
Go to *WileyPLUS* to review this grammar point with the help of the **Animated Grammar Tutorial.**

Use ***PowerPoint Slides*** para presentar y practicar esta gramática.

Pida a sus estudiantes que identifiquen en el texto a qué prenda se refiere cada palabra en negrita (e.g. **tuya** → **camisa**) y de quién es (el hablante, el que escucha, otra persona.) A partir de aquí pueden hacer hipótesis sobre la concordancia de los posesivos.

Sugerencia: Para ilustrar las variaciones de género y número de los adjetivos posesivos, señale un objeto singular que le pertenezca a usted y diga, por ejemplo: ***Esta camisa es mía.*** Diríjase después a un/a estudiante que lleve una camisa y señálela, diciendo: ***Esta camisa es tuya, ¿verdad?*** Señale después a un/a tercer/a estudiante y diga: ***Esa camisa es suya, ¿verdad?*** Haga lo mismo con un referente plural, por ejemplo: ***Estos zapatos son míos, etc.***

¿Son estas cosas **tuyas**?
Sí, son **mías**. Y esta camisa, ¿es **tuya**?
Diego
Ismael

Diego e Ismael usaron la misma secadora de ropa. Ahora cada uno (*each one*) busca su ropa.

Diego: Aquí hay una camisa de manga corta **tuya**.

Ismael: Sí, la camisa y los pantalones cortos son **míos**. Y esta camisa azul, ¿es **tuya**?

Diego: No, Pedro la dejó en mi cuarto ayer. Creo que es **suya**.

You have already learned one form of possessive adjectives (**mi**, **tu**, **su**, **nuestro**, **vuestro**, **su**). Stressed possessives are corresponding forms that are used for emphasis and contrast.

Esta no es **mi** bolsa. La bolsa roja sí es **mía**. — *This is not my bag. The red one is mine.*

Note that these forms must also agree in gender and number with the thing possessed.

mío/a, míos/as	*mine*	Esa chaqueta es **mía**.
tuyo/a, tuyos/as	*yours*	¿Los guantes azules son **tuyos**?
suyo/a, suyos/as[1]	*his*	Pepe dice que esa gorra es **suya**.
	hers	Ana dice que esas botas son **suyas**.
	yours (usted)	¿El bolso de cuero es **suyo**?
nuestro/a, nuestros/as	*ours*	Esa ropa es **nuestra**.
		Esos dos abrigos son **nuestros**.
vuestro/a, vuestros/as	*yours*	¿Es **vuestro** ese regalo?
		¿Son **vuestras** las corbatas?
suyo/a, suyos/as	*theirs*	Ana y Tere dicen que esas cosas son **suyas**.
	yours (ustedes)	Señoras, ¿son **suyos** estos paraguas?

They can be used as adjectives following the verb **ser** (translated as *mine*, *yours*, etc.) or a noun (translated as of *mine*, *of yours*, etc.)

¿Esa bufanda es **tuya** o **mía**? — *Is that scarf yours or mine?*
Muchos amigos **míos** llevan jeans. — *Many friends of mine wear jeans.*

They are also frequently used as pronouns, when the possessed noun has been mentioned before, to avoid repetition. When used as pronouns they require the use of definite articles (**el**, **la**, **los**, **las**).

—Tengo mi suéter. Y tú, ¿tienes **el tuyo**? — *I have my sweater. And you, do you have yours?*

—Sí, yo también tengo **el mío**. — *Yes, I have mine, too.*

---

[1]As with **su/sus**, if the context does not clearly indicate who **suyo/a/os/as** refers to, you may use an alternate form for clarity.

Es **su** ropa.	*Or,*	Es la ropa **de él/ella/usted.**
Esa ropa es **suya.**	*Or,*	Esa ropa es **de ellos/ellas/ustedes.**

[8.11] En la lavandería (*laundromat*).

Diego e Ismael compartieron (*shared*) una secadora en la lavandería. Ahora cada uno busca su ropa.

Input **Paso 1.** Diego saca varias prendas de la secadora. Indica a qué prendas se refiere y si son suyas (de Diego), o de Ismael.

una camisa	un suéter	unas camisetas	unos calcetines

Modelo: Diego dice: Este es mío. **Es el suéter de Diego.**

Diego dice:

1. Esta es mía. Es la camisa de Diego.
2. Estos son míos. Son los calcetines de Diego.
3. Estos son tuyos. Son los calcetines de Ismael.
4. Este es tuyo. Es el suéter de Ismael.
5. Estas son mías. Son las camisetas de Diego.
6. Esta es tuya. Es la camisa de Ismael.

Output **Paso 2.** Diego lleva la cesta (*basket*) con su ropa al cuarto, pero algunas cosas son de Ismael. Completa sus observaciones.

Modelo: Mi suéter es negro, este suéter gris no es **mío**, es **suyo**.

1. Mis calcetines son largos, estos calcetines cortos no son __míos__, son __suyos__.
2. Mis camisetas son de talla grande, estas camisetas de talla mediana no son __mías__, son __suyas__.
3. Mis jeans son nuevos, estos jeans viejos no son __míos__, son __suyos__.
4. Mi camisa es azul, esta camisa verde no es __mía__, es __suya__.

Output

[8.12] ¿De quién es?

Después de una reunión (*get-together*) en casa de Fermín, sus amigos van a regresar a sus casas, y buscan sus abrigos y complementos. Completa las preguntas y respuestas de todos.

Fermín: ¿Esta chaqueta negra es __tuya__, Vanesa, o es de Regina?

Vanesa: No, no es __mía__. La __mía__ es azul. Esa puede ser de Regina, la __suya__ sí es negra.

Fermín: Esta bufanda y gorro de lana también son __suyos__, ¿verdad?

Vanesa: ¿De Regina? No, esos son __míos__. También traje (*I brought*) un bolso negro.

Fermín: Aquí hay dos bolsos negros. ¿El __tuyo__ tiene cremallera (*zipper*)?

Vanesa: Sí, sí, ese es __mío__.

Output

[8.13] ¡Un ladrón o una ladrona (*thief*) en la clase!

¡Cierren los ojos! (El/La profesor/a va a caminar por la clase "robando" algunos de los artículos de los/as estudiantes para ponerlos sobre su escritorio.) Luego, abran los ojos y contesten las preguntas del/de la profesor/a.

Modelo:

Profesor/a:	Señor/Señorita, ¿es suyo este reloj?
Estudiante:	No, no es **mío**.
Profesor/a a la clase:	Pues, ¿de quién es?
Un/a estudiante indica:	Es **suyo**. *Or,* Es **de Lisa**.

8.11 El objetivo de la primera parte de esta actividad es reconocer los referentes de los posesivos, a través de la concordancia entre género y número, mientras se reciclan los demostrativos (Capítulo 7, Así se forma 2). La segunda parte requiere el uso activo, aunque controlado, de los posesivos.

8.13 Mientras los estudiantes tienen los ojos cerrados, "robe" varias prendas y objetos (que sean de género y número variados): una chaqueta, unos zapatos, una gorra (puede "despertar" a algunos estudiantes y pedirles algunas cosas que lleven puestas). Pida a los estudiantes que abran los ojos. Puede empezar explicando que, durante su "siesta", un ladrón intentó robarles sus pertenencias, pero usted lo alcanzó y recuperó las cosas robadas.

Cultura

Perú, Ecuador y Bolivia

IT Stock/SUPERSTOCK

▼ Perú

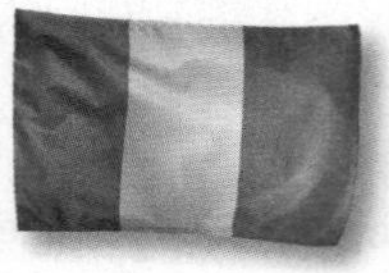

IT Stock/SUPERSTOCK

▼ Bolivia

▼ Ecuador

Paper Boat Creative/ Photodisc/Getty Images

Use *PowerPoint Slides* para presentar esta sección de cultura.

ANTES DE LEER

1. Mira el mapa al principio de este libro. ¿Qué tienen Ecuador y Perú que no tiene Bolivia?

☑ costa (*coast*) ☐ frontera con otro país ☐ montañas

2. ¿Sabes qué es Machu Picchu?

Una ciudad antigua que muestra el alto desarollo de la civilización inca.

3. Cierto o falso: La gente de Ecuador, Perú y Bolivia habla solamente el español.

Falso

Ligia Botero/The Image Bank/Getty Images, Inc.

▲ Indígenas quechua

El gran Imperio inca

Ecuador, Perú y Bolivia están situados en el corazón (*heart*) de los Andes. Los tres formaron parte del antiguo Imperio inca llamado Tahuantinsuyo.

Los emperadores incas gobernaron durante casi 400 años. Bajo su gobierno a nadie le faltó (*no one lacked*) comida ni ropa y después de conquistar a otras tribus, los incas incorporaban a los líderes conquistados en su gobierno. El último emperador inca fue Atahualpa y fue capturado en 1532 por Francisco Pizarro cuando los españoles conquistaron la región. Durante este periodo, la ciudad peruana de Lima se convirtió en el centro colonial más importante de América del Sur.

Los incas perfeccionaron el cultivo de la papa y el cuidado del ganado (*livestock*) de los Andes, como las llamas y las alpacas. Muchos indígenas todavía llevan la ropa tradicional andina: sarapes, ponchos y sombreros hechos de lana de alpaca. Después del español, el quechua es la lengua más hablada entre los indígenas de la zona andina. Las siguientes palabras proceden del quechua: *cóndor*, *puma* y *papa*.

Yoshio Tomii/SUPERSTOCK

▲ Plaza de la Independencia, Quito, Ecuador

Ecuador

La línea ecuatorial que pasa por el norte le dio su nombre al país. Ecuador es un país pequeño, pero de grandes contrastes geográficos: playas excelentes en la costa, zonas amazónicas y áreas volcánicas en la región andina.

Quito, la capital de Ecuador, tiene una zona antigua de gran belleza con numerosos ejemplos de arte y arquitectura coloniales. Por eso, muchas personas la llaman "la cara de Dios (*the face of God*)". El 10 de agosto de 1809, el primer grito (*cry*) de independencia de América Latina se dio en Quito.

Las islas Galápagos, donde Darwin desarrolló muchas de sus teorías, son un verdadero tesoro ecológico. Estas islas, cuyo nombre oficial es "Archipiélago de Colón", quedan a unas 600 millas de la costa ecuatoriana. En ellas coexisten especies de reptiles, aves (*birds*) y plantas únicas en el mundo. Las tortugas (*turtles*) de las Galápagos pueden vivir sin comer un año, llegar a pesar 500 libras y vivir hasta 100 años.

Perú

▼ Cuzco

George Holton/Photo Researchers, Inc.

La costa del Pacífico (donde está Lima, la capital) es la región más dinámica del país, pero el área andina, con montañas muy elevadas, domina la geografía. La influencia indígena en Perú es muy notable. Los idiomas oficiales de Perú son el español y un gran número de lenguas indígenas, entre ellas el quechua y el aimara. En la foto, una calle de Cuzco muestra la fusión de las culturas indígena y española: Los incas construyeron el muro de piedra (*stone*) y los españoles construyeron la parte superior del edificio.

Perú tiene una de las economías que crece más rápido en el mundo, debido al *boom* económico de los años 2000. El turismo constituye la tercera industria más grande de la nación después de la pesca (*fishing*) y la minería.

Cerca de Cuzco, a más de 8,000 pies de altura, los incas construyeron la ciudad de Machu Picchu. Esta ciudad refleja el alto nivel de tecnología del imperio inca. Los españoles no sabían de la existencia de Machu Picchu y, después de la conquista, el sitio se perdió durante siglos. Sus ruinas fueron redescubiertas en 1911 por el arqueólogo estadounidense Hiram Bingham.

Steven Miric/iStockphoto

▲ Ciudad de Machu Picchu, Perú

Bolivia

El nombre de este país es en honor a Simón Bolívar, el héroe de las guerras de independencia de Hispanoamérica. La Paz es famosa por ser una de las ciudades más altas del mundo. De hecho, debido a la poca cantidad de oxígeno, es muy difícil encender (*light*) y mantener un fuego. Aún (*even*) más que en Perú y Ecuador, la presencia indígena es muy visible en Bolivia: solo la mitad de los bolivianos hablan español como primera lengua, y hay más de treinta lenguas oficiales como el quechua, el aimara y el guaraní.

Las minas de plata fueron la atracción principal para los españoles en tiempos coloniales. Bolivia es un país en desarrollo (*developing*); hoy en día, la economía todavía (*still*) tiene su base principal en la extracción y exportación de sus recursos naturales.

Klaus Lang/Alamy

▲ La Paz, Bolivia

DESPUÉS DE LEER

1. ¿A qué país o países se refieren las siguientes oraciones?

	Ecuador	**Perú**	**Bolivia**
Las islas Galápagos pertenecen a (*belong to*) este país.	☑	☐	☐
Tiene playas, selva tropical, volcanes y zonas frías.	☑	☐	☐
El quechua es una lengua oficial de este país.	☑	☐	☑
Su capital es una de las ciudades más altas del mundo.	☐	☐	☑

2. El presidente de Ecuador, Rafael Correa, sabe hablar quechua. ¿Algún presidente de Estados Unidos hablaba alguna lengua indígena? No, pero varios han hablado otras lenguas.

3. Busca por Internet las "Nuevas siete maravillas del mundo moderno" y las "Nuevas siete ciudades maravilla". ¿Cuáles de los lugares mencionados aquí se nombraron (*were nominated*) o ganaron (*won*)?

Respuestas: 2. Thomas Jefferson hablaba varios idiomas, entre ellos algunas lenguas indígenas. 3. En 2007, Machu Picchu se nombró una de las "nuevas siete maravillas del mundo moderno"; en 2014, Quito y La Paz fueron nominadas para las "nuevas siete ciudades maravillas".

Así se forma

2. Expressing actions in the past: The preterit of irregular verbs

Use ***PowerPoint Slides*** para presentar y practicar esta gramática.

WileyPLUS

Go to *WileyPLUS* to review this grammar point with the help of the **Animated Grammar Tutorial** and **Verb Conjugator.**

Ayer fue mi cumpleaños. Mis amigos me **dieron** una fiesta, pero yo no lo **supe** hasta que todos **vinieron** a mi casa por la tarde, no **quisieron** decirme nada para darme una sorpresa. **Trajeron** comida, bebida, decoraciones, regalos y un pastel, y yo no **tuve** que hacer nada más que pasarlo bien. Como les **dije** después de soplar (*blow out*) las velas, el mejor regalo es que **pude** disfrutar de su compañía y amistad.

Sugerencia: Introduzca las formas irregulares del pretérito con ejemplos personalizados y pida a los estudiantes que identifiquen el infinitivo que corresponde a cada una de las formas verbales mencionadas.

You have already learned the irregular preterit forms of the verbs **ser**, **ir** (*Capítulo 6*) and **hacer** (*Capítulo 7*). The following verbs have a consistent preterit stem and the same endings as **hacer.**

estar **estuv-**	tener **tuv-**	poder **pud-**	poner **pus-**	saber **sup-**	venir **vin-**	querer **quis-**	traer **traj-**	decir **dij-**
estuv**e**	tuv**e**	pud**e**	pus**e**	sup**e**	vin**e**	quis**e**	traj**e**	dij**e**
estuv**iste**	tuv**iste**	pud**iste**	pus**iste**	sup**iste**	vin**iste**	quis**iste**	traj**iste**	dij**iste**
estuv**o**	tuv**o**	pud**o**	pus**o**	sup**o**	vin**o**	quis**o**	traj**o**	dij**o**
estuv**imos**	tuv**imos**	pud**imos**	pus**imos**	sup**imos**	vin**imos**	quis**imos**	traj**imos**	dij**imos**
estuv**isteis**	tuv**isteis**	pud**isteis**	pus**isteis**	sup**isteis**	vin**isteis**	quis**isteis**	traj**isteis**	dij**isteis**
estuv**ieron**	tuv**ieron**	pud**ieron**	pus**ieron**	sup**ieron**	vin**ieron**	quis**ieron**	traj**eron**	dij**eron**

Repase con los estudiantes el significado básico de cada verbo (*saber = to know*, etc.) y compárelo con el significado de los pretéritos correspondientes. Revise las secciones **Así se forma 2** del capítulo 4 y **Así se forma 1** del capítulo 5 si es necesario.

- Notice the difference in the **ellos, ellas,** and **ustedes** endings (**-ieron** and **-eron**) between the two groups of verbs above. Verbs whose stems end in **j** add **-eron** instead of **-ieron.**

Note that the preterit endings for **dar** are like those for –er/-ir vebs.

dar: di, diste, dio, dimos, disteis, dieron.

- The verbs **saber, querer,** and **poder** convey a slightly different meaning in the preterit than in the present.

saber	**Supe** hacerlo.	*I found out/figured out how to do it.*
querer	**Quise** hablar con ella.	*I tried to speak with her.*
no querer	Ella **no quiso** hablar conmigo.	*She refused to speak with me.*
poder	**Pude** terminar el proyecto.	*I managed to finish the project.*
no poder	**No pude** encontrar al profesor.	*I didn't manage to find the professor.*

8.14 Use ***PowerPoint Slides*** para presentar y practicar esta gramática.

8.14 Audio:
1. Inés y Camila hicieron un pastel de chocolate.
2. Inés y Camila compraron unos regalos para Carmen.
3. En la fiesta, Carmen abrió los regalos y todos le dijeron "¡Feliz cumpleaños!"
4. A medianoche, Camila e Inés tuvieron que irse a casa.
5. Inés y Camila pusieron los regalos y el pastel en el carro.
6. Manuel trajo los refrescos.

[8.14] La fiesta de cumpleaños.
Este fin de semana fue el cumpleaños de Carmen y sus amigos le dieron una fiesta.

Input **Paso 1.** Escucha las siguientes descripciones y escribe el número correspondiente debajo del dibujo que describe la actividad. (Nota: Las actividades no están en orden.)

1 ____________

4 ____________

5 ____________

3 ____________

2 ____________

6 ____________

Output **Paso 2.** En parejas, organicen en orden cronológico las actividades del **Paso 1** y describan la fiesta de cumpleaños de Carmen con los verbos del cuadro e inventando más detalles.

comprar	traer	hacer	abrir	irse	poner

[8.15] ¿Qué hicieron el fin de semana pasado (*last weekend*)?

Input **Paso 1.** Indica qué hiciste el fin de semana pasado en la columna **Yo**, abajo. Añade (*Add*) una oración más al final.

Output **Paso 2.** En parejas, comparte tus respuestas con tu compañero/a, añadiendo detalles y haciendo preguntas sobre sus actividades. Anota sus respuestas en la columna *Mi compañero/a*.

Modelo: Estudiante A: **El sábado hice ejercicio. Fui al gimnasio y monté en bicicleta. ¿Y tú, hiciste ejercicio o practicaste un deporte?**
Estudiante B: **No, este fin de semana no hice ejercicio.**

Yo	Tu compañero/a
☐ hice ejercicio o practiqué un deporte.	☐ hizo ejercicio o practicó un deporte.
☐ tuve que estudiar mucho.	☐ tuvo que estudiar mucho.
☐ di o estuve en una fiesta.	☐ Dio o estuvo en una fiesta.
☐ quise salir pero no pude.	☐ quiso salir pero no pudo.
☐ fui al cine.	☐ fue al cine.
☐ tuve que trabajar.	☐ tuvo que trabajar.
☐ me puse enfermo/a.	☐ se puso enfermo/a.
☐ pude dormir mucho.	☐ pudo dormir mucho.
☐ dije chistes (*jokes*).	☐ dijo chistes.
☐ ____________	☐ ____________

Output **Paso 3.** En grupos de 4 o 5, comparen sus actividades y respondan:

- ¿Quién tuvo el fin de semana más relajado? ¿Y el más activo?
- ¿Quién tuvo el fin de semana más divertido? ¿Y el más ocupado?

8.15 Este ejercicio practica las formas de yo y él/ella como "input" (incluso cuando el estudiante las produce, puede leerlas del cuadro), mientras se empieza a producir de forma independiente la forma de tú.

Este ejercicio recicla el pretérito de otros verbos estudiados anteriormente (al preguntar y dar más detalles.)

PALABRAS ÚTILES

ponerse (enfermo *to get*
(sick, /a, contento, etc.)
happy, etc.)

8.16 Este ejercicio trabaja verbos que tienen un significado diferente en el pretérito.

Output **[8.16] De compras en el centro.** Completa las oraciones con la forma apropiada de **saber**, **querer** o **poder**.

El domingo mis amigos y yo decidimos ir de compras al centro. Cuando llegamos a la parada de autobús ___supimos___ que no hay servicio los domingos por la tarde, entonces no ___pudimos___ ir en autobús. Pero no ___quisimos___ cambiar nuestros planes y caminamos hasta el centro de la ciudad. Yo ___quise___ comprar unos jeans, pero no ___pude___ encontrar uno de mi talla. Por suerte, yo ___supe___ que los zapatos estaban en rebajas y no ___quise___ desperdiciar (*to waste*) la oportunidad: compré dos pares a muy buen precio.

8.17 Pida a los estudiantes que cubran con la mano o un papel las excusas de su compañero/a.

Output **[8.17] Excusas.** Tu compañero/a y tú iban a (*were going to*) cenar juntos/as ayer, pero ¡los/as dos lo olvidaron (*forgot*)! Siguiendo el modelo, inventen excusas para explicar su ausencia y pregúntenle a su compañero/a sobre las suyas. Túrnense.

Modelo: Estudiante A: **Lo siento, Pete, pero ayer tuve laboratorio de química.**
Estudiante B: **¿De verdad? ¿A qué hora fue? ¿Dónde?...**

EXPRESIONES ÚTILES

¿De verdad?
¡Ah!, ¿sí? — *Oh, really?*
¡No me digas!

Estudiante A

1. no poder salir del cuarto/apartamento
2. tener que ayudar a un/a amigo/a
3. sustituir a un/a compañero/a en el trabajo
4. ...

Estudiante B

1. no saber llegar al restaurante
2. querer llamar por teléfono y no poder
3. estar enfermo/a
4. ...

8.18 Puede asignar el **Paso 1** como tarea y después hacer el **Paso 2** en clase.

Extensión: Pregunte a la clase qué aventura de un/a compañero/a les pareció más impresionante o increíble.

[8.18] Mi aventura.

Output **Paso 1.** Escribe un párrafo de al menos (*at least*) seis oraciones describiendo una aventura (real o imaginaria). ¿Adónde fuiste? ¿Qué pasó (*What happened*)? ¿Qué hiciste? ¿Tuviste alguna experiencia interesante?

Paso 2. En grupos de cuatro, cada estudiante lee su aventura a los demás y estos hacen preguntas sobre los detalles. Si tu aventura es imaginaria, ¡invéntalos! El resto del grupo intenta adivinar si las aventuras de sus compañeros/as son reales o imaginarias.

Cultura

WileyPLUS

La ropa tradicional

ANTES DE LEER

Use ***PowerPoint Slides*** para presentar esta sección de cultura.

¿Se lleva ropa tradicional actualmente en algunas regiones de tu país? ¿Dónde? ¿Puedes describir un ejemplo?

La ropa tradicional de España y de Hispanoamérica es muy variada. En las ciudades se usa la ropa tradicional en los días de fiesta nacional: por ejemplo, en los desfiles (*parades*) cívicos, los niños, jóvenes y adultos se visten con la ropa típica de las diferentes regiones de su país y bailan música tradicional. Las compañías nacionales de danza también usan ropa típica. Gracias al flamenco, los trajes típicos del sur de España se conocen en todo el mundo.

Las polleras de las panameñas son verdaderos tesoros: estas prendas están decoradas con finos encajes (*lace*) y bordadas con hilos (*threads*) de oro. Como aprendiste en el *Capítulo 5*, en las regiones costeras, sobre todo en el Caribe, es común ver a hombres con guayaberas, que son perfectas para el clima caliente de la zona. En Bolivia, el **bombín**, un tipo de sombrero europeo, se integró a la ropa tradicional de las mujeres.

© Roberto A Sanchez/iStockphoto

▲ Una guayabera

Luis Marden/National Geographic Society/©Corbis

◀ La pollera panameña

Sin embargo, los indígenas de las zonas rurales de muchos países, como Bolivia, Ecuador, Guatemala y México, usan ropa típica todos los días. En México, las mujeres de Oaxaca y de la península de Yucatán usan el **huipil**, un vestido (o una blusa) con un bordado (*embroidery*) de flores de colores vivos (*bright*). Por el tipo de diseño del huipil que viste la mujer, se distingue la región en la que vive.

Courtesy of Kim Potowski

▲ Mujer indígena de Oaxaca, México

En el pueblo de Otavalo, en la región andina de Ecuador, las mujeres llevan una falda negra con bordados de colores, una blusa blanca bordada de encajes, muchos collares y pulseras de cuentas (*beads*) rojas y doradas (*golden*) y, a veces, un turbante en la cabeza (como en la foto de la Nota cultural: Los mercados y el regateo). Por lo general, los hombres de esta región llevan un poncho de lana sobre una camisa, pantalones blancos con alpargatas (*rope-soled sandals*) blancas y un sombrero negro.

DESPUÉS DE LEER

1. Empareja estos artículos de ropa con los lugares en los que se usan:

a. los huipiles	b Panamá
b. la pollera	d el Caribe
c. el poncho de lana	c Ecuador
d. la guayabera	a México

¿Cuál te gusta más?

2. ¿Has visto la incorporación de elementos tradicionales en la ropa moderna? Descríbela.

Así se forma

3. Double object pronouns: direct and indirect object pronouns combined

WileyPLUS

Go to *WileyPLUS* to review this grammar point with the help of the **Animated Grammar Tutorial.**

Use *PowerPoint Slides* para presentar y practicar esta gramática.

Antes de leer las explicaciones, pida a los estudiantes que observen las palabras en negrita. Podrán reconocer casi todas. Pida que observen su colocación en diferentes oraciones y generen reglas de posición. Pida también que señalen el pronombre que no reconocen como OD u OI, y anímeles a hacer hipótesis sobre su uso.

Sugerencia: Haga una demostración visual de la sustitución de objetos directos e indirectos indicando los pronombres y su posición en diferentes casos. Prepare hojas de papel con las siguientes palabras: *quiero, mandar, mandé, un regalo, a mi hermano, lo, le, se.* Entregue cada hoja a un estudiante diferente y pida a la clase que le ayude a ponerlas en el orden correcto para formar las siguientes oraciones en español:

I sent a gift to my brother; I sent him a gift; I sent it to him.

I want to send a gift to my brother; I want to send him a gift; I want to send it to him.

Pida las alternativas posibles (*Se lo quiero mandar/Quiero mandárselo*) y pregunte si es necesario añadir un acento.

Ana: El sábado voy a una fiesta, pero no tengo nada que ponerme. Ese vestido de seda tan bonito que llevaste el sábado ... ¿**me lo** prestas, por favor?

Isabel: No **te lo** puedo prestar, es de mi hermana mayor y **se lo** tengo que devolver.

Ana: Por favor, Isabelita... No tienes que decír**selo** a tu hermana, ¿no?

Isabel: Mira, tengo una falda muy elegante. **Te la** voy a mostrar y, si te gusta, **te la** presto.

When we replace with pronouns both the direct object (**me**, **te**, **lo**/**la**, **nos**, **os**, **los**/**las**) and the indirect object (**me**, **te**, **le**, **nos**, **os**, **les**), they combine as double object pronouns.

- The indirect object pronoun always precedes the direct object pronoun. Placement in the sentence does not change: before conjugated verbs and attached to infinitives (**-ar**, **-er**, **-ir** forms) and present participles (**–ndo** forms.) In a negative statement, **no** precedes both pronouns.

Este libro es fascinante. La profesora **me lo** mostró en clase.	*This book is fascinating. The professor showed it to me in class.*
Te lo voy a prestar./ Voy a prestár**telo**.	*I am going to lend it to you.*
¿Por qué **no me lo** regalas?	*Why don't you give it to me?*

- When both double object pronouns refer to the third person, the indirect object pronouns **le** and **les** change to **se**.

Encontré tu cartera. **Se la** di a tu hermana.	*I found your wallet. I gave it to your sister.*
¡Qué collar tan bonito! **Se lo** voy a regalar a mi mamá./ Voy a regalár**selo** a mi mamá.	*What a pretty necklace! I am going to give it to my mom.*

- Note that when two pronouns are added to the infinitive or present participle, a written accent is added to preserve the original stress pattern:

Va a **dármela**. Está **mostrándomelo**. Quiero **decírselo**.

Situaciones

Vas de compras a los *Almacenes Mara* (**Así se dice: De compras,** al principio de este capítulo) con un/a compañero/a de clase porque los/las dos tienen que comprarles regalos a varios amigos o familiares. Cuando llegan al almacén, se separan y hacen sus compras por separado. Después, se reúnen en la cafetería del almacén para tomar un café. Háganse preguntas sobre qué le compraron a quién.

[8.19] ¡Nos encantan los regalos! Octavio trajo varios regalos de Ecuador a sus amigas.

Input **Paso 1.** Empareja (*match*) las reacciones de sus amigas con las ilustraciones correspondientes.

1. 

Natalia/camiseta

2. 

Elena/póster

3. 

Carmen e Inés/ toallas de playa

4. 

Camila y Linda/ collares y pendientes

__2__ a. ¡Impresionante! Octavio me lo regaló.

__3__ b. ¡Nos encantan! Octavio nos las trajo.

__4__ c. ¡Qué bonitos! Octavio nos los dio.

__1__ d. ¡Me encanta! Octavio me la regaló.

8.19 Use ***PowerPoint Slides*** para revisar este ejercicio con los estudiantes en clase.

En la primera parte del ejercicio se trabaja la comprensión y en la segunda se pasa a la producción controlada de la estructura de doble pronombre.

Output **Paso 2.** En parejas, tú y tu compañero hablan sobre los regalos de Octavio. Tomando turnos, uno de ustedes hace una pregunta siguiendo el modelo. El compañero responde confirmando o corrigiendo (*correcting*) la información, usando pronombres.

Modelo: Estudiante A: **¿Octavio le trajo una camiseta a Natalia?**
Estudiante B: **Sí, se la trajo a Natalia.** *O,*
No, no se la trajo a Natalia. Se la trajo a...

Output [8.20] En la boutique. Aida y Patricia van de compras a una boutique de moda. Completa esta conversación con los pronombres de objeto directo y objeto indirecto apropiados.

Aida: Necesito unos jeans de la talla 27. Esos me gustan, ¿ __me__ __los__ puede buscar en mi talla, por favor?

Asistente: Sí, claro. __se__ __los__ traigo ahora en su talla. ¿Quieren ustedes ver alguna cosa más?

Aida: Esas blusas bordadas son muy bonitas, ¿__me/nos__ __las__ muestra?

Asistente: Estas blusas __me/nos__ __las__ traen de Oaxaca, México. Están hechas a mano.

Aida: ¡Son preciosas! Voy a comprar esta blanca, ¿y tú Patricia?

Patricia: Me encanta la roja, pero ahora no tengo dinero.

Aida: __Te__ __lo__ presto yo, __me__ __lo__ puedes devolver mañana. Oye, ¿no es tu cumpleaños la próxima semana? Pues si realmente te gusta la blusa, __te__ __la__ regalo.

[8.21] Las compras.

Output

Tú y tu compañero/a fueron hoy de compras: uno/a fue al supermercado y el/la otro/a fue a la librería. Tú le pediste a tu compañero/a algunas cosas. Pregúntale si te las compró. Responde también a sus preguntas.

Modelo: Estudiante A: **¿Me compraste los bolígrafos?**
Estudiante B: **Sí, te los compré.**

Estudiante A

Pediste a tu compañero/a:
bolígrafos
un cuaderno
una regla (*ruler*)

Compraste para tu compañero/a:
leche
tortillas

Estudiante B

Pediste a tu compañero/a
pan
tortillas
leche

Compraste para tu compañero/a:
bolígrafos
una regla

8.22 Es posible que los estudiantes necesiten vocabulario nuevo. Camine por la clase y ofrezca ayuda. Los estudiantes que usen palabras nuevas deben escribir la traducción entre paréntesis para que su compañero/a entienda lo que dice.

Anime a los estudiantes a ser creativos con sus regalos y con las razones por las que los hacen.

Sugerencia: Como práctica adicional o para reciclar otro día, prepare una serie de tarjetas pequeñas con fotos o dibujos de objetos, ropa, etc. y otra con nombres de personas (tu mejor amigo/a, tu profesor/a de español, tu abuelito/a). Haga una copia para cada cinco o seis estudiantes. Ponga los dos grupos boca abajo y pida a los estudiantes que se turnen para tomar una tarjeta de cada pila y expliquen por qué van a hacer este regalo a esa persona:

Tengo un cinturón para mi abuelita. Se lo voy a regalar porque...

8.23 Esta actividad revisa el uso de los pronombres de objecto directo y de objeto indirecto por separado en el **Paso 1**, y combinados en el **Paso 2**.

[8.22] El amigo invisible.

Van a jugar al amigo invisible (*Secret Santa*) en su clase. Lean las instrucciones con atención.

Output

Paso 1.

a. Escribe tu nombre en un pedazo de papel y dáselo al/a la profesor/a.

b. Ahora, toma un papel y mira el nombre.

c. Piensa en un regalo perfecto para esta persona y escríbelo en la parte de atrás (*back*) del papel. Dale el papel al/a la profesor/a otra vez.

d. El/La profesor/a va a leer los nombres y distribuir los "regalos".

Paso 2. Cada estudiante cuenta a la clase lo que le regalaron, si el regalo le gusta o no y por qué. Después, pregunta quién le hizo este regalo. El/La estudiante responsable responde y explica sus razones.

Modelo: Estudiante A: **Me regalaron un/a..., (no) me gusta porque...**
Profesor/a (A La Clase): **¿Quién se lo regaló?**
Estudiante B: **Yo se lo regalé porque...**

[8.23] ¿Quién lo tiene?

Output

Paso 1. Cada estudiante le presta un objeto a un compañero/a y toma nota del intercambio. Después, caminan por la clase e intercambian este objeto con otro compañero/a, tomando nota de nuevo. Deben completar cuatro intercambios en total.

Modelo: Dices: **Peter, te presto mi bolígrafo. ¿Me prestas tu gorra?**
Escribes: **Le presté mi bolígrafo a Peter. Él me prestó una gorra.**

Paso 2. Necesitas el objeto que prestaste, ¿quién lo tiene? Pregunta al compañero que lo tomó prestado (*borrowed*) y responde también a sus preguntas (consulta tus notas si es necesario). Continúa hasta encontrar tu objeto.

Modelo: Estudiante A: **Peter, necesito mi bolígrafo, ¿lo tienes?**
Estudiante B: **No, no lo tengo. Se lo presté a John.**
Estudiante A: **John, necesito mi bolígrafo, ¿lo tienes?...**

VideoEscenas

WileyPLUS

¿Qué le compro?

ANTES DE VER EL VIDEO

¿Cuáles de estos te parecen buenos regalos para un/a amigo/a o para los dos? Añade dos más.

	Un amigo	Una amiga
1. un libro	☐	☐
2. un CD	☐	☐
3. una pulsera	☐	☐
4. unas flores	☐	☐
5. unos zapatos	☐	☐
6. ___________	☑	☐
7. ___________	☐	☑

▲ Álvaro y María van de compras.

A VER EL VIDEO

Mira el video e indica si estas afirmaciones son ciertas o falsas. Corrige las oraciones falsas.

	Cierto	Falso
1. Álvaro olvidó (*forgot*) el cumpleaños de Marisol.	☑	☐
2. María le compró unos zapatos a Marisol.	☐	☑
3. A María no le gusta llevar pulseras.	☐	☑
4. María sugiere comprar flores.	☑	☐

Lee las siguientes preguntas. Después, mira el video otra vez y responde.

1. ¿Por qué no fue Álvaro a la fiesta de Marisol? Porque se le olvidó.
2. ¿Qué le regaló María a Marisol? Una blusa.
3. ¿Por qué no es buena idea comprarle una pulsera? Porque Marisol no usa pulseras.
4. ¿Por qué no le compran los aretes? Porque probablemente son muy caros.
5. ¿Por qué piensa María que las rosas son un buen regalo? Porque les gustan a todas las mujeres.

DESPUÉS DE VER EL VIDEO

En grupos de tres o cuatro, respondan a estas preguntas:

1. En el video, María dice que las rosas les gustan a las mujeres. ¿Te parece que las flores son un buen regalo para un chico o un hombre? ¿Qué regalos haces a tus amigos y parientes hombres? ¿Y a las mujeres?
2. ¿Cuál fue el mejor regalo que te hicieron? ¿Cuál fue el peor? Explica por qué y escucha las experiencias de tus compañeros. ¿Quién recibió el mejor regalo del grupo? ¿Y el peor?

Así se forma

4. Indefinite words and expressions

WileyPLUS

Go to *WileyPLUS* to review this grammar point with the help of the **Animated Grammar Tutorial.**

Use ***PowerPoint Slides*** para presentar y practicar esta gramática.

Para practicar las palabras afirmativas y negativas, escriba cada palabra afirmativa en una hoja de papel y su equivalente negativo en la otra cara de la hoja. Muestre, una a una, las palabras afirmativas y pida a los estudiantes que digan los equivalentes negativos. Después, haga lo mismo mostrando las palabras negativas. Puede hacerlo varias veces, mezclando las hojas para cambiar el orden en que aparecen las palabras.

Sugerencia: Para reforzar visualmente el concepto de las dobles negaciones, prepare hojas de papel con las siguientes palabras: *compré, algo, no* y *nada*. Distribúyalas a cuatro estudiantes. Pida a los estudiantes que tengan las palabras *compré* y *algo* que se pongan de pie frente a la clase. El/La estudiante que tiene la palabra *no* se une a la oración, de modo que el/la estudiante que tiene la palabra *nada* sustituye al/a la estudiante con la palabra *algo*. Repita el proceso con las siguientes palabras: *vi, a, alguien, no* y *nadie*.

Sugerencia: Puede recordar a sus estudiantes que la diferencia entre los adjetivos algún/ningún y los pronombres alguno/ninguno es que los primeros aparecen junto al nombre que modifican, mientras que los pronombres lo reemplazan para evitar la repetición.

Eduardo: Esta noche voy a una cena formal y tengo que ponerme **algo** elegante, pero no tengo **ni** camisas **ni** corbatas. ¿Tienes tú **alguna**?

José Luis: No tengo **ninguna** corbata **tampoco**, pero sí tengo **algunas** camisas. Y **también** tengo un corbatín (*bowtie*), si quieres.

Eduardo: ¿Un corbatín? **Nadie** lleva corbatines, están pasados de moda.

José Luis: ¿Ah, sí? Pues busca a **alguien** más moderno y pídele una corbata... y una camisa **también**.

In *Capítulo 2* (under *Así se forma* 2) you learned the indefinite and negative frequency adverbs **siempre**, **a veces** and **nunca**. Here are some additional indefinite and negative words.

Indefinite and negative adverbs		
también[1]	*also*	Tenemos vestidos, y **también** faldas.
tampoco	*neither, not either*	No tenemos vestidos, y **tampoco** faldas.
Indefinite and negative pronouns		
todo	*everything, all*	Me gusta **todo.**
algo	*something, anything (interrogative)*	¿Quieres **algo**?
nada	*nothing*	No, no quiero **nada**, gracias.
alguien	*someone, anyone (interrogative)*	¿Invistaste a **alguien**[2] a la cena?
nadie	*no one, nobody*	**Nadie** quiere ir a esa cena.
Indefinite and negative adjectives		
algún/alguna/os/as	*some, any*	Quiero comprar **algunas** cosas. ¿Tienen **algún** reloj?
ningún/ninguna	*no, not any*	No tenemos **ningún** reloj. ¿No quiere **ninguna** otra cosa?

Conjunctions				
o	*or*	**o... o**	*either...or*	**O** te pones la falda **o** el vestido.
ni	*nor, not even*	**ni...ni**	*neither...nor*	No tengo **ni** collares **ni** pulseras.

- As mentioned in *Capítulo 2, Así se forma 2*, in Spanish, negation must be expressed before the verb. We may use negative expressions before the verb or, if we use them after the verb, then we must place **no** before the verb:

  Nada le gusta. *Or,* **No** le gusta **nada.**
  Tampoco tenemos faldas. *Or,* **No** tenemos faldas **tampoco.**

- The adjectives **algún/alguna/os/as** and **ningún/ninguna** have corresponding pronouns. The forms are the same except for the masculine singular, which becomes **alguno** and **ninguno** respectively.

  - ¿Tienen algún reloj? — *- Do you have any watches?*
  - Sí, tenemos **alguno.**/No, no tenemos **ninguno.** — *-Yes, we have **some.**/No, we don't have **any.***

- **Ningún/a** mean *not a single* and consequently are not used in plural.

  Tengo **algunos** vestidos negros, pero no tengo **ningún** vestido azul. — *I have some black dresses, but I don't have any blue dresses.*

[1]Note that adverbs can be placed in different places in the sentence: **También** tenemos faldas // Tenemos faldas **también**// Tenemos **también** faldas

[2]Since **alguien** and **nadie** refer to people, they are preceded by the **personal a** when they function as direct objects.

[8.24] El centro comercial. Tu amiga y tú van a visitar Lima y quieres ir de compras al centro comercial Plaza.

8.24 Audio:
1. ¿Hay alguna librería?
2. ¿Hay algún restaurante?
3. ¿Hay algún gimnasio?
4. ¿Hay alguna joyería?
5. ¿Cuesta algo el servicio de Wi-Fi?
6. ¿Hay alguien para dar información a los clientes?

Input **Paso 1.** Lee la descripción de este centro. Después, escucha las preguntas de tu amiga y escoge la respuesta correcta.

El centro comercial PLAZA es una propuesta moderna donde puede realizar sus compras, comer, entretenerse, relajarse, cuidar su imagen o simplemente pasear. Le ofrecemos 180 locales comerciales que incluyen tiendas de moda y accesorios, zapaterías, joyerías, salones de belleza, un *spa* y muchísimo más. Después de un largo día de compras, puede disfrutar de deliciosos momentos en alguno de los restaurantes o cafés en nuestro patio de comidas y, por qué no, de una película en una de nuestras 14 salas de cine.
Otros servicios a su disposición son: servicio de información y atención al cliente, centro financiero con oficinas bancarias y cajeros automáticos, café Internet con Wi-Fi gratuito, sillas de ruedas (*wheelchairs*) y coches de niños (*strollers*), servicio de taxis.
Nuestro horario es de 10:00 a. m. a 10:00 p. m. todos los días.
Plaza
Plaza

William Albert Allard/National Geographic/Getty Images, Inc.

1. ☐ Sí, hay alguna. ☐ Sí, hay alguno. ☑ No, no hay ninguna. ☐ No, no hay ninguno.
2. ☐ Sí, hay algunas. ☑ Sí, hay algunos. ☐ No, no hay ninguna. ☐ No, no hay ninguno.
3. ☐ Sí, hay algunas. ☐ Sí, hay algunos. ☐ No, no hay ninguna. ☑ No, no hay ninguno.
4. ☑ Sí, hay algunas. ☐ Sí, hay algunos. ☐ No, no hay ninguna. ☐ No, no hay ninguno.
5. ☐ Sí, cuesta algo. ☑ No, no cuesta nada.
6. ☑ Sí, hay alguien. ☐ No, no hay nadie.

Paso 2. Escribe un párrafo describiendo el centro comercial de tu ciudad (o una ciudad cercana) y comparándolo con el centro comercial Plaza.

Output **Modelo:** **El centro comercial de mi ciudad se llama Vista Bay. Hay muchas tiendas de ropa, algunas zapaterías...**

8.25 Extensión: Revise esta actividad pidiendo a dos estudiantes que lean haciendo los papeles de la amiga y el/la telefonista.

Output **[8.25] ¿Qué hay en el centro comercial?** Antes de ir al centro comercial Plaza, tu amiga llama al servicio de atención al cliente. Completa su conversación con las palabras indefinidas y negativas del siguiente cuadro.

siempre	nunca	algún/alguna/os/as	ningún/ninguna	alguien	ni ... ni

Tu amiga: Perdón, señor. ¿Hay alguna estación de metro cercana?

Telefonista: Lo siento mucho, señora, no hay ninguna. Pero sí hay algunos autobuses que vienen desde el centro de la ciudad.

Tu amiga: Bueno... ¿Y tienen algún restaurante de comida tradicional peruana?

Telefonista: Claro, hay algunos en el patio de comidas.

Tu amiga: ¡Qué bien! Y ¿hay alguien en la oficina de atención al cliente a toda hora? Es por si tengo alguna pregunta más...

Telefonista: Sí, señora, siempre hay alguien.

Tu amiga: Y, para estar segura, no cierran temprano ni los sábados ni los domingos, ¿verdad?

Telefonista: No, nunca cerramos antes de las 10 de la noche.

8.26 Esta actividad ofrece la oportunidad de trabajar primero con la comprensión de palabras afirmativas/negativas, para pasar después a la aplicación al corregir las oraciones falsas.

Input/Output **[8.26] ¿Cierto o falso?** Observa el aula de español o el lugar donde estás. ¿Son las siguientes declaraciones ciertas o falsas? Responde y da ejemplos. Si son falsas, corrígelas usando palabras indefinidas y negativas.

Modelo: Nadie tiene mochila.
Cierto, nadie tiene mochila. *o,* **Falso. Algunas personas tienen mochila. Por ejemplo, Ben.**

1. Alguien está escribiendo.
2. Hay algo en la mesa.
3. No hay nadie aburrido.
4. No hay tizas. Tampoco hay papelera.
5. No hay nada en la pared (*wall*).
6. Algunos estudiantes están hablando.
7. No hay ningún libro cerrado.
8. Hay alguien descansando.

8.27 Sugerencia: Cronometre el tiempo e insista en que cubran las ilustraciones para el **Paso 2.**

Pregunte acerca de otros detalles a los estudiantes. Para completar la actividad pídales que abran los libros y comprueben sus respuestas.

[8.27] ¿Eres un buen testigo (*witness*)?

Output **Paso 1.** Mira las siguientes ilustraciones durante un minuto y después cúbrelas (*cover them*) con la mano o una hoja de papel.

Paso 2. Ayer fuiste testigo de un robo a un banco (*bank robbery*) y ahora la policía te hace preguntas sobre el ladrón y lo que sucedió. Con los dibujos cubiertos (*covered*), lee las instrucciones y preguntas de la policía y anota tus respuestas en una hoja. Luego, compara tus respuestas con las de un/a compañero/a.

PALABRAS ÚTILES

la pistola	*gun*
apuntar	*to point*
el mostrador	*counter*
el cristal	*glass*

8.27 Sugerencia: Puede pedir a los estudiantes que mantengan sus libros cerrados mientras usted lee las preguntas y ellos escriben las respuestas.

Informe policial

1. Cuando llega el ladrón, ¿hay alguien en el banco? ¿Cuántos empleados y clientes hay? ¿Dónde están? ____________________
2. ¿El ladrón entra solo o con alguien? ____________________
3. Describa al ladrón: ¿cómo es? ¿Qué ropa lleva? ¿Lleva algo en la cabeza o la cara? ____________________
4. ¿Lleva algo en las manos cuando entra? ____________________
5. ¿Habla con alguien? ¿Dice algo? ____________________
6. ¿Qué hacen los empleados? ¿Qué hacen los demás (*the rest*)? ____________________
7. Cuando el ladrón sale, ¿hay algo en su bolsa (*bag*)? ¿Qué? ____________________
8. ¿Llama alguien a la policía? ____________________
9. ¿Recuerda algún otro detalle? ____________________

[8.28] Sospechoso (*suspect*).

Output

¡Tu compañero/a de clase sospecha que tú eres el ladrón! Y la verdad es que tú también tienes sospechas (*suspicions*) sobre él/ella. Haz y responde a las siguientes preguntas y piensa en otras preguntas para hacerle a tu compañero/a. Contesta con oraciones completas.

1. ¿Estudiaste con alguien ayer por la tarde? (¿Con quién? ¿Desde qué hora? ¿Hasta qué hora?)
2. ¿Hablaste con alguien por teléfono? (¿Con quién? ¿Cuánto tiempo?)
3. ¿Fuiste a clases después de almorzar? (¿Qué clases? ¿Quién es el/la profesor/a?)
4. ¿Fuiste a la biblioteca o al laboratorio? (¿A qué hora? ¿Solo/a o con alguien?)
5. ¿A qué hora fuiste a tu cuarto? ¿Viste a tu compañero/a de cuarto?
6. ¿...?

8.28 Después de dejar que los estudiantes se hagan las preguntas, pregúnteles si creen que su compañero/a tiene una buena coartada. Pídales que expliquen por qué o, como alternativa, que escriban un informe para la policía. Por ejemplo: *Creo que Andrés no es sospechoso porque estaba con otras personas anoche...*

Alternativa: Si prefiere hacer esta actividad oralmente, forme parejas o grupos pequeños, y pida a sus estudiantes que comparen sus preferencias y estilos tomando las preguntas del ejercicio como punto de partida. Pídales que tomen notas y escriban después (en grupo en clase, o individualmente como tarea) un párrafo o dos con sus conclusiones.

Output

[8.29] Tu estilo personal. Describe por escrito tus preferencias y estilo personal. Aquí tienes algunas preguntas como punto de partida. Integra expresiones indefinidas y negativas de la sección **Así se forma 4,** como en el modelo.

- ¿Qué ropa y complementos llevas siempre? ¿Qué no llevas nunca?
- ¿Tienes algunos jeans? ¿Tienes algunos pantalones o faldas formales?
- ¿Llevas alguna joya normalmente?
- ¿Qué color o colores predominan en tu ropa?

Modelo: **Mi estilo personal es muy relajado y alegre. Siempre llevo ropa con color, y no tengo nada negro ni gris ni marrón...**

En mi experiencia

Julia, Omaha, NE

"It took me about a month to figure out that in Mexico, most customers offer a small tip (loose change) to the people who bag groceries at the supermarket. I also noticed that no one brings their own reusable bags; everyone takes brand new plastic bags to carry what they buy."

Have you ever noticed differences in tipping habits in different parts of the country or among different people you know? Do you ever bring your own bags when shopping? What are the advantages and disadvantages?

DICHO Y HECHO

PARA LEER: Peseta: La democratización de lo exclusivo

Sugerencia: Si hacen la lectura en clase, puede preguntar a los estudiantes qué significan las siguientes palabras y pedir que expliquen cómo llegaron a su interpretación: *delicia, encanto, limitada, creadora, marca, necesidad, gusto, inconfundible.*

Sugerencia: Aclare a los estudiantes que *Peseta* es el nombre de la diseñadora. La autora del artículo usa también su nombre (*un Peseta*) para referirse a un accesorio diseñado por ella.

ANTES DE LEER

1. ¿Qué tipo de accesorios o complementos usas habitualmente?
2. Busca en Internet "peseta accesorios" para obtener un poco de información sobre esta compañía. ¿Ofrecen accesorios para hombres y mujeres? ¿Te gusta algún accesorio, o ves algo que le gustaría a alguien que conoces?

ESTRATEGIA DE LECTURA

Guessing meaning from context When reading in Spanish you will encounter many unfamiliar words. While some can be ignored, others are important to understanding the message of the text. You can often approximate the meaning of a new word by (1) paying attention to the overall meaning of the sentence (as we often do in our first language), (2) thinking of any similar words that you may know, and (3) recognizing whether a word is a noun, adjective, verb, etc. For instance, if a word is preceded by an article, you can be sure it is a noun; if you can recognize a verb ending, then it must be a verb, etc. Take these steps in trying to interpret unfamiliar words as you read the selection that follows.

A LEER

Si te encantan los estampados[1], si te mueres por los complementos[2] y si quieres ir a la moda, está claro: necesitas un Peseta. Bolsos, llaveros, bolsitas, mochilas o carteras son solo algunas de las cosas que ofrece esta compañía. Cada pieza tiene un nombre y una tarjeta que anuncia el origen de los materiales, la fecha y el lugar de creación. El encanto de Peseta es que cada complemento incorpora nuevas telas[3] y formas sin estar limitado a lo que está de moda en un momento particular.

Los complementos de esta marca siguen dos principios básicos: la necesidad y la multifuncionalidad. Nunca sabes lo que te espera dentro: bolsos-mochilas que se transforman a tu gusto, llaveros o bolsitas que puedes ajustar de tantas formas como la imaginación te permita. En cada pieza también se mezclan[4] estampados: flores, estrellas, patos, galletas, rayas o cuadros sin la más mínima estridencia. A Peseta le gusta lo que hace, quizá por eso ha conseguido encontrarle el lado emocional a este negocio de la moda.

La nueva colección de Peseta llega con muchas sorpresas, como la bolsa-ukelele, de la que hizo una edición limitada para Marc Jacobs. Y eso no es todo, ya que también hay espacio para sus inconfundibles clásicos básicos. Así que no te lo pienses[5], ¡corre y consigue un Peseta ya!

Texto: Elena Giménez/*De la revista Punto y coma (Habla con eñe)* Fotografía: Peseta

Punto y Coma Magazine

▲ La bolsa "Mariposer"

[1]patterned prints [2]accessories [3]fabrics [4]mix [5]don't think twice about it

Sugerencia: Si asigna este ejercicio como tarea, pida a los estudiantes que traigan una foto y una descripción del objeto que escogieron. Si no les gusta nada, pueden buscar una alternativa en otra tienda en línea y explicar por qué prefieren ese producto.

Después de completar la lectura, pida a los estudiantes que den sus interpretaciones del título.

DESPUÉS DE LEER

1. ¿Cómo son diferentes los productos de Peseta? ¿Cuáles son los dos principios que guían el diseño de estos complementos? Cada pieza tiene su nombre particular y su tarjeta con la información sobre el producto. La necesidad y la multifuncionalidad guían el diseño.
2. Escoge los adjetivos de la lista que pueden aplicarse para describir los objetos de Peseta. Después compara tu lista con la de un/a compañero/a y justifica tu selección basándote en el texto.

artesanal	**creativo**	**convencional**	**divertido** *(fun)*	**lujoso** *(luxurious)*	**práctico**

3. Mira los precios de algunos complementos de Peseta en su página web (busca peseta.org). Después, vuelve a leer el título de la lectura. ¿Cómo lo interpretas?

Sugerencia: Recuerde a sus estudiantes que el dólar es la moneda de Ecuador.

Opción: El **Paso 1** puede ser asignado como tarea el día anterior.

PARA CONVERSAR: El equipaje perdido

Acaban de llegar al aeropuerto Mariscal Sucre de Quito, pero su equipaje no ha llegado y probablemente ¡está perdido! Van a estar en Ecuador una semana, visitando la costa y la capital, pero no tienen nada. La línea aérea les da $250 a cada uno/a como compensación por su pérdida.

Paso 1. Algunos estudiantes son turistas, otros son dependientes en tiendas o mercados callejeros. Individualmente, los turistas hacen una lista de los productos y la ropa que necesitan, mientras los dependientes hacen inventario de sus productos y sus precios.

Sugerencia: Pida a los "turistas" que creen un personaje (personalidad, preferencias) y a los vendedores que definan su puesto y la tienda donde trabajan (dependiente de droguería, dueño de zapatería familiar, venta de accesorios en un mercado callejero). También puede preparar tarjetas asignando papeles. Por ejemplo:

Turista: Eres una mujer joven, te gusta la ropa informal y cómoda, pero eres friolera. Usas talla pequeña.

Vendedor: Eres el dueño de la Zapatería Cotopaxi. Vendes zapatos y sandalias de gran calidad. A veces haces un descuento a los clientes simpáticos.

ESTRATEGIA DE COMUNICACIÓN

Being specific

If you are a tourist, you know that you will be going to both the city and the beach. When coming up with your shopping list, think about what you will need for a week (which items of personal hygiene and clothing, how many, what fabric or material, etc.) Salespeople have to come up with a list of items they sell (with details such as size, material, and number of each item in stock) and their prices, consistent with the store or market stall they have.

Paso 2. Los turistas visitan varias tiendas e intentan comprar todo lo que necesitan. Tanto los compradores como los vendedores deben intentar ser específicos (inventen los detalles que no habían anticipado). Hagan listas con sus compras y ventas, incluyendo los precios pagados.

Sugerencia: Al final, pida que los turistas compartan una lista de sus compras con la clase y que los vendedores digan cuánto dinero ganaron. ¿Quién tuvo más éxito (*success*) en sus compras? ¿Y en sus ventas?

ASÍ SE HABLA

En su conversación, intenten usar algunas de estas frases comunes en **Perú**, **Ecuador** y **Bolivia:**

chuta = *"oh, no" or "aw, man!"*
pana = *buddy*
¿Me cachas? = *Do you understand me?*

PARA ESCRIBIR: La ropa aquí y allá

Vas a describir brevemente el valor y la función de la ropa en Estados Unidos. El público estará compuesto por (*will be comprised of*) los miembros de un grupo indígena de América Latina, que usan ropa tradicional para indicar la región en la que viven y, a veces, la tribu a la que pertenecen. Seguramente, estos grupos tradicionales van a pensar que nuestra forma de vestir (*way of dressing*) es muy diferente a la suya (*theirs*).

ANTES DE ESCRIBIR

Paso 1. Piensa en la ropa y contesta estas preguntas:

1. Mira la ropa que tienes puesta en este momento. ¿Sabes de qué material está hecha? ¿Sabes dónde se fabricó? Si no, mira las etiquetas (*labels*). ¿Es importante para ti conocer el material y el origen de la ropa?
2. Mira a varias personas y analiza la ropa que llevan puesta. ¿Qué nos puede indicar sobre su vida la ropa que lleva una persona?

Paso 2. Ahora, debes hacer las mismas tres preguntas a dos personas diferentes que conoces. Si no hablan español, les puedes preguntar en inglés. Trata de escribir todo lo que dicen en sus respuestas.

Opción: Si prefiere que los estudiantes miren a personas ajenas a que se miren entre sí, o si tiene una clase relativamente homogénea en cuanto a la moda, puede traer fotos sacadas de revistas o sitios de Internet destinadas a lectores de diferentes sectores sociales y así ofrecer una gran variedad de ropa y estilo.

ESTRATEGIA DE REDACCIÓN

Incorporating survey data

In this composition, you are going to answer three questions about clothing. You are also going to conduct a survey of two people you know, asking each the same three questions. There are various ways of incorporating and presenting the data you gather in your composition. For example, you might organize the data by person.

Persona 1 (yo): Mis respuestas a las tres preguntas.
Persona 2: Sus respuestas a las tres preguntas.
Persona 3: Sus respuestas a las tres preguntas.

Or, you might organize your data by question:

Pregunta 1: Las respuestas de la Persona 1 (yo); las de la Persona 2; las de la Persona 3.
Pregunta 2: Las respuestas de la Persona 1 (yo); las de la Persona 2; las de la Persona 3.
Pregunta 3: Las respuestas de la Persona 1 (yo); las de la Persona 2; las de la Persona 3.

Choose whichever option you think is best suited to the ideas you want to express along with the basic data of your survey. Both offer a clear and organized way of presenting the data.

A ESCRIBIR

Escribe un primer borrador que resuma (*summarizes*) las respuestas de tu encuesta. Debes usar la opción 1 o la opción 2 de la sección *Estrategia de redacción* para organizar tu composición.

Para escribir mejor: Estas frases para expresar opiniones pueden ayudarte.

opinar que *to be of the opinion that*
sentir que *to feel that*
alegar que *to claim that*

En tu conclusión, puedes usar frases como éstas:

En general, entre mis amigos, es importante/no es importante ______.
Algunos de mis amigos opinan ______, pero otros dicen que ______.

DESPUÉS DE ESCRIBIR

Revisar y editar: La organización. Después de escribir el primer borrador de tu composición, déjalo a un lado por un mínimo de un día sin leerlo. Cuando vuelvas a leerlo, corrígelo en términos de (*in terms of*) organización y contenido, además de gramática y vocabulario. Hazte estas preguntas:

- ☐ ¿Seguí bien la opción 1 o la opción 2 en términos de organización?
- ☐ ¿Está clara la conclusión?
- ☐ ¿Tuve en cuenta que el público de esta composición son grupos indígenas con ropa tradicional?

PARA VER Y ESCUCHAR: El arte del tejido: Una tradición viva

ANTES DE VER EL VIDEO

1. ¿Qué animales dan pelo o lana que se usa para fabricar ropa?
2. ¿Tienen alguna idea de cómo se fabrica la tela en las fábricas (*factories*) modernas?

ESTRATEGIA DE COMPRENSIÓN

Categorizing information

As you are listening to a presentation of information in Spanish, you can try to identify the kinds of information being delivered and develop different categories for each kind of information. This can help you process the information more accurately. In this video, you will be asked to pay attention to four different categories of information.

A VER EL VIDEO

Mira el video e intenta completar la tabla.

Colaboradores

9 comunidades — 300 adultos — 250 niños y jóvenes

Tres animales cuyas (*whose*) fibras se usan

oveja, alpaca, llama

Fuentes (*sources*) de los tintes (*dyes*)

flores, plantas, raíces

Ropa tradicional que se usa

Mujeres		Hombres	
un sombrero	una o más faldas	un sombrero de lana	un chaleco
una chaqueta	sandalias o zapatos	un poncho	un pantalón
una blusa		una camisa	

Extensión: Puede pedir a sus estudiantes que escriban un pequeño párrafo describiendo las semejanzas y diferencias entre los métodos tradicionales y modernos de fabricar las telas.

DESPUÉS DE VER EL VIDEO

En grupos pequeños, respondan a estas preguntas.

1. Según el video, los tejedores sienten mucho orgullo (*pride*) por la ropa que crean. ¿Conoces a alguna otra persona que siente orgullo por la ropa que crea?
2. ¿En qué son similares y diferentes los métodos modernos y tradicionales de fabricación de telas?

Repaso de vocabulario activo

Adjetivos

barato/a *cheap, inexpensive*
caro/a *expensive*
corto/a *short*
largo/a *long*
limpio/a *clean*
sucio/a *dirty*

Palabras indefinidas y negativas

algo *something, anything (interrogative)*
alguien *someone, anyone (interrogative)*
algún, alguno/a/os/as *any, some, someone*
nada *nothing*
nadie *no one, nobody*
ni *nor, not even*
ni... ni *neither... nor*
ningún, ninguno/a *no, none, no one*
o *or*
o... o *either... or*
siempre *always*
también *also*
tampoco *neither, not either*
todo/a *everything, every*

Sustantivos

La ropa ***Clothes/Clothing***

el abrigo *coat*
el algodón *cotton*
la blusa *blouse*
las botas *boots*
la bufanda *scarf*
los calcetines *socks*
la camisa *shirt*
la camiseta *T-shirt*
la chaqueta *jacket*
el cinturón/la correa *belt*
la corbata *tie*
la piel/el cuero *leather*
la falda *skirt*
la gorra *cap*
los guantes *gloves*
los jeans/los vaqueros *jeans*
la lana *wool*
la manga *sleeve*
las medias *stockings, hose*
los pantalones *pants*
los pantalones cortos *shorts*
la ropa interior *underwear*
las sandalias *sandals*
la seda *silk*
el sombrero *hat*
el suéter *sweater*
los (zapatos de) tenis *tennis shoes, sneakers*
el traje *suit*
el traje de baño *bathing suit*
el vestido *dress*
los zapatos *shoes*
de tacón alto/bajo *high heeled/ flat (shoes)*
la calidad *quality*
la ropa *clothes, clothing*

Las joyas ***Jewelry***

el anillo/la sortija *ring*
los aretes/los pendientes *earrings*
el collar *necklace*
el oro *gold*
la plata *silver*
la pulsera *bracelet*
el reloj *watch*

Otras palabras útiles

la billetera/la cartera *wallet*
el bolso/la bolsa *purse, bag*
la cosa *thing*

las gafas/los lentes (de sol) *glasses/ sunglasses*

los/las lentes de contacto *contact lenses*

la moda *fashion*

el paraguas *umbrella*

el precio *price*

las rebajas *sales*

el regalo *gift*

el ropero *closet*

la talla *size*

Verbos

devolver (ue) *return (something)*

llevar *wear, carry, take*

mirar *look at*

mostrar (ue) *show*

probarse *to try on*

CAPÍTULO 9

La salud

Blend Images/SUPERSTOCK

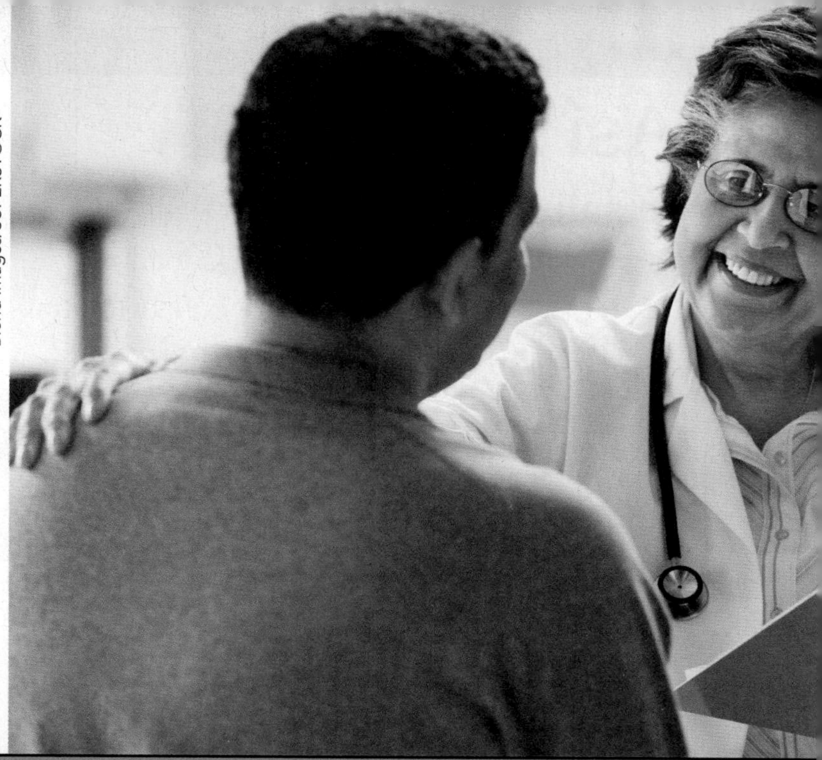

LEARNING OBJECTIVES

In this chapter, you will learn to:

- talk about health and related ailments.
- identify parts of the body.
- use commands in formal situations.
- talk about and describe persons, places, and actions in the past.
- recognize some home remedies of the Spanish speaking world.
- discover Colombia and Venezuela.

Entrando al tema

1. ¿Cuidas tu salud? ¿Cómo lo haces? ¿Cuidas tu dieta? ¿Haces ejercicio?
2. ¿Tiene tu campus un sistema de atención médica? ¿Cómo es?
3. ¿Usas algún remedio casero (*home remedy*)? ¿Cuál?

Así se dice

La salud

Use *PowerPoint Slides* para presentar y practicar este vocabulario.

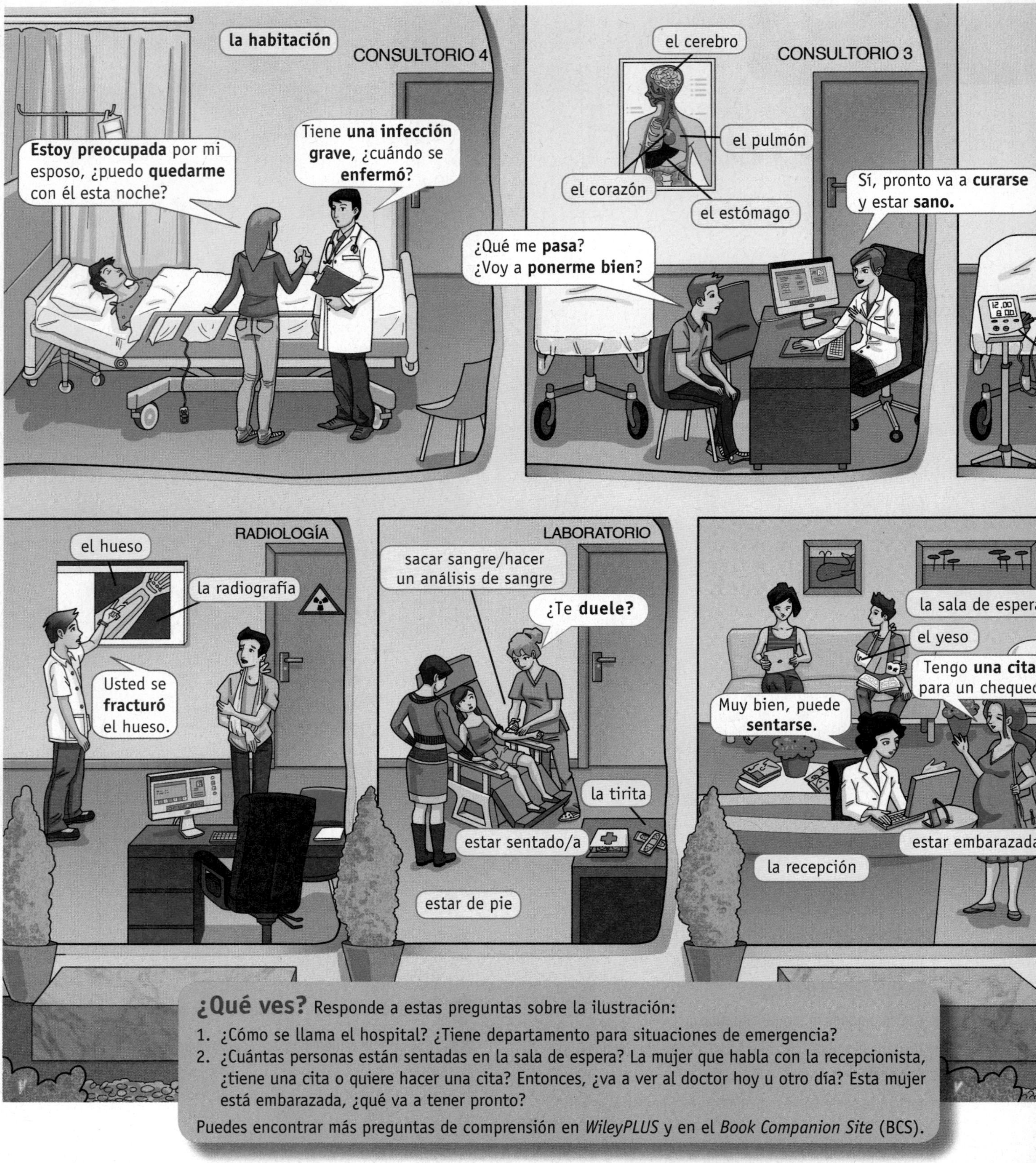

¿Qué ves? Responde a estas preguntas sobre la ilustración:

1. ¿Cómo se llama el hospital? ¿Tiene departamento para situaciones de emergencia?
2. ¿Cuántas personas están sentadas en la sala de espera? La mujer que habla con la recepcionista, ¿tiene una cita o quiere hacer una cita? Entonces, ¿va a ver al doctor hoy u otro día? Esta mujer está embarazada, ¿qué va a tener pronto?

Puedes encontrar más preguntas de comprensión en *WileyPLUS* y en el *Book Companion Site* (BCS).

WileyPLUS

Pronunciación: Practice pronunciation of the chapter vocabulary and particular sounds of Spanish in *WileyPLUS*.

el análisis (de sangre)	*a (blood) test*
el cerebro	*brain*
el consultorio	*doctor's office*
doler (ue)	*to be hurting, to hurt*
enfermarse	*to get/become sick*
estar de pie	*to stand*
estar sentado/a	*to be seated*
fracturarse	*to break (a bone)*
la habitación	*room*
hacer una cita	*to make an appointment*
la herida (grave)	*(serious) wound*
lastimarse	*to hurt oneself*
pasar[1]	*happen*
ponerse (bien)	*to get (well)*
preocuparse por	*to worry about*
quedarse	*to stay*
sacar sangre	*to draw blood*
sacar una radiografía	*to take an X-ray*
la sala de espera	*waiting room*
sano	*healthy*
sentarse (ie)	*to sit down*
la tirita	*band-aid*
la vacuna	*vaccine*
(la sala de) urgencias	*emergency-room*
el yeso	*cast*

Sugerencia. Para iniciar el trabajo de comprensión y respuesta al nuevo vocabulario (actividades de *input*) refiérese a las preguntas de comprensión **¿Qué ves?** en *WileyPLUS* y en el Book Companion Site (BCS).

Sugerencia: Señale la diferencia entre **el dólar** y **el dolor**, muchos estudiantes confunden estas palabras.

¿Y tú?

1. ¿Vas al doctor frecuentemente? ¿Te haces chequeos o vas solamente cuando te enfermas?
2. ¿Tuviste que ir a la sala de urgencias o quedarte en un hospital alguna vez? ¿Qué te pasó?

Listen to all the new vocabulary in the **Repaso de vocabulario activo** at the end of the chapter.

[1]**¿Qué le pasa?** is best translated as *What is wrong?/What is the matter?*

Output **El cuerpo humano**

Use ***PowerPoint Slides*** para presentar y practicar el vocabulario de las partes del cuerpo.

Sugerencias: Puede hacer una actividad de TPR (como *Simón dice*) para comprobar la comprensión del vocabulario y reforzarlo, mientras anticipamos la forma de mandato de ustedes, ej.: levanten las manos.

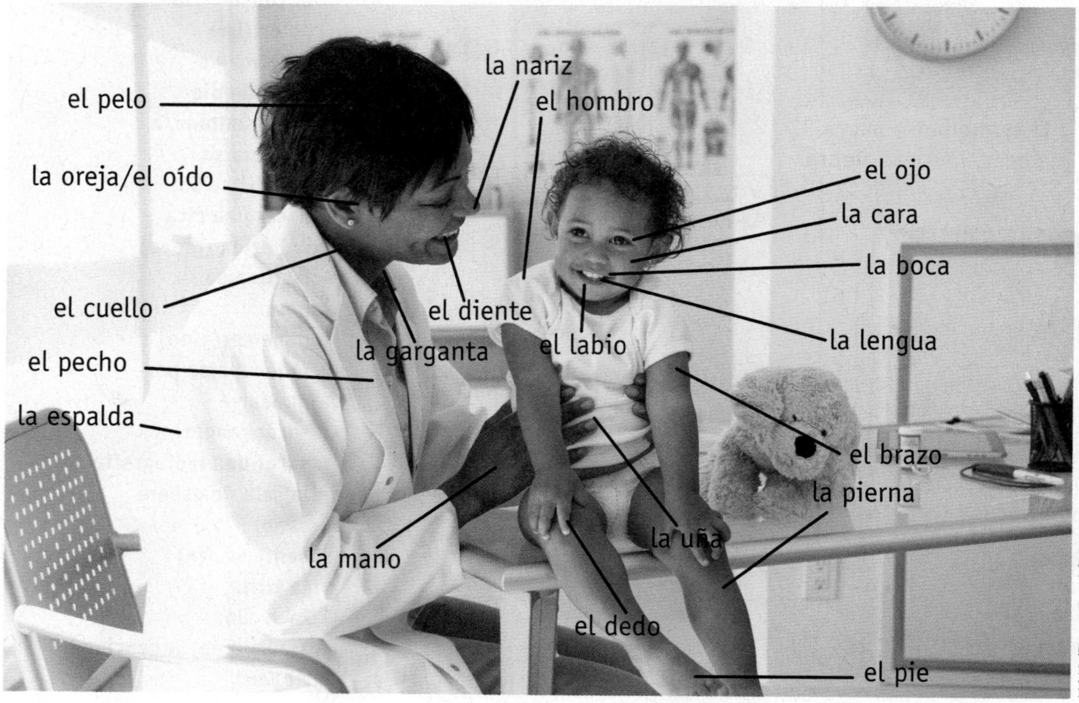

LWA/DannTardif/Getty Images

Listen to all the new vocabulary in the **Repaso de vocabulario activo** at the end of the chapter.

la cara	*face*	**el oído**	*medium and inner ear; hearing*
el cuello	*neck*	**la oreja**	*external ear*
la garganta	*throat*		
la lengua	*tongue*		

9.1 Audio:
1. Tienen cinco dedos y llevan guantes en invierno.
2. Estos también tienen cinco dedos, pero llevan calcetines.
3. Hay muchos: en la cabeza, los brazos, las piernas y los hombres también los tienen en la cara.
4. ¡Tenemos 32 dentro de la boca!
5. Nos permite mover la cabeza y llevar collares.
6. Aquí están los ojos, la nariz y la boca.

[9.1] ¿Qué parte del cuerpo es?

Input **Paso 1.** Escucha las siguientes descripciones e indica a qué parte del cuerpo se refieren.

1. ___las manos___ **2.** ___los pies___ **3.** ___los pelos___

4. ___los dientes___ **5.** ___el cuello___ **6.** ___la cara___

Output **Paso 2.** Escribe descripciones para dos partes más del cuerpo. Después, en grupos, vas a leer tus descripciones y el resto del grupo va a identificar la parte del cuerpo.

Input **[9.2] Pobre Daniel.** Daniel tuvo un accidente hace unos meses (*a few months ago*). Primero, completa las oraciones con formas del pretérito de los verbos entre paréntesis. Después, determina el orden cronológico de los eventos y lee la narración completa.

9.2 Este ejercicio recicla formas del pretérito.

9.2 Respuestas: El orden que se ofrece como respuesta es flexible; puede haber otras respuestas válidas.

__5__ La médica le ___puso___ (poner) un yeso.

__7__ Daniel ___salió___ (salir) del hospital en una silla de ruedas.

__2__ Daniel ___fue___ (ir) a la sala de urgencias.

__1__ Daniel ___se fracturó___ (fracturarse) la pierna esquiando.

__9__ La pierna estaba curada, y Daniel __empezó__ (empezar) un programa de fisioterapia.

__3__ La médica le __examinó__ (examinar) la pierna.

__8__ Varias semanas más tarde, la médica le __quitó__ (quitar) el yeso.

__4__ La médica le __sacó__ (sacar) una radiografía.

__10__ Daniel __volvió__ (volver) a la médica seis meses después para un chequeo.

__6__ La médica le __dio__ (dar) medicamentos para el dolor (*pain*).

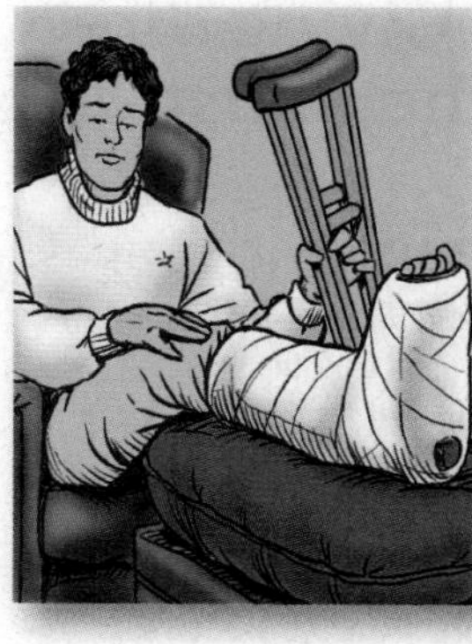

Output [9.3] ¿Qué pueden hacer?

Estudias medicina y tus amigos siempre te hacen preguntas. Responde, intentando explicar con detalle.

Modelo: Estudiante A: Este invierno no quiero enfermarme, ¿qué debo hacer?
Estudiante B: **Debes ir al centro de salud, allí te van a dar recomendaciones y pueden ponerte una vacuna.**

Estudiante A

1. No estoy enfermo, pero quiero saber si mi salud está bien ¿qué debo hacer?
2. Mi amigo se cayó (*fell*) de la bicicleta y no puede caminar.

Estudiante B

1. Me duele mucho la cabeza, tengo calor y estoy muy débil.
2. Mi hermano tuvo un accidente, tiene una herida en la pierna con mucha sangre.

PALABRAS ÚTILES

pesar	*to weight*
medir	*measure*
tomar el pulso	*take the pulse*

[9.4] ¿Qué partes del cuerpo usamos?

Output

Miren las actividades a continuación. En parejas, un/a estudiante elige una actividad sin nombrarla y describe para su compañero/a las partes del cuerpo que se usan para esa actividad. El/la compañero/a trata de adivinar qué actividad es.

manejar	escuchar música	leer	nadar
comer	tocar el piano	besar	cocinar

Modelo: Estudiante A: **En esta actividad son muy importantes los brazos y las piernas. También usamos los hombros y las rodillas.**
Estudiante B: **¿Es esquiar?**

9.4 Extensión: En parejas, un estudiante menciona una serie de actividades para las que se usa una parte del cuerpo, que el/la compañero/a debe identificar. Por ejemplo: *La usamos para pensar, para peinarnos...* (la cabeza).

NOTA DE LENGUA

El español, como muchas lenguas, tiene frases que incluyen partes del cuerpo. Trata de emparejar (*match*) estas frases con sus traducciones.

__c__ **tener buen diente**
__b__ **no tener pelos en la lengua**
__a__ **ser un caradura (hard-face)**

a. *to be shameless*
b. *to not mince words*
c. *to have a good appetite*

Sugerencia: Otras frases que puede mencionar: *tener la cara dura/ser un caradura; decir algo con la boca pequeña; tener que morderse la lengua.*

Output [9.5] Una película de extraterrestres.

Tu compañero/a y tú tienen una gran idea para una película del espacio, pero aún (*still*) deben diseñar cómo van a ser los extraterrestres.

Paso 1. Dibuja con detalle el extraterrestre perfecto para la película. Luego, descríbeselo a tu compañero/a, que lo va a dibujar ¡sin mirar tu dibujo! Después tú vas a dibujar el extraterrestre que tu compañero/a va a describir.

Paso 2. Compara el dibujo original de tu compañero/a con el dibujo que hiciste siguiendo sus instrucciones. ¿Son similares?

Así se forma

1. Giving direct orders and instructions to others: *Usted/Ustedes* commands.

WileyPLUS

Go to *WileyPLUS* to review this grammar point with the help of the **Animated Grammar Tutorial.**

Use ***PowerPoint Slides*** para presentar y practicar esta gramática.

Sugerencia: Pida a sus estudiantes que observen en el diálogo introductorio las formas regulares (explique, coma, viva) e irregulares (diga, haga) primero, y después la posición de los pronombres (explíqueme, créame vs. no me diga) e intenten determinar (o al menos aproximarse a) la formación de las formas de mandato y el uso de pronombres con estos.

Dr. Ayala: Sr. Ocaña, su colesterol está muy alto y tiene sobrepeso (*you are overweight*).

Sr. Ocaña: Dígame, doctor, ¿es grave? **Explíqueme** qué debo tomar.

Dr. Ayala: Bueno, para empezar, **no coma** grasas animales y **haga** más ejercicio.

Sr. Ocaña: ¡**No me diga** que tengo hacer dieta! ¿No hay alguna medicina para esto?

Dr. Ayala: Créame, Sr. Ocaña, **viva** una vida sana y no **vaya** a la farmacia tanto. ¡Es la mejor (*best*) medicina!

You have already seen some **ustedes** commands when instructions are given to more than one student (**lean** las preguntas, **respondan**.) In this chapter, you will learn more about command forms to address a person formally (**usted**) and when addressing more than one person (**ustedes**.)

To form commands for regular verbs, remove the final **–o** from the **yo** form of the present tense and add the endings indicated in the chart below.

	esperar	**beb**er	**escrib**ir
usted	(no) esper**e**	(no) beb**a**	(no) escrib**a**
ustedes	(no) esper**en**	(no) beb**an**	(no) escrib**an**

Stem-changing and irregular verb usted/ustedes commands are formed similarly, except for the verb **ir**, which has an irregular command form not based on the present **yo** form.

decir: **diga, digan**	dormir: **duerma, duerman**		pedir: **pida, pidan**
hacer: **haga, hagan**	volver: **vuelva, vuelvan**	PERO	ir: **vaya, vayan**

Object and reflexive pronouns *are attached* to the end of all *affirmative* commands. Note that a written accent is often added.[1]

Bébа**lo.** — *Drink it.*
Siénte**se**, por favor. — *Please, sit down.*

But they *precede* the verb in all *negative* commands.

No lo beba. — *Don't drink it.*
No se siente todavía, por favor. — *Do not sit down yet, please.*

[1]The emphasis in command forms with more than one syllable is on the second-to-last syllable (**tome, beba**), so these do not need an accent mark. When adding an extra syllable, the stressed syllable becomes third-to-last, and therefore it needs an accent mark.

Estas son las instrucciones que nos da la doctora para hacer un examen físico. Presta atención al nuevo vocabulario.

Use *PowerPoint Slides* para presentar y practicar este vocabulario.

Saque la lengua.[1]
Abra la boca.
Diga "¡Aaah!"
Respire profundamente.

Después de examinarnos, nos da consejos.

Cuídese y descanse.
Vaya a la farmacia con esta receta.
Tome líquidos.
Tome estas pastillas/cápsulas.

Listen to all the new vocabulary in the **Repaso de vocabulario activo** at the end of the chapter.

cuidarse	*to take care (of one self)*	**respirar**	*to breathe*
la receta	*prescription*		

[9.6] ¿Usted o ustedes?

Input

Escucha estas instrucciones. Decide si esta persona le habla a *usted* o a *ustedes*.

1. ☐ Usted ☑ Ustedes
2. ☑ Usted ☐ Ustedes
3. ☐ Usted ☑ Ustedes
4. ☐ Usted ☑ Ustedes
5. ☑ Usted ☐ Ustedes

9.6 Audio:
1. Levántense.
2. Abra la boca.
3. No se preocupen.
4. Vayan a la farmacia.
5. No camine sin las muletas.

[1]Verbs ending in **–car**, are not really irregular in their command forms but they do have a spelling change: **sacar** → **saque, saques, saque, ...**

Input [9.7] ¿Qué dice un doctor responsable?

Paso 1. Decide si un doctor dice esto a sus pacientes, marcando **Sí** o **No**. Después, reescribe los mandatos marcados **No** para hacerlos apropiados.

Modelo: Coma más tocino. Sí (No) **No coma mucho tocino./Coma tocino con moderación.**

1. Coma frutas y verduras. (Sí) No ____________
2. Haga ejercicio una vez al mes. (Sí) No ____________
3. Duerma cinco horas cada noche. Sí (No) ____________
4. Tome vitaminas. (Sí) No ____________
5. Vuelva a verme si no se pone bien. (Sí) No ____________
6. No venga más a sus chequeos. Sí (No) ____________

Paso 2. En parejas, inventen dos oraciones para cada verbo: una la dice un/a doctor/a responsable y otra la dice un/a doctor/a irresponsable. Lean sus oraciones a otra pareja, que intenta adivinar quién las dice.

comer	ir	beber	tomar

9.8 Esta actividad recicla el vocabulario de comida y los pronombres de objeto directo.

[9.8] ¿Puedo pedirlo?

Una persona con colesterol alto está en un restaurante cubano de Miami, pero no sabe qué puede comer y llama a su doctor. Observa el menú del restaurante, a continuación, y las recomendaciones para regular el colesterol.

...arios

SOPAS	
SOPA DEL DÍA	$6.75
SOPA DE POLLO	$6.50
SOPA DE FRIJOLES NEGROS	$6.50

TORTILLAS	
TORTILLA ESPAÑOLA[1] *CON ARROZ Y PLÁTANOS*	$9.75
TORTILLA DE PLÁTANO *CON ARROZ Y FRIJOLES NEGROS*	$8.95

ENSALADAS	
ENSALADA DE LA CASA	$7.75
ENSALADA DE SARDINAS	$9.95
ENSALADA DE TOMATE	$6.50
SERRUCHO EN ESCABECHE[2]	$11.25
PLATO DE FRUTAS	$7.95

POLLO	
PECHUGA DE POLLO A LA PLANCHA[3]	$12.25
POLLO ASADO	$11.95
CHICHARRONES DE POLLO[4]	$11.95
ARROZ CON POLLO	$10.95
PECHUGA DE POLLO RELLENA[5] *CON CAMARONES*	$12.95

PESCADOS	
PESCADO EMPANIZADO[6]	$13.95
PESCADO A LA PLANCHA	$13.75
BROCHETA[7] DE CAMARONES	$15.75
CAMARONES EMPANIZADOS	$16.25
CAMARONES AL AJILLO	$16.25
LANGOSTA ENCHILADA	$24.50

POSTRES	
FLAN DE HUEVO	$7.50
HELADOS VARIADOS	$7.50
ENSALADA DE FRUTA TROPICAL	$6.50

Consejos para controlar el colesterol

- **EVITE** alimentos fritos o con mucha grasa.
- **TOME** alimentos lácteos desnatados (*skim*) o bajos en grasa.
- **CONSUMA** alimentos altos en colesterol (huevos, camarones, etc.) con moderación.
- **COMA** más frutas y verduras.
- **COMA** más pan integral, cereales, frijoles y arroz.

[1]If you are not sure what **tortilla española** is, see the Nota cultural in chapter 4, under Así se dice 2; [2]pickled kingfish; [3]grilled chicken breast; [4]deep fried chicken chunks; [5]stuffed; [6]breaded; [7]kabob

Input **Paso 1.** Empareja las preguntas del paciente y las respuestas del doctor. Presta atención al uso de pronombres de objeto directo.

Paciente	Doctor/a
1. ¿Puedo pedir sopa de pollo? __d__	**a.** No, no lo pida. Tiene mucho huevo.
2. ¿Y los chicharrones de pollo? __c__	**b.** Sí, pídalo. Es de fruta y no tiene grasa.
3. ¿Puedo pedir masas de puerco? __e__	**c.** No, no los pida. Son fritos.
4. ¿Y sorbete de guanábana? __b__	**d.** Sí, pídala. Tiene verduras y poca grasa.
5. ¿Y el flan de leche? __a__	**e.** No, no las pida. Son fritas.

Output **Paso 2.** En parejas, uno de ustedes es el/la doctor/a y el/la otro/a es el/la paciente. Teniendo en cuenta los problemas de salud del/de la paciente, el/la doctor/a responde sus preguntas sobre lo que puede comer. Usen las preguntas y respuestas del **Paso 1** como modelo. Después, intercambien los papeles (*reverse roles*).

Sugerencia: Señale el cuadro de consejos para regular el colesterol y pida a la clase que responda a las preguntas: *¿Qué instrucciones nos dan para regular el colesterol? En tu opinión, ¿cuáles son las más importantes?*

Sugerencia: Presente una situación diferente para el paciente cuando cambien papeles (ej. acidez de estómago, sobrepeso, diabetes, etc.) Pida a la clase recomendaciones generales para estas situaciones y escriba la lista en la pizarra como referencia.

Input [9.9] ¿A los pacientes, estudiantes o hijos?

Paso 1. La doctora Flores, que también es profesora en la Facultad de Medicina y tiene dos hijos adolescentes, hace estas recomendaciones frecuentemente. Indica para quién piensas que son. Puedes marcar más de una opción.

	Pacientes	Estudiantes	Hijos
1. Saquen la lengua.	☐	☐	☐
2. Péinense.	☐	☐	☐
3. Estudien más si quieren pasar el curso.	☐	☐	☐
4. Digan "¡Aaah!"	☐	☐	☐
5. Lávense las manos frecuentemente.	☐	☐	☐
6. Vengan a mi oficina si tienen preguntas.	☐	☐	☐
7. No se duerman durante las clases.	☐	☐	☐
8. Tomen una pastilla cada dos horas.	☐	☐	☐

Paso 2. En parejas, escriban dos recomendaciones más que la doctora Flores probablemente hace a sus pacientes, a sus estudiantes y a sus hijos.

9.9 Esta actividad recicla los verbos reflexivos y ofrece un ejercicio de compresión de las formas de mandato de *ustedes*.

Extensión: Puede pedir a sus estudiantes que compartan algunas de las recomendaciones que escribieron. La clase debe identificar para quién es cada recomendación.

NOTA CULTURAL

La forma *usted* en Colombia

In Colombia, the form ***usted*** is often used when the ***tú*** form is used in many other countries. It is common to hear friends, siblings, and married couples use ***usted*** with each other. A similar phenomenon happened in English over 500 years ago, when the informal *thou* was replaced by the formal *you*.

Sugerencia: Si tiene hablantes de herencia, pregúnteles: ¿Qué formas usa tu familia entre sus miembros? ¿Hay alguien con quien uses usted?

[9.10] ¿Quién manda?

9.10 Sugerencia: Pida a la clase que formen otros mandatos que dan los profesores frecuentemente.

Output **Paso 1.** Forma oraciones con mandatos de los padres a sus hijos y los profesores a sus estudiantes. Pueden ser mandatos afirmativos o negativos.

	Los padres	Los profesores
1. comer	**Coman sus verduras**	**No coman en la clase**
2. hacer		
3. decir		
4. ir		
5. sentarse		
6. escuchar		

Paso 2. Ustedes mandan. Imaginen que, solo por un día, pueden dar instrucciones u órdenes a sus padres y a sus profesores. En parejas, escriban mandatos afirmativos y negativos en los cuadros.

	A los padres	A los profesores
Mandatos afirmativos	**1.** ______ **2.** ______ **3.** ______	**1.** ______ **2.** ______ **3.** ______
Mandatos negativos	**1.** ______ **2.** ______ **3.** ______	**1.** ______ **2.** ______ **3.** ______

Paso 3. Compartan sus ideas con otro grupo y escojan el mandato más razonable (*sensible*), el más atrevido (*daring*) y el más divertido de todos.

En mi experiencia

Julie, Akron, OH

"Where I lived in Mexico, when people were sick they went to a pharmacy, explained their symptoms, and got medication. Lots of things were available without a prescription. The doctor was only for serious things, like if you needed surgery or hospitalization, or if the medicine didn't work."

© Horsche/iStockphoto

Do you know people who ask pharmacists for medical advice? What are the advantages and disadvantages to a large range of medicine being available without a prescription?

Cultura

Colombia y Venezuela

▲ Colombia

IT Stock/SUPERSTOCK

▲ Venezuela

IT Stock/SUPERSTOCK

ANTES DE LEER

1. ¿Has escuchado sobre la leyenda (*legend*) de "El Dorado"?
2. ¿Cuáles son las orquestas más famosas en Estados Unidos? ¿Tienen programas para jóvenes músicos?

Use ***PowerPoint Slides*** para presentar esta sección de cultura.

Colombia

Los españoles escucharon la leyenda de "El Dorado" (*the Golden One*) sobre un rey cubierto en oro que vivía en una ciudad llena de oro (*gold*). Lo buscaron durante 200 años por el vasto terreno montañoso que hoy es Colombia. Por fin, descubrieron un grupo de indígenas que celebraban una ceremonia en la que cubrían a su líder con polvo (*powder*) de oro – pero no había ninguna ciudad de oro.

Hoy en día, Colombia es:

- El primer productor de oro de América del Sur
- El principal productor de esmeraldas de todo el mundo
- El segundo productor de café en el mundo, después de Brasil

▲ El vallenato

Jon Spaull/Glow Images

Una encuesta realizada entre ciudadamos de 54 países determinó que Colombia es el país más feliz del mundo. El espíritu del pueblo colombiano se ve en su música, sus bailes y sus diversiones populares. La cumbia y el vallenato son ritmos musicales de origen colombiano muy famosos en todo el mundo. Busca "vallenato" en Internet.

Colombia tiene el número más grande de especies por unidad de área en el planeta; es el segundo país más 'megadiverso' del mundo después de Brasil. El turismo está incrementándose mucho en los años recientes.

▲ Esmeraldas

Luis Veiga/The Image Bank/GettyImages

INVESTIG@ EN INTERNET

Shakira es de Barranquilla, Colombia. Busca una de sus canciones en español y algo de información sobre ella en Internet y compártela con tus compañeros de clase.

Carlos Alvarez/Getty Images News and Sport Services

▲ Orquesta Sinfónica Simón Bolívar, dirigida por Gustavo Dudamel.

Venezuela

El nombre del país significa "pequeña Venecia (*Venice*)" porque a principios del siglo XVI, los españoles se encontraron con unos habitantes indígenas, los guajiros, que vivían en chozas (*huts*) suspendidas sobre unas islas muy pequeñas en el lago Maracaibo, que les recordaban (*reminded them*) a los edificios de la famosa ciudad italiana de Venecia.

La mayor riqueza de Venezuela hoy es el "oro negro" o petróleo que se empezó a explotar del lago Maracaibo a principios del siglo XX. Esta industria generó mucha prosperidad y la población del país se cuadruplicó. Hoy en día, Caracas tiene más de 2 millones de habitantes. Es una ciudad cosmopolita y moderna, y cuenta con (*has*) importantes centros culturales y un sistema de metro con 4 líneas y 47 estaciones.

Un motivo de especial orgullo para los venezolanos es El Sistema Nacional de Orquestas y Coros Juveniles e Infantiles, resultado de decadas de trabajo entre el gobierno y varias organizaciones privadas. Su fundador, José Antonio Abreu, ha exportado la filosofía de El Sistema a decenas de países, como una forma de reducir la pobreza y la exclusión en niños y jóvenes. Gustavo Dudamel, que comenzó su formación musical en El Sistema, es el director de la Filarmónica de Los Ángeles. Busca *"Dudamel: Let the children play"* para aprender sobre su trabajo para fomentar la apreciación musical entre los niños. También puedes buscar *El Sistema USA* para ver si existe un programa en tu comunidad.

▲ En Venezuela está el Salto Ángel, ¡la cascada más alta del mundo (3,281 pies/979 metros)!

DESPUÉS DE LEER

1. ¿A qué país se refiere cada oración?	**Colombia**	**Venezuela**
a. Es el primer productor de esmeraldas del mundo.	☑	☐
b. Los indios guajiros vivían en chozas suspendidas en un lago.	☐	☑
c. La cumbia y el vallenato son dos ritmos típicos.	☑	☐
d. Tiene la cascada más alta del mundo.	☐	☑

2. Piensa en una ciudad o región de Estados Unidos con uno de los siguientes elementos característicos de Colombia y Venezuela.

a. Una orquesta sinfónica

b. Un sistema de metro con más de 40 estaciones

c. Una fuerte cultura de café

Así se dice

Una visita al consultorio

Observa el cuestionario para pacientes del Centro de salud Bolívar.

Use ***PowerPoint Slides*** para presentar este vocabulario.

Centro de salud Bolívar

Cuestionario sobre su salud

	Sí	No
1. ¿Le **duele la cabeza** con frecuencia?	☐	☐
2. ¿Tiene **dolor de estómago?**	☐	☐
3. ¿Tiene **vómitos**?	☐	☐
4. ¿Tiene **náuseas**?	☐	☐
5. ¿Tiene **diarrea**?	☐	☐
6. ¿Tiene **resfriados** o **gripe** con frecuencia?	☐	☐
7. ¿Tiene **alergias**?	☐	☐
8. ¿Tiene **congestión nasal**? **¿Estornuda** mucho?	☐	☐
9. ¿Le **duele la garganta** con frecuencia?	☐	☐
10. ¿Tiene mucha **tos**?	☐	☐
11. ¿Tiene **fiebre**?	☐	☐
12. **¿Fuma?** ¿Cuántos cigarillos por día?	☐	☐
13. **¿Se cansa** con frecuencia?	☐	☐
14. ¿Duerme bien?	☐	☐
15. **¿Se siente deprimido/a?**	☐	☐

Otros síntomas ____________________

Listen to all the new vocabulary in the **Repaso de vocabulario activo** at the end of the chapter.

cansarse	*to get tired*	**la gripe**	*flu*
fumar	*to smoke*	**la salud**	*health*
el resfriado	*cold*	**la tos**	*cough*
estornudar	*to sneeze*	**sentirse (ie, i)**	*to feel*

NOTA DE LENGUA

To express aches, pains, and how you feel, use the following verbs and expressions:

doler (like **gustar**): *indirect object* + **doler (ue)** + **el/la/los/las** + *body part*

Me **duelen** las piernas. — *My legs hurt.*
¿Te **duele** el estómago? — *Do you have a stomach ache?*

tener dolor de + *body part*

Tengo dolor de espalda. — *I have a back ache.*

sentirse (ie, i) + *adjective*

Se sintió/ Se siente bien, mal, enfermo/a, triste, cansado/a, etc. — *She/He felt/feels . . .*

Extensión: Haga estas preguntas a los estudiantes, haciendo el papel de doctor/a (*¿Le duele la cabeza?*, *¿Tose mucho?*, etc.), usando gestos (tosiendo, etc.), para que los estudiantes puedan rellenar el cuestionario.

Sugerencia: Un error común entre los estudiantes es confundir dolor y dólar, especialmente en el plural ("dolores" en vez de "dólares"). Señale la diferencia entre ambas palabras.

NOTA CULTURAL

Ayuda médica

There are different resources for medicine and healing in Latin America. Public health systems are the main providers of health care, with many well-equipped hospitals and highly trained doctors. For minor health issues, many people rely on their pharmacist, with whom a personal relationship is often developed. The pharmacist offers advice and provides over-the-counter medication. **Herbolarios**, where plants and homeopathic remedies are sold, are also common. Spiritual healers such as **curanderos** (*folk healer*) and **chamanes** heal through the use of medicinal plants and religious rituals.

Lynn Johnson/Aurora Photos

9.11 Audio:
Alberto: Tengo fiebre, me duelen mucho los oídos y no puedo oír bien.
Jorge: Tengo fiebre y escalofríos. También tengo dolor de cabeza... Bueno, en realidad me duele todo el cuerpo.
Pedro: Yo no tengo fiebre ni dolor, pero tengo mucha congestión nasal, estornudo mucho y tengo los ojos muy irritados. Además no tengo energía.
Daniel: Me duele el estómago, vomito con frecuencia y tengo diarrea. Me siento muy cansado y débil, y creo que también tengo un poco de fiebre.

[9.11] ¿De quién es el diagnóstico y el tratamiento?

Input

Paso 1. Mientras estudias en Venezuela, tus amigos Jorge, Pedro, Alberto y Daniel se enferman y van al médico. Escúchalos describir sus síntomas e indica a quién le pertenece cada diagnóstico y tratamiento.

	Diagnóstico	**Tratamiento**	**Es de**			
			Jorge	Pedro	Alberto	Daniel
1.	Otitis (infección de oído)	Tomar antibióticos cada (*every*) 6 horas. Aplicar calor seco (*dry*) para aliviar el dolor.	☐	☐	☑	☐
2.	Alergia al polen	Cerrar las ventanas. Tomar *Allegra* antes de salir a la calle.	☐	☑	☐	☐
3.	Gastroenteritis	Tomar líquidos para evitar (*avoid*) la deshidratación y descansar mucho. No necesita medicina.	☐	☐	☐	☑
4.	Gripe	Tomar aspirinas, líquidos y descansar.	☑	☐	☐	☐

9.11 Paso 2:
1. Tome... Aplique...
2. Cierre... Tome...
3. Tome... descanse...
4. Tome... descanse...

Paso 2. Ahora, convierte las recomendaciones del médico (los verbos subrayados) en mandatos con la forma *usted*.

Modelo: Tome antibióticos cada 6 horas.

9.12 Pida a varias parejas que presenten sus conversaciones a la clase.

[9.12] ¿Qué me pasa, doctor? Ahora tú te sientes enfermo/a también y vas al consultorio.

Output

Paso 1. Piensa en algunos síntomas y escríbelos en una hoja con el mayor detalle posible.

Paso 2. En parejas, túrnense en los papeles de paciente y doctor/a.

Paciente: Describe tus síntomas al/a la doctor/a y responde sus preguntas (puedes improvisar). Después de escuchar su diagnóstico y recomendaciones, haz una o dos preguntas sobre qué cosas puedes o no puedes hacer.

Doctor/a: Escucha al/a la paciente y hazle algunas preguntas más sobre sus síntomas. Después, haz un diagnóstico y recomienda un tratamiento según la tabla (*chart*). Responde a las preguntas del/de la paciente.

PALABRAS ÚTILES

el escalofrío	*chill*
inflamado	*swollen*
mareado/a	*dizzy, faint, nauseated*
sangrar	*to bleed*

Modelo: Paciente: **Buenas tardes, doctor/a... Tengo muchos problemas. Estoy.../Me siento...**
Médico/A: **A ver, ¿le duele(n)... ? ¿Tiene usted... ? Tengo varias recomendaciones: Primero... / Tome...**
Paciente: **¿Puedo... ? / ¿Tengo que... ?**

Extensión: Pregunte quién tenía (en la actividad) una enfermedad seria, una enfermedad común, una enfermedad rara, etc., y qué recomendaciones les dieron sus "doctores".

Diagnóstico	Tratamiento
gripe	tomar aspirinas, líquidos, descansar
mononucleosis	tomar ibuprofeno, líquidos, descansar mucho
acidez de estómago	tomar un líquido contra la acidez
infección de...	tomar antibióticos
resfriado	tomar muchos líquidos, descansar
bronquitis	tomar jarabe para la tos y un expectorante
depresión	ir a ver a un psicólogo o psiquiatra

Situaciones

Estudiante A: Eres estudiante de primer año. Estás cansado/a y te enfermas con frecuencia. Además engordaste (*gained*) 5 libras y estás estresado/a porque los exámenes son la próxima semana... pero te encanta tu nueva "libertad" (*freedom*) y quieres disfrutarla (*enjoy it*).

Estudiante B: Tu amigo/a está cometiendo muchos errores: no come bien, no hace ejercicio, sale con los amigos/as durante la semana y duerme poco. Tú ya tienes más experiencia; habla con él/ella y ofrécele algunos consejos (*advice*).

EXPRESIONES ÚTILES

Debes + infinitivo...
You ought to/should/must...
Tienes que + infinitivo...
You have to/must...
Puedes + infinitivo...
You can...
¿Por qué no + presente...?
Why don't you...?

NOTA CULTURAL

Variedad étnica en el mundo hispano

The word *Hispanic* in the U.S. usually refers to culture and ethnicity, so Hispanics have many different physical features and origins including European, African, Asian, and Native American. In Latin America, people also combine different traits from various origins. For example, **mestizos** have European and Native American origins, while **mulatos** are of European and African origins. There are many unmixed Europeans in Argentina, Chile, and Uruguay. There are also unmixed Native Americans in the Andes and parts of Mexico and Central America, and a great range of mixed populations in the Caribbean region.

The populations of Colombia and Venezuela show the following diversity:

Colombia: 58% mestizo, 20% European, 14% mulatto, 4% African, 3% African and Native American, 1% Native American

Venezuela: 67% mestizo and mulatto, 21% European, 10% African, 2% Native American

People of different origins often guide their lives by different worldviews. For example, look up "healthcare beliefs of mestizo Ecuadorians." What are some of the challenges that local nurses face when working with these populations?

Glowimages/Age Fotostock America, Inc.

Jose Luis Pelaez/Age Fotostock America, Inc.

Glowimages/Age Fotostock America, Inc.

Jon Feingersh Photogr/Age Fotostock America, Inc.

Sugerencia: Si tiene hablantes de herencia, pregúnteles: ¿Existe un rango de rasgos físicos entre los miembros de tu familia y de tu comunidad?

Así se forma

2. The imperfect: Descriptions in the past

WileyPLUS

Go to *WileyPLUS* to review this grammar point with the help of the **Animated Grammar Tutorial** and **Verb Conjugator.**

Courtesy of Silvia Sobral.

▲ "Aquí tenía ocho años. Era el día de mi comunión".

Sugerencia: Puede pedir a sus estudiantes que observen las formas verbales, señalen las terminaciones e intenten deducir la formación de este tiempo verbal. Después, pueden hacer hipótesis sobre el marco de referencia temporal (pasado) y su uso para describir el pasado.

Use *PowerPoint Slides* para presentar y practicar esta gramática.

Sugerencia: Introduzca el imperfecto describiendo un póster o una fotografía (de una revista, por ejemplo). Describa el lugar, la situación, las personas y las acciones en progreso en ese momento, mientras escribe en la pizarra las formas verbales que use en el imperfecto. Incluso puede inventar una historia en el pasado sobre cosas que ocurrían habitualmente en este lugar. Puede aprovechar estas formas para pedir a los estudiantes que las clasifiquen: descripción, acciones en progreso y acciones habituales o repetidas.

Si surgen preguntas relacionadas con el contraste entre los usos del imperfecto y el pretérito, señale que estos contrastes se estudiarán en una sección posterior de este capítulo.

¿Ven esta foto? **Era** el 8 de Mayo de 1941, yo **tenía** ocho años. **Llevaba** traje porque **era** el día de mi primera comunión. Entonces los niños **nos divertíamos** sin televisión ni computadoras. **Caminábamos** a la escuela, **jugábamos** fuera todo el día, **montábamos** en bicicleta... No **tomábamos** vitaminas ni nos **ponían** vacunas, y no **había** doctor en nuestro pueblo, solo **venía** dos veces por semana o cuando alguien **estaba** enfermo, pero no sé... la vida **era** más sana.

Use of the imperfect

In previous chapters you have studied the preterit, which expresses complete actions and events in the past. The imperfect tense is also used to talk about the past, but it describes actions and events that were ongoing at a particular time. It is used primarily to:

- describe characteristics of people, things and places in the past.

  La doctora **era** muy amable. — *The doctor was very kind.*
  El hospital **tenía** grandes ventanas. — *The hospital had large windows.*

- describe background situation: date, time, weather, age, ongoing conditions, etc.

  Era sábado y **llovía**. — *It was Saturday and it was raining.*
  El centro de salud **estaba** cerrado. — *The health center was closed.*
  Había dos pacientes en la sala de espera. — *There were two patients in the waiting room.*

- indicate that past actions, events or states were in progress, ongoing, or habitual.

  Cuando llegué, la recepcionista **hablaba** por teléfono. — *When I arrived, the receptionist was speaking on the phone.*
  La enfermera me **saludaba** todos los días. — *The nurse greeted me every day.*
  El paciente **estaba** preocupado. — *The patient was worried.*

- describe actions happening at the same time in the past.

  Mientras el paciente **hablaba** el doctor **tomaba** notas. — *While the patient was speaking, the doctor was taking notes.*

The imperfect can be translated with the English forms below, depending on the actual meaning expressed:

Leía mientras **esperaba** al médico. — *She read while she was waiting/waited for the doctor.*

Se **hacía** un chequeo todos los años. — *She used to/would get a checkup every year.*

Forms of the imperfect

To form the imperfect in regular verbs, delete the **-ar, -er,** or **-ir** from the infinitive and add the endings indicated below. Note that the imperfect **-er/-ir** endings are identical.

	examinar	**toser**	**salir**
(yo)	examin**aba**	tos**ía**	sal**ía**
(tú)	examin**abas**	tos**ías**	sal**ías**
(usted, él/ella)	examin**aba**	tos**ía**	sal**ía**
(nosotros/as)	examin**ábamos**	tos**íamos**	sal**íamos**
(vosotros/as)	examin**abais**	tos**íais**	sal**íais**
(ustedes, ellos/ellas)	examin**aban**	tos**ían**	sal**ían**

Only three verbs are irregular in the imperfect:

ser		**ir**		**ver**	
era	**éramos**	**iba**	**íbamos**	**veía**	**veíamos**
eras	**erais**	**ibas**	**ibais**	**veías**	**veíais**
era	**eran**	**iba**	**iban**	**veía**	**veían**

[9.13] En el tiempo de nuestros abuelos.

Input **Paso 1.** Cuando nuestros abuelos eran jóvenes, los problemas y el cuidado de la salud eran diferentes. Indica si piensas que estas afirmaciones son ciertas o falsas y escribe otra afirmación para el número 10.

Cuando mis abuelos eran jóvenes...	**Cierto**	**Falso**
1. Los jóvenes no eran activos; pasaban muchas horas sentados.	☐	☐
2. No había muchos problemas de estrés.	☐	☐
3. Muchas personas consumían comida rápida y procesada.	☐	☐
4. Todos conocían los efectos nocivos (harmful) de fumar.	☐	☐
5. Había problemas de alcohol y drogas.	☐	☐
6. Los niños y adultos recibían muchas vacunas.	☐	☐
7. Había tratamientos efectivos para el cáncer.	☐	☐
8. Muchas personas usaban remedios caseros.	☐	☐
9. Las medicinas alternativas como la acupuntura eran populares.	☐	☐
10. ______________________________	☐	☐

Paso 2. En parejas, contrasten el pasado (usando **antes**) y el presente (usando **ahora**). Incluyan sus afirmaciones originales.

Modelo: **Antes los jóvenes eran muy activos y no pasaban muchas horas sentados, pero ahora...**

9.13 Aunque el **Paso 2** requiere la producción de formas del imperfecto, se trata simplemente de usar las mismas formas que tienen en el **Paso 1**, no de producir nuevas formas.

Anime a los estudiantes a que desarrollen sus respuestas y reflexionen sobre los cambios en el mundo de la salud.

Las respuestas pueden variar en este ejercicio. Anime a los estudiantes a justificar sus opiniones.

9.14 Audio:
1. Tomaba mucha cerveza los fines de semana.
2. Como pocas ensaladas y fruta.
3. Veía la televisión tres horas por la noche.
4. No tomo desayuno.
5. Duermo seis horas aproximadamente.
6. Fumaba de diez a quince cigarrillos diariamente.
7. Tomo tres o cuatro tazas de café todos los días.
8. Era poco activo.
9. Iba al gimnasio una vez por semana.

[9.14] Para mejorar (*improve*) la salud.

Input

Paso 1. Un amigo está tratando de mejorar su salud y te pide tu opinión. Primero quieres saber más sobre sus hábitos pasados y actuales (*current*). Escucha sus descripciones e indica si habla de hábitos pasados (**Antes**) o actuales (**Ahora**).

	Antes	Ahora
1. tomar mucha cerveza los fines de semana	☑	☐
2. comer pocas ensaladas y fruta	☐	☑
3. ver la televisión dos o tres horas por la noche	☑	☐
4. no tomar desayuno	☐	☑
5. dormir menos de seis horas	☐	☑
6. fumar bastante	☑	☐
7. tomar mucho café todos los días	☐	☑
8. ser poco activo	☑	☐
9. ir al gimnasio una vez por semana	☑	☐

Sugerencia: Esta actividad puede ser un buen punto de partida para una conversación sobre la salud en la universidad y los hábitos de los estudiantes universitarios.

Output

Paso 2. Tu amigo/a todavía tiene algunos hábitos poco saludables. Tú también hacías cosas similares antes, pero ahora tienes costumbres más sanas y ¡te sientes mucho mejor! Explícaselo en un mensaje de e-mail.

Modelo: **Hola Andrés:**
Ya veo que tienes algunos buenos hábitos, pero todavía puedes mejorar otras cosas. ¡Vale la pena! (*It's worth it!*) Antes yo tampoco tomaba desayuno, pero ahora como cereal todas las mañanas y tengo mucha energía...

En mi experiencia

Rebecca, Seattle, WA

"When I lived in Spain for six months, I saw that my host family always respected the wishes of their elders. This differed from my experience in the U.S., where I was used to being able to negotiate things with my parents a lot more. Also, they very rarely put their relatives in facilities for the elderly."

Mark Bowden/E+/Getty Images

Have you noticed differences in the way the elderly are treated in different families, different parts of the U.S., or different countries? What are the arguments for and against facilities, particularly for those in poor health?

[9.15] Cuando teníamos trece años.

Output **Paso 1.** Escribe oraciones describiendo cómo eras y qué hacías cuando tenías trece años.

1. ser (tímido/a; perezoso/a; trabajador/a...)
2. estudiar (¿Cuánto? ¿Dónde? ¿Con quién?)
3. hacer (deporte/actividades extraescolares...)
4. ver la tele (¿Cuánto? ¿Qué programas?)
5. leer (¿Qué revistas/libros/cómics?)
6. escuchar música (¿Qué tipo de música/cantante/grupo?)
7. hablar mucho por teléfono (¿Con quién?)
8. salir con mis amigos/as (¿Adónde? ¿Con qué frecuencia?)
9. trabajar (¿Dónde? ¿Con quién?)
10. querer tener o hacer... (¿Qué?)

Paso 2. Ahora, en parejas, haz preguntas a tu compañero/a sobre diferentes aspectos de su adolescencia. ¿Eran ustedes similares o diferentes cuando tenían trece años?

Modelo: **¿Cuánto estudiabas? ¿Dónde preferías estudiar?**
¿Qué materia te gustaba estudiar?

9.15 Haga un sondeo sobre alguna de las categorías. Por ejemplo, compare gustos musicales, programas de televisión, lo que querían hacer/tener... Esto suele dar lugar a recordar experiencias divertidas.

Sugerencia: Traiga una foto de usted cuando tenía aproximadamente esa edad y pida a los estudiantes que escriban oraciones sobre cómo era usted, qué música escuchaba, etc. Después, pida que lean sus oraciones y confirme o rectifique sus impresiones.

[9.16] Antes y ahora.

Output **Paso 1.** Escribe párrafos breves comparando algunos aspectos de tu vida cuando estabas en la escuela primaria, en la escuela secundaria y ahora. Aquí tienes algunos posibles temas:

dormir	comida/bebida	ejercicio/deporte	relaciones personales	tiempo libre

Paso 2. En grupos pequeños, comparen sus experiencias. ¿Han cambiado sus vidas de forma similar? ¿En qué aspectos era su vida más o menos saludable?

NOTA CULTURAL

Juanes

The musician Juan Esteban (nicknamed *Juanes*) Aristizábal Vásquez was raised in Medellín, Colombia. He has sold more than 15 million albums and has won 20 Latin Grammys, more than any other artist, and 2 Grammys. Juanes is also known for his humanitarian work, especially with the aid he has provided Colombian land-mine victims. See if you can determine the meaning of these lyrics from his 2007 album *La vida es un ratico* (a short while).

La vida es un ratico, un ratico nada más
no dejemos que se nos acabe
que vienen tiempos buenos y los malos
ya se van, se van, se van.

Michelly Rall/Getty Images, Inc.

9.16 Sugerencia: El **Paso 1** puede ser asignado en clase o como tarea.

9.16 Alternativa: Puede pedir a los estudiantes que, en vez de comparar etapas de su vida, comparen la juventud de sus abuelos, sus padres y la suya. En este caso, anímeles a que hablen con sus parientes y averigüen detalles de su vida, e incluso que traigan alguna foto de ellos cuando eran jóvenes. Para guiarlos y motivarlos, puede usted hacer un modelo con fotos de sus parientes y animar a sus estudiantes a que hagan preguntas.

9.16 Sugerencia: Como práctica adicional, haga una competencia de memoria. Pida a la clase que observen la ilustración de la sección **Así se forma 1** durante un minuto (también puede usar las **PowerPoint Slides**). Después, pida que cierren los libros y describan lo que recuerdan usando el imperfecto, o que respondan a sus preguntas. Por ejemplo: *¿Qué había al lado de la entrada de la sala de urgencias? ¿Cuántas personas salían del Hospital San Rafael?*

Cultura

WileyPLUS

Remedios caseros del mundo hispano

Use *PowerPoint Slides* para presentar esta sección de cultura.

ANTES DE LEER

▼ La flor del naranjo, los azahares

Jim Parkin/iStockphoto; cup of tea: Felicia Martinez/PhotoEdit

Un té de tilo es bueno ▲ para calmar el estrés.

1. ¿Usan remedios caseros en tu familia? ¿Cuáles? ¿Son efectivos?

2. ¿Prefieres usar remedios caseros o farmacéuticos?

Desde que (*since*) el ser humano se dio cuenta de que (*realized*) podía aliviar sus dolencias (*aches and pains*) con la ayuda de hierbas y plantas medicinales, toda una tradición de remedios se transmitió de generación en generación. Cada cultura, cada país, cada región tiene sus propias curas. A continuación vas a encontrar algunas de las tradiciones médicas populares del mundo hispano. Recuerda que no debes tomar remedios caseros ni farmacéuticos sin consultar con tu médico/a.

Hipo (*Hiccups*)

Una vez más, los consejos son múltiples. Se recomienda poner jugo de limón en la lengua o tomar sorbos (*sips*) de agua. Otros creen que se debe asustar (*scare*) al paciente. En México, las abuelitas les ponen un hilo (*string*) rojo en la frente (*forehead*) a los bebés para detener el hipo.

Resfriado/gripe/catarro

Todos los remedios comienzan con una limonada caliente. Lo que cambia de receta a receta son los ingredientes que se agregan (*are added*). Algunos ponen miel (*honey*) en la limonada, mientras que otros ponen ron o whisky.

Orzuelos (*Styes*)

Se recomienda hervir (*boiling*) unos clavos de olor (*cloves*) en agua y, cuando está tibia (*lukewarm*), aplicarla al orzuelo. Según los costarricenses, es un remedio seguro. Otros afirman que lo mejor es aplicar miel. Algunos orzuelos son infecciones y, si no desaparecen por su cuenta (*on their own*), deben ser tratadas con antibióticos.

Dolor de oído

Se recomienda dorar (*browning*) un ajo al fuego, ponerlo en un algodón y colocarlo en la entrada del oído.

Nerviosismo/estrés

Las flores del naranjo, los azahares, hervidas en agua, tienen propiedades sedantes. Un té de tilo, otra hierba medicinal, también ayuda a calmar la ansiedad.

Dolor de pies

Para relajar los pies y aliviar el cansancio se deben poner en agua tibia con sal. Un masaje con una crema hidratante también hace maravillas.

La próxima vez que le preguntes a un hispanoparlante sobre remedios caseros, prepárate: quizás recibas muchos consejos (*advice*) y respuestas.

DESPUÉS DE LEER

Empareja los siguientes remedios con los problemas que curan.

_b_ limonada caliente	a. el estrés
_a_ los azahares	b. el resfriado
_c_ el ajo	c. el dolor de oído

VideoEscenas

WileyPLUS

Un deporte peligroso

ANTES DE VER EL VIDEO

Indica si los siguientes deportes son peligrosos o no. Después, compara tu lista con la de un/a compañero/a. ¿Están de acuerdo (*do you agree*) en todo?

	¿Es peligroso?	
	Sí	**No**
1. el fútbol	☐	☐
2. el tenis	☐	☐
3. el fútbol americano	☐	☐
4. el esquí	☐	☐
5. el esquí acuático	☐	☐
6. el boxeo	☐	☐

▲ Jaime le cuenta a Ana su accidente deportivo.

A VER EL VIDEO

Paso 1. Mira el video prestando atención a las ideas principales. Después, indica si las siguientes afirmaciones son **ciertas** o **falsas**.

	Cierto	**Falso**
1. Jaime jugó al futbol con sus amigos el sábado.	☑	☐
2. Después del partido, los amigos de Jaime se enfermaron.	☐	☑
3. Jaime tuvo un accidente jugando al fútbol.	☑	☐
4. Jaime no va a clase porque está enfermo.	☐	☑

Paso 2. Todos los amigos de Jaime tuvieron problemas de salud la semana pasada. Mira el video otra vez e indica qué le pasaba a cada uno.

Miguel: Le dolía la garganta.

José Mari: Tenía tos.

Juan: Se cansó.

Germán: No fue. Estuvo enfermo toda la semana.

DESPUÉS DE VER EL VIDEO

Ana se ríe después de escuchar la historia de Jaime. ¿Piensas que su reacción es apropiada o inapropiada? ¿Por qué?

Así se forma

Use ***PowerPoint Slides*** para presentar y practicar esta gramática.

3. The imperfect vs. the preterit: Narrating in the past

WileyPLUS

Go to *WileyPLUS* to review this grammar point with the help of the **Animated Grammar Tutorial** and **Verb Conjugator.**

Sugerencia: Puede pedir a sus estudiantes que observen los ejemplos de pretérito e imperfecto en el texto e intenten justificar su uso basándose en lo aprendido sobre ambos anteriormente. Pregunte también si hay palabras (mientras, después) que les parezcan conectadas o relevantes al uso de cada tiempo.

Nota: Recuerde a sus estudiantes que *conocer, saber, querer, no querer, poder* y *no poder* tienen significados diferentes cuando se usan en el pretérito pero retienen su significado original en el imperfecto.

Estaba nervioso, y mientras mi madre me **vestía**, **empecé** a sentirme mal.

Antes todos los niños en mi pueblo **hacían** la primera comunión cuando **tenían** siete u ocho años. La mía **fue** el 4 de Mayo de 1941. Ese día **estaba** muy nervioso. **Me levanté** temprano porque no **podía** dormir, **tomé** mi desayuno y, mientras mi madre me **vestía**, **empecé** a sentirme mal. **Corrí** al baño y **vomité**. Por suerte, la ceremonia **fue** breve y después lo **pasé** muy bien. Todos mis parientes **vinieron** y me **dieron** regalos, mi mamá **sirvió** un gran almuerzo, y por la tarde mis primos y yo **jugamos** y **nos divertimos** mucho.

You have already learned about the imperfect and the past, and you have probably noticed that the difference is not one of when the action took place but how it is viewed or what parts of it are expressed. In general, **the preterit** is used to talk about single, complete actions, or actions where there is a perceived beginning and/or end, while the **imperfect** presents an action or event in the past with no reference to its beginning and/or end. Some specific guidelines:

The imperfect . . .	The preterit . . .
1. Describes the *middle* of a past action, state, or condition; indicates that it was *in progress*, with no emphasis on the beginning or end. Juan **estaba enfermo**. No **quería** comer. Solo **dormía** y **veía** la tele.	**a.** Focuses on a past action or condition with an evident *beginning*, *end*, or *specific time period or duration*. Anita **se enfermó** el sábado. **Estuvo enferma** toda la semana. **Pasó** tres días allí. **Salió** del hospital ayer.
2. Describes a past action that was *repeated* or *habitual* over an indefinite period of time. La enfermera **visitaba** a sus pacientes todas las noches. A veces les **llevaba** jugo de naranja.	**b.** Indicates a *single complete, bounded action*, or a *series of actions* in the past. El paciente **entró** en el consultorio. El enfermero le **tomó** la temperatura, le **explicó** el problema y le **puso** una inyección.

In addition, when narrating the **imperfect** describes the situation and background actions, while the **preterit** recounts the events, moving the story forward.

The imperfect . . .	The preterit . . .
3. Sets the stage, give background information. • The date, the season, time of day: **Era** el 12 de diciembre. **Era** invierno. **Era** medianoche. • The weather: **Hacía** frío y **nevaba.** • A description of the setting: **La casa era** muy vieja y **tenía** un árbol muy grande enfrente. • A description of the people involved, both their physical and personality traits, and also their age: La abuela **era** bonita y muy amable. **Tenía** ochenta años.	**c.** Expresses an event that interrupts or is completed within an ongoing action. Mientras leía el libro, **sonó** el teléfono. Mientras esperaba al doctor, **leyó** un artículo. **d.** Narrates sequential events; moves the story forward, telling what happened. **Se levantó**, **contestó** el teléfono y **salió** de la casa inmediatamente.
4. Indicates people's emotional/physical state or condition. **Estaba** tranquila. **Tenía** frío.	
5. Describes ongoing actions. Ella **leía** un libro y yo **escribía.** Todos **esperaban** mientras ella **se vestía.**	

Some time expressions convey the idea of a state or repetition and are commonly used with the imperfect. Similarly, time expressions that refer to a particular point in the past or a delimited past time are often associated with the preterit.

Sugerencias: Conviene hacer un repaso rápido de las formas del pretérito y del imperfecto. Enfatice la importancia de repasar cuidadosamente los ejemplos de esta sección.

Recuerde a los estudiantes que ya conocen muchas de las expresiones del cuadro; revíselas con ellos si es necesario.

Imperfecto		Pretérito	
muchas veces	*many times, often*	**una vez/un día**	*once/one day*
todos los días	*every day*	**ayer/anoche**	*yesterday/last night*
mientras	*while*	**de repente**	*suddenly*
con frecuencia	*frequently*	**entonces/después/ luego/más tarde**	*then, later*
siempre/ generalmente	*always/generally*	**por último/ finalmente**	*finally*

Todos los veranos **íbamos** a la playa, pero el verano pasado **fuimos** a las montañas.

Note, however, that these are just tendencies, and these expressions do not require the use of one tense or the other. The main criteria for choosing a past tense should always be the speaker´s perspective—that is, what she/he wants to convey.

Cuando estaba en el hospital, mi tío **vino** a verme **todos los días.**	*When I was in the hospital, my uncle came to see me every day.*
El verano pasado íbamos mucho a la playa.	*Last summer we used to go to the beach a lot.*

9.17 Pida a los estudiantes que observen la distribución de pretéritos e imperfectos y pregúnteles si ven alguna tendencia. Por ejemplo, que los imperfectos tienen tendencia a aparecer juntos para describir la situación y que, generalmente, los pretéritos aparecen después, cuando empieza la acción. Es posible que también observen que los verbos de estado y similares (*estar, querer, tener, haber...*) se usen más frecuentemente en el imperfecto, mientras los verbos de acción (*llevar, sentarse, descubrir...*) aparecen más en el pretérito.

Input **[9.17] Nuestro gato Rodolfo.** Lee esta historia sobre el gato Rodolfo. Después indica qué significado expresa cada verbo de la narración, usando los números (1 - 5) y letras (a – d) que enumeran los usos del imperfecto y pretérito en el cuadro de la sección **Así se forma 3**. En algunos casos hay más de una opción correcta.

Ayer nuestro gato Rodolfo (1) **estuvo** enfermo. (2) **Tenía** diarrea y no (3) **comía** ni casi (4) **bebía** agua. (5) **Se quedó** en su cesta toda la mañana ¡Pobrecito! Por supuesto, todos (6) **estábamos** muy preocupados. Elena y yo lo (7) **llevamos** al veterinario y (8) **nos sentamos** en la sala de espera, donde (9) **había** muchos animales. Rodolfo (10) **estaba** en una caja de cartón (*cardboard box*) y, por supuesto, no (11) **estaba** nada contento. (12) **¡Esperamos** por una hora! Por fin (13) **llegó** nuestro turno. Cuando el veterinario lo (14) **examinaba,** (15) **descubrió** que el pobre Rodolfo (16) **tenía** una infección intestinal y le (17) **recetó** un antibiótico. (18) **Volvimos** a casa e inmediatamente le (19) **dimos** su medicamento. En poco tiempo, (20) **se recuperó**. ¡Qué suerte! (*What luck!*)

1. a 2. 1,4 3. 1,4 4. 1,4 5. a 6. 4 7. b,d
8. b,d 9. 3 10. 3 11. 4 12. b 13. a,b,c 14. 1,5
15. c 16. 4 17. a,b 1 18. b,d 19. b,d 20. a,b

Output **[9.18] ¡Pobre Rodolfo!** La familia llevó a Rodolfo al veterinario porque notaron varios cambios en el pobre gato. En parejas, escriban oraciones sobre lo que Rodolfo hacía *casi todos los días* y lo que hizo *ayer*. ¡Usen la imaginación!

Modelo: pasear por el jardín por las noches
Siempre paseaba por el jardín por las noches, pero ayer no salió de la casa.

Casi todos los días...

1. comer toda la comida de su tazón
2. descansar junto a la chimenea
3. pelear con Teo, el perro
4. jugar con Elena y Juanito
5. dormir una siesta por la tarde
6. ¿...?

Output **[9.19] Más sobre nuestro gato Rodolfo.** Describan al gato Rodolfo y algunas de sus aventuras juveniles. Usen el pretérito o el imperfecto según el caso.

Es verdad que Rodolfo es un gato único. Cuando tenía (tener) dos años y llegó (llegar) a nuestra casa, era (ser) gordo y bonito. Podía (Poder) correr muy rápido y aún subir a los árboles, donde le encantaba (encantar) observar los pájaros (*birds*). Año tras (*after*) año nos daba (dar) sorpresas. Por ejemplo, normalmente tomaba (tomar) agua de su tazón, pero un día ¡la tomó (tomar) del inodoro (*toilet*)! Casi siempre dormía (dormir) en el sótano, en el sofá, pero una noche durmió (dormir) afuera, en el jardín. Allí conoció (conocer) a Gitana (*Gypsy*), su gata favorita. Unos días más tarde, nos dio (dar) otra sorpresa: ¡Se comió (Comerse) el jamón de mi sándwich! Cuando yo entré (entrar) en la cocina y lo descubrí (descubrir), ¡el "delincuente" salió (salir) corriendo de la casa! Allí vio (ver) a Gitana y los dos se escaparon (escaparse). Regresaron (Regresar) a casa ¡tres días más tarde! Ahora tenemos una pareja de gatos durmiendo junto a la chimenea y probablemente una familia por venir.

Output **[9.20] Martes trece.** No eres supersticioso/a, pero ayer fue martes, día 13, y ¡todo salió mal (*went wrong*)!

Paso 1. Mira la tabla a continuación. Decide qué acciones de la primera columna hacías cuando sucedieron los eventos de la segunda columna. Escribe el número de la primera frase al lado de la segunda frase.

Paso 2. Usando las ideas del **Paso 1**, explica lo que hacías y lo que pasó. Luego continúa la historia contando dos cosas que pasaron por la noche.

Modelo: **Por la mañana, mientras me duchaba, se terminó el agua caliente...**

	Mientras...		
1.	ducharse	4	encontrar un pelo en la sopa
2.	desayunar	6	empezar a llover
3.	hacer un examen	5	congelarse (*freeze*) la computadora
4.	comer en la cafetería	1	terminarse (*run out*) el agua caliente
5.	escribir un trabajo	3	sonar mi teléfono celular
6.	volver a mi cuarto	2	derramar (*spill*) café en mi camisa

9.20 Mediante el uso del imperfecto y el pretérito, esta actividad enfatiza el contraste entre acciones en progreso en el pasado y acciones que se interrumpen.

Recuerde a los estudiantes que el día martes 13 (y no el viernes 13) se considera de mala suerte en muchos países hispanohablantes.

Output **[9.21] El accidente de Martín un martes trece.** Narra la historia en pasado. Cambia los verbos al pretérito o al imperfecto según el caso. Debes estar preparado para explicar las razones de tus decisiones a la clase.

Martín **maneja** muy contento. No **ve** el alto (*stop sign*) y **choca** (*crashes*) con otro coche que **viene** en la dirección opuesta. Al otro conductor no le **pasa** nada, pero el pobre Martín **se lastima. Llega** la policía y una ambulancia que lo **lleva** al hospital. La pierna le **duele** mucho. El médico lo **examina** y lo **manda** a radiología. **Es** un mal día para Martín. **Se fractura** la pierna y **sale** del hospital en muletas. **Es** un martes trece y como dice el dicho: "Martes trece, ni te cases ni te embarques, ni de tu casa te apartes".

9.21 Respuestas: manejaba; vio/ chocó/ venía; pasó/ se lastimó; Llegó/ llevó; dolía; examinó/ mandó; Fue; Se fracturó/ salió; Era

Explique que *Fue (un mal día)* es pretérito porque se percibe como el día completo, mientras *Era (un martes trece)* es imperfecto porque simplemente indica la fecha (es una de las categorías mencionadas en la tabla de la sección **Así se forma 3**).

En mi experiencia

Sergio, 29, Tucson, AZ

"There are a lot of Mexican-origin people where I live. Whenever they take babies and young children outside, they are bundled up much more than in my family – layers of thick polyester blankets, plastic covers over the stroller, and hats and scarves when it's 50 degrees outside. A friend once expressed this concern about her young niece: *"Que no le pegue el aire"* ("I don't want the air to hit her") but in my family, we think it's healthy for kids to be outside getting fresh air."

How does your family treat the concept of "taking air" outside? What beliefs might underlie the different practices described by Sergio?

Marcel Jancovic/Shutterstock

9.22 Puede pedir a los grupos que escriban sus historias en una transparencia para que toda la clase las pueda ver y luego hacer una actividad en la que que toda la clase colabore en la corrección de los textos.

Output

[9.22] ¡Una noche increíble! En grupos, inventen la historia de una noche increíble. Pueden usar una de las ideas de abajo o una diferente. Un/a secretario/a escribe la historia para leérsela a la clase más tarde. Presten atención al uso del pretérito y del imperfecto.

Temas posibles:

1. una noche en la Ciudad de Nueva York
2. una noche en la sala de urgencias de un hospital
3. un sábado por la noche en una fiesta de la universidad
4. una noche viajando en autobús en Colombia o Venezuela
5. una noche en casa de los Simpson

Incluyan:

- referencia a la fecha, el día, la hora y el lugar donde estaban
- descripción del tiempo, del lugar y de las personas
- descripción de lo que pasaba en ese lugar (acciones en progreso, etc.)
- lo que pasó
- final de la historia

9.23 Sugerencia: Pida a los estudiantes que escriban las historias de esos eventos en casa como tarea y que completen el resto de la actividad en la siguiente clase.

Output

[9.23] Un evento memorable en mi vida. En grupos, cada estudiante piensa en un evento verdadero o ficticio de su pasado. Luego van a narrarlo al grupo con muchos detalles. El resto del grupo puede hacer seis preguntas sobre los detalles. Después, el grupo decide si el evento es verdadero o no.

Situaciones

Estudiante A: Anoche fuiste a una fiesta fantástica, pero tu amigo/a no fue. Llámalo/a para preguntarle por qué no fue y hazle preguntas sobre su situación. También cuéntale sobre la fiesta: dónde era, qué música había, qué comida o bebidas tenían, quiénes estaban y qué hicieron tú y tus amigos. Al final, cuenta a tu amigo/a algo sorprendente que ocurrió.

Estudiante B: Anoche querías ir a una fiesta con tus amigos, pero te enfermaste y te sentías muy mal. Explícale a tu amigo/a por qué no fuiste, describiendo tus síntomas. Hazle también preguntas sobre la fiesta.

NOTA CULTURAL

Gabriel García Márquez was a Colombian writer and journalist born in 1927. He won international acclaim in 1967 with his masterpiece *One Hundred Years of Solitude*, a defining classic of 20th century literature. He was awarded the Nobel Prize for Literature in 1982. Film adaptations of his novels include *Love in the Time of Cholera* (2007) and *Of Love and Other Demons* (2010). When he died in 2014 at the age of 87, president Santos declared three days of mourning for 'Gabo," whom he called "the best Colombian to ever have lived" as he was adored by people of every social class, race, and age group.

Stephan Wallgren/AFP/Getty Images

DICHO Y HECHO

PARA LEER: Ayurveda: La ciencia de la vida

ANTES DE LEER

1. El término *ayurveda* viene del idioma sánscrito: *ayus* = vida, *veda* = ciencia. Probablemente se refiere a:
   - ☐ Películas de ciencia ficción hechas en la India.
   - ☑ Un sistema de medicina tradicional.
2. Lee las tres descripciones a continuación y decide cuál te describe mejor.
   - ☐ Individuo nervioso, de carácter activo; esbelto (*svelte*), pelo y piel (*skin*) secos.
   - ☐ Individuo visceral, de carácter decidido; figura proporcionada; buen apetito.
   - ☐ Individuo emocional, de carácter pacífico; figura grande, con tendencia a ganar peso.

ESTRATEGIA DE LECTURA

Scanning for details

In *Capítulo* 2 you practiced skimming a text to get the main idea(s). Sometimes getting the general idea of a text fulfills your purpose in reading it. Other times, you may be reading a text with a more focused purpose. Scanning consists of reading quickly over a text with the purpose of finding the specific information you are interested in or need to find. When scanning for specific details, run your eye over the text, looking for key words that will lead you to the information you need. Look at the first paragraph of the article that follows, for example. If your purpose is to find specific information about where this particular form of medicine originated, you would scan until seeing **origen**, read more closely, and determine that its origins are in southern India. If your purpose is to determine the role the patient plays, you would scan until seeing **paciente** and **activo**. Read the following article first for the purpose of general understanding. You will practice scanning for specific information in *Después de leer*.

A LEER

El *ayurveda* no es solamente una medicina, es algo que te ayuda a conocerte mejor a ti mismo. El paciente tiene un papel[1] activo dentro de la terapia; es decir, cada uno debe aprender a ser su propio médico. Es la medicina tradicional más antigua de la historia, y sus conocimientos aparecen en textos de más de 5,000 años. Tiene su origen en el sur de la India y se basa en un sistema medicinal global e integral[2].

El estilo de vida de moda

El ayurveda se identifica con un estilo de vida que intenta ser beneficioso para la salud y para la belleza, mejorando la calidad de la piel y el cabello y ayudando a prevenir el envejecimiento[3]. En Occidente[4] es su perspectiva estética la que se ha puesto de moda y se ha introducido en *spas* y salones de belleza por sus buenos resultados. Incluso personajes como Madonna utilizan prácticas ayurvédicas para mantenerse sanos y jóvenes.

Pero esta ciencia no está limitada a lo superficial, abarca[5] los campos médicos como medicina interna completa, pediatría, ginecología, gerontología, toxicología y psiquiatría. Además, está reconocida por la Organización Mundial de la Salud.

Basándose en el estudio de los *doshas*, se trata al paciente como un individuo único, creando remedios y terapias específicos para cada persona.

[1]plays a role, [2]holistic, [3]aging, [4]the Western World, [5]covers

Doshas o tipologías de las personas

Los *doshas* son los responsables de los cambios psico-biológicos y psico-patológicos de nuestro organismo. Existen tres *doshas: vata* (controla el sistema nervioso), *pitta* (responsable de las funciones digestivas y del hígado[6]) *y khapa* (controla las emociones).

Analizando las características fisiológicas, la constitución y el metabolismo, podemos reconocer cuáles son los *doshas* dominantes en cada persona:

Vata: Individuos nerviosos, de carácter activo; esbeltos, con tendencia a tener el pelo y la piel secos.

Pitta: Individuos viscerales, de carácter decidido; figura media y proporcionada y con tendencia a tener buen apetito.

Kapha: Individuos emocionales, de carácter pacífico; figura grande, con tendencia a ganar peso.

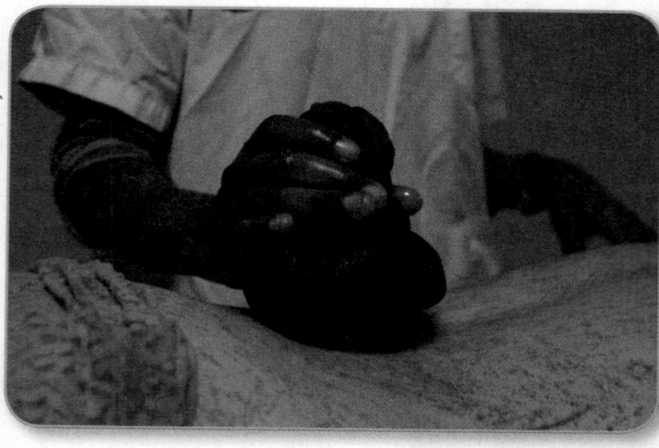
Rebeca Arnal/Punto y coma

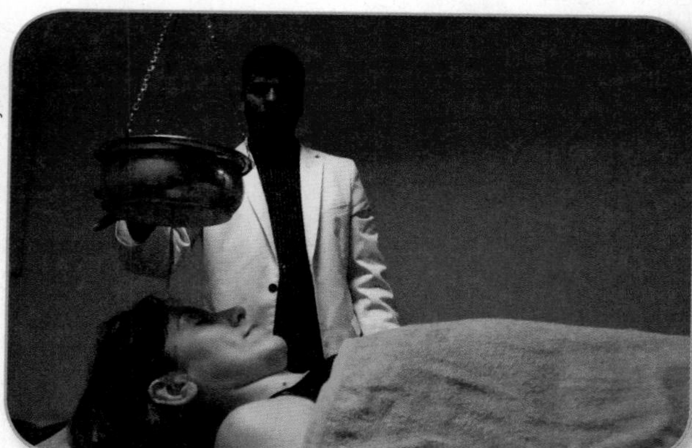
Rebeca Arnal/Punto y coma

La clave para estar sanos es lograr el equilibrio porque según el ayurveda, los desequilibrios entre los *doshas* son la causa de toda enfermedad. Observando los desequilibrios y el estado de los *doshas* se pueden determinar las causas de distintas enfermedades, curarlas y prevenirlas.

"El ayurveda tiene tres pilares muy importantes: el primero es la dieta; el segundo, el estilo de vida; y el tercero es, si hay una enfermedad, tratarla", explica Deva Paksha, investigadora ayurvédica y terapeuta.

Los tratamientos

Los tratamientos ayurvédicos incluyen masajes terapéuticos, uso de aceites, ungüentos[7] e infusiones y un control de la dieta. Lo que caracteriza a los productos que se utilizan en el ayurveda es que todos parten de una base natural de plantas medicinales.

Los tratamientos más conocidos del ayurveda se ocupan de la desintoxicación del organismo para limpiar el sistema nervioso y circulatorio y equilibrar el cuerpo.

El ayurveda es una alternativa para tratar diversos problemas de salud y mejorar nuestra calidad de vida y aspecto físico. Si logramos estar en equilibrio y armonía con nuestro organismo, estaremos sanos y, por consecuencia, más guapos y jóvenes.

Texto: y fotografía Rebeca Arnal / *De la revista Punto y coma (Habla con eñe)*

---

[6]liver, [7]ointment

DESPUÉS DE LEER

1. Indica si las siguientes afirmaciones son **ciertas** o **falsas** según el texto.

Cierto	Falso	
☐	☑	**a.** El ayurveda es una de las medicinas más modernas de la historia.
☑	☐	**b.** Es una ciencia ancestral reconocida por prestigiosos organismos internacionales.
☑	☐	**c.** Con esta ciencia se pueden mejorar el pelo, la piel y retrasar el envejecimiento.
☑	☐	**d.** La salud se alcanza logrando el equilibrio y la armonía en nuestro organismo.
☐	☑	**e.** Esta medicina se basa en controlar lo que comemos y cómo vivimos, pero no hay tratamientos o curas directas de las enfermedades.

2. Practica la estrategia de *"scanning"* para emparejar cada uno de estos términos con su significado.

b	dosha	**a.** La armonía de diferentes elementos o energías.
a	equilibrio	**b.** La combinación del sistema nervioso, digestivo y emocional.
d	ayurveda	**c.** *Dosha* responsable de la digestión y del hígado.
c	pitta	**d.** Un sistema de salud global que tiene más de 5,000 años.

3. Escanea el texto para buscar la información necesaria para contestar estas preguntas:

a. ¿Qué campos de la medicina tradicional incluye el ayurveda?
Medicina general completa, cirugía general y específica, pediatría, ginecología, gerontología, toxicología y psiquiatría.

b. ¿Cuál es la causa de todas las enfermedades, según el ayurveda?
El desequilibrio de los *doshas.*

c. ¿De qué se componen los productos ayurvédicos?
De plantas medicinales.

4. ¿Cómo son similares y diferentes el ayurveda y la medicina occidental?

PARA CONVERSAR: En la sala de urgencias

Imaginen que tres de ustedes están en la sala de urgencias de la clínica de la universidad. Cada uno/a le explica al/a la recepcionista por qué necesita ver al/a la doctor/a. El/La recepcionista les hace preguntas para determinar quién va primero.

Posibilidades:

- Estabas corriendo, te caíste (*fell*) y ahora...
- Comiste unos mariscos y ahora...
- Piensas que tienes la gripe.
- Tienes bronquitis.

ESTRATEGIA DE COMUNICACIÓN

Taking Risks
Many adults can feel apprehensive about speaking a second language because they do not feel they are as convincing or authoritative as they are in their first language. But sometimes it is important to just jump in and take risks when speaking a second language without worrying too much about how you sound to the listeners. A very important part of a successful communication is a positive attitude and persistence. When carrying out this activity, try your best to communicate your needs so that you will be attended to in the emergency room.

ASÍ SE HABLA

En su conversación, intenten usar algunas de estas frases comunes de **Colombia y Venezuela:**
¡Qué chanda! = *That stinks.*
¡Qué vaina! = *Too bad.*
Burda = *A lot. (For example, "¡Me duele burda!")*

PARA ESCRIBIR: Lo que me pasó

Esta vez vas a contar una historia sobre una enfermedad o una visita médica. Puede ser cierta o ficticia, realista o imaginativa, sobre ti o sobre otros. ¿Qué historia vas a contar? Puedes contar una historia sobre una vez que estuviste enfermo/a o tuviste un accidente, una estadía en el hospital o una visita médica. Recuerda que la historia puede ser real o ficticia, seria o cómica, etc.

ANTES DE ESCRIBIR

- Escribe un bosquejo de los eventos en orden cronológico. ¿Qué pasó? ¿Cuándo?
- Escribe una lista de los lugares donde ocurrió la historia, y algunos detalles para describirlos. Piensa en estas preguntas: ¿En qué lugar estuve? ¿Cómo eran esos lugares? ¿Qué había? ¿Cómo era el ambiente (*atmosphere*)?
- Escribe una lista de personajes relevantes, incluyendo características importantes para la historia. Puedes pensar en preguntas como: ¿Qué personas fueron relevantes para la historia? ¿Cómo eran? ¿Qué hicieron? ¿Por qué?

ESTRATEGIA DE REDACCIÓN

Narrating

There are many ways to tell a story. While you're learning Spanish, here are a few ideas that might help you.

- In terms of content, think of the events and the people who are important to the story. To add details, think of questions like *What? When? Where? Who? How? Why?* and choose details (answers to those questions) that are important or will make your story more interesting.
- Tell the story in chronological order and use connecting words that will help the reader follow the sequence of actions.
- Pay attention to your use of verb tenses. Remember to use the preterit to talk about completed actions and the imperfect to describe the scene and situation, the people, the atmosphere, etc.

A ESCRIBIR

Narra la historia incorporando información sobre la situación y los personajes cuando sea apropiado. Si quieres, puedes añadir otros detalles al escribir para dar interés y emoción (*excitement*) a tu historia. Puedes seguir esta estructura general:

Primer párrafo: Comienza con una oración introductoria seguida de oraciones atractivas o misteriosas para interesar al lector. Después describe la situación y el ambiente.

Modelo: **Era la noche del jueves y estaba en mi cuarto, haciendo la tarea de español, como todos los jueves...**

Párrafos centrales: Narra la acción y los eventos de la historia, introduciendo descripciones de personajes y lugares, o añadiendo otros detalles sobre la situación cuando sea apropiado.

Modelo: **...cuando llegué al hospital, la recepcionista me miró alarmada...**

Último párrafo: Como conclusión, ofrece un desenlace (*closure*) y una reflexión final.

Modelo: **...al día siguiente no recordaba nada. Aprendí algo importante esa noche...**

Para escribir mejor: Estos conectores ayudan a marcar la secuencia cronológica de una narración.

al final	*at the end*
al principio	*at the beginning*
al cabo de (un mes/dos días)	*(a month/two days) later*
de repente	*suddenly*
después de (una hora)	*after (an hour)*
después, luego, más tarde	*later*
en ese momento/instante	*at that time/moment*
entonces	*then*
mientras (+ imperfecto)	*while (+ imperfect)*
mientras tanto	*in the meantime*

DESPUÉS DE ESCRIBIR

Revisar y editar: El contenido, la organización, la gramática y el vocabulario.

Después de escribir el primer borrador de tu composición, déjalo a un lado por un mínimo de un día. Cuando vuelvas (*you return*) a leerlo, corrige el contenido, la organización, la gramática y el vocabulario. Además, hazte (*ask yourself*) estas preguntas:

- ☐ ¿Está clara la historia? ¿Es interesante? ¿Hay suficientes detalles sobre los personajes, lugares y situaciones?
- ☐ ¿Está clara la secuencia de eventos? ¿Usé la estructura sugerida **A escribir**? ¿Usé conectores apropiados para indicar el orden cronológico y para mejorar la fluidez (*improve the flow*)?
- ☐ ¿Usé el pretérito y el imperfecto correctamente para describir y narrar en el pasado?

PARA VER Y ESCUCHAR: La medicina moderna y tradicional

WileyPLUS

ANTES DE VER EL VIDEO

Empareja los tratamientos de enfermedades o dolencias (*ailments*) con las descripciones que les correspondan.

1. __c__ acupuntura
2. __b__ quiropráctica
3. __d__ homeopatía
4. __a__ remedios naturales/caseros

a. Uso de hierbas y productos comunes.
b. Tratamiento de manipulación manual del sistema músculo-esqueletal.
c. Inserción y manipulación de agujas (*needles*) en el cuerpo.
d. Uso de sustancias que provocan una reacción similar a la enfermedad, diluídas (*diluted*) al extremo.

A VER EL VIDEO

INVESTIG@ EN INTERNET

¿Estás familiarizado con los remedios naturales? ¿Conoces los beneficios de alguna planta medicinal? Investiga en Internet cuáles son los beneficios de la menta y coméntalo con el resto de la clase. Pregunta a tus familiares si alguna vez han usado alguna hierba medicinal como remedio casero y busca sus propiedades.

Paso 1. Mira el video una vez, concentrándote en la idea principal. Resúmelo en una o dos oraciones.

ESTRATEGIA DE COMPRENSIÓN

Listening for a purpose, focusing on specific information

If there is a particular goal for your listening (e.g., finding out what gate your plane leaves from in an airport) or you know ahead of time what specific information you need to gather from a spoken text, focusing your attention on that purpose will help you focus on the relevant information.

Paso 2. En este video, un herbolario mexicano nos explica los beneficios del uso de hierbas medicinales tradicionales. Antes de ver otra vez el video, lee las preguntas a las que vas a responder.

1. Según el video, ¿chocan (*clash*) en América Latina la medicina moderna y la tradicional, que usa hierbas medicinales? No
2. ¿Por qué cree el herbolario que las hierbas medicinales son más seguras?
   Porque el cuerpo las absorbe más suavemente y no tiene mal secundario.
3. El herbolario menciona tres productos de su tienda. Anota dos problemas o enfermedades que trata cada uno.
   La menta: problemas estomacales, mal sabor de boca
   La caña de jabalí: problemas de riñones, problemas circulatorios
   El compuesto de hierbas: tos, asma
4. ¿En qué casos puede ser peligroso (*dangerous*) el uso de hierbas medicinales?

DESPUÉS DE VER EL VIDEO

Contesten estas preguntas en grupos:

1. ¿Conocen a alguien que haya usado alguna de las terapias mencionadas en el video? ¿Sabes cómo fue su experiencia?
2. ¿Están dispuestos/as (*willing*) a usar alguna de esas terapias u otras diferentes? ¿Cuáles? ¿Por qué?

Repaso de vocabulario activo

Adjetivos

deprimido/a *depressed*
embarazada *pregnant*
grave *serious*
sano/a *healthy*

Adverbios

cada *each*
de repente *all of a sudden, suddenly*
mientras *meanwhile/while*
por fin *finally*
una vez/muchas veces *once/many times*

Expresiones sobre la salud ***Expressions about Health***

el síntoma *symptom*
hacer un análisis de sangre/sacar sangre *to do a blood test/to draw blood*
hacer una cita *to make an appointment*
poner una inyección/una vacuna *to give a shot/vaccination*
sacar una radiografía *to take an X-ray*
tener dolor de (cabeza/estómago) *to have a (head/stomach ache)*
tener náuseas/vómitos *to have nausea/to be vomiting*
tomar la temperatura/la presión arterial *to take one's temperature/blood pressure*

Sustantivos

Algunos problemas de salud ***Some Health Problems***

la alergia *allergy*
la congestión nasal *nasal congestion*
la diarrea *diarrhea*
la fiebre *fever*
la gripe *flu*
la herida (grave) *(serious) wound*
la infección *infection*
el mareo *dizziness*
el resfriado *cold (illness)*
la tos *cough*

El cuerpo humano ***The Human Body***

la boca *mouth*
el brazo *arm*
la cabeza *head*
la cara *face*
el cerebro *brain*
el corazón *heart*
el cuello *neck*
el dedo *finger*
el diente *tooth*
la espalda *back*
el estómago *stomach*
la garganta *throat*
el hombro *shoulder*
el hueso *bone*
el labio *lip*
la lengua *tongue*
la mano *hand*
la nariz *nose*
el oído *medium and inner ear; hearing*
el ojo *eye*
la oreja *ear (outer)*
el pecho *chest*
el pelo *hair*
el pie *foot*
la pierna *leg*
el pulmón *lung*
el tobillo *ankle*
la uña *nail*

En el hospital/el centro de salud ***At the Hospital/At the Health Center***

la ambulancia *ambulance*
la cápsula *the capsule*
el chequeo *checkup*
el consultorio del médico/de la médica *doctor's office*
la habitación *room*

la farmacia *pharmacy*
el hospital *hospital*
la inyección *shot, injection*
el/la paciente *patient*
la pastilla *pill*
la recepción *reception desk*
la receta *prescription*
la sala de espera *waiting room*
la silla de ruedas *wheelchair*
el termómetro *thermometer*
la tirita *band-aid*
(la sala de) urgencias *emergency room*
la vacuna *vaccine*
el yeso *cast*

Verbos

caerse *to fall*
cansarse *to get tired*
cuidarse *to take care (of oneself)*
curar (curarse) *to cure (to heal)*
doler (ue) *to hurt/be hurting*
enfermarse *to get sick*
estornudar *to sneeze*
examinar *to examine*
fracturar(se) *to break (one's arm)*
lastimarse *to hurt oneself*
pasar *happen*
ponerse (bien) *to get (well)*
preocuparse *to worry*
quedarse *to stay*
respirar *to breathe*
sacar *to take out, stick out*
sentarse (ie)/estar sentado/de pie *to seat/to be seated/ to be standing*
sentirse (ie, i) *to feel*
tomar *to take, drink*
torcer(se) (ue) *to sprain (one's ankle)*
toser *to cough*
vomitar *to vomit*

CAPÍTULO 10

Así es mi casa

Así se dice

Así se forma

Cultura

Dicho y hecho

LEARNING OBJECTIVES

In this chapter, you will learn to:

- describe a house or an apartment and its contents.
- talk about household chores.
- use commands in informal situations.
- talk about what has or had happened.
- make comparisons.
- discover Paraguay and Uruguay.
- discover more about the role of the patio in Hispanic homes.

Entrando al tema

1. ¿Vives en una casa, en un apartamento o en un lugar diferente? ¿Qué tipos de viviendas son comunes en tu comunidad?
2. Piensa en las características de tu casa ideal. Al final del capítulo vas a describir la casa de tus sueños.

Así se dice

Así es mi casa

Use *PowerPoint Slides* para presentar y practicar este vocabulario.

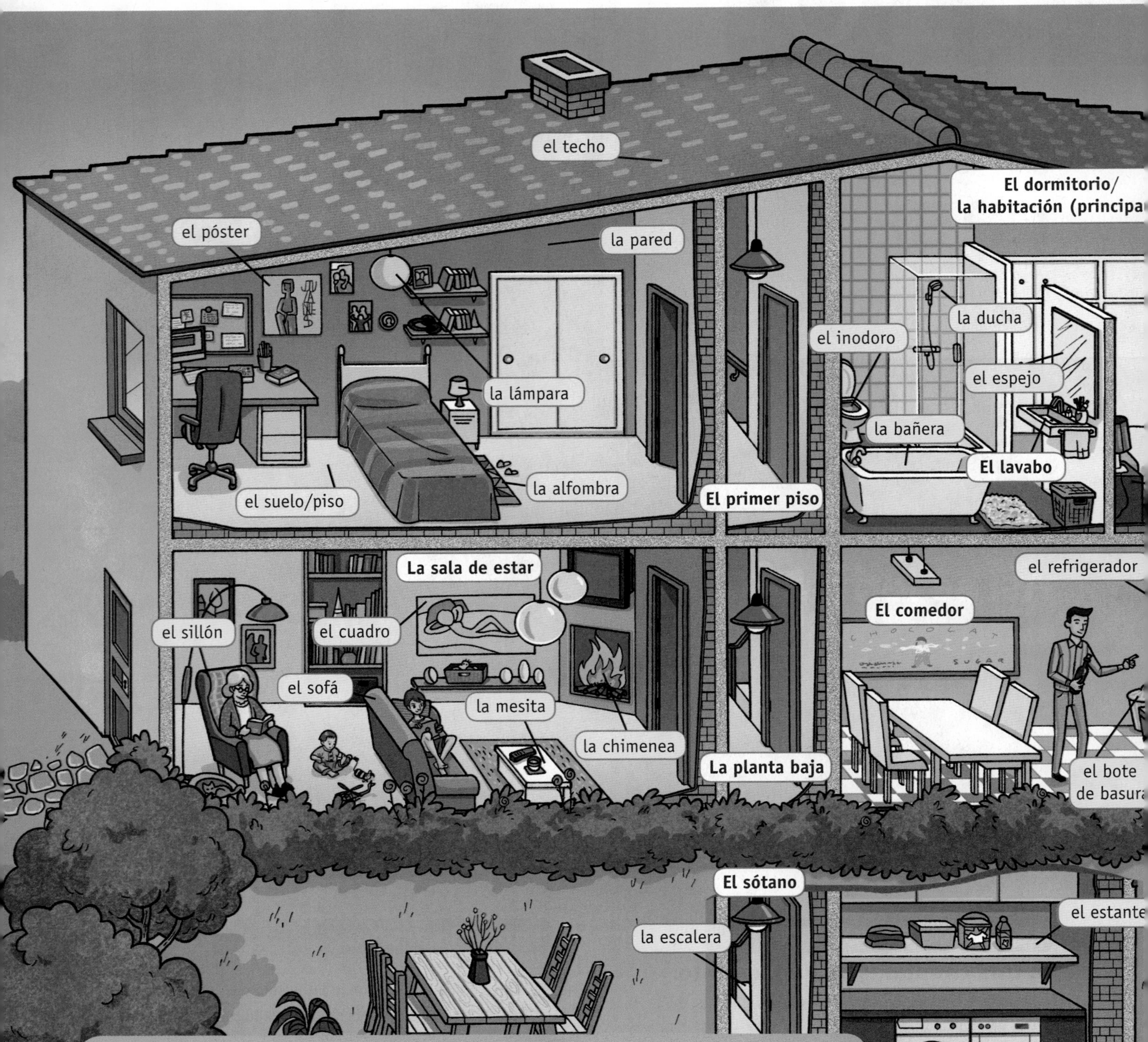

¿Qué ves? Responde estas preguntas sobre la ilustración:

1. En esta casa vive una familia. ¿Quiénes están en la cocina? ¿Y en la sala? ¿Hay alguien en el patio o en jardín? ¿Cuántos carros hay en el garaje?
2. ¿Cuántos baños ves? ¿Cuántos dormitorios ves? ¿Dónde están el baño y los dormitorios, en la planta baja o en el primer piso? Otro espacio en el primer piso es el balcón, ¿qué hay allí?

Puedes encontrar más preguntas de comprensión en *WileyPLUS* y en el *Book Companion Site* (BCS).

la escalera	*stairs*
la mesita (de noche)	*coffee/ side table (night table)*
la planta baja	*ground floor*
el primer (segundo) piso	*first (second) floor*
el sótano	*basement*
tirar	*to throw, toss*

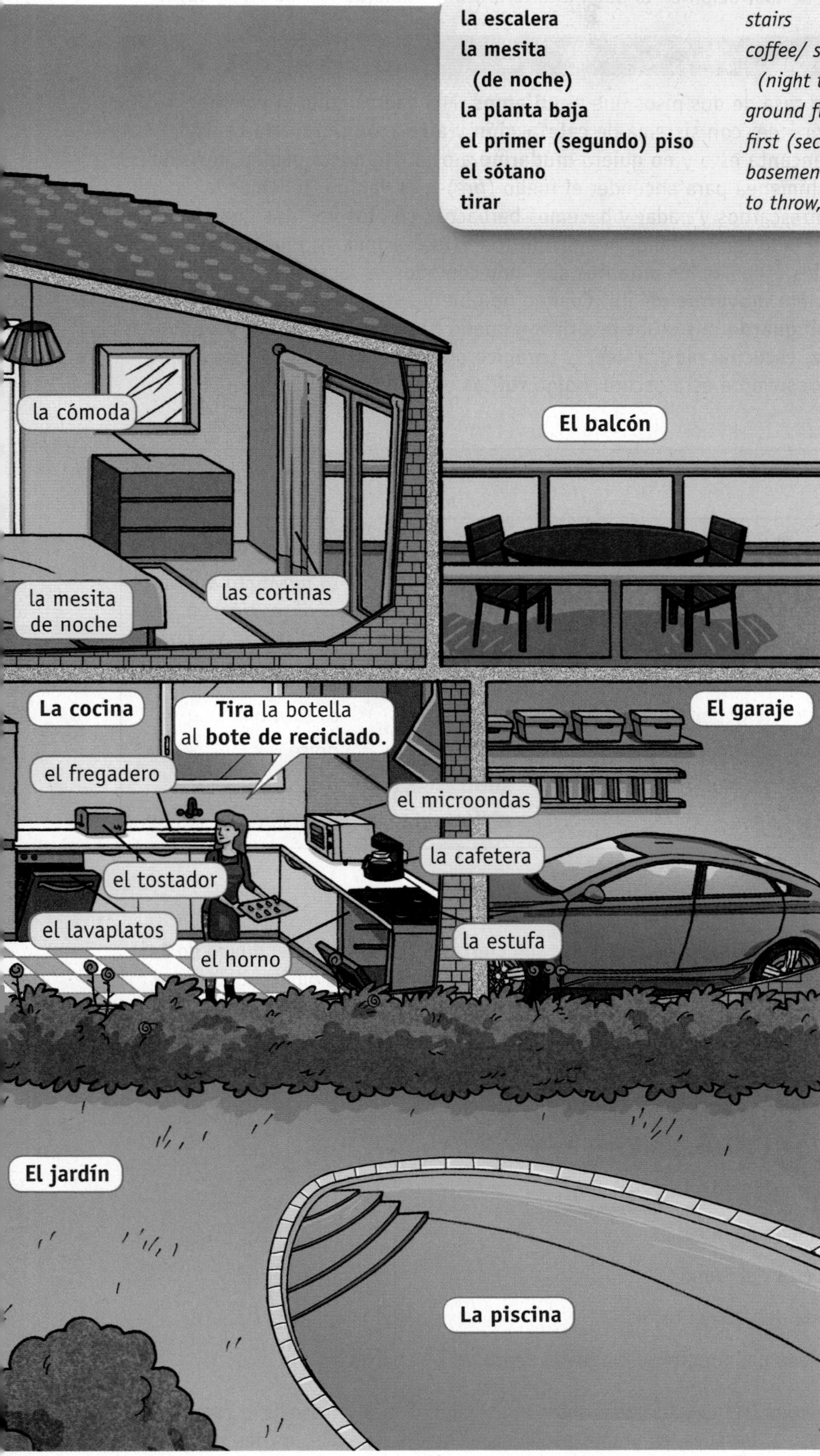

WileyPLUS

Pronunciación: Practice pronunciation of the chapter vocabulary and particular sounds of Spanish on *WileyPLUS*.

Sugerencia: Para iniciar el trabajo de comprensión y respuesta al nuevo vocabulario (actividades de *input*) refiérase a las preguntas de comprensión **¿Qué ves?** en *WileyPLUS* y en el *Book Companion Site* (BCS).

Sugerencia: Mencione que las palabras cuarto y habitación se usan tanto para hablar de dormitorios como para referirse a espacios en la casa en general. Puede mencionar también que existe una gran variación regional en el vocabulario para hablar de partes de la casa y muebles y dar más ejemplos: frigorífico/nevera; dormitorio/habitación/recámara; piscina/pileta/alberca.

Listen to all the new vocabulary in the **Repaso de vocabulario activo** at the end of the chapter.

¿Y tú?

1. ¿Es tu casa familiar similar o diferente a esta? ¿Ves algo en esta casa que no tienes en tu casa y quieres tener?
2. ¿Qué te gusta más y qué te gusta menos de tu casa?

En nuestra casa

Pedro, el joven de la ilustración en la página anterior, nos habla de la vida en su casa.

Nota: Enfatice la diferencia entre *mover/moverse* (cambio de posición) y *mudarse* (cambio de lugar de residencia).

Vivimos en una casa de dos pisos que **alquilamos**. Mis padres quieren comprar una casa más grande, con sistema de **calefacción** y **aire acondicionado** central, pero a mí me encanta esta y no quiero **mudarme** a otra. Me gusta que en invierno tenemos una chimenea para encender el fuego (*fire*) y en verano, tenemos la piscina para refrescarnos y nadar y hacemos barbacoas con los **vecinos** que viven en la casa de al lado. En realidad, me gustan todos los vecinos en nuestro **barrio**, son muy amables. Además los **muebles** son muy cómodos, a veces me siento en el sofá y no quiero **moverme** de allí. Cuando no quiero estar en la sala **subo** a mi dormitorio[1], allí **guardo** mis cosas favoritas y puedo hacer lo que quiero: **prender** o **apagar** la **luz**, escuchar música, leer... Lo único que no me gusta en esta casa es **bajar** al sótano, siempre está oscuro y oigo **ruidos** extraños.

[1] Remember **dormitorio** means *bedroom*. *Dorm* is **residencia estudiantil.**

el aire acondicionado	*air conditioning*	**el mueble**	*piece of furniture*
apagar	*to turn off*	**mudarse**	*to move (to a new house, city, etc.)*
alquilar	*to rent*	**mover**	*to move (something)*
bajar	*to go down*	**moverse**	*to move (oneself)*
el barrio	*neighborhood*	**prender**	*to turn on*
la calefacción	*heating*	**el ruido**	*noise*
guardar	*to keep, to put away*	**subir**	*to go up*
la luz	*light*	**el/la vecino/a**	*neighbor*

10.1 Esta actividad recicla las preposiciones y *estar + ubicación*.

[10.1] ¿Dónde están?

Input **Paso 1.** Decide si las siguientes descripciones son **ciertas** o **falsas,** según el dibujo de **Así se dice, Así es mi casa.** En tu cuaderno, reescribe las oraciones falsas modificándolas para hacerlas ciertas.

	Cierto	Falso
1. La lámpara está encima de la mesita de noche.	☑	☐
2. La mesita está frente al sofá.	☑	☐
3. El bote de basura está lejos del fregadero.	☐	☑
4. El garaje está al lado de la casa.	☑	☐
5. El lavabo está cerca del horno.	☐	☑
6. El dormitorio está debajo del techo.	☑	☐
7. El baño está al lado del dormitorio del joven Pedro.	☑	☐

Output **Paso 2.** Ahora, escribe tres descripciones sobre otras habitaciones y cosas de la casa, como las oraciones del Paso 1. Después, en grupos pequeños, túrnense para leer sus descripciones e identificar las habitaciones y cosas que sus compañeros describen.

Modelo: Estudiante A: **Está entre la sala y el comedor.**
Estudiante B: **Es la escalera.**

[10.2] ¿En qué parte de la casa está?

Input/Output

Escucha la lista de muebles y objetos y anótalos en el cuarto o cuartos donde se encuentran (*are found*) más frecuentemente. Después, añade tres objetos más para cada cuarto.

Cocina	Baño	Sala	Dormitorio	Comedor
el fregadero los estantes la lámpara el horno la calefacción	el lavabo los estantes el espejo el inodoro la lámpara la calefacción	el sillón los estantes el espejo la lámpara la calefacción	el sillón los estantes el espejo la cómoda la lámpara la calefacción	los estantes el espejo la lámpara la calefacción

[10.3] Asociaciones.

Input

En parejas, el/la Estudiante A lee una palabra de su lista al/a la Estudiante B, quien dice palabras asociadas con esta y el/la Estudiante A las escribe. Túrnense.

Modelo: Estudiante A: **prender**
Estudiante B: **la luz, el televisor, la lavadora** (el Estudiante A escribe estas palabras junto a **prender**)

Estudiante A

bajar ______________________________
sótano ______________________________
secadora ______________________________
vecino ______________________________

Estudiante B

mueble ______________________________
ruido ______________________________
jardín ______________________________
alquilar ______________________________

[10.4] ¿Cómo viven los estudiantes?

Output

Paso 1. Hagan las siguientes preguntas a tres compañeros de clase. Escriban sus nombres y anoten sus respuestas.

	Estudiante 1: ________	Estudiante 2: ________	Estudiante 3: ________
1. ¿Es mejor vivir en una residencia universitaria o en un apartamento/una casa compartido/a? ¿Por qué?			
2. ¿Es mejor vivir solo/a o con compañeros de cuarto/casa? ¿Por qué?			
3. ¿Qué te gusta/no te gusta del lugar donde vives ahora? ¿Por qué?			

Paso 2. Compartan lo que aprendieron con la clase. ¿Tienen ustedes preferencias similares?

Modelo: **Yo prefiero vivir sola porque no me gusta el ruido *(noise)*, pero Jennifer prefiere vivir con compañeros porque no le gusta estar sola.**

10.2 Audio:
1. el lavabo // 2. el fregadero // 3. el sillón // 4. los estantes // 5. el espejo // 7. el inodoro // 7. la cómoda // 8. la lámpara // 9. el horno // 10. la calefacción

10.3 Puede apelar al espíritu competitivo de sus estudiantes, dando un tiempo límite para completar la actividad (cinco minutos, por ejemplo) y señalando que, al final, se va a contar el número de palabras de cada pareja.

10.4 Sugerencia: Anime a sus estudiantes a levantarse y hablar con estudiantes diferentes de quienes estén sentados junto a ellos. Si en su clase hay estudiantes no tradicionales (que viven con sus familias, etc.), anímeles a compartir después su experiencia también.

10.5 Extensión: Si tiene estudiantes de diferentes regiones o países, anímelos a compartir detalles sobre las viviendas típicas en esos lugares.

10.6 Esta actividad recicla las preposiciones de lugar; *hay* y *está + ubicación*.

PALABRAS ÚTILES

Revisa las preposiciones de lugar en **Así se forma 1, Capítulo 7:**

a la derecha/ izquierda (de)	*to the right/ left (of)*

Sugerencia: Puede pedir a los estudiantes que completen el Paso 1 antes de la clase. Revise las preposiciones de lugar antes de comenzar la actividad.

Extensión: Puede pedir a las parejas que comparen sus estudios ideales y comenten sus decisiones en cuanto a selección de muebles y objetos, uso del espacio, etc. Puede animarles también a que mencionen qué estilo prefieren (facilite vocabulario como *tradicional, contemporáneo, rústico,* etc.), qué elementos son importantes para ellos en su vivienda (ej. luz, espacio, etc.)

Sugerencia: Puede preguntarles a sus estudiantes quién se ocupaba de los quehaceres domésticos cuando eran niños, y comparar las familias de los hablantes de herencia con las otras familias.

Output

[10.5] Diferentes tipos de vivienda (*dwelling*).

En grupos pequeños, describan y comparen los siguientes tipos de viviendas y los barrios donde generalmente se encuentran (*are found*).

- una casa adosada (*townhouse*) en el centro de una ciudad
- una casa en un barrio residencial de las afueras (*suburb*)
- un apartamento urbano

Consideren las siguientes preguntas: ¿Cómo son similares o diferentes? ¿Qué ventajas o desventajas tiene cada una? ¿En cuáles has vivido? ¿En cuál quieres vivir en el futuro?

[10.6] Tu estudio (*studio*) ideal.

Paso 1. En una hoja de papel, dibuja (*draw*) un estudio consistente en una sala principal con cocina y espacios para comer, dormir, etc. más un baño separado. Incluye elementos arquitectónicos (puertas, ventanas) así como los muebles y accesorios que quieres tener en tu estudio ideal.

Output

Paso 2. En parejas, describe tu estudio a tu compañero/a sin mostrárselo. Él/Ella lo va a dibujar. Luego, comparen cada dibujo original con la versión del compañero/a, ¿hay diferencias?

En mi experiencia

Mark, Bismarck, ND

Lonely Planet Images/ Getty Images

"When I lived in Uruguay, my host family had a very modern apartment in a nice part of town, so I was surprised that they didn't have a clothes dryer. It turns out that most people there dry their clothes on clotheslines, either on balconies or even out the window. Also, the washing machine is in the kitchen, which was new for me."

If you have ever line-dried your clothes, in what ways does it differ from using a machine? Might there be any advantages to having the washing machine in the kitchen? What does it suggest about U.S. culture that we have separate rooms dedicated to doing laundry?

NOTA CULTURAL

Los quehaceres y las empleadas domésticas (*maids*)

Domestic help is more common in Latin America, than in the U.S., and many middle class families can afford to hire maids who take care of most of the household chores and sometimes a good deal of childrearing activities as well (try to see the award-winning 2009 comedy film *La Nana* (The Maid)). In other families, it is often (but not always) the case that the women are expected to take care of cooking and cleaning tasks.

ASÍ SE DICE

Los quehaceres domésticos

El verano pasado estos amigos alquilaron una casa para las vacaciones, y todos **compartieron** los quehaceres domésticos. Cuando llegaron, Alfonso y Javier **ordenaron** los cuartos en el segundo piso y **sacudieron** los muebles. Alfonso tiene alergia al polvo (*dust*), por eso prefirió **hacer las camas** y limpiar el baño mientras Javier **barría** el piso y **pasaba la aspiradora.** Durante el resto de la semana, Carmen **ponía la mesa** antes de comer y, cuando terminaban de comer, Natalia **quitaba la mesa** y llevaba los platos a la cocina. Allí Linda y Manuel estaban muy bien organizados para terminar pronto: Linda **lavaba los platos** y Manuel los **secaba.** También había cosas para hacer fuera de la casa. Esteban **sacaba la basura** por las mañanas y Elena **cortaba el césped** todas las semanas. En realidad, todos **recogían** y **ayudaban** para terminar temprano y disfrutar del tiempo libre.

ayudar	*to help*	**ordenar/recoger**	*to straighten up/pick up*
barrer	*to sweep*	**sacudir (los muebles)**	*to dust*
compartir	*to share*		

[10.7] Los quehaceres del hogar.

10.7 Esta actividad recicla el imperfecto y los pronombres de objeto directo.

Input/Output **Paso 1.** Completa la tabla escribiendo quién hacía estos quehaceres en la casa de tu familia y si tú los haces ahora. Añade dos quehaceres más.

	En la casa de tu familia, ¿quién hacía esto?	Ahora, ¿lo haces?
1. poner la mesa	**Modelo: Mi mamá la ponía.**	**Sí, la pongo. / No, no la pongo.**
2. hacer mi cama		
3. lavar los platos		
4. sacar la basura		
5. pasar la aspiradora		
6. cortar el césped		
7. ________________		
8. ________________		

Output **Paso 2.** Ahora, en grupos pequeños, compartan la información de sus tablas.

Modelo: De niño, yo hacía mi cama y ahora también la hago. *o*, **pero ahora no la hago.**

Output **Paso 3.** Contesten ahora las siguientes preguntas.

1. ¿Ayudaban mucho en su casa cuando eran niños? ¿Qué quehaceres les gustaban más/menos? ¿Recibían alguna compensación por su ayuda?
2. ¿Cómo era la división de los quehaceres en su familia entre los adultos y los niños? ¿Y entre los hombres y las mujeres?
3. ¿Qué quehaceres hacen ahora? ¿Con qué frecuencia? Si viven con otras personas, ¿cómo comparten los quehaceres?

[10.8] ¿Todos los días?

Input **Paso 1.** Buscas compañero/a para compartir apartamento, y quieres estar seguro/a de que ustedes tienen hábitos de limpieza similares. Indica con qué frecuencia, en tu opinión, es necesario hacer cada quehacer.

1. limpiar el baño ____________
2. lavar los platos ____________
3. limpiar la estufa y el fregadero ____________
4. pasar la aspiradora ____________
5. sacudir los muebles ____________
6. recoger la sala y el comedor ____________

HINT

al menos...	*at least*
cada dos/tres días	*every other/third day*
una vez a la semana/al mes	*once a week/month*
de vez en cuando	*once in a while*

Output **Paso 2.** En parejas, comparen sus respuestas del **Paso 1** para determinar si sus hábitos son compatibles. Si no lo son, intenten llegar a un compromiso y crear un plan. Deben estar preparados para compartirlo con la clase.

[10.9] ¡Qué confusión!

Tu compañero/a de cuarto está haciendo afirmaciones ilógicas. Responde corrigiendo las partes en cursiva (*italics*).

Modelo: Hay muchos platos en el fregadero. *Voy a sacar la basura.*
¿Quieres decir que vas lavar los platos?

1. ¿Tienes la escoba *(broom)*? *Voy a lavar los platos.* ... vas a barrer el suelo?
2. Voy a salir al jardín para *pasar la aspiradora.* ... vas a cortar el césped?
3. No quiero hacer todo solo. Tienes que *compartir.* ... tengo que ayudar/ayudarte?
4. Antes de comer yo *quito la mesa* y después *tú la pones.* ... tú pones la mesa y después yo la quito?
5. Tengo alergia al polvo, entonces tú *sacas la basura* y yo *sacudo los muebles.* ... tú sacas la basura y yo sacudo los muebles?

En mi experiencia

Yoshi, Fresno, CA

"In Mexico City, you don't put out the garbage the night before it's collected; there are no secure receptacles, and if you leave bags out the dogs make a mess. You have to wait to hear the garbage collectors ringing their bell when they're in the neighborhood—usually at the same time, three days a week. My host brother used to joke with his younger siblings that they should 'Run and hide!' when we heard that bell. If you're not home when they come, you can pay someone to pick it up for you at another time."

How does garbage and recycling collection work where you live? Why might some towns not maintain secure garbage receptacles?

Así se forma

1. Petitions and advice to a relative or friend: *Tú* commands

WileyPLUS
Go to *WileyPLUS* to review this grammar point with the help of the **Animated Grammar Tutorial.**

Use ***PowerPoint Slides*** para presentar y practicar esta gramática.

Tira la botella al bote de reciclado.

Elisa: Carlos, **no tires** la botella a la basura. **Ponla** en el bote de reciclado.

Carlos: Sí, **no te preocupes. Dime**, ¿está ya lista la cena? ¡Tengo mucha hambre!

Elisa: En quince minutos, **ve** a la sala y **díselo** a todos. ¡**Espera**, Carlos, **no te vayas** todavía! **Ven** a la cocina y **ayúdame** a preparar la ensalada, por favor. Y **pon** la mesa.

Carlos: ¿Algo más, su majestad?

Elisa: Sí, **come** una empanada. El hambre te pone de mal humor.

Sugerencia: Puede pedir a sus estudiantes que observen en el diálogo introductorio, las formas anotando en columnas diferentes las formas regulares en mandatos afirmativos y en mandatos negativos (ej. *espera, come, no tires, no te preocupes*), para que observen las diferencias. Fíjense después en las formas irregulares (ej. *pon, di, ve, no te vayas*) y en la posición de los pronombres (ej. *ponla, no te preocupes, dime, díselo, vete*).

Informal **tú** commands are used to give orders or advice to persons whom you address informally as **tú** (friends, children, etc.).

Affirmative *tú* commands

Regular affirmative **tú** command forms have the same form as the third person singular of the present tense.

¡Mira! *Look!* **¡Espera!** *Wait!* **¡Vuelve!** *Come back!*

Some affirmative **tú** command forms are irregular:

decir	**di**	**Di**me, ¿limpio el baño?	salir	**sal**	¡**Sal** del baño ya!
hacer	**haz**	**Haz** la cama.	ser	**sé**	**Sé** razonable.
ir	**ve**	**Ve** a sacar la basura.	tener	**ten**	**Ten** paciencia, ya vamos a cenar.
poner	**pon**	**Pon** el traje en el armario.	venir	**ven**	**Ven** a la cocina para ayudarme.

Extensión: Puede presentar los mandatos afirmativos de *tú* con algunos ejemplos en la pizarra que ilustren formas regulares e irregulares: *Cierra el libro. Levántate. Siéntate. Pon el libro en mi escritorio*, etc. Lea y señale los mandatos mientras se dirige a los estudiantes y les indica que hagan lo que usted les pide.

Mencione que los mandatos pueden sonar severos o poco corteses, por lo que conviene el uso de expresiones de cortesía como *por favor*. Una alternativa a los mandatos es el uso de preguntas, por ejemplo, se puede decir: *¿Me puedes ayudar?* en vez de *¡Ayúdame!*

Note that, like affirmative **usted** commands, object and reflexive pronouns follow and are attached to affirmative **tú** commands. A written accent is added in combinations of more than two syllables[1].

Muéstramelo. *Show it to me.* **Hazlo.** *Do it.* **Póntelo.** *Put it on.*

Negative *tú* commands

To make a negative **tú** command, simply add **–s** to the **usted** command form.

***Usted* command**	**Negative *tú* command**	
Espere en la sala.	No **esperes** en la sala.	*Don't wait in the living room.*
Ponga los libros allí.	No **pongas** los libros allí.	*Don't put the books there.*
Cierre la ventana.	No **cierres** la ventana.	*Don't close the window.*

[1] The oral stress in affirmative **tú** command forms is on the second-to-last syllable: **mi**ra, **com**pra (unless, of course, the verb form only has one syllable: **haz**). The oral stress does not change, but adding pronouns means adding syllables: **mí**rame, **cóm**pralo, **haz**lo.

Use *PowerPoint Slides* para completar esta actividad.

Object and reflexive pronouns are placed before the verb in all negative commands. Observe the placement of the pronouns in the following negative commands and compare them with the corresponding affirmative commands.

Negative	**Affirmative**
¡No **lo** comas!	¡Cóme**lo!**
¡No **los** compres!	¡Cómpra**los!**
¡No **lo** hagas!	¡Haz**lo!**
¡No **te** vayas!	¡Ve**te!**

10.10 Audio:
1. Dale comida al gato.
2. Barre el patio.
3. Sacude los muebles.
4. Pasa la aspiradora.
5. Saca la basura.
6. Pon la mesa.
7. Saca a pasear al perro.
8. Haz la cama.
9. Lava y seca los platos.

Extensión: Pida a sus estudiantes que comenten si creen que los roles de los hombres y las mujeres han cambiado respecto a algunos quehaceres domésticos. Puede pedir que comparen el pasado y el presente para invitar el uso del imperfecto, ej. *Antes los hombres no cocinaban, pero ahora muchos hombres sí lo hacen.*

Input

[10.10] Los quehaceres en casa.

Escribe cada mandato que escuches debajo del dibujo correcto.

a. Saca la basura.

b. Sacude los muebles.

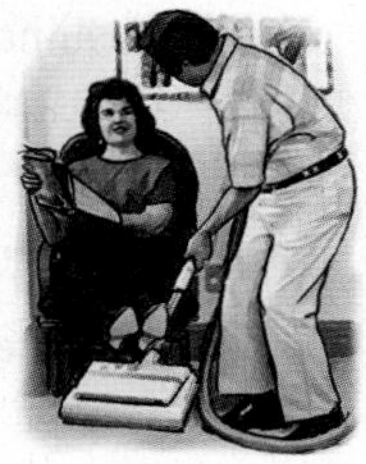

c. Pasa la aspiradora.

d. Haz la cama.

e. Lava y seca los platos.

f. Pon la mesa.

g. Dale comida al gato.

h. Saca a pasear al perro.

i. Barre el patio.

10.11 Esta actividad recicla los mandatos con la forma de *usted*.

Input

[10.11] ¿Quién lo debe hacer?

Hoy quieres preparar una cena especial para tu mejor amigo y su madre, que te visitan. Ellos te están ayudando. Lee los siguientes mandatos e indica si son apropiados para tu amigo (formas de *tú*) o para su madre (formas de *usted*).

	Tu amigo	**Su madre**
1. Dígame si prefiere carne o pescado.	☐	☑
2. Saca el pan de la bolsa, por favor.	☑	☐
3. Por favor, tome el pan y llévelo a la mesa.	☐	☑

	Tu amigo	Su madre
4. Abre la puerta del horno.	☑	☐
5. Ve a la tienda a comprar limones.	☑	☐
6. Abra esta lata (*can*) de tomates, por favor.	☐	☑
7. Ayúdame a poner la mesa.	☑	☐
8. Vaya a la sala de estar y descanse.	☐	☑

Dichos: *No digas en secreto lo que quieres oír en público. No dejes para mañana lo que puedes hacer hoy.* ¿Qué significan estos dichos? ¿Estás de acuerdo? ¿Hay un dicho equivalente en inglés?

[10.12] ¿Arturo u Óscar?

Input **Paso 1.** Tienes dos amigos muy diferentes. Arturo es muy responsable, pero un poco aburrido. En cambio, Óscar es divertido, aunque (*although*) a veces demasiado imprudente (*careless*). Indica si estas sugerencias las hace Arturo (A) u Óscar (O).

1. Toma un refresco, pero no bebas cerveza. (A)

2. Ve a todas tus clases. (A)

3. No vayas a la biblioteca, ¡ven a mi fiesta! (O)

4. No seas aburrido, no estudies tanto. (O)

5. No te acuestes tarde, duerme al menos siete horas. (A)

6. No hagas ejercicio, juega a un videojuego conmigo. (O)

Output **Paso 2.** En parejas, uno/una de ustedes es responsable como Arturo y el otro/la otra es imprudente como Óscar. Para cada situación de abajo, y usando mandatos afirmativos y negativos, digan a su compañero/a qué debe o no debe hacer y por qué.

1. Hay una película en la tele, pero termina a las 2 a. m. y mañana tienen una clase a las 8:30 a. m.

2. Tienen una docena de pasteles de chocolate en el frigorífico.

3. Hoy es el último día del mes. Los dos trabajan y recibieron sus cheques.

4. Tienen clase de español, pero hay un partido importante de su equipo favorito.

[10.13] Compañeros de piso.

En parejas, imaginen que ustedes son compañeros/as de cuarto. Hay muchas cosas que les molestan de los hábitos de su compañero/a y hoy, por fin, deciden resolver sus diferencias.

Output **Paso 1.** Escribe peticiones para tu compañero/a, con mandatos afirmativos o negativos, basadas en las ideas de tu lista. Añade una petición más.

Modelo: fumar en casa **No fumes en casa. Sal fuera para fumar.**

Estudiante A

1. ser amable con...
2. poner la ropa sucia...
3. usar mi(s)...
4. traer a tus amigos a las...
5. ir a comprar...
6. ____________________

Estudiante B

1. hacer ruido...
2. quitarte los zapatos...
3. comer mi comida...
4. dejar tu ropa en...
5. limpiar...
6. ____________________

Paso 2. Después, por turnos, hagan sus peticiones explicando sus razones, y respondan a las peticiones de su compañero/a con una excusa o justificación.

Modelo: Estudiante A: **Por favor, no fumes en casa, me da tos y huele (*it smells*) muy mal. Sal fuera para fumar.**

Estudiante B: **Pero hace mucho frío fuera (*outside*).**

Cultura

Paraguay y Uruguay

Masterfile

▲ Paraguay

Junior Gonzalez/ Getty Images

▲ Uruguay

ANTES DE LEER

1. Mira el mapa de América del Sur al principio de este libro. Paraguay tiene el mismo tamaño (*size*) que ¿cuál estado de Estados Unidos?

   ☐ Illinois ☐ Rhode Island ☒ California

2. Uruguay y Paraguay, junto con Brasil y Argentina, crearon en 1991 el Mercosur, una zona económica que corresponde a un área cuatro veces más grande que la de la Unión Europea. ¿Qué otras zonas económicas conoces?

Use ***PowerPoint Slides*** para presentar esta sección de cultura.

▲ La capital de Paraguay, **Asunción**, está a orillas (*on the banks*) del río Paraguay. Es la ciudad más moderna del país y es el puerto más importante. Pero la ciudad también conserva muchos ejemplos de arquitectura colonial. Los tranvías (*trolleys*) amarillos de Asunción son una antigüedad. ¿Qué otras ciudades famosas tienen tranvías?

Sugerencia: Pregunte a sus hablantes de herencia si en el país de sus familias se habla una lengua indígena.

Durante el periodo colonial, **Uruguay** y **Paraguay** tuvieron una historia muy similar. Sin embargo, su situación geográfica y su destino político generaron diferencias regionales que resultaron en dos naciones con identidades muy distintas.

Paraguay

Paraguay es uno de los dos países de Latinoamérica (junto con Bolivia) que no tiene costa. El río Paraguay cruza el país de norte a sur y lo divide en dos partes; casi el 95% de la población vive al este del río (esto se nota claramente mirando un mapa por Internet). Tenía una población indígena (del grupo guaraní) muy numerosa cuando llegaron los españoles. A partir de 1609, los jesuitas establecieron comunidades autosuficientes que protegían a los guaraníes de los traficantes de esclavos (*slaves*) portugueses y españoles, que se relata en la película *The Mission* (1986) con Jeremy Irons y Robert DeNiro; intenta ver el corto (*trailer*) o la película completa.

Hoy en día, el 95% de la población es de origen mestizo y la mayoría vive de la agricultura.

Existen en Paraguay dos lenguas oficiales, el español y el guaraní. El 94% de los paraguayos hablan y escriben en ambas (*both*) lenguas. La constitución federal y los libros de texto son escritos tanto en (*both*) español como en guaraní. Las palabras *jaguar y piraña* vienen del guaraní, y también el nombre del país: *pará = océano; gua = a* o *de*; *y = agua*; es decir, agua que va al océano.

brianlatino/Alamy

▲ Las ruinas de las misiones jesuitas en Trinidad, Paraguay.

Uruguay

▲ Montevideo, la bella capital, está situada a orillas del Río de la Plata y el océano Atlántico; posee el mejor puerto natural de América del Sur. En esta ciudad vive la mitad (*half*) de la población del país.

Uruguay es la república sudamericana más pequeña. La exportación de productos agrícolas y ganaderos (*livestock/beef products*) son la base de la economía del país, que es una de las más sólidas de Latinoamérica. El turismo también genera muchos beneficios y representa casi el 30% de la actividad económica. En Uruguay, la población no es muy diversa —casi un 90% de los uruguayos descienden de inmigrantes europeos, sobre todo de España e Italia. El nivel de alfabetismo (*literacy*) es de un 96%, el más alto de Latinoamérica, y la legislación social es una de las más innovadoras de Hispanoamérica. La vida cultural en Uruguay es muy intensa, incluyendo la producción literaria de la escritora Cristina Peri Rossi y muchísimos campeonatos de fútbol; el estadio Centenario en Montevideo tiene una capacidad de 80.000 personas.

Sugerencia: Señale que el Río de la Plata comienza en la confluencia del río Uruguay y el río Paraná, y consiste, fundamentalmente, en un delta que desemboca en el océano Atlántico.

DESPUÉS DE LEER

1. Existen varios contrastes importantes entre Paraguay y Uruguay. ¿A qué país hace referencia cada oración?

	Paraguay	Uruguay
a. No tiene costas.	☑	☐
b. El español es la única lengua oficial.	☐	☑
c. El nivel de alfabetización es muy alto.	☐	☑
d. Su población es diversa; existe una gran variedad de grupos indígenas.	☑	☐
e. Su población es uniforme; casi todos descienden de inmigrantes europeos.	☐	☑

2. El gran número de grupos indígenas en Paraguay es evidente. ¿Esto se parece a qué país estudiado en un capítulo anterior?

☐ Venezuela ☐ Chile ☑ Bolivia

3. Observa la foto de las ruinas de las misiones en Trinidad, Paraguay en la página anterior. ¿Conoces otras misiones como éstas en Estados Unidos o en otro país? ¿Dónde?

Así se forma

2. Telling what has/had happened: Perfect tenses

WileyPLUS

Go to *WileyPLUS* to review this grammar point with the help of the **Animated Grammar Tutorial** and **Verb Conjugator.**

Sugerencia: Pida a sus estudiantes que observen las formas verbales en negrita diferenciando los dos tiempos verbales ilustrados. Con su guía, podrán determinar que estas formas verbales se forman con el presente e imperfecto del verbo *haber* seguido de una forma verbal no conjugada. Es posible que observen el paralelismo con las formas del inglés y la identifiquen como el participio pasado. Comenten también las diferencias de uso observables entre las formas de presente y pasado perfecto.

Lee este anuncio comercial inmobiliario *(real estate advertisement)*.

¿**Ha soñado** usted con una casa en la playa? ¿**Ha imaginado** un refugio del estrés diario frente al mar? Venga a visitarnos a La Marina, en Punta del Este. Aquí **hemos abierto** la puerta del paraíso para usted. En este espacio ideal **hemos construido** viviendas amplias, luminosas y con vistas al mar. Esto **han dicho** nuestros clientes:

"Nunca antes **habíamos visto** residencias como estas a un precio similar. Muchas veces **habíamos soñado** con una casa en la playa, y en La Marina lo hemos conseguido".

Use ***PowerPoint Slides*** para presentar y practicar esta gramática.

Spanish perfect tenses closely correspond to their English counterparts, both in form and the meaning they express.

Perfect tenses are formed by combining a conjugated form of **haber** (*to have*) and the **past participle** of a verb. To form the past participle of most Spanish verbs, add **-ado** to the stem of **-ar** verbs and **-ido** to the stem of **-er** and **-ir** verbs.

llamar → llam**ado** comer → com**ido** vivir → viv**ido**

Sugerencia: Enfatice las formas irregulares del participio, recordando a los estudiantes que ya conocen dos formas que pueden encontrar en el título del libro. Pídales que las traduzcan al inglés y señale que *Dicho y hecho* es una expresión que tiene un equivalente en inglés. Anímeles a adivinar cuál es (*no sooner said than done*).

Señale que los participios pasados de otros verbos frecuentemente irregulares son regulares: ser – sido, ir – ido).

The following **-er** and **-ir** verbs have irregular past participles.

abrir → **abierto**	hacer → **hecho**	resolver → **resuelto**
decir → **dicho**	morir → **muerto**	ver → **visto**
devolver → **devuelto**	poner → **puesto**	volver → **vuelto**
escribir → **escrito**	romper (*to break*) → **roto**	

NOTA DE LENGUA

The past participle may also be used as an adjective with **estar** and with nouns to show a condition. As an adjective, it agrees in gender and number with the noun it describes. You have used this construction in previous chapters.

La puerta está **cerrada**.	*The door is closed.*
Duermo con las ventanas **abiertas**.	*I sleep with the windows open.*
Mis amigos/as están **sentados/as** en el sofá.	*My friends are seated on the sofa.*

The present perfect: Saying what *has* happened

The present perfect is formed with the present tense of **haber** and the past participle.

presente de ***haber*** + participio pasado		
(yo)	**he lavado**	(*I have washed*)
(tú)	**has lavado**	(*you have washed*)
(usted, él/ella)	**ha lavado**	(*you have washed, he/she has washed*)
(nosotros/as)	**hemos lavado**	(*we have washed*)
(vosotros/as)	**habéis lavado**	(*you have washed*)
(ustedes, ellos/ellas)	**han lavado**	(*you/they have washed*)

Sugerencia: Puede mencionar que, frecuentemente, cuando la acción tiene lugar en un tiempo ya terminado (**ayer, el año pasado**), se usa el pretérito, pero si la referencia temporal mencionada no ha terminado todavía (**hoy, este semestre,** etc.) se usa el presente perfecto (presente de *haber* más el participio pasado del verbo). Ej: Ayer **lavé** todas las ventanas, y hoy **he pasado** la aspiradora. Puede también señalar que hay variación regional en cuanto al uso de estos tiempos.

– ¿**Has lavado** tú mi camiseta? — *Have you washed my t-shirt?*

– No, yo no **he lavado** ropa hoy. — *No, I haven't washed clothes today.*

- Note that the conjugated form of **haber** and the past participle must remain together, so object and reflexive pronouns immediately precede the **haber** form.

Todavía no **lo** he limpiado. — *I haven't cleaned it yet.*

Lo he ayudado muchas veces. — *I have helped him many times.*

In terms of meaning, and similarly to English, the Spanish present perfect describes actions that began in the past but are still connected to the present in that the event still continues or its consequences are still felt in the present.

He vivido aquí tres meses. — *I have lived here for three months.*

Juan **ha vivido** en muchos países; siempre cuenta historias interesantes. — *Juan has lived in many countries; he always tells interesting stories.*

Hemos alquilado un apartamento y ahora tenemos que comprar muebles. — *We have rented an apartment and now we have to buy furniture.*

NOTA DE LENGUA

Use the expression **acabar de** + *infinitive* to talk about things you or someone else has just done.

acabar de + *infinitive* — *to have just... (completed an action)*

Acabo de vestirme. — *I have just gotten dressed.*

10.14 Audio:
1. Hemos hecho las camas.
2. He ordenado la sala.
3. Ha lavado los platos.
4. Me he duchado.
5. Nos hemos vestido.
6. Hemos ido al supermercado.
7. Ha puesto la mesa.
8. Hemos preparado la comida.

Sugerencia: Indique que habla Max. Si usted lee la primera persona singular que se refiere a sí mismo, los estudiantes deben marcar la columna *Max* (*yo*), si habla de una tercera persona, deben marcar *Nicolás* (*él*), y si habla en la primera persona plural, se refiere a *Los dos* (*nosotros*).

Input

[10.14] Una visita especial.

Tus amigos Max y Nicolás acaban de mudarse *(have just moved)* a un nuevo apartamento y han dado una fiesta para celebrarlo. Estás impresionado/a porque ¡todo está perfecto! Escucha a Max, escribe cada tarea e indica quién lo hizo.

Modelo: Oyes: He pasado la aspiradora.
Marcas y escribes: Max ☑ Nicolás ☐ Los dos ☐ ***pasar la aspiradora***

1. Max ☐ Nicolás ☐ Los dos ☑ hacer las camas
2. Max ☑ Nicolás ☐ Los dos ☐ ordenar la sala
3. Max ☐ Nicolás ☑ Los dos ☐ lavar los platos
4. Max ☑ Nicolás ☐ Los dos ☐ ducharse
5. Max ☐ Nicolás ☐ Los dos ☑ vestirse
6. Max ☐ Nicolás ☐ Los dos ☑ ir al supermercado
7. Max ☐ Nicolás ☑ Los dos ☐ poner la mesa
8. Max ☐ Nicolás ☐ Los dos ☑ preparar la comida

Output

[10.15] Este semestre.

Escribe oraciones indicando quién(es) en la clase han hecho estas cosas, en tu opinión. Después comparen sus respuestas con la clase, ¿están de acuerdo?

Modelo: ser muy responsable **Sandra y Rob han sido muy responsables.**

1. ser muy responsable ______
2. hacer buenas preguntas ______
3. estar siempre de buen humor ______
4. leer muchas tareas ______
5. decir chistes graciosos (*funny jokes*) ______
6. aprender mucho ______

Output

[10.16] Experiencias.

HINT
* = irregular past participle

Paso 1. Completa la columna *Yo* con información verdadera sobre tus experiencias especificando adónde has ido, qué has ganado, etc. Añade otra experiencia interesante en la última línea.

Modelo: **1. He viajado a Paraguay.**

		Yo	Un/a compañero/a
1	viajar a otro país		
2	conocer a alguien famoso		
3	ganar una competencia		
4	visitar un lugar fascinante		
5	aprender a hacer algo interesante		
6	hacer* algo peligroso (*dangerous*)		

	Yo	Un/a compañero/a
7 alcanzar (*achieve*) un objetivo personal importante		
8 ver* un concierto/una obra de teatro muy especial		
9 participar en un evento especial/importante		
10 ¿...?		

Paso 2. Mientras caminas por el aula, haz preguntas a tus compañeros para averiguar si alguien ha hecho algo similar. Si un/a estudiante responde afirmativamente, anota su nombre en la columna *Un/a compañero/a* en la tabla de arriba. Todos los nombres deben ser de personas diferentes. Responde también a las preguntas de tus compañeros/as, hablando de tus experiencias.

Modelo: **—¿Has viajado a Paraguay?**
—Sí, he viajado a Paraguay. / No, no he viajado a otros países. / No, pero he viajado a Uruguay.

Paso 3. ¿Quién tiene el mayor número de compañeros/as en la lista? ¿Qué experiencias compartes con otros/as estudiantes de la clase?

Modelo: **Abel y yo hemos viajado a Paraguay.**

10.16 Paso 3: Pida a varios estudiantes que compartan algunas de sus experiencias más interesantes con la clase.

Output [10.17] ¡Qué mentiroso! (*What a liar!*)

Paso 1. Escribe en un papel tres oraciones describiendo cosas que has hecho (o no has hecho). Piensa en actividades poco frecuentes o atípicas. Dos deben ser ciertas y una falsa.

Modelo: **He montado en elefante.**
He jugado al tenis con Rafael Nadal.
Nunca he visto el océano.

Paso 2. En grupos, un/a estudiante lee sus oraciones, cada compañero/a del grupo puede hacer una pregunta sobre los detalles. (Deben inventar detalles creíbles para la oración falsa). Después el grupo vota qué experiencia piensan que es falsa.

10.17 Conviene que haga un modelo con toda la clase antes de empezar la actividad. Escriba tres experiencias personales en la pizarra según las instrucciones del *Paso 1*. (Prepare antes de la clase los detalles de la afirmación falsa para sonar más convincente). Explique que dos de estas afirmaciones son ciertas y una es falsa, que deben intentar averiguar cuál es la falsa y que pueden hacer tres preguntas sobre cada una. Al final, haga un sondeo de quiénes piensan que la falsa es la primera, etc. y luego revele la verdad.

Puede asignar el *Paso 1* como tarea; en ese caso pida que piensen también en los detalles de la afirmación falsa.

Situaciones

Son compañeros de apartamento y comparten (*share*) los quehaceres. Este fin de semana era el turno de limpiar de Estudiante B, pero cuando Estudiante A llega a casa el domingo por la tarde, todo está desordenado y sucio.
Estudiante A: Pregunta a tu compañero/a por qué no ha hecho cada uno de los quehaceres, escucha sus respuestas y dile lo que debe hacer.
Estudiante B: Inventa excusas para explicar por qué no has limpiado.

ASÍ SE FORMA

The past perfect: Saying what *had* happened

Use *PowerPoint Slides* para presentar y practicar esta gramática.

Sugerencia: Puede revisar con sus estudiantes el texto introductorio con ejemplos de presente y pasado perfecto en la página de Así se forma 2, Telling what has/had happened: Perfect tenses contrastando tanto forma como significado con el presente perfecto.

The past perfect is formed with the **imperfect** of **haber** and the **past participle.**

imperfecto de ***haber*** + participio pasado		
(yo)	**había lavado**	*(I had washed)*
(tú)	**habías lavado**	*(you had washed)*
(usted, él/ella)	**había lavado**	*(you/he/she had washed)*
(nosotros/as)	**habíamos lavado**	*(we had washed)*
(vosotros/as)	**habíais lavado**	*(you had washed)*
(ustedes, ellos/ellas)	**habían lavado**	*(you/they had washed)*

As in English, the past perfect is used to describe an action that had already occurred prior to another event or given time in the past (that event or time can be explicit or part of the context.)

Cuando llegaron los abuelos, ya **habíamos limpiado** la casa.	*When our grandparents arrived, we had already cleaned the house.*
A las diez de la noche aún no **habían cenado.**	*At 10 p.m. they had not eaten dinner yet.*
La universidad me cambió mucho. Nunca **había sido** tan responsable.	*College changed me very much. I had never been so responsible.*

10.18 Sugerencia: Escriba un modelo en la pizarra y recuerde a los estudiantes que ya conocen las formas del imperfecto.

Input **[10.18] ¿Qué ocurrió primero?** Decide para cada oración qué acción ocurrió primero (márcala con un "1") y cuál sucedió después (márcala con un "2"). Luego decide si cada oración es **lógica** o **ilógica.**

Modelo: Esteban llegó (**2**) a su casa cansado porque ya había estudiado (**1**) más de tres horas. — **Lógico** ☑ **Ilógico** ☐

	Lógico	Ilógico
1. Alfonso ya había hecho (1) la cama cuando se despertó (2).	☐	☑
2. Pepita sacó (2) la basura. Ya había cortado (1) el césped.	☑	☐
3. Natalia lavó (2) los platos. Ya había recogido (1) la mesa.	☑	☐
4. Esteban había secado (1) los platos y los lavó (2).	☐	☑
5. Manuel ordenó (2) su cuarto cuando ya había barrido (1) el patio.	☑	☐

Output [10.19] ¡Qué hijos tan irresponsables!

Paso 1. Los padres salieron de la casa. ¿Qué descubrieron al regresar? ¿Qué habían y qué no habían hecho los hijos?

Modelo: ordenar la sala
Probablemente no habían ordenado la sala.

1. pasar la aspiradora
2. hacer las camas
3. invitar a amigos/as a la casa
4. comer toda la comida
5. sacar la basura
6. lavar los platos
7. ver muchas películas
8. romper una ventana

Paso 2. Escribe la historia de una ocasión en la que tus padres (o los padres de un amigo) no estaban y cuando llegaron… ¿qué había pasado? Describe con muchos detalles.

10.19 Sugerencia: Puede invitar a los estudiantes a embellecer su historia con detalles inventados, o inventar toda la historia si lo prefieren. Después, pida a algunos voluntarios que compartan sus historias.

Output [10.20] Las experiencias de la vida.

Paso 1. Escribe tres oraciones describiendo algunas cosas interesantes que ya habías hecho antes de los dieciocho años y tres cosas que todavía no habías hecho.

Modelo: Ya **había jugado** muchos torneos de tenis.
Todavía **no había aprendido** a nadar.

Cosas que ya había hecho antes de los dieciocho años.	Cosas que todavía no había hecho antes de los dieciocho años.
1.	**1.**
2.	**2.**
3.	**3.**

Paso 2. En grupos, compartan sus experiencias y pidan más detalles sobre las experiencias de sus compañeros/as.

10.20 Extensión: Pida a los estudiantes que hagan una lista de las cosas que ya habían hecho todos antes de venir a la universidad. Por ejemplo: *Antes de venir a esta universidad, yo ya había aprendido a usar la computadora/había estudiado español en la escuela secundaria…*

Pueden hacer el *Paso 1* en clase o puede asignarlo como tarea para el día siguiente. En este caso, los estudiantes pueden preparar las oraciones de forma individual para después, en clase, leerlas y adivinar en grupos.

Cultura

El patio de las casas hispanas: Un parque privado

Use *PowerPoint Slides* para presentar esta sección de cultura.

ANTES DE LEER

¿Tiene tu casa un patio o una terraza (*deck*)? ¿Qué haces allí?

©Timothy Ross/The Image Works

▲ Un patio tradicional hispano, en Colombia. ¿Qué actividades pueden realizarse en esta parte de la casa?

Uno de los elementos más representativos de muchas viviendas hispanas es el patio. Muchas casas —incluso las más pequeñas— tienen algún tipo de patio. El diseño tradicional del patio hispano, rodeado de (*surrounded by*) paredes altas, es una mezcla (*mix*) de influencias romanas y árabes. En estas dos culturas la privacidad era muy importante y las casas estaban separadas de la calle por paredes y muros (*walls*). La luz y el aire entraban en los cuartos por las ventanas, las puertas y los balcones que rodeaban el patio central.

Las casas hispanas de estilo colonial tienen este tipo de patio central, con una fuente (*fountain*) y plantas; pero, en las casas más modernas, el patio generalmente está detrás de la casa. A diferencia de las terrazas, tan populares en Estados Unidos, los patios de las casas de los hispanos no tienen pisos de madera (*wood*). El suelo frecuentemente está cubierto de losas de cerámica o piedra (*stone*).

El patio, un lugar privado al aire libre (*open air*), es un espacio fundamental de las viviendas hispanas porque tiene varias funciones importantes. Es un sitio cómodo (*comfortable*) para tomar un poco de sol o respirar aire fresco y recibir visitas o celebrar una pequeña fiesta.

DESPUÉS DE LEER

Nombra dos similitudes entre los patios o terrazas de las casas en Estados Unidos y el patio de las casas hispanoamericanas.

VideoEscenas

WileyPLUS

¡Hazlo tú!

▲ Ernesto y Javier, compañeros de piso/apartamento, discuten sobre los quehaceres domésticos.

ANTES DE VER EL VIDEO

Paso 1. Escribe una lista de los quehaceres que haces en tu residencia o apartamento. Si vives con otras personas, escribe otra lista indicando lo que hacen ellos/ellas. Cuando termines, compara tu lista con la de un/a compañero/a.

A VER EL VIDEO

Paso 2. Mira el video y presta atención a las ideas principales. Después imagina que eres amigo de Ernesto y Javier. Has escuchado su conversación y la resumes para otro amigo común en un mensaje electrónico.

Modelo: **¿Sabes qué pasó ayer? Ernesto y Javier discutieron sobre los quehaceres domésticos...**

Paso 3. Mira el video otra vez y responde las siguientes preguntas.

- ¿Por qué está Javier enojado con Ernesto? Porque no le ayuda con los quehaceres.
- ¿Qué quehaceres debe hacer Ernesto? Escribe al menos cuatro. Sacar la basura, limpiar la cocina, lavar y secar los platos, barrer los pisos, ordenar la sala, regar las plantas y pasar la aspiradora.
- ¿Cuál es el último quehacer que le pide Javier a Ernesto? ¿Cómo reacciona Ernesto? Darle comida al gato. / Ernesto se sorprende porque no tienen gato.

DESPUÉS DE VER EL VIDEO

Paso 4. En grupos de cuatro personas, dos estudiantes van a escribir consejos para Javier y los otros dos para Ernesto. Después compartan sus ideas. ¿Qué sugerencias pueden funcionar mejor?

Así se forma

3. Comparing and expressing extremes: Comparisons and superlatives

Use *PowerPoint Slides* para presentar y practicar esta gramática.

WileyPLUS
Go to *WileyPLUS* to review this grammar point with the help of the **Animated Grammar Tutorial.**

Sugerencia: Puede pedir a sus estudiantes que observen en el diálogo introductorio las formas, anotando en columnas diferentes las expresiones de comparación de igualdad, desigualdad y de extremos (superlativos). Aunque no hay ejemplos suficientes para ilustrar todas las posibilidades, se puede empezar a diferenciar entre estas estructuras y, con la guía del instructor, también observar algunas estructuras, formas irregulares, etc.

Sugerencia: Dé ejemplos que se basen en sus estudiantes: *Mónica es más alta que la profesora. Jared es menos alto que Juan.*

Beatriz: ¡Por fin encontramos apartamento! Para ti, ¿qué dormitorio es **el mejor**?

Mirta: El dormitorio azul es **más grande que** el verde, y tiene **más luz que** el amarillo.

Eva: Sí, el amarillo no es **tan luminoso como** los otros, y es **el menos espacioso de** todos.

Beatriz: Yo también pienso que el dormitorio amarillo es **el peor**. Si alguien lo quiere, no debe **pagar tanto como** las otras, ¿no? ¡O quizá (*maybe*) no tiene que hacer **tantos quehaceres como** las demás (*the rest*)!

Eva: ¡Entonces lo quiero yo!

When we compare two or more things, we can use **comparatives** to say that they are equal (as much as) or unequal (more or less than), or we can use **superlatives** to point out the extremes (the most or least.)

Comparisons

	+	–	=
Adjective **(alto/a)**	Luis es **más** alto **que** yo. Ana es **más** alta **que** yo.	... **menos** alto **que**... ... **menos** alta **que**...	... **tan** alto **como**... ... **tan** alta **como**...
Adverb **(tarde)**	Luis llegó **más** tarde **que** tú.	... **menos** tarde **que**...	... **tan** tarde **como**...
Noun **(dinero)**	Tienes **más** dinero **que** él.	... **menos** dinero **que**...	... **tanto** dinero **como**... ... **tanta** tarea **como**... ... **tantos** tíos **como**... ... **tantas** tías **como**...
Verb **(leer)**	Leo **más que** tú.	Leo **menos que** tú.	Leo **tanto como** tú.

Extensión: Para reforzar el uso del *de* antes de los números, pida a un estudiante que mire discretamente cuánto dinero tiene. Después pregunte si tiene más de dos dólares, menos de cinco dólares, etc., hasta determinar la cantidad correcta. Puede agrupar a los estudiantes en parejas para que hagan lo mismo.

Preste atención especial a las formas irregulares (*mejor, peor, mayor, menor*) y recuerde a los estudiantes que no usen más/menos con estas formas.

- The adjective in a comparison (**alto/a**) agrees with the noun it refers to (**Luis/Ana**).
- When comparing nouns, the comparative (**tanto/a/os/as**) agrees in gender and number with the noun.
- Use **de** instead of **que** before a number:

  El sillón costó **más/menos de** $625. *The amchair cost more/less than $625.*

- Some Spanish adjectives and adverbs have irregular comparative forms. These forms do not use **más** or **menos**.

Adjetivo		Adverbio		Comparativo	
bueno/a	*good*	**bien**	*well*	**mejor**	*better*
malo/a	*bad*	**mal**	*badly*	**peor**	*worse*
joven	*young*			**menor**	*younger (person's age)*
viejo/a	*old*			**mayor**	*older (person's age)*

Algunos ejemplos:

La casa es **buena**, pero la mansión es **mejor**.	*The house is good, but the mansion is better.*
Lupe limpia **bien**, pero Alicia limpia **mejor**.	*Lupe cleans well, but Alicia cleans better.*
Tengo un hermano **mayor**.	*I have an older brother.*

[10.21] ¿Son similares?
Escucha las siguientes afirmaciones e indica si son **ciertas** o **falsas**.

Input

Octavio y Javier

1. Cierto

Javier y Manuel

2. Falso

Camila y su amiga

3. Cierto

Linda e Inés

4. Falso

Natalia y Rubén

5. Falso

Elena y Esteban

6. Cierto

10.21 Audio:
1. Octavio tiene tan buena nota como Javier.
2. Javier es más alto que Manuel.
3. Camila no es tan alta como su amiga.
4. Linda tiene tantas flores como Inés.
5. Natalia estudia más que Rubén.
6. Elena come tanto helado como Esteban.

Extensión: Si quiere que sus estudiantes comiencen a producir las nuevas estructuras ahora, puede ofrecer el audio de nuevo y pedirles que transformen las afirmaciones falsas para hacerlas ciertas.

[10.22] ¿De acuerdo? (*Do you agree?*)

Input/ Output **Paso 1.** Completa las siguientes comparaciones indicando tus opiniones, y escribe una más al final.

1. La clase de español es más ______________ que la clase de ______________.
2. Esta universidad es mejor que ______________________________.
3. Los hombres no son tan ______________________ como las mujeres.
4. El equipo deportivo ___________________ es peor que ___________________.
5. El amor es más importante que ______________, pero menos importante que ______________.
6. ____.

Output **Paso 2.** En grupos pequeños, compartan sus comparaciones, digan si están de acuerdo o no con sus compañeros y por qué.

[10.23] ¿Somos similares?

Output **Paso 1.** Formen grupos de tres personas. Primero, escriban los nombres de las personas en cada columna de la tabla. Luego, háganse preguntas para completar el cuadro y apunten la cantidad (*quantity*). Después, hagan comparaciones usando la información del cuadro.

Modelo: horas de estudio por día
¿Cuántas horas estudias por día? (Anotan respuestas)
Tengo más/menos clases que Juan. *o,* **Tengo tantas clases como Juan.**

	________	________	________
1. Número de clases este semestre			
2. Horas para hacer los quehaceres domésticos por semana			
3. Horas de trabajo por semana			
4. Tiempo para deportes/actividades extracurriculares cada semana			
5. Horas de descanso (televisión, amigos/as) por día			
6. Horas para leer o escribir correos electrónicos/ navegar en Internet por día			
7. Horas que duermes cada noche			

Paso 2. Ahora, basándote en la información del cuadro, escribe un párrafo comparando los estilos de vida de tus compañeros y tú. Aquí tienes algunas preguntas que pueden guiar tu escritura:

- ¿Quién está más ocupado? ¿Quién tiene más tiempo para descansar?
- ¿Quién es más activo? ¿Quién es más tranquilo?
- ¿Quién tiene una vida más equilibrada? ¿Quién está estresado?
- ¿Quién está más concentrado en sus estudios? ¿Quién tiene más variedad en sus actividades?

10.23 Extensión: Para cerrar la actividad, puede pedir a los estudiantes que lean sus párrafos al grupo y conversen sobre la interpretación que hizo cada estudiante, añadiendo detalles relevantes, ejemplos, etc.

[10.24] ¡Cuánta variedad!

Output **Paso 1.** Comparen las siguientes fotos. Hagan varias comparaciones, en cada caso, basadas en las fotografías.

Modelo: La casa en Mérida es más grande que la choza en el campo.

Grupo 1: Familia

1.

© imageBROKER/Alamy

Una familia indígena en Paraguay

2.

© Aldo Murillo/iStockphoto

La familia de Gustavo y Elvira, México

3.

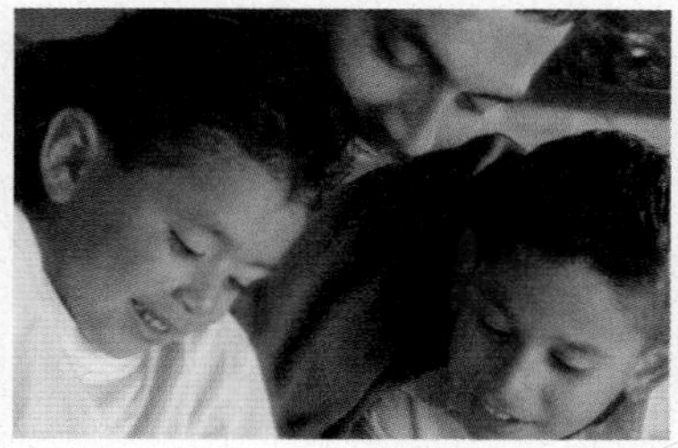

WireImageStock/Masterfile

Un padre con sus hijos, Uruguay

Grupo 2: Casas

4.

Courtesy of Laila Dawson

Casa (choza) en el campo, Paraguay

5.

Courtesy Laila Dawson

Casa familiar en Mérida, Yucatán, México

6.

John A. Rizzo/Digital Vision/Punchstock

Apartamento en Montevideo, Uruguay

Grupo 3: Comidas

7.

© Heiner Heine/image BROKER/age fotostock

Un plato guaraní, Paraguay

8.

whitewish/E+/Getty Images

Un almuerzo, México

9.

© Yaacov Dagan/Alamy

Asado para la cena, Uruguay

Paso 2. Imaginen que cada uno de ustedes es miembro de una de las familias de las fotos anteriores (1–3). En sus grupos, expliquen a los otros los aspectos más positivos de sus vidas, comparándolas con las de las otras fotos. Usen su imaginación.

10.24 El *Paso 2* puede asignarlo como tarea para hacer en la casa. Al día siguiente, los grupos trabajan juntos de nuevo para presentar sus opiniones.

10.25 Esta actividad recicla el vocabulario para hablar de la casa.

Output **[10.25] Quiero alquilar un apartamento.** Decides alquilar un apartamento en Asunción, Paraguay. Lee los tres anuncios y escribe cuatro oraciones comparando los tres apartamentos. ¿Cuál prefieres y por qué? Usa comparaciones para explicar tu preferencia.

1. **ENCANTADOR PENTHOUSE.** en Manorá, G 5,200,000, 3 habs., 2 baños con terraza, jacuzzi, bar. BUENA VISTA 565-2132

2. **ESTUDIO AMUEBLADO.** C/Igatimí. G 4,000,000. Bello. 1 hab., baño, sala, comedor, cocina. Totalmente equipado. Muebles nuevos. Inversor. NUEVOS HORIZONTES 592-2100

3. **PENTHOUSE AMUEBLADO.** Avda. Carlos Antonio López. 4 habs., 5 baños, 3 balcones, 2 terrazas techadas, amplias áreas de servicio. Vista panorámica, 2 parqueos techados, ascensor. G 10,250,000. Lucía. 541-1987

ASÍ SE FORMA

The superlative

The superlative form of the adjective is used when persons or things are singled out as being *the most . . .*, *least . . .*, *best . . .*, *worst . . .*, *tallest . . .*, etc. To form the superlative, use:

Use *PowerPoint Slides* para presentar y practicar esta gramática.

el/la/los/las + (noun) + **más/menos** + (adjective) + **de...**

La cocina **es el lugar más popular de** nuestra casa.
The kitchen is the most popular place in our house.

- Note the use of the preposition **de** in Spanish superlatives, not **en,** which is often incorrectly used by English speakers.

Liliana es **la más alta de la** clase. ~~Liliana es **la más alta en la** clase.~~

To form the superlative of **bueno/a, malo/a,** we use the same irregular forms as in the comparative.

el/la/los/las + **mejor(es)/peor(es)** + (noun) + **de...**

Los mejores restaurantes **de** la ciudad están en el centro.
The best restaurants in the city are downtown.

NOTA DE LENGUA

The ending *–ísimo/a* is another way to express a superlative degree with adjectives and adverbs, and an emphatic alternative to **muy**.

Tienen una piscina **grandísima**, pero viven **lejísimo** del centro.

Courtesy of Kim Potowski

◀ Mendoza, Argentina. Según la tienda, ¿cuáles son los mejores productos de Argentina? ¿Puedes identificar tres?

[10.26] Tus preferencias.

Acabas de conocer a un estudiante que vendrá a tu universidad el próximo año.

Input **Paso 1.** Escucha las preguntas del estudiante y responde con tu opinión personal. Escribe oraciones completas.

1. ______________________________
2. ______________________________
3. ______________________________
4. ______________________________
5. ______________________________
6. ______________________________

10.26 Audio:

1. ¿Cuál es la clase más fácil?
2. ¿Cuál es la clase más difícil?
3. ¿Cuál es la clase más interesante?
4. ¿Cuál es la clase más aburrida?
5. ¿Quién es el mejor profesor/a?
6. ¿Cuál es la peor residencia?

Output **Paso 2.** En grupos, comparen sus respuestas, explicando sus razones. Deben ponerse de acuerdo (*agree*) en una o dos sugerencias del grupo para cada pregunta del estudiante.

Modelo: Estudiante A: **Para mí la clase más fácil es psicología 101.**
Estudiante B: **Sí, la clase de psicología es facilísima, pero la de biología es la más fácil en mi opinión.**

Output [10.27] Experiencias peculiares.

En parejas, entrevista a tu compañero/a sobre sus experiencias. Usa las preguntas del cuadro y añade dos más.

Estudiante A

1. ¿Cuál es la comida más exótica o extraña que has comido?
2. ¿Quién es la persona más interesante o extraordinaria que has conocido?
3. ¿Cuál es el lugar más bonito que has visto?
4. ______________________________
5. ______________________________

Estudiante B

1. ¿Cuál es el lugar más lejano o diferente donde has estado?
2. ¿Cuál es tu talento más especial u original?
3. ¿Cuál es el mejor regalo que has recibido?
4. ______________________________
5. ______________________________

Sugerencia: Pida a sus estudiantes que lean las preguntas que van a hacer y escriban las dos últimas antes de hablar con su compañero/a.

[10.28] ¿Cuál es el mejor?

Output **Paso 1.** Primero, escoge (*choose*) tres de las siguientes categorías. Luego, para cada categoría, usa superlativos para escribir tu opinión sobre tres aspectos.

Modelo: actor:
Para mí, Sean Penn es el mejor de todos.
Jack Black es el menos guapo de todos.
En mi opinión, Will Farrell es el más divertido.

1. película
2. actor y actriz
3. libro
4. cantante o grupo musical
5. canción o pieza musical
6. deporte
7. destino para las vacaciones
8. ciudad o lugar para vivir

Paso 2. En grupos, lean sus opiniones a sus compañeros y escuchen las de ellos. ¿Están de acuerdo? Justifiquen sus posiciones.

INVESTIG@ EN INTERNET

¿En qué país se ha registrado el terremoto (*earthquake*) de mayor magnitud?
¿Cuál es la ciudad más poblada del continente americano?
¿Cuál es la ciudad más austral (*southernmost*) del mundo?

Chile, 1960, con magnitud 9.5
la Ciudad de México
Ushuaia, Argentina

En mi experiencia

Beatrice, Charlotte, NC

"I was told I'd be living on the third floor of an apartment building in Montevideo, Uruguay. I figured I'd get used to the walk up pretty quickly. But it turns out that the ground floor doesn't count as the first floor; it's like a "floor zero." That means that the third floor is actually four flights up!"

Both Spain and Latin America use this system of numbering floors. Is there sensible logic behind that system and the one used in the U.S.?

DICHO Y HECHO

PARA LEER: Gaudí y Barcelona

ANTES DE LEER

¿Cuál es tu edificio u obra arquitectónica favorita? ¿Lo has visitado personalmente? Explica por qué te gusta.

Sugerencia: Active algunas de las estrategias de anticipación de contenido estudiadas en capítulos anteriores. Pida a sus estudiantes que observen el título de la lectura y las fotos, e imaginen qué son estos edificios, qué función tienen y los describan con sus palabras.

ESTRATEGIA DE LECTURA

Using a bilingual dictionary

When you encounter an unknown word that seems key to understanding the text, try first to guess its meaning based on context or association with related words you know (word families). If you still cannot make out what it means, a bilingual dictionary can be helpful. It is important, however, that you limit use of a dictionary and avoid looking up every word you might not know, since this habit often leads to missing the point of the text.

When you look up a word, you will need to search for its basic form: the infinitive of a verb, the singular form of a noun, etc. Once you find the correct entry, be sure to go over the different English equivalents or definitions given to determine which is the most logical in the context of what you're reading.

Look at these words from the article that follows and decide for each (1) what part of speech it is (verb, noun, etc.), and (2) what form of the word you would look for in a Spanish-English dictionary.

tirar verb, *tirar*
roto adjective, *roto*
nenúfares noun, *nenúfar*
destacan verb, *destacar*

As you read the article, circle these and other new words that seem key in understanding the general message and try some of the strategies you have practiced in earlier chapters to interpret their meanings (for example, cognates, context, or word families). Once you have exhausted other strategies, go ahead and look up any words you're still struggling with in a Spanish-English dictionary.

Opción: Puede repetir este ejercicio con otras palabras que los estudiantes no conozcan, pero es buena idea intentar guiarles primero con estrategias de identificar cognados, palabras relacionadas o adivinar a través del contexto. En este caso, por ejemplo, es probable que algunos estudiantes interpreten correctamente *tirar* (*toss/throw out, scrap, raze*), o *roto* (*broken, shattered*) dado el contexto y su relación con palabras conocidas. En cambio, raro será el estudiante que pueda determinar el significado de *nenúfar* (*water lily*) sin recurrir al diccionario.

A LEER

Barcelona, conocida familiarmente como "Barna", es una de las capitales mundiales de la arquitectura. Te proponemos disfrutar[1] de dos obras[2] creadas por Antoni Gaudí (Reus, 1852 – Barcelona, 1926) y declaradas Patrimonio de la Humanidad por la UNESCO.

Casa Batlló, "Una Sonrisa Arquitectónica"

La casa del nº 43 del Paseo de Gracia fue construida en 1875. En el año 1900, Gaudí fue contratado por su propietario, don José Batlló Casanovas, para tirar la casa y levantar una nueva, pero finalmente se decidió hacer una reforma. El resultado, finalizado en 1906, es una de las obras más poéticas e inspiradas del arquitecto. La fachada está revestida[3] de cerámica vidriada y fragmentos de cristales rotos de colores cuya colocación exacta[4] dirigió personalmente Gaudí desde la calle. Sus columnas tienen forma ósea[5] y presentan motivos vegetales. Esta espectacular fachada es comparada con la serie *Los nenúfares* de Claude Monet. El piso principal también fue reformado y decorado por Gaudí, que incluso diseñó sus muebles.

Christian Bertrand/Shutterstock

[1]enjoy, [2]works, [3]covered, [4]whose exact placement, [5]are shaped like bones

Casa Milá o "La pedrera"

stocker1970/Shutterstock

Este edificio fue un encargo[6] del matrimonio Pere Milá y Roser Segimon, y se levantó entre 1906 y 1910, en el nº 92 del Paseo de Gracia. Su fachada nos lleva a los paisajes[7] naturales visitados por Gaudí: la masa de piedra ondulante rematada[8] con azulejos[9] blancos en la parte superior, recuerda a una montaña nevada. También destacan los balcones de hierro en forma de plantas y la azotea[10], cuyas chimeneas semejan cabezas de guerreros. Solamente se puede visitar la azotea, el ático y la planta baja, que recrea el hogar de una familia burguesa barcelonesa de principios del siglo XX. El resto del edificio continúa habitado.

Como apunta Joan Bassegoda, experto en la obra de Gaudí: "Gaudí observó que muchas de las estructuras naturales están compuestas de materiales fibrosos como la madera[11], los huesos, los músculos o los tendones, [...] y las trasladó a la arquitectura [...]. Las Casas Batlló y Milá fueron el punto culminante de su arquitectura naturalista. La primera, revestida de pedazos de cristales de colores y rematada con formas orgánicas de cerámica vidriada, y la segunda, con su aspecto de acantilado[12], parecen símbolos del mar y de la tierra".

Texto: *De la revista Punto y coma (Habla con eñe)*

---

[6]commission, [7]landscapes, [8]topped, [9]tiles, [10]terrace roof, [11]wood, [12]cliff

DESPUÉS DE LEER

1. Responde a estas preguntas sobre el texto:
   - **a.** ¿Cuál de los edificios es obra completa de Gaudí? Casa Milá
   - **b.** ¿Qué características comparten (*share*) ambos edificios? Tienen símbolos del mar y de la tierra.
   - **c.** La casa Batlló es también conocida popularmente como Casa de los Bostezos (*yawns*) y Casa de los Huesos. ¿Puedes explicar por qué?
2. En la Casa Milá y otros edificios de Gaudí aún viven familias. ¿Te gustaría vivir en una de estas casas? ¿En cuál? ¿Por qué?

PARA CONVERSAR: Bienes raíces (*Real estate*)

Trabajen en grupos de tres personas. Uno/a de ustedes es agente de bienes raíces con propiedades en Latinoamérica. Dos de ustedes quieren comprar una propiedad en Costa Rica, Ecuador o Uruguay. Comparen las opciones que se presentan en la página siguiente.

- ubicación (*location*)
- precio
- tipo de vivienda
- ventajas (*advantages*) y desventajas de cada una
- su decisión

ASÍ SE HABLA

En su conversación, intenten usar algunas de estas frases comunes de **Paraguay** y **Uruguay:**

¡Ta! = [de "ya está"] *OK, finished, ready.*

purete = *cool, excellent*

ESTRATEGIA DE COMUNICACIÓN

Being prepared

While some conversations are entirely spontaneous, others like the one you will engage in here are more planned and predictable.

Home Buyers: Do your research before talking to the agent. Study the three brochures and, together, discuss and make a list of the pros and cons of each property.

Real Estate Agents: Your job is to sell the properties. Identify the strongest selling features of each property. Try to anticipate any reservations your prospective buyers might have about any of the properties and be prepared to emphasize the pros and dismiss the cons.

Sugerencia: En la clase anterior, asigne como tarea investigar en Internet acerca de las tres localidades en las que se ubican estos apartamentos, incluyendo transporte desde Estados Unidos, clima en diferentes épocas del año, etc.

Residencias Escazú

Lujo, calidad y un elegante ambiente

Residencias Escazú Viviendas familiares amplias, luminosas, de la más alta calidad en zona residencial de San José. Áreas comunales con piscina, club, parque infantil y guardias de seguridad. Casas de 230 mts^2, con 3 dormitorios, 3 baños, sala de estar y oficina. Cocina equipada, suelos de madera, ventanas dobles, aire acondicionado.
Espacios exteriores con zona ajardinada y patio; garaje para dos coches.
Espléndidas vistas a los cerros de Escazú.

$ 215,000

Una nueva forma de vivir...

Entrega inmediata

© Michael Hanson/Aurora Photos/age fotostock

En la más exclusiva ciudad vacacional de Latinoamérica, Punta del Este, Uruguay.

Condominios Vista Mar

Espectacular vista al mar, diseño moderno y múltiples servicios.

Inminente venta de condominios de nueva construcción, a 200 metros de la playa, con vistas directas al mar y próximos a restaurantes y tiendas.

- Unidades de 82 mts^2
- Dos dormitorios y baños en suite; cocina abierta a sala-comedor; amplia terraza.
- Materiales y terminaciones de calidad.
- Muebles incluidos, diseño moderno.
- Plaza de garaje opcional.
- Servicios: Piscina exterior e interior, gimnasio, guardería infantil, WIFI, etc.

$ 185,000

En la bella playa de Atacames, Ecuador.

Apartamentos Delfines

Diversión y descanso para toda la familia.

- Disponemos de cómodos apartamentos en primera línea de playa.
- Apartamento de 56 mts^2 amueblado. Capacidad para 4 personas: 1 dormitorio, salón con sofá-cama.
- Cocina equipada, baño con ducha, balcón con vista al mar.
- Ascensor, agua caliente, carpa y sillas en la playa.

TODO ESTO POR $ 95,000

PARA ESCRIBIR: Dos casas

En esta composición, vas a describir dos casas diferentes. Algunas opciones son:

- Tu casa y la casa de otra persona
- Las casas de dos personas diferentes
- Tu casa ahora y tu casa ideal
- ¿...?

ANTES DE ESCRIBIR

Elige las dos casas que vas a comparar y escribe cuáles son en el cuadro a continuación. Después, piensa en algunas características de cada una y escríbelas en el cuadro.

	Casa 1	Casa 2
Tamaño Lugar (*place/location*) Muebles ¿? ____________ ¿? ____________		

Para escribir mejor: Estas palabras te pueden ayudar a escribir tu composición.

pies cuadrados	*square feet*
sótano	*basement*
despensa	*pantry*
chimenea	*fireplace*
elevador/ ascensor	*elevator*
escalera de incendios	*fire escape*
camino de entrada	*driveway*

A ESCRIBIR

Escribe la primera versión de tu composición. Aquí hay un bosquejo (*outline*) que te puede ayudar.

Párrafo 1: "En esta composición, voy a describir dos casas (muy diferentes/muy parecidas, que son diferentes en algunos aspectos pero parecidas en otros aspectos). La primera es ____________ y la segunda es ____________".

Párrafo 2: Tres aspectos de la Casa 1. O un aspecto de las dos casas.

Párrafo 3: Tres aspectos de la Casa 2. U otro aspecto de las dos casas.

Párrafo 4: Otro aspecto de las dos casas.

Párrafo 5: Conclusión.

ESTRATEGIA DE REDACCIÓN

Organizing a comparison

There are many ways to organize a comparison. Here are two common organizational schemes.

Scheme 1: House by house
First, describe all the characteristics of one house, then describe all the characteristics of the other house, and finally, draw comparisons between the two.

Scheme 2: Characteristic by characteristic
Choose one characteristic (for example, size, location) and describe that characteristic of each house. Then, in a separate paragraph, choose another characteristic, and describe that characteristic of each house, and so on.

Can you think of another way to organize your comparison?

DESPUÉS DE ESCRIBIR

Revisar y editar: El contenido, la organización, la gramática y el vocabulario.

Después de escribir el primer borrador de tu composición, déjalo a un lado por un mínimo de un día sin leerlo. Cuando vuelvas a leerlo, corrige el contenido, la organización, la gramática y el vocabulario. Hazte estas preguntas:

- ☐ ¿Describí claramente tres características de cada casa?
- ☐ ¿Está clara la organización?
- ☐ ¿Es lógica la conclusión—si las casas son muy parecidas o diferentes?

Los comparativos. Subraya todos los usos comparativos que usaste, como **tan...como, tanto/a/os/as como, más...que, menos...que**. Revísalos bien para corregir posibles errores.

PARA VER Y ESCUCHAR: Los patios de Andalucía

WileyPLUS

ANTES DE VER EL VIDEO

Paso 1. Andalucía es una región al sur de España. En este video, vas a aprender sobre algunos de los usos y las características de los patios de esta región. Trabajando con un/a compañero/a, piensen en lo que han aprendido sobre los patios de las casas hispanas (Cultura, El patio de las casas hispanas: Un parque privado) y escriban tres o cuatro frases para describir sus características.

ESTRATEGIA DE COMPRENSIÓN

Predicting content

One way of enhancing comprehension is to make predictions about what you are about to hear. Look at the title of this segment, *Los patios de Andalucía*, and, thinking about what you read about patios in Cultura (El patio de las casas hispanas: Un parque privado), determine which of these words you think you're likely to hear in the video. Are there other words you're likely to hear?

☐ árabe	☐ aire	☐ cerámica
☐ luz	☐ fuentes	☐ plantas

A VER EL VIDEO

Ahora mira y escucha el video y contesta las preguntas a continuación. Puedes ver y escucharlo una segunda vez. .

Paso 1. Los cuatro elementos básicos de los patios son:

1. las columnas **2.** las fuentes **3.** la vegetación **4.** la luz

Paso 2. Elige qué frase del video va con qué oración. Nota que cada oración usa el presente perfecto.

b **1.** El patio ____ un lugar muy importante en las casas.	**a.** hemos vivido
a **2.** En esta casa ____ desde 1987.	**b.** ha sido
c **3.** La casa ____.	**c.** se ha reconstruido

DESPUÉS DE VER EL VIDEO

Ahora, diseña (*design*) un patio tradicional. Es decir, en una hoja de papel, dibuja un patio que te gustaría tener en tu casa. No olvides los cuatro elementos básicos de los patios que se mencionaron en el video. Después, comparte tu dibujo con otros estudiantes.

Repaso de vocabulario activo

Adverbio

peor *worse*

Sustantivos

En el baño ***In the bathroom***

la bañera *bathtub*
la ducha *shower*
el espejo *mirror*
el inodoro *toilet*
el lavabo *bathroom sink*

En la cocina ***In the kitchen***

la cafetera *coffee machine*
la estufa *stove*
el fregadero *kitchen sink*
el horno *oven*
el lavaplatos *dishwasher*
el microondas *microwave*
el refrigerador *refrigerator*
el tostador *toaster*

Las partes de la casa ***Parts of the house***

el balcón *balcony*
el baño *bathroom*
la chimenea *fireplace*
la cocina *kitchen*
el comedor *dining room*
el dormitorio/la habitación (principal) *(master) bedroom*
la escalera *stairs*
el garaje *garage*
el jardín *garden/backyard*
la pared *wall*
el patio *patio*
la piscina *pool*
la planta baja *ground floor*
el primer (segundo) piso *first (second) floor*
la sala/el cuarto de estar *living room/ family room*
el sótano *basement*
el suelo/el piso *floor*
el techo *roof/ceiling*

Las cosas en la casa/el apartamento *Things in the house/ apartment*

el aire acondicionado *air conditioning*
la alfombra *rug, carpet*
la cómoda *bureau, dresser*
las cortinas *curtains*
la calefacción *heating*
el bote de basura /reciclado *garbage/ recycling can*
el cuadro *painting*
el estante *shelf*
la lámpara *lamp*
la lavadora *washing machine*
la luz *light*
la mesita (de noche) *nightstand*
los muebles *furniture*
el póster *poster*
la secadora *clothes dryer*
el sillón *armchair*
el sofá *sofa*

Otras palabras útiles

el barrio *neighborhood*

el ruido *noise*

el vecino/la vecina *neighbor*

a la derecha/ izquierda (de) *to the right/ left (of)*

Verbos y expresiones verbales

alquilar *to rent*

apagar *to turn off*

ayudar *to help*

barrer *to sweep*

bajar *to go down*

cortar el césped *to mow the lawn*

compartir *to share*

guardar *to put away*

hacer la cama *to make the bed*

lavar/secar los platos *to wash/ dry dishes*

mover(se) (ue) *to move (oneself)*

mudarse *to move (from one residence to another)*

ordenar *to tidy up*

pasar la aspiradora *to vacuum*

poner/quitar la mesa *to set/ clear the table*

prender *to turn on*

recoger *to pick up*

resolver (ue) *to solve*

romper *to break*

sacar la basura *to take out the trash*

sacudir *to dust*

subir *to go up*

tirar *to toss, throw (away)*

Proyecto

Una guía universitaria

En este proyecto, van a crear una guía para los estudiantes de primer año (*freshmen*) en su universidad.

© Andersen Ross/Blend Images/Corbis

Paso 1. Van a trabajar en grupos. Cada grupo escoge (*select*) un aspecto del campus y/o las zonas cercanas, por ejemplo:

- **Las actividades de ocio:** opciones como cines, música, deportes, etc.; consejos útiles como descuentos para estudiantes, etc.
- **La comida:** cafeterías, restaurantes, cafés, etc.; dónde y qué comer en diferentes situaciones, etc.
- **La vivienda:** características de las residencias, consejos para vivir en ellas, opciones para vivir fuera del campus, etc.
- **Las tiendas:** para comprar material escolar, cosas para el cuarto/la casa, comida y otras necesidades, ropa, etc.
- **La salud:** Resumen de problemas de salud comunes y consejos para prevenirlos o tratarlos, información sobre adónde ir si se enferman o tienen un accidente.
- **Los servicios:** banco, correos, lavandería (*laundry*), peluquería (*hair salon*), etc.
- **Consejos generales:** Cómo llevar la rutina diaria para tener éxito en la universidad.

Paso 2. En su grupo, hagan una lluvia de ideas (*brainstorm*) para determinar qué información deben incluir en su guía. Después, cada miembro del grupo va a buscar y a escribir detalles sobre uno o más puntos específicos.

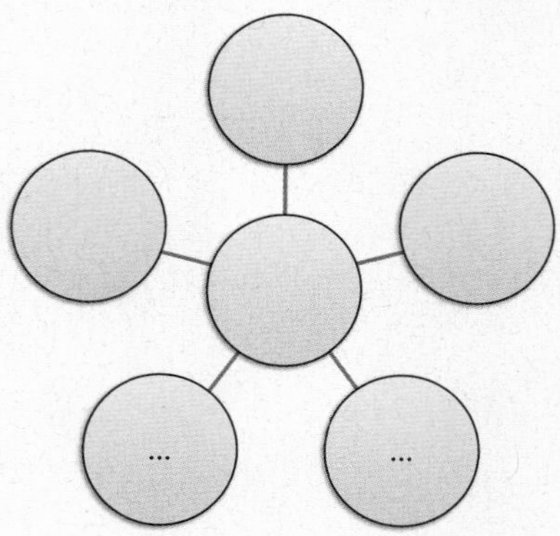

Paso 3. Los miembros del grupo van a unir (*join*) las partes escritas de cada miembro en un solo documento.

Paso 4. Cada grupo comparte su documento con los demás grupos. Piensen en la "guía general" que se forma con todos los documentos individuales: ¿Es una guía práctica y completa para los estudiantes de primer año? ¿Hay algún otro aspecto importante que se debe incluir?

Sugerencia: Considere la opción de crear una guía real, con fotografías, diseño apropiado (se pueden usar plantillas para la creación de folletos o cuadernillos informativos disponibles en algunos programas de software y en Internet). Si tienen acceso al uso de tecnología, se puede crear el documento final como una colaboración en línea.

CAPÍTULO 11

Amigos y algo más

Robert Johnson/OJO Images/Getty Images, Inc.

LEARNING OBJECTIVES

In this chapter, you will learn to:

- discover Panama.
- discover more about friendships in Latin America.
- talk about human relationships and the stages of life.
- express wishes and requests related to other people's actions.
- express emotional reactions and feelings about other people's actions.
- talk about what will and would happen.

Entrando al tema

1. En el amor (*love*), ¿esperas (*do you hope*) encontrar tu alma gemela (*soulmate*)? ¿Crees en el amor a primera vista (*at first sight*)?
2. ¿Conoces algo acerca del Canal de Panamá?

Así se dice

Amigos y algo más

Use ***PowerPoint Slides*** para presentar y practicar este vocabulario.

La amistad

Irene y Maribel **se llevan** muy **bien**, se divierten **juntas, comparten alegrías** y **problemas** y siempre se ayudan.

Hola, ¿qué tal?
¡Alex! ¡Cuánto tiempo!

Maribel y Alex son amigos, pero no se ven mucho. Hoy **se encuentran** caminando por la calle.

¡Por Maribel y su nuevo trabajo!
¡Felicitaciones!

Este grupo de amigos **se reúne** hoy para **celebrar** el nuevo trabajo de Maribel.

El amor

¿Adónde quieres ir, mi amor?

Ahora Maribel **sale con** Alex. **Se enamoraron** y esta noche tienen **una cita**[1] para una cena romántica.

Te amo, Maribel. ¿Quieres **casarte** conmigo?

Alex y Maribel **se han comprometido**. Ahora viven **juntos** y son muy **felices**.

¡Maribel y Alex **se casan**! Es **una boda** pequeña, pero muy elegante.
Mañana viajan al Caribe para su **luna de miel**.

Formar una familia

¿Quieres más, mi vida?

Esta es la joven familia de Alex y Maribel. Todavía **están enamorados** y están muy **contentos** con sus niñas.

¡Nunca dices **la verdad**!
¡Tú tampoco!

Alex está enojado. Su **matrimonio** con Marib
no va bien. **Se llevan mal** y **discuten** frecuentemente. Van **a separarse**.

Alex **rompió con** Maribel y **se divorciaron**. Alex aún **se pone** triste cuando **piensa en** e
Y Maribel a veces **llora** porque lo **extraña**.

¿Qué ves? Responde estas preguntas sobre la ilustración:

1. ¿Qué tipo de relación tienen Irene y Maribel? ¿Son parientes, amigas o pareja? ¿Cómo se llevan? ¿Qué comparten, su casa, sus notas de clase o sus problemas?
2. ¿Con quién se encuentra Maribel?

Puedes encontrar más preguntas de comprensión en *WileyPLUS* y en el *Book Companion Site* (BCS).

la alegría	*happiness, joy*
compartir	*to share*
contento/a	*happy, pleased*
crecer	*to grow*
discutir	*to argue*
encontrarse (ue) con	*to run into*
extrañar	*to miss*
feliz	*happy*
juntos/as	*together*
la luna de miel	*honeymoon*
llevarse bien/mal	*to get along/not get along*
ponerse (contento, triste)	*to get (happy, sad)*
reunirse (con)	*to get together (with)*
romper con	*to break up with*
salir (*irreg.*) (con)	*to go out (with)*
la verdad	*truth*

la infancia

nacer

la niñez

crecer

la adolescencia

el adolescente

la juventud

el joven

la madurez

el adulto

la vejez

el anciano

la muerte

WileyPLUS

Pronunciación: Practice pronunciation of the chapter vocabulary and particular sounds of Spanish in *WileyPLUS*.

NOTA DE LENGUA

Note the difference between:
ser feliz: to be happy, as a general, more permanent state.
estar feliz / contento/a: to feel happy, at a specific time or because of a particular event, **feliz** expressing a more intense feeling.

Soy feliz, tengo *una vida fantástica.* ***Estoy feliz:*** *¡Saqué una A en química!*

We do not use **contento/a** with **ser**, since this adjective always refers to a temporary state.

Sugerencia: Puede mencionar también el uso habitual de *triste* con *estar*, incluso en casos de tristeza duradera.

Sugerencia: Para iniciar el trabajo de comprensión y respuesta al nuevo vocabulario (actividades de *input*) refiérase a las preguntas de comprensión **¿Qué ves?** en *WileyPLUS* y en el *Book Companion Site* (BCS).

¿Y tú?

1. ¿Cuándo te reúnes con tus amigos? ¿Dónde van? ¿Qué hacen?
2. ¿Te has enamorado alguna vez? ¿Cómo te enamoraste? ¿Has roto con un/a novio/a alguna vez?

Listen to all the new vocabulary in the **Repaso de vocabulario activo** at the end of the chapter.

[1]Note that *una cita* could refer to a date, as in the example, but also to an appointment or a quote. The context will help you determine the right meaning.
Esta noche tengo una cita con mi novio.
Mañana tengo una cita para el dentista.
Busquen citas famosas sobre el amor.

Nota: Las respuestas de las actividades de esta página pueden variar para cada estudiante. Anímeles a justificar sus respuestas.

[11.1] El ciclo de la vida.

Input **Paso 1.** Aunque la vida de cada persona es única, ¿cuál te parece el orden cronológico más común o frecuente para los siguientes sucesos? Escríbelos en un orden lógico en tu cuaderno.

criar (*raise*) a los hijos	irse de luna de miel	nacer
estar embarazada	morir	salir con un chico/chica
enamorarse	comprometerse	dar a luz
casarse	divertirse con amigos	crecer

Paso 2. En grupos pequeños, comparen lo que escribieron en el Paso 1. ¿Qué diferencias encuentran? ¿Qué otras posibilidades hay?

11.2 Sugerencia: Para reciclar vocabulario de otros capítulos y activar la imaginación, haga un modelo con la clase creando asociaciones originales, ej. **la niñez: la escuela, jugar, la pelota...**

11.2 Extensión: Piense en tres o cuatro palabras aprendidas a lo largo del curso. Anótelas en la pizarra y dé a sus estudiantes dos minutos para crear asociaciones con palabras del vocabulario de esta sección. Después compartan sus asociaciones en grupos o con la clase, explicando la relación.

[11.2] Asociaciones.

Output En parejas, escriban en un papel listas de palabras que asocian a los siguientes conceptos. Tienen cinco minutos y no pueden repetir palabras. Compartan sus listas con la clase. ¿Quién tiene más palabras?

la amistad	el amor	el matrimonio	la ruptura (*break up*)

[11.3] Las etapas de la vida.

Output **Paso 1.** Escoge tres etapas de la vida y escribe una breve descripción de cada una sin mencionar la etapa explícitamente.

Modelo: **En esta etapa, la gente no trabaja; van a pasear, ven la televisión o hacen viajes. Pero a veces están enfermos y pasan mucho tiempo en casa.**

Paso 2. Lee una de tus descripciones a tu compañero/a, que va a intentar identificarla. Túrnense hasta leer todas las descripciones.

NOTA CULTURAL

La cohabitación

Although marriages are fairly universal in the majority of Spanish-speaking countries, unmarried couples that live together are common and widely accepted in many countries.

Spain was the first Spanish-speaking country (and the first European nation) to allow homosexual couples to marry legally and adopt children. Spain and some Latin American nations, including Mexico (Mexico City), Argentina, and Uruguay legally permit same-sex marriages. Colombia and Ecuador have laws allowing same-sex civil unions, and Peru was considering similar legislation in 2014.

[11.4] Una invitación a una boda hispana.

Input

Trabaja con un/a compañero/a. Examinen la siguiente invitación a una boda en América Latina e indiquen los siguientes datos:

> Luis Felipe Cabezas Burgos
> María Teresa Hernández de Cabezas
>
> Víctor José Luna Castillo
> Gabriela Consuelo Valladares de Luna
>
> *Los invitan a presenciar el próximo enlace de sus hijos*
>
> **Mónica y Eduardo**
>
> *y tienen el gusto de invitarlo(s) a la ceremonia religiosa*
> *que se celebrará el viernes 27 de agosto, a las 7 de la tarde,*
> *en la Iglesia del Carmen, Avda. España con Avda. Federico Boyd,*
> *y a la cena que se servirá a continuación*
> *en el Salón Las Tinajas,*
> *Hotel Paitilla, Avenida Balboa, Ciudad de Panamá*
>
> **Se ruega confirmación**
> **sábado 27 de agosto de 2016**
>
> C/13 Condado del Rey, 2824
> Apartado Postal: 87-3547
> Tel. (507) 239-7100
>
> C/50 Torrijos Carter
> Apartado Postal: 87-1751
> Tel. (507) 269-0205

los nombres de los novios: Mónica y Eduardo

los nombres de los padres de los novios: Luis Felipe y María Teresa

Victor José y Gabriela Consuelo

la fecha y hora de la boda: 27 de agosto a las 7 p. m.

¿Cuáles son los dos eventos que incluye esta boda? Una ceremonia religiosa y una cena.

¿quiénes hacen la invitación? los padres de los novios

¿Qué es similar entre esta boda y las de Estados Unidos? ¿Qué es diferente? ______________________

En mi experiencia

Raj, Norfolk, WV

© DaydreamsGirl/iStockphoto

"I was invited to a wedding in Mexico along with my host family. My host mother and father were proud to be 'padrinos' (godparents) of the wedding—they and other 'padrinos' were asked to provide different items. There are **padrinos de anillos** (rings), **padrinos de pastel** (wedding cake), and **padrinos de velación**, a stable couple who is supposed to be a good example for the newlyweds and who pay for the religious ceremony. They said that this custom helps with the wedding costs, but that what's even more important is that it strengthens bonds between people."

Have you ever heard of a similar custom in weddings that take place in the U.S.? What appears to be valued by cultures that practice the "padrino" system?

Buscando amor

© annedde/iStockphoto

Liliana M. Divorciada, 50 años, **sincera, cariñosa;** con mucha personalidad e independencia. Soy arquitecta, me encanta leer y viajar. Mi media naranja[1] puede ser **soltero** o **divorciado**, pero debe **comunicarse** bien. Busco un compañero. ¡No me quiero casar! **¿Está listo** para una relación así? ¡Escríbame!

1. *my soulmate, other half;*

© Johnny Greig/iStockphoto

Irma T. Soltera, 28 años, abogada. Busco caballero[2] de buen carácter, divertido y **comprensivo**. Soy optimista y **romántica** de pies a cabeza. **Creo** en el amor a primera vista[3]; pero no en **el divorcio.** Busco un amor para toda la vida.

2. *gentleman;*
3. *love at first sight;*

© tunart/iStockphoto

Genoveva V. Viuda, 35 años, maestra, dos hijos. Mi signo es Sagitario, soy amistosa, expresiva, atractiva e inteligente. Busco a un hombre generoso y **fiel**, con sentido del humor, para compartir las cosas sencillas de la vida y, quizás[4], formar parte de mi familia.

4. *maybe;*

© mattjeacock/iStockphoto

Roberto R. Soltero, 27 años, artista comercial. Apasionado, sincero y romántico. Busco la compañera de mi vida. Soy fiel, pero no me gustan las personas celosas. **Los celos**, en mi experiencia, **matan** el amor.

© ShutterWorx/iStockphoto

Gregorio J. Soltero, 32 años, profesor universitario. Soy responsable, simpático y detallista: siempre **recuerdo** los cumpleaños. No **me quejo de** casi nada y solamente **me enojo** cuando alguien **miente.** Busco a alguien optimista, que pueda **reírse de** los problemas. No soy **celoso**, pero busco una personal fiel.

© LiuSol/iStockphoto

Arturo F. Divorciado, 45 años, serio, pero comprensivo, católico. Soy gerente y, en mi tiempo libre, fotógrafo. Aunque soy romántico, **olvidé** cómo es estar enamorado. Me gustan la naturaleza y el deporte. No bebo ni fumo. Busco amistades.

cariñoso/a	*affectionate*	**matar**	*to kill*
los celos	*jealousy*	**mentir**[1] **(ie, i)**	*to lie*
celoso/a	*jealous*	**olvidar**	*to forget*
creer (irreg.)	*to believe*	**quejarse de...**	*to complain about . . .*
enojarse	*to get/ become angry*	**recordar (ue)**	*to remember*
		reírse[2] **(de...) (irreg.)**	*to laugh (at . . .)*
estar listo/a	*to be ready*	**soltero/a**	*single*
fiel	*faithful*	**viudo/a**	*widower/widow*

[1]The present tense of **mentir** is: **miento, mientes, miente, mentimos, mentís, mienten.**
[2]The present tense of **reírse** is: **me río, te ríes, se ríe, nos reímos, os reís, se ríen.**

Input

[11.5] ¿Quién lo dijo?

Empareja cada declaración con la persona del texto en *Buscando amor* (en la página anterior) que lo dijo.

¿Qué dijeron?	**¿Quién lo dijo y por qué?**
1. "Siempre estaré a tu lado (*by your side*)".	6 **a.** ***Liliana***, porque es muy cariñosa.
2. "Entiendo cómo te sientes".	4 **b.** Gregorio, él no es celoso.
3. "Nunca he estado casada".	7 **c.** Genoveva, ella es viuda.
4. "Mi novia a veces baila con otros hombres, pero confío en ella (*I trust her*)".	8 **d.** Gregorio, porque nunca olvida los cumpleaños.
5. "No lo amaba y rompí con él".	1 **e.** Roberto, él dice que es fiel.
6. "Me gustan los abrazos".	3 **f.** Irma, porque es soltera.
7. "Nunca lo olvidaré. Fue mi gran amor".	2 **i.** Arturo, porque es comprensivo.
8. "Claro que recuerdo la fecha. ¡Felicidades!"	5 **h.** Liliana, ella está divorciada.

Output

[11.6] Anuncios personales.

En grupos, contesten las siguientes preguntas.

1. ¿Qué anuncio de la sección *Buscando amor* (en la página anterior) es el más interesante? ¿Por qué?
2. Según los anuncios, ¿quién va a tener la menor dificultad en encontrar pareja? ¿Por qué? ¿Quién va a tener la mayor dificultad para encontrar pareja? ¿Por qué?
3. ¿Qué parejas te parecen compatibles en estos anuncios? ¿Por qué?

11.6 Sugerencia: Pida a los estudiantes que escriban la respuesta de una persona interesada en uno de los anuncios personales, indicando su interés por él/ella, describiéndose a sí mismo/a y explicando lo que buscan en una relación. Puede hacerse en clase o ser asignado como tarea. Después, pida a algún voluntario que lea su respuesta.

Output **[11.7] Preguntas personales.**

Paso 1. En parejas, entrevista a tu compañero/a y anota sus respuestas. Si alguna pregunta de tu compañero/a te parece indiscreta, puedes decir: "Prefiero no contestar".

Estudiante A

Vas a entrevistar a tu compañero/a sobre la amistad.

1. ¿Te reúnes siempre con los mismos (*the same*) amigos en tu tiempo libre? ¿Prefieres tener un grupo de amigos pequeño que ves frecuentemente o muchos amigos diferentes?
2. ¿Tienes muchos amigos fuera de la ciudad? ¿Los extrañas? ¿Cómo te mantienes en contacto con ellos?
3. ¿Quién es tu mejor amigo/a? ¿Por qué piensas en esta persona como tu mejor amigo/a? ¿Discutes con este amigo/esta amiga a veces?
4. En tu opinión, ¿qué características debe tener un/a amigo/a?

Estudiante B

Vas a entrevistar a tu compañero/a sobre las relaciones amorosas.

1. ¿Has tenido o tienes una relación romántica seria? (Si responde **no:** ¿Has estado enamorado/a?) ¿Qué características son importantes en tu pareja?
2. Respecto al matrimonio, ¿quieres casarte, o estás casado/a? (Si responde **sí:** ¿Qué tipo de boda quieres?, o ¿Cómo fue tu boda? Si responde **no:** ¿Por qué no quieres casarte?)
3. ¿Crees que es mejor vivir juntos antes de casarse? ¿Por qué?
4. ¿Piensas que el amor debe ser para toda la vida? ¿En qué casos debe divorciarse un matrimonio? ¿Qué factores deben considerar?

Paso 2. Formen grupos con personas que entrevistaron sobre el mismo tema y compartan las respuestas que obtuvieron. Basándose en sus conclusiones, escriban un breve párrafo titulado "La amistad y los jóvenes" o "El amor y los jóvenes".

Output **[11.8] Citas sobre amistad y amor.** En grupos de tres, lean las siguientes citas e indiquen la idea central de cada uno. ¿Están de acuerdo? ¿Cuáles son sus favoritos?

1. "Una amistad verdadera es parentesco (*family relationship*) sin sangre". (Calderón de la Barca, escritor español, 1600–1681)
2. "Cada uno (*Each one*) muestra lo que es en los amigos que tiene". (Baltasar Gracián, jesuita y escritor español, 1601–1658)
3. "Ama como puedas, ama a quien puedas, ama todo lo que puedas, pero ama siempre". (Amado Nervo, escritor mexicano, 1870–1919)
4. "El amor es el único tesoro (*treasure*) que se multiplica al dividirlo". (Anónimo)

PALABRAS ÚTILES

¿Qué piensas de...? *What do you think about...? (opinion)*
Pienso/Creo que... *I think/believe that...*
Me parece que... *It seems to me that...*

11.8 Extensión: Para concluir la actividad, pida a los estudiantes que escriban su propio pensamiento sobre la amistad.

Cultura

Panamá

Use ***PowerPoint Slides*** para presentar esta sección de cultura.

IT Stock/SUPERSTOCK

ANTES DE LEER

1. ¿Qué océanos se conectan por el Canal de Panamá?
2. ¿Qué sabes del famoso Canal de Panamá? ¿Por qué es importante?

Después de la llegada de Cristóbal Colón en 1502 a lo que es hoy Panamá, llegaron otros españoles para explorar sus tierras y establecer rutas comerciales. Como el istmo de Panamá es el terreno más estrecho (*narrow*) entre el Atlántico y el Pacífico, ha atraído a grupos de diferentes partes del mundo.

Hoy en día, el 65% de los panameños son mestizos, el 18% son de descendencia africana, un 10% pertenece a grupos indígenas, como los kuna de las islas de San Blas, y el 7% son blancos. Aunque también hay un grupo de descendencia china (unas 200 mil personas) descendientes de los trabajadores que construyeron el ferrocarril (*railroad*).

© Hemis/Alamy

▲ El Casco antiguo

Por su clima tropical, es posible practicar deportes acuáticos todo el año. Panamá también tiene algunas de las selvas tropicales más espectaculares del mundo. La capital del país, la Ciudad de Panamá, tiene una zona colonial, el "Casco antiguo", que contrasta con los rascacielos de la zona moderna.

El Canal de Panamá

La zona moderna ▼

Gonzalo Azumendi/Age Fotostock America, Inc.

En 1881, Panamá todavía era parte de Colombia cuando los franceses intentaron construir el canal. Trabajaron durante 13 años, pero no lo lograron (*achieve*). Las serpientes venenosas (*poisonous*), los cocodrilos, los jaguares y las enfermedades transmitidas por los mosquitos acabaron con la vida de más de 6,000 trabajadores. En 1903, Theodore Roosevelt ayudó a Panamá a declarar su independencia de Colombia, y cuatro días después, Estados Unidos empezó a construir el canal. Cambiaron el plan de los franceses: en vez de (*instead of*) excavar hasta el nivel de mar, decidieron usar un sistema de esclusas (*locks*) que funcionan como ascensores (*elevators*) para los barcos. El canal abrió oficialmente el 15 de agosto de 1914, y pasó de Estados Unidos a manos de los panameños en el año 2000. Mide 50 millas y genera unos 2 mil millones de dólares por año para el país. Actualmente se está trabajando en un programa de expansión para dejar pasar a barcos más grandes.

Danny Lehman/© Corbis

▲ Una niña kuna

Dixon Hamby/Alamy

▲ La pollera es el vestido tradicional de las mujeres panameñas. Se teje con hilo fino en colores fuertes y puede tardar hasta un año en hacerse.

INVESTIG@ EN INTERNET

Investiga sobre alguno de los grupos indígenas de Panamá y después comparte la información con tus compañeros de clase. Busca información sobre dónde viven, cómo es su cultura, qué lengua hablan, etc. Si encuentras fotografías, imprímelas y tráelas a clase.

DESPUÉS DE LEER

1. Panamá tiene una población étnicamente muy variada. ¿Cuáles dos proyectos de construcción llevaron a Panamá personas de muchas partes del mundo?
2. Busca un video en Internet que muestre el funcionamiento de las esclusas del Canal de Panamá. Después busca dónde hay esclusas en Estados Unidos. Compáralas.

Así se forma

1. Introduction to the subjunctive mood: Expressions of will, influence, desire, and request

¡Quiero que te cases conmigo!

WileyPLUS
Go to *WileyPLUS* to review this grammar point with the help of the **Animated Grammar Tutorial** and **Verb Conjugator**.

Use ***PowerPoint Slides*** para completar esta actividad.

Puede pedir a sus estudiantes que observen en el diálogo introductorio las estructuras en negrita, y describan las dos estructuras presentes (verbo + que + verbo conjugado; verbo + infinitivo). Enfoque su atención a las formas del subjuntivo, y pregunte a qué otra forma que conocen se parecen (formas de mandato de usted).

Sugerencia: Puede ofrecer algunos ejemplos más del subjuntivo en inglés:

If I ***were*** you, I'd study more.
If only that ***were*** true!
The judge required that the witness ***be*** there in the morning.
The doctor recommended that he ***remain*** in the hospital another day.
It is essential that Mrs. Roberts ***contribute*** to our cause.

En estos ejemplos se puede ver que no se trata de formas del indicativo (por ejemplo, si ***were*** fuera una forma del pasado indicativo, sería incorrecto usarla con *I*, *it* o *that* como sujetos).

Alex: Maribel, **quiero decirte** algo. Y **quiero que sepas** esto: eres muy importante para mí.

Maribel: Oh, Alex, ¿quieres romper conmigo? Lo sabía... ¡Adiós! **Espero que seas** muy feliz.

(Maribel empieza a llorar).

Alex: Por favor, te **pido que** me **escuches**...

Maribel: Prefiero que me **dejes** sola, por favor.

Alex: No **quiero dejarte** sola, **¡quiero que te cases** conmigo!

Introduction

Most verb tenses that you have studied (present, preterit, etc.) are part of the indicative mood, which we use to ask questions, state facts, and communicate specific knowledge about events or facts considered to be true, part of reality.

Vamos a visitar a Jaime.	*We are going to visit Jaime.*
Hoy **está** en casa.	*He is at home today.*

The subjunctive mood is another set of verb tenses. It often expresses events or ideas that are subjective or not part of reality at the time. It conveys a speaker's wishes, attitudes, hopes, fears, doubts, uncertainties, and other personal reactions to events and to the actions of others.[1] Compare the following example with the ones above.

Quiero que **visitemos** a Jaime.	*I want us to visit Jaime.*
Espero que **esté** en casa.	*I hope that he is at home.*

You have already used forms of the subjunctive in **usted/ustedes** and **tú** commands. In this and subsequent chapters, you will be introduced to some tenses and uses of the subjunctive.

Present subjunctive forms

To form the present subjunctive of regular verbs, delete the final **–o** from the **yo** form of the present indicative and add the endings indicated below.

	bailar → bail~~o~~	**comer** → com~~o~~	**vivir** → viv~~o~~
(yo)	bail**e**	com**a**	viv**a**
(tú)	bail**es**	com**as**	viv**as**
(usted, él, ella)	bail**e**	com**a**	viv**a**
(nosotros/as)	bail**emos**	com**amos**	viv**amos**
(vosotros/as)	bail**éis**	com**áis**	viv**áis**
(ustedes, ellos, ellas)	bail**en**	com**an**	viv**an**

HINT
To form the present subjunctive, always think "opposite endings": **–ar** verbs have endings with **–e; –er** and **–ir** verbs have endings with **–a.**

[1] English has a subjunctive mood too, although it is not used as frequently as in Spanish. Note that the subjunctive forms are often mistaken for other forms of the indicative. Here are some examples:
It is imperative that Mr. Brown *appear* before the judge.
If I *were* you...
The director insists that the report *be* sent through express mail.

- Stem-changing verbs follow the pattern of the present indicative, but note that stem-changing **–ir** verbs have <u>an additional stem change</u> in the **nosotros** and **vosotros** forms (**e** → **i** and **o** → **u**).

Sugerencia: Enfatice las diferencias en los cambios que tienen lugar en los verbos con cambios vocálicos de las conjugaciones ***–ar*** y ***–er*** y los de ***–ir***. Practiquen otros verbos no incluidos en estas listas, incluyendo reflexivos como ***acostarse, divertirse, vestirse,*** etc.

pensar (e → ie)	**volver (o → ue)**	**preferir (e → ie, i)**	**pedir (e → i, i)**	**dormir (o → ue, u)**
p**ie**nse	vu**el**va	pref**ie**ra	p**i**da	d**ue**rma
p**ie**nses	vu**el**vas	pref**ie**ras	p**i**das	d**ue**rmas
p**ie**nse	vu**el**va	pref**ie**ra	p**i**da	d**ue**rma
pensemos	volvamos	pref**i**ramos	p**i**damos	d**u**rmamos
penséis	volváis	pref**i**ráis	p**i**dáis	d**u**rmáis
p**ie**nsen	vu**el**van	pref**ie**ran	p**i**dan	d**ue**rman

- Verbs ending in **-gar**, **-car**, and **-zar** have spelling changes in all persons in the present subjunctive. They are the same spelling changes that occur in the **yo** form of the preterit.

–gar (g → gu)	lle**gar**	→	lle**gue**, lle**gues**, ...
–car (c → qu)	to**car**	→	to**que**, to**ques**, ...
–zar (z → c)	almor**zar**	→	almuer**ce**, almuer**ces**, ...

- Verbs with irregular **yo** forms in the present indicative follow the same pattern in the present subjunctive, but show the irregularity in all the persons, not only the **yo** form.

conocer	(conozc~~o~~)	**conozca, conozcas, ...**	salir	(salg~~o~~)	**salga, salgas, ...**
decir	(dig~~o~~)	**diga, digas, ...**	tener	(teng~~o~~)	**tenga, tengas, ...**
hacer	(hag~~o~~)	**haga, hagas, ...**	traer	(traig~~o~~)	**traiga, traigas, ...**
poner	(pong~~o~~)	**ponga, pongas, ...**	venir	(veng~~o~~)	**venga, vengas, ...**

- The following verbs are the only others with irregular forms in the present subjunctive.

Sugerencia: Usando una oración como ***La profesora quiere que*** (***yo, Marta, nosotros...***), haga que los estudiantes practiquen la conjugación de verbos regulares e irregulares, como **estudiar, aprender, salir, volver, divertirse, dormir, ir**, etc. En la próxima sección de ***Así se forma*** se practica el uso del subjuntivo; en esta sección se practican sobre todo las formas.

dar	**dé, des, dé, demos, deis, den**
estar	**esté, estés, esté, estemos, estéis, estén**
ir	**vaya, vayas, vaya, vayamos, vayáis, vayan**
haber	**haya, hayas, haya, hayamos, hayáis, hayan**
saber	**sepa, sepas, sepa, sepamos, sepáis, sepan**
ser	**sea, seas, sea, seamos, seáis, sean**

- **Haya** is the subjunctive form of **hay** (*there is, there are*).

Espero que **haya** otras soluciones. *I hope that there are other solutions.*

Sugerencia: En este momento conviene concentrar la atención en las formas del subjuntivo, no en la estructura que lo requiere. Si sus estudiantes preguntan por qué se usa el subjuntivo aquí, puede señalar que las expresiones ***Es importante/ bueno que*** lo requieren, pero enfatice que esto lo van a estudiar más adelante.

[11.9] Recomendaciones románticas.

Tu amigo quiere mejorar su relación con su novia.

Input **Paso 1.** Subraya (*underline*) la opción más apropiada en tu opinión.

1. Espera que/ Prefiere que/ No quiere que la llames varias veces todos los días.
2. Espera que/ Prefiere que/ No quiere que siempre pagues en las citas.
3. Espera que/ Prefiere que/ No quiere que la lleves a ver películas de acción.
4. Espera que/ Prefiere que/ No quiere que la invites cuando sales con tus amigos.
5. Espera que/ Prefiere que/ No quiere que le hagas muchos regalos.
6. Espera que/ Prefiere que/ No quiere que siempre abras la puerta y la dejes (*let her*) pasar primero.

11.9 Paso 2. Extensión: Pida a sus estudiantes que, en grupos, comparen sus respuestas y expliquen sus opiniones. ¿Tienen las chicas y los chicos perspectivas diferentes?

Output **Paso 2.** Ahora, forma oraciones subrayando la opción apropiada, en tu opinión, y usando formas del subjuntivo.

Modelo: Espera que/ Prefiere que/ No quiere que le **cuentes** (contar) todos tus secretos.

1. Espera que/ Prefiere que/ No quiere que llegues (llegar) siempre a tiempo a las citas.
2. Espera que/ Prefiere que/ No quiere que le hables (hablar) de tus ex-novias.
3. Espera que/ Prefiere que/ No quiere que vayas (ir) con ella de compras.
4. Espera que/ Prefiere que/ No quiere que le digas (decir) "te quiero" todos los días.
5. Espera que/ Prefiere que/ No quiere que le des (dar) siempre prioridad respecto a otros amigos.
6. Espera que/ Prefiere que/ No quiere que siempre sepas (saber) lo que ella quiere.
7. Espera que/ Prefiere que/ No quiere que siempre estés (estar) limpio y afeitado.
8. Espera que/ Prefiere que/ No quiere que hagas (hacer) cenas románticas para ella.
9. Espera que/ Prefiere que/ No quiere que siempre pongas (poner) atención a lo que dice.

En mi experiencia

Tamika, Atlanta, GA

Aleksandar Mijatovic/ Shutterstock

"In Spain, I would see tons of PDA (public displays of affection): couples in their late teens or 20s in parks and plazas making out for long periods of time. I wasn't used to this, and frankly, it made me uncomfortable. I asked a local friend and she said it was very common, maybe because young people often live at home until they get married; it's too expensive to live on their own. I also noticed that male strangers make flirtatious remarks to women more commonly than back home. They're called *piropos*. They were usually respectful, like, 'You're very beautiful,' but some of my friends were bothered by the attention."

How are "PDAs" and *piropos* from strangers viewed in your community? If either of them make you uncomfortable, why?

ASÍ SE FORMA

The subjunctive with expressions of will, influence, desire and request

Complex sentences express more than one idea, and therefore have more than one clause (each of which has its own verb). When a clause is dependent on another to have any meaning, it is a *subordinate clause.*

Main clause	**Subordinate clause**
Mi novia prefiere	[que la llame todos los días.]
My girlfriend prefers	[*that I call her every day.*]
Espero	[que te diviertas en tu cita.]
I hope	[*that you have fun on your date.*]

You have learned how to express what someone wants or prefers to do by using verbs such as **querer/preferir/desear** + infinitive.

Quiero decir la verdad. — *I want to say (that you tell) the truth.*

Luis desea tener novia. — *Luis wants to have (that I have) a girlfriend.*

Note that in the sentences above, there is only one subject. However, to express someone's wish, desire, preference, recommendation, request, or suggestion that *someone else do something* or that *something happens*, we use a structure you are now familiar with:

> expression of wish/request (*indicative*) + que + action desired/requested (*subjunctive*)

Quiero que **digas** la verdad. — *I want you to say (that you tell) the truth.*

Luis desea que yo **tenga** novia. — *Luis wants me to have (that I have) a girlfriend.*

Here are some verbs that express wishes, suggestions, and requests. They require use of the subjunctive in the subordinate clause when the subjects of the main and subordinate clauses are different:

aconsejar	*to advise*	**preferir (ie, i)**	*to prefer*
desear	*to wish*	**querer (ie)**	*to want*
insistir (en)	*to insist (on)*	**recomendar (ie)**	*to recommend*
pedir (i, i)	*to request*	**sugerir (ie, i)**	*to suggest*

Insisten en que **lleguemos** a tiempo. — *They insist that we arrive on time.*

Te **sugiero** que lo **invites** a la fiesta. — *I suggest that you invite him to the party.*

Impersonal generalizations with **es** + *adjective* also trigger the use of the subjunctive when they express a wish, recommendation or request.

> Es + (*bueno/mejor/necesario/importante/urgente…*) + que + *subjuntivo*

Es importante que **escuches** a tus amigos. — *It´s important that you listen to your friends.*

Es bueno que **usemos** Internet para conectar con los amigos, pero **es mejor** que **pasemos** tiempo con ellos. — *It´s good that we use Internet to connect with friends, but it is better that we spend time with them.*

Sugerencia: Puede observar de nuevo el diálogo introductorio de **Así se forma 1**, con la clase. En esta ocasión, pida que observen los dos tipos de estructuras en negrita y hagan hipótesis sobre la diferencia determinante entre unas y otras.

NOTA DE LENGUA

The verbs **recomendar, sugerir,** and **pedir** are often used with indirect object pronouns (**me, te, le, nos, os, les**), as one recommends, suggests, etc. something to someone else.

Te sugiero que vayas.
I suggest that you go.

Input/Output [11.10] La agencia *E-Namórate*.

Paso 1. En este momento, no tienes novio/a y quieres probar (*try*) un servicio de Internet para encontrar a la persona de tus sueños. Completa el cuestionario.

e-Namórate

4 de agosto

Salir

Portada | Mi perfil | Novedades | Mi cuenta

Datos básicos

Nombre: ______________________ Ciudad de residencia: ______________________

Edad: ______________________ Ocupación: ______________________

¿Tienes hijos? (Número que vive contigo) __________ ¿Quieres hijos? __________

Perfil personal

Describe brevemente tu personalidad: ______________________

Indica tus intereses y pasatiempos: ______________________

¿Qué buscas en una pareja?

Lee las siguientes afirmaciones y escribe en los espacios números del 1 al 12 para clasificarlas en orden de importancia.

Quiero que…

_____ sea fiel
_____ haga ejercicio
_____ sea comprensivo/a
_____ sea sincero/a
_____ sea generoso
_____ no mienta nunca
_____ sea responsable
_____ tenga integridad
_____ tenga sentido del humor
_____ vaya a la iglesia regularmente
_____ sepa expresar sus sentimientos
_____ gane bastante dinero

¿Qué otros hábitos o características buscas? Puedes escribir varias cualidades en cada espacio.

Es indispensable que... ______________________

Es importante que... ______________________

No es importante que... ______________________

Es necesario que no... ______________________

Paso 2. En grupos pequeños, compartan y comparen sus preferencias sobre las cualidades que buscan en una pareja. ¿Qué es importante para todos? ¿Qué hábitos o características no quieren?

[11.11] Las mamás y los niños.

Input **Paso 1.** ¿Quién pide estas cosas: Juanito a su mamá o la mamá a Juanito?

	Juanito a la mamá	La mamá a Juanito
1. No es bueno que veas tanta televisión.	☐	☑
2. Te recomiendo que hagas la cama inmediatamente.	☐	☑
3. Es mejor que hagas la tarea ahora.	☐	☑
4. Prefiero que me des chocolate.	☑	☐
5. No quiero que me pongas el abrigo.	☑	☐
6. Es importante que me compres ese videojuego.	☑	☐
7. Te aconsejo que no seas desobediente.	☐	☑

11.11 Extensión: Pida a los estudiantes que, en grupos pequeños, hablen sobre las cosas que sus padres quieren que ellos hagan cuando están en la casa familiar. Puede dar un ejemplo personal: **Mi madre siempre me pide que saque la basura.**

Output **Paso 2.** ¿Qué otras cosas quiere la madre que hagan Juanito y el perro? En algunos casos hay más de una respuesta posible.

Modelo: Quiere que Juanito se quite el pijama/se vista/se ponga calcetines y zapatos.

Use ***PowerPoint Slides*** para el *Paso 2* de la actividad 11.11.

1. Quiere que...

2. La madre insiste en que...

3. Le dice al perro que...

4. Le pide que...

5. Desea que...

Output **[11.12] ¿Qué te piden a ti?** Aunque ya no eres niño, tus padres y otras personas te piden que hagas o no hagas ciertas cosas.

Paso 1. Indica los deseos, las recomendaciones y las sugerencias que las siguientes personas tienen para ti. Completa cada oración con varias actividades.

1. Mi mamá me pide que...
2. Mis amigos me dicen que...
3. Mi compañero/a de cuarto insiste en que yo...
4. Mis hermanos quieren que...

Paso 2. Comparen sus oraciones en grupos. ¿Reciben todos ustedes las mismas recomendaciones? ¿Qué indican estas recomendaciones sobre los hábitos o la personalidad de ustedes?

Modelo: Estudiante A: **Mi mamá me pide que la llame todos los días porque se preocupa cuando un día no la llamo.**

Estudiante B: **Mi mamá no, pero quiere que le mande al menos (*at least*) un mensaje de texto. Ella me pide que no gaste mucho dinero...**

11.13 Extensión: Puede ampliar la actividad pidiendo que un/a secretario/a de cada grupo lea sus deseos o los anote en una tabla. Después, entre todos, pueden organizar las listas en orden de importancia.

Output **[11.13] ¿Qué prefieres en un/a compañero/a de apartamento?**

Paso 1. Quieres encontrar a una persona para compartir tu apartamento. Escribe qué quieres (o no quieres) de un/a compañero/a de apartamento.

Modelo: hacer la cama todos los días
Quiero/Es importante/No es necesario que haga la cama todos los días.

1. fumar
2. hablar por teléfono celular día y noche
3. llevarnos muy bien
4. tener intereses similares a los míos
5. beber mucha cerveza
6. prender la tele a las dos de la mañana
7. pagar las cuentas a tiempo
8. comerse toda la comida que yo compro
9. ayudarme a limpiar el apartamento
10. ¿? ______________________________

Paso 2. Ahora compartan sus preferencias en grupos pequeños, ¿quiénes de ustedes serían (*would be*) buenos compañeros de apartamento? ¿Por qué?

[11.14] Consejos para todos. Ustedes colaboran en una organización estudiantil que ofrece apoyo (*support*) a otros estudiantes en línea (*online*). En parejas, respondan a estos estudiantes, por escrito, con sus consejos y recomendaciones.

Output **Modelo:** "Mi novio ha roto conmigo y lo extraño mucho. Estoy deprimida y no puedo concentrarme en los estudios".
Recomendamos que salgas con tus amigos y también sugerimos que conozcas a otras personas. Además (*besides*), es importante que...

1. Estoy muy estresado y no duermo bien. Después, por el día, me duermo en mi clase de filosofía. ¡Ayúdenme, por favor!".
2. Mi compañera de cuarto es muy desordenada y nuestro cuarto es un desastre. Además toma prestadas mis cosas sin pedir permiso y me despierta cuando llega (¡muy tarde!) por la noche. ¿Qué puedo hacer?
3. Como casi todos los estudiantes, tengo poco dinero. ¿Tienen algunas ideas sobre cómo puedo vivir bien y divertirme sin gastar mucho?

11.14 Sugerencia: Esta actividad da a los estudiantes la oportunidad de ser creativos. Dependiendo del tiempo disponible, puede asignar un problema a cada grupo. Después, un/a representante de cada grupo comparte con la clase los consejos que ofrecieron y la clase puede añadir otros.

NOTA CULTURAL

"Panama" hats and *molas*

"Panama" hats are actually made in Ecuador, but became known as "the Panama" when workers on the Panama Canal used them as protection against the sun. They are woven by hand with straw made from palm leaves. Coarser hats may take a few hours and cost around $20, while finer hats may take up to five months and cost several hundred dollars. True examples of Panamanian craftsmanship are the *molas* made by the Kuna Indians, which have their origin in body-painting rituals. They use a reverse appliqué technique: Two to seven layers of different-colored cotton cloth are sewn together, and the design is formed by cutting away parts of each layer to reveal the color underneath.

Do you know of a cotton cloth-based handicraft made in the U.S.?

Así se dice

Para estar en contacto: Las llamadas telefónicas

Martina: Vamos a llamar a Carlos. ¿Tienes el número de teléfono de su casa?, ¿y la **tarjeta telefónica?** La necesitas porque es una **llamada de larga distancia.**

Adriana: Sí, busqué el número en la **guía telefónica** del hotel. El **código de área** de la ciudad de Colón es 4, y su número es 308235. Si no está, **deja un mensaje** en **el contestador automático.**

Martina: La línea está ocupada, voy a intentarlo otra vez. Sí, vamos a ver si contesta...

Carlos, padre: ¿Aló?

Martina: Hola, ¿se puede poner Carlos?

Carlos, padre: Al habla.

Martina: Pero... Oh, usted debe ser el padre de mi amigo, tienen el mismo nombre, ¿verdad? ¿Está él?

Carlos, padre: Creo que sí, **¿de parte de quién?**

Martina: Martina.

Carlos, padre: Muy bien, un momento. (...) Pues Carlos **no está en este momento**. ¿Quiere **dejar un mensaje?**

Martina: Sí, **¿le puede decir que he llamado?** No tengo **celular**, pero me puede llamar al Hotel Roma.

Carlos, padre: Muy bien, Martina. Adiós.

Martina: Gracias, buenos días.

dejar (un mensaje)	*to leave (a message)*	**ocupado/a**	*busy*
largo/a	*long*	**la tarjeta**	*card*

Sugerencia: Señale que estas expresiones varían de un país a otro. Por ejemplo, ***Hola*** se usa en Argentina, ***Dígame*** en España, ***Bueno*** en México, etc. Señale también que a veces se cambia la acentuación al usar estas expresiones para contestar el teléfono: ***Holá, Buenó***.

NOTA DE LENGUA

Here are some common expressions to use on the phone:

Greetings:
¡Aló! ¡Hola! (Argentina) ¡Bueno! (Mexico) ¡Sí!/¡Diga!/¡Dígame! (Spain)

To ask for someone:
¿Está Carlos? ¿Se puede poner Carlos? ¿(Podría hablar) con Carlos, por favor?

How to respond:
Él habla. Sí, soy yo. Un momento, ¿de parte de quién?
Ahora no se puede poner/no está disponible.

Leaving a message:
¿Puedo dejarle un mensaje, por favor? ¿Le puede decir que ha llamado/que llamó (Martina)?

[11.15] Las llamadas telefónicas.

Input

Escucha las siguientes descripciones e identifica el término al que se refieren.

1. e   4. f
2. b   5. a
3. d   6. c

a. el código de área
b. el contestador automático
c. el mensaje
d. el teléfono celular
e. la tarjeta
f. la guía telefónica

[11.16] Llamadas telefónicas.

Input

Escucha las siguientes expresiones y selecciona una forma apropiada de continuar la conversación. En algunos casos hay varias opciones.

1. b
2. c, d, e
3. f
4. a
5. d
6. c, d, e

a. Soy su amiga Rosa.
b. Hola, ¿se puede poner Hugo?
c. Al habla.
d. Sí, claro. ¿De parte de quién?
e. Sí, soy yo.
f. Ah, bueno. ¿Le puede decir que ha llamado Rosana?

[11.17] Hábitos telefónicos.

Input/ Output

Primero, contesta las siguientes preguntas en la columna *Yo*. Después, en parejas, háganse las preguntas y completen la columna *Mi compañero/a* con la información obtenida. ¿Tienen hábitos parecidos o diferentes?

	Yo	Mi compañero/a
1. ¿A quién llamas con mucha frecuencia?		
2. ¿Quién te llama mucho?		
3. ¿Haces muchas llamadas de larga distancia? ¿A quién?		
4. ¿Te comunicas con tus amigos más por teléfono, mensajes de texto o algo diferente? ¿Y con tus padres?		
5. ¿Tienes un teléfono en casa o usas solamente un teléfono celular?		
6. ¿Qué aspectos negativos tienen los teléfonos celulares?		

[11.18] Una llamada.

Output

En parejas, sentados dándose la espalda (*back to back*), completen la conversación telefónica como indican sus instrucciones.

Estudiante A

Llamas a casa de tu amigo Martín, quieres invitarlo a una fiesta en tu casa esta noche. No tiene tu dirección (Avenida Ricardo Arias, 38) ni número de teléfono (507 215-9078) y quieres dárselo ahora.

Estudiante B

Tu compañero de cuarto, Martín, no está en casa. Atiende la llamada de teléfono y toma un mensaje si es necesario.

11.15 Audio:

1. Si quieres llamar desde un teléfono público sin dinero, puedes usarla.
2. A veces recibes una llamada importante cuando no estás en casa; por eso tienes esta máquina.
3. Con esto puedes recibir llamadas y llamar en cualquier lugar.
4. Este libro tiene todos los números de teléfono de la ciudad.
5. Para llamar a una región o ciudad específica tienes que marcar este número.
6. Lo dejas en el contestador de tu amigo cuando tienes noticias importantes para él pero no responde al teléfono.

11.16 Audio:

1. ¿Aló?
2. ¿Está Carlos, por favor?
3. Ahora no puede ponerse.
4. Un momento, ¿de parte de quién?
5. ¿Puedo dejarle un mensaje?
6. Por favor, ¿podría hablar con Mariano?

Extensión: Como práctica extra, puede dar otras situaciones a sus estudiantes, escribiendo instrucciones para cada uno en un papelito. Incluya situaciones que requieran niveles de formalidad diferentes y les hagan dar y tomar mensajes por escrito.

Cultura

Amistades aquí y allá

ANTES DE LEER

1. Normalmente, ¿te ves con tus amigos en la casa de alguien o salen a algún lugar público?
2. Cuando sales a tomar algo (*have something to drink*) con un grupo de amigos, ¿cómo pagan la cuenta (*bill*) al final?

Hacer amigos es crucial para todos. Los métodos para lograrlo pueden ser múltiples: desde entablar (*start up*) una conversación en la universidad o en el trabajo, conocer gente en fiestas o discotecas, o incluso sin salir de casa gracias a Internet.

Sea como sea que conozcamos por primera vez a los amigos, puede ser de gran ayuda para los estadounidenses que visitan un país hispano entender algunas diferencias en cómo se llevan las amistades. Una característica general que marca muchas relaciones en el mundo hispano es la tendencia hacia lo comunal en vez de hacia lo individual, que se puede manifestar de diferentes maneras. Por ejemplo, al salir en grupo a tomar algo, es común que una sola persona pague para todos; la idea es que, tarde o temprano, cada individuo contribuirá de manera igual al grupo. Esto puede chocar un poco a los estadounidenses que acostumbran a calcular y contribuir la cantidad exacta de cada consumición. De hecho, en Argentina muchos lugares ni siquiera sirven cervezas para el consumo individual, sino solo por litro con vasos para cada persona. Si sales con amigos hispanos, recuerda que es importante mirar a los ojos a las personas con quienes brindas (*toast*).

También es muy común salir en grupos bastante más numerosos de los que se ven en Estados Unidos. ¡Ir al cine en compañía de 10 personas no es nada extraño! Sin duda esta tendencia está relacionada con la de encontrarse con los amigos en lugares públicos en vez de en casas particulares (sin embargo, no queda excluida la posibilidad de que un amigo o un vecino llegue a tu casa, incluso (*even*) sin aviso (*warning*)).

Otra expresión de este valor se encuentra en el tiempo que se dedica a saludar a los amigos. Aún si tienes mucha prisa (*you are in a rush*), si ves a un amigo en la calle lo más común es detenerte para hablarle, aunque sea un minuto. Se considera más importante fomentar la colectividad de la amistad que tú como individuo llegar a tiempo a tu cita. La colectividad también se expresa en el ámbito escolar, donde los amigos se ayudan con tareas y hasta en los exámenes, prácticas que muchos estadounidenses considerarían casos de 'copiar' de manera tramposa (*cheating*).

A veces llamamos "amigo" en Estados Unidos a alguien que es más bien un "conocido" (*acquaintance*), pero en los países hispanos un amigo de verdad es alguien de gran confianza con quien se procura mantener una estrecha relación durante toda la vida.

DESPUÉS DE LEER

1. ¿Haces algunas de las prácticas descritas en la lectura con tus amigos? Si no, ¿hay alguna que te parece interesante?
2. ¿Alguna vez has hecho un amigo por Internet? Busca por Internet "amistades en Latinoamérica" o "en España". ¿Qué sitios encuentras?

VideoEscenas

WileyPLUS

¿Con quién estabas hablando?

© John Wiley & Sons, Inc.

▲ Cristina se enoja con su marido, Enrique.

ANTES DE VER EL VIDEO

1. ¿Por qué razones discuten (*argue*) frecuentemente las parejas?

2. ¿Te consideras (*Do you consider yourself*) una persona celosa?

Sugerencia: Si hace esta actividad en clase, puede pedir que completen esta sección en parejas.

A VER EL VIDEO

Paso 1. Mira el video e indica si estas afirmaciones son **ciertas** o **falsas**. Si son falsas, corrígelas.

	Cierto	Falso	
1. Enrique tiene una cita con otra mujer.	☐	☑	Enrique está hablando con su madre sobre la fiesta de Cristina.
2. Cristina le pide a Enrique que explique la situación.	☑	☐	
3. Cristina ha pedido el divorcio.	☐	☑	Cristina va a pedir el divorcio.
4. La madre de Enrique está en la fiesta de cumpleaños de Cristina.	☐	☑	La madre de Enrique va a ir a la fiesta más tarde.

Paso 2. Lee las siguientes preguntas. Si sabes algunas respuestas (*answers*), puedes escribirlas ahora. Después mira el video otra vez para comprobar (*check*) y completar tus respuestas.

1. ¿Por qué cree Cristina que Enrique tiene una amante (*lover*)?
Porque Enrique está hablando por teléfono con una mujer y le dice que está deseando verla.

2. ¿Qué le pide Enrique a Cristina? ¿Cómo responde ella?
Enrique pide a Cristina que lo escuche. Ella le hace preguntas pero no le deja contestar.

3. ¿Qué le sugiere Cristina a Enrique? Le sugiere que busque un buen abogado.

4. ¿Con quién hablaba Enrique por teléfono? ¿Qué le dijo esa persona?
Hablaba con su madre. Ella llamó para decir que iba a llegar tarde a la fiesta.

DESPUÉS DE VER EL VIDEO

¿Te molesta que tu novio/a tenga amigos cercanos del sexo opuesto? ¿Te molestaría (*would it bother you*) que hablen mucho por teléfono o que vayan solos al cine o a un restaurante?

Así se forma

2. The subjunctive with expressions of emotion

WileyPLUS

Go to *WileyPLUS* to review this grammar point with the help of the **Animated Grammar Tutorial.**

¡Es ridículo que te quejes!

Alex: Maribel, **me molesta** mucho **que** me **critiques siempre**.

Maribel: ¿Ah, sí? Pues a mí **me sorprende que** tú **digas** eso. Para ti, todo lo que hago está mal también. La verdad, **es increíble que estemos** juntos todavía.

Alex: **Siento admitir**lo, pero tienes razón en eso...

Sugerencia: Puede pedir a sus estudiantes que observen en el diálogo introductorio las estructuras en negrita, y observen las semejanzas entre las estructuras en negrita de este texto y las del texto en la primera sección gramatical del capítulo (verbo + que + verbo conjugado; verbo + infinitivo). Pueden después pensar en qué tipo de significado(s) expresan los verbos/adjetivos de la cláusula principal.

Use *PowerPoint Slides* para presentar y practicar esta gramática.

Earlier you learned that, in complex sentences, when the main clause expresses a request, desire, or suggestion for someone else to do something, the subordinate verb is in subjunctive. Similarly, when the main clause expresses emotional reactions and feelings (joy, hope, sorrow, anger, etc.) about the actions or condition of someone or something subject, the subordinate verb is also in subjunctive.

expression of emotion (*indicative*)	+ que +	action/condition of another person/thing (*subjunctive*)
Me alegro de	que	mi amigo me **visite.**

Me sorprende que Laura no **esté** aquí. — *I am surprised that Laura is not here.*
Es increíble que **llegue** ya mañana. — *It´s incredible that he is arriving tomorrow.*

Here are some verbs and expressions of emotion that require use of the subjunctive in the subordinate clause when the subject is different:

alegrarse (de)	*to be glad (about)*	**temer**	*to fear, be afraid*
esperar	*to hope, expect*	**¡Ojalá que[1]...!**	*I hope, wish*
sentir (ie, i)	*to be sorry, regret*		

Me alegro de que **estén comprometidos**. — *I am glad that they are engaged.*
¡Ojalá que me **inviten** a la boda! — *I hope that they invite me to the wedding.*

Gustar, encantar and similar verbs can also be used to express emotional reactions and preferences. Here are a few more:

fascinar	*to be fascinating, fascinate*	**sorprender**	*to be surprising, surprise*
molestar	*to be annoying, bother*		

[1]This expression comes from Arabic and it means literally "God willing." In modern Spanish, it is synonymous with "I hope." It is always followed by a verb in the subjunctive.

Me gusta que Celia **vaya** a la boda pero **me molesta** que siempre **llegue** tarde. — *I like that Celia is going to the wedding, but it bothers me that she is always late.*

As before, if there is no change of subject in the subordinate clause, the infinitive is used, not **que** + *subjunctive*.

Espero poder ir a la boda. — *I hope I can go to the wedding.*

Espero que ellos **puedan** ir a la reunión. — *I hope they can go to the meeting.*

There are also some impersonal expressions of emotion.

Es + (*fantástico/terrible/increíble…*) + **que** + subjuntivo

es una lástima	*it´s a shame*	**es ridículo**	*it´s ridiculous*
es extraño	*it´s strange*	**es horrible**	*it´s horrible*
es fantástico	*it´s wonderful*	**no es justo**	*it´s not fair*

Es una lástima que no **puedas** venir. — *It´s a shame that you cannot come.*

NOTA DE LENGUA

The structure **¡Qué + noun/adjective!** can be used to express a variety of emotional reactions.

¡Qué (mala) suerte! ¡Qué desastre! ¡Qué triste! ¡Qué divertido!

Sometimes, these structures take a subordinate clause with the verb in subjunctive:

¡Qué suerte que **tengas** tantos amigos! — *You are lucky to have so many friends!*

¡Qué triste que se **divorcien** sus padres! — *It's so sad that his parents are divorcing!*

Sugerencia: Puede enseñar otras expresiones para reaccionar, incluyendo algunas de su variedad regional y otras variedades, por ejemplo: *¡Caramba!, ¡Por supuesto!, ¡Genial!, ¡Qué buena/mala onda! (Mex.), ¡Qué chévere! (Venez.)*

[11.18] ¿Es lógico?

Escucha lo que dice Natalia y decide si es lógico o no. Si no es lógico, corrígelo.

Input/Output

	Lógico	Ilógico		Lógico	Ilógico
1.	☑	☐	**5.**	☐	☑
2.	☐	☑	**6.**	☐	☑
3.	☑	☐	**7.**	☑	☐
4.	☐	☑	**8.**	☐	☑

11.18 Audio:

1. Es fantástico que Manuel y Linda se casen.
2. Siento que mi hermano tenga un buen trabajo.
3. ¡Ojalá que mi compañera de cuarto no haga mucho ruido!
4. Espero que mi cita vaya mal.
5. Temo que el examen de mañana sea fácil.
6. Me molesta que mis amigos sean tan generosos.
7. Me alegra tener vacaciones este verano.
8. ¡Qué suerte que tu novio y tú se lleven mal!

Sugerencia: En este ejercicio de comprensión se pide a los estudiantes que reescriban las afirmaciones ilógicas de forma que sean lógicas. Permita que escuchen cada afirmación al menos dos veces.

Output **[11.19] Reacciones y emociones.** Describe las reacciones o emociones de las personas según las situaciones.

Modelo: Juanito, Elena y el perro **temen que llueva toda la tarde.**

1. Juanito, Elena y el perro se alegran de que...

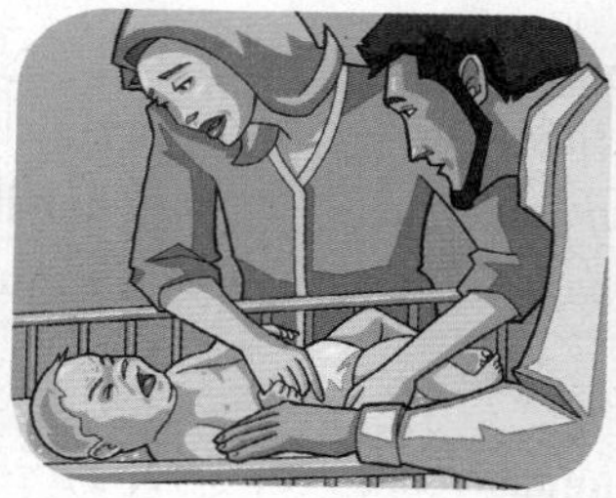

2. Isabel y su marido temen que...

3. Esteban se alegra de que...

4. Linda y Manuel esperan que...

5. Elena siente que Natalia...

6. Camila espera que su ex-novio..., pero teme que...

Output **[11.20] Tu vida social.** Continúa cada oración usando las frases entre paréntesis para expresar tus sentimientos (*feelings*) respecto a cada situación. Presta atención a si hay un cambio de sujeto o no.

Modelo: Jaime no estudió mucho. (pasar el examen)
Espero que pase el examen.
No estudié mucho. (pasar el examen)
Espero pasar el examen.

1. Mi amiga Sonia se queja de que no tiene novio. (no encontrar a alguien especial)
2. Bea y su compañera de cuarto siempre discuten (*argue*). (llevarse mal)
3. No me acordé del cumpleaños de Marta. (no enojarse conmigo)
4. Marta no se enojó porque olvidé su cumpleaños. (tener una amiga tan comprensiva)
5. Pedro rompió con su novia y no sale de casa. (estar muy deprimido)
6. El próximo mes me gradúo. (empezar una nueva etapa de la vida)

[11.21] Reacciones.

Output **Paso 1.** En parejas, uno de ustedes hace una declaración. El/La otro/a responde, expresando sus sentimientos o deseos. Túrnense.

Modelo:

Estudiante A lee:	Mi abuelo está en el hospital.
Estudiante B ve:	estar enfermo, salir pronto
Estudiante B dice:	**¡Qué triste! Es una lástima que esté enfermo. ¡Ojalá que salga pronto!**

Estudiante A

Situaciones

El mes pasado me comprometí.
Mi sobrinito nació hoy.
Mi mejor amigo/a tiene novio/a y ya no nos vemos nunca.

Reacciones

decir la verdad, pedirte perdón (*apologize*)
estar perdido, encontrar pronto
(inventa una reacción y un deseo)

Estudiante B

Reacciones

estar enamorado/a, ser muy feliz
tener un sobrinito, todo ir bien
(inventa una reacción y un deseo)

Situaciones

¡Mi amigo me miente!
¡No encuentro mi celular!
Estoy enfermo/a y no puedo salir esta noche.

Paso 2. Ahora, escribe en tu cuaderno dos situaciones más, reales o imaginarias, de tu vida. Después, compártelas con tu compañero/a, quien va a ofrecer su reacción y deseos.

11.21 Extensión: Pida a los estudiantes que pidan tres deseos para su familia, sus amigos o el mundo, usando ***Ojalá que...*** También puede hacer este ejercicio otro día para reciclar el uso del subjuntivo con expresiones de emoción.

Situaciones

Los dos están pasando por unos días difíciles. Hablen por teléfono para contarse sus problemas. Expliquen cómo se sienten, qué quieren o esperan. Escuchen también la situación de su amigo/a. Reaccionen con empatía, ofrezcan sugerencias y expresen sus deseos para él/ella.

Estudiante A: Estás deprimido/a porque tu pareja rompió contigo.

Estudiante B: Estás enojado/a por algo que hizo tu amigo/a.

Sugerencia: Para simular una conversación telefónica de forma realista, pida a los estudiantes que se sienten de espaldas, de manera que tengan que comunicarse sin poder verse. Deben imaginar que tienen un teléfono en la mano o fingir que hablan por sus celulares.

Dé unos minutos a los estudiantes para que cada uno piense en sus motivos para estar deprimido/a o enojado/a.

Puede poner una transparencia con algunas expresiones de deseo y emoción para que los estudiantes puedan consultarla mientras conversan.

Sugerencia: Puede asignar el **Paso 1** como tarea para la casa y hacer el **Paso 2** en la siguiente clase.

Output **[11.22] La vida en la universidad.**

Paso 1. Escribe sobre tu experiencia en la universidad, describiendo qué es interesante, qué te gusta, sorprende, molesta, etc. de la vida aquí. Puedes mencionar aspectos académicos, de la vida social, etc.

Paso 2. En grupos pequeños, compartan y comenten sus ideas. ¿Tienen experiencias e impresiones similares?

En mi experiencia

Lupe, San Antonio, TX

© davidf/iStockphoto

"In Argentina, I noticed that good friends and family members have more physical contact than in the U.S. For example, while walking down the street, one man might rest his hand on the shoulder of another, or two women will have their arms interlocked. My friends who studied abroad in Spain and Italy said it's common there, too. I was also surprised by how closely people stand to each other in casual conversation. I had to get used to having people so close in my face when chatting. And where I'm from, the average volume of speaking is considerably lower, and people don't interrupt each other. For them, though, it's not 'interrupting,' but having a normal conversation."

How much physical proximity are you accustomed to when speaking to people you know? Where you're from, do people tend to interrupt or "overlap" when speaking? What values might such cultures be expressing in such physical and verbal behaviors?

NOTA CULTURAL

Rubén Blades

Juan Barreto/AFP/Getty Images

Rubén Blades is a singer and songwriter from Panama City. His Cuban mother and Colombian father were both musicians. He is famous for salsa music with socially conscious lyrics that address urban problems and seek unification among all Latin Americans. Having earned a law degree from Harvard University, he ran for the presidency of Panama in 1994 as the head of a movement with a platform of social equity between cultural and social groups across all economic classes. In September 2004, he was appointed minister of tourism for a five-year term.

One of his most famous songs is *Pedro Navaja* (1978), a narrative about a mugging with a surprise ending. It topped all records for salsa songs, selling more than a million copies and earning gold and platinum records in Spanish-speaking countries as well as in the United States. Go online to listen to the song and locate the lyrics.

Así se forma

3. Talking about what will and would happen: The future and the conditional

Use *PowerPoint Slides* para presentar esta gramática.

The future

"Prometo que te **amaré** siempre, **estaré** a tu lado cada día, y cada día te **respetaré**, te **admiraré**, te **consolaré**, te **cuidaré** y **haré** todo lo posible para que seas feliz. **Tendrás** en mí un compañero fiel y constante. Un día la muerte **separará** nuestros cuerpos, pero mi amor por ti nunca **morirá**".

WileyPLUS
Go to *WileyPLUS* to review this grammar point with the help of the **Animated Grammar Tutorial** and **Verb Conjugator**.

Extensión: Pida a sus estudiantes que observen las formas del futuro, en negrita, en el texto y hagan hipótesis sobre la formación del futuro. Podrán mencionar, por ejemplo, que las formas regulares añaden las terminaciones a la forma de infinitivo, que al menos algunos verbos con cambios vocálicos en el presente tienen formas regulares (morir), y observarán algunos verbos irregulares frecuentes (hacer, tener).

The future tense of almost all -**ar**, -**er**, or -**ir** verbs is formed by adding the same set of endings to the infinitive.

	llamar	volver	ir
(yo)	llamar**é**	volver**é**	ir**é**
(tú)	llamar**ás**	volver**ás**	ir**ás**
(usted, él, ella)	llamar**á**	volver**á**	ir**á**
(nosotros/as)	llamar**emos**	volver**emos**	ir**emos**
(vosotros/as)	llamar**éis**	volver**éis**	ir**éis**
(ustedes, ellos, ellas)	llamar**án**	volver**án**	ir**án**

—¿**Irás** a la fiesta con Jorge? *Will you go to the party with George?*
—**Iré** si me invita. *I'll go if he invites me.*

HINT
Remember: Add the future endings to the entire infinitive, not the stem.

The following verbs add regular future endings to the irregular stems shown (not to the infinitive).

Infinitivo	Raíz	Formas del futuro
haber	hab-	**habr**á
hacer	har-	**har**é, **har**ás, **har**á, **har**emos, **har**éis, **har**án
decir	dir-	**dir**é, **dir**ás, ...
poder	podr-	**podr**é, **podr**ás, ...
querer	querr-	**querr**é, **querr**ás, ...
saber	sabr-	**sabr**é, **sabr**ás, ...
poner	pondr-	**pondr**é, **pondr**ás, ...
salir	saldr-	**saldr**é, **saldr**ás, ...
tener	tendr-	**tendr**é, **tendr**ás, ...
venir	vendr-	**vendr**é, **vendr**ás, ...

Habrá muchos invitados en la boda. *There will be many guests at the wedding.*

Los novios **harán** un viaje a Antigua. *The bride and groom will take a trip to Antigua.*

Sugerencia: Llame la atención al hecho de que las acciones futuras pueden expresarse en español de tres maneras distintas. 1. Uso del tiempo presente. Por ejemplo: ***Ella llega esta noche.*** 2. Uso de ***ir*** + ***a*** + infinitivo. Por ejemplo: ***Ella va a llegar esta noche.*** 3. Uso del tiempo futuro que estudian en esta sección. Por ejemplo: ***Ella llegará esta noche.***

Señale también que el presente progresivo no se usa para expresar una acción futura en español.

Input **[11.23] En el año 2050.**

Paso 1. Indica si estás de acuerdo o no con las siguientes predicciones sobre el futuro de las relaciones personales. Escribe una predicción más al final.

1. Los amigos pasarán mucho más tiempo juntos. Cierto Falso
2. El uso de la tecnología cambiará las relaciones entre amigos y parejas. Cierto Falso
3. Casi todos conoceremos a nuestras parejas por Internet. Cierto Falso
4. Las "citas rápidas" (*speed dating*) se harán con hologramas. Cierto Falso
5. Más parejas vivirán juntas sin casarse. Cierto Falso
6. Se harán bodas "virtuales". Cierto Falso
7. Nacerán muchos menos niños. Cierto Falso
8. También, dentro de cincuenta años ______________________________

Paso 2. En grupos, comparen sus respuestas y predicciones, explicando sus razones.

Paso 3. En sus grupos, escojan uno de los siguientes temas (u otro diferente) y escriban 5 predicciones para 2050.

La medicina   La educación   La tecnología

Modelo: **Encontraremos curas para muchos tipos de cáncer.**

Sugerencia: Pida a sus estudiantes que compartan sus respuestas con la clase y pregunte a los estudiantes mencionados si consideran acertadas las predicciones de sus compañeros.

Output **[11.24] Nuestro futuro.**

Paso 1. Ahora que conoces bien a tus compañeros de clase, completa las siguientes predicciones indicando el/la compañero/a o compañeros para quienes (*for whom*) posiblemente será verdad.

Modelo: (escribir un libro) **Sarah escribirá un libro.**

1. viajar por todo el mundo
2. hacerse muy rico/a
3. ser un/a artista famoso/a
4. querer estar en casa con sus hijos
5. hacer descubrimientos científicos importantes
6. ganar unas elecciones políticas
7. ir a vivir en una granja
8. trabajar ayudando a otros

Paso 2. Comparen sus respuestas en grupos, justificando sus predicciones.

Output **[11.25] Quiromancia (*Palmistry*).** La quiromancia es el arte de pronosticar el futuro leyendo las líneas de la palma de la mano.

Paso 1. Observa la ilustración en la siguiente página mientras examinas la palma de la mano de tu compañero/a y dile cómo será su futuro. Usa tu imaginación para interpretar las líneas de su mano. Túrnense.

graduarte en...	ser... (profesión)	vivir en...	hacer un viaje a...
casarte con...	tener... (hijos/nietos)	ganar la lotería...	

Modelo: **Esta línea de tu mano me dice que... tendrás cinco hijas.**

Paso 2. ¿Qué te parecen las predicciones de tu compañero/a? Escribe 4 o 5 oraciones describiendo algunas de sus predicciones y explica si estás de acuerdo o no.

Modelo: **Andrew dice que tendré muchos hijos y creo que tiene razón: ¡tendré muchos hijos porque me encantan los niños!**

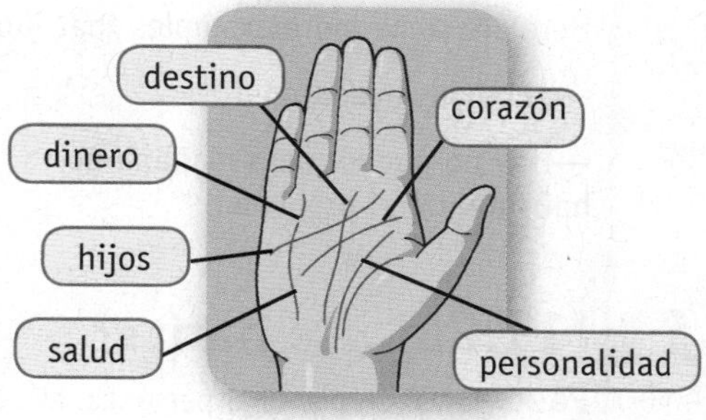

SÍ SE FORMA

The conditional

Esther: Imagina que te ofrecen un empleo perfecto en otro continente, ¿qué **harías**?, ¿lo **aceptarías**?

Laura: No, nunca **dejaría** a mi familia y amigos por un trabajo. Bueno, supongo que **consideraría** un puesto temporal en un lugar muy interesante. ¿Por qué lo preguntas?

Esther: **¿Irías** conmigo a Panamá para ser maestra de inglés por un año? Di que sí: es temporal, en un lugar interesante y no **tendríamos** que separarnos de todos nuestros amigos porque **¡estaríamos** juntas!

In *Capítulo 4,* you learned a form of the conditional (**me gustaría**) to make a polite request. A more frequent meaning of the conditional, as in English, is to express what *would* potentially happen in certain circumstances. Note below that the conditional endings are identical to the imperfect tense endings of **-er** and **-ir** verbs, but the conditional is formed by adding those endings to the *entire infinitive*.

	llamar	volver	ir
(yo)	llamar**ía**	volver**ía**	ir**ía**
(tú)	llamar**ías**	volver**ías**	ir**ías**
(usted, él, ella)	llamar**ía**	volver**ía**	ir**ía**
(nosotros/as)	llamar**íamos**	volver**íamos**	ir**íamos**
(vosotros/as)	llamar**íais**	volver**íais**	ir**íais**
(ustedes, ellos, ellas)	llamar**ían**	volver**ían**	ir**ían**

Verbs that have an irregular stem in the future tense also form the conditional with that same irregular stem and regular conditional endings.

Infinitivo	Futuro	Formas del condicional
haber (**hay**)	habrá	**habr**ía
hacer	haré	**har**ía, **har**ías, **har**ía, **har**íamos, **har**íais, **har**ían
poder	podré	**podr**ía, **podr**ías, ...
poner	pondré	**pondr**ía, **pondr**ías, ...
querer	querré	**querr**ía, **querr**ías, ...
saber	sabré	**sabr**ía, **sabr**ías, ...
tener	tendré	**tendr**ía, **tendr**ías, ...
decir	diré	**dir**ía, **dir**ías, ...
salir	saldré	**saldr**ía, **saldr**ías, ...
venir	vendré	**vendr**ía, **vendr**ías, ...

11.26 En este ejercicio, los estudiantes primero deben leer y comprender las preguntas con formas de infinitivo, y al responder comenzar a usarlas de forma gradual: primero repitiendo las formas de la pregunta, después añadiendo otras ideas y detalles con un uso ya creativo al usar verbos diferentes.

Here are some more examples that illustrate the use of the conditional:

—**¿Podrías** ayudarnos?	*Would you be able to help us?*
—Hoy no puedo, pero mañana no **habría** ningún problema.	*I cannot today, but tomorrow there wouldn't be any problem.*

[11.26] ¿Lo harías?

Input/Output **Paso 1.** En grupos de 3 personas, escriban sus nombres en la primera línea de la siguiente tabla. Después, háganse las preguntas y anoten las respuestas en las columnas.

	____________	____________	____________
1. ¿Romperías con tu pareja por correo electrónico o con un mensaje de texto?			
2. ¿Invitarías a una pareja nueva a casa de tus padres?			
3. ¿Apoyarías la prohibición de "demostraciones públicas de afecto" en todos los espacios públicos?			
4. ¿Cambiarías la edad legal para casarse? ¿Qué edad te parece apropiada?			
5. ¿Irías a vivir a otro país por amor?			
6. ¿Donarías dinero para la prevención del embarazo de adolescentes (*teenage pregnancy*)?			

Paso 2. Compartan sus datos con la clase y calculen los porcentajes (*percentages*) de estudiantes a favor y en contra para cada pregunta.

Output **[11.27] Soluciones.** Estos son algunos problemas que a veces aparecen en las relaciones humanas. ¿Qué harían ustedes para empezar a resolverlos? En grupos de 3 o 4 personas, propongan dos o tres ideas para cada categoría. Añadan (*add*) un problema más, y posibles pasos para resolverlos, al final.

1. el acoso (*bullying*)
2. el abandono infantil
3. el embarazo adolescente
4. la violencia doméstica
5. los abusos sexuales
6. ____________

Sugerencia: Aquí tiene otras posibles situaciones para continuar la actividad ahora, o más adelante, para reciclar el condicional: 1. Tu novio/a tiene un/a chico/a como mejor amigo/a y pasa mucho tiempo con él/ella cuando no está contigo; 2. Tu novio/a quiere llevarte a casa de sus padres. Para ti no es todavía una relación seria; 3. Rompiste la relación con tu novio/a. Ahora te arrepientes (*you regret it*) pero sabes que está saliendo con otro/a chico/a; 4. A tus padres no les gusta tu novio/a y no quieren que salgas con él/ella.

Situaciones

Tu amigo/a y tú tienen situaciones complicadas en sus relaciones. Por turnos, escucha a tu amigo/a, haz preguntas para entender mejor la situación y sus sentimientos, y dile qué harías tú en su lugar (*in his/her place*).

Estudiante A:
A tu novio/a no le gustan tus amigos y no quiere salir con ellos.

Estudiante B:
Tu novio/a va a vivir en otro país por dos años por trabajo. No sabes si quieres mantener una relación a larga distancia.

DICHO Y HECHO

PARA LEER: Los amantes de Teruel

ANTES DE LEER

1. ¿Conoces alguna historia famosa sobre dos personas que se amaban pero a quienes les ocurrió una tragedia?
2. Busca en Internet imágenes de Teruel y de la celebración "Las Bodas de Isabel Segura". ¿Qué puedes imaginar sobre la ciudad y la historia de *Los amantes de Teruel* a través de estas imágenes?

ESTRATEGIA DE LECTURA

Establishing the chronological order of events When reading a text that narrates events that happened in the past, it can be helpful to plot out the order in which the various events took place. For example, as you read the article that follows, jot down what happened in the following years:

1217: ______________________________

1222: ______________________________

1555: ______________________________

Using your completed timeline, write a brief and basic synopsis of the story of these famous lovers.

▲ Representación teatral de "Las Bodas de Isabel Segura" en Teruel, España.

A LEER

En 1555, durante las obras de reforma de la Iglesia de San Pedro de Teruel (España), se descubrieron dos momias enterradas[1] juntas, y con ellas, un antiguo documento donde se narraba su triste historia. Fue el inicio de una de las leyendas más románticas de la tradición española: *Los amantes de Teruel*, la tragedia de un amor solo unido en la muerte.

La leyenda de los amantes

Nuestra historia tuvo lugar en el año 1217, en Teruel, reconocido actualmente por la UNESCO como Patrimonio de la Humanidad. Los protagonistas fueron dos jóvenes que, poco a poco, descubrieron que la amistad que les había unido desde pequeños se convertía en un sentimiento mucho más fuerte: amor.

Pero como en las grandes tragedias de la literatura clásica, su pasión se interrumpiría por diferencias económicas. Ella, Isabel de Segura, pertenecía a una de las familias más ricas de la ciudad. Pero él, Juan Diego Martínez de Marcilla, solo era el segundo hijo de nobles empobrecidos. Cuando el joven Diego ganó suficientes fuerzas para pedir a Don Pedro Segura la mano de su hija, este le dijo que no, porque no tenía las riquezas que su hija se merecía[2]. Solo la insistencia de Isabel hizo cambiar de opinión a Don Pedro y concedió[3] a Juan un plazo[4] de cinco años —o sea, hasta el año 1222— para juntar el dinero necesario. El joven se fue a la guerra[5] mientras su amada se quedaba contando los días que pasaban hasta su regreso. Durante todo ese tiempo, Don Pedro trataba de[6] casar a su hija con alguien digno y, cuando faltaban unos días para que concluyera el plazo, la convenció para que aceptara en matrimonio a Don Pedro Fernández de Azagra.

El mismo día de la boda, regresó un triunfante Marcilla, que, al entrar en la ciudad, escuchó las campanas de boda. Al saber que era su querida Isabel, por quien tan valerosamente[7] había peleado batalla tras batalla, se fue corriendo hacia el lugar donde se celebraba el enlace. Cuando ambos se encontraron, Juan le pidió un beso de despedida que ella, mujer casada, se negó[8] a darle para no atentar contra[9] su honor. En ese momento, Juan, con el corazón roto, cayó muerto a sus pies.

Al día siguiente, en la iglesia de San Pedro, tuvo lugar el funeral de Juan. Durante la ceremonia, una dama cubierta[10] se acercó al joven y, tras descubrir su cara, se reclinó[11] para darle un beso. Ya no volvió a separarse de él. Era la bella Isabel, que no pudo soportar el daño[12] causado a su amado y abandonó la vida rozando[13] sus labios. La ciudad decidió enterrarlos juntos para que, por fin, pudieran descansar eternamente unidos.

[1]buried, [2]deserved, [3]granted, [4]period of time, [5]war, [6]**trataba de** tried to, [7]bravely, [8]refused to, [9]**atentar contra** to challenge, [10]veiled, [11]leaned over, [12]hurt/pain, [13]brushing

Representaciones artísticas de Los amantes de Teruel

Versos, óperas, esculturas y cuadros han intentado captar la esencia de una gran historia de amor que ha conquistado los corazones de la gente desde que se dio a conocer a mediados del siglo XVI. Entre ellos se encuentra la gran obra del pintor Antonio Muñoz Degrain (1840-1924), maestro de Pablo Picasso, que se puede contemplar en el Museo del Prado de Madrid. Representa a Isabel, ya fallecida[14], abrazando el cuerpo sin vida de su amado.

En un tono más cubista y colorido, el pintor de Zaragoza Jorge Gay (1950) también se inspiró en los amantes en su cuadro "El amor nuevo", que puede verse en el Mausoleo de los Amantes, situado en el pueblo de Teruel. Pero sin duda, la pieza estrella de este edificio creado para honrar la memoria de los enamorados es la escultura de Juan de Ávalos (1911-2006). En ella se representan las figuras de Isabel y Diego con las cabezas inclinadas una hacia la otra y con la mano izquierda de ella extendida hacia la de él, sin apenas rozarla, como símbolo de su amor imposible.

Además, la ciudad que los vio nacer celebra cada año las "Bodas de Isabel Segura". En estas fiestas, la gente se transporta al siglo XIII llevando trajes medievales y participando en representaciones teatrales del drama.

La música también se ha acordado de ellos. El compositor Tomás Bretón (1850-1923) les dedicó una ópera en 4 actos. Por último, la literatura ha querido honrar su memoria con varias obras de teatro que narran la historia de los enamorados. Entre las más famosas se encuentra *Los amantes de Teruel*, de Juan Eugenio Hartzenbusch (1806-1880), que cerró su obra con la despedida de Isabel que resume todo lo que fue su historia: "El cielo que en la vida nos aparta nos unirá en la tumba".

Texto: Noemí Monge / *De la revista Punto y Coma (Habla con eñe)*

[14]dead

DESPUÉS DE LEER

1. ¿Cierto o falso?

	Cierto	Falso
a. La familia de Juan era rica y no quería que él se casara con una muchacha pobre.	☐	☑
b. Juan se fue a la guerra durante cinco años para juntar el dinero necesario y poderse casar con Isabel.	☑	☐
c. En el día de su boda con Don Pedro, Isabel le dio un último beso a Juan.	☐	☑
d. Isabel murió al darle un beso al cadáver de Juan.	☑	☐

2. ¿Qué semejanzas y diferencias encuentras entre la historia de "Los amantes de Teruel" y la de "Romeo y Julieta" de Shakespeare?

3. De todas las obras mencionadas, ¿cuál te gustaría conocer más y por qué? Busca más en Internet sobre ella:

- ☐ El cuadro del pintor Antonio Muñoz Degrain, en el Museo del Prado de Madrid, que representa a Isabel, ya fallecida, abrazando el cuerpo sin vida de su amado.
- ☐ El cuadro cubista del pintor Jorge Gay, en el Mausoleo de los Amantes en el pueblo de Teruel.
- ☐ La escultura de Juan de Ávalos, que representa las figuras de Isabel y Diego con las cabezas inclinadas una hacia la otra y con la mano izquierda de ella extendida hacia la de él, sin apenas rozarla, como símbolo de su amor imposible.
- ☐ La ópera de Tomás Bretón.
- ☐ La obra de teatro de Juan Eugenio Hartzenbusch, *Los amantes de Teruel*, en la que Isabel dice: "El cielo que en la vida nos aparta nos unirá en la tumba".

Sugerencia: Muestre en clase, o pida a sus estudiantes que vean, algún video sobre la celebración de *Las bodas de Isabel Segura* en Teruel. Escoja videos que muestren la representación teatral al aire libre, así como el mercado medieval y otras actividades. Puede también dirigirles al sitio web www.bodasdeisabel.com, pedirles que consulten el programa del último año y que escojan dos o tres actividades que les interesan para compartir después con la clase.

PARA CONVERSAR: Problemas en una relación amorosa

La famosa "Doctora Isabel" es un programa muy popular en Radio Cadena Univisión. Ofrece consejos a las personas que llaman con problemas de todo tipo.

Dos de ustedes van a crear un diálogo entre una persona que llama y la doctora Isabel. Antes de interpretar el diálogo, anoten aquí sus ideas sobre el problema y los consejos.

El problema amoroso

- ¿Entre quiénes es el problema?
- ¿Cuál es el problema?
- ¿Cuánto tiempo ha durado?
- Otros detalles

Los consejos que da la doctora Isabel

- ¿Qué debe hacer la persona que llama?
- ¿Qué se recomienda para la pareja de la persona que llama?
- Otros detalles

Después, interpreten el diálogo como si fueran una persona que llama y la doctora Isabel.

ESTRATEGIA DE COMUNICACIÓN

Checking for understanding When talking on the phone, you don't have the benefit of seeing your listener's facial expressions or body language, and therefore aren't always aware of how they are receiving your message or of when they might have something to interject. It's a good idea to make sure the person you're talking to is "still with you" by providing the information you want to communicate in small chunks, followed either by brief pauses (to allow your listener to interject a question, ask for clarification, etc.) or by simple questions to make sure she/he is following you. Here are some questions you can use.

¿Entiende?/¿Entiendes?
¿Ve?/¿Ves?

Act out your dialog standing or sitting back to back so that you can't see each other's faces and apply these strategies in your conversation.

ASÍ SE HABLA

En su conversación, intenten usar estas frases muy comunes en Panamá:

vaina = cosa, asunto
¿Qué cosa? = *What?*
chuleta = *shoot!*

PARA ESCRIBIR: La reseña (*review*) de una película

En esta composición vas a escribir una reseña de una película con una historia de amor. Es para un periódico de la comunidad del lugar donde vives —quieren publicar reseñas de películas recientes y también de algunas más viejas.

ANTES DE ESCRIBIR

Paso 1. ¿Qué película voy a reseñar?

Piensa en una película que tenga una historia de amor. No tiene que ser una película romántica, pero sí debe tener una historia de amor en algún momento. Algunas películas de amor o con un tema romántico son:

Gone with the Wind	*Casablanca*
Thor	*When Harry Met Sally*
The Great Gatsby	*Ghost*
Frozen	*Shrek*
Slumdog Millionaire	*Sex and the City*
Twilight	*Avatar*

El título de la película que voy a reseñar: ______________________

Año: ______________________

Director: ______________________

Actores principales: ______________________

Un resumen de la trama (*plot*)[1]: ______________________

____

____

Paso 2. Las cualidades positivas y negativas de la película. Probablemente ya tienes una opinión general sobre la película que vas a reseñar: lo que te gusta o no te gusta de la película, si es buena o mala, etc. En una reseña normalmente se incluyen comentarios positivos y negativos. Escribe algunos aquí.

Cualidades positivas	Cualidades negativas
1.	**1.**
2.	**2.**
3.	**3.**

[1]Las reseñas generalmente cuentan partes de la trama en presente, por ejemplo: **El hombre quiere que la chica lo espere, pero ella le pide que la olvide...**

ESTRATEGIA DE REDACCIÓN

Justifying your opinion In writing something such as a movie review, an underlying goal is to share your opinion and make it credible for your reader. To support your opinion, you may...

- cite other people, especially experts in a particular topic.
- use anecdotes from your own experience.
- interview or poll others, looking for opinions similar to your own.

Use one or more of these strategies to make your movie review convincing for your readers.

A ESCRIBIR

Escribe una primera versión de tu reseña.

Primer párrafo: Presenta la película que vas a reseñar, incluyendo los datos más relevantes y un breve resumen de la trama sin revelar el final.

Párrafos centrales: Elabora tu opinión sobre las cualidades y/o partes débiles de la película. También considera las estrategias de redacción que leíste antes: puedes citar a otros, usar anécdotas de tu experiencia o encuestar a varias personas sobre su opinión acerca de la película.

Párrafo final: Indica si recomiendas al público que vea esta película y por qué.

Para escribir mejor

Estas palabras te pueden ayudar a escribir tu reseña:
la actuación = *performance*
la adaptación (de una novela, un cuento o una obra de teatro) = *adaptation*
la banda sonora = *soundtrack*
los efectos especiales = *special effects*
el guión = *script*
la estrella = *the star*
protagonizar = *to star* (*in a movie*)
el personaje (principal) = (*main*) *character*
la trama = *plot*

DESPUÉS DE ESCRIBIR

Revisar y editar: el contenido, la organización, la gramática y el vocabulario. Después de escribir el primer borrador de tu reseña, déjalo a un lado por un mínimo de un día sin leerlo. Cuando vuelvas a leer la reseña, corrige el contenido, la organización, la gramática y el vocabulario. Hazte estas preguntas:

- ☐ ¿Describí con claridad mi opinión sobre la película, incluyendo las cualidades negativas y positivas?
- ☐ ¿Tiene cada párrafo una oración temática?
- ☐ ¿Tienen todas las ideas de cada párrafo relación con la oración temática?
- ☐ ¿Describí los eventos de la película con suficientes detalles?
- ☐ Además de otros aspectos generales de gramática, ¿usé el subjuntivo correctamente en las oraciones que expresan deseos, peticiones o emociones?

WileyPLUS

PARA VER Y ESCUCHAR: La tecnología une a las familias

ANTES DE VER EL VIDEO

En parejas o grupos pequeños, respondan a estas preguntas.

1. ¿Cómo se comunican con su familia y sus amigos? ¿Usan los mismos medios de comunicación o no? ¿Qué medio prefieres tú? ¿Por qué?
2. Muchas personas usan programas de redes sociales como Facebook o Twitter para mantenerse en contacto con sus amigos. ¿Cuáles son algunos aspectos positivos y negativos de estos medios de comunicación?

Sugerencia: Puede mostrar el contenido del video sin sonido primero, como han hecho en capítulos anteriores, y pedir a los estudiantes que intenten describir las actividades y lugares que han observado. De esta forma practicarán el vocabulario aprendido y optimizarán la comprensión del video.

ESTRATEGIA DE COMPRENSIÓN

Interpret and guess meaning through context As mentioned in *Capítulo 2*, it is very likely that you will not know or understand every word when you listen to a text in a foreign language. Although you can still ignore unknown words and focus on what you do understand, now that you know more Spanish, you can also use the general context (topic) and the textual context (the sentence where the word appears) to guess what certain words might mean.

A VER EL VIDEO

Sugerencia: Si hacen esta actividad en la clase, haga una pausa después de cada oración pertinente y repítala si le parece necesario.

Paso 1. Mira el video prestando atención a las ideas principales y responde a estas preguntas.

1. ¿Qué sistema de comunicación usa la familia del video? ¿Por qué?
   La familia usa Skype porque es un programa gratuito que te permite comunicarte con otras personas en cualquier parte del mundo.
2. ¿Qué ventajas ofrece este sistema de comunicación en comparación con otros como el teléfono?
   Skype ofrece texto, audio e imagen. Es un sistema de comunicación muy completo y gratuito.
3. ¿Qué ventajas ofrece la comunicación en línea a la madre en su trabajo?

Paso 2. Abajo hay algunas palabras del video que probablemente no conoces. Mira el video prestando atención a las oraciones donde aparecen estas palabras (el principio de cada oración aparece entre paréntesis) y adivina (*guess*) su significado.

(Para ellos es importante...)	a pesar de	______________
(Skype es un programa...)	gratuitamente	______________
(y te permite comunicarte...)	cualquier	______________
(Skype es muy...)	útil	______________

Extensión: Puede pedir a sus estudiantes que escriban un párrafo o que elaboren un cuadro con las ventajas y desventajas de Internet en las relaciones sociales con la familia y amigos.

DESPUÉS DE VER EL VIDEO

En grupos pequeños, respondan a estas preguntas.

¿Creen que el uso de Internet nos ayuda a comunicarnos o nos aísla (*isolate*) más? ¿Qué peligros existen?

Repaso de vocabulario activo

Adjetivos
cariñoso/a *affectionate*
celoso/a *jealous*
comprensivo/a *understanding*
contento/a *happy (at a specific time)*
divorciado/a *divorced*
extraño *strange*
fantástico *wonderful*
feliz *happy*
fiel *faithful*
horrible *horrible*
juntos/as *together*
justo *fair*
romántico *romantic*
sincero/a *sincere, honest*
soltero/a *single*
viudo/a *widower/widow*

Expresiones útiles
el amor a primera vista *love at first sight*
es una lástima *it's a shame*
felicidades *congratulations*
Ojalá que... *I hope . . .*

Sustantivos
Las llamadas telefónicas ***Telephone calls***
el código de área *area code*
el contestador automático *answering machine*
la guía telefónica *phone book*
la línea está ocupada *the line is busy*
la llamada *the phone call*
de larga distancia *long distance*
la tarjeta telefónica *phone card*
el teléfono celular *cell phone*

Las relaciones y más **Relationships and more**
el/la adulto/a *adult*
la alegría *joy, happiness*
la amistad *friendship*
el amor *love*
los ancianos *the elderly*
el/la anciano/a *old man/lady*
la boda *wedding*
la cita *date; appointment; quote*
el divorcio *divorce*
las etapas de la vida *stages of life*
la infancia *infancy*
los jóvenes/los adolescentes *young people/adolescents*
la juventud/la adolescencia *youth/adolescence*
la luna de miel *honeymoon*
la madurez *maturity*
el marido *husband*
el matrimonio *marriage*
la muerte *death*
el nacimiento *birth*
la niñez *childhood*
los niños *children*
el problema *problem*
la vejez *old age*
la verdad *truth*
la vida *life*

Verbos reflexivos
acordarse de (ue) *to remember*
alegrarse (de) *to be glad (about)*
casarse (con) *to get married (to)*
comprometerse (con) *to get engaged (to)*
comunicarse *to communicate*
divorciarse (de) *to get divorced*
enamorarse (de) *to fall in love (with)*
encontrarse (ue) (con) *to meet up (with) (by chance)*
enojarse *to get angry*
irse *to leave, go away*
olvidarse (de) *to forget (about)*
ponerse (triste, contento) *to get (happy, sad)*
quejarse (de) *to complain (about)*
reírse (de) *to laugh (at)*
reunirse (con) *to meet, get together (with)*
separarse (de) *to separate (from)*

Otros verbos y expresiones verbales
aconsejar *to advise*
celebrar *to celebrate*
compartir *to share*

crecer *to grow*
creer (irreg.) *to believe*
criar *to raise*
dejar un mensaje *to leave a message*
discutir *to argue*
encantar *to delight*
es una lástima *it's a shame*
esperar *to hope, expect*
estar casado/a (con) *to be married (to)*
estar comprometido/a *to be engaged*
estar enamorado/a (de) *to be in love (with)*
estar juntos/as *to be together*
estar listo/a *to be ready*
extrañar *to miss*
fascinar *to fascinate*
insistir (en) *to insist (on)*
llevarse bien/mal *to get along well/poorly*
llorar *to cry*
matar *to kill*
mentir (ie, i) *to lie*
molestar *to bother*
morir *to die*
nacer *to be born*
olvidar *to forget*
pensar (ie) (en) *to think (about)*
preferir *to prefer*
recomendar (ie) *to recommend*
recordar (ue) *to remember*
resolver (ue) *to resolve*
romper (con) *to break up (with)*
salir (irreg.) (con) *to go out (with)*
sentir (ie, i) *to feel regret, be sorry that*
sugerir (ie, i) *to suggest*
temer *to fear*
tener celos *to be jealous*

CAPÍTULO 12

Vive la naturaleza

© Cultura Creative (RF)/Alamy

LEARNING OBJECTIVES

In this chapter, you will learn to:

- talk about the environment and outdoor adventures.
- express destination, purpose, and motive.
- express doubt and disbelief.
- talk about activities with an unspecified or unknown subject.
- learn about Costa Rica.
- discover more about national parks in Latin America.

Entrando al tema

1. ¿Te gusta pasar tiempo en la naturaleza? ¿Prefieres el mar o la montaña?
2. ¿Te preocupa el estado del mundo natural?

Así se dice

Vive la naturaleza

Use ***PowerPoint Slides*** para presentar y practicar este vocabulario.

¿Qué ves? Responde estas preguntas sobre la ilustración:

1. ¿Qué escena prefieres para tus próximas vacaciones: el río, la playa, el océano, un valle o la montaña?
2. Indica para cada actividad dónde se hace típicamente: ¿en el río, el océano o la montaña? Montar a caballo, hacer escalada, practicar balsismo, bucear, remar, ciclismo, navegar a vela, acampar, alpinismo, hacer un crucero.

Puedes encontrar más preguntas de comprensión en *WileyPLUS* y en el *Book Companion Site* (BCS).

WileyPLUS

Pronunciación: Practice pronunciation of the chapter vocabulary and particular sounds of Spanish in *WileyPLUS*.

afuera	***outdoors, outside***
al aire libre	***outdoors***
el arrecife	***reef***
dar una caminata/ hacer senderismo	***to hike***
el delfín	***dolphin***
emocionante	***exciting***
escalar/hacer escalada	***to climb***
la fogata	***campfire***
el fuego	***fire***
el mar	***sea***
navegar (a vela)	***to sail***
el paracaidismo	***skydiving***
peligroso	***dangerous***
remar	***to row***
tener miedo	***to be afraid***

Sugerencia: Para iniciar el trabajo de comprensión y respuesta al nuevo vocabulario (actividades de **input**) refiérase a las preguntas de comprensión ***¿Qué ves?*** En *WileyPLUS* y en el *Book Companion Site* (BCS).

NOTA DE LENGUA

Many terms referring to adventure sports have been borrowed from English, although the pronunciation is adapted to the sounds of Spanish, for instance: **el esnórquel, el** ***rafting*****, el parasail, el** ***surf***. They are often used with the verb **hacer**; e.g., **Me encanta hacer** ***surf*****.**

Listen to all the new vocabulary in the **Repaso de vocabulario activo** at the end of the chapter.

¿Y tú?

1. Cuando vas de vacaciones a la naturaleza, ¿te gusta ir al océano o prefieres las montañas? ¿Prefieres unas vacaciones tranquilas o hacer deportes de aventura?
2. ¿Has visitado algún parque o reserva natural? ¿Cuál? ¿Qué actividades hiciste?

12.1 Audio:
1. el río
2. la luna
3. las islas
4. la ola
5. la aventura
6. el fuego
7. el saco de dormir
8. la arena

[12.1] ¿Recuerdas las palabras?

Input

Escucha las siguientes palabras y, para cada una, escribe otra palabra relacionada con ella.

Modelo: Oyes: pescar
Escribes: **el bote/la lancha** *o* **el pez** *o* **el mar**

1. ____________ **5.** ____________
2. ____________ **6.** ____________
3. ____________ **7.** ____________
4. ____________ **8.** ____________

[12.2] Definiciones

Output

En parejas, cada uno/a de ustedes lee unas definiciones mientras el/la otro/a escucha e identifica la palabra. Tomen nota de las palabras.

Modelo: Estudiante A (lee): Es una porción de tierra rodeada por agua, como Cuba.
Estudiante B (escucha e identifica): **una isla**

Estudiante A

1. Es agua que cae desde lo alto de un río, como la del Niágara. Es una catarata/cascada.
2. Es un terreno plano (*flat*) entre montañas, como San Fernando, en California. Es un valle.
3. Es una gran extensión de mar, como el Pacífico. Es un océano.
4. Es un terreno con muchos árboles y plantas. Es un bosque.
5. Es donde están el sol, la luna y las estrellas. Es el cielo.
6. Hacemos esto en los campamentos para poder cocinar o para calentarnos. Es una fogata.
7. Cuando acampamos, lo usamos para dormir. Es un saco de dormir.

Estudiante B

1. Este deporte se practica en los ríos con una balsa. Es el balsismo.
2. Es la práctica de capturar peces. Es pescar.
3. Se hace cuando se viaja en un barco grande como un hotel. Es hacer un viaje en crucero.
4. Solo se puede practicar cuando hay olas. Es hacer surf.
5. También se conoce (*it is known as*) como escalar montañas. Es alpinismo, andinismo.
6. Es la práctica de caminar por el campo, un bosque, etc. Es dar una caminata.
7. Se practica bajo el agua y con equipo especial para admirar la vida marina. Es bucear.

Input **[12.3]** ## ¿Es peligroso? ¿Emocionante?

Paso 1. Indica si, en tu opinión, las siguientes actividades son peligrosas o emocionantes. Indica también cuáles has hecho y si te gustaría hacerlas por primera vez/otra vez.

	¿Peligroso?			¿Emocionante?		¿Lo has hecho?		¿Quieres hacerlo (otra vez)?	
	Sí	Un poco	No	Sí	No	Sí	No	Sí	No
pescar									
nadar en el mar									
hacer castillos de arena									
hacer *surf*									
bucear									
dormir afuera									
practicar el balsismo									
hacer escalada									
montar a caballo									
hacer paracaidismo									

Paso 2. Ahora, compartan sus respuestas en grupos: ¿Cuáles de estas actividades hicieron? (den detalles como: cuándo, dónde, con quién, etc.) ¿Cómo fue la experiencia? ¿Tuvieron miedo?

Basados en las respuestas anteriores, decidan: ¿Qué miembros del grupo son los más aventureros? ¿Qué actividades del cuadro quieren hacer? ¿Cuáles no son tan interesantes para el grupo?

Input/Output **[12.4]** **El balsismo.** Tú y dos amigos/as quieren vivir una aventura y deciden descender un río juntos. Lean la información sobre *Rafting y algo más* en la siguiente página y luego, contesten estas preguntas:

1. ¿Qué equipo se necesita para practicar el balsismo?
2. ¿Cuáles son las cosas más importantes que debe ofrecer la compañía de *rafting*?
3. ¿Qué clasificación de ríos prefieren? ¿Por qué?
4. ¿Qué río (o ríos) de estos les gustaría navegar? ¿Por qué?

Rafting y algo más

El *rafting* en Latinoamérica permite explorar y conocer santuarios remotos y fascinantes de la naturaleza. Algunos ejemplos:

© Stefan Huwiler/imagebroker/Corbis

▶ **El río Savegre, en Costa Rica:** un paraíso con aguas cristalinas, fauna abundante y bella selva[1] tropical. (Clase 2 - 3)

Ales Liska/Shutterstock

▲ **El río Usumacinta, en México:** revela remotos templos y pirámides mayas, selva densa y cascadas impresionantes. (Clase 2 - 3)

Karl Weatherly/Digital Vision/Getty Images

▲ **El río Futaleufú, en Chile:** pasa por bosques de la Patagonia y por espectaculares paisajes[2]. (Clase 4 - 5)

© Nicolas De Corte/Alamy

◀ **El río Colca, en Perú:** pasa por dramáticos cañones con cataratas altas y vistas de volcanes activos. (Clase 3 - 4)

LA COMPAÑÍA DE *RAFTING* DEBE TENER:

- Equipo en buen estado
- Guías experimentados
- Guías capacitados en cursos de rescate[3] y primeros auxilios[4]
- Seguro[5] contra accidentes

[1]*jungle* [2]*landscapes* [3]*rescue* [4]**primeros...** *first aid* [5]*insurance* [6]*slope*

Clasificación de ríos

Clase 1: Corriente moderada, sin rápidos.

Clase 2: Rápidos suaves y algo de oleaje, apto para toda la familia.

Clase 3: Rápidos más fuertes, olas grandes y algunas pendientes[6] escalonadas. Es apto para todas las edades, pero se debe tener más precaución.

Clase 4: Rápidos fuertes, olas grandes, rocas en el camino y, en algunas partes, pendientes muy pronunciadas. Solo para mayores de dieciséis años.

Clase 5: Rápidos muy fuertes, solo para personas experimentadas.

Clase 6: Río peligroso y no explorado. Cuando alguien navega un río de clase 6, este se transforma en clase 5.

Equipo

© IS_ImageSource/iStockphoto

Así se dice

Vacaciones al aire libre

Estos dos tipos de vacaciones al aire libre son muy diferentes, ¿adónde quieres ir, **al campo** o a **la selva**?

En el campo

En la selva

Input **[12.5] La palabra diferente.**

Paso 1. Lee las siguientes listas de palabras y subraya (*underline*) la palabra que es diferente, en tu opinión.

1. a. el mosquito	**b.** el pájaro	**c.** la gallina	**d.** la mosca	**e.** la mariposa
2. a. el valle	**b.** la colina	**c.** la tierra	**d.** la granja	**e.** el río
3. a. la serpiente	**b.** el cerdo	**c.** la vaca	**d.** la gallina	**e.** el caballo
4. a. tener miedo	**b.** acampar	**c.** escalar	**d.** bucear	**e.** sacar fotos
5. a. el fuego	**b.** la luna	**c.** las estrellas	**d.** el sol	**e.** el cielo
6. a. la serpiente	**b.** la araña	**c.** el león	**d.** el cerdo	**e.** el mono

Paso 2. Con un/a compañero/a, comparen las palabras que subrayó cada uno. ¿Son las mismas? Si son diferentes, expliquen sus criterios.

Paso 3. Con tu compañero/a, añade una palabra que sí pertenece a cada lista según (*according to*) los criterios que usaron en el **Paso 1**.

Use ***PowerPoint Slides*** para presentar y practicar este vocabulario.

Dichos: *Más vale pájaro en mano que cien volando (flying). En boca cerrada no entran moscas.* ¿Conocen el equivalente en inglés de estos dos dichos?

el campo	*countryside*
la colina	*hill*
la hierba	*grass*
el huerto	*vegetable garden*
la mosca	*fly*
la tierra	*soil*

12.5 Use ***PowerPoint Slides*** para completar o revisar esta actividad. Señale que puede haber formas diferentes de establecer categorías. Anime a los estudiantes a buscar más de una opción. Como ejemplo, trabaje con la clase para buscar opciones diferentes para el número 1. Camine por la clase para ayudarlos con el vocabulario adicional que puedan necesitar. Aquí tiene algunas respuestas posibles para cada lista:

1. La mariposa no hace ruido, los otros animales de la lista sí; la gallina no vuela, y los otros animales sí.
2. La granja no pertenece a la naturaleza, los otros de la lista, sí; el río es agua y los otros, no.
3. La serpiente vive en el desierto, pero los otros no; la gallina es un pájaro (ave), los otros no.
4. Tener miedo es un sentimiento, las otras palabras representan acciones; se necesita agua para bucear, para las otras actividades no.
5. El cielo no da luz, los otros sí; el fuego es un evento, los otros no.
6. El cerdo es el único animal que no vive en la selva. La araña es el único insecto.

HINT

Revisa las formas y uso del imperfecto y pretérito (Caps. 6 a 9) antes de empezar.

[12.6] Un fin de semana ideal. Output Tuviste un fin de semana de tres días para disfrutar de unas vacaciones perfectas. ¿Adónde fuiste?, ¿al océano, a la montaña, a una granja o viajaste a una selva tropical de Centroamérica? Escribe un párrafo describiendo este fin de semana: imagina cómo era el lugar, qué cosas y animales viste y qué hiciste cada día.

12.6 Esta actividad recicla la narración en el pasado, incluyendo la descripción con el imperfecto y las actividades con el pretérito.

Situaciones

En grupos de tres, ustedes van a ir de vacaciones juntos. Uno de ustedes quiere ir a una ciudad con playa, otro insiste en unas vacaciones de aventura en la naturaleza y el tercero prefiere unas vacaciones rurales, en un pueblo o granja. Intenta persuadir a tus amigos para ir a tu destino favorito.

Respuestas:

1. El Aconcagua, en Argentina, mide 22,834 pies de alto (6,960 metros).
2. El Salto Ángel, en Venezuela.
3. La selva amazónica. Se extiende por los siguientes países: Brasil, Perú, Colombia, Venezuela, Ecuador, Bolivia, Guyana, Surinam y Guayana Francesa.
4. El río Amazonas mide 4,225 millas (6,800 km) y es navegable por 2,000 millas (3, 218 km). El Nilo mide 4,180 millas (6,727 km), pero no todo es navegable.
5. El lago Titicaca, se encuentra entre Perú y Bolivia.

INVESTIG@ EN INTERNET

Averigua (*find out*):

1. ¿Cuál es la montaña más alta de América del Sur y cuántos pies mide?
2. ¿Cuál es la cascada más alta del mundo y dónde está?
3. ¿Cuál es la selva tropical más extensa del mundo y en qué países se encuentra?
4. ¿Cuál es el río navegable más largo del mundo?
5. ¿Cuál es el lago navegable más alto del mundo y dónde está?

M. Algaze/The Image Works

Esta es la cascada más alta del mundo. Mide 3,211 pies (979 metros).

En mi experiencia

Isabel, Trenton, NJ

ELMER MARTINEZ/Stringer/AFP/Getty Images

"I studied abroad in Mexico in May, the beginning of their 5-month rainy season. Every day at about 2:00, it would pour for at least an hour. The rain is so intense that you feel like buckets of water are emptied over you. Afterward, everything is nice and cool, the air is really clean and you can smell the flowers and trees. Sometimes the power would get knocked out, which was inconvenient. I always wondered why people didn't collect the rainwater for use during the dry season."

How frequently and heavily does it rain where you live, and is rainwater collection popular there? What uses can you think of for collected rainwater, and is this practice worth the effort?

Así se forma

Use *PowerPoint Slides* para presentar y practicar esta gramática.

1. *Para* and *por* (A summary): Stating purpose, destination, and motive

WileyPLUS
Go to *WileyPLUS* to review this grammar point with the help of the **Animated Grammar Tutorial**.

Por muchos años, el hombre ha utilizado los recursos naturales sin pensar en las consecuencias. Pero, si no lo hacemos ahora, **para** el año 2050 el mundo (*world*) será muy diferente. Todos debemos reciclar **para** proteger la naturaleza. ¡Hazlo **por** nuestro planeta, **por** nuestro futuro!

Antes de leer la explicación, pida a los estudiantes que observen los usos de *para* y *por* en el texto introductorio ¿qué tipos de significados reconocen? Pida que hagan hipótesis sobre lo que significan los otros y que den ejemplos de otros usos de *para* y *por* que recuerdan y no aparecen en el texto.

Para *indicates*:		
1. Purpose/Goal	*in order to + infinitive*	Sonia fue a Costa Rica **para** ver los bosques tropicales.
	for; used for + noun	Llevó un impermeable **para** la lluvia.
2. Recipient	*for*	Sacó unas fotos del bosque **para** su madre.
3. Destination	*toward*	Sonia sale **para** Panamá el viernes.
4. Deadline	*by, for*	Tiene que estar allí **para** el lunes.
5. Employment	*for (in the employ of)*	Ella trabaja **para** una compañía hotelera.

Dicho: *Más sabe el diablo por viejo que por diablo.* ¿Qué significa este dicho? ¿Saben las personas mayores más que los jóvenes?

Por *indicates*:		
1. Cause, reason, motive	*because of*	Sonia no pudo regresar a Panamá el lunes **por** estar un poco enferma.
	on behalf of	Sandra hizo una presentación en la oficina **por** ella.
	for (the sake of)	No fue fácil para Sandra, pero lo hizo **por** su amiga.
2. Duration of time	*in, at*	Sandra trabajó en la presentación **por** la mañana.
	for, during	Después habló con el jefe **por** media hora.
3. Physical movement in, along or around a place	*down, by, along, through*	Sonia está mejor y camina **por** el centro de San José.
4. Exchange, price	*for*	Sonia compra un bolso **por** sesenta dólares.
	for, in exchange	Se lo regala a Sandra y le da las gracias[1] **por** ayudarla.

[1]To thank someone for something, always use **gracias por...**

Input **[12.7] ¿Para o por?** Observa los contrastes entre las siguientes oraciones y escoge la preposición correcta. Después compara con un/a compañero/a, identificando el tipo de significado de *por* o *para* en cada oración.

1a. El proyecto de la clase de historia es para/por el próximo lunes.

1b. Hemos trabajado en este proyecto para/por dos semanas.

2a. Voy para/por la biblioteca porque tengo que estudiar.

2b. Voy para/por la calle Bolívar, porque es el camino más corto.

3a. Carmen trabaja para/por la Universidad, en la oficina del decano (*dean*).

3b. Carmen estudia y trabaja para/por sus hijas, quiere ser un buen ejemplo.

4a. Sé hablar francés para/por mi madre. Es de Montreal.

4b. Quiero aprender español para/por poder vivir en Latinoamérica.

5a. Tengo que estudiar más para/por el examen de física. El material es difícil.

5b. Quiero salir, pero no puedo salir para/por el examen de física. Es mañana.

6a. Rosa está enferma y no puede ir al mercado. Me ha pedido que vaya para/por ella.

6b. Voy a comprar fresas para/por Rosa: le encantan.

6c. Ayer compré fresas, pero Andrés se las comió todas. Para/Por eso ahora tengo que comprar más.

Output

[12.8] ¡A la montaña! Tú y unos amigos van a una montaña para escalar y acampar en el monte Chirripó en Talamanca, Costa Rica. Tú y otro/a amigo/a conversan sobre el viaje. Completen la conversación con *por* o *para*.

TÚ: Salimos para el Chirripó el sábado a las seis de la mañana.

AMIGO/A: ¿Por cuántos días van?

TÚ: Por tres o cuatro días. Vamos para acampar y escalar el pico más alto de la región.

AMIGO/A: ¡Qué emocionante! ¿Van a tomar la ruta que va por el río?

TÚ: Sí, y luego vamos a dar una caminata por el bosque hasta encontrar un buen lugar para acampar.

AMIGO/A: ¿Saben tus amigos armar la tienda de campaña?

TÚ: Creo que no. Pero yo puedo hacerlo mientras ellos buscan leña (*wood*) para la fogata.

AMIGO/A: ¿Están ellos en buenas condiciones físicas para subir el monte?

TÚ: Pues, espero que sí. Vamos a salir muy temprano por la mañana y llegar a la cumbre (*summit*) para el mediodía, antes de que empiece a llover.

AMIGO/A: Es un buen plan. A propósito (*by the way*), tu saco de dormir se ve muy nuevo. ¿Dónde lo compraste?

TÚ: Lo compré en una tienda de descuento por $38.

AMIGO/A: Buen precio... y antes de que se me olvide, tengo algo para ustedes: un mapa topográfico de la región para que no se pierdan.

TÚ: Muchas gracias por el mapa. ¡Nos va a ser muy útil!

AMIGO/A: Pues, ¡buen viaje!

Sue Cunningham/Danita Delimont

▲ El monte Chirripó

Output

[12.9] Nuestra aventura. En grupos pequeños, imaginen que tienen una semana libre (*free, off*) y deciden organizar una aventura para sus próximas vacaciones. Usen las siguientes preguntas para formular su plan. Un/a secretario/a puede escribir el plan.

12.9 Sugerencia: Puede dividir esta actividad en dos días de clase. El primer día los grupos pueden hacer planes generales, decidir qué detalles quieren investigar en Internet y distribuir el trabajo de investigación. En la próxima clase, pueden completar los detalles de su plan y presentárselo al resto de la clase.

1. ¿Adónde van? ¿Cuándo van a salir para ese lugar?
2. ¿Por cuánto tiempo van a estar allí?
3. ¿Para qué van a este destino? (Por ejemplo: para descansar, para practicar una actividad específica, etc.)
4. ¿Cómo van a viajar? ¿Cuánto piensan pagar por el viaje?
5. ¿Dónde van a alojarse? ¿En un hotel? ¿Van a acampar?
6. ¿Qué cosas necesitan llevar? ¿Para qué?
7. ¿Qué piensan hacer por la mañana/tarde/noche?
8. ¿Para qué fecha tienen que volver?

Así se dice

Use *PowerPoint Slides* para presentar y practicar este vocabulario.

La naturaleza y el medio ambiente

A causa de los **problemas** ambientales que existen en **el mundo**, una gran cantidad de científicos cree que nuestro **planeta** está en peligro. A muchas personas, especialmente a los jóvenes, **les importa** el medio ambiente y **les interesan** las posibles soluciones al problema de **la contaminación**.

¿Qué se puede hacer para **conservar** y **proteger** nuestro planeta?

La contaminación **contribuye**[1] al **calentamiento global...**

... y los vehículos causan mucha **polución** en el aire también.

Además, **el aumento** de **la población** provoca escasez (*shortage*) de **recursos.**

La deforestación **destruye**[1] el hábitat de muchas especies...

... y el uso de **pesticidas** afecta el equilibrio natural.

A causa del **cambio climático**, muchas especies están en peligro de extinción.

Para proteger la naturaleza, **prevenir** la contaminación de ríos y mares,

... debemos **evitar** los **incendios forestales;**

... conservar y no **desperdiciar** los **recursos naturales;**

... reducir el consumo de gasolina y **desarrollar energías** alternativas,

... educar a la población para **recoger**[2] la basura y **reciclar** más.

[1]**Contribuir and destruir** change the **i** to **y** in all forms of the present tense except with the **nosotros** and **vosotros** forms: **destruyo, destruyes, destruye, destruimos, destruís, destruyen.**
[2]**Proteger** and **recoger** change the **g** to **j** in the **yo** form of the present tense: **protejo, proteges; recojo, recoges...**

a causa de	*because of*	**destruir (irreg.)**	*to destroy*	**el mundo**	*world*
el aumento	*increase*	**evitar**	*to avoid*	**recoger**	*to pick up, gather*
contribuir (irreg.)	*to contribute*	**importar**	*to matter*		
desarrollar	*to develop*	**el incendio forestal**	*forest fire*	**el recurso**	*resource*
desperdiciar	*to waste*	**el medio ambiente**	*environment*		

Extensión: Escriba los pronombres de objeto indirecto en la pizarra y repase la construcción con el verbo *gustar*. Ilustre después el significado de los nuevos verbos y haga preguntas a la clase sobre las cosas que les interesan e importan.

NOTA DE LENGUA

In **Chapters 4** and **11**, you learned to use **gustar, encantar, fascinar** and **molestar** to express likes and dislikes. The verbs **interesar** and **importar** also have a similar structure, that is, they are used with indirect object pronouns **(me, te, le, nos, os, les)** and the verb is in the third-person singular or plural in agreement with the subject (what is interesting or important).

importar	*to be important to, to matter*	**Nos importan** los problemas de contaminación.
interesar	*to be interesting to, to interest*	**Me interesa** el uso de energías renovables.

12.10 Extensión: Como tarea, puede asignar un problema relacionado con el medio ambiente a cada estudiante y pedirles que investiguen en Internet las cosas que todos podemos hacer para combatir ese problema. Al día siguiente, cada estudiante puede presentar sus sugerencias a la clase.

[12.10] El medio ambiente.

Input **Paso 1.** Empareja las frases de las columnas de forma apropiada.

1. El uso de ciertos pesticidas _g_
2. Estados Unidos constituye el 5% de la población mundial _e_
3. Consumimos mucha energía eléctrica _b_
4. Desperdiciamos mucha agua _f_
5. El aumento de la población _c_
6. La deforestación y los incendios forestales _d_
7. Para evitar la dependencia del petróleo _a_

a. debemos desarrollar energías alternativas.
b. y producir electricidad contamina mucho.
c. causa un mayor consumo de energía.
d. han llevado a la desertización en muchas regiones.
e. pero genera el 30% de toda la basura.
f. aunque muchas regiones sequías.
g. se relaciona con algunos tipos de cáncer.

Output **Paso 2.** En parejas, comparen sus respuestas y piensen en al menos (*at least*) una actividad —pequeña o grande— que puede contribuir a resolver cada (*each*) problema. Luego, compartan sus ideas con el resto de la clase.

Modelo: **El uso de ciertos pesticidas se relaciona con algunos tipos de cáncer. Para evitarlo podemos comprar frutas y verduras orgánicas...**

JOHN KEPSIMELIS/Reuters/Landov LLC

▲ Vista aérea del derrame de petróleo del 2010 en el Golfo de México.

[12.11] Serios problemas del medio ambiente.

Input **Paso 1.** ¿Qué problemas del medio ambiente te importan más? Indica escribiendo números del 1 (el problema que más te importa) al 12 (el problema que menos te importa). Añade (*Add*) otros problemas que también te importan en la línea al final del **Paso 1**.

____ la contaminación del agua
____ el uso de pesticidas tóxicos
____ el cultivo de verduras transgénicas
____ la escasez del agua
____ los desastres naturales como incendios forestales, derrames de petróleo, etc.
____ la destrucción de la capa de ozono
____ la deforestación
____ el calentamiento global
____ la acumulación de basura
____ la polución del aire
____ la sobrepoblación
____ la extinción de especies animales y vegetales

____

Output

Paso 2. En grupos, comparen y expliquen sus razones. Mencionen también otros problemas que añadieron a la lista del **Paso 1.**

Modelo: **A mí me importa mucho la contaminación del agua porque destruye la vida marina y también afecta a los humanos. Por ejemplo, las mujeres embarazadas no pueden comer algunos tipos de pescado porque tienen mucho mercurio.**

12.11 Extensión: Puede pedir a sus estudiantes que, en grupos de tres o cuatro personas, piensen en las consecuencias que pueden tener estos problemas si no los resolvemos. Esta puede ser también una actividad escrita individual y asignarse como tarea.

PALABRAS ÚTILES

afectar	*to affect*	**la escasez**	*scarcity, shortage*
el derrame de petróleo	*oil spill*	**respirar**	*to breathe*
derretirse (i, i)	*to melt*	**la sequía**	*drought*

© USDA Photo/Alamy

▲ Hubo graves incendios forestales en California en 2013.

Output

[12.12] ¡Protege tu mundo!

En grupos, imaginen que forman parte de un comité universitario para la protección del medio ambiente.

Paso 1. Su primer objetivo es crear un folleto (*brochure*) con consejos para los estudiantes sobre acciones personales que deben integrar en su vida diaria. Piensen en los siguientes aspectos:

- el transporte
- la reducción de la basura
- el consumo de agua
- ¿otros?
- el consumo de energía

Modelo: **Ve a la universidad a pie o en bicicleta, no vayas en carro.**

Paso 2. Además, van a trabajar con la administración de la universidad en la creación y mejora de programas "verdes". Piensen en acciones y programas que debe implementar la universidad para motivar a los estudiantes.

Modelo: **Motiven a los estudiantes a usar transporte público aumentando el número de rutas y la frecuencia de los autobuses.**

Esta actividad recicla los mandatos de la forma *tú* en el **Paso 1** y los mandatos de la forma ustedes en el **Paso 2.**

En mi experiencia

Jesse, Reno, NV

"I noticed when I studied abroad in Peru that houses don't have huge water heaters like I was used to. They had a small tank that regularly had to be lit. I learned to take a 4-minute shower before the hot water cut off! Also, they never left water running while doing dishes or brushing teeth, which now seems really wasteful to me."

Are you accustomed to long hot showers? How much water do you think is saved every month by a person who turns it off while doing dishes and brushing their teeth?

PhotoConcepts/Vetta/Getty Images

Cultura

WileyPLUS

Costa Rica

© Bunyos/iStockphoto

ANTES DE LEER

1. ¿Qué quiere decir Costa Rica en inglés? Rich coast.
2. ¿Qué es el ecoturismo? Actividad turística que respeta el medio ambiente.

Use *PowerPoint Slides* para presentar esta sección de cultura.

El primer explorador europeo que llegó a **Costa Rica** fue Cristóbal Colón, el 18 de septiembre de 1502. Colón hacía su cuarto y último viaje a las Américas y, cuando se acercaba a la costa, un grupo de indígenas caribes salió en canoas a su encuentro. Los caribes llevaban aros de oro en la nariz y las orejas. Por eso, los españoles le dieron a la región el nombre de Costa Rica. Cuando comenzaron a colonizar el lugar, había ocho grupos indígenas principales, pero hoy en día solo un 1.5% de la población costarricense pertenece a estos grupos. Los españoles trajeron esclavos africanos y unos 70,000 de sus descendientes viven actualmente en ese país; el otro 94% de la población está compuesto por blancos y mestizos.

Hoy en día, Costa Rica tiene la reputación de ser uno de los países más estables y prósperos de América Latina. La capital, San José, es una ciudad diversa, con hermosos parques y lugares históricos. Pero la verdadera atracción del país está en su fauna y flora y en sus playas, ríos, cascadas, volcanes y montañas. Desde el Volcán Irazú (que mide 3,432 metros de altura) ¡se pueden ver las costas del mar Caribe y del océano Pacífico al mismo tiempo!

Costa Rica es uno de los países latinoamericanos con mayor conciencia ecológica, ya que protege más del 25% de su territorio. Existen más de quince reservas y parques nacionales con una biodiversidad sorprendente: 14,000 especies de plantas y árboles; 1,000 especies de mariposas y 850 especies de pájaros. Costa Rica goza hoy de una imagen turística única basada en el ecoturismo, que ofrece viajes a áreas naturales. El ecoturismo también incorpora programas de reciclaje, eficiencia energética, conservación del agua y creación de oportunidades económicas para las comunidades locales.

Wolfgang Kaehler/©Corbis

▲ Los turistas pueden observar monos y distintos tipos de pájaros en Costa Rica.

Courtesy of Laila Dawson

▲ Monteverde, un bosque nuboso

DESPUÉS DE LEER

1. ¿Te parece una buena idea el ecoturismo? ¿Lo has hecho alguna vez?
2. ¿Dónde se puede hacer ecoturismo en Estados Unidos?

Así se forma

Use ***PowerPoint Slides*** para presentar y practicar esta gramática.

2. The subjunctive with expressions of doubt or negation

Imad: **Creo** que **podemos** escalar aquel pico.

Iván: Sí, pero **dudo** que **podamos** hacerlo hoy. Es tarde y **no creo que tengamos** tiempo antes del anochecer (*sunset*).

Imad: Sí, es **verdad** que hoy ya **es** tarde. Pero **seguro** que **podemos** hacerlo mañana. **Es probable** que **haya** un buen sitio para acampar cerca de aquí. Vamos a descansar y mañana lo intentamos.

In *Capítulo 11*, you learned that when the main clause in a complex sentence expresses desire, a request, or an emotion, the verb in the subordinate clause is in the subjunctive. Similarly, when the main clause expresses doubt, uncertainty, or disbelief, the subjunctive is used in the subordinate clause.

expression of doubt/uncertainty/ disbelief (indicative)	+	que	+	action that is doubted/ uncertain (subjunctive)
(Yo) **No estoy seguro de**		que		Ernesto **tenga** un coche híbrido.

Some verbs and expressions of doubt, uncertainty, or disbelief are:

dudar	*to doubt*	**Dudo** que **haya** un programa de reciclaje aquí.
no estar seguro/a (de)	*not to be sure*	**No estamos seguros de** que **haya** paneles solares.
no creer	*not to believe*	**¿No crees** que **podamos** ahorrar agua?
no pensar	*not to think*	**No pienso** que **exista** una solución rápida.

- The verbs **creer** and **pensar**, as well as the expression **estar seguro/a (de)** generally express certainty when affirmative, taking an indicative in the subordinate clause, and lack of certainty when they are negated, taking a subjunctive. Note the contrast:

  El presidente **está seguro/cree/piensa** que **debemos** reciclar más. — *The president is sure/believes/thinks that we must recycle more.*

  El presidente **no está seguro/cree/piensa** que **debamos** reciclar más. — *The president is not sure/does not believe/does not think that we must recycle more.*

- Note that when there is no subject change, the main verb is followed by an infinitive.

  No **creemos tener** la solución. — *We don´t believe we have the solution.*

- Certainty can also be expressed with the verb **saber** and the expression **seguro que**.

  Seguro que **podemos** hacer más. — *Surely we can do more.*

WileyPLUS
Go to *WileyPLUS* to review this grammar point with the help of the **Animated Grammar Tutorial**.

Puede pedir a sus estudiantes que observen en el diálogo introductorio las estructuras en negrita, comparándolas con las estructuras de subordinadas nominales que estudiaron en el *Cap. 11*, y también contrastándolas con las que requiren subjuntivo e indicativo. Señale el contraste entre *creer que + ind.* y *no creer que + subj.* como ejemplo del contraste entre certeza y falta de la misma (desde el punto de vista del hablante).

Sugerencia: Para presentar estas estructuras en clase, escriba en la pizarra ***Dudar que + subjuntivo y Creer que + indicativo***. Escriba después algunas afirmaciones sobre usted mismo/a, unas que sean ciertas y otras que sean obviamente falsas (***Hablo español. Tengo 30 años,*** etc.) y, para cada afirmación, pida a los estudiantes que decidan si creen en la afirmación o si dudan que sea verdadera. Haga preguntas que ilustren la diferencia mientras señala la construcción que está usando:

¿Creen que hablo español?

¿Dudan que hable español?

- Impersonal expressions with **ser** + adjective conveying certainty also require an indicative, while those conveying doubt or uncertainty require a subjunctive.

Es (cierto/verdad/obvio...)	+	que	+	indicativo
Es (posible/imposible/probable...)	+	que	+	subjuntivo

Es obvio que **consumimos** demasiado. *It is obvious that we consume too much.*

Es probable que **aumente** la población. *It is likely that the population will grow.*

- Impersonal generalizations without a subject are followed by an infinitive.

Es importante encontrar soluciones. *It is important to find solutions.*

Input **[12.13] ¿Qué opinas tú?**

Paso 1. Subraya la opción correcta y completa expresando tus opiniones.

1. Creo que mucha gente (ignora/ignore) ______.
2. Dudo que mucha gente (intenta/intente) ______.
3. Es probable que no (reciclamos/reciclemos) ______.
4. Es verdad que (debemos/debamos) ______.
5. Dudo que (es/sea) fácil ______.
6. Es imposible que a la gente no le (importa/importe) ______.
7. Creo que el gobierno (debe/deba) ______.
8. No creo que el gobierno (debe/deba) ______.

Output **Paso 2.** En grupos pequeños comparen sus respuestas y opiniones. ¿Están de acuerdo (*do you agree*) con sus compañeros/as?

Modelo: Estudiante A: **Creo que mucha gente ignora la gravedad de la situación.**
Estudiante B: **Yo no creo que mucha gente ignore la gravedad de la situación, pero creo que es difícil cambiar nuestros hábitos... Yo creo...**

12.14 Sugerencia: Pida a los estudiantes que busquen más información sobre alojamiento ecológico, bien antes de la clase, como preparación.

EXPRESIONES ÚTILES

Para animar *(to encourage)*
¡Anímate! /¡No pasa nada!
¡Vamos, hombre/mujer!

Para negarse *(to refuse)*
¡Ni pensarlo!/¡Ni hablar!/
¡Ni loco/a!
¡De ninguna manera!

Situaciones

Estudiante A: Tus amigos y tú quieren hacer unas vacaciones de aventura. Sus opciones son una semana escalando montañas, acampando en una isla que no tiene habitantes, o explorando la región del Amazonas. Necesitan una persona más para completar el grupo. Explica el viaje a este otro amigo, no tan aventurero, e intenta persuadirle para que vaya con ustedes.
Estudiante B: Te fascina la naturaleza... en los documentales. No eres nada aventurero/a, te dan miedo los insectos y otros animales, y los únicos paseos que haces son por el parque de tu ciudad.

Output **[12.14] Tierra Sagrada Eco Lodge.** Tú y tus amigos quieren hacer un viaje de aventura, y están considerando ir a la selva amazónica de Ecuador. Han encontrado la siguiente información sobre Tierra Sagrada Eco Lodge.

TIERRA SAGRADA
ECO LODGE

Inicio | Ecolodge | Medio ambiente | Precios | Reserva | Multimedia | Contáctenos

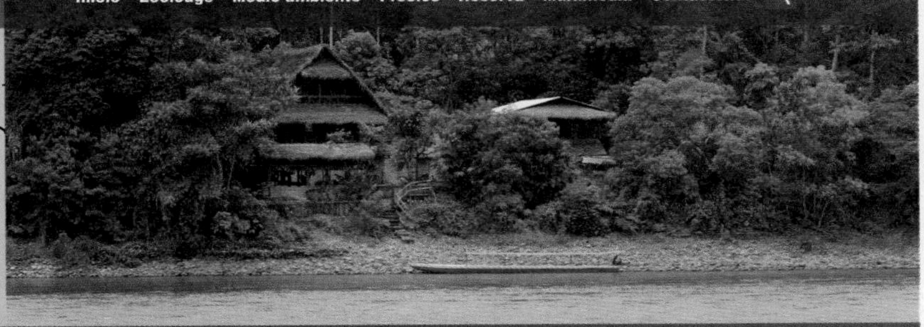

Tierra Sagrada: Descubra un nuevo mundo

En el remoto corazón de la selva amazónica, la reserva ecológica Tierra Sagrada le permite descubrir la región con mayor biodiversidad del planeta. Además, su visita a nuestras cabañas contribuye a la sostenibilidad de las comunidades indígenas vecinas y a la protección de este entorno natural.

Nuestras cabañas se encuentran a la orilla del río Napo, solamente se puede acceder por canoa. Las cabañas están construidas con técnicas y materiales locales, pero cuentan con comodidades modernas como baños privados con agua caliente y electricidad (de paneles solares). En el comedor puede degustar alimentos locales como mandioca, frutas de granjas selváticas, pescado del río, etc.

Algunas actividades:

- **Recorridos con guías locales, para activar los sentidos y disfrutar de la flora y fauna de la selva. Pueden hacer caminatas nocturnas también.**
- **Paseos en *kayak* o canoa, desde donde se pueden ver diferentes tipos de peces, incluso los místicos delfines rosados.**
- **Visita a una comunidad quichua, donde aprenderá sobre sus costumbres y compartirá una comida con una familia local.**
- **Acampada en la comunidad, participando de las ceremonias tradicionales shamánicas después del atardecer, alrededor de la fogata.**

En sus grupos comenten y den sus reacciones respecto a las siguientes cuestiones, incluyendo los aspectos positivos y negativos de cada uno. Aquí tienen algunas preguntas que pueden usar como guía, pero intenten pensar en otras.

1. La localización de las cabañas: ¿Qué piensas sobre el viaje? ¿Qué tipo de servicios piensas que hay en esta zona? ¿Crees que habrá acceso a un teléfono, a Internet o medios de comunicación?
2. El alojamiento (*lodging*): ¿Crees que te va a gustar vivir en estas cabañas? ¿Qué servicios necesitas? ¿Crees que ofrecen esos servicios?
3. La comida: ¿Crees que te va a gustar la comida? ¿Es posible que pruebes (*try*) algo nuevo?
4. Las actividades: ¿Qué actividades de la lista es probable que hagas? ¿Qué otras actividades es posible que ofrezcan?

¿Van a ir a Tierra Sagrada Eco Lodge, o prefieren buscar una alternativa?

HINT

Usa expresiones de los *Caps. 11* y *12*, por ejemplo:
(No) Me fascina/encanta/gusta que...
Espero/Ojalá que...
¡Qué bueno que...!
Es interesante/posible/probable/... que...
(No) Creo/pienso/dudo... que

Cultura WileyPLUS

Los parques nacionales en el mundo hispano

Use *PowerPoint Slides* para presentar esta sección de cultura.

Pichugin Dmitry/Shutterstock

▲ Unos guanacos

Libor Tomáštik/iStockphoto

▲ Un ñandú en Chile

ANTES DE LEER

1. ¿Cuándo se creó el *Servicio de Parques Nacionales* en Estados Unidos? ¿Cuáles son algunos de los 59 parques nacionales?
   1916. Yellowstone, Yosemite, Denali, Zion, Everglades.
2. ¿Has visitado alguno, o cuál te gustaría visitar?

La protección del medio ambiente no es una idea nueva en el mundo hispano. La creación de parques nacionales y reservas en estos países ocurrió en la primera mitad (*half*) del siglo XX. Hay muchos parques de notable belleza en España y América Latina, pero algunos de los parques y reservas más conocidos están en Costa Rica: los "bosques nubosos", en la reserva de Monteverde, protegen a los quetzales, pájaros sagrados (*sacred*) para los mayas, y cada verano miles de tortugas (*turtles*) ponen sus huevos en las playas del parque nacional Tortuguero.

Otros países también tienen parques espectaculares. México combina las reservas naturales con monumentos arqueológicos: un ejemplo es Xcaret, en Yucatán. Allí se puede admirar ruinas mayas entre la flora y la fauna de la región. En las selvas del interior de Venezuela están los tepuyes, altas mesetas (*plateaus*) rodeadas de nubes y de vegetación tropical. En las Islas Galápagos, de Ecuador, podemos ver de cerca las aves (*birds*) y los reptiles que inspiraron la teoría de la evolución de Charles Darwin. Torres del Paine, en el sur de Chile, es famoso por sus montañas de granito, costas impresionantes y glaciares gigantescos. Este parque de 450,000 acres protege a los guanacos (animales parecidos a las llamas) y a los ñandúes.

Hoy en día, los países hispanos continúan creando parques y reservas para reflejar el aumento de la conciencia ecológica y el interés de sus habitantes por el ecoturismo.

DESPUÉS DE LEER

1. Empareja los parques y las reservas que se mencionaron en la lectura con sus descripciones.

   __e__ Hay enormes glaciares y se protege a los guanacos y a los ñandúes.
   __d__ Se puede ver las aves y los reptiles que inspiraron a Darwin.
   __b__ Las tortugas ponen sus huevos en las playas.
   __c__ Tiene ruinas mayas y mucha flora y fauna.
   __a__ Protege a los quetzales.
   __f__ Se puede visitar mesetas tropicales entre las nubes.

   a. Costa Rica: la reserva de Monteverde
   b. Costa Rica: el parque nacional Tortuguero
   c. México: Xcaret
   d. Ecuador: las Islas Galápagos
   e. Chile: las Torres del Paine
   f. Venezuela: los tepuyes

2. De todos los parques y las reservas que se mencionaron en la lectura, ¿cuáles te gustaría visitar más y por qué?
3. ¿Qué efectos negativos piensas que tiene el turismo sobre los parques nacionales? ¿Existen soluciones para este tipo de problemas?

VideoEscenas

¡Vamos a Cuzco!

© John Wiley & Sons, Inc.

▲ Isabela y J.J. están de vacaciones en Perú.

ANTES DE VER EL VIDEO

Cuando ustedes van de vacaciones, ¿prefieren ir a un hotel o acampar? En parejas, hagan una lista de las ventajas y desventajas de cada opción.

Dichos: Conozco al viajero por las maletas.

A VER EL VIDEO

Mira el video e indica si estas afirmaciones son **ciertas** o **falsas**. Corrige las oraciones falsas.

	Cierto	Falso	
1. J.J. e Isabela van a viajar a Lima.	☐	☑	Van a Cuzco.
2. Su plan era quedarse en un hotel.	☐	☑	Su plan era acampar.
3. Isabela cree que un hotel es muy caro.	☑	☐	[cierto]
4. Isabela cree que tienen un buen plan.	☐	☑	Isabela no cree que tengan...
5. Los dos piensan que todo va muy bien.	☐	☑	Isabela no cree que todo vaya bien (su respuesta es sarcástica).

DESPUÉS DE VER EL VIDEO

¿Qué tipo de viajero eres tú? ¿Te gusta planear todos los detalles antes de tu viaje o prefieres improvisar? ¿Piensas que es fácil o difícil viajar contigo?

Así se forma

Use *PowerPoint Slides* para presentar y practicar esta gramática.

WileyPLUS
Go to *WileyPLUS* to review this grammar point with the help of the **Animated Grammar Tutorial**.

3. Activities with a general or unknown subject: *Se* + verb constructions

Somos/Age Fotostock America, Inc.

Pida a sus estudiantes que observen los letreros, y hagan hipótesis sobre su significado así como su estructura. Es posible que observen la falta de sujeto gramatical, y comenten el significado como pasivo o impersonal. Si no observan la concordancia entre verbo y objeto independientemente, puede preguntarles qué formas verbales ven, y qué observan en la oración que pueda determinar cuáles formas son singulares y cuáles plurales.

Nota: Hay dos construcciones con ***se: se impersonal***, en la que se entiende que hay un sujeto no específico/general; y ***se pasivo*** (o pasiva perifrástica), en la que existe un sujeto, pero no se menciona por desconocerse o porque no interesa mencionarlo. Sus estructuras también son diferentes: las construcciones de ***se impersonal*** siempre tienen la forma verbal en 3ª persona singular; y las de ***se pasivo*** en 3ª persona singular o plural, en concordancia con el sujeto pasivo (como el resto de las oraciones pasivas). Sin embargo, muchos hablantes nativos extienden la estructura pasiva a casos de ***se impersonal*** (es común y ampliamente aceptado decir, por ejemplo, ***No se dicen*** mentiras en vez de ***No se dice mentiras***) y, por tanto, nos parece innecesario diferenciar entre ambas construcciones en este nivel.

To talk about activities for which the subject is general, not specific or unknown, Spanish commonly uses a **se** + *verb* construction. English uses such words as *one, people, you* for general or unspecified subjects and the passive voice[1] when the subject is not mentioned.

Se prohíbe hacer fogatas.	*Making bonfires is prohibited.*
Se aprobó la ley sobre el uso de pesticidas.	*The law about the use of pesticides was passed.*
En la selva **se escuchan** muchos animales.	*In the jungle one can hear many animals.*

In these constructions, **se** is always used with a verb in the third-person singular, except when it refers to a plural noun; then the verb is also plural.

Aquí **se vende** lechuga orgánica.	*Organic lettuce is sold here.*
No **se recicla** bastante.	*People don't recycle enough.*
Se venden mapas. (*sign on store window*)	*Maps are sold here.*
En mi residencia **se usan** bombillas de bajo consumo.	*In my dorm they use energy-saving light bulbs.*

Input

[12.15] ¿Dónde se ven estos anuncios?

Escucha los anuncios y letreros (*signs*) que dan instrucciones o información al público. Escribe el número del anuncio al lado del lugar donde puede encontrarse. Para algunos casos, puede haber más de una opción.

1,3 en un hotel	1 en un aeropuerto
4 en un periódico	1,6,5 en un banco
1,2 en un restaurante	1 en un hospital

Output

[12.16] ¿Dónde estoy?

Paso 1. Completa las siguientes oraciones con **se** y la forma apropiada del verbo entre paréntesis. ¿Sabes qué lugar se describe aquí?

En este lugar se estudia (estudiar) mucho y, algunas veces, también se hacen (hacer) juegos. Algunas veces se escriben (escribir) oraciones o párrafos y también se habla (hablar) mucho, pero generalmente no se puede (poder) hablar inglés.

[1]The English passive voice is formed with the verb *to be* + *the past participle*: The house *was built* in 1821.

Paso 2. En parejas, escojan uno de estos lugares y describan qué se hace, se puede hacer o no se puede hacer en estos lugares. ¿Qué pareja puede hacer la descripción más completa?

1. en el centro comercial **2.** en la montaña **3.** en la playa

Paso 3. Ahora vamos a adivinar. De forma individual, piensa en un lugar que es familiar para todos (la biblioteca, el cine, la cafetería de la universidad, un restaurante... o un lugar popular del campus o la ciudad) y escríbelo.

Paso 4. En grupos, una persona del grupo contesta las preguntas de sus compañeros sobre las cosas que *se hacen, se pueden hacer* o *no se pueden hacer* en el lugar que pensó. ¿Quién puede adivinar el lugar?

Modelo: **En este lugar, ¿se trabaja? / ¿Se venden bebidas? / ¿Se puede dormir? / ¿Se necesita dinero?...**

[12.17] Reciclando.

Input

Paso 1. Escucha este anuncio de una campaña de reciclado en España y completa la información sobre qué tipo de residuos se deben poner en cada contenedor.

Contenedor ________________: ____________________ y cartón.

Contenedor ________________: ________________ y ______________.

Contenedor __________: vidrio (glass)

Ahora, escucha qué tienen tus amigos e indica en qué contenedor se pone cada objeto.

Modelo: Oyes: Tengo una revista
Escribes: **Se pone en el contenedor azul.**

1. Se ponen en el contenedor amarillo.
2. Se pone en el contenedor verde.
3. Se ponen en el contenedor azul.
4. Se pone en el contenedor azul.
5. Se ponen en el contenedor amarillo.
6. Se ponen en el contenedor verde.

Output

Paso 2. Reciclar es siempre una buena idea, pero a veces podemos reusar objetos cotidianos de forma creativa. En parejas, piensen en usos alternativos para estos objetos.

un cepillo de dientes viejo	un tarro de mermelada vacío	un periódico
un tubo del papel higiénico	una botella vacía	una caja de zapatos

Modelo: **Con un periódico se pueden envolver regalos.**

NOTA CULTURAL

Los ticos

In Spanish, we can say that something is small or that we have an affection toward it by using **-ito** or **-ico** at the end of the word:

abuela → abuel**ita**

momento → momen**tito**, momen**tico** (¡Espérame un momen**tico**!)

People from Costa Rica are called **ticos** (*masculine*) and **ticas** (*feminine*). It is said that this is because they are famous for using diminutive endings very frequently.

12.15 Audio:
1. Se prohíbe fumar.
2. No se aceptan cheques.
3. Se necesita recepcionista para tomar reservaciones.
4. Se vende computadora como nueva.
5. Se cambian cheques.
6. Se abre de las nueve a las seis.

12.16 Paso 3: Alternativa: Puede pedir a los estudiantes que escriban una descripción de lo que se hace normalmente y lo que no se puede hacer en ese lugar. Después, en clase, pida a varios estudiantes que lean su descripción para que el resto de la clase identifique el lugar.

PALABRAS ÚTILES

la botella	*bottle*
la caja	*box*
el cartón	*cardboard*
el contenedor	*dumpster*
el envase	*container*
la lata	*can*
vidrio	*glass*

Paso 4: Alternativa: Si desea tener cierto control sobre el vocabulario que se recicla con esta actividad, puede escoger y escribir los nombres de algunos lugares en tarjetas y distribuirlas en cada grupo. Algunas ideas: en la biblioteca; en el cine; en el hospital; en la universidad; en el banco; en el centro de la ciudad; en la oficina de correos; en el supermercado; en casa.

Audio 12.17:
Aprenda a reciclar. Para que podamos reciclar los residuos, se deben poner en el contenedor de basura apropiado. Tire al contenedor azul el papel y el cartón. Ponga envases de plástico y metal en el contenedor amarillo. Y en el contenedor verde, deposite sus residuos de vidrio.
1. Tenemos dos botellas de plástico.
2. Tenemos una botella de vidrio.
3. Tengo muchos periódicos.
4. Yo tengo una caja de cartón.
5. Lucía y yo tenemos unas latas de Coca-Cola.
6. Tengo unos envases de mermelada. Son de vidrio.

DICHO Y HECHO

PARA LEER: Cinco horas de pura adrenalina: *Tour* en bicicleta por la ruta a Yungas

Sugerencia: Si hacen *Antes de leer* en clase, puede ser más productivo el trabajo en parejas o grupos pequeños.

ANTES DE LEER

Lee los títulos y observa las fotografías. Intenta anticipar el tema del texto.

Steffen Foerster/Shutterstock

ESTRATEGIA DE LECTURA

Using questions to predict and summarize content (Who? What? When? Where? Why? How?) You have learned that trying to predict the content of a text can help you interpret it more accurately. One way to set about predicting what you might find in a text and after looking at its title and headings, and observing any visuals, is to brainstorm by asking yourself questions about it: what could this text talk about, who might be mentioned, etc. Jot down your answers to these questions, in Spanish, based on your initial observation and skimming of the article:

¿Qué acciones o eventos puede mencionar el texto? ¿Qué personas pueden ser parte de la historia? ¿Dónde sucede (*takes place*) la historia? ¿Cuándo sucede esto? ¿Cómo sucede? (imagina partes del proceso o acciones específicas) ¿Por qué lo hacen?

After you read the selection carefully, you can ask those questions again. The answers will help you summarize the main ideas.

© Phil Clarke-Hill/Robert Harding World Imagery/Corbis

A LEER

Si usted es un ciclista amante de la aventura y los desafíos[1], el Camino de la Muerte puede ser una buena opción durante su estadía en Bolivia. La antigua ruta a Yungas, al Noreste de la ciudad de La Paz, se ha convertido en un atractivo muy popular para quienes buscan experiencias llenas de adrenalina. Según cuentan aquellos que lo han vivido, el *tour* "vale cada centavo, es un poco intimidante pero increíble".

¿Qué hace tan popular al Camino de la Muerte? No importa cuántas veces lo preguntemos, parece imposible encontrar una respuesta precisa. Esta ruta era famosa mucho antes de que las empresas de turismo ofrecieran excursiones en bicicleta. En este camino[2] de tierra que bordea[3] precipicios[4] de 300 metros de profundidad, eran frecuentes los derrumbes[5] y los autobuses desbarrancados[6], sobre todo durante la estación lluviosa. En 1995, Yungas fue denominado como el camino más peligroso del mundo por el Banco Interamericano de Desarrollo. Pero, no es solo el peligro lo que atrae a los visitantes. Las características geográficas de la zona forman un impresionante paisaje de precipicios, ríos y cascadas que se combinan con una exuberante vegetación.

La aventura

Para hacer el camino en bicicleta es necesario contratar a una agencia que ofrezca este servicio. Esta transporta a los pasajeros hasta la cumbre[7] (lugar donde comienza el descenso) y les provee de todo el equipamiento necesario. Un guía acompaña al grupo y un vehículo de apoyo[8] los sigue durante todo el itinerario. Estas son las condiciones mínimas de seguridad que garantizan un descenso sin contratiempos.

Antes de llegar al Camino de la Muerte hay unos 21 kilómetros de asfalto; pero, a una altura[9] aproximada de 4,000 metros, el viento y la lluvia ocasionales pueden ser el primer desafío a enfrentar. Así empieza el trayecto, que toma aproximadamente cinco horas y se transforma en el escenario perfecto para disfrutar[10] de la velocidad,

[1]challenges, [2]road, path, [3]skirts, goes along, [4]cliffs, [5]landslides, [6]run off the road, [7]summit, [8]support, [9]elevation, [10]enjoy

la adrenalina y la naturaleza. "No puedo describir lo que he sentido, es emocionante, definitivamente hay que vivirlo, se lo recomiendo a todos", dice Thomas, un turista inglés, minutos después de terminar los 64 kilómetros del recorrido. Luego sonríe y celebra junto a sus compañeros, levantando los brazos y gritando victoria.

Texto: María Teresa Ardaya / *De la revista Punto y coma (Habla con eñe)*

DESPUÉS DE LEER

1. Resume las ideas principales del texto usando las preguntas de la estrategia de lectura de esta sección. Es posible que no haya respuestas a todas las preguntas en el texto. ¿Anticipaste algunas ideas correctamente?
2. Ahora, responde a estas preguntas sobre el texto:
   - ¿Por qué es peligrosa la ruta por el Camino de la Muerte?
   - Además del sentido de aventura, ¿qué otros atractivos ofrece esta excursión en bicicleta?
   - Esta ruta solo se puede hacer con una agencia especializada. ¿Qué ofrecen estas agencias?
3. ¿Te gustaría hacer esta ruta en el Camino de la Muerte? ¿Por qué? ¿Hay otra actividad de aventura que te gustaría hacer? Si no, ¿qué tipo de actividades prefieres durante tus vacaciones?

PARA CONVERSAR: Una excursión

Piensas hacer una excursión con unos compañeros de clase durante las vacaciones de verano. Una persona quiere hacer *rafting* en alguno de los ríos mencionados en la sección ***Rafting* y algo más** (***Así se dice 1*** de este capítulo), otra persona sugiere una visita a *Tierra Sagrada Eco Lodge* en la selva de Ecuador (sección ***Así se forma 2*** de este capítulo) y otra desea hacer el tour en bicicleta por el *Camino de la Muerte*. Trata de convencer a tus compañeros de que la excursión que tú sugieres es la mejor.

ESTRATEGIA DE COMUNICACIÓN

Convincing others

When you're trying to arrive at a group decision, part of your success lies in your ability to convince others to consider your input and ideas. Think of three things about the excursion you're suggesting that you think will appeal to your classmates and/or make it seem the logical choice, and think of one or two things about your classmates' suggested excursions that might present problems, challenges, or impracticalities.

EXPRESIONES ÚTILES

Creo que les va a gustar ____________ porque...
Consideren las ventajas de ____________.
Me parece que a todos nos va a gustar ____________ porque...

ASÍ SE HABLA

En su conversación intenten usar estas frases muy comunes en Costa Rica:

Mae = Un poco como el inglés *"man/dude"* entre amigos.

¡Pura vida! = Goza (*enjoy*) de la vida, no te preocupes, todo está bien.

Tuanis = Como el inglés *"cool."*

PARA ESCRIBIR: Una carta

Eres agente de viajes y recibiste estas tres cartas de personas a quienes les gustan mucho las aventuras al aire libre. Vas a elegir una carta y escribir una respuesta en la que recomiendas un viaje adecuado para ese/a cliente/a.

Carta #1

Hola, me llamo Francisco y quiero ir a un país con muchos bosques y quizás lugares para escalar. Me interesa un viaje ecológico que no deje una fuerte huella de carbono (*carbon footprint*) porque me molesta hacerle daño a la naturaleza. Quiero conocer un país de Centroamérica. ¿Qué me recomiendan ustedes?

Carta #2

Mi nombre es Elena y me encanta la naturaleza. Me gusta mucho hacer *rafting* y estoy muy orgullosa de haber descendido ríos de clase 4. También me gusta acampar, pero no quiero escalar ni dar caminatas muy largas. No tengo pasaporte, así que no puedo salir del país. Gracias por su ayuda.

Carta #3

Soy Tim, y a mi esposa y a mí nos gusta pescar, bucear y montar a caballo. No nos gusta montar en bicicleta ni hacer *surf*. Los padres de mi esposa, Shari, eran de Jamaica y nos da mucha pena que ella nunca haya visitado su país, así que queremos viajar a algún lugar del Caribe para después ir a Jamaica.

Sugerencia: Recuerde a los estudiantes que deben usar ***usted*** al escribir la respuesta a sus clientes.

ANTES DE ESCRIBIR

Piensa en los lugares y las actividades que vas a recomendar y los que no vas a recomendar a tu cliente y anota tus razones en tu cuaderno o en una hoja de papel.

ESTRATEGIA DE REDACCIÓN

Getting your reader's attention

When writing something like a letter that offers your opinions or suggestions, the idea is to persuade the reader to agree with you and follow your advice. Getting your reader's attention right from the start can help you achieve this goal. One way to get the reader's attention is to begin your letter in an unexpected way. Here are some examples:

- Begin with an interesting detail: *Muchos de los remedios y medicamentos que usted tiene en la casa en este momento tienen su origen en la selva amazónica.*
- Begin with a short anecdote: *En un viaje reciente a Costa Rica, a mi tía la siguió el mismo monito* (little monkey) *durante tres días.*
- Begin with a question: *¿Alguna vez pensó que su visita a un lugar puede dañar* (harm) *el medio ambiente?*
- Begin with figurative language: *Una excursión a un parque ecológico le recarga las baterías.*

Use one of these, or your own unique way of getting your reader's attention.

A ESCRIBIR

Escribe una primera versión de tu carta. Usa Internet para buscar detalles sobre el lugar o los lugares que vas a recomendar. Trata de llamar la atención al comienzo del texto, siguiendo las ideas de la sección *Estrategia de redacción*.

Para escribir mejor

Recuerda que las estructuras para hacer recomendaciones y dar opiniones con el subjuntivo pueden ayudarte mucho con la carta, y que también debes escribir tu carta con la forma *usted* porque no conoces a la persona a quien te diriges.

(No) Le recomiendo/aconsejo... que... (vaya, considere...)

(No) Creo/Pienso/Es posible... que... (tenga, usted pueda...)

DESPUÉS DE ESCRIBIR

Revisar y editar: La organización. Después de escribir el primer borrador de tu carta, déjalo a un lado por un mínimo de un día sin leerlo. Cuando vuelvas a leerlo, corrige el contenido, la organización, la gramática y el vocabulario. Hazte estas preguntas:

- ☐ ¿Empiezo la carta llamando la atención?
- ☐ ¿Describo las actividades que recomiendo de forma clara y con muchos detalles?
- ☐ ¿Tiene cada párrafo una oración principal y tienen todas las ideas de cada párrafo relación con la oración principal?
- ☐ ¿Revisé la gramática, especialmente el uso del subjuntivo y de las preposiciones *para* y *por*?

PARA VER Y ESCUCHAR: Ollantaytambo: parque nacional en peligro

© John Wiley & Sons, Inc.

ANTES DE VER EL VIDEO

1. El Parque Arqueológico de Ollantaytambo está en la ruta entre Cuzco y Machu Picchu.
   Esto quiere decir que está en: ☐ Bolivia ☑ Perú ☐ Costa Rica
   y que tiene influencia cultural de: ☐ los mayas ☐ los aztecas ☑ los incas
2. El título de este video es *Ollantaytambo: parque nacional en peligro*. Dado el enfoque de este capítulo, ¿cuál crees que va a ser el peligro que enfrenta (*faces*) este lugar?

A VER EL VIDEO

ESTRATEGIA DE COMPRENSIÓN

Monitoring your comprehension

As you listen to and watch the video, you will notice that there are three main themes. A good strategy is to watch the entire segment, then during the second viewing, pause to jot down a brief summary or list of ideas and words within each theme. Monitoring your comprehension as you go helps ensure that you will have understood the main ideas of the entire video.

1. ¿Cierto o falso? Ollantaytambo es un pueblo y también un parque nacional.
2. Indica todo lo que hace mucha gente hoy, igual que hace 500 años, en Ollantaytambo. ☑ la ropa ☑ la agricultura ☑ las casas
3. Elige uno de los siguientes peligros y describe el problema específico que enfrenta Ollantaytambo:
   - la contaminación (trenes y autobuses)
   - el calentamiento global (los nevados, el agua)
   - la deforestación (construcción de hoteles, etc.)

DESPUÉS DE VER EL VIDEO

En grupos, piensen en dos o tres acciones (del gobierno, la población de Ollataytambo o los turistas) que pueden ayudar a mejorar la situación.

Repaso de vocabulario activo

Adjetivos y adverbios

afuera *outdoors, outside*
cierto/verdad *true*
emocionante *exciting*
obvio *obvious*
peligroso/a *dangerous*
posible/imposible *possible/impossible*
probable/improbable *likely/unlikely*

Palabras y expresiones útiles

a causa de *because of*
para *for, in order to, toward, by*
por *for, because of, during, through, on behalf of, along*

Sustantivos

La naturaleza ***Nature***

el agua *water*
la arena *sand*
el arrecife *reef*
el bosque *forest*
la catarata/la cascada *waterfall*
el cielo *sky*
la colina *hill*
la estrella *star*
la fogata *campfire*
el fuego *fire*
la granja *farm*
la hierba *grass*
la isla *island*
la luna *moon*
el mar *sea*
el océano *ocean*
la ola *wave*
el pueblo *village, small town*
el río *river*
la selva *jungle, rain forest*
el sol *sun*
la tierra *earth, land*
el valle *valley*

Los animales y los insectos *Animals and insects*

la araña *spider*
el caballo *horse*
el cerdo *pig*
el delfín *dolphin*
el elefante *elephant*
la gallina *hen, chicken*
el león *lion*
la mariposa *butterfly*
el mono *monkey*
la mosca *fly*
el mosquito *mosquito*
la oveja *sheep*
el pájaro *bird*
el pez (los peces) *fish*
la serpiente *snake*
el tigre *tiger*
la vaca *cow*

Aventuras y otras palabras *Adventures and other words*

al aire libre *outdoors*
el alpinismo/el andinismo *mountain climbing*
la aventura *adventure*
la balsa *raft*
el barco *ship*
el bote *boat*
la cámara *camera*
el campamento *camp*
el ciclismo de montaña *mountain biking*
el crucero *cruise*
el *kayak* *kayak*
el saco de dormir *sleeping bag*
el paracaidismo *skydiving*
la tienda de campaña *tent*

El medio ambiente *The environment*

el aumento *increase*
la basura *garbage*
el calentamiento global *global warming*
el cambio climático *climate change*
la contaminación *pollution*
la deforestación *deforestation*
la destrucción *destruction*
la energía *energy*
la gasolina *gas*
el incendio *fire*
el mundo *world*
el pesticida *pesticide*
el planeta *planet*
la polución *pollution*
el problema *problem*
el recurso natural *natural resource*

Verbos y expresiones verbales

acampar *to go camping*
bucear *to scuba dive*
conservar *to save, conserve*
contribuir (irreg.) *to contribute*
dar una caminata/hacer senderismo *to hike*
desarrollar *to develop*
desperdiciar *to waste*
destruir (irreg.) *to destroy*
dudar *to doubt*
encantar *to be very pleasing, delight*
escalar/ hacer escalada *to climb a mountain*
estar de vacaciones *to be on vacation*
estar seguro/a (de) *to be sure of*
evitar *to avoid*
fascinar *to be fascinating, fascinate*
hacer esnórquel *to snorkel*
hacer *surf* *to surf*
importar *to be important, matter*
interesar *to be interesting, interest*
ir(se) de vacaciones *to go on vacation*
molestar *to be annoying, bother*
montar a caballo *to ride a horse*
nadar *to swim*
navegar (a vela) *to sail*
pescar *to fish*
practicar el balsismo/el *rafting* *to go rafting*
prevenir *to prevent*
proteger *to protect*
reciclar *to recycle*
recoger *to pick up, gather*
reducir *to reduce*
sacar/tomar fotos *to take photos*
saltar en paracaídas *to go parachute jumping*
tener miedo *to be afraid*

CAPÍTULO 13

De viaje

Robin MacDougall/Photographer's Choice RF/Getty Images

Así se dice

Así se forma

Cultura

Dicho y hecho

LEARNING OBJECTIVES

In this chapter, you will learn to:

- talk about travel and carry out simple travel transactions.
- state recommendations, emotional reactions, and doubts through impersonal expressions.
- refer to unspecified or nonexistent persons and things.
- indicate how long an action has been going on, or how long ago it happened.
- learn about Guatemala and El Salvador.
- discover more about types of lodging in Latin America.

Entrando al tema

1. ¿Te gusta viajar? ¿Cuál ha sido tu viaje favorito hasta (*until*) ahora? ¿Adónde quieres viajar?
2. Cuando viajas, ¿prefieres un lugar para descansar con comodidad (*comfort*) o vivir experiencias diferentes?

Así se dice

De viaje

Use *PowerPoint Slides* para presentar este vocabulario.

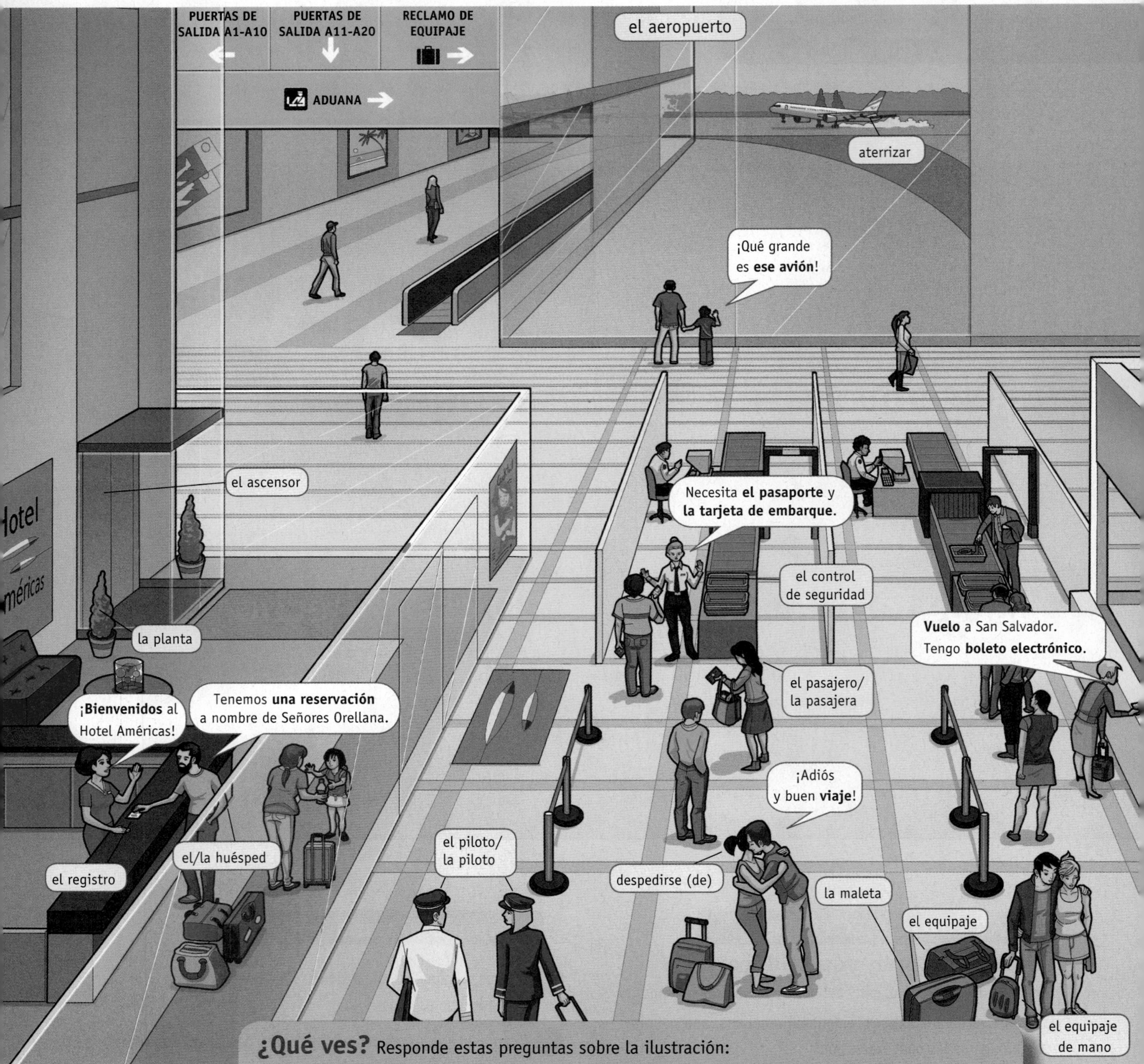

¿Qué ves? Responde estas preguntas sobre la ilustración:

1. ¿Cuántos aviones puedes ver en este aeropuerto? ¿Cuándo despega un avión, en la salida o en la llegada? ¿Cuándo aterriza?
2. Cuando viajamos en avión, ¿qué debemos hacer primero, facturar el equipaje o pasar el control de seguridad? Después de llegar a nuestro destino, ¿qué debemos hacer primero, ir al reclamo de equipaje o pasar por la aduana?

Puedes encontrar más preguntas de comprensión en *WileyPLUS* y en el *Book Companion Site* (BCS).

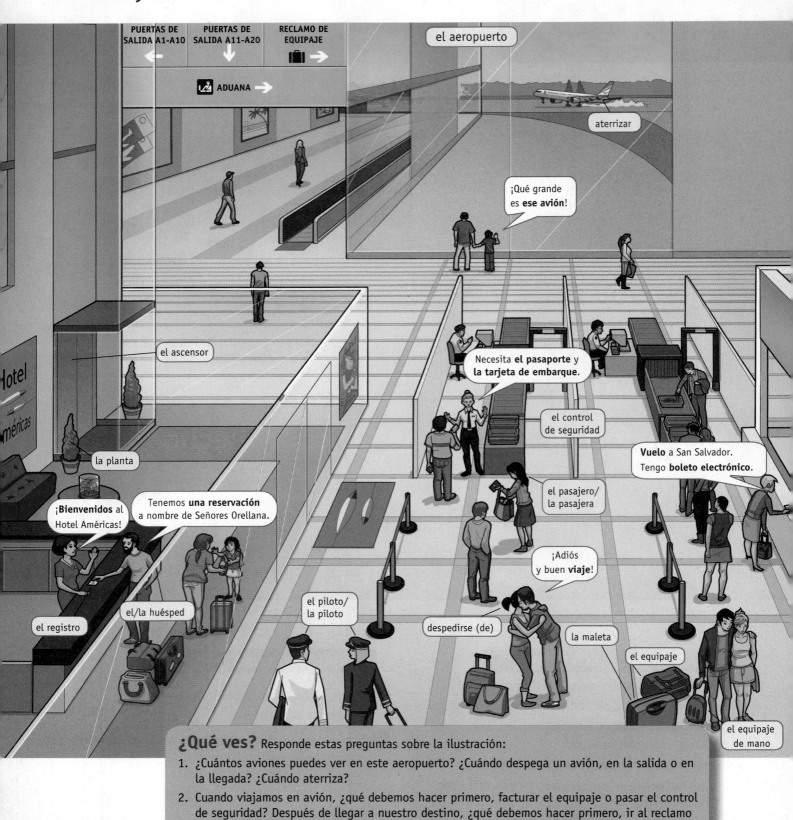

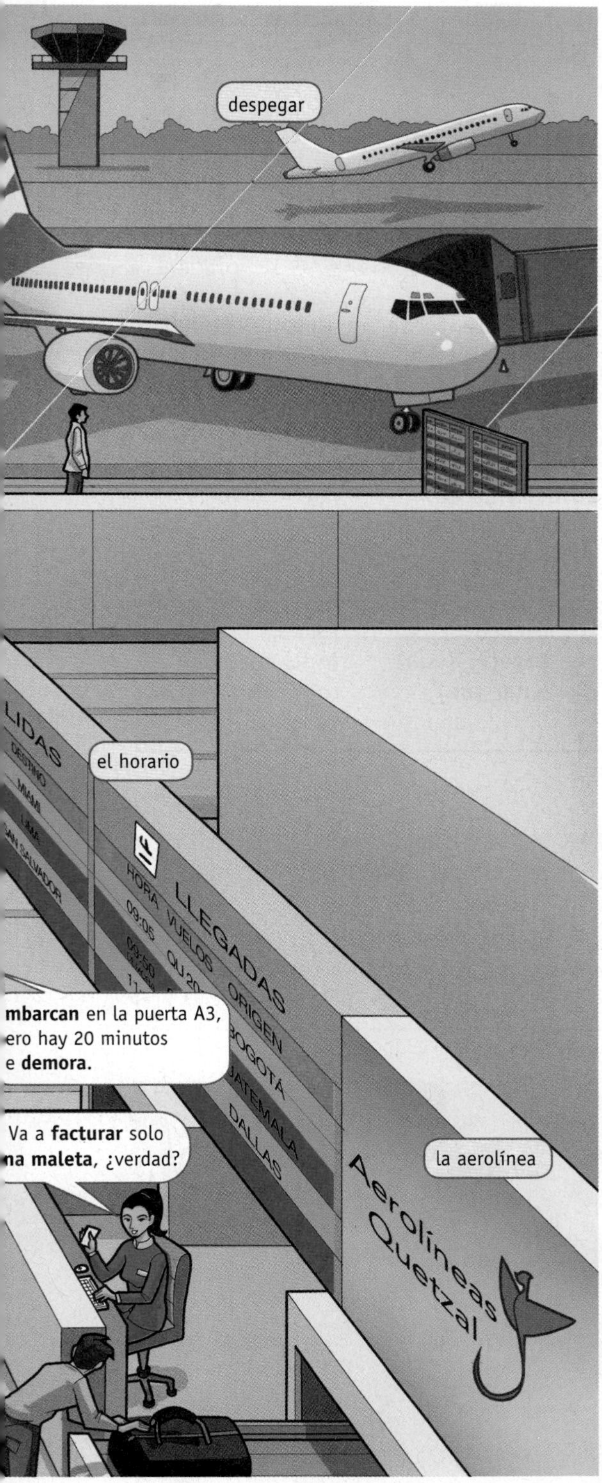

Listen to all the new vocabulary in the **Repaso de vocabulario activo** at the end of the chapter.

el ascensor	***elevator***
bienvenido/a/os/as	***welcome***
el boleto (Lat. Am.)/ el billete (Sp.)	***ticket***
la demora	***delay***
despedirse (i, i) (de)	***to say goodbye (to)***
embarcar	***to board***
facturar (el equipaje)	***to check (baggage)***
el/la huésped	***guest***
la llegada	***arrival***
la salida	***departure***
la tarjeta de embarque	***boarding pass***
volar (ue)	***to fly***

WileyPLUS

Pronunciación: Practice pronunciation of the chapter vocabulary and particular sounds of Spanish in *WileyPLUS.*

NOTA DE LENGUA

Planta has two meanings: plant (vegetation) and floor (as in ground, first, etc., floors in a building). Remember that **la planta baja** is the first floor in the USA and Canada (see Capítulo 10, **Así se dice 1**).

Sugerencia: Para iniciar el trabajo de comprensión y respuesta al nuevo vocabulario (actividades de **input**) refiérase a las preguntas de comprensión ***¿Qué ves?*** en *WileyPLUS* y en el *Book Companion Site* (BCS).

¿Y tú?

1. ¿Te gustan los viajes? ¿Has viajado en avión? ¿Cómo fue la experiencia? O si no has viajado en avión, ¿quieres hacerlo?
2. Imagina que ganas un boleto de avión gratis (*free*) a cualquier ciudad hispanohablante. ¿Adónde te gustaría ir? ¿Por qué?

Se van de viaje

Use *PowerPoint Slides* para presentar y practicar este vocabulario.

Para viajar a otro **país**, tienes que **sacar** un pasaporte. En Estados Unidos, se **obtiene** en la oficina de correos. A veces, también necesitas **un visado.**

Estos amigos viajan hoy a Guatemala. Antes del viaje deben **hacer las maletas** (o **empacar**).

¡Bienvenidos a bordo!

Cuando **suben al** avión, **un asistente de vuelo** les **saluda** y les **indica** dónde está su **asiento.**

Con **un asiento de ventanilla** puedes mirar afuera, pero es más fácil salir de **un asiento de pasillo.** Es obligatorio **abrocharse el cinturón** durante el vuelo.

¡Espero que **disfruten de** su estancia en Guatemala!

Después de **hacer escala** en Dallas, **bajan del** avión en el aeropuerto de Guatemala. **Parece que** tuvieron un buen vuelo.

Señale que, en el caso de medios de transporte, **subir** y **bajar** indican **entrar** y **salir** (*to get on, board* y *get off*), sin implicar necesariamente un movimiento de ascenso o descenso.

abrocharse	*to fasten*	**el país**	*country*
disfrutar (de)	*to enjoy (something)*	**parecer (que)**	*to seem (that)*
hacer escala	*have a layover*	**volar (ue)**	*to fly*
obtener (irreg.)[1]	*to obtain, get*		

NOTA DE LENGUA

Note some uses of the verb **parecer**:

Parece que hay demora.	*It looks like there is a delay.*
Me parece muy caro.	*It seems very expensive to me. /I think it is very expensive.*
Juan parece cansado.	*Juan looks tired.*

En mi experiencia

Danielle, Stamford, CT

Margie Politzer/Getty Images

"I noticed that in many places in Central America, people rarely formed organized lines for things, especially when getting on a bus and even at the airport. It felt like a free-for-all. I learned that it's not considered rude to push your way to the front—it's actually sometimes necessary if you want a seat."

Are you accustomed to respecting lines, and if so, how do you feel when someone cuts in front of you? What might be the values underlying the practice described by this student?

[1]The verb **obtener** is conjugated like **tener**.

Input **[13.1] Conexiones.**

Paso 1. Lee las palabras del cuadro y, en 5 minutos, anota las asociaciones que observas, explicando la conexión entre las palabras. Se pueden repetir palabras y asociar más de dos palabras.

aterrizar	el/la piloto	el boleto	el ascensor	el hotel
la demora	el/la huésped	el/la pasajero/a	el equipaje	la llegada
la maleta	despegar	el aeropuerto	subir	la tarjeta de embarque

Modelo: el boleto
la tarjeta de embarque

Paso 2. Ahora compara tus asociaciones con un/a compañero/a. ¿Son similares o diferentes? Explica las asociaciones.

Modelo: **Para mí el boleto y la tarjeta de embarque porque son documentos de viaje, generalmente son de papel, y necesitas el boleto para obtener la tarjeta de embarque.**

Paso 2. Extensión: Puede pedir a sus estudiantes que compartan algunas de sus asociaciones menos obvias para que la clase intente encontrar la conexión.

Input **[13.2] ¿Antes, durante o después?**

Paso 1. Decide si las siguientes actividades normalmente se hacen antes, durante o después de un vuelo.

	Antes del vuelo	Durante el vuelo	Después del vuelo
llegar al aeropuerto	x		x
abrocharse el cinturón de seguridad	x		
despedirse de la asistente de vuelo			x
sacar el pasaporte	x		
pedirle un refresco al asistente de vuelo		x	
enviar una tarjeta postal	x		x
esperar porque hay una demora	x		
facturar el equipaje	x		
registrarse en el hotel			x
ir a la puerta de salida con la tarjeta de embarque	x		
hacer escala		x	

Paso 2. Ahora, imagina que tienes una amiga que va a viajar por primera vez en avión. Elige cuatro de las actividades mencionadas arriba y escribe recomendaciones para tu amiga con las siguientes frases. Puedes añadir detalles a tus recomendaciones. ¡Recuerda que debes usar el subjuntivo!

Te recomiendo que…	Te sugiero que…	Te aconsejo que…

Modelo: **Te recomiendo que llegues al aeropuerto dos horas antes de tu vuelo.**

Este ejercicio recicla las oraciones subordinadas nominales con verbos de petición.

Sugerencia: En grupos, los estudiantes comparan sus sugerencias. Después reportan a la clase: *¿qué sugerencias fueron más frecuentes? ¿qué sugerencias son más importantes?*

13.3 Opción: Es posible que algunos estudiantes no hayan viajado nunca en avión. En ese caso, puede pedir a la clase posibles modificaciones en las preguntas para hablar de otro tipo de viajes (en tren, autobús o coche) y anotarlas en la pizarra. Dentro de lo posible, conviene mantener el nuevo vocabulario.

[13.3] Hablando de viajar.

Output

En parejas, tomen turnos entrevistándose. Lee las preguntas a tu compañero/a y anota sus respuestas. Pide más detalles (ejemplos, explicar por qué, etc.).

Estudiante A

1. ¿Cuántas veces has viajado en avión? ¿A qué lugares?
2. ¿Disfrutas de los viajes? ¿Te gusta viajar en avión o no? ¿Por qué?
3. ¿Cuál es tu parte favorita del viaje? ¿Qué no te gusta? ¿Te gusta despegar? ¿Y aterrizar?
4. ¿Qué aerolínea prefieres? ¿Prefieres un asiento de ventanilla o de pasillo? ¿Tienes una cuenta de viajero frecuente con alguna aerolínea? ¿Has podido viajar gratis con tus millas?
5. ¿Te gustan los aeropuertos? Si conoces más de uno, ¿cuál te gusta más y cuál menos? ¿Por qué?

Estudiante B

1. ¿Has tenido una demora en algún viaje? ¿Cuánto tiempo tuviste que esperar? ¿Qué hiciste?
2. ¿Viajas ligero (*light*) o empacas muchas cosas? ¿Alguna vez has perdido (o ha perdido la aerolínea) tu equipaje? ¿Qué pasó?
3. ¿Ha habido algún pasajero problemático cerca de ti? ¿Qué hacía?
4. ¿Has sido huésped en algún hotel? ¿Qué te gusta o no te gusta de quedarte en un hotel?
5. Cuando viajas, ¿prefieres hoteles de cadenas (*chain hotels*) que son familiares para ti, u hoteles locales para conocer y disfrutar más de la cultura local?

13.4 Sugerencia: Si hay estudiantes que no han viajado en avión, puede pedirles que imaginen como sería esta experiencia, o que escriban sobre viajes en otros medios de transporte.

[13.4] Mis preferencias.

Output

Paso 1. Escribe un párrafo describiendo lo que más te gusta y lo que menos te gusta de viajar en avión.

Modelo: **Lo que más me gusta es empacar las maletas porque...**
Lo que menos me gusta son las demoras y hacer escala porque...

Paso 2. Comparte tus respuestas con un/a compañero/a y después, con toda la clase. ¿Hay algunas cosas que mencionaron muchas personas?

Situaciones

Estás en un vuelo internacional y quieres dormir porque estás muy cansado/a. El/La pasajero/a a tu lado quiere conversar contigo. Intenta evitar la conversación sin ser grosero/a (*rude*). Primero, él/ella se presenta (**Hola. Me llamo... ¿Y tú?...**).

Así se forma

1. The subjunctive with impersonal expressions (A summary)

Antes de un viaje internacional, **es importante revisar** toda la documentación necesaria. Por ejemplo, **es esencial que** su pasaporte no **esté** caducado (*expired*) y **que obtenga** los visados oportunos. A veces, es aconsejable (*advisable*) **que reciba** algunas inmunizaciones contra enfermedades locales. **Es verdad que**, durante un viaje, **puede** haber situaciones imprevistas. Por eso, para poder disfrutar de su viaje, **es mejor tener** paciencia y flexibilidad.

In previous chapters, you learned that impersonal expressions with **ser** and a subordinate clause often require the subjunctive:

Es + ***importante/bueno/necesario...*** + **que** + subjuntivo

- to express wishes, recommendations, and requests for someone else to do something or something to happen:

es bueno/buena idea	*it's good/a good idea*	**es necesario**	*it's necessary*
es importante	*it's important*	**es urgente**	*it's urgent*
es mejor/peor	*it's better/worse*		

Es necesario que **compres** tu boleto de avión, pero **es urgente** que **saques** tu pasaporte.

- to express emotional reactions to the actions or conditions of another person or thing:

es extraño	*it's strange*	**es ridículo**	*it's ridiculous*
es fantástico	*it's wonderful*	**es una lástima**	*it's a shame*
es horrible	*it's horrible*	**no es justo**	*it's unfair*

¡**Es fantástico** que te **den** un asiento en primera clase (*first class*)!

- to express doubts and uncertainties:

es posible/imposible	*it's impossible*	**es probable/improbable**	*it's improbable*

Es **posible** que **tengamos** demora y **perdamos** la conexión en Miami.

- Remember that if there is no specific subject after the impersonal expression, the *infinitive* is used instead of **que** + *subjunctive*. Compare these examples:

  Es necesario ir al aeropuerto temprano.
  Es necesario **que vayamos** al aeropuerto temprano.

- Expressions such as **es verdad, es cierto,** and **es obvio** used affirmatively require the indicative, not the subjunctive, as they introduce factual statements.

  Es verdad/cierto que los aviones **son** muy seguros (*safe*).

Note that when the statement is negative, the subjunctive is used:

No es verdad/cierto que yo **tenga** miedo a volar.

WileyPLUS

Go to *WileyPLUS* to review this grammar point with the help of the **Animated Grammar Tutorial** and **Verb Conjugator**.

Use ***PowerPoint Slides*** para presentar y practicar esta gramática.

Pida a sus estudiantes que, usando los ejemplos del texto introductorio intenten recordar las reglas de formación de estas estructuras impersonales con Es + *adjetivo* + que.

Sugerencia: Para revisar el uso del subjuntivo con expresiones impersonales, escríbalas en la pizarra o en una transparencia. Pida a la clase que indiquen el tipo de significado (emoción, petición, etc.) que expresa cada una.

Para practicar, haga afirmaciones "dramáticas" (*Estoy muy enfermo/a hoy.*) y pida a la clase que reaccione con expresiones impersonales (*Es una lástima que usted esté muy enfermo/a hoy./Es urgente que vaya al médico.*).

Enfatice la diferencia entre las estructuras en las que la cláusula subordinada tiene un sujeto específico (*Es importante que comas fruta.*) y aquellas en las que el sujeto es impersonal (*Es importante comer fruta.*).

Aclaración: En esta sección no hemos incluido actividades de ***input*** por tratarse de un repaso de estructuras estudiadas anteriormente.

13.5 Sugerencia: Pida a los grupos que compartan algunas de sus reacciones con la clase.

Alternativa: Divida la clase en grupos de seis y asigne una situación a cada estudiante (puede escribirlas en papelitos). Cada estudiante lee su situación a sus compañeros, quienes reaccionan y ofrecen consejos usando expresiones impersonales (escriba las expresiones del cuadro en la pizarra como apoyo lingüístico). Cuando todos hayan recibido sus consejos, puede pedir a la clase que compartan los consejos más útiles, originales, etc., que han recibido.

[13.5] ¡Qué situación!

Output

Las vacaciones de primavera están cerca y el periódico de la universidad quiere publicar una sección sobre cómo reaccionar en situaciones problemáticas durante los viajes. En grupos, escriban sus reacciones y algunos consejos para cada situación con expresiones de la lista u otras similares.

Es posible/imposible que...	Es urgente que...	Es importante/necesario que...
Es una lástima que...	Es obvio que...	Es cierto/verdad que...

1. Me voy de viaje mañana y ¡no puedo encontrar mi pasaporte!

   Es obvio que... En primer lugar, es importante que... Es urgente que...
2. Tengo que salir para el aeropuerto en veinte minutos y ¡no estoy listo/a!
3. Estoy en el aeropuerto y anuncian que el vuelo tiene una demora de cinco horas.
4. Estoy en el avión y el piloto anuncia que vamos a pasar por una zona de tormenta y que el avión tiene problemas mecánicos.
5. Estoy en la aduana y la inspectora sospecha que tengo algo ilegal en la maleta.
6. Estoy en un hotel y descubro que en el baño no hay agua caliente y que hay una araña en la cama.

[13.6] Un vuelo en la aerolínea Buena Suerte.

Output

En parejas, imaginen que vuelan juntos en el vuelo 13 con destino a Antigua, Guatemala. Este vuelo tiene algunas "sorpresas". Primero, el/la Estudiante A lee sus opiniones y el/la Estudiante B escucha y reacciona con oraciones completas. Después, cambien los papeles (*switch roles*).

Modelo: **Estudiante A:** Es interesante que no haya asientos reservados.
Estudiante B: **¿Interesante? ¡Es muy extraño que no haya asientos reservados!**

Estudiante A

1. Es extraño que la asistente de vuelo no dé instrucciones.
2. Es posible que el asistente de vuelo sirva langosta.
3. Es emocionante que haya muchas turbulencias.
4. Es obvio que este vuelo es un poco diferente.

Estudiante B

1. Es mejor tener asientos pequeños.
2. Es posible fumar en el baño.
3. Es fenomenal que el piloto esté tomando un cóctel.
4. Es probable que no vuele con la aerolínea en el futuro.

Output

[13.7] Un viaje terrible. Durante tus últimas vacaciones tu experiencia con la aerolínea fue terrible. Primero, haz una lista de los problemas que tuviste. Después, escribe una carta al presidente de la aerolínea explicando lo que pasó y expresando tu indignación. Usa expresiones impersonales.

Estimado Señor Presidente:

Le escribo para expresar mi indignación por la terrible experiencia que tuve con su aerolínea durante mis últimas vacaciones. (Es ridículo/inaceptable/increíble/frustrante que...)

Deben ustedes mejorar su servicio. Por ejemplo, (es esencial/necesario/importante que...)

Atentamente,

13.7 Alternativas. Después de que hayan completado en parejas una lista de los problemas que tuvieron, puede pedir a cada estudiante que escriba una carta personal al presidente de la aerolínea.

Extensión: Para continuar esta actividad, pida a los estudiantes que intercambien sus cartas. Ahora cada estudiante es el director del hotel al que se dirige la carta y debe responder al/a la cliente con otra carta, usando también expresiones impersonales. Para ayudar a sus estudiantes, puede ofrecer el siguiente modelo:
Estimado Sr./Sra.:
Es una lástima que haya tenido una experiencia negativa en este hotel. Es posible que...
Es importante para nosotros que...
Atentamente,

Cultura

Guatemala y El Salvador

Carsten Reisinger/Alamy

▲ Guatemala

IT Stock Free/ SUPERSTOCK

▲ El Salvador

Use ***PowerPoint Slides*** para presentar esta sección de cultura.

ANTES DE LEER

Estudia el mapa al principio del libro. Indica si las frases se refieren a Guatemala, El Salvador o los dos.

	Guatemala	El Salvador	Los dos
1. Tiene cuatro países vecinos.	☑	☐	☐
2. Su capital tiene un nombre igual o muy similar al nombre del país.	☐	☐	☑
3. Es el país más pequeño de Centroamérica.	☐	☑	☐
4. Tiene costa en el océano Pacífico solamente.	☐	☑	☐

Guatemala

Como la mitad de la población de Guatemala es de origen maya, el país tiene la cultura indígena más dinámica de todos los países centroamericanos. Las ruinas mayas más impresionantes están en Tikal, en la selva guatemalteca.

En la década de 1960, la lucha entre grupos revolucionarios y el ejército nacional desató (*initiated*) una guerra civil. Rigoberta Menchú, una mujer maya cuyos familiares murieron durante la guerra, ganó el Premio Nobel de la Paz por contribuir a poner fin a los treinta y seis años de guerra. Hoy en día, el país goza de un gobierno y elecciones democráticas.

La capital, la Ciudad de Guatemala, tiene casi 4 millones de habitantes —un poco más que la ciudad de Los Ángeles, California— y está dividida en 22 zonas (París y Nueva Orleans también están divididas en zonas enumeradas).

Jorge Mujica/NewsCom

▲ Rigoberta Menchú

las ruinas de Tikal

Ken Welsh/Age Fotostock America, Inc.

El Salvador

El Salvador es el país más pequeño de Centroamérica pero el más poblado. El Salvador se encuentra en el Anillo de Fuego del Pacífico y está sujeto a frecuentes terremotos y actividad volcánica. El país tiene impresionantes volcanes, como el Izalco, que estuvo activo entre 1770 y 1966. Allí viven más de 6 millones de personas en 8,124 millas cuadradas. Su capital, San Salvador, tiene 2.5 millones de habitantes (un poco menos que Chicago, Illinois) y su Teatro Nacional, inaugurado en el año 1917, es el más antiguo de Centroamérica.

De 1980 a 1992, el país vivió una terrible guerra civil que se cobró unas 75,000 vidas. Durante ese tiempo, muchos salvadoreños salieron del país para mudarse a Estados Unidos. Hoy en día, El Salvador tiene un gobierno democrático.

SuperStock/SuperStock

▲ el volcán Izalco

DESPUÉS DE LEER

1. Decide a qué país le corresponde cada oración: El Salvador, Guatemala o los dos.

	El Salvador	Guatemala	Los dos
a. El 50% de la población es de origen maya.	☐	☑	☐
b. Hoy en día tiene un gobierno democrático.	☐	☐	☑
c. Una mujer de este país ganó el Premio Nobel.	☐	☑	☐
d. La bandera es azul y blanca.	☐	☐	☑
e. Tiene volcanes famosos.	☐	☐	☑

2. Busca por Internet más información sobre la comida y la música en Guatemala y El Salvador. ¿Cuál te parece más interesante?

Así se dice

En el hotel y en la estación

En el hotel

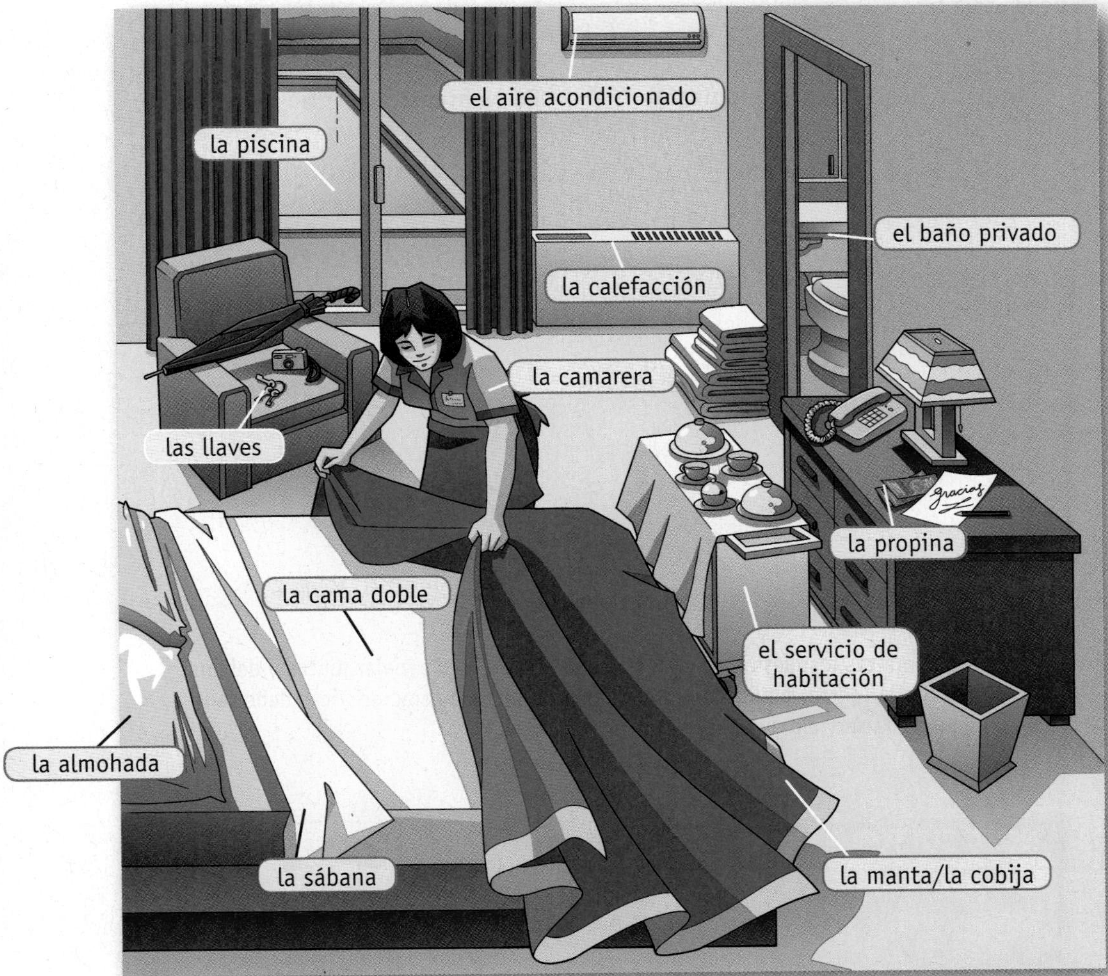

Use *PowerPoint Slides* para presentar y practicar este vocabulario.

WileyPLUS

Pronunciación: Practice pronunciation of the chapter vocabulary and particular sounds of Spanish in *WileyPLUS*.

Cuando viajas, ¿prefieres un hotel con servicios (*amenities*), **una pensión** donde puedes integrarte en la cultura local o **un hostal** donde puedes conocer a muchos otros jóvenes que viajan? Este es un **hotel de cuatro estrellas**. Los huéspedes han salido a visitar la ciudad. **Dejaron** una nota y **una propina** para **la camarera.** Además, **dejaron** olvidadas algunas cosas: **las llaves**, la cámara y un paraguas.

NOTA DE LENGUA

Note the difference between **salir** (*to leave, go out*) and **dejar** (*to leave an object behind*):

David **salió** de su habitación. **Dejó** su chaqueta porque no hacía frío.

dejar	*to leave, to leave behind, forget*	**la pensión/el hostal**	*guesthouse*
el hotel de (tres/cuatro...) estrellas	*(three-/four-...) star hotel*	**sencilla/doble (habitación/cama)**	*single/double (room/bed)*

Input **[13.8] Buscan hotel.** Imaginen que van a ir a Antigua, Guatemala, para participar en un curso intensivo de español y necesitan hacer reservaciones en un hotel.

Paso 1. Indica la importancia que los siguientes servicios y características de un hotel tienen para ti.

	Indispensable	Importante	Conveniente	No me importa
baño privado				
cambio diario de toallas y sábanas				
servicio de habitación				
servicio diario de camarera				
servicio de lavandería				
teléfono privado				
aire acondicionado				
televisión con cable				
minibar				
acceso a Internet				
piscina				

Paso 2. Compara tus respuestas con dos compañeros/as. Van a viajar juntos y deben ponerse de acuerdo (*agree*) en un hotel donde quedarse, ¿qué características debe tener? Recuerden que cada servicio aumenta el precio del hotel.

NOTA CULTURAL

Guatemalan food is similar to that of Mexico: tortillas and tacos are very common, but it also has influences from Spain, India, and France. One regional specialty is the **pepián**, consisting of chicken or beef and vegetables with a spicy salsa. Does this dish remind you of any others you're familiar with? Find a Guatemalan restaurant online—in the U.S. or in Guatemala—and find out how much the restaurant charges for **pepián**.

Pepián de pollo

LA Times/NewsCom

INVESTIG@ EN INTERNET

En este capítulo vas a descubrir muchas cosas nuevas sobre el alojamiento en el mundo hispano y, en particular, sobre la red de paradores en España (*Cultura:* El alojamiento en el mundo hispano). Haz una búsqueda de "paradores en España" e infórmate sobre las características de dos o tres que te gustaría visitar y las ofertas disponibles. ¿Hay ofertas especiales para gente joven? ¿Crees que son precios competitivos?

[13.9] ¿Hotel Best Eastern u Hostal Las Flores?

Input/Output

Tú y tu amigo/a buscan un hotel para alojarse durante su estancia en Guatemala. Cada uno/a tiene información sobre un hotel diferente, así que hablan por teléfono para compartir sus datos y tomar una decisión.

13.9 Puede hacer un pequeño sondeo para averiguar quiénes decidieron ir al Hotel Best Eastern y quiénes prefirieron el Hostal Las Flores. Pida a algunos voluntarios que expliquen los motivos de su elección.

Paso 1.

Estudiante A: Lee la información sobre el Hotel Best Eastern y marca las características más interesantes.

El **Hotel Best Eastern** está ubicado en el centro de la ciudad y le ofrece un ambiente agradable y la comodidad necesaria para hacer su estancia placentera. Nuestras habitaciones están completamente equipadas y decoradas con elegancia, y nuestros profesionales le ofrecen servicio personalizado:

- 152 habitaciones dobles
- Servicio de limpieza (diario)
- Baños privados con ducha
- Servicio de habitación 24 horas
- Aire acondicionado
- Piscina y gimnasio
- Teléfono e Internet en la habitación
- Restaurante: Eastern Grill
- Televisión
- Parqueo ($15/día)

Precio: $125/día

Estudiante B: Lee la información sobre el Hostal Las Flores y marca las características más interesantes.

El **Hostal Las Flores** se encuentra en una casa colonial en una tranquila área residencial de Antigua, a 15 minutos a pie del centro. Este pequeño hotel familiar se caracteriza por la atención personalizada, para que usted se sienta como en casa. Comience el día con el desayuno casero y café de Guatemala. Descanse en su habitación, disfrute del jardín o de la sala de estar donde puede ver la televisión o navegar por Internet.

- 4 suites dobles con baños privados
- 6 habitaciones sencillas con baños compartidos
- Servicio de limpieza (dos veces/semana)
- Aire acondicionado en suites
- Sala común con televisión, teléfono, Internet
- Desayuno incluido; café disponible todo el día

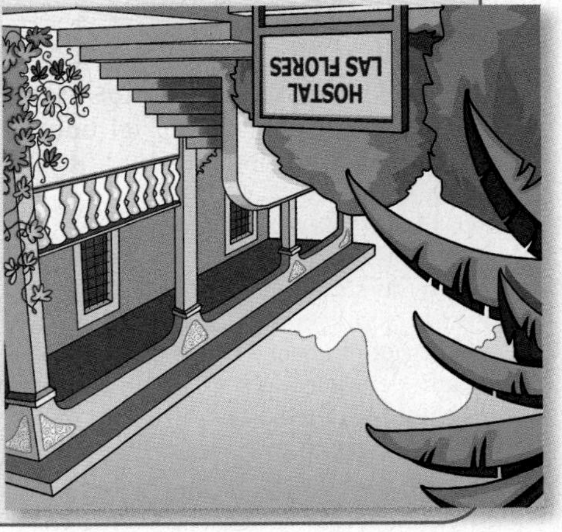

Precio:
Suite: $95/día
Habitación sencilla: $70/día

Paso 2. Compartan la información más relevante sobre sus hoteles y háganse preguntas sobre otros detalles que les interesan; comparen las ventajas y desventajas de cada uno, considerando que tienen un presupuesto limitado para sus vacaciones, decidan a qué hotel van a ir.

Este ejercicio recicla los comparativos.

Use *PowerPoint Slides* para presentar y practicar este vocabulario.

[13.10] ¿Cómo se dice?

Output

Llamas al hotel y hablas con el/la recepcionista sobre los servicios que deseas. El problema es que has olvidado algunas palabras... Explica al/a la recepcionista lo que deseas *sin usar las palabras entre paréntesis;* el/la recepcionista identifica la palabra y confirma contigo, el/la cliente. Túrnense.

Estudiante A
1. una habitación (sencilla)
2. un baño (privado)
3. (la llave)
4. otra (almohada)

Estudiante B
1. otra (toalla)
2. otra (cobija)
3. el servicio (de habitación)
4. una (sábana) más

Modelo: una habitación (doble)

Estudiante A:	**Deseo una habitación para dos personas.**
Estudiante B:	**¿Quiere decir usted que desea una habitación doble?**
Estudiante A:	**Sí, sí, una habitación doble.**

ASÍ SE DICE

En la estación

el andén	*platform*	**perder (el tren/autobús)**	*to miss (the train/bus)*
los aseos/el baño	*restroom(s)*	**la taquilla**	*ticket window*
el boleto/el billete		**tener prisa**	*to be in a hurry*
... de ida/sencillo	*one-way ticket*		
... de ida y vuelta	*round-trip ticket*		

13.11 Audio:
1. Puedes comprar los boletos en los aseos.
2. Si llegas tarde a la estación, puedes perder el tren.
3. Un billete de ida es un billete sencillo.
4. El tren va por el andén.
5. Un billete de primera clase es un billete para viajar a otra ciudad y regresar.
6. Cuando llegas a la estación una hora antes de la salida de tu tren tienes prisa.

Sugerencia: Puede facilitar esta actividad leyendo cada oración varias veces. Sugiera a los estudiantes que se concentren primero en la comprensión para marcar si es *cierto* o *falso* y que, después, se concentren en copiar la oración a modo de dictado, pero corrigiendo la parte incorrecta.

[13.11] ¿Cierto o falso?

Escucha las siguientes afirmaciones e indica si son **ciertas** o **falsas**. Si son falsas, corrígelas para que sean ciertas.

Input

Modelo: Oyes:	La taquilla es el lugar donde subes al tren.	
Marcas:	**Falso**	
Escribes:	**El andén es el lugar donde subes al tren.**	

	Cierto	Falso	
1.	☐	☑	________________
2.	☑	☐	________________
3.	☑	☐	________________
4.	☐	☑	________________
5.	☐	☑	________________
6.	☐	☑	________________

[13.12] Un viaje a Sevilla en el AVE.

Input/ Output

Ustedes están en Madrid (España) y quieren viajar en el tren de alta velocidad (AVE). Lean esta descripción en un folleto (*brochure*) de RENFE (Red Nacional del Ferrocarriles Españoles).

Matias Nieto/Cover/Getty

Los trenes de alta velocidad AVE conectan Madrid con el sur y noreste de España. Estos trenes, con velocidades de hasta 360 km/h, ofrecen servicios como cafetería, tienda, canales para escuchar música, películas, pasatiempos para niños, aseos y acceso para silla de ruedas[1]. Puede viajar en clase Club, Preferente o Turista. La clase Club incluye aparcamiento, servicio de restaurante a la carta y servicio de bar en su asiento. Usted puede viajar con su mascota (perros pequeños y gatos), transportar su bicicleta y llevar una maleta y una pieza de equipaje de mano.

RENFE[2] promete extrema puntualidad con demoras de solo minutos. Si su tren se demora más de quince minutos, puede obtener la devolución de una parte del costo de su viaje.

	Ciudad Real	Córdoba	Sevilla	Zaragoza	Lleida	Barcelona
Turista	45.05	70.40	95.10	76.40	106. 80	159.00
Preferente	66.05	105.20	122.20	93.30	121.30	188.70
Club	79.10	130.50	146.20	113.60	141.00	211.20

[1]*wheelchair access*, [2]**Red Nacional de Ferrocarriles Españoles** (the Spanish National Railroad System)

Ahora un/a estudiante hace el papel del empleado de la RENFE y el otro/la otra es el/la pasajero/a. Completen las siguientes transacciones (pueden inventar los detalles):

1. comprar un boleto para una de las ciudades que menciona el folleto
2. pedir información (sobre horario/ equipaje/ comida/ andenes/ aseos, etc.)
3. hablar de posibles demoras y tratar de resolver los problemas que puedan causar

Modelo: Empleado/a de RENFE: **Buenos días. ¿En qué puedo servirle?**
Pasajero/a: **Deseo comprar...**
Empleado/a: **Muy bien, señor/señorita, aquí lo tiene. Cuesta...**

Nota: El tren ACELA de Amtrak es también un tren de alta velocidad, viaja entre Boston, MA y Washington D.C. La velocidad es de 150 mph (240 km/h).

En mi experiencia

Frank, Maplewood, NJ

"In Ecuador, the buses were always packed. They even have a joke about it: "How many people can you fit on the Ecovía?" (Quito's main bus system). The answer is, "Five more." On longer rides, people come on to sell small trinkets or snacks. My friend in Mexico City told me that their subways set aside several cars for women only during rush hour."

RODRIGO BUENDIA/Stringer/AFP/ Getty Images

How often have you used crowded public transportation? What are some common rules of etiquette on them? Do you think separate subway cars for women is a good idea, and what are the values possibly underlying that practice?

Cultura

El alojamiento (*lodging*) en el mundo hispano

Use ***PowerPoint Slides*** para presentar esta sección de cultura.

ANTES DE LEER

Mira las fotos de abajo, ¿te parecen hoteles típicos? ¿por qué?

El mundo hispano les ofrece a todos los viajeros el alojamiento ideal para que su visita sea memorable. Para los empresarios o los turistas exigentes (*demanding*), todas las ciudades importantes cuentan con hoteles de calibre excepcional y cadenas reconocidas mundialmente, como los hoteles Meliá o Hilton. Para los trotamundos, los jóvenes con un presupuesto módico (*modest*) o los viajeros menos exigentes, hay hostales y pensiones (hoteles modestos, a veces en casas privadas) que son más "caseros" y económicos. Estos establecimientos no tienen los lujos o las comodidades de los grandes hoteles, pero en cambio (*on the other hand*) ofrecen la oportunidad de conocer mejor a los habitantes del lugar y de estar en un ambiente amigable.

Entre los hospedajes más bellos y pintorescos del mundo hispano están los paradores[1] nacionales o históricos. En España, algunos son antiguos monasterios, castillos o palacios. En la opulencia de la Alhambra, con vista a los Jardines del Generalife[2], se encuentra uno de los más bellos paradores de España: El Parador de Granada. El sitio fue un antiguo convento franciscano donde reposaron los restos (*remains*) de los Reyes Católicos hasta 1521, año en que fueron trasladados a la catedral de Granada.

Si dirigimos los ojos hacia América del Sur, Venezuela nos ofrece Los Frailes, un parador de excepcional belleza enclavado en lo alto de los Andes. Se trata de un antiguo monasterio convertido en hospedaje para el viajero que exige lo mejor. En México, el Hotel Parador San Javier era una hacienda en Guanajuato, pero hoy es patrimonio cultural del país. Puerto Rico también tiene un sistema de paradores por toda la isla.

No importa cuáles sean tus intereses o gustos, el mundo hispano te espera con un lugar especial para satisfacer tus necesidades y expectativas.

▼ el Parador de Granada, España

ADD World Wide Travel Images/Alamy

▼ Hacienda Gripiñas, Jayuya, Puerto Rico

Album/Miguel Raurich/NewsCom

Pablo Corral V/©Corbis

▲ Parador los Frailes, Venezuela

[1]Historical buildings transformed into luxurious hotels.
[2]The 14th century summer palace of the Moorish kings of Granada.

DESPUÉS DE LEER

1. ¿Qué ofrecen los paradores que no tienen los grandes hoteles?
   Te permiten conocer mejor a los habitantes del lugar en un ambiente amigable.
2. ¿Qué era anteriormente el Parador de Granada?
   Un antiguo convento.
3. ¿Te gustaría pasar unos días en uno de estos paradores? ¿En cuál? ¿Por qué?
4. ¿Hay alojamientos similares a los paradores en tu país? ¿Cómo se llaman?

Así se forma

Use *PowerPoint Slides* para presentar y practicar esta gramática.

2. Talking about unknown or nonexistent persons or things: The subjunctive with indefinite entities

WileyPLUS

Go to *WileyPLUS* to review this grammar point with the help of the **Animated Grammar Tutorial** and **Verb Conjugator**.

Pida a sus estudiantes que observen los ejemplos en el diálogo prestando atención al contraste entre cada par de oraciones. Pregunte qué función tienen o a qué se refieren las oraciones subordinadas (funcionan como adjetivos modificando un sustantivo de la oración principal). Señale después que el criterio para el uso del indicativo o del subjuntivo depende del sustantivo al que se refiere la claúsula adjetiva y pida que hagan hipótesis del uso de cada modo con base en los ejemplos.

Sugerencia: Señale que ***lujoso*** es un adjetivo porque describe el nombre ***hotel*** y, de la misma manera, la cláusula ***que tiene piscina y gimnasio*** es adjetival. Señale el contraste entre las oraciones de estas secciones.

Ilustre el concepto de antecedente específico/ no específico/ inexistente haciendo preguntas a las que los estudiantes respondan de forma negativa, como: ***¿Hay alguien que tenga mil dólares en el bolsillo?*** Reaccione con exclamaciones, como: ***¡Qué lástima! No hay nadie que tenga mil dólares.*** Continúe con preguntas a las que es probable que algún/alguna estudiante conteste de forma afirmativa, como: ***¿Hay alguien que tenga cinco dólares?*** Reaccione enfatizando el uso del indicativo: ***¡Ah! Hay alguien que tiene cinco dólares. ¡(Nombre del estudiante)!***

Para mostrar el contraste entre los ejemplos de esta sección, haga preguntas como: ***¿Este hotel/guía/coche existe, es real o es una idea en la mente del hablante?***

Dichos: *No hay mal que por bien no venga.* ¿Qué significa este dicho?

13.13 No es necesario que los estudiantes conozcan la información cultural para marcar las respuestas correctas, ya que la forma verbal que escuchen, ya sea indicativo o subjuntivo, será la clave para saber si la cláusula principal debe ser ***Sí hay*** o ***No hay.***

Sra. Orellana: Necesitamos una habitación **que tenga** dos camas, por favor.

Recepcionista: Sí, hemos reservado una habitación **que tiene** una cama doble y una sencilla.

Sra. Orellana: Gracias, ¿hay alguien **que** nos **ayude** a llevar el equipaje?

Recepcionista: Claro, tenemos un botones (*bellboy*) **que** lo **llevará**. ¿Hay algo más **que pueda** hacer por ustedes?

Sra. Orellana: Sí, hay algo **que puede** hacer, ¿me da la llave?

We use adjectives to describe or modify nouns, but often a description involves a complex idea that cannot be expressed with just one adjective, so we use an adjectival clause. Adjectival clauses are, therefore, subordinate clauses that modify a noun in the main clause. Compare the following examples:

Vamos a un hotel **lujoso.**	→	Vamos a un hotel **que tiene piscina y gimnasio.**
Busco un hotel **barato.**	→	Busco un hotel **que cueste $90** al día.

We use the *subjunctive* in adjectival clauses following **que** when the person or thing we refer to is either (1) *nonspecific* (*unidentified, hypothetical, unknown*) or (2) *nonexistent*, whether in reality or in the mind of the speaker.

Busco un hotel que **cueste** $90.	*I'm looking for a hotel that costs $90.*
Queremos un guía que **pueda** ayudarnos.	*We want a guide who can help us.*
No hay más vuelos que **salgan** hoy.	*There are no more flights that leave today.*

In contrast, if the person or thing is *known, identified,* or *definitely exists* in the mind of the speaker, the *indicative* is used in the clause following **que.**

Vamos a un hotel que **tiene** piscina.	*We are going to a hotel that has a pool.*
Hay un agente que **puede** ayudarle.	*There is an agent who can help you.*
Prefiero el vuelo que **sale** temprano.	*I prefer the flight that leaves early.*

If we are *asking whether someone/something exists* or *saying that someone/something does not exist,* we also use the *subjunctive.*

¿Hay alguien que **pueda** ayudarnos?	*Is there someone who can help us?*
No hay ningún hotel que **tenga** piscina.	*There isn't any hotel that has a pool.*

[13.13] ¿Hay o no hay?

Input **Paso 1.** Escoge (*select*) la opción apropiada para completar cada oración. Recuerda que cuando algo existe, la subordinada adjetiva que lo modifica tiene el verbo en indicativo y cuando algo no existe el verbo en la subordinada es subjuntivo.

Modelo: Existe/No existe un pueblo en Guatemala que tiene ruinas mayas.

1. Tienen/No tienen un museo en El Salvador que es especialmente para niños.
2. Hay/No hay un pueblo en El Salvador que esté a más de 100 millas de la costa.
3. Hay/No hay una activista y autora guatemalteca que ganó el Premio Nobel de la Paz.

Sugerencia: Si este ejercicio les resulta difícil, puede pedir a los estudiantes que identifiquen en cada oración el nombre que se modifica, la cláusula que modifica este nombre y, dentro de esta, el verbo, observando si es una forma del indicativo o del subjuntivo.

4. Existe/No existe un volcán en Guatemala que es muy famoso.
5. Tienen/No tienen unas iglesias en El Salvador que son protestantes, no católicas.
6. Hay/No hay una ciudad en Guatemala que esté en el mar Caribe.
7. Existe/No existe una ciudad en Guatemala que sea tan grande como la Ciudad de Nueva York.

Extensión: Para las oraciones afirmativas, pida a los estudiantes como tarea que investiguen algunos detalles más: *¿cómo se llama el museo para niños y qué se puede ver o hacer en él?, etc.*

Output **Paso 2.** Completa ahora las siguientes oraciones describiendo qué hay o no hay en tu ciudad o región. Escribe una cosa más que tienen o no tienen en su ciudad

Modelo: **No hay** un museo que **sea** (ser) para niños. *o*
Tenemos un museo que **es** (ser) para niños.

Mi ciudad/región es ______________

1. ______________ una persona que ______________ (ser) famosa en todo el país.
2. ______________ un monumento que ______________ (tener) importancia artística o histórica.
3. ______________ un deportista o equipo que ______________ (ganar) muchas competiciones.
4. ______________ restaurantes que ______________ (tener) comida hispana.
5. ____

Este ejercicio recicla vocabulario de capítulos anteriores.

[13.14] Cosas interesantes.

Input **Paso 1.** En grupos, respondan a las preguntas del cuestionario y escriban el número de personas que contesten afirmativamente. Anoten también sus nombres y algunos detalles (por ejemplo: ¿qué sabes hacer?, ¿dónde y cuándo aprendiste?, etc.)

¿En su grupo hay alguien...	Número	Nombre(s)	Detalles
1. ... que sepa hacer algo especial (hablar otra lengua, tocar un instrumento, etc.)?			
2. ... que tenga parientes (incluyendo familia extendida) en otro país?			
3. ... que sepa cocinar?			
4. ... que no viva en una residencia del campus?			
5. ... que esté comprometido/a o casado/a?			
6. ... que haga deportes de aventura?			
7. ... que tenga boletos de tren o avión para viajar pronto?			
8. ... que piense viajar a un país hispano en el futuro?			

Output **Paso 2.** Compartan con la clase sus datos y los detalles más interesantes. Un/a secretario/a anota el número total de respuestas afirmativas en la pizarra.

Modelo: **En nuestro grupo no hay nadie que esté casado/a, pero sí hay una persona que está comprometida. Se va a casar en abril, ¡en una granja!**

[13.15] Preguntas personales.

Output **Paso 1.** En parejas, decidan quién va a ser Estudiante A y quién será Estudiante B. Completen las preguntas que van a hacer a su compañero/a y escriban una pregunta más al final (*at the end*).

Modelo: ¿Hay alguien en tu familia que... __sepa__ (saber) hablar español?

Estudiante A

¿Hay alguien en tu familia que...

________ (tener) más de ochenta años?

________ (vivir) en otro país?

________ (conocer) una persona famosa?

________ (saber) tocar un instrumento?

________ (ser) muy interesante o especial?

____

Estudiante B

¿Conoces a algún/alguna estudiante que...

________ (haber) sacado una "A" en todas sus clases?

________ (tomar) una clase muy original?

________ (trabajar) mientras estudia?

________ (jugar) en uno de los equipos de la universidad?

________ (ser) muy interesante o especial?

____

Paso 2. Entrevístense (*interview each other*), pregunten más detalles y anoten las respuestas.

Modelo:

Estudiante A: **¿Hay alguien en tu familia que *sepa* hablar español?**

Estudiante B: **Sí, mi tía *sabe*...** *o* **No, no hay nadie en mi familia que *sepa*...**

[13.16] El mundo real y el mundo ideal.

Output Trabajen en grupos de tres. Su profesor/a les va a asignar un tema y van a comparar lo real y lo ideal con el mayor número de detalles posible. En cada grupo, un/a secretario/a escribe las oraciones. Al concluir, él/ella las comparte con la clase.

Modelo: Nuestros empleos

Tenemos empleos que son bastante aburridos / que no pagan mucho dinero... Queremos / Buscamos empleos que nos den un poquito más de dinero / que sean interesantes...

1. Nuestros/as profesores/as
2. Nuestras clases
3. Nuestros/as compañeros/as de cuarto
4. Nuestra residencia/nuestro apartamento
5. Nuestra universidad
6. Nuestra comunidad/ciudad

13.16 Anime a sus estudiantes a que completen sus oraciones con respuestas múltiples y de forma creativa. Para concluir, pida a los secretarios que compartan las respuestas del grupo con la clase. (Si hay tiempo, pueden escribirlas en la pizarra.)

NOTA CULTURAL

La pupusa salvadoreña

The **pupusa** is a popular food in El Salvador. It is made with two corn tortillas filled with meat, beans, and sometimes cheese, and normally has tomato salsa, **curtido** (pickled cabbage relish, similar to coleslaw or sauerkraut), and a bit of spicy chile. Does this remind you of another dish you are familiar with?

Guenter Wamser/Age Fotostock America, Inc.

WileyPLUS

VideoEscenas

Necesito descansar

ANTES DE VER EL VIDEO

▲ Cristina y Enrique buscan un hotel.

En tu opinión, ¿qué cosas esperas (*expect*) encontrar en cualquier hotel? ¿Y en un hotel de lujo (*luxury*)?

	Cualquier hotel	**Un hotel de lujo**
un secador de pelo	☐	☐
champú y gel de baño	☐	☐
una bata de baño (*bathrobe*)	☐	☐
un televisor	☐	☐
acceso a Internet	☐	☐
una cafetera	☐	☐
un reloj despertador	☐	☐
un reproductor de CD/DVD	☐	☐

A VER EL VIDEO

1. Mira el video e indica si las siguientes afirmaciones son **ciertas** o **falsas.** Si son falsas, corrígelas.

	Cierto	**Falso**
a. Cristina y Enrique han reservado una habitación doble en el hotel. No han reservado ninguna habitación.	☐	☑
b. Cristina y Enrique esperan muchos servicios y extras en un hotel.	☑	☐
c. La recepcionista les ofrece una habitación doble con muchos servicios. No, solo les ofrece una habituación doble y un secador de pelo.	☐	☑

¿Recuerdas algunas de las cosas que quieren Enrique y Cristina? ¿Y recuerdas qué ofrece el hotel? Haz una lista con las cosas que pide Enrique, otra lista con cosas que pide Cristina y <u>subraya</u> las cosas que sí tiene el hotel. Después, mira el video otra vez para corregir y completar tus listas.

Enrique: <u>habitación doble</u>, aire acondicionado, <u>restaurante</u>, Internet

Cristina: baño privado, piscina, gimnasio, <u>secador de pelo</u>, películas

DESPUÉS DE VER EL VIDEO

En grupos imaginen que van a construir un hotel para personas que visitan su campus. Piensen dónde va a estar situado, su tamaño (número de habitaciones) y los servicios y extras que va a ofrecer. Determinen también el precio de una habitación doble con baño privado.

Así se forma

3. Indicating that an action has been going on for a period of time: *Hacer* in time constructions

Pasajero:	Señorita, estamos esperando el vuelo a San Salvador, ¿hay mucho retraso?
Asistente de tierra[1]:	**¿Cuánto tiempo hace que esperan** aquí?
Pasajero:	**Hace** 40 minutos **que esperamos.** ¿Sabe usted qué pasa?
Asistente de tierra:	El vuelo a San Salvador **salió hace** 20 minutos por la puerta A2, esta es la puerta A12.
Pasajero:	**¿Hace** 20 minutos **que salió** nuestro vuelo?

1. *Ground attendant*

Use ***PowerPoint Slides*** para presentar y practicar esta gramática.

WileyPLUS

Go to *WileyPLUS* to review this grammar point with the help of the **Animated Grammar Tutorial**.

Hacer to express an action that has been going on for a period of time

Spanish uses the following constructions with **hace**[1] to indicate that an action or condition started in the past is still going on.

> **hace** + *time length* + **que** + *present tense* OR *present tense* + **desde hace** + *time length*

Hace dos días **que están** en Guatemala. **Están** en Guatemala **desde hace** dos días.	*They have been in Guatemala for two days.*
Hace veinte minutos **que esperamos** el tren. **Esperamos** el tren **desde hace** veinte minutos.	*We have been waiting for the train for twenty minutes.*

Pida a sus estudiantes que observen los ejemplos en el diálogo e identifiquen las expresiones que se refieren a acciones presentes que empezaron en el pasado y acciones pasadas.

Sugerencia: Escriba en la pizarra la estructura de la construcción con ***hace*** y varias preguntas que los estudiantes puedan contestar con información real, como: ***¿Cuánto tiempo hace que estamos en clase?***

To ask how long an action or condition has been going on, use the question:

> **¿Cuánto tiempo hace que** + *present tense?*

—**¿Cuánto tiempo hace que tienes** pasaporte?	*How long have you had a passport?*
—**Hace** tres años **que** lo **tengo**.	*I've had it for three years.*

- Note that in answering questions with the *ago* construction, we can mention only the time and omit the rest.

—**¿Cuánto tiempo hace que** viajas en avión?	*How long have you been traveling by plane?*
—**Hace tres años** (que viajo en avión).	*(I have traveled by plane) for three years.*

Hacer to express *ago*

We also use an expression with **hace** to indicate how long ago an action took place.

> **hace** + *time length* + **que** + *preterit tense* OR *preterit tense* + **hace** + *time length*

Hace diez minutos **que** el avión **despegó**. El avión **despegó hace** diez minutos.	*The plane took off ten minutes ago.*
Hace dos semanas que llegamos a Guatemala. **Llegamos** a Guatemala **hace dos semanas**.	*We arrived in Guatemala two weeks ago.*

Input **[13.17] ¿Hace mucho o poco tiempo?** Lee las siguientes oraciones y escoge la opción más lógica.

1. Arturo busca un apartamento ☑ desde hace tres meses./ ☐ desde hace tres minutos.
2. ☑ Hace media hora que/ ☐ Hace medio año que Silvia espera a su amigo.
3. Carlos tiene un resfriado ☐ desde hace dos años./ ☑ desde hace dos días.
4. ☐ Hace un mes que/ ☑ Hace una hora que Miguel espera en el tráfico.
5. ☑ Hace quince minutos/ ☐ Hace quince días que Margarita navega en Internet.

Javier

Sugerencia: Pida a sus estudiantes que compartan algunas de sus historias con la clase.

Output **[13.18] ¿Cuánto tiempo hace?** Imagina qué está pasando en las siguientes situaciones. ¿Cuánto tiempo hace que estas personas hacen estas actividades? Inventa algunos detalles o añade un comentario personal.

Modelo: Javier tiene que hacer un trabajo de química muy difícil. Hace dos horas que trabaja en este experimento. Está un poco cansado pero no está aburrido. Parece que le gusta la química.

Inés

Linda y Manuel

Esteban

Alfonso

Octavio

Manuel

Output

[13.19] Entrevista.

En parejas, háganse las siguientes preguntas y compartan unos detalles más, como en el modelo. Al final, añadan otra pregunta más.

Modelo: Estudiante A: **¿Cuánto tiempo hace que estudias en la universidad?**
Estudiante B: **Hace tres años que estudio en la universidad, ¿y tú?**
Estudiante A: **Yo estudio en esta universidad hace dos años, pero antes estudiaba en otra universidad.**

Estudiante A

1. ¿Cuánto tiempo hace que estudias en la universidad?
2. ¿Dónde vives ahora? ¿Cuánto tiempo hace que vives allí?
3. ¿Tienes novio/a? ¿Cuánto tiempo hace que lo/la conoces?
4. ¿Tocas algún instrumento musical? ¿Cuánto tiempo hace que lo tocas?
5. ______________________________

Estudiante B

1. ¿Cuánto tiempo hace que estudias español?
2. ¿Quién es tu mejor amigo/a? ¿Cuánto tiempo hace que lo/la conoces?
3. ¿Cuánto tiempo hace que no hablas con tus padres? ¿Y con tus abuelos?
4. ¿Practicas algún deporte? ¿Cuánto tiempo hace que lo practicas?
5. ______________________________

Output

[13.20] Nuestra vida social.

Paso 1. Contesta las preguntas de la tabla indicando en la columna "Yo" cuánto tiempo hace (horas, días, semanas, meses, años) que haces o hiciste estas cosas. Añade otra pregunta al final y contéstala también.

Modelo: Ir a un concierto fantástico
Hace seis meses que fui a un concierto fantástico. *o* **Fui a un concierto hace seis meses.** *o* **Hace seis meses.**

	Yo	Mi compañero/a
1. ir a un concierto fantástico		
2. comer algo delicioso en un restaurante		
3. ir al cine		
4. jugar a un deporte con amigos		
5. salir con tus amigos		
6. hacer un viaje divertido		
7. asistir a una reunión/celebración familiar especial		
8. ¿...?		

Paso 2. Ahora, en parejas, hagan estas preguntas a su compañero/a y escriban sus respuestas en la columna derecha. Pregunten también sobre algunos detalles. Túrnense.

Modelo: Estudiante A: **¿Cuándo fue la última vez que fuiste a un concierto?**
Estudiante B: **Hace seis meses.**
Estudiante A: **¿De quién? / ¿Te gustó? / ¿Dónde fue?...**

13.21 Sugerencia: Pregunte a la clase quién hizo algo muy interesante. Pida detalles a una persona diferente del mismo grupo de quien hizo la actividad para que use las formas de la tercera persona, por ejemplo: ***John visitó Alaska hace cinco años.***

Output

[13.21] Otras actividades memorables.

Paso 1. Prepara una lista de tres cosas interesantes que hiciste hace un tiempo *(some time ago)*.

Modelo: **Visité Antigua.**

Paso 2. En grupos pequeños, compartan sus actividades y háganse preguntas para averiguar cuándo se hicieron las actividades y otros detalles.

Modelo: Estudiante A: **¿Cuándo visitaste Antigua?**
Estudiante B: **Hace cinco años.**
Estudiante C: **¿Con quién fuiste?/¿Cómo fuiste?/¿Qué viste?...**

INVESTIG@ EN INTERNET

La actual Guatemala fue, continúa siendo, el centro de la civilización maya. Elige uno de los siguientes aspectos de la civilización maya ancestral o moderna para investigar y compartir en la clase. Si encuentras imágenes que puedas imprimir, tráelas a clase también.

la arquitectura	las matemáticas
la religión	la escritura
la astronomía	el arte y la artesanía

Situaciones

Tu amigo/a y tú van a ir de vacaciones juntos/as y tienen que organizar el viaje. Deben decidir adónde van a ir, qué medio de transporte van a usar y dónde van a alojarse.

Estudiante A: Te encantan la naturaleza y las montañas, pero ir a una playa es aceptable también. Eres muy activo/a y prefieres unas vacaciones activas y de aventura.

Estudiante B: Te fascinan la arquitectura, los museos y el teatro, así que prefieres ir a una ciudad interesante. Para ti, las vacaciones son para disfrutar de pequeños lujos y relajarte.

DICHO Y HECHO

PARA LEER: Maravillas iberoamericanas

Sugerencia: Explique a los estudiantes que a lo largo de la historia se han elaborado multitud de listas que contienen las “maravillas del mundo”, cada una siguiendo diversos criterios, que normalmente reflejaban la mentalidad del momento en el que se realizaron. Anime a los estudiantes a que se documenten sobre el tema. En clase, los estudiantes pueden crear sus propios criterios para calificar algo como “maravilla” y elaborar entre varios alumnos su lista ideal. A continuación, todos los grupos pueden presentar su selección personal de “maravillas”. Organice una votación de las “maravillas” más populares de la clase y elabore con ayuda de los estudiantes una lista que refleje el criterio de todos los estudiantes.

ANTES DE LEER

1. Hay muchas listas “oficiales” de las “maravillas del mundo”. Empareja las siguientes listas con sus ejemplos.

c **1.** Las maravillas del mundo antiguo	**a.** Stonehenge y la Gran Muralla China
a **2.** Las maravillas del mundo medieval[1]	**b.** El Monte Everest y el Gran Cañón
d **3.** Las maravillas de la ingeniería (*engineering*)	**c.** La Gran Pirámide de Giza y la estatua de Zeus en Olimpia
b **4.** Las maravillas del mundo natural	**d.** El Puente Golden Gate y el Canal de Panamá

2. La organización UNESCO (*United Nations Educational, Scientific and Cultural Organization*) ha nombrado muchos sitios como “Patrimonios de la Humanidad” (*World Heritage Sites*). Preservar estos lugares se considera parte del interés internacional. En el año 2010, había un total de 911 sitios con esta denominación. De la lista a continuación, elige los lugares que crees que pertenecen a esta lista.

- ☑ El Parque Nacional Iguazú, Argentina y Brasil
- ☑ La ciudad de Venecia, Italia
- ☑ El Parque Nacional Yellowstone, Wyoming, Montana e Idaho, EE. UU.
- ☑ Los centros históricos de Guanajuato y de Oaxaca, México
- ☐ Las Vegas, Nevada, EE. UU.
- ☑ La catedral de Colonia, Alemania
- ☐ EuroDisney, París, Francia

ESTRATEGIA DE LECTURA

Skim, question, read, recall, and review (SQ3R)

“SQ3R” is a five-step strategy to improve reading comprehension. Read the steps that follow, then apply them to the text you’re about to read.

1. **Skim** (two minutes): Glance through the whole reading. Identify the major headings and the subheadings, check for introductory and summary paragraphs, etc. Resist reading further at this point, but see if you can identify three or four major ideas.

2. **Question** (usually less than 30 seconds): Ask what the text is about: What is the question that this text is trying to answer? Or, ask yourself, what question do I have that this text might help answer? Repeat this process with each subsection of the text, turning each heading into a question.

3. **Read** (at your own pace): Read one section at a time, looking for the answer to the question you proposed for each section.

4. **Recall** (about a minute): Say out loud or write down a key phrase that sums up the major point of the section and answers the question. This should be in your (the reader’s) own words, not just a phrase from the text.

5. **Review** (less than five minutes): After repeating steps 2–4 for each section, test yourself by covering up the key phrases you jotted down and seeing if you can recall them. Do this right after you finish reading the text. If you can’t recall one of your major points, that’s a section you need to reread.

[1]Aunque la lista fue elaborada en la Edad Media, las estructuras contenidas no pertenecen a esa época necesariamente.

A LEER

El 7 del julio de 2007 se conocieron los resultados de la votación de las Nuevas Maravillas del Mundo. Entre las seleccionadas, tres pertenecen a Iberoamérica: Chichén Itzá en la Península del Yucatán, el Cristo Redentor de Río de Janeiro y el Machu Picchu en Cuzco.

El empresario suizo Bernard Weber anunció una competencia para elegir los mejores monumentos del siglo XXI. Para ello, pidió la participación de todo el mundo a través de sus votos en la página Web oficial o vía SMS. Finalmente, el 7 de julio de 2007, el resultado se hizo público en un programa de televisión, y todos pudimos conocer las siete Nuevas Maravillas del mundo moderno.

Pero el evento tuvo su polémica. Algunos protestaron porque veían en el concurso solamente un fin lucrativo, y otros se quejaron porque la participación no fue igualitaria, ya que[1] no todo el mundo tiene acceso a Internet o a un teléfono móvil. Estos motivos fueron secundados por la UNESCO, que no aceptó los resultados, indicando que la lista de candidatos no se había realizado con criterios artísticos o educativos sino[2] con demasiada importancia al valor sentimental.

CHICHÉN ITZÁ (MÉXICO)

Curiosamente, el florecimiento[3] de esta ciudad coincidió con la agonía de la cultura maya que tuvo lugar en el siglo IX. Chichén Itzá llegó a ser considerada la capital del Yucatán después de la ocupación del caudillo tolteca[4] Quetzalcóatl- Kukulcán.

© Pomidorisgogo/iStockphoto

Como si el paso del tiempo no le hubiese afectado[5], en la ciudad todavía se pueden ver grandes templos como el de los Guerreros[6], conjuntos arquitectónicos como el grupo de las Mil Columnas y, sobre todo, la Pirámide de Kukulcán, una de las más altas de la arquitectura maya. En 1988, la UNESCO le dio el estatus de Patrimonio de la Humanidad.

CRISTO REDENTOR (BRASIL)

Inaugurado el 12 de octubre de 1931, vigila[7] la ciudad de Río de Janeiro desde lo más alto del Cerro[8] del Corcovado, a más de 700 metros de altura. Aunque la escultura es relativamente joven, la idea de su creación data de 1859, cuando el padre Pedro Maria Boss buscó financiación para construir una gran figura religiosa.

Rika/dpa/©Corbis

Con motivo del centenario de la Independencia se dio el visto bueno[9] al proyecto. En abril de 1922 se puso la primera piedra y cuatro años más tarde empezó su construcción sobre el diseño del escultor francés Paul Landowski.

MACHU PICCHU (PERÚ)

Construida en el siglo XV, está localizada en el llamado Santuario Histórico de Machu Picchu, que tiene más de 32,592 hectáreas. La existencia de la ciudad está marcada por dos fechas: 1532 y 1911. En 1532, los españoles conquistan Perú, y Machu Picchu se abandona y se olvida. 1911 es el año de su descubrimiento por el historiador estadounidense Hiram Bingham.

Situada a 2,432 metros de altitud, sirvió de zona de descanso y escondite[10] para el Emperador Inca Pachakuteq. En ella hay tres tipos de edificios: las residencias del rey, las de la aristocracia y las religiosas. También es Patrimonio de la Humanidad desde 1983.

Texto: Noemí Monge / *De la revista Punto y coma (Habla con eñe)*

Steven Miric/iStockphoto

[1]given that, since, [2]but rather, [3]flourishing, [4]**caudillo tolteca** leader of the Toltec tribe, [5]**como si... no le hubiese afectado** as if... had not affected it, [6]warriors, [7]watches over, [8]hill, [9]**se dio el visto bueno** gave the green light, [10]hideout

DESPUÉS DE LEER

1. ¿Quién eligió las nuevas maravillas del mundo?
2. ¿Por qué fue esta competencia criticada por algunas personas y por la UNESCO?
3. ¿Qué características tienen en común Chichén Itzá y Machu Picchu? ¿En qué aspecto es diferente el Cristo Redentor?
4. ¿Cuál de los tres lugares te gustaría visitar y por qué? Busca en Internet cuántas horas de vuelo hay entre tu ciudad y ese lugar.

Respuestas:

1. Las personas que votaron en la página Web oficial o por SMS.
2. Pensaban que el concurso tenía un fin lucrativo, la participación estaba limitada a personas que tienen móvil o acceso a Internet, y los criterios no eran artísticos o educativos.
3. Son antiguas ciudades de civilizaciones indígenas (mayas e incas, respectivamente) y son Patrimonio de la Humanidad. El Cristo Redentor es una estatua moderna (siglo XX).

PARA CONVERSAR: ¡Problemas en el viaje!

En grupos, seleccionen una de las siguientes situaciones y resuelvan el problema. Al final, dos grupos pueden representar las situaciones frente a la clase.

ESTRATEGIA DE COMUNICACIÓN

Resolving conflict

In situations such as those described below, it's a good idea to assume the person on the other side of the conversation has as much interest as you do in resolving the conflict or problem. However, you should assess the situation quickly when conflict arises, and decide what you're willing to compromise on and what you're willing to give up. That way, you're prepared to work with the other person to achieve an outcome that is satisfactory to both sides.

1. En la aduana:

Personajes: *Dos pasajeros/as y el/la inspector/a de aduanas.*
Situación: *Dos pasajeros/as jóvenes llegan a la aduana del aeropuerto. El/La inspector/a de aduanas sospecha que hay un problema.*

Modelo: Inspector/a: (*a los pasajeros*) **Abran las maletas, por favor... ¿Qué es esto?**
Pasajero/a 1: ...
Inspector/a: ...
Pasajero/a 2: ...

2. En la recepción de un hotel:

Personajes: *Tú, tu amigo/a y el/la recepcionista.*
Situación: *Ustedes están un poco desilusionados/as con el hotel porque su habitación, las condiciones del baño, etc. no son buenas. Hablan con el/la recepcionista para tratar de resolver los problemas.*

Modelo: Tú: **Perdón, señor/señorita, pero tenemos algunos problemas con nuestra habitación.**
Recepcionista: **¿Sí? ¿Qué tipo de problemas?**
Tú: ...
Amigo/a: ...

ASÍ SE HABLA

En su conversación, intenten usar estas frases muy comunes de Guatemala y El Salvador:

El Salvador:
Cabal = *exactly*
¡Púchica! = *Oh!*

Guatemala:
Chilero/a = *Good, nice*
Casaca = *lie*

Sugerencia: Si los estudiantes necesitan ideas para decidir el tipo de alojamiento sobre el que quieren escribir, puede recomendarles que recojan primero información en Internet. Por ejemplo, haciendo una búsqueda de "hoteles y posadas" que ofrece información sobre alojamiento en América Latina y España. De esta forma pueden familiarizarse con el mercado real y documentarse para su redacción.

PARA ESCRIBIR: Un nuevo alojamiento

Imagina que quieres abrir un nuevo hotel, parador u hostal en algún lugar de América Latina. Ya has pensado qué tipo de alojamiento va a ser y dónde, pero ahora necesitas dinero para construirlo. Por eso vas a escribir una descripción del lugar que capte la atención de los inversores (*investors*).

ANTES DE ESCRIBIR

Paso 1. **El tipo de alojamiento.** Primero debes pensar en el tipo de alojamiento que quieres abrir. Lo único que es obligatorio es que sea en algún lugar de América Latina. Puedes usar una de estas ideas o inventar otra:

☐ un hotel boutique de cuatro estrellas
☐ un parador
☐ una pensión (*guest house*)
☐ un hostal para jóvenes
☐ ¿...? ______

Paso 2. **El lugar.** Ahora piensa en el lugar donde quieres abrir tu alojamiento. Aquí hay algunas ideas:

☐ una ciudad grande
☐ un sitio arqueológico
☐ un pueblo en las montañas
☐ una atracción turística importante
☐ ¿...? ______

Si no sabes mucho sobre ese lugar, busca información en Internet.

ESTRATEGIA DE REDACCIÓN

Using figurative language to draw attention

In this prospectus, you're trying to convince investors to invest in your project. You can make the information more engaging by using figurative language such as similes and metaphors. Look at the examples that follow, and try to use figurative language of your own in your prospectus.

El hotel va a ser un paraíso en la Tierra.
La piscina será una fuente de la juventud.
Quiero ofrecer a mis clientes camas tan suaves como las nubes.

A ESCRIBIR

Escribe una primera versión de tu folleto. Piensa en los siguientes factores:

- El número de cuartos individuales, dobles y *suites*.
- El precio por noche para cada tipo de cuarto.
- Otros servicios: piscina, portero (*doorman*), transporte al aeropuerto, excursiones con guía a los sitios locales, renta de equipo de deportes, etc.

Para escribir mejor

Es importante que los inversores entiendan bien tus planes: cómo será tu hotel, qué cosas son necesarias y qué cosas son simplemente buena idea o preferibles. El uso de verbos en el futuro y las siguientes construcciones con el subjuntivo te pueden ayudar:

Estará junto al mar.

Es importante que haya piscina.

Es preferible que tenga un restaurante de cinco tenedores.

Quiero ofrecer habitaciones que tengan aire acondicionado.

Necesito empleados que hablen varios idiomas.

DESPUÉS DE ESCRIBIR

Revisar y editar: El contenido, la organización, la gramática y el vocabulario. Después de escribir el primer borrador de tu folleto, déjalo a un lado por un mínimo de un día sin leerlo. Cuando vuelvas a leerlo, corrige el contenido, la organización, la gramática y el vocabulario. Hazte estas preguntas:

- ☐ ¿Describí claramente el lugar y el tipo de hotel que he planificado?
- ☐ ¿Di muchos detalles sobre los servicios que debe ofrecer el hotel?
- ☐ ¿Está clara la organización del folleto?
- ☐ Además de revisar otros aspectos generales de gramática, ¿usé el subjuntivo correctamente cuando era necesario?

WileyPLUS PARA VER Y ESCUCHAR: Alojamientos en España

ANTES DE VER EL VIDEO

Mira las fotos e indica qué tipo de alojamiento es. Si no estás seguro/a, intenta adivinar.

1. ____________________

2. ____________________

3. ____________________

4. ____________________

Sugerencia: Para practicar la comprensión de los cognados, puede leer algunos en voz alta a la clase y pedir que los escriban y den su traducción en inglés. Algunos de los que aparecen en el video son: ***castillo, opción, decorado, típico, árabe.***

ESTRATEGIA DE COMPRENSIÓN

Recognizing cognates

In *Capítulo 1,* you saw how many English and Spanish words are cognates and how recognizing those cognates helps comprehension. However, because of differences in stress and pronunciation in both languages, it is more challenging to recognize cognates you hear. Being aware of corresponding suffixes that do not look alike (see below) and different pronunciations for those that do (e.g., Sp. **–ción** vs. Eng. *–tion*), and trying to "visualize" how the words you hear are written, will help you to better identify cognates.

Spanish		English	
-mente	**simplemente, claramente**	*-ly*	*simply, clearly*
-dad	**nacionalidad, ciudad**	*-ity*	*nationality, city*

What other patterns have you identified in Spanish-English cognates?

A VER EL VIDEO

Paso 1. Mira el video y anota los cognados que escuches (no importa si son palabras que has estudiado o si no los sabes escribir bien). Después, en grupos de tres personas, comparen sus listas.

Paso 2. Mira el video de nuevo y anota las características principales de cada tipo de alojamiento.

	Camping Villsom	Hostal Callejón del Agua
Precio		Económico.
Servicio	Duchas, servicios higiénicos, cafetería, piscina y lavandería con lavadoras y secadoras.	
Otros	Cerca de Sevilla, se puede ir con autocaravana, caravana y tienda de campaña.	Pequeño, está en el centro de Sevilla.

	Hotel San Gil	Parador de Carmona
Precio	Económico.	No es caro.
Servicio	61 habitaciones; 11 dobles con salón y todas con cuarto de baño privado.	Servicios iguales a los de un hotel moderno.
Otros	Está en el centro de Sevilla, decoración típica de Sevilla.	Es una antigua fortaleza árabe.

DESPUÉS DE VER EL VIDEO

En grupos pequeños, expliquen en qué alojamiento preferirían quedarse en una visita a Sevilla.

Repaso de vocabulario activo

Adjetivos

importante *important*
interesante *interesting*
necesario *necessary*
preciso *it's necessary*
ridículo *ridiculous*
urgente *urgent*

Sustantivos

En el aeropuerto/En el avión ***In the airport/In the plane***

la aduana *customs*
la aerolínea *airline*
el asiento *seat*
el/la asistente de vuelo *flight attendant*
el avión *plane*
el boleto/el billete (electrónico) *(e-) ticket*
el control de seguridad *security check*
la demora *delay*
el equipaje *(de mano)* *(hand) luggage*
el horario *schedule*
la llegada *arrival*
la maleta *suitcase*
el país *country*
el/la pasajero/a *passenger*
el pasaporte *passport*
el pasillo *aisle*
el/la piloto *pilot*
la puerta de salida *gate (at airport)*
el reclamo de equipaje *baggage claim*
la salida *departure*
la tarjeta de embarque *boarding pass*
la ventanilla *window*
el viaje *trip*
el visado *visa*
el vuelo *flight*

En el hotel/En la habitación ***In the hotel/In the room***

el aire acondicionado *air conditioning*
la almohada *pillow*
el ascensor *elevator*
el baño privado *private bath*
la calefacción *heating*
la cama doble *double bed*
la cama sencilla *single bed*
la cobija/la manta *blanket*
la habitación doble *double room*
la habitación sencilla *single room*
el hostal *hostel*
el hotel de... estrellas *...-star hotel*
la llave *key*
la pensión *guest house*
la piscina *pool*
la planta/la planta baja *(main) plant, floor*
la propina *tip*
la reservación *reservation*
la sábana *sheet*
el servicio de habitación *room service*

Las personas en el hotel ***People in the hotel***

la camarera *maid (hotel)*
el/la huésped *guest*
el/la recepcionista *receptionist*

En la estación ***In the station***

el andén *platform*
los aseos/el baño *restrooms*
el boleto/el billete *ticket*
... de ida/sencillo *one-way...*
... de ida y vuelta *round-trip...*
la taquilla *ticket window*
perder (el tren, el autobús...) *to miss (the train, the bus...)*

Verbos y expresiones verbales

abrocharse el cinturón *to fasten one's seatbelt*
aterrizar *to land*
bajar de *to get off*
dejar *to leave, leave behind, forget*
despedirse (i, i) de *to say goodbye to*
despegar *to take off*
disfrutar (de) *to enjoy*

embarcar *to board*
empacar *to pack*
facturar *to check (baggage)*
hacer escala *have a layover*
hacer las maletas *to pack*
indicar *to indicate*
irse (de viaje) *to leave/go away (on a trip)*
obtener *to obtain*
parece que... *it seems that...*
registrarse *to register, check in*
sacar un pasaporte *to get a passport*
saludar *to greet*
subir a *to get on, board*
tener prisa *to be in a hurry*
volar (ue) *to fly*

CAPÍTULO 14

El mundo moderno

© BrazilPhotos.com/Alamy

LEARNING OBJECTIVES

In this chapter, you will learn to:

- talk about new technologies and media.
- talk about cars, giving directions and driving.
- make suggestions.
- express conditions and purpose.
- react to past actions and events.
- learn about Honduras and Nicaragua.
- discover more about globalization and indigenous cultures.

Entrando al tema

1 ¿Usas la tecnología solamente para tus estudios y trabajo, o también como entretenimiento?

2 ¿Usas mucho la tecnología para comunicarte con tu familia y amigos? ¿Usas mensajes de texto, redes sociales (como *Facebook*), videoconferencia (como *Skype*) o algo diferente?

Así se dice

El mundo moderno

Use ***PowerPoint Slides*** para presentar y practicar este vocabulario.

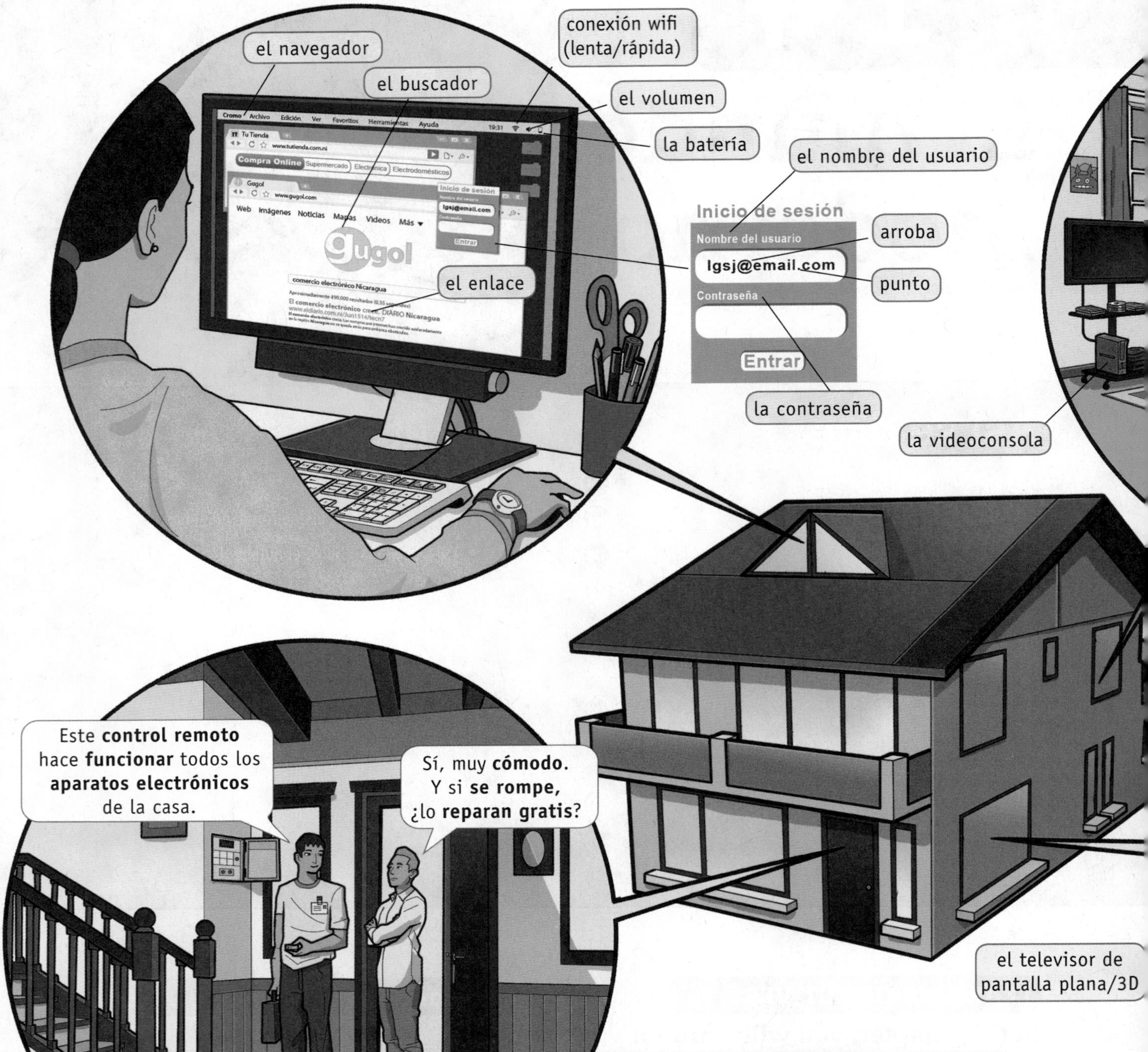

¿Qué ves? Responde estas preguntas sobre la ilustración:

1. ¿Cuántos aparatos electrónicos están usando en esta casa ahora? ¿Quién está usando la computadora portátil? ¿Quién está usando la tableta?
2. La madre de la familia está usando una computadora. ¿Qué tipo de programa usa para buscar información en Internet, un navegador o un buscador? ¿Cuál es tu buscador favorito? Y, ¿cuál es tu navegador favorito?

Puedes encontrar más preguntas de comprensión en *WileyPlus* y en el *Book Companion Site.*

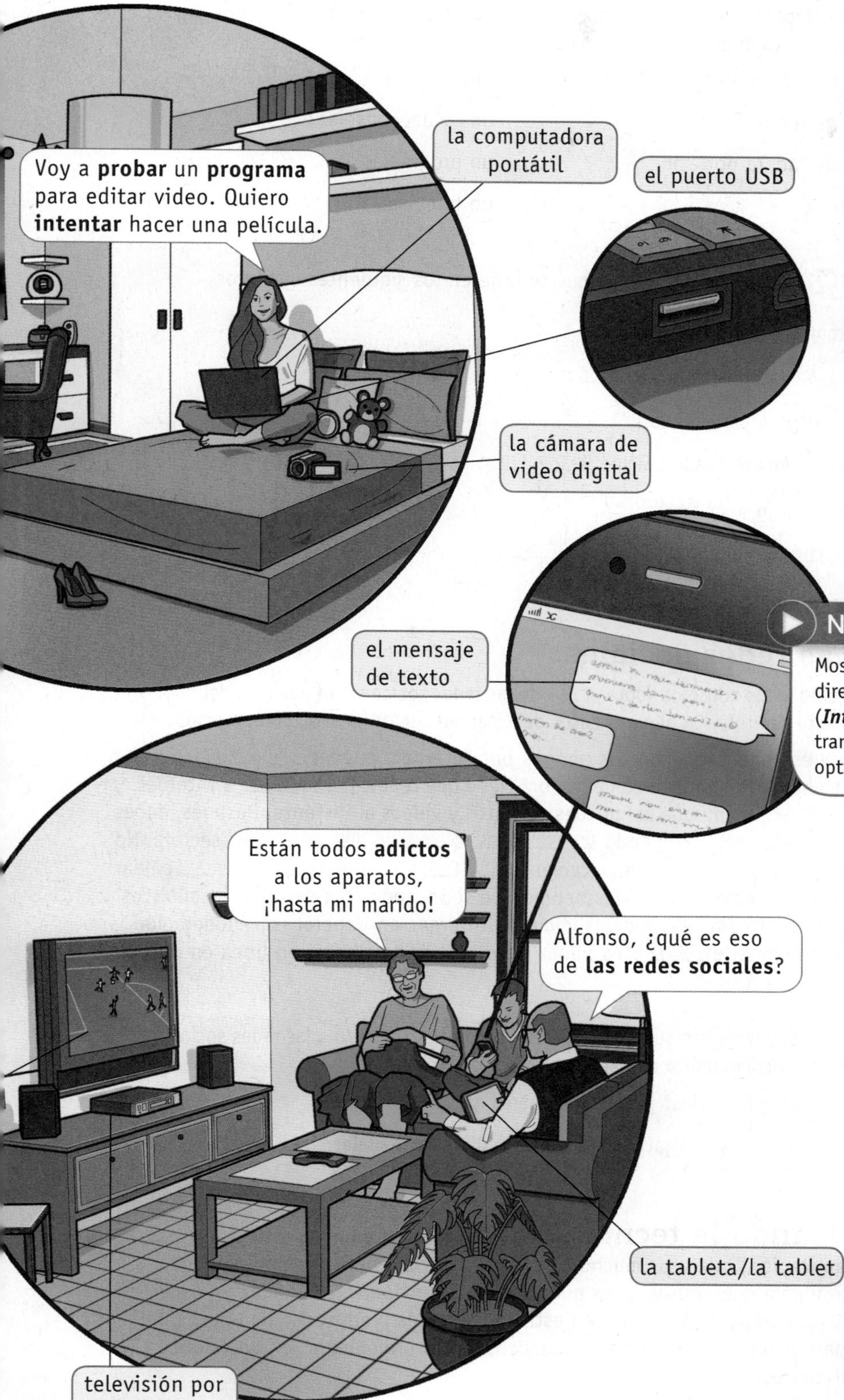

Voy a **probar** un **programa** para editar video. Quiero **intentar** hacer una película.
la computadora portátil
el puerto USB
la cámara de video digital
el mensaje de texto
Están todos **adictos** a los aparatos, ¡hasta mi marido!
Alfonso, ¿qué es eso de **las redes sociales**?
la tableta/la tablet
televisión por cable/satélite

el aparato (electrónico)	*device, gadget*
el buscador	*search engine*
cómodo	*comfortable, convenient*
contraseña	*password*
intentar	*to try, attempt*
lento/a	*slow*
el navegador	*browser*
probar (ue)	*to try, test out*
el programa (de computadora)	*software*
rápido/a	*fast*
la red social	*social network*

WileyPLUS

Pronunciación: Practice pronunciation of the chapter vocabulary and particular sounds of Spanish in *WileyPLUS.*

NOTA DE LENGUA

Most technology-related terms in Spanish are either borrowed directly from English, with adapted Spanish pronunciation (***Internet, iPad, iPhone, WiFi, blog, streaming***, etc.), or translated literally (**el ratón** = *mouse*, etc.) Sometimes both options coexist (**la tableta/la tablet**).

Sugerencia: Para iniciar el trabajo de comprensión y respuesta al nuevo vocabulario (actividades de **input**) refiérase a las preguntas ***¿Qué ves?*** en *WileyPLUS* y en el *Book Companion Site* (BCS).

HINT

Revisa el vocabulario de tecnología presentado en el Capítulo 2.

¿Y tú?

1. ¿Cuántos aparatos electrónicos tienes? ¿Cuáles usas frecuentemente? ¿Para qué?
2. ¿Te consideras adicto a los aparatos y aplicaciones tecnológicas?

14.1 Audio:
1. Quiero jugar Super Mario Brothers con mis amigos.
2. Mis hijos quieren ver películas en tres dimensiones en casa.
3. Quiero filmar a mis hijos en nuestras vacaciones en la playa.
4. Necesito un sistema para organizar mis finanzas electrónicamente.
5. Busco algo para operar la tele, el reproductor de DVD y el satélite.
6. Quiero tener acceso a mi música, videos, juegos e Internet cuando estoy viajando, pero no quiero cargar con una computadora.
7. Necesito una computadora que mi hija se pueda llevar en sus viajes.
8. Mi computadora portátil no funciona cuando no está conectada a la red eléctrica.

Input

[14.1] ¿Qué buscan?

Imagina que trabajas en una tienda de aparatos electrónicos y computación. Escucha lo que dicen las personas y escribe el número correspondiente junto al aparato que necesitan.

_3_ una cámara de video	_6_ una tableta
_5_ un control remoto	_1_ una videoconsola
_7_ una computadora portátil	_4_ un programa
_8_ una batería	_2_ un televisor 3D

Output

[14.2] ¿Qué son?

Indica a qué se refieren los siguientes ejemplos.

1. Firefox, Chrome, Safari _el navegador_
2. Google, Bing, Yahoo! Search _el buscador_
3. Facebook, Twitter, LinkedIn _la red social_
4. Microsoft Word, Adobe Reader, Skype _el programa_
5. Playstation, Xbox, Wii _la videoconsola_
6. iPad, Kindle Fire, Google Nexus _la tableta_

Output

[14.3] Las redes sociales.

Paso 1. Completa estos consejos sobre el uso de las redes sociales con palabras del vocabulario de este capítulo. En algunos casos debes añadir (*add*) un artículo apropiado.

"Bueno, si quieres conectarte con tus amigos por Internet, puedes _probar_ una red social como Facebook. Primero, tu computadora tiene que tener _conexión_ a Internet, y mejor si es _rápida_, porque así puedes ver fotos y videos al instante. Después, debes crear una cuenta (*account*) escogiendo _un nombre de usuario_ y _una contraseña_ secreta. No tienes que pagar nada porque es completamente _gratis_. Debes _intentar_ cuidar tus configuraciones (*settings*) de privacidad porque si no, todos tus datos serán públicos. También es importante usar las redes sociales e Internet en general con moderación y no hacerte (*become*) _adicto_. Yo nunca paso más de tres horas en línea en un día. ¡Suerte!".

Paso 2. En grupos, compartan sus experiencias y opiniones respecto a las redes sociales. Usen estas preguntas como punto de partida (*starting point*).

- ¿Usas redes sociales? ¿Cuáles? ¿Por qué prefieres esas?
- ¿Qué aspectos positivos y negativos tiene el uso de redes sociales?

NOTA DE LENGUA

Some people allege that text messaging is going to lead young people to forget how to spell words correctly. Try to match these common abbreviations with the phrases they stand for. Then, share your opinion about this phenomenon.

1. k rsa	e	**a.** Por favor
2. tvl	f	**b.** ¿Qué quieres?
3. k krs?	b	**c.** Adiós
4. nls	d	**d.** No lo sé
5. x fa	a	**e.** ¡Qué risa!
6. a 2	c	**f.** Te veo luego

14.4 Sugerencia: Haga un sondeo en la clase sobre la tecnología más popular y la más deseada.

Output

[14.4] Usando la tecnología.

Escribe sobre un aparato y un programa (o aplicación) que usas mucho o te gusta mucho. Para cada uno, describe qué es, cuánto y para qué lo usas y por qué te gusta. Menciona también si hay aspectos negativos o cosas que pueden mejorar en estas tecnologías o en tu uso de ellas. Después compartan sus descripciones en grupos. ¿Tienes preferencias e impresiones similares o diferentes?

Modelo: **Un aparato que uso mucho es...**
Hay un programa que me fascina, es...

Así se dice

Los automóviles y el tráfico

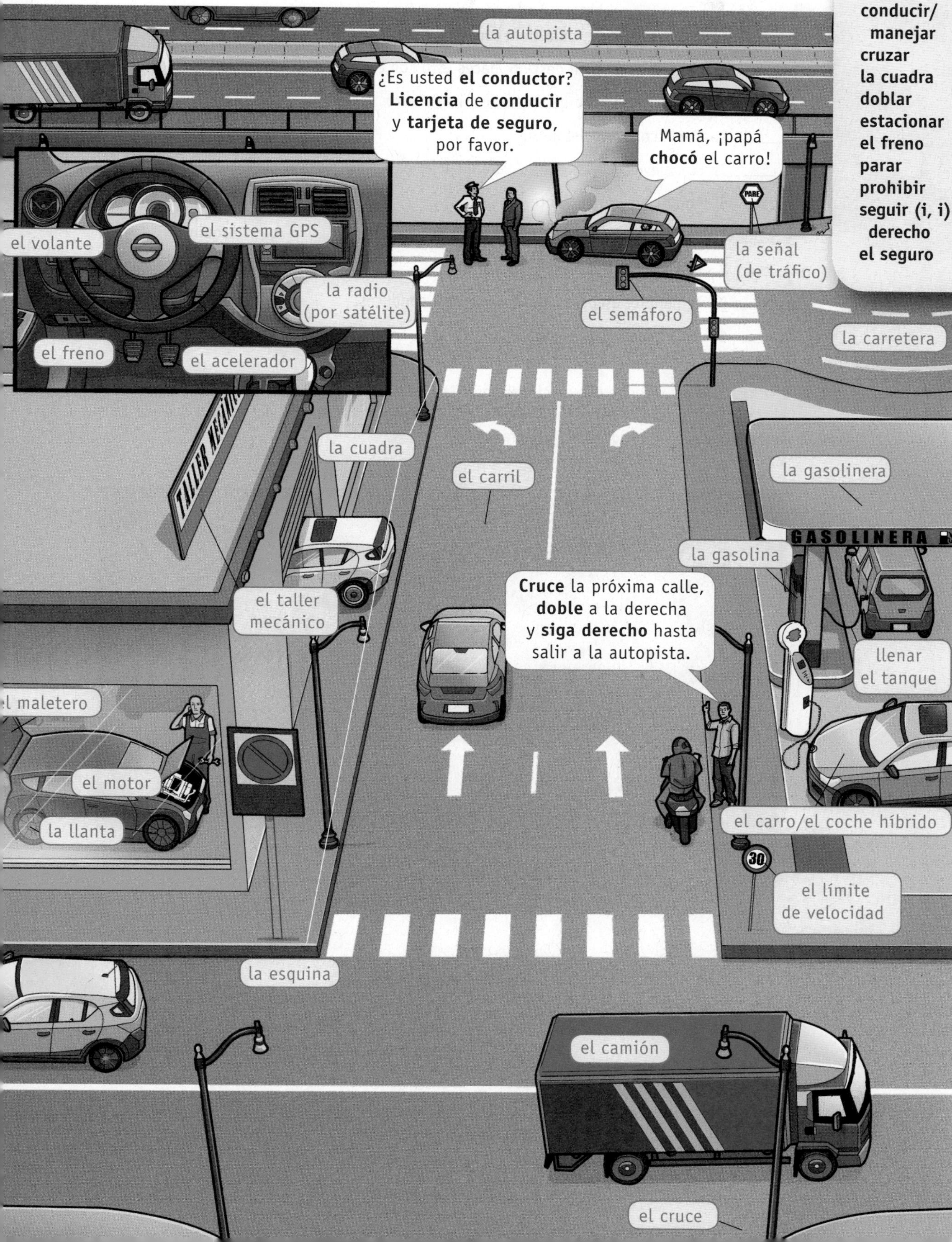

la autopista	*expressway, freeway*
la carretera	*road, highway*
chocar	*to crash*
conducir/manejar	*to drive*
cruzar	*to cross*
la cuadra	*(city) block*
doblar	*to turn*
estacionar	*to park*
el freno	*brakes*
parar	*to stop*
prohibir	*to forbid*
seguir (i, i) derecho	*to continue ahead*
el seguro	*insurance*

Input [14.5] ¿Qué es?

Paso 1. Empareja las palabras con las oraciones que mejor las describen.

e	**1.** Vehículo grande, para transportar grandes cargas.	**a.** estacionar
a	**2.** Cuando llegas a tu destino, haces esto con el carro.	**b.** el volante
g	**3.** En la intersección de dos calles, hay cuatro.	**c.** cruzar
h	**4.** Es el "corazón" del auto.	**d.** cómodo
b	**5.** Lo mueves con las manos para manejar el coche.	**e.** el camión
d	**6.** Agradable, conveniente.	**f.** la cuadra
f	**7.** Espacio de una calle situado entre dos esquinas.	**g.** la esquina
c	**8.** Ir de un lado de la calle al otro.	**h.** el motor
j	**9.** Te permite escuchar música mientras conduces.	**i.** el maletero
i	**10.** En él guardas el equipaje.	**j.** la radio por satélite

Paso 2. Ahora, escribe dos oraciones como las del **Paso 1** para definir otras palabras sobre el tráfico y los carros. Después, en grupos, cada estudiante lee sus oraciones para que sus compañeros/as identifiquen las palabras.

En mi experiencia

Diana, Burlington, VT

"We did a road trip down 500 miles of the Panamerican Highway in Latin America, which is somewhat similar to Route 66 in the U.S. I noticed that it's rare for customers to be allowed to pump the gas themselves; the gas stations still have attendants. I was told to be careful that the counter was reset to zero when they began pumping, to always have cash in case the credit card machine wasn't working, and to tip the attendant a little bit."

What is the longest road trip you've ever taken? Would you prefer to pump gas yourself or have an attendant do it for you? Go to YouTube to find the trailer of the movie The Motorcycle Diaries *to see footage of the Panamerican Highway.*

[14.6] ¿Qué clase de conductor eres?

Input

Trabajen en parejas. Haz preguntas a tu compañero/a para completar el cuadro de abajo. Luego, decide si tu compañero/a presenta un riesgo (*risk*) alto, medio o bajo para una compañía de seguros.

Nombre: ______________________________

Marca (*brand*) y modelo de carro[1]			
Número de años con licencia de conducir			
Número de accidentes			
Número de multas (*tickets*)			
¿Alguna vez se te ha acabado (*run out*) la gasolina?	☐ Nunca	☐ 1-2 veces	☐ Más de 2 veces
¿Sabes cambiar una llanta desinflada (*deflated, flat*)?	☐ Sí		☐ No
¿Usas el cinturón de seguridad?	☐ Siempre	☐ A veces	☐ Nunca
¿Te pones impaciente cuando hay mucho tráfico?	☐ Siempre	☐ A veces	☐ Nunca
¿Respetas el límite de velocidad?	☐ Siempre	☐ A veces	☐ Nunca
Esta persona presenta un riesgo:	☐ Alto	☐ Medio	☐ Bajo

[1]Si no tienes carro, di la marca y el modelo de un carro que a veces manejas (ej. el de tu familia, etc.).

14.6 Extensión: Puede pedir a los estudiantes que den sugerencias a sus compañeros/as para reducir la tarifa de su póliza de seguro.

[14.7] Señales (*Signs*) para los automovilistas.

Output

En parejas y por turnos, cada estudiante escoge una señal de tráfico y dice a su compañero/a qué debe/no debe hacer. El/La compañero/a debe identificar la señal.

Modelo: Estudiante A: **No manejes/conduzcas a más de 90 km por hora.**
Estudiante B: **Es la señal número 1.**

1. Velocidad máxima 90 km/h.

2. Prohibido girar en U.

3. Prohibido doblar a la izquierda.

4. Prohibido seguir derecho.

5. Prohibido estacionar o parar.

6. Ceder el paso.

7. No tocar la bocina.

8. Pararse.

9. No cambiar de carril.

14.7 Esta actividad recicla los mandatos con formas de *tú*.

PALABRAS ÚTILES

ceder	*to yield*
girar	*to turn*
tocar la bocina	*to honk*

Sugerencia: Señale que hay cierta variación en algunas señales de tráfico en el mundo hispano. Por ejemplo, para la señal de parada se usa *STOP, ALTO* o *PARE* dependiendo del país.

NOTA DE LENGUA

Many words that refer to driving and transportation vary in different regions of the Spanish-speaking world. Here are some examples:

México	España	Argentina
carro	coche	auto
parquear	aparcar	estacionar
camión	autobús	colectivo

Sugerencia: Aclare para los estudiantes que México, España y Argentina son solo ejemplos y que varias de estas palabras se usan en múltiples países.

14.8 El **Paso 1** recicla los mandatos con formas de ***usted*** y el **Paso 2** recicla los mandatos con formas de ***tú***.

14.8 Audio:
Abróchense el cinturón. Salgan del estacionamiento y doblen a la derecha en la calle 3 Poniente. Pasen el Zócalo y doblen a la derecha, hacia el norte, en la calle 16 de Septiembre. Sigan recto tres cuadras y doblen a la derecha en la calle 4 Poniente. Continúen recto tres cuadras, dirección este. La Casa Alfeñique está en la esquina. Sigan media cuadra más. Estacionen su carro.

Para reciclar la comprensión y el uso de las indicaciones, traiga copias del mapa de su campus universitario (uno por estudiante) y pida a los estudiantes que marquen el edificio en el que tienen clase. Después, cada estudiante debe marcar otro edificio del campus. En parejas, un/a estudiante da indicaciones a su compañero/a para llegar desde el edificio en el que se encuentran hasta el otro. El/La compañero/a escucha y sigue las indicaciones en su mapa para identificar el edificio al que su compañero/a le guía.

Input/Output

[14.8] Para ver un poco de Puebla.

Tu amigo/a y tú acaban de llegar a Puebla, México. Han alquilado un carro para visitar la ciudad.

Paso 1. Están listos/as para comenzar su visita y piden consejo al/a la recepcionista del hotel. Él/Ella les da indicaciones para llegar a su primer destino. Escuchen atentamente para identificar el lugar al que llevan estas indicaciones. Recuerden que ahora están en el Hotel Colonial (el estacionamiento del hotel es la "E" en su mapa).

¿Dónde están? ¿Qué se puede ver?

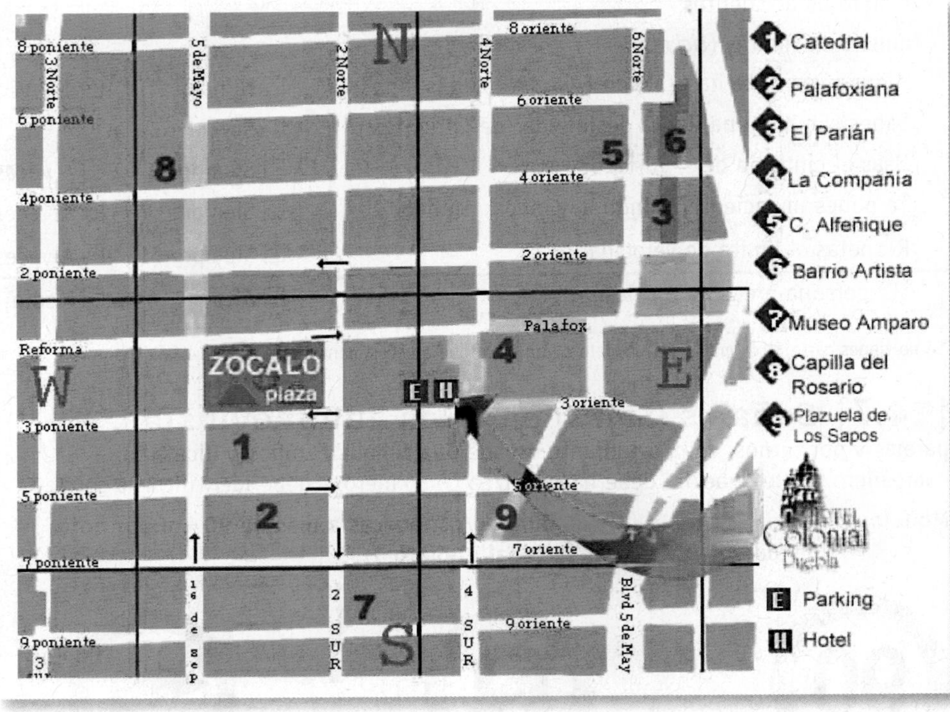

Paso 2. Es tu segundo día en Puebla. Lee el folleto de la siguiente página y escoge tres atracciones turísticas interesantes. Escribe los nombres de estos lugares aquí.

1. ______________________
2. ______________________
3. ______________________

Ayer visitaste estos lugares y hoy le recomiendas a tu amigo/a que los visite también. Usando el mapa del **Paso 1**, túrnense dando instrucciones para llegar desde el hotel (sin mencionar el destino final) y escuchando. ¡Cuidado! Hay calles de una sola vía (*one way*). ¿Qué lugares recomienda tu amigo/a?

1. ______________________
2. ______________________
3. ______________________

NOTA CULTURAL

Las instrucciones para llegar

Many older cities in Spanish-speaking countries were formed spontaneously and in a somewhat disorderly fashion. In such places, people normally don't use cardinal points (north, south, east, west) when giving directions. They are more likely to use expressions such as: *Go straight that way,* and use points of reference such as: *Turn on the first street after passing the church.*

How would you give these directions in Spanish?

Sugerencia: A partir del vocabulario de **Así se dice, Los automóviles y el tráfico** y con ayuda de los estudiantes, puede elaborar una pequeña lista de expresiones útiles y escribirla en la pizarra. Recuerde incluir expresiones del tipo: **Doblar a la derecha/izquierda; seguir/continuar recto; pasar (la iglesia, el hospital, el colegio,...); estar en la esquina; cruzar la calle, etc.**

LUGARES INTERESANTES EN PUEBLA

La Catedral
Su construcción comenzó en 1575. Es una joya de la arquitectura colonial. Sus torres° son las más altas del país.
La Biblioteca Palafoxiana
Está clasificada como monumento histórico de México. Fue fundada en 1646.
Mercado El Parián
Es la antigua° plazuela de San Roque. Se construyó en 1801. Hoy es un mercado donde se puede encontrar artesanías, dulces°, textiles, etc.
Iglesia de la Compañía de Jesús
Otra de las famosas iglesias de la ciudad. Es de estilo barroco, tiene torres blancas y un bello altar.
El barrio del Artista
Es una plazuela con una fuente° hermosa y muchos talleres de artistas.
La casa del Alfeñique
Esta casa del siglo XVIII tiene mucha ornamentación blanca y por eso se la llama *alfeñique*, un dulce poblano°.
Capilla° del Rosario
Este ejemplo del arte barroco novohispano se considera una de las maravillas de México. El interior de la capilla es de estuco cubierto con lámina de oro de veintidós quilates.
La Plazuela de los Sapos°
Rodeada de casas típicas y bazares de antigüedades, tiene una fuente muy linda en el centro. Aquí se puede contratar a mariachis y tríos.
El Museo Amparo
Una de sus exhibiciones más importantes es sobre las culturas mesoamericanas.

torres *towers;* **antigua** *former;* **dulces** *candy;* **poblano** *from Puebla;* **fuente** *fountain;* **Capilla** *Chapel;* **Sapos** *Toads*

NOTA CULTURAL

The metric system

In Spanish-speaking countries (and in most of the world), the metric system is used to measure distances. The formula for converting kilometers to miles, and vice versa, is:

1 km = 0.62 mi   1 mi = 1.61 km

Think of 100 kilometers as being 62 miles.

What's the speed limit on most highways in Latin America?

☐ 50 km/h   ☑ 120 km/h   ☐ 250 km/h

And on the roads where you live? ____ km/h

INVESTIG@ EN INTERNET

Demuestra que eres capaz de moverte por cualquier ciudad del mundo hispano. A través de la herramienta de mapas de Google, localiza Managua, la capital de Nicaragua. Encuentra la Antigua Catedral de Managua, al norte de la ciudad. Está situada entre el lago Managua y la laguna Tiscapa, muy cercana a la Avenida Simón Bolívar. ¿Qué dos monumentos y edificios importantes puedes encontrar cerca de la Catedral? ¿Crees que sabrías llegar desde el Aeropuerto Internacional de Managua a la Antigua Catedral? Describe la ruta que seguirías.

Cultura

Honduras y Nicaragua

▲ Honduras

© Natural_Warp/ iStockphoto

▲ Nicaragua

© PromesaArtStudio/ iStockphoto

Use ***PowerPoint Slides*** para presentar esta sección de cultura.

ANTES DE LEER

Mira el mapa al principio del libro y contesta las siguientes preguntas sobre Honduras y Nicaragua.

	Honduras	**Nicaragua**	**Los dos**
1. Está en Centroamérica.	☐	☐	☑
2. Tiene dos lagos muy grandes.	☐	☑	☐
3. Tiene fronteras con tres países.	☑	☐	☐
4. Tiene costa en el Caribe y en el Pacífico.	☐	☐	☑

Honduras

En Honduras viven varios grupos étnicos. Sus habitantes originales eran los mayas y los lencas, pero para el año 800 d.C. los mayas habían abandonado inexplicablemente sus ciudades. Cuando llegaron los españoles a principios del siglo XVI, solo encontraron las ruinas de Copán. En la costa caribeña viven los garífunas, quienes llegaron a Honduras en el siglo XVIII huyendo de (*fleeing*) la esclavitud (*slavery*) en las colonias inglesas del Caribe. Los garífunas tienen relación cultural con otros descendientes africanos del Caribe como los de Jamaica.

La capital de Honduras, Tegucigalpa, está situada en la montañosa zona central. Cuenta con unos 1.8 millones de habitantes (un poco más que Filadelfia, Pensilvania) y 14 museos como el Museo para la Identidad Nacional, el Museo Nacional de Antropología e Historia, la Galería de Arte Nacional y el Museo Arqueológico.

Courtesy of Laila Dawson

▲ Iglesia de Nuestra Señora de los Dolores en el centro de Tegucigalpa

El voseo

En partes de Guatemala, El Salvador, Honduras y Nicaragua (y también en Argentina, Chile y Uruguay) se usa la forma *vos* además de la forma *tú*. El *vos* se usa de diferentes maneras, pero estas son algunas conjugaciones frecuentes:

	Tú	**Vos**
hablar	hablas	hablás
comer	comes	comés
vivir	vives	vivís
ser	eres	sos

Te lo doy **a ti.** = Te lo doy **a vos.**
Voy **contigo.** = Voy **con vos.**

Sugerencia: Si tiene hablantes de herencia en su clase, pregúnteles si sus familias usan la forma **vos**, y si es así, con quiénes la usan.

Nicaragua

Nicaragua, el país más grande de Centroamérica, tiene 6 millones de habitantes de distintos grupos étnicos: mestizos (70%), indígenas (5%), descendientes de europeos (16%) y africanos (9%, el más grande de Centroamérica), entre otros. Un 25% de la población —casi 2 millones, o sea, casi igual que en Houston, Texas— vive en Managua, la capital, lugar que vivió un episodio dramático en 1972 cuando un terremoto destruyó el 90% de la ciudad.

Los revolucionarios sandinistas, opuestos a la dictadura de la familia Somoza, tomaron el poder entre 1979 y 1990. En las elecciones de 1990 los nicaragüenses eligieron a la primera mujer presidente de las Américas, Violeta Barrios Torres de Chamorro.

A Nicaragua se le conoce como "La tierra de lagos y volcanes". Su diversidad biológica, clima tropical, volcanes activos y el gran lago de Nicaragua (el más grande de Centroamérica) la hacen un destino popular con los turistas, surfeadores y biólogos. También se le conoce como "La tierra de poetas". Los famosos poetas Rubén Darío (el poeta que ha tenido una mayor influencia en la poesía del siglo XX en el ámbito hispánico), Ernesto Cardenal y Gioconda Belli son todos de Nicaragua. Busca por Internet más información sobre ellos.

Bridgeman Art Library/NY

▲ Rubén Darío (1867–1916), el "padre del modernismo hispanoamericano"

DESPUÉS DE LEER

1. Decide a qué país o países se refieren las siguientes oraciones.

La bandera es azul y blanca. Los dos

Se usa la forma *vos* además de *tú*. Los dos

Hay muchos poetas famosos. Nicaragua

Viven los garífunas. Honduras

Así se forma

1. Making suggestions: *Nosotros* (Let's) commands

WileyPLUS
Go to *WileyPLUS* to review this grammar point with the help of the **Verb Conjugator**.

Pida a sus estudiantes que observen los ejemplos en el diálogo, identifiquen las formas en negrita y, considerando el contexto, hagan hipótesis sobre el uso y significado de estas formas. Puede también preguntar si ven otra forma o construcción verbal que exprese una sugerencia para "nosotros" en el texto (***vamos a llamar***).

Use ***PowerPoint Slides*** para presentar esta gramática.

Sugerencia: Puede presentar los mandatos con *let's* escribiendo en la pizarra una serie de mandatos con ***vamos a...*** seguidos por las correspondientes formas afirmativas y negativas con subjuntivo. ***Vamos a parar aquí. Paremos aquí. No paremos aquí.*** Después de varios ejemplos completos, deje algunos espacios vacíos para que sus estudiantes deduzcan las formas necesarias. ***Vamos a echar gasolina. Echemos gasolina. No*** ____________.

Incluya verbos reflexivos que ilustren la pérdida de la *–s* final en la forma verbal antes del pronombre. ***Vamos a levantarnos. Levantémonos. No nos levantemos.***

Alicia: Javier, salimos para Tegucigalpa el lunes, **pensemos** en qué hay que preparar.

Javier: Es muy importante hacer revisión del coche, **llevémoslo** al taller el jueves.

Alicia: No, **hagámoslo** mañana por si (*in case*) tienen que hacer alguna reparación.

Javier: Sí, y vamos a llamar al hotel para confirmar las reservaciones también.

Alicia: ¡Ay! ¡Olvidé hacer las reservaciones! **Esperemos** que tengan habitaciones libres.

To express a suggestion or command with *let's*, Spanish sometimes uses the **nosotros** form of the present subjunctive.

Llevemos el carro al taller mañana.	*Let's take the car to the mechanic tomorrow.*

- In **nosotros** commands, as in other command forms, object and reflexive pronouns are attached to an affirmative command but placed before a negative command.

  Hagámos**lo** mañana.   No **lo** hagamos en este momento.

- To form the affirmative *let's* command of a reflexive verb, delete the final **-s** of the present subjunctive form before adding the pronoun **nos.** Note the written accent.

  levantemos → levantemo– + **nos** = **¡Levantémonos!**

- The verb **ir** has an irregular affirmative let's command form: **vamos.**[1] The form **vamos a + infinitive** is often used as an alternative to the nosotros command form:

¡Vamos allí!	*Let's go there!*
¡Vamos a parar aquí!	*Let's stop here!*

However, the negative counterparts do use the subjunctive form.

¡No **vayamos** allí!	*Let's not go there!*
¡No **paremos** aquí!	*Let's not stop here!*

14.9 Puesto que estas formas pueden resultar complicadas, los estudiantes tienen la oportunidad de familiarizarse con ellas en el **Paso 1** y practicar con la repetición de algunas formas en el **Paso 2** antes de tener que producirlas de forma creativa en la siguiente actividad.

Input/Output

[14.9] Un fin de semana en Tegucigalpa.

Paso 1. Vas a viajar de Managua a Tegucigalpa con unos amigos. Una persona del grupo es un poco mandona (*bossy*) y siempre insiste en organizarlo todo. Determina el orden cronológico de sus sugerencias. Escribe el número al lado de cada oración.

_3_ Levantémonos a las seis de la mañana.
_5_ Durante el viaje, miremos el sistema GPS cada 15 minutos.
_4_ Salgamos a las siete en punto.
_7_ Al llegar, estacionémonos en el Hotel Honduras Maya.
_6_ Almorcemos en el camino.
_1_ Hoy, llevemos el carro a la gasolinera para llenar el tanque y revisar las llantas.
_2_ Acostémonos temprano esta noche para estar en forma para el viaje de mañana.
_8_ Luego, busquemos un buen restaurante para cenar.

[1]The nosotros command for the reflexive **irse** is, therefore, **vámonos.**
¡Vámonos de aquí!   *Let's leave this place!*

Paso 2. En general eres muy flexible, pero no estás de acuerdo con todas las sugerencias de tu amigo/a. Responde a las sugerencias confirmando que estás de acuerdo u ofreciendo una alternativa si no estás de acuerdo. Usa mandatos con formas de *nosotros*.

Modelo: **Sí, levantémonos a las seis.** *o*
No, no nos levantemos a las seis, mejor levantémonos a las ocho.

Input/Outout

[14.10] Planificar un itinerario.

Tú y dos amigos/as deciden continuar su viaje por Honduras dos días más, pero tienen preferencias diferentes. Usen los mandatos con formas de *nosotros* para expresar sus sugerencias y acuerden (*agree on*) un plan interesante para todos/as.

Estudiante A: Te encanta la arquitectura, visitar museos o pasear por las calles de una ciudad para observar a la gente e ir de compras. También te gusta salir por la noche y te parece importante tener un hotel cómodo para descansar.

Estudiante B: A ti te fascina la naturaleza. Te encanta practicar deportes de aventura o tomar el sol en la playa. Por supuesto, al final del día prefieres dormir bajo las estrellas que bajo el techo de un hotel.

Estudiante C: ¡A ti te gusta todo! Ayuda a tus amigos/as a planificar un viaje con algo para todos/as.

Piensen en:

1. cuándo quieren salir y regresar
2. adónde quieren ir
3. si van en moto, coche, autobús o tren
4. lo que quieren (o no quieren) hacer durante el viaje
5. lo que deben llevar (ropa, comida, etc.)
6. dónde van a dormir (acampar, hoteles, etc.)
7. cuánto dinero van a llevar para los gastos (*expenses*)

Modelo: Estudiante A: **Quedémonos en Tegucigalpa un día más.**
Estudiante B: **No, no, vayamos a la playa en La Mosquitia.**
Estudiante C: **Tengo una idea, vayamos a San Pedro Sula. Un día podemos visitar la ciudad y las ruinas mayas de Copán y otro día vamos a la playa...**

14.10 Sugerencia: Para que la actividad sea más interesante, puede traer copias de alguna información turística sobre Honduras o asignar los papeles el día anterior (A, B, C) y pedir a los estudiantes que busquen información sobre lo que les gustaría hacer en esta página web. Como alternativa, pueden planear un viaje en Estados Unidos.

NOTA CULTURAL

El gallo pinto

Gallo pinto is the national dish of both Costa Rica and Nicaragua. The name means "speckled rooster" due to the "spots" of the beans against the rice (red beans in Nicaragua, black beans in Costa Rica). A rivalry for cooking the biggest *gallo pinto* began in 2003 when Costa Rica made the Guinness Book of World Records. Nicaragua topped it a few days later. Costa Rica recaptured the title in 2005, but Nicaragua won it back in 2008, producing 22,000 servings. In 2009, Costa Rica's was twice as big (50,000 dishes, using 3,300 pounds of rice and 2,640 pounds of beans), winning the title once again. If you've ever eaten "Hoppin' John," this dish is similar.

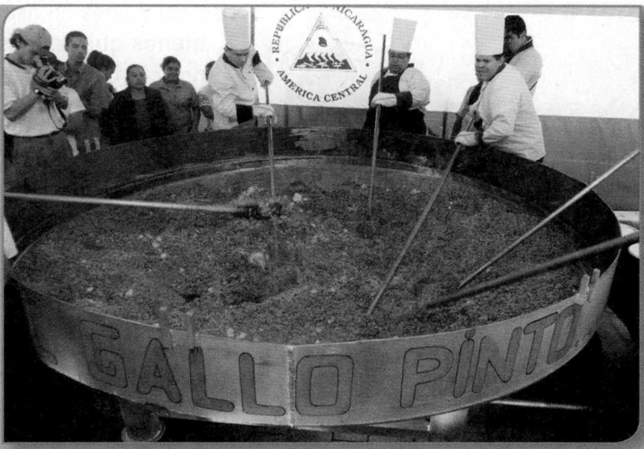

Oswaldo Rivas/Reuters/© Corbis

Así se forma

2. The subjunctive with adverbial expressions of condition or purpose

Use *PowerPoint Slides* para presentar esta gramática.

WileyPLUS

Go to *WileyPLUS* to review this grammar point with the help of the **Animated Grammar Tutorial** and **Verb Conjugator.**

Pida a sus estudiantes que observen las conjunciones en negrita y ofrezcan posibles traducciones. Una vez entendido su significado, pida que observen las construcciones en las que se encuentran. Es posible que, al haber ya estudiado varios tipos de cláusulas subordinadas, les resulte fácil ver que se trata de conjunciones que introducen cláusulas subordinadas en las que el verbo aparece en subjuntivo.

Sugerencia: Para introducir estas conjunciones, escríbalas en la pizarra (o en una transparencia) con ejemplos que sean relevantes para la clase, como: ***Siempre tengo un lápiz extra en caso de que alguno/a de ustedes no tenga uno…***

Este es un anuncio de servicio público: Disfrute de las infinitas posibilidades que ofrece Internet **con tal de que** lo haga con seguridad.

- No abra mensajes ni documentos adjuntos (*attached*) de fuentes desconocidas **en caso de que** puedan contener un virus.
- Tenga siempre activado un programa antivirus **para que** su computadora esté protegida.
- No comparta sus datos personales **a menos que** sepa con certeza quién tiene acceso a ellos.
- No use la misma contraseña en diferentes sitios web en **caso de que** intenten robarla (*they try to steal it*).

Adverbs indicate under which conditions or circumstances something is done: when, how, where, what for, etc. Adverbial clauses, therefore, are those that express these types of meanings about the main clause.

When adverbial clauses express a condition or purpose for the main clause, the following conjunctions are used:

a menos que	*unless*	**con tal que de**	*provided that*
en caso de que	*in case*	**para que**	*so that*

These conjunctions denote purpose (*so that*) and condition/contingency (*unless, provided that, in case*), and they always require the use of the subjunctive, since they indicate that the speaker considers the outcomes to be indefinite or pending (they might or might not take place.)

Trae una batería extra **en caso de que** la **necesites.**	*Bring an extra battery in case you need it.*
Te presto mi lector electrónico **con tal de que** lo **cuides.**	*I'll lend you my e-reader provided that you take good care of it.*
No me envíes mensajes de texto **a menos que tengas** alguna noticia importante.	*Don't text me unless you have some important news.*
Descarga un programa antivirus **para que** tu computadora no **sea** vulnerable.	*Download antivirus software so that your computer is not vulnerable.*

When the subject does not change (the same person is the subject of the main verb and the verb after the conjunction), **para que** + *subjunctive* is replaced by the preposition **para** + *infinitive*.

Vamos a la tienda **para que** Leo **compre** un monitor nuevo.	*We are going to the store so that Leo may buy a new monitor.*
Voy a la tienda **para comprar** un monitor nuevo.	*I'm going to the store to buy a new monitor.*

Sugerencia: Señale que, en el primer ejemplo, el sujeto del verbo ***ir*** es ***nosotros***, pero el sujeto de *comprar* es *Leo*, mientras que en el segundo ejemplo ***yo voy*** y también ***yo compro.***

Input **[14.11] Los jóvenes y las redes sociales.** Completa las oraciones de la izquierda con las frases correspondientes de la derecha.

1. Puedes usar una red (*network*) social como Facebook... __c__
2. Debes tener cuidado con la privacidad de tu información... __a__
3. Tus amistades pueden volverse más superficiales... __d__
4. No escribas cosas ofensivas ni pongas fotos cuestionables... __f__
5. No aceptes una invitación para ser amigos... __e__
6. Usar redes sociales es divertido... __b__

a. en caso de que alguien quiera usarla para robar tu identidad.
b. con tal de que las usemos de forma sensata.
c. para mantenerte en contacto con tus amigos.
d. a menos que pases más tiempo con tus amigos.
e. a menos que conozcas a esa persona.
f. para que no tengas problemas en la escuela o el trabajo.

Paso 2. En parejas, comenten si están de acuerdo o no con estas recomendaciones y expliquen sus razones. ¿Tienen otras recomendaciones para alguien que quiere usar Facebook u otras redes sociales que conocen?

Output **[14.12] ¿Qué necesitas en la universidad?** Te apasiona la electrónica y quieres tener todos estos aparatos en la universidad. Completa las siguientes oraciones explicando tus razones.

Modelo: un televisor de pantalla plana / para (que)
Voy a llevar un televisor de pantalla plana para que no ocupe mucho espacio.

1. una computadora portátil / para (que)
2. una tableta / en caso de que
3. mi teléfono móvil / para (que)
4. un sistema GPS / a menos que
5. una videoconsola / a menos que
6. una cámara de video digital / para (que)

14.12 Extensión: Pida a los estudiantes que, en grupos, piensen en qué otras cosas llevarían y por qué.

14.13 Anime a los estudiantes a pensar en razones originales.

Extensión: Pida a los estudiantes que escriban una lista de cinco cosas que quieren empacar para un viaje a Centroamérica y que expliquen por qué o para qué las quieren llevar.

Output

[14.13] ¿Para qué?

César va a viajar a Nicaragua y está preparando el equipaje. Mira las ilustraciones a continuación. ¿Por qué o para qué lleva esas cosas?

Modelo: **César lleva un paraguas en caso de que llueva.**

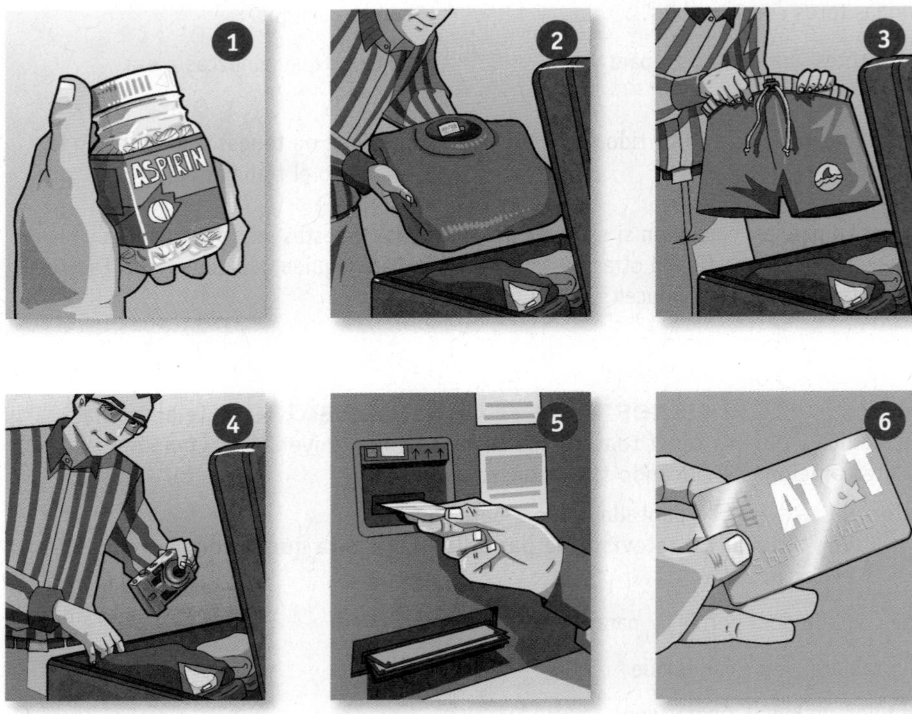

[14.14] ¿Realmente necesitamos eso?

Output

En parejas, tu compañero/a y tú están empacando para un viaje a las ruinas de Copán, en Honduras, pero tienen demasiadas cosas y no caben (*they don't fit*) en el maletero de su carro.

Paso 1. Lee la lista de 3 objetos cuestionables que pusiste en tu equipaje. Tú piensas que es importante llevar estas cosas y que pueden ser útiles o importantes durante el viaje. Escribe tus razones. ¡Usa tu imaginación!

Estudiante A
una flauta
unas cortinas
fotos de tu familia

Estudiante B
una lámpara pequeña
una raqueta de tenis
un libro de biología

Paso 2. Ahora lee tu lista y tus razones a tu compañero/a. Háganse preguntas y respondan a las preguntas de su compañero/a. Finalmente decidan:

¿Qué objetos van a llevar? ¿Cuáles van a dejar?

AGE fotostock/SUPERSTOC

▲ Detalle de las ruinas de Copán, Honduras

Así se dice

Los números ordinales

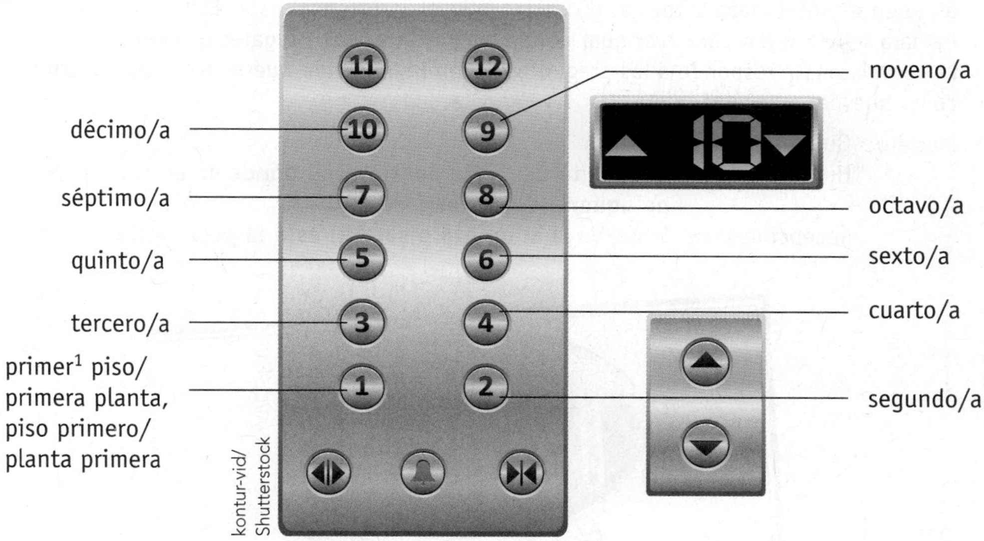

kontur-vid/ Shutterstock

Use ***PowerPoint Slides*** para presentar este vocabulario.

Sugerencia: Para presentar los números ordinales, pida a diez estudiantes (hombres y mujeres) que se pongan en fila y practiquen los números ordinales: deben contar de primero a décimo y de décimo a primero. Pregunte a los estudiantes quién es el/la tercer/a estudiante, etc. Enfatice la concordancia de género (***el tercero/la tercera***).

Input **[14.15] Trivia.** ¿A cuántas preguntas puedes responder correctamente en dos minutos? Preparados, listos... ¡ya! (*Ready, set... go!*)

1. ¿Cuál es el **cuarto** día de la semana (según los hispanos)? jueves
2. Cuando estás muy contento y todo va bien estás en el **séptimo...** cielo
3. ¿Cómo se llama el **noveno** mes? septiembre
4. ¿Sobre qué país aprendiste en el **décimo** capítulo de *Dicho y hecho*? Panamá
5. ¿De qué material es la **segunda** medalla en las Olimpíadas? plata
6. ¿Quién es el **tercer** estudiante más alto de la clase? (comprobar)
7. ¿Cuál es el **quinto** planeta desde el Sol? Júpiter
8. ¿Quién fue el **sexto** presidente de Estados Unidos? John Quincy Adams
9. ¿Cuál fue el **primer** día de clases este semestre? (comprobar)
10. ¿Cómo se llama la **primera** y **octava** nota de la escala musical? do

14.15 Es poco probable que los estudiantes sepan todas las respuestas, lo cual hace que la competencia sea más real e interesante. Si le parece muy difícil, puede pedir a los estudiantes que trabajen en parejas.

Sugerencia: Pregunte a los estudiantes si estos dichos tienen contrapartidas en inglés y cuáles son (ej. ***Baby steps / Third time's a charm***).

[1]**Primero** and **tercero** become **primer** and **tercer** when they immediately precede a masculine, singular noun: **El ascensor está en el *tercer* piso.**

[14.16] Suba al quinto piso.

Output

En parejas, uno/a de ustedes se aloja en el Hotel Plaza Libertad, el/la otro/a es el/la recepcionista. El/La huésped llama a la recepción para averiguar dónde encontrar algunos lugares o servicios. El/La recepcionista responde a las preguntas según la *Guía para huéspedes*. Tomen turnos como huésped y recepcionista.

Modelo: Quieres cortarte el pelo.

Huésped: **Buenas tardes. ¿Me podría decir dónde se encuentra la peluquería del hotel?**

Recepcionista: **Suba/Vaya al quinto piso. Allí está la peluquería.**

Sugerencia: Pida a los estudiantes que se sienten de espaldas para imitar la falta de comunicación visual que ocurre por teléfono. Para que la actividad sea más auténtica, puede hacer copias de la ***Guía para huéspedes*** y entregarlas a los recepcionistas, que cerrarán sus libros.

14.16 Esta actividad recicla el vocabulario del **capítulo 13** y los mandatos con formas de **usted.**

© John Coletti/JAI/Corbis

Hotel Plaza Libertad

GUÍA PARA HUÉSPEDES

	Piso
Recepción	Planta baja
Restaurante	2
Bar	2
Piscina	9
Gimnasio	9
Salas de computadoras con wifi gratis	3, 7
Balcón con vista panorámica	10
Peluquería	5
Boutique	1
Garaje	Sótano
Bebidas y hielo	2, 4, 6, 8

Estudiante A

1. Deseas tomar una bebida y cenar.
2. Quieres hacer ejercicio.
3. Quieres comprar un regalo para tu novio/a.
4. Deseas leer tu correo electrónico.

Estudiante B

1. Deseas unos refrescos y hielo para la habitación.
2. Quieres sacar fotos panorámicas de la plaza Libertad.
3. Deseas descargar música para poner en tu iPod.
4. Quieres nadar un rato.

VideoEscenas

WileyPLUS

¡Se va el autobús!

ANTES DE VER EL VIDEO

Lee las siguientes afirmaciones sobre los viajes y marca si tú haces o no haces estas cosas cuando viajas. Después, compara tus respuestas con un/a compañero/a. ¿Quién es el/la viajero/a más organizado/a? ¿Quién es más espontáneo/a?

	Siempre	A veces	Nunca
1. Cuando viajo, me gusta planificar todo detalladamente.	☐	☐	☐
2. Si es posible, hago reservaciones y compro boletos para viajar antes del viaje.	☐	☐	☐
3. Generalmente, llevo comida cuando viajo.	☐	☐	☐
4. Llamo a mis padres frecuentemente para que sepan que estoy bien.	☐	☐	☐
5. Siempre llevo un mapa y una guía turística.	☐	☐	☐

▲ J.J. e Isabela continúan su viaje en Perú.

A VER EL VIDEO

Paso 1. Mira el video y resume la historia siguiendo las indicaciones.

Modelo: J.J. quiere... pero Isabela... Al final, el autobús...

Paso 2. Intenta responder a estas preguntas según (*according to*) lo que recuerdas. Después, mira el video otra vez para completar o corregir tus respuestas.

1. ¿Adónde se dirige el autobús que van a tomar?
A Cuzco.

2. ¿Qué dos cosas quiere hacer J.J. antes de tomar el autobús?
Quiere pagar los pasajes y buscar comida.

3. ¿Qué dos cosas quiere hacer Isabela antes de tomar el autobús?
Quiere hablar sobre el viaje y llamar a sus papás.

4. ¿Por qué Isabela debe llamar por teléfono?
Porque su madre quería que la llamara hoy.

DESPUÉS DE VER EL VIDEO

En grupos pequeños, describan su experiencia en un viaje fantástico o un viaje terrible. ¿Adónde iban? ¿Con quién? ¿Qué pasó?

Esta actividad recicla el uso de los tiempos del pasado.

Cultura

Use ***PowerPoint Slides*** para presentar esta sección de cultura.

La globalización y las culturas indígenas

ANTES DE LEER

1. Para ti, ¿qué significa la *globalización*?
2. ¿Cuál es la conexión entre el fenómeno de la globalización y la tecnología?

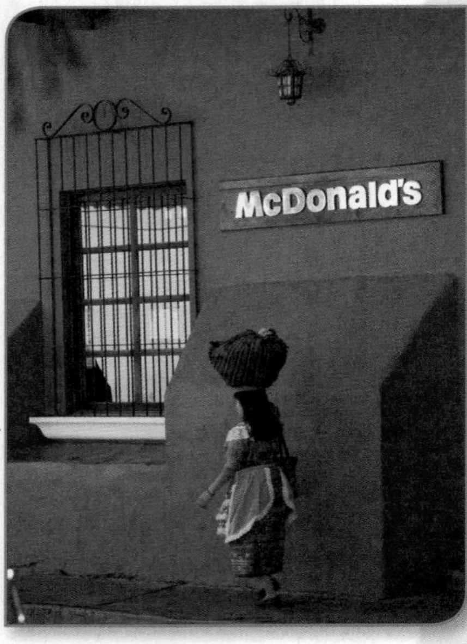

Danita Delimont/Alamy

John Mitchel/Alamy

Desde hace años, existe una gran polémica sobre si la globalización es algo positivo o negativo para las culturas indígenas.

Por una parte, la globalización se considera un peligro para las culturas indígenas del mundo. En esta visión, el capitalismo moderno, conducido principalmente por Estados Unidos y Europa, establece reglas de libre mercado que no favorecen a los países menos desarrollados (*developed*). Desde esta perspectiva, el libre mercado genera pobreza, desigualdad, conflictos sociales, destrucción cultural y daños ecológicos. En consecuencia, este sistema provoca la pérdida de identidad de las culturas indígenas, como por ejemplo, a través de la sustitución de las comidas regionales por la comida rápida de las grandes cadenas.

Por otra parte, se considera que la globalización ha contribuido al desarrollo del mundo. Los avances en la tecnología, como la radio y las comunicaciones por satélite o Internet, han abierto nuevas posibilidades para el desarrollo de las comunidades indígenas. En los primeros años de Internet, hubo problemas de acceso y falta de conocimientos sobre cómo usar computadoras entre comunidades que casi no conocían el teléfono. Pero, hoy en día, gracias a la tecnología inalámbrica, un mejor acceso y la instrucción adecuada, los indígenas de muchas comunidades en Latinoamérica y otras regiones han mostrado al mundo no solo sus culturas, sino también sus problemas y necesidades inmediatas. El impacto de las nuevas telecomunicaciones ha llevado a estas comunidades los beneficios de la mensajería instantánea, el video digital y el aprendizaje a distancia. Hoy en día, estas comunidades aprovechan la tecnología con motivos sociales, educativos, políticos y hasta comerciales.

En conclusión, la globalización es un fenómeno que seguirá afectando a nuestra sociedad. Mientras que para algunos será una amenaza (*threat*), para otros será un progreso. Y tú, ¿qué crees?

DESPUÉS DE LEER

1. ¿Por qué piensan algunas personas que la globalización pone en peligro el futuro de las culturas indígenas de Latinoamérica y otras partes del mundo?
   Porque provoca la pérdida de identidad de las culturas indígenas, genera pobreza, conflictos y desigualdad.
2. ¿Cuáles eran los obstáculos al uso de Internet que enfrentaban los indígenas hace algunos años? ¿Han superado esos obstáculos?
   Antes había problemas de acceso y falta de conocimientos sobre cómo usar las computadoras. Ahora han superado esos obstáculos.
3. ¿Cómo ves tú el futuro de las culturas indígenas en un mundo cada vez más pequeño? Comparte tu visión con algunos compañeros de clase.

Así se forma

3. The imperfect subjunctive: Reacting to past actions or events

El mes pasado viajé a Honduras y visité las ruinas mayas en Copán. Esperaba que me **gustaran** porque me fascinan la civilizaciones antiguas, pero me sorprendió que me **impresionaran** tanto. Ya sabía que era un centro importante de la civilización maya, pero no imaginaba que **fuera** una ciudad tan grande: había más de 20 mil habitantes entre la ciudad y la periferia. Sentí haber reservado solamente un día para visitar Copán y pedí a mi agente de viaje que **cambiara** mis reservas para visitar las ruinas un día más.

In the previous chapters, you have studied various linguistic contexts that require the use of the subjunctive. So far, you have practiced using the present subjunctive to express actions that take place in the present or in the future.

Espero que **se diviertan** en Copán.	*I hope that they (will) have a good time in Copán.*

The imperfect (past) subjunctive is used in the same kinds of situations as the present subjunctive (after expressions of influence, emotion, doubt, etc.), but it expresses actions or events that took place in the past. In general, when the verb of the *main clause* is in a past tense (usually preterit or imperfect), the imperfect subjunctive is used in the *subordinate clause*.

Main clause	Subordinate clause
Les recomiendo... *present indicative*	... que lleven un sistema de GPS. *present subjunctive*
Les recomendé... *past indicative (preterite)*	... que llevaran un sistema de GPS. *imperfect subjunctive*
Siempre les recomendaba... *past indicative (imperfect)*	... que llevaran un sistema de GPS. *imperfect subjunctive*

Formation of the imperfect subjunctive

To form the imperfect subjunctive of all verbs (**–ar, –er,** and **–ir**), use the **ellos** form of the preterit indicative as a base (**compraron**). Then, delete the **–ron** ending from it (**compra–**) and add the following endings: **–ra, –ras, –ra, –ramos, –rais, –ran.**[1]

The imperfect subjunctive automatically reflects all irregularities of the preterit.

	compr**ar**	volv**er**	sal**ir**
(Preterit →)	compra~~ron~~	volvie~~ron~~	salie~~ron~~
(yo)	compra**ra**	volvie**ra**	salie**ra**
(tú)	compra**ras**	volvie**ras**	salie**ras**
(usted, él, ella)	compra**ra**	volvie**ra**	salie**ra**
(nosotros/as)	comprá**ramos**	volvié**ramos**	salié**ramos**
(vosotros/as)	compra**rais**	volvie**rais**	salie**rais**
(ustedes, ellos/as)	compra**ran**	volvie**ran**	salie**ran**

Señale que, aunque algunas formas del imperfecto del subjuntivo parecen similares a formas del futuro, el acento oral se encuentra en una parte diferente de la palabra.

Jorge me regalar<u>á</u> una tableta.
Yo quería que Jorge me regal<u>a</u>ra una tableta.

[1]In Spain and in certain dialects of Spanish, the imperfect subjunctive has an alternate set of endings: **–se, –ses, –se, –semos, –seis, –sen (comprase, comprases...)**. These forms are frequently found in writing.

WileyPLUS
Go to *WileyPLUS* to review this grammar point with the help of the **Animated Grammar Tutorial** and **Verb Conjugator**.

Use ***PowerPoint Slides*** para presentar esta gramática.

Pida a sus estudiantes que observen en el texto los ejemplos en negrita y que identifiquen el tipo de oraciones en las que se encuentran (todas son subordinadas nominales). Pueden señalar en cada caso la razón por la que los verbos subordinados aparecen en subjuntivo (siguen las mismas reglas estudiadas en capítulos anteriores) e incluso se pueden señalar otras subordinadas nominales con verbos en indicativo (*Yo sabía que era un centro importante...*) e infinitivo (*Sentí haber reservado...*) y enfatizar el hecho de que el uso del indicativo y del subjuntivo en el pasado es consistente con el del presente, solamente cambia el tiempo verbal de presente a pasado dependiendo del marco temporal.

Sugerencia: Introduzca el imperfecto del subjuntivo con ejemplos de la estructura en el presente, ya familiar para los estudiantes (***Quieren que yo salga.***), y de la estructura correspondiente en pasado (***Querían que yo saliera.***). Presente el resto de las formas (***tú, él/ella/usted, etc.***) de la misma manera.

Señale la posición del acento en la forma de ***nosotros***.

Recuerde a los estudiantes que la elección del modo (indicativo/subjuntivo) para un verbo subordinado depende de las expresiones o estructuras de la cláusula principal (si el verbo principal expresa duda, deseo, etc.) Puede ser útil observar los ejemplos de esta sección analizando a qué se debe el uso del subjuntivo en cada uno.

Other examples:

	(Preterit)		Imperfect subjunctive
dormir	durmie~~ron~~	→	durmie**ra**, durmie**ras**, ...
estar	estuvie~~ron~~	→	estuvie**ra**, estuvie**ras**, ...
ir/ser	fue~~ron~~	→	fue**ra**, fue**ras**, ...
leer	leye~~ron~~	→	leye**ra**, leye**ras**, ...
pedir	pidie~~ron~~	→	pidie**ra**, pidie**ras**, ...
tener	tuvie~~ron~~	→	tuvie**ra**, tuvie**ras**, ...

- **Hubiera** is the imperfect subjunctive form of **haber.**

  Nos alegramos de que **hubiera** sistema GPS en el carro. — *We were happy that there was a GPS system in the car.*

Input **[14.17] ¿Hoy o ayer?** Esta semana Óscar está un poco estresado. Es un experto en tecnología y todos le piden ayuda. Escoge la forma apropiada en cada oración.

HINT

Remember to use the preterit tense, not the infinitive stem, to form the imperfect subjunctive. Review the regular, stem-changing, and irregular preterit tense verbs in *Capítulos 5, 6,* and *7.*

1. Ernesto le pidió que repare / reparara su lector electrónico.
2. Su profesor/a espera que instale / instalara un programa de cálculo en su computadora portátil.
3. Sus amigos quieren que los ayude / ayudara a conectar la cámara digital al puerto USB.
4. Celia le rogó (*begged*) que vaya / fuera con ella a comprar una cámara de video digital.
5. Su abuelita quería que grabe / grabara unas fotos digitales en un CD.
6. Inés desea que se olvide / se olvidara de todos estos aparatos y salga / saliera a cenar con ella.

En mi experiencia

Tony, Little Rock, AK

Tom Merton/OJO Images/Getty Images

"Most of my university friends in Oaxaca, Mexico, were fairly computer savvy, but many of them didn't actually own a computer. And those who did would share it with their entire family. They also usually turned it off when it wasn't being used. Once I got back in the U.S., it was impossible for me to Skype them without arranging it in advance."

How common is computer ownership among your friends? Is it common to share a computer with family members? And what might be the reasons for wanting to not leave a computer on at all times?

Input/Output **[14.18] Una visita a la consejera.** Está terminando el curso, Emilio no ha tenido muy buenas notas y quiere mejorarlas. Fue a ver a su consejera, pero... ahora no recuerda bien sus recomendaciones.

Paso 1. Escucha y anota las recomendaciones que Emilio dice que le dio su consejera. Si piensas que la recomendación es incorrecta, escribe la versión correcta.

Modelo:

Oyes:	Me recomendó que estudiara en la biblioteca.
Escribes:	**Le recomendó que estudiara en la biblioteca.**
Oyes:	Me dijo que saliera más con mis amigos.
Corriges y escribes:	**Probablemente le dijo que saliera menos con sus amigos.**

Paso 2. Tú también diste algunos consejos a Emilio. ¿Qué le recomendaste?

Le recomendé que... ______________________________.

Le sugerí que... ______________________________.

14.18 Audio:

1. Me recomendó que enviara correos electrónicos a mis amigos.
2. Me dijo que organizara mis horas de estudio.
3. Me sugirió que mirara las noticias de Facebook frecuentemente.
4. Me dijo que buscara un tutor.
5. Me recomendó que usara la biblioteca virtual para mis tareas.
6. Me recomendó que desconectara el teléfono móvil cuando estudio.

Output **[14.19] ¿Qué hicieron en la clase?** Un/a compañero/a de clase estuvo enfermo/a y te llama para saber lo que pasó en clase. Completa la conversación. ¡Atención! Todos los verbos deben estar en el subjuntivo: algunos en el presente y otros en el imperfecto.

Compañero/a: Hola, ¿qué tal? Te llamo para saber lo que la profe quiere que ___hagamos___ (hacer) para el lunes.

Tú: Hola, espero que ___te sientas___ (sentirse) mejor. Pues, la profe dijo que ___estudiáramos___ (estudiar) los verbos en el imperfecto del subjuntivo y que ___escribiéramos___ (escribir) una composición sobre los aztecas.

Compañero/a: ¿Explicó cuánto tenemos que escribir?

Tú: Sí, dijo que quería dos párrafos y recomendaba...

Compañero/a: ¿Ya encontraste tu fuente adicional?

Tú: No. Busqué en la red, pero no encontré nada que me ___sirviera___ (servir).

Compañero/a: Pues si tú no encontraste nada, dudo que yo ___tenga___ (tener) mejor suerte. Es mejor que (yo) ___vaya___ (ir) a la biblioteca.

Tú: Creo que tienes razón. ¡Ojalá que ___encuentres/encontremos___ (encontrar) algo!

Compañero/a: Gracias otra vez. Te veo el lunes en clase.

14.19 Esta actividad requiere que los estudiantes diferencien entre el presente y el imperfecto del subjuntivo. Si los estudiantes tienen dificultades, considere ayudarlos en su elección (identificando la acción principal y considerando si el tiempo es presente o pasado). Cuando terminen, pida a los estudiantes que, en parejas, lean y dramaticen la conversación.

14.20 Esta actividad recicla el imperfecto del indicativo y lo contrasta con el imperfecto del subjuntivo. También contrasta con el presente del subjuntivo.

Output **[14.20] Hace unos años...** ¿Qué pasaba en tu vida durante los periodos indicados?

Paso 1. Completa las siguientes oraciones sobre el pasado y el presente.

Modelo: Cuando tenía diez años, mis padres no querían que yo **jugara mucho con videojuegos ni viera la televisión muchas horas. Temían que no estudiara bastante y que no sacara buenas notas en mis cursos.**

1. Cuando tenía diez años,
   a. mis padres no querían que yo...
   b. yo esperaba que mis padres...
   c. quería que mis amigos...

2. Cuando estaba en la escuela secundaria,
   a. mis padres querían que yo...
   b. mis maestros recomendaban que yo...
   c. yo buscaba un/a novio/a que...

3. Cuando vine a la universidad,
   a. yo temía que mi nuevo/a compañero/a de cuarto...
   b. yo esperaba que los profesores...
   c. yo esperaba que los otros estudiantes...

4. Ahora,
   a. mis padres quieren que yo...
   b. mis amigos quieren que yo...
   c. y yo quiero que...

Paso 2. En parejas, comenten y comparen lo que pasaba y pasa en sus vidas durante los periodos indicados. Túrnense. Al final, compartan algunos de sus deseos, temores y esperanzas con la clase.

DICHO Y HECHO

PARA LEER: La radio

Sugerencia: Antes de leer el texto, pida a los estudiantes que usen las estrategias aprendidas anteriormente para anticipar las ideas principales y el posible contenido.

ANTES DE LEER

¿Escuchas la radio habitualmente? Si lo haces, ¿qué tipo de programas escuchas: programas de música, noticias, debate político? Si no, ¿qué aparatos usas para escuchar música y para saber las noticias?

Sugerencia: Puede escoger algunas oraciones previamente y trabajar con toda la clase a modo de guía. Comience con alguna sencilla, por ejemplo: ***La misma tecnología que usa la radio como sistema de telecomunicación está omnipresente en nuestras vidas.*** Continúe con otra un poco más larga como: ***Después de la cena, las familias se reunían junto al receptor de radio para escuchar las noticias o radionovelas de reencuentros entre hijos perdidos y madres que nunca los habían olvidado.*** Puede terminar la actividad con una oración con mayor grado de complejidad: (...) ***decía que no sabemos valorar lo que tenemos porque hemos perdido nuestra capacidad de asombro.***

ESTRATEGIA DE LECTURA

Understanding sentence structure

Spanish written texts often use longer, more complex sentences than English ones, and word order in Spanish is more flexible than it is in English. Naturally, when reading authentic texts (written for a native-speaking audience), you will encounter sentences with these characteristics. It is important that you focus on the main parts of the sentence first by locating the main verb, subject, and object (note that they might not be overtly expressed if they are clear from the context or were mentioned in a previous sentence.)

Try to identify subordinate clauses that might be embedded in a sentence by spotting words that introduce subordinate clauses: **que, para que, a menos que, hasta que,** etc. Then, think about how the idea expressed in the subordinate clause complements or completes the meaning of the sentence.

Read the following article through, focusing on the main ideas. Then, go back to each sentence you did not understand clearly and try to identify its main parts and general structure. As always, it is not necessary to understand every single word to get the message.

A LEER

La radio, ese artefacto donde escuchamos noticias y música, era en la época de nuestros abuelos el equivalente al televisor. Después de la cena, las familias se reunían junto al receptor de radio para escuchar las noticias o radionovelas de reencuentros[1] entre hijos perdidos y madres que nunca los habían olvidado.

La radio era entonces la pequeña ventana al mundo exterior. Era, casi, el único lazo de unión con personas que estaban lejos y el vínculo[2] con lo que pasaba en otros lugares del mundo. La misma tecnología que usa la radio como sistema de telecomunicación está omnipresente en nuestras vidas. El televisor, el teléfono móvil o celular, el GPS, el WiFi de nuestra computadora, el control remoto del garaje y muchos más aparatos utilizan las ondas electromagnéticas de radio para comunicarse a distancia. ¿No es asombroso[3] que podamos comunicarnos así con sitios distantes e invisibles?

Thanasis Zovoilis/Moment Selection/Getty Images

[1]reunions, [2]connection, [3]amazing, astonishing

Sugerencia: Puede animar a los estudiantes a que escuchen alguna emisora de radio de habla hispana, a través de Internet. Por ejemplo, visitando radio.somoslatinos.es para localizar emisoras en diferentes países hispanos. Si es posible, trate de sintonizar alguna al azar en clase y, en silencio, escuchen juntos durante unos minutos la radio. Después haga preguntas sobre lo que han escuchado. De esta forma, los estudiantes pueden familiarizarse con un medio de comunicación real, fácil y accesible en español. Motíveles a descubrir la emisora que más se adapte a sus gustos personales e ínsteles a que tomen el hábito de recurrir a medios de comunicación hispanos.

Al principio, los receptores de radio funcionaban con tubos de vacío[4] (artefactos electrónicos parecidos a bombillas[5] que amplificaban las ondas de radio), y eran grandes y pesados[6]. Consumían mucha energía eléctrica y, por eso, no podían llevar pilas[7] y ser portátiles..., pero llegó el transistor. Los transistores hacían lo mismo que los tubos pero consumían 100 veces menos energía, lo que hizo posible producir radios portátiles y de bolsillo[8].

A los diez años, me regalaron mi primera radio portátil a pilas, y aquello me pareció un sueño. En casa no teníamos otra, por eso yo se la prestaba a mi padre, para que pudiera oír las noticias de camino[9] al trabajo. Esa radio tenía solo seis transistores. ¿Cómo es posible que mi teléfono móvil lleve dentro varias decenas de miles y el PC de casa tenga millones? No ha pasado tanto tiempo: 40 años más o menos. Nunca en la historia de la humanidad ha habido cambios tan asombrosos, en tan poco tiempo, durante la vida de una persona. Mi padre era muy consciente de esto y defendía con entusiasmo esos cambios vertiginosos[10]; decía que no sabemos valorar lo que tenemos porque hemos perdido nuestra capacidad de asombro. Tenía razón, ninguno de estos aparatos modernos me asombra tanto como aquella radio de seis transistores que traía el mundo a ese chico de diez años.

Texto: Fernando de Bona / *De la revista Punto y coma (Habla con eñe)*

---

[4]vacuum tubes, [5]light bulbs, [6]heavy, [7]batteries, [8]pocket, [9]on his way, [10]swift

DESPUÉS DE LEER

1. Completa las siguientes oraciones sobre las ideas principales del texto, usando tus propias (*own*) palabras.

a. En el pasado, la radio era...

b. La tecnología de la radio todavía es importante porque...

c. Un invento fundamental para la radio y para la tecnología actual fue... porque...

d. Según el padre del autor, ahora no...

2. Ahora, completa estas oraciones con palabras del texto:

a. La función de la radio era similar a la función actual de ____la televisión____.

b. La radio era un ____vínculo____ con los eventos del mundo.

c. Hasta la invención del transistor, las radios no podían usar ____pilas____ como fuente de energía.

d. La radio del autor no era grande ni pesada, era ____portátil____.

e. Un elemento común a las radios, los teléfonos móviles y las computadoras son los ____transistores____, pero ahora son mucho más pequeños.

f. Ahora ya no nos sorprenden los cambios tecnológicos, es decir, no nos producen ____asombro____.

3. ¿Qué aparato o tipo de tecnología te parece asombroso? ¿Por qué?

PARA CONVERSAR: Pero solo quería...

Trabajen en grupos de tres. Una persona es el/la dependiente/a en una tienda que vende todo tipo de aparatos electrónicos. Las otras dos personas son una pareja (*couple*) o dos amigos/as que entran a la tienda. Una persona es muy impulsiva y quiere comprar todo lo que ve. La otra es más práctica y trata de razonar con su pareja o amigo/a. Por supuesto, el/la dependiente quiere vender tantas cosas como pueda.

Sugerencia. Recopile fotos y precios de aparatos tecnológicos en una página web de un comercio de electrónica y hogar en un país de Latinoamérica (puede buscar folletos electrónicos en Internet.) Dé una copia a cada grupo, que puede usarlo como punto de referencia.

ESTRATEGIA DE COMUNICACIÓN

Filling awkward pauses

Often during a conversation, particularly in a new language, you will want to pause, either to collect and formulate your thoughts or to process something you've just heard to make sure you understood correctly. Many languages have words and expressions that are commonly used to fill these pauses, which might otherwise create awkward silences. As you pause to think of ways of talking your partner into or out of a purchase, or to process what the salesperson is telling you about a particular item, use some of these Spanish expressions.

Esteeeeee...	*Ummm...*
Pues/Entonces...	*Well...*
Vamos a ver...	*Let's see...*

ASÍ SE HABLA

En su conversación intenten usar estas frases y palabras muy comunes de Nicaragua y de Honduras:

¡Vaya pues! = *Well, well!*
Alero = *Friend*

PARA ESCRIBIR: Recomendaciones para un viaje

En esta composición vas a escribir una carta con consejos a un/a amigo/a que quiere alquilar un carro para hacer turismo, pero nunca ha alquilado uno antes.

ANTES DE ESCRIBIR

Paso 1. ¿Qué viaje quiere hacer mi amigo/a? Primero, debes inventar el viaje que quiere hacer tu amigo/a. Puedes usar una de estas ideas o inventar otra:

- ☐ Quiere volar a Tegucigalpa y alquilar un carro para conocer La Mosquitia.
- ☐ Quiere volar a Managua y alquilar un carro para conocer el lago de Nicaragua.
- ☐ Quiere volar a Ciudad de México y alquilar un carro para viajar a Puebla.
- ☐ ¿? ______________________________

Alternativa: El instructor puede asignar situaciones diferentes a los estudiantes para asegurar variedad en las composiciones.

Paso 2. Lo que es importante saber para alquilar un carro.

En una hoja de papel, escribe una lista de cosas que hay que saber y hacer para alquilar un carro. Si tú nunca has alquilado uno antes, no te preocupes. Puedes preguntarles a tus papás, a tus amigos y a otra gente que conoces. También puedes consultar Internet.

Ahora, decide cuáles son las tres o cuatro ideas más importantes para incluir en tu carta. Estas ideas van a determinar la organización de tu carta y cada una debe ser una oración temática en su propio (*its own*) párrafo.

ESTRATEGIA DE REDACCIÓN

Supporting your ideas

In *Capítulo 11,* you practiced justifying your opinion in your writing. When you offer advice, it is also important to justify or support it. Here are a couple of ways to support the advice you're giving:

- Use direct citation (quoting) of others, especially experts on the particular topic.
- Use anecdotes from your own personal experience, or from the personal experience of people you know.

In your letter, use one or both of these strategies to convince your friend that she/he should take your advice.

A ESCRIBIR

Escribe una primera versión de tu carta. Puedes citar a otra gente, usar anécdotas de tu propia experiencia o encuestar a varias personas. Estos son varios ejemplos de oraciones temáticas (observa los usos del subjuntivo):

Te recomiendo que compres el seguro extra en caso de que tengas un accidente. Una vez no compré el seguro y...

Según mi padre, es muy importante que hagas una inspección visual antes de salir del estacionamiento porque...

Es mejor que no alquiles un carro más grande que tu carro normal porque...

Para escribir mejor: Este vocabulario te puede ayudar a escribir tu carta:

automático	*automatic*
compacto	*compact*
con marchas/de cambios	*stick shift*
daños	*damages*
la furgoneta	*van*
la inspección visual	*visual inspection*
el límite de kilometraje	*mileage limit*
subcompacto	*subcompact*
tamaño estándar	*standard size*
tamaño normal	*full size*

Ciertas palabras varían de un país a otro:

monovolumen, minifurgoneta, camioneta, miniván	*minivan*
el seguro, la aseguración	*insurance*

DESPUÉS DE ESCRIBIR

Revisar y editar: Después de escribir el primer borrador de tu carta, déjalo a un lado por un mínimo de un día sin leerlo. Cuando vuelvas a leerlo, corrige el contenido, la organización, la gramática y el vocabulario. Hazte estas preguntas:

- ☐ ¿Describo claramente 3 o 4 pasos que debe hacer mi amigo/a para alquilar el auto? ¿También describo por qué estos puntos son importantes?
- ☐ ¿Tiene cada punto su propio párrafo? ¿La idea de cada párrafo tiene relación con ese punto?
- ☐ ¿Usé bien el subjuntivo en mis recomendaciones?

Opciones: Puede pedir a los estudiantes que ayuden a un compañero/a a revisar y corregir su trabajo en esta parte de la actividad. Puede darles una copia de su rúbrica de evaluación para guiarlos en su trabajo de revisión.

Puede organizar a los estudiantes en grupos en los que cada estudiante haya escogido una opción diferente para que, después de escribir y revisar sus composiciones, las comparen y observen las diferencias de contenido y forma.

PARA VER Y ESCUCHAR: Unidos por la globalización

ANTES DE VER EL VIDEO

¿Alguna vez has comprado en Estados Unidos algún trabajo artesanal fabricado en otra parte del mundo? ¿Cómo y dónde lo compraste? ¿Qué porcentaje del dinero que pagaste crees que recibió directamente el artesano?

ESTRATEGIA DE COMPRENSIÓN

Listening for linguistic cues

You are now familiar with grammatical features such as conjugations, verb tenses, etc. and you also know a variety of transitions and connecting words. You may use this knowledge to help you interpret who is carrying out an action, whether the events mentioned belong to the past, present, or future, or to figure out relationships between ideas, the order in which things occur, and other information that will help you interpret meaning. Listen for these kinds of cues as you watch the video segment.

Extensión: Pida como tarea a sus estudiantes que visiten el sitio web de Novica y exploren los artículos a la venta en las secciones de los Andes, Centroamérica y México, seleccionando tres o cuatro cosas (quizá puede pedir que elijan un artículo para la casa, una prenda de ropa, etc.) que van a compartir después en la clase (deben imprimir y traer a clase las páginas con los detalles de los productos). Tendrán que explicar los detalles de los objetos, por qué lo escogieron, etc.

A VER EL VIDEO

Paso 1. Empareja la idea principal con la cita (*quote*) exacta del video.

__b__ **1.** Novica es una compañía que conecta a artesanos en áreas remotas con clientes.

__a__ **2.** El/La cliente puede ver a quién le compra el producto y saber qué impacto tiene su compra.

__c__ **3.** La compra se hace directamente, sin intermediarios.

a. "El sistema es completamente transparente porque ellos ven el precio final en el website y ellos pueden aumentar su precio o disminuir su precio... están controlando el precio".

b. "La ventaja de la tecnología es que ya no es una venta anónima".

c. "... crear un vínculo directo entre artesano y cliente sin intermediarios".

Paso 2. Mira el video otra vez y contesta las siguientes preguntas:

1. ¿Qué tiempo verbal es el más frecuente en el video? ¿Por qué piensas que es así?
2. Anota los verbos que escuchas que no están en presente. ¿Qué tiempos verbales escuchaste? ¿Qué ideas expresan?

DESPUÉS DE VER EL VIDEO

En parejas o grupos pequeños, contesten las siguientes preguntas:

- ¿Cuáles son, en tu opinión, las consecuencias positivas y negativas de la globalización para comunidades indígenas o locales? Piensa en aspectos económicos, sociales, y culturales.
- De manera similar, ¿qué beneficios y perjuicios (*harm*) puede tener el uso de la tecnología en estas comunidades?

Repaso de vocabulario activo

Adjetivos, adverbios y frases adverbiales

a la derecha *to the right*
a la izquierda *to the left*
adicto/a *addicted*
cómodo/a *comfortable*
derecho *straight ahead*
digital *digital*
electrónico *electronic*
híbrido/a *hybrid*
gratis *free of charge*
lento/a *slow*
rápido/a *fast*

Conjunciones

a menos (de) que *unless*
con tal (de) que *provided that*
en caso de que *in case*
para que *so that; in order that*

Los números ordinale ***Ordinal Numbers***

primero/a *first*
segundo/a *second*
tercero/a *third*
cuarto/a *fourth*
quinto/a *fifth*
sexto/a *sixth*
séptimo/a *seventh*
octavo/a *eighth*
noveno/a *ninth*
décimo/a *tenth*

Sustantivos

El mundo moderno ***Modern World***

el aparato *device, appliance, machine*
arroba *@*
la batería *battery*
el buscador *search engine*
el cable *cable*
la cámara (de video) *(video) camera*
la computadora portátil *laptop/notebook computer*
la conexión *connection*
la conexión (wifi) *(wifi) connection*
la contraseña *password*
el control remoto *remote control*
el enlace *link*
el lector electrónico *electronic reading device*
el mensaje de texto *text message*
el monitor *monitor*
el navegador *browser*
el nombre del usuario *username*
la pantalla plana *flat screen*
el programa (de computadora) *(computer) program*
el puerto USB *USB port*
el punto *dot (.)*
la red social *social network*
el satélite *satellite*
la videoconsola *video game playing device*
el videojuego *video game*
el volumen *volume*

El automóvil ***Automobile***

el acelerador *accelerator, gas pedal*
el freno *brake*
la llanta *tire*
el maletero *trunk*
el motor *motor*
la radio (por satélite) *(satellite) radio*
el sistema GPS *GPS*
el tanque *tank*
el volante *steering wheel*

En la carretera ***On the road***

el accidente *accident*
la autopista *expressway, freeway*
el camión *truck*
la carretera *road*
el carril *lane*
el/la conductor/a *driver*
el cruce *intersection*

Adjetivos y adverbios. Señale que algunas de las palabras bajo ***Adjetivos, adverbios y frases adverbiales*** se usan tanto en función de adjetivo como en función de adverbio: ***lento/rápido, gratis, demasiado, despacio.***

la cuadra *block (in a city)*
el choque *crash, collision*
la esquina *corner*
la estación de servicio/la gasolinera *service/gas station*
la gasolina *gas*
el kilómetro *kilometer*
la licencia de conducir *driver's license*
el límite de velocidad *speed limit*
la moto(cicleta) *motorcycle*
la multa *ticket; fine*
el seguro *insurance*
el semáforo *traffic light*
la señal *sign*
el taller mecánico *mechanic shop*
el tráfico/el tránsito *traffic*
la velocidad *speed*

Verbos y expresiones verbales

conducir/manejar *to drive*
continuar *to continue*
cruzar *to cross*
chocar (con) *to crash, collide (into)*
doblar *to turn*
echar gasolina *to put gas (in the tank)*
estacionar/aparcar *to park*
funcionar *to work, run (machine)*
guardar *to save*
hacer reservaciones/reservas *to make reservations*
intentar *to try, attempt*
llenar el tanque *to fill the tank*
parar *to stop*
probar (ue) *to try, test out*
prohibir *to forbid*
reparar *to repair*
revisar *to check over*
romperse *to break, get broken*
seguir (i, i) *to continue, follow*
tener cuidado *to be careful*

CAPÍTULO 15

El mundo en las noticias

© Erik Lesser/ZUMA Press/Corbis Images

LEARNING OBJECTIVES

In this chapter, you will learn to:

- talk about major issues in today's global society.
- talk about pending actions.
- talk about what might or would happen.
- hypothesize.
- learn about Spanish language media in the United States.
- discover more about voluntary service and student activism.

Entrando al tema

1. ¿Cuáles crees que son las cinco cadenas (*channels*) de televisión más populares en Estados Unidos?
2. ¿Sigues las noticias (*news*) regularmente? ¿Qué medio de comunicación prefieres: periódicos tradicionales (en papel o en Internet), televisión, radio o sitios web de noticias?

Así se dice

El mundo en las noticias

Use ***PowerPoint Slides*** para presentar y practicar este vocabulario.

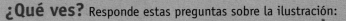

Note that all the new vocabulary in the headlines is part of the active vocabulary to study.

[1]Note that **éxito** is used with **tener** in the expression **tener éxito**, which translates as "to be successful" in English.

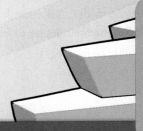

¿Qué ves? Responde estas preguntas sobre la ilustración:

1. ¿Cuál es la situación de los desamparados, no tienen casa o no tienen familia? ¿Qué es la pobreza, no tener dinero o no tener comida?, ¿y el hambre?, ¿son la pobreza y el hambre problemas en tu comunidad?
2. ¿Por qué tipo de trabajo se recibe compensación económica, por un empleo o por voluntariado? ¿Haces o has hecho trabajo voluntario? ¿Qué tipo de actividad?

Puedes encontrar más preguntas de comprensión en *WileyPLUS* y en el *Book Companion Site* (BCS).

el acuerdo	*treaty, agreement*
apoyar	*to support*
el ataque	*attack*
el/la ciudadano/a	*citizen*
construir (irreg.)	*build*
el/la delincuente	*criminal*
el delito	*crime*
los derechos (humanos)	*(human) rights*
los desamparados	*the homeless*
enseñar	*to teach*
el éxito[1]	*success*
el jefe/la jefa	*boss*
el/la gerente	*manager*
la guerra	*war*
el hambre	*hunger*
la igualdad	*equality*
la investigación	*research*
la ley	*law*
la libertad	*freedom*
la paz	*peace*
la pobreza	*poverty*
solicitar	*to apply*
la solicitud (de empleo)	*(employment) application*

WileyPLUS

Pronunciación:
Practice pronunciation of the chapter vocabulary and particular sounds of Spanish in *WileyPLUS*.

NOTA DE LENGUA

Note that **la política** can refer to *politics*, or a *female politician*, or a *policy*.

Me interesa mucho **la política.**
Su tía es **política**, es diputada en el congreso.
No estamos de acuerdo con **la política** de educación.

Remember that the word for *police force* as well as *police woman* is **la policía.**

¿Y tú?

1. ¿Te gustaría ser reportero/a? ¿Por qué? ¿Tienes un reportero o reportera favorito? ¿Qué te gusta de él o ella?
2. ¿Te interesan más las noticias locales, nacionales o internacionales? ¿Te interesan más las noticias de política, economía, sociedad o ciencia? ¿Por qué?

15.1 Audio:
1. el desempleo
2. la guerra
3. el delincuente
4. la igualdad
5. la drogadicción
6. el líder
7. la pobreza
8. la libertad
9. los ciudadanos
10. la paz
11. enseñar
12. el gobierno

15.1 Extensión: Cuando terminen el **Paso 2**, forme grupos de 3 o 4 estudiantes para que compartan sus ideas y hablen brevemente sobre estos temas.

Input

[15.1] ¿Persona, problema u objetivo?

Paso 1. Escucha las siguientes palabras y escríbelas en la columna que corresponda.

Persona/s	Problema	Objetivo
el delincuente	el desempleo	la igualdad
el líder	la guerra	la libertad
los ciudadanos	la drogadicción	la paz
el gobierno	la pobreza	enseñar

Paso 2. Escoge una de las palabras anteriores por su importancia, positiva o negativa, para ti. Explica brevemente (en dos o tres líneas) por qué te parece importante.

15.2 Extensión: Pida al/a la secretario/a de cada grupo que escriba su lista en la pizarra y luego, comparen las listas.

Output

[15.2] ¿Cuáles son los problemas más graves de nuestra sociedad?

Paso 1. Haz una lista de los tres problemas más graves de nuestra sociedad en orden de importancia.

1. ____________________
2. ____________________
3. ____________________

Paso 2. En grupos de tres o cuatro personas, comparen sus listas y expliquen los motivos de su elección. Decidan juntos una lista de cinco problemas graves y organícenlos por orden de importancia. Deben estar listos para compartir sus ideas con la clase.

15.3 Sugerencia: Para evitar que haya noticias repetidas, puede asignar cada dibujo a una pareja diferente. Una alternativa a esta actividad es pedir a los estudiantes que escojan uno de estos temas y, como tarea, busquen una noticia (preferiblemente en español) sobre ese tema y la usen como punto de partida, o fuente de detalles o vocabulario, para escribir su propia noticia.

Output

[15.3] Noticias actuales.

En parejas, escojan una de las imágenes que rodean a los reporteros en **Así se dice, El mundo en las noticias.** Imaginen que ustedes son los reporteros. Escriban la noticia e inventen los detalles usando palabras del vocabulario. Deben estar preparados para leer la noticia a la clase.

INVESTIG@ EN INTERNET

En un buscador, busca "noticias" y anota tres titulares (*headlines*) en español que te llamen la atención. Intenta anotar por lo menos (*at least*) un titular de Estados Unidos y uno de Latinoamérica.

ASÍ SE DICE

Tu opinión sobre los problemas mundiales.

Indica tu posición sobre algunos problemas **actuales.**	Sí	No
¿Crees que es posible...		
• evitar las guerras/**mantener** la paz?	☐	☐
• **eliminar al menos** parte de la pobreza y el hambre del mundo?	☐	☐
• eliminar los **prejuicios** y la **discriminación**?	☐	☐
• **prevenir** el **narcotráfico** y la **drogadicción**?	☐	☐
• **controlar** la sobrepoblación en el mundo?	☐	☐
¿Estás a favor de o en contra de/del...		
• **derecho a** llevar **armas**?	☐	☐
• derecho de la mujer a **escoger**[1] el **aborto**?	☐	☐
• la **pena de muerte**?	☐	☐
• **legalizar** la marihuana?	☐	☐
• las leyes que **prohíben** el consumo de alcohol a menores de veintiún años?	☐	☐
• facilitar la residencia a los inmigrantes indocumentados?		
• expulsar a los que crucen la **frontera** ilegalmente?	☐	☐
¿Crees que el gobierno debe...		
• aumentar los **impuestos** a los más ricos?	☐	☐
• gastar más en **proteger** el medio ambiente?	☐	☐
... en un sistema nacional de salud?	☐	☐
... en desarrollar **curas** para el cáncer y otras enfermedades?	☐	☐
... en la educación?	☐	☐
... en el **ejército** y la defensa militar?	☐	☐
• **luchar por** los derechos humanos y la libertad de todos?	☐	☐

actual	*current*	**el impuesto**	*tax*
al menos	*at least*	**luchar por**	*to fight for*
el arma	*weapon*	**el narcotráfico**	*drug trafficking*
el ejército	*army*	**la pena de muerte**	*death penalty*
escoger	*to choose*	**estar a favor de/ en contra de**	*to be in favor of/ against*
la frontera	*border*		

[1]**Escoger** changes the ***g*** to ***j*** to maintain the same pronunciation in the **yo** form of the present indicative (**escojo**) and in all forms of the present subjunctive (**escoja, escojas, escoja, escojamos, escojáis, escojan**).

Discutir todas las preguntas del cuadro puede tomar mucho tiempo. Como alternativa, asigne una serie de preguntas a cada grupo, que después compartirá con la clase lo que discutieron en su grupo.

Input/Output **[15.4] Así pensamos.** En grupos de cuatro, comparen sus respuestas a las preguntas del cuestionario sobre los problemas mundiales (en la página anterior) y defiendan sus opiniones. Un/a secretario/a debe tomar notas. Algunos grupos van a presentar sus ideas a la clase.

Modelo: **Algunos/La mayoría/Todos estamos a favor de/en contra de... porque...**

[15.5] Organizaciones. ¿Qué causas apoyan las siguientes organizaciones?

Input **Paso 1.** Empareja la organización con la causa o actividades que le correspondan.

Organización

- j 1. Hábitat para la Humanidad
- h 2. Sociedad Americana contra el Cáncer
- a 3. Amnistía Internacional
- f 4. PETA[1]
- i 5. UNICEF
- b 6. Greenpeace
- e 7. El Ejército de Salvación
- c 8. La Cruz Roja
- g 9. Oxfam
- d 10. Médicos sin fronteras

Causa

- **a.** Lucha por los derechos humanos.
- **b.** Protege mares, animales en peligro de extinción y el medio ambiente en general.
- **c.** Ayuda a los que sufren por catástrofes naturales, guerras, etc.
- **d.** Ofrece asistencia médica a poblaciones en situación precaria, víctimas de conflictos, etc.
- **e.** Ayuda a pobres y desamparados.
- **f.** Defiende los derechos de los animales.
- **g.** Ayuda a los pobres a salir de la pobreza por sí mismos y a prosperar.
- **h.** Busca una cura para una enfermedad grave.
- **i.** Defiende los derechos de los niños de todo el mundo.
- **j.** Construye[2] viviendas para los pobres y los desamparados.

Output **Paso 2.** Imagina que tienes dinero para apoyar a tres de las organizaciones de arriba u otras que te parecen importantes. Escribe el nombre de las tres organizaciones y, en grupos, explica tu elección a tus compañeros/as.

__________ __________ __________

INVESTIG@ EN INTERNET

La ONU (Organización de las Naciones Unidas), UN en inglés, se fundó en 1945 para mantener la paz mundial y hacer del mundo un lugar mejor. Visita la página de las Naciones Unidas (un.org), clic en "Bienvenidos" y descubre de qué temas mundiales se encarga. Anota al menos tres. Luego, piensa en cómo esos temas afectan tu vida diaria. ¿Sabes lo que significa "pensar globalmente y actuar localmente"? ¿Cómo puedes "actuar" en relación a esos tres temas?

[1]PETA, UNICEF. The names of these organizations are not translated into Spanish, and their acronyms are read as words.
[2]The present indicative of **construir: construyo, construyes, construye, construimos, construís, construyen.**

Output **[15.6] Las noticias.**

Paso 1. Piensa en tres noticias que te han interesado, preocupado o sorprendido recientemente y escribe en tu cuaderno un resumen de la noticia, por qué te parece importante o interesante y tu opinión sobre ella.

Paso 2. En grupos, compartan y comenten sus noticias de interés. ¿Tienen intereses y opiniones similares sobre la actualidad?

Output **[15.7] Los problemas del mundo.**

Paso 1. En parejas, escojan tres problemas que consideran especialmente graves en el país o en el mundo. En su cuaderno, describan el problema con la mayor cantidad de detalles posible.

Paso 2. Intercambien su lista de problemas con otra pareja. Después de leer sus notas, propongan 3 recomendaciones concretas que pueden contribuir a resolverlos.

Paso 3. Lean las recomendaciones que hicieron sus compañeros para luchar contra los problemas que tú y tu compañero propusieron. ¿Les parecen apropiadas y efectivas? ¿Por qué sí o no?

Sugerencia: Puede asignar el día anterior que lean las noticias con atención, incluyendo los temas que más les interesan generalmente así como otros sobre los que normalmente no leerían. Para garantizar mayor variedad de temas, puede pedir que las tres noticias sean de secciones diferentes del periódico, o asignar tres secciones específicas que deben leer. Anímeles a leer periódicos de Estados Unidos en español, una búsqueda en Internet les dará varias opciones.

Sugerencia: Puede organizar las parejas y comenzar el **Paso 1** durante una clase en la que escojan los tres problemas que quieren tratar. Pida que, después de esa clase, investiguen en Internet los datos y detalles más relevantes del problema. En la siguiente clase, con esa información, pueden completar el **Paso 1** describiendo el problema con detalles.

En mi experiencia

Terry, Mastic, NY

"The news in Spain was more graphic than what we usually see in the U.S. A lot of times I was eating the daily *comida* at 2:00 in the afternoon, and I'd see these really violent images on TV. That made me uncomfortable. Also, the front pages of some newspapers that you'd see in the *quioscos* while walking down the street were kind of gruesome. No one seemed to mind, not even when kids were around."

JAVIER SORIANO/AFP/Getty Images

What kinds of images do mainstream U.S. television media typically not show? What might be some of the cultural values underlying a country's decision to display such scenes?

Cultura

El español en los medios de comunicación en Estados Unidos

Use ***PowerPoint Slides*** para presentar esta sección de cultura.

ANTES DE LEER

1. ¿Alguna vez has visto, escuchado o leído las noticias en un medio de comunicación en español? Si lo has hecho, ¿qué medio era?
2. ¿Hay periódicos o emisoras (*stations*) de radio en español en el lugar donde vives? ¿Cómo se llaman?

Sugerencia: Si tiene hablantes de herencia en su clase, pregúnteles si en su casa, o en casa de algún familiar, se ve la televisión en español o si se escucha la radio en español.

La televisión

Las dos principales cadenas televisivas hispanas en Estados Unidos son Univisión y Telemundo. **Univisión**, la más grande de ellas, se fundó en 1961 desde una pequeña emisora (*station*) de San Antonio, Texas. Univisión llega al 97% de los hogares hispanos del país. En muchas temporadas (*seasons*), durante la hora de mayor audiencia (*prime time*), Univisión supera a ABC, CBS, Fox y NBC entre los televidentes de 18 a 34 años de edad. Y las noticias locales de Univisión ocupan el primer lugar en cuanto a número de televidentes en 16 mercados (*markets*) como Albuquerque, El Paso, Houston, Las Vegas, Los Ángeles, Miami, Phoenix y San Francisco.

Telemundo es la segunda cadena hispana más popular en Estados Unidos. Comenzó en 1986, cuando se unieron varias cadenas en Miami, Los Ángeles y la Ciudad de Nueva York. Fue el primer canal hispano en ofrecer programación en alta definición en 2009. Una ventaja para los noticieros de Telemundo es que pueden emplear las imágenes de satélite de NBC en sus programas. Otra ventaja es que produce muchos más programas originales que Univisión, cuya (*whose*) programación depende significativamente de programación mexicana y venezolana.

JS3 WENN Photos/Newscom

▲ **La doctora Isabel,** conocida como "el ángel de la radio," ofrece consejos psicológicos. Recibe más de 8 mil llamadas de sus radioescuchas por día.

La radio

Según el informe del grupo Arbitron de 2013, los tres formatos de programación de radio más populares entre los hispanos de Estados Unidos son la música mexicana, la música contemporánea "pop" en español y la música tropical. El número de radioescuchas hispanos aumentó por más de un millón en 2010: un 95% de consumidores hispanos escucha la radio habitualmente. Al mismo tiempo, aumenta la oferta radiofónica. Texas, por ejemplo, ahora cuenta con 154 emisoras en español, cuando solo tenía 25 en el año 2000.

Los temas

Los temas cubiertos (*covered*) por los medios hispanos, tanto en la televisión como en la radio, pueden variar sustancialmente de un lugar a otro. En Miami, por ejemplo, donde hay una alta concentración de cubanos, las noticias suelen (*tend to*) cubrir temas caribeños. En la Ciudad de Nueva York, cuya población hispana es muy variada, las noticias suelen ser más cosmopolitas, pero con cierto enfoque en temas puertorriqueños y dominicanos. En el suroeste y en Los Ángeles hay un interés particular en los temas mexicanos. Además, muchos reportajes de los medios hispanos cubren temas que los medios de comunicación principales no tratan. Por ejemplo, si uno quiere saber sobre una huelga (*strike*) de enfermeras en Honduras, un escándalo de corrupción en Perú o las elecciones en Puerto Rico, solo Univisión o Telemundo ofrecen esta información.

DESPUÉS DE LEER

1. ¿Se transmiten noticias en español donde vives? ¿En qué canal(es)?
2. Intenta ver un poco de un noticiero de Univisión o Telemundo en la tele o por Internet. Si ves un reportaje de un tema que ya conocías, ¿notaste alguna diferencia entre el tipo de contenido? Si es un tema que no conocías, ¿por qué piensas que se reportó en la emisora hispana y no en las de inglés?

Así se forma

1. The subjunctive with time expressions: Talking about pending actions

Cuando sea presidente, haré grandes reformas.

"Ciudadanos y ciudadanas: permítanme pedirles su voto. **Cuando escuchen** mis propuestas, entenderán que soy el mejor candidato a la presidencia. El gobierno actual no actuó con decisión **hasta que empezó** la campaña electoral. Yo prometo que, **tan pronto como me siente** en el escritorio del Despacho Oval, trabajaré en renovar las políticas del país. Créanme: **cuando hago** una promesa, siempre la cumplo."

Some adverbial subordinate clauses express when the main action or event takes place and are introduced by the following conjunctions of time:

cuando	*when*	**antes de que**[1]	*before*	**después de que**	*after*
hasta que	*until*	**tan pronto como**	*as soon as*		

In these adverbial clauses, the subjunctive is used when an action is pending, that is, when it has not yet occurred. In contrast, if the action is completed or habitual, the indicative is used.

Action pending, yet to occur → subjunctive

Cuando llegue al orfanato, te llamaré.	*When I arrive at the orphanage, I'll call you.*
Compraré las medicinas **antes de que tú llegues.**	*I will buy the medications before you arrive.*
Los voluntarios saldrán **después de que terminen** el trabajo.	*The volunteers will leave after they finish their work.*
Tan pronto como reciba la llamada, recogeré a los niños.	*As soon as I receive the call, I will pick up the children.*

Completed or habitual action → indicative

Mi amigo me llamó **cuando llegó** al orfanato.	*My friend called me when he arrived at the orphanage.* (completed)
No salí **hasta que paró** de llover.	*I did not go out until it stopped raining.* (completed)
Mi amigo siempre me llama **tan pronto como llega** a la ciudad.	*My friend always calls me as soon as he arrives in town.* (habitual)

When there is no change of subject, the conjunctions **antes de que, después de que,** and **hasta que** usually become **antes de** + *infinitive*, **después de** + *infinitive*, and **hasta** + *infinitive*.

Change of subject → subjunctive	No change of subject → infinitive
Lo terminaremos **antes de que salgas.**	Lo terminaremos **antes de salir.**
Nos quedaremos aquí **hasta que lo termines.**	Nos quedaremos aquí **hasta terminarlo.**

[1]Because it signals an action that has not yet occurred, the conjunction **antes de que,** is always followed by the subjunctive, even if the general event takes place in the past.
Nos atacó antes de que lo viéramos. → the action of seeing is pending in relation to the moment when the attack took place.
(It attacked us before we saw it.)

WileyPLUS

Go to *WileyPLUS* to review this grammar point with the help of the **Animated Grammar Tutorial** and **Verb Conjugator.**

Use ***PowerPoint Slides*** para presentar y practicar esta gramática.

Antes de leer la explicación, pida a los estudiantes que observen los ejemplos de subordinadas temporales en el texto y señalen las formas de subjuntivo e indicativo que encuentren. Pida que hagan hipótesis sobre las posibles diferencias entre unos casos y otros que puedan determinar el uso de indicativo y subjuntivo. Puede guiarles indicando que deben prestar atención al marco temporal de la acción subordinada.

Sugerencia: Para ilustrar el uso del indicativo vs. el subjuntivo en cláusulas subordinadas temporales, enfatice el contraste usando ejemplos con una conjunción familiar como **cuando** para evitar que una conjunción desconocida hasta ahora distraiga del contraste procedente del uso de los modos verbales. ***Cuando vuelva a casa, dormiré mucho. vs. Cuando volví a casa, dormí mucho.***

Input **[15.8] ¿El pasado, el presente o el futuro de Univisión?**

Lee las oraciones sobre el canal de televisión estadounidense Univisión. Elige la forma correcta del verbo —en el indicativo o en el subjuntivo— y subráyala. Después, indica si la acción se refiere al pasado, al presente o al futuro.

Modelo: La cadena aumentó su popularidad cuando contrataron/contraten a nuevos reporteros.

Pasado	Presente	Futuro
☑	☐	☐

	Pasado	Presente	Futuro
1. El canal adquirió el nombre Univisión cuando lo vendan/lo vendieron al grupo Hallmark.	☑	☐	☐
2. El programa *Sábado Gigante* se hizo popular en Estados Unidos cuando su anfitrión, Don Francisco, llegue/llegó a Miami.	☑	☐	☐
3. Cuando alguien hable/habla de "la Oprah del mundo hispano", se refiere a Cristina Saralegui.	☐	☑	☐
4. Univisión y Telemundo serán las cadenas hispanas más grandes hasta que lleguen/llegan cadenas competidoras.	☐	☐	☑
5. Siempre comienza una nueva telenovela (*soap opera*) cuando otra se termine/termina.	☐	☑	☐
6. Es probable que Univisión todavía sea/es uno de los medios en español más importantes en los próximos años.	☐	☐	☑

NOTA CULTURAL

Sábado Gigante* and *Cristina

Sábado Gigante is the longest-running variety show in the history of television. It began in Chile in 1962 with its host Don Francisco (real name Mario Kreutzberger) and moved to Miami in 1986. A new three-hour show has been recorded every single week without ever broadcasting a repeat. Almost every Hispanic celebrity has appeared on *Sábado Gigante*. Don Francisco has a star on Hollywood's Walk of Fame, and 2016 will mark the show's 30th anniversary on Univisión. Does Don Francisco remind you of a popular U.S. talk show host?

Reuters/Landov LLC

Don Francisco

© AP/Wide World Photos

Cristina Saralegui

Cristina Saralegui hosted the popular talk show *El Show de Cristina* on Univisión for 21 years (1989 through 2011). She concluded each episode with a double thumbs-up and the Cuban expression *"Pa'lante, pa'lante; pa'tras ni pa' coger impulso"* (Forward, forward; don't step back, not even to get a running start). People have called her the "Oprah" of Spanish-language television.

Sugerencia: Si tiene hablantes de herencia en su clase, pregúnteles si su familia ha visto alguno de estos programas.

[15.9] Proyecciones futuras.

Input/ Output **Paso 1.** Indica las opciones que te parecen más probables. Escribe también un evento nuevo que no esté en la lista. Luego, comenta tus respuestas con un/a compañero/a de clase. ¿Tienen opiniones parecidas?

15.9 Esta actividad de comprensión refuerza el uso del subjuntivo en oraciones subordinadas adverbiales de tiempo sobre eventos futuros.

1. Creo que se encontrará una cura para el cáncer...
- ☐ antes de que **llegue** el año 2050.
- ☐ cuando **gastemos** suficiente dinero en los experimentos científicos.
- ☐ después de que **encontremos** cura para otras enfermedades como el SIDA (***AIDS***) o el Alzheimer.

2. Creo que se legalizará la marihuana nacionalmente...
- ☐ antes de que **termine** la presidencia actual.
- ☐ después de que **termine** la presidencia actual.
- ☐ cuando **haya** más investigación sobre sus efectos y posibles usos medicinales.

3. Me parece que los inmigrantes indocumentados recibirán una amnistía...
- ☐ cuando **esté** mejor la economía.
- ☐ cuando **haya** suficiente presión en el gobierno.
- ☐ antes de que **termine** la presidencia actual.

4. Me parece que el matrimonio entre personas del mismo sexo será legal en todo el país...
- ☐ tan pronto como los líderes religiosos **sean** más tolerantes.
- ☐ cuando la mayoría de los estados lo **aprueben**.
- ☐ antes de que **cambien** las leyes sobre el derecho a llevar armas.

5. Creo que... ____________________________________

[15.10] En mi futuro.

Output Completa estas oraciones con las formas apropiadas de los verbos en paréntesis y lo que tú imaginas para tu futuro. Después, comparen sus ideas en grupos pequeños.

1. Después de que ____me gradúe____ (graduarse), ____________________.

2. Cuando ____encuentre____ (encontrar) mi trabajo ideal, ____________________.

3. ____
hasta que ____tenga____ (tener) éxito en mi trabajo y mi vida personal.

4. Antes de que ____cumpla____ (cumplir) 50 años, ____________________.

5. Tan pronto como ____tenga____ (tener) dinero suficiente, ________________
____.

[15.11] ¿Cuándo?

Output Completa las siguientes oraciones refiriéndote a tus experiencias y planes. Después, compara tus ideas con un compañero/a, ¿tienen opiniones similares?

1. Un momento muy feliz para mí fue cuando ____________________________________.

2. Un día que me sentí muy triste fue cuando ____________________________________.

3. En general, estoy contento cuando ____________________________________.

4. No me sentiré satisfecho/a antes de ____________________________________.

5. El día más feliz de mi vida será cuando ____________________________________.

Cultura

El servicio voluntario y el activismo estudiantil

Use *PowerPoint Slides* para presentar esta sección de cultura.

ANTES DE LEER

¿Haces algún servicio voluntario? ¿Cuál es?

© Ann Summa/Corbis Images

▲ Una voluntaria en acción

En los países hispanos, como en Estados Unidos, los jóvenes forman organizaciones y participan activamente en ellas para servir al país de múltiples formas. Los universitarios, por ejemplo, encuentran en el trabajo voluntario y en el activismo excelentes oportunidades para educarse y contribuir al desarrollo de las naciones.

Algunos estudiantes voluntarios se dedican a la investigación y a la promoción del patrimonio cultural o al cuidado del medio ambiente. Otros se ocupan de gran parte de los programas de alfabetización en las zonas rurales. De igual importancia son los programas de salud y planificación familiar. Aunque los participantes suelen ser universitarios de las facultades de medicina o ciencias sociales, a menudo se encuentran estudiantes de otras disciplinas y hasta (*even*) estudiantes de escuela secundaria.

La expresión política también forma parte de la vida estudiantil. Muchos universitarios forman parte de movimientos políticos y expresan sus ideas públicamente en manifestaciones callejeras. Es frecuente ver grupos protestando contra el gobierno, la contaminación ambiental, las condiciones educativas en las universidades o el aumento del costo de la matrícula. A menudo, las huelgas (*strikes*) asociadas con estas protestas estudiantiles interrumpen las clases.

DESPUÉS DE LEER

En tu opinión, ¿por qué causas suelen protestar los universitarios en Estados Unidos? ¿Y en América Latina?

FEDERICO PARRA/AFP/Getty Images

◄ En 2014, muchos estudiantes venezolanos se manifestaron contra el gobierno.

Así se forma

2. The present perfect subjunctive: Expressing reactions to recent events

WileyPLUS

Go to *WileyPLUS* to review this grammar point with the help of the **Animated Grammar Tutorial** and **Verb Conjugator**.

Esta tarde se anuncian los últimos datos económicos. Se espera que el desempleo **haya disminuido**.

"Noticias de economía. Esta tarde se anuncian los datos del último semestre. El ministro no cree que **haya sido** un semestre negativo y se espera que el desempleo **haya disminuido** y que el consumo **haya aumentado** de nuevo. El ministro también señala el trabajo del gobierno para activar la economía y no duda que la mejoría **haya sido** fruto de este esfuerzo."

You have studied various uses of the subjunctive and practiced the present subjunctive (expressing actions that take place in the present or future) and the imperfect subjunctive (expressing actions that took place in the past).

Present subjunctive: **Esperamos** que **lleguen** a un acuerdo muy pronto.

Imperfect subjunctive: **Esperábamos** que **llegaran** a un acuerdo.

Similarly, the present perfect subjunctive is used in the same contexts as the present and imperfect subjunctive (after expressions of influence, emotion, doubt, etc.), but in cases where, although the action or event occurred in the past, it is closely tied to the present.[1]

Dudo que los políticos **hayan hecho** lo posible para evitar la guerra. — *I doubt that the politicians have done everything possible to avoid war.*

Siento que **haya habido** tantos muertos. — *I am sorry that there have been so many casualties.*

The present perfect subjunctive is formed with the present subjunctive of **haber** + *past participle.*

el presente de subjuntivo de *haber* + el participio pasado

(yo) **haya hecho**	(nosotros/as) **hayamos hecho**
(tú) **hayas hecho**	(vosotros/as) **hayáis hecho**
(usted/él/ella) **haya hecho**	(ustedes/ellos/ellas) **hayan hecho**

[1]Note that the choice between indicative and subjunctive mood is independent of tense. If it seems complicated at first, it may help to decide first whether the structure requires subjunctive, and then think about the appropriate tense.

No creo que...	→	requires subjunctive
No creo que sea fácil.		*I don't think it is/will be easy.*
No creo que haya sido fácil.		*I don't think it has been easy.*

Use ***PowerPoint Slides*** para presentar y practicar esta gramática.

Antes de leer la explicación, pida a los estudiantes que observen los ejemplos de subordinadas en el texto y señalen las formas del subjuntivo y del indicativo que encuentren. Pueden revisar los casos en los que se usan uno y otro modo, para concluir que no varían de otros casos cuyo marco temporal es el presente. Reflexionen después en el hecho de que la selección de modo sigue los mismos criterios en presente y pasado, y es independiente de la elección de tiempo verbal. Note que, aunque aquí, y para simplificar, todos los ejemplos son de subordinadas nominales, se pueden dar ejemplos de otras:

No ha habido ningún presidente que haya erradicado la pobreza.

No voy a votar hasta que un candidato haya demostrado su integridad.

Sugerencia: Repase con la clase el presente perfecto del indicativo y la formación de participios pasados regulares e irregulares. Escriba en la pizarra una serie de afirmaciones como: ***Juan ha llegado.*** Anteponga una expresión de duda, emoción, etc. y, con la clase, transforme la oración usando el presente perfecto del subjuntivo: ***Dudo/Me alegro de que haya llegado.***

15.12 Esta actividad recicla la expresión **Ojalá que**...

15.12 Audio:
1. Voy a trabajar como voluntaria en una clínica en Ecuador.
2. La gente del pueblo no habla inglés.
3. No debo llevar dinero en efectivo.
4. Quiero sacar muchas fotos.
5. Mi padre está un poco preocupado porque viajo a otro país.
6. Siempre espero hasta el último momento para organizarme.

[15.12] Unas vacaciones especiales.

Input

Escucha lo que cuenta Natalia sobre sus vacaciones de primavera como voluntaria. Escribe el número al lado de la respuesta que corresponda.

Tú le respondes:

__4__ Espero que te hayas comprado una cámara digital.
__3__ Es importante que hayas conseguido una tarjeta de cajero automático (*ATM card*) o cheques de viajero.
__1__ Me alegro de que hayas decidido hacerlo.
__6__ ¡Ojalá que no hayas olvidado solicitar tu pasaporte!
__2__ Es estupendo que hayas estudiado español este semestre.
__5__ Espero que le hayas dicho que Ecuador es un país seguro.

En mi experiencia

Ann, Davenport, IA

"I signed up for a community service course in my Spanish department. I thought I would be helping people less fortunate than me; I admit that I began the experience with a bit of a 'savior complex.' What I learned is that the recent immigrants I was assigned to assist were incredibly strong, resilient people who were often victims of unfair practices and policies. They really opened my eyes and taught me so much—more than I could ever hope to teach them."

Have you ever engaged in community service? What were your experiences like?

[15.13] Natalia de voluntaria.

Output

Durante su estancia en Ecuador, Natalia llevó medicamentos a Los Nevados, un pueblo de las montañas. Imagina lo que ha hecho Natalia.

Modelo: Espero que / llevar
Espero que haya llevado los medicamentos y comida en su mochila.

15.13
1. Es probable que se haya despertado pronto.
2. Es importante que se haya puesto...
3. Espero que haya escogido...
4. Es posible que haya escalado...

1. Es probable / despertarse

2. Es importante / ponerse

3. Espero / escoger

4. Es posible / escalar

5. Es probable / cruzar

6. Es importante / tomar... y comer

7. Me alegro de / entregar

8. Es fantástico / poder ayudar

[15.14] ¿Cómo reaccionan ustedes?

Output **Paso 1.** Indica tu reacción a estas noticias. Al final, piensa en tu reacción a otras dos noticias importantes.

Modelo: Han otorgado el Premio Nobel de la Paz a Barack Obama.

Estudiante A: **Me alegro de que le hayan otorgado el Nobel de la Paz a Barack Obama.**

Estudiante B: **A mí me sorprende que le hayan otorgado el Nobel de la Paz a Barack Obama.**

1. El águila calva (*bald eagle*) ya no está en peligro de extinción.
2. Se están desarrollando nuevos tratamientos para el cáncer.
3. Hay más de una docena de guerras y conflictos armados graves en el mundo actual.
4. China e India son las nuevas potencias económicas mundiales.
5. ...
6. ...

Paso 2. En grupos pequeños, comparen sus reacciones. Compartan las noticias que escribieron y reaccionen a las noticias de sus compañeros.

Output [15.15] ¿Qué han hecho ustedes?

Paso 1. Escribe en tu cuaderno, o en una hoja de papel, tres cosas interesantes que has hecho en tu vida. Pueden ser reales o imaginarias.

Paso 2. En grupos de 4 personas, compartan lo que han escrito. Después de que una persona lea una oración, los compañeros reaccionan usando una de las siguientes expresiones:

Expresiones que requieren subjuntivo:	*Expresiones que requieren indicativo:*
Dudo que... No creo que... No pienso que... Me alegro de que... Siento que...	Creo que... Pienso que... Seguro que...

Modelo: Tú: **He saltado de un avión en paracaídas.**

Compañero/a: **Creo que saltar de un avión en paracaídas es peligroso.**
Me sorprende que hayas saltado de un avión en paracaídas.

15.13
5. Es probable que haya cruzado...
6. Es importante que haya tomado... y comido...
7. Me alegro de que haya entregado...
8. Es fantástico que haya podido ayudar...

15.14 Sugerencia. Un día antes de trabajar con esta actividad en la clase, pida a sus estudiantes que busquen detalles sobre las dos noticias que van a mencionar, de modo que puedan explicar con cierto detalle durante la clase. Como extensión, puede pedir a los estudiantes que preparen un breve texto para presentar sus noticias a la clase como si fueran reporteros de un informativo.

15.15 Nota: Esta actividad incita a los estudiantes a ser originales y creativos. Puede revisar las expresiones y fórmulas empleadas en las actividades anteriores.

Extensión: Puede pedir a cada grupo que comparta con la clase la información más interesante: ***Andrew dice que ha escalado el monte Everest, pero nosotros dudamos que lo haya escalado.***

VideoEscenas

WileyPLUS

Alcaldes (*Mayors*) unidos

© John Wiley & Sons, Inc.

▲ Una reportera de televisión entrevista al Sr. Vargas, alcalde de Arequipa, en Lima, Perú.

ANTES DE VER EL VIDEO

En grupos pequeños, hagan una lista de los cuatro o cinco problemas más serios que, en su opinión, afronta (*confronts*) la ciudad donde están ahora.

A VER EL VIDEO

Paso 1. Mira el video y decide si las siguientes afirmaciones son **ciertas** o **falsas.** Si son falsas, corrígelas. A continuación, imagina que eres la reportera y escribe un resumen de noticias (*news brief*) de no más de dos líneas para comenzar el noticiero.

	Cierto	Falso
1. Según las estadísticas, la delincuencia y el desempleo han aumentado.	☑	☐
2. Son problemas que los alcaldes pueden resolver solos. No pueden resolverlos solos.	☐	☑
3. El Sr. Vargas piensa que necesitan ayuda del gobierno central.	☑	☐

Paso 2. Lee las siguientes preguntas y anota las respuestas que recuerdes. Después, mira el video y completa o corrige lo que escribiste.

1. ¿Quiénes se van a reunir esta semana?
2. ¿De qué temas van a hablar?
3. ¿Cuáles son sus objetivos?
4. Según el Sr. Vargas, ¿cuándo se irán los alcaldes?

Paso 2. Respuestas: 1. Se van a reunir todos los alcaldes de Perú. 2. Van a hablar de los problemas que afectan a sus ciudades, por ejemplo la delincuencia, la tasa de desempleo y el número de desamparados. 3. Los objetivos son tener el apoyo político y económico del gobierno central, y llamar la atención para sus problemas.

Se irán después de que tengan éxito.

DESPUÉS DE VER EL VIDEO

En los mismos grupos de la sección **Antes de ver el video,** revisen los problemas que tiene su ciudad. ¿Qué puede hacer su alcalde para resolver o mejorar estas situaciones?

Así se forma

3. *Si* clauses: Hypothesizing

WileyPLUS

Go to *WileyPLUS* to review this grammar point with the help of the **Animated Grammar Tutorial** and **Verb Conjugator**.

Si pudiera, eliminaría la pobreza del mundo.

"A veces pienso que no debo ver los noticieros, porque **si** los **veo**, me **quedo** triste y preocupada. **Si pudiera, eliminaría** la pobreza y la desigualdad, son terribles y causan muchos otros problemas. La educación es también fundamental: **si** todos los niños **tuvieran** acceso a una educación de calidad, **tendrían** más oportunidades y **habría** menos violencia. ¡Tengo una idea! ¡**Si trabajo** como tutora voluntaria, **podré** ayudar a algunos niños!".

To express possibilities or hypothetical situations, we use **si** (*if*) clauses. When the **si** (*if*) clause poses a situation that is possible or likely to occur (not obviously contrary-to-fact or hypothetical), the **si** clause is in the present indicative and the result is in the present indicative or future tense.

Possible situation:	**si** + *present indicative,* (then) *present/future*

Generalmente voy en bici, pero si **llueve, voy** en coche. — *I usually go by bike, but if it rains, I go by car.*

Si **tengo** tiempo, **voy/iré.** — *If I have time, I go/I'll go.*

When the **si** clause expresses a hypothetical situation (i.e., contrary-to-fact or not likely to occur), it is formed with the past subjunctive. The conditional is used to express the result (i.e., what *would occur* as a consequence).

Hypothetical situation:	**si** + *imperfect subjunctive,* (then) *conditional*

Si **tuviera** el dinero, se lo **donaría** a los pobres. — *If I had the money, I would donate it to the poor.*

Note that the clauses can appear in either order (hypothetical situation first or last).

Hablaría con el presidente si él **estuviera** aquí. — *I would speak with the president if he were here.*

Input **[15.16] Emociones.** Empareja las situaciones y las consecuencias según tu opinión. Cuando termines, completa la situación que no tenga consecuencia.

1. Estaría muy triste si...	**a.** subiera la tasa de desempleo.
2. Estaría muy preocupado/a si...	**b.** mi candidato favorito ganara las elecciones.
3. Me sorprendería	**c.** no hubiera contaminación.
4. Me enojaría si...	**d.** un/a amigo/a consumiera drogas.
5. Me alegraría si...	**e.** fuera víctima de un robo.
6. Estaría muy nervioso/a si...	**f.** los profesores no trataran a todos con igualdad.
7. Estaría deprimido/a si...	**g.** escuchara una explosión.
8. Estaría más tranquilo/a si...	**h.** el noticiero dijera que hay una cura para el cáncer.
9. Tendría miedo si...	**i.** ...

15.16 En esta actividad los estudiantes indican sus reacciones emocionales a ciertas situaciones y, por tanto, no hay respuestas correctas o incorrectas. Pida a varios estudiantes que compartan sus respuestas y aproveche esta oportunidad para continuar la conversación sobre los temas del capítulo.

Pida a los estudiantes que observen las estructuras con "si" en el texto y anoten las formas verbales que observan en las cláusulas con "si" (puede mencionar que estas son subordinadas adverbiales), y las que observan en las cláusulas principales, que no tienen "si". Pueden después comentar las diferencias en el tipo de significado que expresan. Puede guiarles indicando que la diferencia reside en el grado de probabilidad que se expresa.

Use ***PowerPoint Slides*** para presentar esta gramática.

Sugerencia: Para presentar las oraciones condicionales hipotéticas, pida a la mitad de la clase que escriba hipótesis improbables en papelitos (por ejemplo: ***Si yo tuviera mucho dinero,...***), mientras que la otra mitad escribe frases condicionales (por ejemplo: ... ***viajaría a la luna***). Forme parejas con estudiantes de distintos grupos y pídales que lean sus papelitos para toda la clase. Las combinaciones suelen ser absurdas, pero divertidas.

Extensión: ***Dicho y hecho*** no presenta la estructura del condicional perfecto para situaciones hipotéticas pasadas. Si desea presentar esta estructura, puede añadir la siguiente información a la explicación anterior:

When the ***si*** clause expresses a hypothetical past situation, it is formed with the pluperfect subjunctive, and the conditional perfect is used to express the result, i.e., what ***would have occurred*** as a consequence.

Pueden encontrar las formas del condicional perfecto y del pluscuamperfecto del subjuntivo en el Apéndice 1. La Actividad 15-19 puede ser fácilmente transformada para practicar estas estructuras: ***Si hubiera tenido mil dólares, habría hecho un viaje...***

NOTA DE LENGUA

Remember this about **si** clauses:

1. **Si** clauses can be followed by present indicative or imperfect subjunctive, never present subjunctive.
2. The **si** clause can be first or last. Use a comma only when the **si** clause is first.

15.17 Enfatice la diferencia entre las construcciones del **Paso 1**, que son hipotéticas, y las del **Paso 2**, en las que la probabilidad es real (al menos desde el punto de vista del candidato).

Input **[15.17] ¿Qué harías?** En este capítulo hemos hablado de la actualidad en el mundo. Piensa ahora en tu universidad.

Paso 1. Completa las siguientes oraciones según tu opinión.

1. Si hubiera una manifestación en contra/a favor de ________, participaría en ella porque...
2. Si pudiera cambiar algo en el campus, cambiaría ________ porque...
3. Si pudiera añadir (*add*) un curso/una especialización nueva, sería ________ porque...
4. Si se pudiera renovar o modernizar un espacio de la universidad, se debería renovar ________ porque...
5. Si la universidad ofreciera un nuevo servicio a los estudiantes, me gustaría tener...
6. Si pudiera pedirle una cosa al presidente de la Universidad, le diría/pediría...

Esta actividad recicla las estructuras nominales de deseo.

Paso 2. Se acercan las elecciones del comité de representantes estudiantiles y tú y tus amigos forman un grupo para presentarse a las elecciones. En grupos de tres personas, comparen sus respuestas para el **Paso 1** y escojan cuatro o cinco problemas importantes que quieran resolver.

Modelo: Queremos que no haya clases los viernes.

Paso 3. Escriban cinco oraciones explicando lo que harán si son elegidos.

Modelo: Si nos eligen como representantes, pediremos que no haya clases los viernes.

Situaciones

El presidente de la Universidad piensa hacer ciertos cambios y ha pedido a un comité que discuta sus ideas y haga recomendaciones. Tu compañero/a y tú forman parte de este comité. Tienen que pensar en las posibles consecuencias positivas y negativas de cada propuesta.

- No tener requisitos generales, solo los de la especialización.
- Requerir que todos los estudiantes participen en un programa de voluntariado.
- Usar versiones electrónicas de los libros de texto y otros materiales de curso.

Modelo: Estudiante A: **Si no tenemos requisitos generales, podremos estudiar más cursos que nos interesen.**

Estudiante B: **Sí, pero si no tenemos requisitos generales, no tendremos una educación general.**

Output
[15.18] Aventuras por el mundo hispano.

Paso 1. Completa las siguientes oraciones basándote en lo que has aprendido sobre el mundo hispano, incluyendo las comunidades hispanas de EE. UU.

Modelo: Si pudiera tomar clases en un país hispano, (estudiar)
estudiaría en Chile.

1. Si pudiera pasar una semana en una ciudad hispana, (ir)...
2. Si quisiera conocer un espacio natural, (visitar)...
3. Si tuviera la oportunidad de probar una comida local, (comer)...
4. Si pudiera asistir a un concierto de un grupo o cantante, (querer ver)...
5. Si tuviera la oportunidad de entrevistar a un hispano famoso, (hablar)...

Paso 2. Ahora, en grupos de 5, cada estudiante hace un sondeo en el grupo sobre uno de los temas anteriores: ciudades, espacios naturales, etc. Anota las respuestas de tus compañeros.

Modelo: Si pudieras tomar clases en un país hispano, ¿dónde estudiarías?

Paso 3. Formen nuevos grupos con estudiantes que tienen información sobre el mismo tema. Compartan sus datos para averiguar qué ciudades, espacios naturales, etc. son más populares. Informen a la clase.

15.18 Nota: Si no han trabajado mucho con las secciones de cultura, puede asignar el **Paso 1** de esta actividad como tarea.

Output
[15.19] Una cadena (*chain*) de posibilidades.

En grupos pequeños, escojan uno de los siguientes temas. En cinco minutos, escriban una cadena muy larga siguiendo el modelo. Después lean sus "creaciones" a la clase.

Modelo: Si tuviera mil dólares, **haría un viaje.**
Si hiciera un viaje, iría a México.
Si fuera a México, comería muchas tortillas.
Si comiera muchas tortillas,...

1. Si hoy fuera domingo,...
2. Si viviera en _______,...
3. Si fuera presidente de EE. UU.,...
4. Si no tuviera que trabajar nunca,...

15.19 Revise el modelo con la clase, señalando que el verbo en el condicional debe ser recogido en la siguiente oración con *si*.

Sugerencia: Puede asignar un tema a cada grupo para asegurar que haya diversidad cuando los estudiantes compartan sus creaciones. Revise al menos una creación de cada tema. Los resultados pueden ser muy divertidos.

- Anime a sus estudiantes a que terminen su creación con una conclusión.
- Pida a tantos grupos como sea posible que escriban su cadena en la pizarra.

Output
[15.20] Una cápsula de tiempo.

Imaginen que se va a crear una cápsula de tiempo y pueden poner adentro diez objetos que representen nuestro mundo en el siglo XXI. En grupos de cuatro, decidan qué pondrían en la cápsula y por qué. Algunos grupos presentarán sus ideas a la clase.

Sugerencia: Si tiene hablantes de herencia en su clase, pregúnteles si ellos o alguien de su familia están viendo en la actualidad una *novela*.

NOTA CULTURAL

Las telenovelas hispanas

Telenovelas or "novelas" are miniseries televised on Latin American TV stations. There are numerous differences between *novelas* and U.S. soap operas. *Novelas* only last between eight and twelve months, and they are broadcast during prime time evening slots. The plots are frequently one of four general types: a poor girl who falls in love with a rich man; a story that takes place in a historical time period; teen *novelas* that represent the lives of young people; and musical *novelas* that follow aspiring musicians.

Latin American *novelas* have fans all over the world. For example, the Colombian show ***Yo soy Betty, la fea*** (2000-2001) was broadcast in over 70 countries and has been imitated in Russia, India, Germany, Spain, and the United States, where "Ugly Betty" ran from 2006-2010 with America Ferrera in the lead role.

Getty Images/Getty Images, Inc.

Betty la fea, protagonizada por *(starring)* la actriz colombiana Ana María Orozco

DICHO Y HECHO

LatinContent/Getty Images, Inc.

▲ Yoani Sánchez

PARA LEER: El nuevo periodismo

ANTES DE LEER

1. ¿Lees algún *blog* regularmente? ¿Cuál(es)?
2. ¿Cuál es la fuente (*source*) de noticias que usas con más frecuencia?

ESTRATEGIA DE LECTURA

Integrating previously learned strategies
Throughout this textbook you have learned a variety of strategies for improving your comprehension of texts written in Spanish. Take a few minutes to review them. Choose two or more strategies to combine as you read the selection that follows. For example, you might scan for cognates before reading to get some clues as to the topic, then pause and summarize the main idea of each paragraph as you read.

A LEER

El nacimiento de Internet ha provocado una verdadera revolución en los medios de comunicación. Los periódicos y revistas publicados en papel han visto cómo sus tiradas[1] han caído debido a la facilidad de obtener el mismo contenido a través de las versiones digitales. Además, la Web ha permitido el nacimiento del denominado "periodismo ciudadano" o "periodismo 2.0", gracias al cual[2] cualquier persona con una computadora puede ser periodista.

De hecho, miles de ciudadanos anónimos tienen su propia página Web o *blog*, una bitácora[3] donde recogen sus impresiones. Este nuevo modelo de periodismo ha permitido dar voz a eventos o historias que antes no llegaban a las redacciones de los medios tradicionales. Es más, el poder que ha adquirido la *blogosfera* y las redes sociales en Internet han puesto en jaque[4] a gobiernos contrarios a la libertad de expresión o que han intentado controlar la información dentro de sus fronteras.

El caso más famoso en América Latina es el de la cubana Yoani Sánchez, creadora del *blog* "Generación Y", llamado así por la gran cantidad de cubanos nacidos en los 70-80 cuyos nombres comienzan con la letra Y. Esta filóloga de origen habanero comprendió que Internet era la herramienta[5] perfecta para burlar los controles gubernamentales. Con pocos recursos, ha ido contando sus vicisitudes[6] en la isla, siempre desde una perspectiva crítica. Sus comentarios tienen una gran difusión en el ciberespacio y son miles los internautas que se conectan para leer su último *post*.

Su influencia ha llegado a tener tal[7] relevancia que Yoani ha sido merecedora de numerosos reconocimientos. Entre otros, ha recibido el premio Ortega y Gasset de periodismo, concedido por el diario *El País*; ha sido la primera bloguera en obtener el premio Maria Moors Cabot, otorgado por la Columbia University; y fue seleccionada como una de las personas más influyentes del mundo por parte de la revista *Times* en 2008. Su fama ha alcanzado tal trascendencia que el propio presidente estadounidense respondió a un cuestionario que la periodista le envió. Obama le contestó: "Tu *blog* ofrece al mundo una ventana particular a las realidades de la vida cotidiana en Cuba. Es revelador que Internet les haya ofrecido a ti y a otros valientes blogueros cubanos un medio tan libre de expresión, y aplaudo estos esfuerzos colectivos por animar a sus compatriotas a expresarse a través de la tecnología".

Texto: Fernando de Bona / *De la revista Punto y coma (Habla con eñe)*

---

[1]circulation, print run, [2]**al cual** to which, [3]log, written record, [4]**ha puesto en jaque** has kept in check, [5]tool, [6]happenings, ups and downs, [7]such

DESPUÉS DE LEER

1. Según el artículo, ¿qué permiten los *blogs* que los medios tradicionales no siempre permiten?

   ☑ Transmitir noticias sobre más actividades.

   ☐ Escribirle al presidente de Estados Unidos.

   ☑ Montar un reto (*challenge*) a gobiernos que reprimen la libertad de expresión.

2. Según el texto, ¿qué es el "periodismo 2.0"? ¿Qué puede hacer este tipo de periodismo que no hace el periodismo tradicional?

   _c_ Y — **a.** Cualquier persona con computadora e Internet puede ser periodista.

   _a_ El periodismo 2.0 — **b.** Considera a Yoani Sánchez una "valiente bloguera".

   _b_ Barack Obama — **c.** La primera letra de los nombres de muchos cubanos nacidos durante los 70 y 80.

3. ¿Quién es Yoani Sánchez y qué es Generación Y? ¿Por qué la alabó (*complimented her*) el presidente Obama?

4. Busca el *blog* "Generación Y" y trata de leer algunas entradas (*entries*). ¿Cuánto pudiste entender?

Extensión: En grupos pequeños, los estudiantes crean un *blog*. Pida que piensen en el concepto para su blog (objetivos, temas a tratar, punto de vista, etc.) Deben ponerle título y escribir dos entradas. Si disponen de recursos tecnológicos, pueden crearlos en línea para que la clase pueda leerlos y comentar en algunas de las entradas.

PARA CONVERSAR: Un noticiero

En grupos pequeños, preparen un noticiero para luego presentarlo en clase. Primero, inventen un nombre original para el programa. Luego, cada uno/a de ustedes se hará cargo de una de las noticias que se indican en la tabla a continuación. Pueden consultar Internet en español para buscar información sobre las noticias del día.

El nombre y el país del noticiero	Nombre del noticiero: País:
Una noticia internacional	¿Dónde? ¿Qué/Quién?
Una noticia del país	¿Dónde? ¿Qué/Quién?
Una noticia local	¿Dónde? ¿Qué/Quién?
Una noticia de la universidad	¿Dónde? ¿Qué/Quién?

ESTRATEGIA DE COMUNICACIÓN

Emphasizing the most important words

Particularly in formal speech, speakers often emphasize one word or group of words over the rest. This might be an adverb, an adjective, or the verb of a sentence, depending on the purpose of the speaker's message. As you deliver your news report, emphasize the part of the sentence or expression most important to your message.

PARA ESCRIBIR: Una propuesta para el presidente de Estados Unidos

En esta composición vas a escribir una propuesta para el presidente de Estados Unidos sobre un tema de importancia para ti. Puedes escoger uno de los temas de la página **Así se dice, Indica tu posición sobre algunos problemas actuales,** u otro tema que te importe mucho.

ANTES DE ESCRIBIR

Paso 1. **¿Qué tema quieres explorar?** Lee con atención los temas de la página **Así se dice, Indica tu posición sobre algunos problemas actuales,** y elige 2 o 3 que sean de interés para ti. Si quieres escribir sobre otro tema diferente, consulta con tu profesor/a antes de empezar a escribir.

Paso 2. **Los dos lados del debate.** Prepara una lista de los argumentos que toman en cuenta los dos lados (*sides*) del tema que has elegido. Si puedes añadir un argumento en contra de alguna de las posiciones opuestas, anótalo también.

ESTRATEGIA DE REDACCIÓN

Anticipating the opposite argument When expressing your views on a controversial or debatable topic, anticipating the opposing argument can be a good strategy. For example, suppose you want to propose that the legal drinking age be reduced to 18. In your proposal, describe clearly the arguments of those who *don't* want to lower the drinking age and explain why, in your opinion, they are wrong—look for the flaws in their argument. This will make your argument stronger.

En mi opinión...	El otro lado cree... (argumento en contra)
1.	
2.	
3.	

A ESCRIBIR

Los tres argumentos del **Paso 2** de *Antes de escribir* deben formar el núcleo de los párrafos de tu ensayo. Aunque puedes variar el orden en que presentas las ideas y añadir otras ideas, recuerda que una argumentación debe ser clara y equilibrada. Por tanto, una buena organización sería la siguiente:

Primer párrafo:	Tu tesis (la propuesta que el presidente debe considerar).
Párrafos centrales:	Usa cada párrafo para expresar tu opinión y lo que piensa el otro lado (si tienes un argumento en contra, también puedes expresarlo).
Párrafo final:	Conclusión. Indica los beneficios generales para el país o sus ciudadanos si el presidente aceptara tu propuesta.

Para escribir mejor: Estas estructuras te pueden ayudar a escribir la carta.
Aunque [grupo, persona, etc.] piensa que [una opinión diferente a la tuya], en realidad [tu opinión] .

Modelo: Aunque un argumento en contra del consumo legal de alcohol a los 18 años es la supuesta falta de madurez, en realidad hay otras actividades más peligrosas, como manejar y, en algunos estados, poseer armas, que son legales a esa edad.

Es cierto/posible que [un razonamiento en contra de tu propuesta]. Sin embargo [un argumento en contra].

Modelo: Es posible que algunos jóvenes no beban porque está prohibido. Sin embargo, para muchos la prohibición es un estímulo y probablemente beben más porque es una forma de rebeldía.

DESPUÉS DE ESCRIBIR

Revisar y editar. Después de escribir el primer borrador de tu propuesta, déjalo a un lado por un mínimo de un día sin leerlo. Cuando vuelvas a leerlo, corrige el contenido, la organización, la gramática y el vocabulario. Además, hazte estas preguntas:

- ☐ ¿Describí claramente tres argumentos para apoyar mi propuesta? ¿Expliqué mi opinión y también la opinión de la posición contraria? ¿Expliqué mis argumentos en contra de forma clara y precisa?
- ☐ ¿Tiene cada argumento su propio párrafo? ¿Tiene cada idea en el párrafo relación directa con ese argumento?

PARA VER Y ESCUCHAR: CLUES: Ayuda a los inmigrantes WileyPLUS

ANTES DE VER EL VIDEO

Paso 1. En parejas, imaginen la situación de un/a inmigrante que acaba de llegar a EE. UU. ¿Qué cosas y servicios debe conseguir para establecerse y encontrar trabajo? Indica si estas cosas te parecen muy importantes o prescindibles (*dispensable*). Después, añade algo más que te parezca muy importante.

	Muy importante	Importante	Prescindible
un lugar para vivir	_____	_____	_____
un medio de transporte	_____	_____	_____
un seguro médico	_____	_____	_____
un empleo	_____	_____	_____
una computadora	_____	_____	_____
un teléfono	_____	_____	_____
una tarjeta de seguro social	_____	_____	_____
un contacto que pueda ayudarlo/a	_____	_____	_____
clases de inglés	_____	_____	_____
____________________	X	_____	_____

A VER EL VIDEO

ESTRATEGIA DE COMPRENSIÓN

Integrating previously learned strategies

Throughout this textbook you have learned a variety of strategies for improving your comprehension of spoken Spanish when you watch and listen to a video. Take a few minutes to review them. Then, in small groups, talk about which ones you found most useful, and why. Try to use them when you watch and listen to this video.

Mira el video y responde a las siguientes preguntas.

1. ¿Mencionaron en el video algunas de las cosas que marcaste como importantes en el **Paso 1**? ¿Cuáles?
2. ¿Qué tres cosas ayuda CLUES a conseguir?
   Hogar, empleo y modo de transporte.
3. Según la directora de Empleo, ¿qué deben hacer los inmigrantes primero?
   Aprender inglés.
4. ¿Qué otros servicios ofrece CLUES?
   Ayudan a buscar empleo, a preparar entrevistas de trabajo, redactar cartas de presentación o solicitudes, etc.

DESPUÉS DE VER EL VIDEO

En grupos, contesten las siguientes preguntas.

1. ¿Hay muchos inmigrantes en tu comunidad? ¿Qué sabes acerca de ellos (origen, en qué trabajan, etc.)?
2. ¿Existe alguna organización que asista a los inmigrantes en tu comunidad? ¿Sabes si hay clases de inglés para inmigrantes?

Repaso de vocabulario activo

Conjunciones
al menos *at least*
antes de que *before*
cuando *when*
después de que *after*
hasta que *until*
tan pronto como *as soon as*

Sustantivos

El empleo ***Job***
el desempleo *unemployment*
la entrevista *interview*
el/la gerente *manager*
el jefe/la jefa *boss*
la solicitud *application*

Las noticias ***News***
actual *current*
el noticiero *news program*
el reportero/la reportera *reporter*

La política y la sociedad ***Politics and society***
el acuerdo *treaty, agreement*
el candidato/la candidata *candidate*
el ciudadano/la ciudadana *citizen*
la cura *cure*
el derecho a *the right to*
los derechos (humanos) *(human) rights*
el ejército *army*
la elección *election*
el éxito *success*
la frontera *border*
el gobierno *government*
la igualdad *equality*
el impuesto *tax*
el/la inmigrante *immigrant*
la inmigración *immigration*
la investigación *research*
la justicia *justice*
la ley *law*
la libertad *freedom*
el/la líder *leader*
la medicina *medicine*
la paz *peace*
la pena de muerte *death penalty*
la política mundial *world politics*
el presidente *president*
el voluntariado *volunteering*
el voluntario/la voluntaria *volunteer*

Los problemas mundiales ***World problems***
el aborto *abortion*
el arma *weapon*
el ataque *attack*
la bomba *bomb*
el cáncer *cancer*
la corrupción *corruption*
el delincuente *delinquent, criminal*
el delito *misdemeanor, crime*
los desamparados *homeless people*
la discriminación *discrimination*
las drogas *drugs*
la drogadicción *drug addiction*
la enfermedades *illnesses*
la explosión *explosion*
la guerra *war*
el narcotráfico *drug trafficking*
la pobreza *poverty*
el prejuicio *prejudice*
el terrorismo *terrorism*
la víctima *victim*
la violencia *violence*

Verbos y expresiones verbales
apoyar *to support*
aumentar *increase*
construir (irreg.) *to build*
desarrollar *to develop*
eliminar *to eliminate*
enseñar *to teach*
escoger *to choose*
estar a favor/en contra de *to be for/against*
informar/reportar *to report*
legalizar *to legalize*
luchar (por) *to fight (for)*
mantener *to maintain*
proteger *to protect*
robar *to rob, steal*
solicitar *to apply for*
sufrir *to suffer*
votar (por) *to vote (for)*

Sugerencia: Después de completar los **Capítulos 11-15**, los estudiantes están preparados para hacer este Proyecto en grupos pequeños.

Proyecto

Un *blog* de actualidad

En este proyecto, van a crear un *blog* sobre uno de los temas de los capítulos 11, 12, 13 o 14.

Paso 1. Van a trabajar en grupos. Cada grupo escoge dos aspectos de los capítulos mencionados anteriormente como tema principal del *blog*. Estos temas pueden incluir (pero no se limitan a):

© nyul/iStockphoto

- **Las relaciones**: las amistades, las relaciones amorosas, etc.
- **La naturaleza**: cuidar el medio ambiente, las aventuras al aire libre, los parques nacionales, etc.
- **Los viajes**: complicaciones con los viajes, etc.
- **La tecnología**: las computadoras, los carros y el tráfico, etc.
- **Un tema actual de importancia en uno de estos países**: Panamá, Costa Rica, Guatemala, El Salvador, Honduras o Nicaragua.

Paso 2. En sus grupos, piensen en el concepto general de su *blog*. Determinen qué tipo de información va a incluir: consejos y reporte de información de otros medios, experiencias y/o reflexiones personales, etc. y piensen en un nombre que atraiga lectores.

Paso 3. Su grupo va a escribir dos entradas o artículos para el *blog*. En su grupo, hagan una lluvia de ideas sobre ideas para estos artículos. Después, cada miembro del grupo va a buscar y a escribir detalles sobre uno o más puntos específicos.

Sugerencia: Si disponen de recursos tecnológicos, pueden crear los *blogs* en línea para que la clase pueda leerlos y comentar en algunas de las entradas

Modelo:

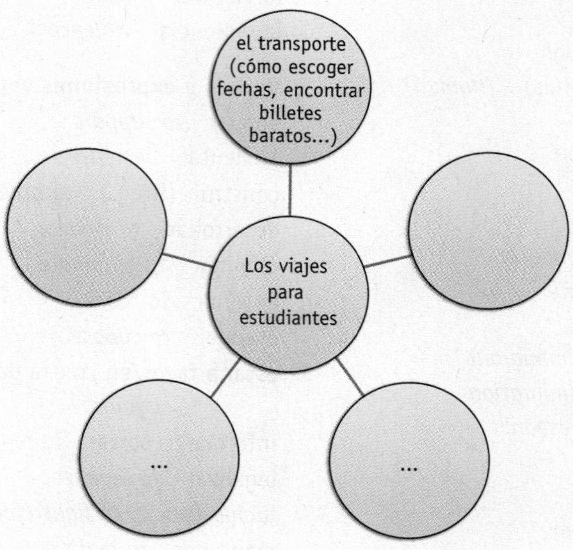

Paso 4. Los miembros del grupo van a unir (*join*) su información y colaborar en la escritura de las dos entradas (en un solo grupo o dos). Cada entrada debe tener un título y, preferiblemente, una ilustración, foto o gráfica que sirva de apoyo visual.

Paso 5. Cada grupo comparte su *blog* con la clase.

Apéndice 1: Verbos

Regular Verbs: Simple Tenses

Infinitive Present Participle Past Participle	Indicative					Subjunctive		Imperative (commands)
	Present	Imperfect	Preterit	Future	Conditional	Present	Imperfect	
hablar *to speak* hablando hablado	hablo hablas habla hablamos habláis hablan	hablaba hablabas hablaba hablábamos hablabais hablaban	hablé hablaste habló hablamos hablasteis hablaron	hablaré hablarás hablará hablaremos hablaréis hablarán	hablaría hablarías hablaría hablaríamos hablaríais hablarían	hable hables hable hablemos habléis hablen	hablara hablaras hablara habláramos hablarais hablaran	habla/ no hables hable hablemos hablad/ no habléis hablen
comer *to eat* comiendo comido	como comes come comemos coméis comen	comía comías comía comíamos comíais comían	comí comiste comió comimos comisteis comieron	comeré comerás comerá comeremos comeréis comerán	comería comerías comería comeríamos comeríais comerían	coma comas coma comamos comáis coman	comiera comieras comiera comiéramos comierais comieran	come/ no comas coma comamos comed/ no comáis coman
vivir *to live* viviendo vivido	vivo vives vive vivimos vivís viven	vivía vivías vivía vivíamos vivíais vivían	viví viviste vivió vivimos vivisteis vivieron	viviré vivirás vivirá viviremos viviréis vivirán	viviría vivirías viviría viviríamos viviríais vivirían	viva vivas viva vivamos viváis vivan	viviera vivieras viva viviéramos vivierais vivieran	vive/ no vivas viva vivamos vivid/ no viváis vivan

Regular Verbs: Perfect Tenses

Indicative								Subjunctive			
Present Perfect		Past Perfect		Future Perfect		Conditional Perfect		Present Perfect		Past Perfect	
he has ha hemos habéis han	hablado comido vivido	había habías había habíamos habíais habían	hablado comido vivido	habré habrás habrá habremos habréis habrán	hablado comido vivido	habría habrías habría habríamos habríais habrían	hablado comido vivido	haya hayas haya hayamos hayáis hayan	hablado comido vivido	hubiera hubieras hubiera hubiéramos hubierais hubieran	hablado comido vivido

Stem-changing -ar and -er Verbs: e → ie; o → ue

Infinitive Present Participle Past Participle	Indicative					Subjunctive		Imperative (commands)
	Present	Imperfect	Preterit	Future	Conditional	Present	Imperfect	
pensar (ie) *to think* pensando pensado	**pienso** **piensas** **piensa** pensamos pensáis **piensan**	pensaba pensabas pensaba pensábamos pensabais pensaban	pensé pensaste pensó pensamos pensasteis pensaron	pensaré pensarás pensará pensaremos pensaréis pensarán	pensaría pensarías pensaría pensaríamos pensaríais pensarían	**piense** **pienses** **piense** pensemos penséis **piensen**	pensara pensaras pensara pensáramos pensarais pensaran	piensa/ no pienses piense pensemos pensad/ no penséis piensen
volver (ue) *to return* volviendo **vuelto** (irrreg.)	**vuelvo** **vuelves** **vuelve** volvemos volvéis **vuelven**	volvía volvías volvía volvíamos volvíais volvían	volví volviste volvió volvimos volvisteis volvieron	volveré volverás volverá volveremos volveréis volverán	volvería volverías volvería volveríamos volveríais volverían	**vuelva** **vuelvas** **vuelva** volvamos volváis **vuelvan**	volviera volvieras volviera volviéramos volvierais volvieran	vuelve/ no vuelvas vuelva volvamos volved/ no volváis vuelvan
Other verbs of this type are: **e → ie:** cerrar, despertarse, empezar, entender, nevar, pensar, perder, preferir, querer, recomendar, regar, sentarse **o → ue:** acordarse de, acostarse, almorzar, costar, encontrar, jugar, mostrar, poder, recordar, resolver, sonar, volar, volver								

Stem-changing -ir Verbs: e → ie, i; e → i, i; o → ue, u

Infinitive Present Participle Past Participle	Indicative					Subjunctive		Imperative (commands)
	Present	Imperfect	Preterit	Future	Conditional	Present	Imperfect	
sentir (ie, i) *to feel, to regret* **sintiendo** sentido	**siento** **sientes** **siente** sentimos sentís **sienten**	sentía sentías sentía sentíamos sentíais sentían	sentí sentiste **sintió** sentimos sentisteis **sintieron**	sentiré sentirás sentirá sentiremos sentiréis sentirán	sentiría sentirías sentiría sentiríamos sentiríais sentirían	**sienta** **sientas** **sienta** **sintamos** **sintáis** **sientan**	**sintiera** **sintieras** **sintiera** **sintiéramos** **sintierais** **sintieran**	**siente**/ no **sientas** **sienta** **sintamos** sentid/ no **sintáis** **sientan**
pedir (i, i) *to ask (for)* **pidiendo** pedido	**pido** **pides** **pide** pedimos pedís **piden**	pedía pedías pedía pedíamos pedíais pedían	pedí pediste **pidió** pedimos pedisteis **pidieron**	pediré pedirás pedirá pediremos pediréis pedirán	pediría pedirías pediría pediríamos pediríais pedirían	**pida** **pidas** **pida** **pidamos** **pidáis** **pidan**	**pidiera** **pidieras** **pidiera** **pidiéramos** **pidierais** **pidieran**	**pide**/ no **pidas** **pida** **pidamos** pedid/ no **pidáis** **pidan**

Stem-changing -ir Verbs: e → ie, i; e → i, i; o → ue, u (*continued*)

Infinitive Present Participle Past Participle	Indicative					Subjunctive		Imperative (commands)
	Present	Imperfect	Preterit	Future	Conditional	Present	Imperfect	
dormir (ue, u) *to sleep* **durmiendo** dormido	**duermo** **duermes** **duerme** dormimos dormís **duermen**	dormía dormías dormía dormíamos dormíais dormían	dormí dormiste **durmió** dormimos dormisteis **durmieron**	dormiré dormirás dormirá dormiremos dormiréis dormirán	dormiría dormirías dormiría dormiríamos dormiríais dormirían	**duerma** **duermas** **duerma** **durmamos** **durmáis** **duerman**	**durmiera** **durmieras** **durmiera** **durmiéramos** **durimierais** **durmieran**	**duerme**/ no **duermas** **duerma** **durmamos** dormid/ no **durmáis** **duerman**

Other verbs of this type are:
e → ie, i: divertirse, invertir, preferir, sentirse, sugerir
e → i, i: conseguir, despedirse de, reírse, repetir, seguir, servir, vestirse
o → ue, u: morir(se)

Verbs with Spelling Changes

Infinitive Present Participle Past Participle	Indicative					Subjunctive		Imperative (commands)
	Present	Imperfect	Preterit	Future	Conditional	Present	Imperfect	
1. c → qu: tocar (model); buscar, explicar, pescar, sacar								
tocar *to play (musical instr.), to touch* tocando tocado	toco tocas toca tocamos tocáis tocan	tocaba tocabas tocaba tocábamos tocabais tocaban	toqué tocaste tocó tocamos tocasteis tocaron	tocaré tocarás tocará tocaremos tocaréis tocarán	tocaría tocarías tocaría tocaríamos tocaríais tocarían	**toque** **toques** **toque** **toquemos** **toquéis** **toquen**	tocara tocaras tocara tocáramos tocarais tocaran	toca/ no **toques** **toque** **toquemos** tocad/ no **toquéis** **toquen**
2. z → c: abrazar; Also **almorzar (ue), cruzar, empezar (ie)**								
abrazar *to hug* abrazando abrazado	abrazo abrazas abraza abrazamos abrazáis abrazan	abrazaba abrazabas abrazaba abrazábamos abrazabais abrazaban	**abracé** abrazaste abrazó abrazamos abrazasteis abrazaron	abrazaré abrazarás abrazará abrazaremos abrazaréis abrazarán	abrazaría abrazarías abrazaría abrazaríamos abrazaríais abrazarían	**abrace** **abraces** **abrace** **abracemos** **abracéis** **abracen**	abrazara abrazaras abrazara abrazáramos abrazarais abrazaran	abraza/ no **abraces** **abrace** **abracemos** abrazad/ no **abracéis** **abracen**

3. g → gu: pagar; Also **apagar, jugar (ue), llegar**								
pagar *to pay (for)* pagando pagado	pago pagas paga pagamos pagáis pagan	pagaba pagabas pagaba pagábamos pagabais pagaban	**pagué** pagaste pagó pagamos pagasteis pagaron	pagaré pagarás pagará pagaremos pagaréis pagarán	pagaría pagarías pagaría pagaríamos pagaríais pagarían	**pague** **pagues** **pague** **paguemos** **paguéis** **paguen**	pagara pagaras pagara pagáramos pagarais pagaran	paga/ no **pagues** **pague** **paguemos** pagad/ no **paguéis** **paguen**
4. gu → g: seguir (i, i); Also **conseguir**								
seguir (i, i) *to follow* **siguiendo** seguido	**sigo** sigues sigue seguimos seguís siguen	seguía seguías seguía seguíamos seguíais seguían	seguí seguiste **siguió** seguimos seguisteis **siguieron**	seguiré seguirás seguirá seguiremos seguiréis seguirán	seguiría seguirías seguiría seguiríamos seguiríais seguirían	**siga** **sigas** **siga** **sigamos** **sigáis** **sigan**	**siguiera** **siguieras** **siguiera** **siguiéramos** **siguierais** **siguieran**	sigue/ no **sigas** **siga** **sigamos** seguid/ no **sigáis** **sigan**
5. g → j: recoger; Also **escoger, proteger**								
recoger *to pick up* recogiendo recogido	**recojo** recoges recoge recogemos recogéis recogen	recogía recogías recogía recogíamos recogíais recogían	recogí recogiste recogió recogimos recogisteis recogieron	recogeré recogerás recogerá recogeremos recogeréis recogerán	recogería recogerías recogería recogeríamos recogeríais recogerían	**recoja** **recojas** **recoja** **recojamos** **recojáis** **recojan**	recogiera recogieras recogiera recogiéramos recogierais recogieran	recoge/ no **recojas** **recoja** **recojamos** recoged/ no **recojáis** **recojan**
6. i → y: leer; Also **caer, oír.** Verbs with additional **i → y** changes (see below): **construir;** Also **destruir**								
leer *to read* leyendo leído	leo lees lee leemos leéis leen	leía leías leía leíamos leíais leían	leí leíste **leyó** leímos leísteis **leyeron**	leeré leerás leerá leeremos leeréis leerán	leería leerías leería leeríamos leeríais leerían	lea leas lea leamos leáis lean	**leyera** **leyeras** **leyera** **leyéramos** **leyerais** **leyeran**	lee/ no leas lea leamos leed/ no leáis lean
construir *to construct, to build* **construyendo** construído	**construyo** **construyes** **construye** construimos construís **construyen**	construía construías construía construíamos construíais construían	construí construiste **construyó** construimos construisteis **construyeron**	construiré construirás construirá construiremos construiréis construirán	construiría construirías construiría construiríamos construiríais construirían	**construya** **construyas** **construya** **construyamos** **construyáis** **construyan**	**construyera** **construyeras** **construyera** **construyéramos** **construyerais** **construyeran**	**construye**/ no **construyas** **construyan** **construyamos** construid/ no **construyáis** **construya**

Irregular Verbs

Infinitive Present Participle Past Participle	Indicative					Subjunctive		Imperative (commands)
	Present	Imperfect	Preterit	Future	Conditional	Present	Imperfect	
caer *to fall* **cayendo** caído	**caigo** caes cae caemos caéis caen	caía caías caía caíamos caíais caían	caí caíste **cayó** caímos caísteis **cayeron**	caeré caerás caerá caeremos caeréis caerán	caería caerías caería caeríamos caeríais caerían	caiga caigas caiga caigamos caigáis caigan	cayera cayeras cayera cayéramos cayerais cayeran	cae/ no caigas caiga caigamos caed/ no caigáis caigan
conocer *to know, to be acquainted with* conociendo conocido	**conozco** conoces conoce conocemos conocéis conocen	conocía conocías conocía conocíamos conocíais conocían	conocí conociste conoció conocimos conocisteis conocieron	conoceré conocerás conocerá conoceremos conoceréis conocerán	conocería conocerías conocería conoceríamos conoceríais conocerían	conozca conozcas conozca conozcamos conozcáis conozcan	conociera conocieras conociera conociéramos conocierais conocieran	conoce/no conozcas conozca conozcamos conoced/no conozcáis conozcan
conducir *to drive* conduciendo conducido	**conduzco** conduces conduce conducimos conducís conducen	conducía conducías conducía conducíamos conducíais conducían	**conduje** **condujiste** **condujo** **condujimos** **condujisteis** **condujeron**	conduciré conducirás conducirá conduciremos conduciréis conducirán	conduciría conducirías conduciría conduciríamos conduciríais conducirían	conduzca conduzcas conduzca conduzcamos conduzcáis conduzcan	condujera condujeras condujera condujéramos condujerais condujeran	conduce/no conduzcas conduzca conduzcamos conducid/no conduzcáis conduzcan
dar *to give* dando dado	**doy** das da damos dais dan	daba dabas daba dábamos dabais daban	**di** **diste** **dio** **dimos** **disteis** **dieron**	daré darás dará daremos daréis darán	daría darías daría daríamos daríais darían	**dé** **des** **dé** **demos** **deis** **den**	diera dieras diera diéramos dierais dieran	da/no des **dé** demos dad/no déis den
decir *to say, to tell* **diciendo** **dicho**	**digo** **dices** **dice** decimos decís **dicen**	decía decías decía decíamos decíais decían	**dije** **dijiste** **dijo** **dijimos** **dijisteis** **dijeron**	**diré** **dirás** **dirá** **diremos** **diréis** **dirán**	**diría** **dirías** **diría** **diríamos** **diríais** **dirían**	diga digas diga digamos digáis digan	dijera dijeras dijera dijéramos dijerais dijeran	di/no digas diga digamos decid/no digáis digan

estar *to be* estando estado	**estoy** **estás** **está** **estamos** **estáis** **están**	estaba estabas estaba estábamos estabais estaban	**estuve** **estuviste** **estuvo** **estuvimos** **estuvisteis** **estuvieron**	estaré estarás estará estaremos estaréis estarán	estaría estarías estaría estaríamos estaríais estarían	**esté** **estés** **esté** **estemos** **estéis** **estén**	estuviera estuvieras estuviera estuviéramos estuvierais estuvieran	estés/ no estés esté estemos estad/ no estéis estén
haber *to have* habiendo habido	**he** **has** **ha** **hemos** **habéis** **han**	había habías había habíamos habíais habían	**hube** **hubiste** **hubo** **hubimos** **hubisteis** **hubieron**	**habré** **habrás** **habrá** **habremos** **habréis** **habrán**	**habría** **habrías** **habría** **habríamos** **habríais** **habrían**	**haya** **hayas** **haya** **hayamos** **hayáis** **hayan**	hubiera hubieras hubiera hubiéramos hubierais hubieran	
hacer *to do, to make* haciendo **hecho**	**hago** haces hace hacemos hacéis hacen	hacía hacías hacía hacíamos hacíais hacían	**hice** **hiciste** **hizo** **hicimos** **hicisteis** **hicieron**	**haré** **harás** **hará** **haremos** **haréis** **harán**	**haría** **harías** **haría** **haríamos** **haríais** **harían**	haga hagas haga hagamos hagáis hagan	hiciera hicieras hiciera hiciéramos hicierais hicieran	**haz**/ no hagas haga hagamos haced/ no hagáis hagan
ir *to go* **yendo** ido	**voy** **vas** **va** **vamos** **vais** **van**	**iba** **ibas** **iba** **íbamos** **ibais** **iban**	**fui** **fuiste** **fue** **fuimos** **fuisteis** **fueron**	iré irás irá iremos iréis irán	iría irías iría iríamos iríais irían	**vaya** **vayas** **vaya** **vayamos** **vayáis** **vayan**	fuera fueras fuera fuéramos fuerais fueran	**ve**/ no vayas vaya vayamos id/ no vayáis vayan
oír *to hear* **oyendo** **oído**	**oigo** **oyes** **oye** **oímos** oís **oyen**	oía oías oía oíamos oíais oían	oí **oíste** **oyó** **oímos** **oísteis** **oyeron**	oiré oirás oirá oiremos oiréis oirán	oiría oirías oiría oiríamos oiríais oirían	oiga oigas oiga oigamos oigáis oigan	oyera oyeras oyera oyéramos oyerais oyeran	oye/ no oigas oiga oigamos oíd/ no oigáis oigan

Irregular Verbs (*continued*)

Infinitive Present Participle Past Participle	Indicative					Subjunctive		Imperative (commands)
	Present	Imperfect	Preterit	Future	Conditional	Present	Imperfect	
poder (ue) *to be able, can* podiendo podido	**puedo** **puedes** **puede** podemos podéis **pueden**	podía podías podía podíamos podíais podían	**pude** **pudiste** **pudo** **pudimos** **pudisteis** **pudieron**	**podré** **podrás** **podrá** **podremos** **podréis** **podrán**	**podría** **podrías** **podría** **podríamos** **podríais** **podrían**	pueda puedas pueda podamos podáis puedan	pudiera pudieras pudiera pudiéramos pudierais pudieran	
poner *to put, to place* poniendo **puesto**	**pongo** pones pone ponemos ponéis ponen	ponía ponías ponía poníamos poníais ponían	**puse** **pusiste** **puso** **pusimos** **pusisteis** **pusieron**	**pondré** **pondrás** **pondrá** **pondremos** **pondréis** **pondrán**	**pondría** **pondrías** **pondría** **pondríamos** **pondríais** **pondrían**	ponga pongas ponga pongamos pongáis pongan	pusiera pusieras pusiera pusiéramos pusierais pusieran	**pon**/ no pongas ponga pongamos poned/ no pongáis pongan
querer (ie) *to wish, to want, to love* queriendo querido	**quiero** **quieres** **quiere** queremos queréis **quieren**	quería querías quería queríamos queríais querían	**quise** **quisiste** **quiso** **quisimos** **quisisteis** **quisieron**	**querré** **querrás** **querrá** **querremos** **querréis** **querrán**	**querría** **querrías** **querría** **querríamos** **querríais** **querrían**	quiera quieras quiera queramos queráis quieran	quisiera quisieras quisiera quisiéramos quisierais quisieran	quiere/ no quieras quiera queramos quered/ no queráis quieran
saber *to know* sabiendo sabido	**sé** sabes sabe sabemos sabéis saben	sabía sabías sabía sabíamos sabíais sabían	**supe** **supiste** **supo** **supimos** **supisteis** **supieron**	**sabré** **sabrás** **sabrá** **sabremos** **sabréis** **sabrán**	**sabría** **sabrías** **sabría** **sabríamos** **sabríais** **sabrían**	**sepa** **sepas** **sepa** **sepamos** **sepáis** **sepan**	supiera supieras supiera supiéramos supierais supieran	sabe/ no sepas sepa sepamos sabed/ no sepáis sepan
salir *to leave, to go out* saliendo salido	**salgo** sales sale salimos salís salen	salía salías salía salíamos salíais salían	salí saliste salió salimos salisteis salieron	**saldré** **saldrás** **saldrá** **saldremos** **saldréis** **saldrán**	**saldría** **saldrías** **saldría** **saldríamos** **saldríais** **saldrían**	salga salgas salga salgamos salgáis salgan	saliera salieras saliera saliéramos salierais salieran	sal/ no salgas salga salgamos salid/ no salgáis salgan

ser *to be* **siendo** **sido**	**soy** **eres** **es** **somos** **sois** **son**	**era** **eras** **era** **éramos** **erais** **eran**	**fui** **fuiste** **fue** **fuimos** **fuisteis** **fueron**	seré serás será seremos seréis serán	sería serías sería seríamos seríais serían	**sea** **seas** **sea** **seamos** **seáis** **sean**	fuera fueras fuera fuéramos fuerais fueran	**sé**/ no seas sea seamos sed/ no seáis sean
tener *to have* teniendo tenido	**tengo** **tienes** **tiene** tenemos tenéis **tienen**	tenía tenías tenía teníamos teníais tenían	**tuve** **tuviste** **tuvo** **tuvimos** **tuvisteis** **tuvieron**	**tendré** **tendrás** **tendrá** **tendremos** **tendréis** **tendrán**	**tendría** **tendrías** **tendría** **tendríamos** **tendríais** **tendrían**	tenga tengas tenga tengamos tengáis tengan	tuviera tuvieras tuviera tuviéramos tuviérais tuvieran	**ten**/ no tengas tenga tengamos tened/ no tengáis tengan
traer *to bring* **trayendo** traído	**traigo** traes trae traemos traéis traen	traía traías traía traíamos traíais traían	**traje** **trajiste** **trajo** **trajimos** **trajisteis** **trajeron**	traeré traerás traerá traeremos traeréis traerán	traería traerías traería traeríamos traeríais traerían	traiga traigas traiga traigamos traigáis traigan	trajera trajeras trajera trajéramos trajerais trajeran	trae/ no traigas traiga traigamos traed/ no traigáis traigan
venir *to come* **viniendo** venido (also **prevenir**)	**vengo** **vienes** **viene** venimos venís **vienen**	venía venías venía veníamos veníais venían	**vine** **viniste** **vino** **vinimos** **vinisteis** **vinieron**	**vendré** **vendrás** **vendrá** **vendremos** **vendréis** **vendrán**	**vendría** **vendrías** **vendría** **vendríamos** **vendríais** **vendrían**	venga vengas venga vengamos vengáis vengan	viniera vinieras viniera viniéramos vinierais vinieran	**ven**/ no vengas venga vengamos venid/ no vengáis vengan
ver *to see* **viendo** **visto**	**veo** ves ve vemos veis ven	**veía** **veías** **veía** **veíamos** **veíais** **veían**	**vi** viste **vio** vimos visteis vieron	veré verás verá veremos veréis verán	vería verías vería veríamos veríais verían	vea veas vea veamos veáis vean	viera vieras viera viéramos vierais vieran	ve/ no veas vea veamos ved/ no veáis vean

Apéndice 2: Países, profesiones y materias

Países

Afganistán (el) – afgano/a
Albania – albanés, albanesa
Alemania – alemán, alemana
Andorra – andorrano/a
Angola – angoleño/a
Antigua y Barbuda – antiguano/a
Arabia Saudí o Arabia Saudita – saudí
Argelia – argelino/a
Argentina (la) – argentino/a
Armenia – armenio/a
Australia – australiano/a
Austria – austriaco/a
Azerbaiyán – azerbaiyano/a
Bahamas (las) – bahameño/a
Bahréin – bahreiní
Bangladesh – bengalí
Barbados – barbadense
Bélgica – belga
Belice – beliceño/a
Benín – beninés, beninesa
Bielorrusia – bielorruso/a
Bolivia – boliviano/a
Bosnia-Herzegovina – bosnio/a
Botsuana – bostuano/a
Brasil (el) – brasileño/a
Brunéi Darussalam – bruneano/a
Bulgaria – búlgaro/a
Burkina Faso – burkinés, burkinesa
Burundi – burundés, burundesa
Bután – butanés, butanesa
Cabo Verde – caboverdiano/a
Camboya – camboyano/a
Camerún (el) – camerunés, camerunesa
Canadá (el) – canadiense
Chad – (el) – chadiano/a
Chile – chileno/a
China – chino/a
Chipre – chipriota
Ciudad del Vaticano – vaticano/a
Colombia – colombiano/a
Comoras – comorense/a
Congo (el) – congoleño/a
Corea del Norte – norcoreano/a
Corea del Sur – surcoreano/a
Costa Rica – costarricense
Costa de Marfil – marfileño/a
Croacia – croata
Cuba – cubano/a
Dinamarca – danés, danesa
Dominica – dominiqués/dominiquesa
Ecuador (el) – ecuatoriano/a
Egipto – egipcio/a
Emiratos Árabes Unidos (los) – emiratense
Eritrea – eritreo/a
Eslovaquia – eslovaco/a
Eslovenia – esloveno/a
España – español/a
Estados Unidos de América (los) – estadounidense
Estonia – estonio/a
Etiopía – etíope
Filipinas – filipino/a
Finlandia – finlandés, finlandesa
Francia – francés, francesa
Fiyi – fiyiano/a
Gabón (el) – gabonés, gabonesa
Gambia – gambiano/a
Georgia – georgiano/a
Ghana – ghanés, ghanesa
Granada – granadino/a
Grecia – griego/a
Guatemala – guatemalteco/a
Guinea – guineano/a
Guinea-Bissáu – guineano/a
Guinea Ecuatorial (la) – guineano, ecuatoguineano/a
Guyana – guyanés, guyanesa
Haití – haitiano/a
Honduras – hondureño/a
Hungría – húngaro/a
India (la) – indio/a
Indonesia – indonesio/a
Irán – iraní
Iraq – iraquí
Irlanda – irlandés, irlandesa
Islandia – islandés, islandesa
Islas Cook (las) – cookiano/a
Islas Marshall (las) – marshalés, marshalesa
Islas Salomón (las) – salomonense
Israel – israelí
Italia – italiano/a
Jamaica – jamaicano/a
Japón (el) – japonés, japonesa
Jordania – jordano/a
Kazajstán – kazako/a
Kenia – keniata
Kirguistán – kirguís
Kiribati – kiribatiano/a
Kuwait – kuwaití
Laos – laosiano/a
Lesotho – lesothense
Letonia – letón, letona
Líbano (el) – libanés, libanesa
Liberia – liberiano/a
Libia – libio/a
Liechtenstein – liechtensteiniano/a
Lituania – lituano/a
Luxemburgo – luxemburgués, luxemburguesa
Macedonia – macedonio/a
Madagascar – malgache
Malasia – malayo/a
Malawi – malawiano/a
Maldivas – maldivo/a
Malí – malí
Malta – maltés, maltesa
Marruecos – marroquí
Mauricio – mauriciano/a
Mauritania – mauritano
México – mexicano/a
Micronesia – micronesio/a
Moldavia – moldavo/a
Mónaco – monegasco/a
Mongolia – mongol/a
Montenegro – montenegrino/a
Mozambique – mozambiqueño/a
Myanmar – birmano/a
Namibia – namibio/a
Nauru – nauruano/a
Nepal – nepalés, nepalesa
Nicaragua – nicaragüense
Níger – nigerino/a
Nigeria – nigeriano/a
Noruega – noruego/a
Nueva Zelanda o Nueva Zelandia – neozelandés, neozelandesa
Omán – omaní
Países Bajos (los) – neerlandés, neerlandesa
Pakistán (el) – pakistaní
Paláu – palauano/a
Panamá – panameño/a
Papúa Nueva Guinea – papú
Paraguay (el) – paraguayo/a
Perú (el) – peruano/a
Polonia – polaco/a
Portugal – portugués, portuguesa
Puerto Rico – puertorriqueño/a
Qatar – catarí
Reino Unido – británico/a
República Centroafricana (la) – centroafricano/a
República Checa (la) – checo/a
República Democrática del Congo (la) – congoleño/a
República Dominicana (la) – dominicano/a
Ruanda – ruandés, ruandesa
Rumania o Rumanía – rumano/a
Rusia – ruso/a
Salvador (el) – salvadoreño/a
Samoa – samoano/a
San Cristóbal y Nieves – sancristobaleño/a
San Marino – sanmarinense
Santa Lucía – santalucense
Santo Tomé y Príncipe – santotomense/a
San Vicente y las Granadinas – sanvicentino/a
Senegal (el) – senegalés, senegalesa
Serbia – serbio/a
Seychelles – seychellense
Sierra Leona – sierraleonés, sierraleonesa
Singapur – singapurense
Siria – sirio/a
Somalia – somalí
Sri Lanka cingalés, cingalesa
Suazilandia – suazi
Sudáfrica – sudafricano/a

Sudán (el) – sudanés, sudanesa
Suecia – sueco/a
Suiza – suizo/a
Surinam – surimanés, surimanesa

Tailandia – tailandés, tailandesa
Tanzania – tanzaniano/a
Tayikistán – tayiko/a
Togo (el) – togolés, togolesa
Tonga – tongano/a
Trinidad y Tobago – trinitense
Túnez – tunecino/a
Turkmenistán – turcomano/a
Turquía – turco/a
Tuvalu – tuvaluano/a

Ucrania – ucraniano/a
Uganda – ugandés, ugandesa
Uruguay (el) – uruguayo/a
Uzbekistán – uzbeko/a

Vanuatu – vanuatuense
Vaticano – vaticano/a
Venezuela – venezolano/a
Vietnam – vietnamita

Yemen (el) – yemení
Yibuti – yibutano/a

Zambia – zambiano/a
Zimbabue – zimbabuense

Más profesiones

actor *actor m*
actress *actriz f*
administrator *administrador/a*
ambassador *embajador/a*
anchorperson *presentador/a (de radio y televisión)*
artist *artista m/f*
astrologer *astrólogo/a*
astronaut *astronauta m/f*
astronomer *astrónomo/a*
baker *panadero/a*
barber *barbero m*
bodyguard *guardaespaldas m/f*
bricklayer *albañil m*
butler *mayordomo m*
captain *capitán/a*
carpenter *carpintero/a*
cartographer *cartógrafo/a*
chauffeur *chofer*
consultant, advisor *consejero/a (en asuntos técnicos)*
cook *cocinero/a*
counselor *consejero/a (en asuntos personales)*
dancer *bailarín m/ f*
dentist *dentista m/f*
designer *diseñador/a*
diplomat *diplomático/a*
dishwasher *lavaplatos*
electrician *electricista m/f*
engineer *ingeniero/a*
farmer *agricultor/a*
firefighter *bombero/a*
fisherman, fisherwoman *pescador/a*
flight attendant *azafata f, sobrecargo m/f*
florist *florista m/f*
flower grower *floricultor/a*
foreman, forewoman *capataz/a*
forest ranger *guardabosque m/f*
gardener *jardinero/a*
geographer *geógrafo/a*
geologist *geólogo/a*
governor *gobernador/a*
hairdresser *peluquero/a*
historian *historiador/a*
janitor *conserje m/f*
jeweler *joyero/a*
journalist *periodista m/f*
judge *juez m/f*
laborer, worker *obrero/a*
librarian *bibliotecario/a*
maid *sirvienta f*
make-up artist *maquillador/a*
male nurse, nurse *enfermero/a*
manager *gerente m/f*
manufacturer *fabricante m*
masseur, masseuse *masajista m/f*
mathematician *matemático/a*
mayor, mayoress *alcalde/sa*
mechanic *mecánico/a*
miner *minero/a*
minister *ministro/a*
musician *músico/a*
notary (public) *notario/a*
novelist *novelista m/f*
office worker *oficinista m/f*
painter *pintor/a*
parking attendant *guardacoches m/f*
pastry cook *pastelero/a*
philosopher *filósofo/a*
photographer *fotográfo/a*
pianist *pianista m/f*
pilot *piloto m/f*
playwright, dramatist *dramaturgo/a*
plumber *plomero, fontanero m*
poet, female poet *poeta/isa*
police superintendent *comisario/a*
policeman, policewoman *policía m/f*
politician *político/a*
priest *sacerdote m*
psychiatrist *psiquiatra m/f*
psychologist *psicólogo/a*
radio announcer *locutor/a*
real estate agent *agente de bienes raíces m/f*
sailor *marinero/a*
sculptor, sculptress *escultor/a*
shopkeeper *tendero/a*
singer *cantante m/f*
soldier *soldado/mujer soldado*
tailor *sastre/a*
technician *técnico/a*
teller *cajero/a (en banco)*
tour guide *guía m/f turístico*
tradesman, tradeswoman *comerciante m/f*
translator *traductor/a*
truck driver *camionero/a*
veterinarian *veterinario/a*
warder, jailer *carcelero/a*
wrestler *luchador/a*
writer *escritor/a*

Otras materias académicas

anatomy *anatomía*
anthropology *antropología*
architecture *arquitectura*
Arabic (language) *árabe*
astronomy *astronomía*
biochemistry *bioquímica*
botany *botánica*
business administration *administración de empresas*
Chinese (language) *chino*
civil engineering *ingeniería civil*
computer science *computación*
creative writing *escritura creativa*
dramatic arts *teatro, artes dramáticas*
drawing *dibujo*
electrical engineering *ingeniería eléctrica*
film *cine*
finance *finanzas*
genetics *genética*
geography *geografía*
geology *geología*
geometry *geometría*
gymnastics *gimástica*
Hebrew (language) *hebreo*
industrial engineering *ingeniería industrial*
Italian (language) *italiano*
Japanese (language) *japonés*
journalism *periodismo*
jurisprudence *derecho*
Latin (language) *latín*
law *derecho*
linguistics *lingüística*
mechanical engineering *ingeniería mecánica*
microbiology *microbiología*
nursing *enfermería*
nutrition *nutrición*
obstetrics *obstetricia*
painting *pintura*
pharmacology *farmacología*
philology *filología*
physical education *educación física*
physiology *fisiología*
Russian (language) *ruso*
sculpture *escultura*
social work *trabajo social*
statistics *estadística*
swimming *natación*
theology *teología*
zoology *zoología*

Vocabulario: Spanish-English

A

a at, to 2
a veces sometimes 2
abierto/a open 3
abogado/a lawyer 6
aborto *m* abortion 15
abrazar to hug 3
abrigo *m* coat 8
abril April 1
abrir to open 7
abrocharse el cinturón to fasten one's seat belt 13
abuela *f* grandmother 3
abuelo *m* grandfather 3
abuelos *m, pl.* grandparents 3
aburrido/a bored 3; boring 3
acampar to camp 12
accidente *m* accident 14
aceite *m* oil 4
aceituna *f* olive 4
aconsejar to advise 11
acordarse (ue) de to remember 11
acostarse (ue) to go to bed 6
acuerdo *m* **de paz** *f* peace agreement 15
adiós good-bye 1
adicto/a addicted 14
adolescencia adolescence 10
adolescentes *m, pl.* adolescents 10
¿adónde? (to) where? 2
aduana *f* customs 13
adultos *m, pl.* adults 11
aerolínea *f* airline 13
aeropuerto *m* airport 13
afeitarse to shave 6
afiche *m* poster 10
afinar el motor tune the motor 14
agosto August 1
agua *f* **(but el agua)** water 4
ahora now 2
ahorrar to save (money) 7
aire acondicionado air conditioning 13
aire libre *m* outdoors 12
ajo *m* garlic 4
al + *infinitivo* upon (doing something) 7
al lado de beside 7
alegrarse (de) to be glad (about) 11
alemán *m* German (language) 2
alergia *f* allergy 9
alfombra *f* rug, carpet 10
álgebra *f* **(but el álgebra)** algebra 2
algo anything, something 8
algodón *m* cotton 8
alguien anyone, someone, somebody 8
algún (alguno/a/os/as) any, some, someone 8
allí there 3
almacén *m* department store 7
almohada *f* pillow 13
almorzar (ue) to have lunch 4
almuerzo *m* lunch 4
alpinismo/andinismo *m* mountain climbing 12
alquilar to rent 10
alto/a tall 3
alumno/a student 2
amo/a de casa homemaker 6
amable friendly, kind 3
amar to love 3
amarillo/a yellow 5
ambulancia *f* ambulance 9
amigo/a friend 3
amistad *f* friendship 11
amor *m* love 11; **amor a primera vista** love at first sight 11
anaranjado/a orange (color) 5
ancianos *m/pl.* **la anciana** *f*/**el anciano** *m* **elderly 11**
andén *m* platform 13
andinismo *m*, **alpinismo** *m* mountain climbing 11
anillo *m* ring 8
animal *m* animal 11
año *m* year 4; **tener... años** to be ... years old 3
anoche last night 6
anteayer day before yesterday 6
antes de *prep.* before 2; **antes de que** *conj.* before 15
antipático/a disagreeable, unpleasant (persons) 3
apagar to turn off 10
aparato *m* device, appliance, machine 14
apartamento *m* apartment 2
apoyar to support (a candidate/cause) 15
aprender to learn 2
apuntes *m, pl.* notes 2
aquel/aquella *adj.* that 6; **aquél/aquélla** *pron.* that one 6
aquellos/as *adj.* those 6; **aquéllos/as** *pron.* those 6
aquí here 3
araña *f* spider 12
árbol *m* tree 5
arena *f* sand 12
aretes *m, pl.* earrings 8
argentino/a *n., adj.* Argentinian 1
arma *f* weapon 15
arroz *m* rice 4
arte *m* (*but las artes*) art 2
ascensor *m* elevator 13
aseos *m, pl.* restroom 13
asiento *m* seat 13
asistente de vuelo *m/f* flight attendant 13
asistir (a) to attend 2
aterrizar to land 13
audífonos *m, pl.* headphones 2
aula *f* (*but el aula*) classroom 1
aumento *m* increase 12
auricular *m* earphone 14
auto *m* car 3
autobús *m* bus 7; **parada** *f* **de autobús** bus stop 7
autopista *f* highway 14
¡Auxilio! Help! 14
avenida *f* avenue 7
aventura *f* adventure 12
averiguar to find out, inquire 6
avión *m* airplane 13
ayer yesterday 6
ayudar (a) to help 10
azúcar *m* sugar 4
azul blue 5

B

bailar to dance 5
bajar to go down 10; **bajarse de** to get off, to get out of... 13
bajo/a short 3
baloncesto *m* basketball 5
balsa *f* raft 12
balsismo *m* rafting 12
banana *f* banana 4
bañarse to take a bath, bathe 6
banco *m* bank 7; bench 7
bañera *f* bathtub 10
baño *m* bathroom 10, restroom 14; **baño privado** private bath 13
bar *m* bar 7
barato/a inexpensive 8
barco *m* boat 12
barrer to sweep 10
básquetbol *m* basketball 5
basura *f* garbage 12

bebé *m/f* baby 3
beber to drink 2
bebida *f* drink, beverage 4
beige beige 5
béisbol *m* baseball 5
besar to kiss 3
biblioteca *f* library 2
bicicleta *f* bicycle 5
bien fine 1; well 3
bienvenido/a welcome 13
billete *m* ticket 13; **billete de ida y vuelta** round trip ticket 13, **de ida/sencillo** one-way ticket 13
billetera/la cartera *f* wallet 8
biología *f* biology 2
bisabuela *f* great-grandmother 3
bisabuelo *m* great-grandfather 3
bistec *m* steak 4
blanco/a white 5
blusa *f* blouse 8
boca *f* mouth 9
bocadillo *m* sandwich 4
boda *f* wedding 11
boleto *m* ticket 13; **boleto de ida y vuelta** round trip ticket 13; **boleto de primera/ segunda clase** *m* first/second class ticket 13
bolígrafo *m* pen 2
boliviano/a *n., adj.* Bolivian 1
bolso/a purse, bag 8
bomba bomb 15
bonito/a good-looking, pretty 3
borrador *m* eraser 2
bosque *m* forest 12
botas *f, pl.* boots 8
bote *m* boat (small) 12; **bote de basura** *m* garbage can 10
botones *m/pl.* bellhop 13
brazo *m* arm 9
brócoli *m* broccoli 4
bucear to scuba dive, skin dive 12
bueno/a good 3; **es bueno** it's good 13
bufanda *f* scarf 8
buscador *m* search engine 14
buscar to look for 2
buzón *m* mailbox 7

C

caballo *m* horse 12
cabeza *f* head 9; **dolor** *m* **de cabeza** headache 9
cable *m* cable 14
cada each, every 9
cadena *f* chain 8
café *m* coffee 4; coffee place 7
cafetería *f* cafeteria 2
cajero *m* **automático** ATM machine 7
cajero/a cashier 6
calcetines *m, pl.* socks 8
calculadora *f* calculator 2
cálculo *m* calculus 2
calefacción *f* heating 13
calentamento global *m* global warming 12
caliente hot (temperature, not spiciness) 5
calle *f* street 7
cama *f* bed; **cama doble** double bed; **cama sencilla** single bed 6, 13
cámara *f* camera 12
cámara (de video) *f* (video) camera 14
camarera *f* maid (hotel) 13
camarón *m* shrimp 4
cambiar to change, exchange 7
cambio *m* change, small change, exchange 7
cambio climático *m* climate change 12
camilla *f* gurney 9
caminar to walk 5
camino *m* road 14
camión *m* truck 14
camisa *f* shirt 8
camiseta *f* T-shirt, undershirt 8
campamento *m* camp 12
campo *m* country 3
cáncer *m* cancer 15
candidato/a candidate 15
cansado/a tired 3
cansarse to get tired 9
cantar to sing 5
capa *f* **de ozono** ozone layer 12
capítulo *m* chapter 2
cara *f* face 9
¡Caramba! Oh my gosh! 14
cariñoso/a affectionate 11
carne *f* meat, beef 4; **carne de cerdo** pork 4; **carne de res** beef 4
caro/a expensive 8
carretera *f* road 14
carro *m* car 3
carta *f* letter 7
cartera *f* wallet 8
casa *f* home, house 2; **amo/a de casa** homemaker 6; **en casa** at home 3
casado/a married 11; **recién casados** *m, pl.* newlyweds 11
casarse (con) to get married (to) 11
cascada *f* waterfall 12
casi almost; **casi nunca** rarely; **casi siempre** almost always 2
catarata *f* waterfall 12
causa (a causa de) because of 12
CD *m* CD, compact disk 2
cebolla *f* onion 4
celebrar to celebrate 11
celoso/a jealous 11
cena *f* supper, dinner 3
cenar to have dinner 2
centro comercial mall, shopping center 7; **centro estudiantil** student center 2
cepillarse el pelo to brush one's hair 6; **cepillarse los dientes** to brush one's teeth 6
cepillo *m* brush 6; **cepillo de dientes** toothbrush 6
cerca de near 7
cerdo *m* pig 12; **chuleta** *f* **de cerdo** pork chop 4; **carne** *f* **de cerdo** pork 4
cereal *m* cereal 4
cereza *f* cherry 4
cerrado/a closed 3
cerrar (ie) to close 7
cerveza *f* beer 4
champú *m* shampoo 6
chao bye, so-long 1
chaqueta *f* jacket 8
cheque *m* check 7
chica *f* girl 3
chico *m* boy 3
chileno/a *n., adj.* Chilean 1
chimenea *f* fireplace, chimney 10
chocar to crash, collide 14
choque *m* crash 14
chorizo *m* sausage 4
chuleta *f* **de cerdo** pork chop 4
ciclismo *m* **de montaña** mountain biking 12
cielo *m* sky 12
ciencias *f, pl.* **políticas** political science 2
cierto: es... it's true, correct 13
cine *m* movie theater, cinema 7
cinturón *m* belt 8; **abrocharse el cinturón** to fasten one's seat belt 13
cita *f* date, appointment 11
ciudad *f* city 3

ciudadano/a citizen 15
¡Claro! Of course! 14
clase f class 2
clima *m* weather 5
cobija *f* blanket 13
cobrar to cash, to charge 7
coche *m* car 3
cocina *f* kitchen 10
cocinar to cook 4
código *m* **de área** area code 11
cola *f* line (of people or things) 7
colegio *m* high school 3
colina *f* hill 12
collar *m* necklace 8
colombiano/a *n., adj.* Colombian 1
comedor *m* dining room 10
comer to eat 2
comida *f* food, main meal 3
¿cómo? how? 4; **¿Cómo está usted?** How are you? (*formal*) 1; **¿Cómo estás?** How are you? (*informal*) 1; **¿Cómo se llama usted?** What's your name (*formal*)? 1; **¿Cómo te llamas?** What's your name? (*informal*) 1
cómoda *f* bureau 10
cómodo/a comfortable 14
compañero/a de cuarto roommate 6
compañía *f* company 6
compartir to share 10
comprar to buy 2
comprender to understand 2
comprensivo/a understanding 11
comprometerse (con) to get engaged (to) 11
computación *f* computer science 2
computadora *f* computer 2; **computadora portátil** laptop/ notebook computer) 13
computadora portátil *f* laptop 14
comunicarse to communicate 11
con with 4; **con permiso** pardon me, excuse me 1; **con tal (de) que** provided that 14
con... de anticipación ...ahead of time 13
conducir to drive 14
conductor/a driver 14
conexión *f* connection 14
congestión *f* **nasal** nasal congestion 9
conocer to meet, know, be acquainted with 5
conservar to save, conserve 12
constantemente constantly 6
control remoto *m* remote control 14
construir construct 15
consultorio *m* **del médico/de la médica** doctor's office 9
contabilidad *f* accounting 2
contador/a accountant 6
contaminación *f* pollution 12
contar (ue) to count, tell, narrate (a story or incident) 7, 8
contento/a happy 3
contestar to answer 7
contestador automático *m* answering machine 11
continuar to continue 14
contribuir (y) to contribute 12
copa *f* goblet 10
corazón *m* heart 9
corbata *f* tie 8
correo electrónico *m* e-mail 2
correr to run 5
corrupción *f* corruption 15
cortar:... el césped to cut the lawn 10; **cortarse** to cut oneself 5; **cortarse el pelo/ las uñas/ el dedo** to cut one's hair/nails/a finger 6
cortina *f* curtain 10
corto/a short 8; de manga corta short- sleeved 8
cosa *f* thing 8
costar (ue) to cost 4
costarricense *m/f, n., adj.* Costa Rican 1
creer to believe 11
crema *f* cream 4; **crema de afeitar** shaving cream 6
criar to rise 11
crucero *m* cruise ship 12
cruzar to cross 14
cuaderno *m* notebook 2
cuadra *f* (city) block 14
cuadro *m* picture, painting 10
¿cuál? which (one)? 4
¿cuáles? which (ones)? 4
cuando when 4; **¿cúando?** when? 2
¿cuánto/a? how much? 4
¿cuántos/as? how many? 3
cuarto a quarter 1
cuarto *m* room 2; **cuatro de estar** *m* living room/family room 10
cuarto/a fourth 12
cubano/a *n., adj.* Cuban 1
cubo *m* **de la basura** trash can 10
cuchara *f* spoon 10
cucharita *f* teaspoon 10
cuchillo *m* knife 10
cuello *m* neck 9
cuenta *f* bill, check 7; account 7
cuero *m* leather 8
cuerpo *m* body 9
cuidar to take care of 2
cumpleaños *m* birthday 2
cuñada *f* sister-in-law 3
cuñado *m* brother-in-law 3
cura *f* cure 15

D

dar to give 5; **dar a luz** to give birth 11
dar de comer to feed 15
dar un paseo to take a walk/stroll 5; **dar una caminata** to take a hike 12
de *prep.* of, from 1; **de repente** suddenly 9
debajo de beneath, under 7
deber + *infinitive* ought to, should (do something) 5
débil weak 3
décimo/a tenth 14
decir (i) to say, tell 5
dedo *m* finger 9
desforestación *f* deforestation 12
dejar to leave 13; **dejarse** to leave behind 13; **dejar un mensaje** to leave a message 11
delante de in front of 7
delfín *m* dolphin 12
delgado/a thin 3
delincuente *m* delinquent, offender, criminal 15
delito *m* misdemeanor, crime 15
demasiado *adv.* too, too much 14
demora *f* delay 13
dentro de inside 7
dependiente/a store clerk 6
deporte *m* sport 5
depositar to deposit 7
deprimido/a depressed 9
derecha: a la... to the right 14
derecho straight, straight ahead 14
derechos *m, pl.* ***humanos*** human rights 15
desafortunadamente unfortunately 6
desamparados *m, pl.* homeless people 15
desarrollar to develop 12
desayunar to have breakfast 2

desayuno *m* breakfast 3
descansar to rest 5; **descanse** rest 9
desear want, wish 4
desempleo *m* unemployment 15
desinflado/a flat, deflated (tire) 14
desodorante *m* deodorant 6
despedirse (i, i) to say good-bye 13
despegar to take off 13
desperdiciar to waste 12
despertador *m* alarm clock 6
despertarse (ie) to wake up 6
después de after 2; afterward, later 7; **después de** *prep* after 7; **después de que** *conj.* after 15
destruir (y) destroy 12
destrucción *f* destruction 12
detrás de behind 7
devolver (ue) to return (something) 8
día *m* day 1; **buenos días** good morning 1
diarrea *f* diarrhea 9
diccionario *m* dictionary 2
diciembre December 1
diente *m* tooth 9
digital digital 14
difícil difficult, hard 3
dinero *m* money 6
dirección address 7; **dirección** *f* **electrónica** e-mail address 2
disco compacto *m* CD, compact disk 2
discriminación *f* discrimination 15
Disculpe I am sorry. 1
disfrutar de to enjoy (something) 13
divertido/a amusing, fun 3
divertirse (ie) to have a good time 6
divorciado/a divorced 11
divorciarse to get divorced 11
divorcio divorce 11
doblar to turn 14
doctor/a doctor 2
dolor *m* **de cabeza** *f* headache 9; **dolor de estómago** *m* stomachache 9
dolor de garganta *f* sore throat 9
domingo *m* Sunday 1
dominicano/a *n., adj.* Dominican 1
¿dónde? where 3; **¿adónde?** (to) where? 2; **¿de dónde...?** from where? 4
dormir (ue) to sleep 4; **dormirse (ue)** to go to sleep, to fall asleep 6
dormitorio *m* bedroom 10
drogadicción *f* drug addiction 15
drogas *f, pl.* drugs 15
ducha *f* shower 10
ducharse to take a shower 6
dudar to doubt 12
durazno *m* peach 4

E

echar gasolina to put gas (in the tank) 14
economía *f* economics 2
ecuatoriano/a *n., adj.* Ecuadorian 1
edificio *m* building 7
efectivo *m* cash 7
ejercicio *m* exercise 2; **hacer ejercicio** to exercise, to do exercises 5
ejército *m* army 15
el *m, definite article* **the 2**
él *m, subj.* he 1; *obj. prep. pron.* him 6
elección *f* election 15
elefante *m* elephant 12
eliminar to eliminate 15
ella *f, subj.* she 1; *obj. of prep.* her 6
ellas *f, subj.* they 1; *obj. of prep.* them 6
ellos *m, subj.* they 1; *obj. of prep.* them 6
embarazada pregnant 9
emergencias emergency *f, pl.* 9
emocionante exciting 12
empacar to pack 13
empezar (ie) (a) to begin 7
empleado/a employee 6
empleo *m* job 15
empresa *f* business 6
en in, at 2;on 7; **en caso de que** in case 14
en vez de instead of 7
enamorarse (de) to fall in love (with) 11
encantado/a delighted (to meet you) 1
encantar to delight 12
encima de on top of, above 7
encontrar (ue) to find 7; **encontrarse (ue) (con)** to meet up (with) (by chance) 11
enero January 1
enfermarse to get/become sick 9
enfermero/a nurse 6
enfermo/a sick 3
enfrente de in front of, opposite 7
enlace *m* link 14
enojado/a angry 11
enojarse to get angry 11
ensalada *f* salad 4
entender (ie) to understand 4
entonces then 6
entrada *f* (admission) ticket 7
entrar (en/a) to enter, go into 7
entre between, among 7
entrevista *f* interview 15
enviar to send 2
equipaje *m* luggage 13
equipo *m* team 5
escalar (la montaña) to climb (the mountain) 12
escalera *f* stairs 10
escalofrío *m* chill 9
escoger to choose 15
escribir to write 2
escritorio *m* (teacher's) desk 2
escuchar to listen to 2
escuela *f* elementary school 3
ese/a *adj.* that 6; **ése/a** *pron.* that one 6
esos/as *adj.* those 6; **ésos/as** *pron.* those 6
espalda *f* back 9
español *m* Spanish (language) 2
español/a *n., adj.* Spanish 1
espejo *m* mirror 10
esperar to wait (for) 7; to hope, expect 11
esposa *f* wife 3
esposo *m* husband 3
esquiar to ski 5
esquina *f* (street) corner 14
esta this, that 6; **esta mañana** this morning 2; **esta noche** tonight 2; **esta tarde** this afternoon 2
estación *f* season 4; **estación de autobuses** bus station 14
estación de servicio/la gasolinera service/gas station 14
estación de ferrocarril railroad station 14
estacionamiento *m* parking 14
estacionar to park 14
estadounidense *m/f, n., adj.* American (from the United States) 1

estampilla *f* stamp 7
estante *m* bookshelf, shelf 10
estar to be 3; **estar a favor de** to be in favor of 15
estar casado/a (con) to be married (to) 11
estar comprometido/a to be engaged 11
estar de pie to be standing 8
estar de vacaciones *f, pl.* to be on vacation 12
estar embarazada to be pregnant 11
estar enamorado/a de to be in love (with) 11
estar en contra de to be against 15
estar juntos/as to be together 11
estar listo to be ready 12
estar prometido/a to be engaged 11
estar seguro/a (de) to be sure of 12
estar sentado/a to be seated 9
estatua *f* statue 7
este/a *adj.* this 6; **éste/a** *pron.* this one 6
estéreo *m* stereo 10
estómago *m* stomach 9; **dolor** *m* **de estómago** stomachache 9
estornudar to sneeze 9
estos/as *adj.* these 6; **estos/as** *pron.* these 6
estrella *f* star 12
estresado/a stressed 3
estudiante *m/f* student 2
estudiar to study 2
estufa *f* stove 10
etapas *f, pl.* **de la vida** stages of life 11
evitar to avoid 12
examen *m* exam 2
examinar to examine 9
exploración *f* **del espacio** (outer) space exploration 15
explosión *f* explosion 15
extrañar to miss 11
extraño: es... it's strange 13

F

fábrica *f* factory 6
fácil easy 3
fácilmente easily 6
facturar to check (baggage) 13
falda *f* skirt 8
familia *f* family 2
farmacia *f* pharmacy 9
fascinar to be fascinating to, to fascinate 11
favor (por favor) please 1
febrero February 1
fecha *f* date 1
felicidades *f* congratulations 11
fenomenal terrific 1; **es fenomenal** it's wonderful 13
feo/a ugly 3
fiebre *f* fever 9
fiel faithful 11
fiesta *f* party 2
fila *f* line (of people or things) 7
filosofía *f* philosophy 2
fin *m* **de semana** weekend 2; **fin de semana pasado** last weekend 6; **por fin** finally 9
finanzas *f, pl.* finances 2
física *f* physics 2
flaco/a skinny 3
flores *f, pl.* flowers 5
fogata *f* campfire 12
fracturar(se) (el brazo/ la pierna) to break one's (arm/leg) 9
francés *m* French (language) 2
frecuentemente frequently 6; **con frecuencia** frequently 2
fregadero *m* sink (kitchen) 10
frenos *m, pl.* brakes 14
frente a in front of, opposite, facing 7
fresa *f* strawberry 4
frijoles *m, pl.* beans 4
frío/a cold 5; **hace (mucho) frío** it's (very) cold 5
frito/a fried 4
frontera *f* border 15
fruta *f* fruit 3
fuego *m* fire 12
fuera de outside 7
fuerte strong 3
fumar to smoke 5
funcionar to run, work, function (machine) 14
fútbol *m* soccer 5; **fútbol americano** football 5

G

gafas *f, pl.* eyeglasses 8; **gafas de sol** sunglasses 8
galleta *f* cookie 4
gallina *f* chicken 12
gamba *f* shrimp 4
ganar to win 5; to earn, make money 6
garaje *m* garage 10
garganta *f* throat 9; **dolor m de garganta** sore throat 9
gasolina *f* gas 14
gasolinera *f* gas station 14
gastar to spend 7
gato *m* cat 3
gel *m* gel 6
generalmente generally 6
gente *f* people 7
gerente *m/f* manager 15
gimnasio *m* gym, gymnasium 2
gobierno *m* government 15
golf *m* golf 5
gordo/a fat 3
gorra *f* cap 8
gracias thank you/thanks 1
grande big, large 3
granja *f* farm 12
gratis free of charge 14
gripe *f* flu 9
gris gray 5
guantes *m, pl.* gloves 8
guapo/a good-looking, pretty/ handsome 3
guardar to keep 10, to save 14
guatemalteco/a *n., adj.* Guatemalan 1
guerra *f* war 15
guía *f* **telefónica** phone book 11
guisante *m* pea 4
guitarra *f* guitar 4
gustar to like 4; **el gusto es mío** the pleasure is mine 1

H

habitación *f* room 10
habitación doble double room 13
habitación sencilla single room 13
hablar to speak 2
hace buen/mal tiempo the weather is nice/bad 5
hace (mucho) calor/fresco/frío/ sol/viento it's (very) hot/cool/ cold/sunny/windy 5
hace sol it's sunny 5
hacer to do, make 2
hacer la cama to make the bed 10
hacer cola to get (stand) in line 7
hacer ejercicio to exercise, work out, do exercises 5
hacer escala to have a layover 13
hacer ***esnórquel*** to go snorkeling 12

hacer fila to get (stand) in line 6
hacer las maletas to pack 13
hacer reservaciones/reservas to make reservations 14
hacer *surf* to surf 12
hacer un análisis de sangre do a blood test 9
hacer una cita to make an appointment 9
hambre *f* **(*but el* hambre)** hunger 15
hamburguesa *f* hamburger 4
hasta: hasta mañana see you tomorrow 1; **hasta pronto** see you soon 1; **hasta que** until 15
hay there is/are 2
helado *m* ice cream 4
herida *f* **grave** serious wound 9
hermana *f* sister 3
hermanastra *f* stepsister 3
hermanastro *m* stepbrother 3
hermano *m* brother 2
hermoso/a good-looking, pretty/handsome 3
híbrido *m* hybrid 14
hielo *m* ice 4
hierba *f* grass 12
hija *f* daughter 3
hijo *m* son 3
historia *f* history 2
hoja *f* **de papel** sheet of paper 2; **hojas** *f, pl.* leaves 5
hola hello/hi 1
hombre *m* man 3; **hombre de negocios** businessman 6
hombro *m* shoulder 9
hondureño/a *n., adj.* Honduran 1
hora *f* time 1
horario *m* schedule 13
horno *m* oven 10; **al horno** baked 4
horrible: es... it's horrible 13
hospital *m* hospital 9
hostal *m* hostel 13
hotel *m* hotel 13
hoy today 1
hueso *m* bone 9
huésped/a guest 13
huevo *m* egg 4; **huevos fritos** fried eggs 4; **huevos revueltos** scrambled eggs 4

I

iglesia *f* church 7
igualdad *f* equality 15
igualmente nice meeting you too 1
impermeable *m* raincoat 8
importante: es... it's important 13
importar to be important to, to matter 12
imposible: es... it's impossible 13
impresora *f* printer 2
imprimir to print 2
improbable: es... it's improbable 13
incendios *m, pl.* **forestales** forest fires 12
infancia *f* infancy 11
infección *f* infection 9
informar/reportar to inform 15
informática *f* computer science 2
inglés *m* English (language) 2
inmediatamente immediately 6
inodoro *m* toilet 10
improbable: es... it's improbable 13
insectos *m, pl.* insects 12
insistir (en) to insist (on) 11
inteligente intelligent 3
intentar to try 14
interesante: es... it's interesting 13
interesar to be interesting to, to interest 12
invertir (ie, i) to invest 7
investigación *f* research 15
invierno *m* winter 5
invitar (a) to invite 7
inyección *f* injection 9
ir to go 2
ir de compras to go shopping 5
ir(se) de vacaciones to go on vacation 12
irse leave, depart, to go away 11
isla *f* island 12
italiano *m* Italian (language) 5
izquierda: a la... to the left 14

J

jabón *m* soap 6
jamón *m* ham 4
japonés *m* Japanese (language) 5
jardín *m* garden 10
jeans *m, pl.* jeans 8
jefa *f* boss 15
jefe *m* boss 15
joven young 3
jóvenes *m, pl.* **/los adolescentes** young people, adolescents 11
joyas *f, pl.* jewelry 8
joyería *f* jewelry shop 7
judía *f* **verde** green bean 4
jueves *m* Thursday 1
jugar (ue) to play 5; **jugar al (deporte)** to play (sport) 5
jugo *m* juice 4
julio July 1
junio June 1
juntos/as: estar... to be together 11
justicia *f* justice 15
justo fair 13; **no es...** it's unfair 13
juventud *f* youth 11

K

kayak *m* kayak 12
kilómetro *m* kilometer 14

L

la *f, definite article* the 2; *dir. obj.* her, you (*f*), it (*f*) 5
labio *m* lip 9
laboratorio *m* laboratory 2
lado: al... de beside 7
lago *m* lake 5
lámpara *f* lamp 10
lana *f* wool 8
langosta *f* lobster 4
lápiz *m* pencil 2
largo/a long 8; **de manga larga** long-sleeved 8
las *dir. obj.* them (*f*), you (*f, pl.*) 5
las *f, pl. definite article* the 2
lástima: es una... it's a shame 13
lastimarse to hurt oneself 9
lavabo *m* sink (bathroom) 10
lavadora *f* washer 10
lavamanos *m* bathroom sink 10
lavaplatos *m* dishwasher 10
lavar:... los platos to wash the dishes 10
lavarse to wash oneself 5; **lavarse las manos/la cara** to wash one's hands/face 6
le *ind. obj.* you, him, her (to/for ...) 8
lección *f* lesson 2
leche *f* milk 4
lechuga *f* lettuce 4
lector electrónico *m* electronic reading device 14
leer to read 2
legalizar to legalize 15
legumbre *f* vegetable 3
lejos de far from 7
lengua *f* tongue 9

lento/a slow 14
lentamente slowly 6
lentes *m* **de contacto** contact lenses 8
león *m* lion 12
les *ind. obj.* you, them (to/for you, them) 8
levantar pesas to lift weights 5
levantarse to get up 6
ley *f* law 15
libertad *f* freedom 15
librería *f* bookstore 2
libro *m* book 2
licencia *f* **de conducir** driver's license 14
líder *m/f* leader 15
límite de velocidad *m* speed limit 14
limón *m* lemon 4
limpiar to clean 5
limpio/a clean 8
línea está ocupada the line is busy 11
listo/a: estar... to be ready 11
literatura *f* literature 2
llamada *f* **telefónica** telephone call 11; **llamada de larga distancia** long-distance call 11
llamar to call 3
llanta *f* tire 14; **llanta desinflada** flat tire 14
llave *f* key 13
llegada *f* arrival 13
llegar to arrive 2
llenar (el tanque) to fill (the tank) 14
llevar to wear 8
llevarse bien/mal to get along well/badly 11
llorar to cry 11
llover (ue) to rain 5; **está lloviendo** it's raining 5; **llueve** it's raining, it rains 5
lluvia *f* rain 5
lo *dir. obj. m* him, you, it 5; **lo que** what, that which 4; **lo siento (mucho)** I'm (so) sorry 1
los *m, dir. obj.* them, you 6; m, *pl., definite article* the 2
los aseos/el servicio *m* bathroom 14
Lo siento mucho. I'm very sorry. 14
luchar (por) to fight (for) 15
luego then 6
lugar *m* place 7
luna *f* moon 12; **luna de miel** honeymoon 11
lunes *m* Monday 1
luz *f* light 10

M

madrastra *f* stepmother 3
madre *f* mother 3
madurez *f* adulthood, maturity 11
maestro/a teacher 2
maíz *m* corn 4
mal bad, badly 3
maleta *f* suitcase 13
maletero *m* trunk 14
malo/a bad 3
mañana tomorrow, morning *f* 1; **de la mañana** A.M. (in the morning) 1; **hasta mañana** see you tomorrow 1; **por/en la mañana** in the morning 2
mandar to send 2
manejar to drive 5
manga *f* sleeve 8; **de manga larga/corta** long-/short-sleeved 8
mano *f* hand 9
manos libres *m* handsfree 14
manta *f* blanket 13
mantequilla *f* butter 4
manzana *f* apple 4
mapa *m* map 2
maquillaje *m* makeup 6
maquillarse to put on makeup 6
máquina *m* **de afeitar** electric shaver 6
mar *m* sea 12
marido *m* husband 3
mariposa *f* butterfly 12
marisco *m* seafood 3
marrón brown 5
martes *m* Tuesday 1
marzo March 1
más more 4; **más tarde** later 2
matar to kill 11
matemáticas *f, pl.* mathematics 2
mayo May 1
mayor old (elderly) 3; older 3
me *dir. obj.* me 5; *ind. obj.* me (to/for me) 8; *refl. pron.* myself 5; **me llamo...** my name is... 1
media *f* half 1; **media hermana** half-sister 3; **mi media naranja** my soul mate, other half 11
medias *f, pl.* stockings, hose, socks 8
medianoche *f* midnight 1
médico/a doctor 2
medicina *f* medicine 15
medio hermano *m* half-brother 3
medio *m* **ambiente** environment 12
mediodía *m* noon 1
mejor best 7; **mejor amigo/a** best friend 3; **es mejor** it's better 13
melocotón *m* peach 4
menor younger 3
menos less 4; **a menos (de) que** unless 14
mensaje de texto *m* text message 14
mensaje *m* **electrónico** e-mail message 2
mentir to lie 11
mercado *m* market 3
merienda *f* snack 3
mermelada *f* jam 4
mes *m* month 1
mesa *f* table 2
mesero/a waiter/waitress 6
mesita *f* **de noche** nightstand 10
metro *m* metro, subway 7
mexicano/a *n., adj.* Mexican 1
mí *obj. prep. pron.* me 6; **¡Ay de mí!** Poor me! (What am I going to do?) 14
mi/mis my 2
microondas *m* microwave 10
mientras while 9
miércoles *m* Wednesday 1
mío/a/os/as (of) mine 7; **el gusto es mío** the pleasure is mine 1
mirar to look at 8
mochila *f* backpack 2
moda *f* fashion; **a la moda** in style 8
molestar to be annoying to, to bother 11
moneda *f* currency, money, coin 7
monitor *m* monitor 14
mono *m* monkey 12
montañas *f, pl.* mountains 3
montar a caballo to ride horseback 12
morado/a purple 5
moreno/a brunette, dark-skinned 3
morir (ue, u) to die 7
mosca *f* fly 12
mosquito *m* mosquito 12
mostrar (ue) to show 8

motocicleta *f* motorcycle 14
motor *m* motor 14; **afinar el motor** to tune the motor 14
mover(se) (ue) to move (oneself) 10
muchacha *f* girl 3
muchacho *m* boy 3
mucho *adv.* much, a lot 4; **mucho/a/os/as** *m/f, adj.* much, a lot 4; **(muchas) gracias** thank you (very much) 1; **muchas veces** *f, pl.* many times, often 8; **mucho gusto** pleased to meet you 1
mudarse to move (from house to house) 10
muebles *m, pl.* furniture 10
muerte *f* death 11; **pena de muerte** death penalty 15
mujer *f* woman, wife 3; **mujer de negocios** businesswoman 6
mujer policía policewoman 14
muletas *f, pl.* crutches 9
multa *f* fine, ticket 14
mundo *m* world 12
museo *m* museum 7
música *f* music 2
muy very 3; **muy bien** very well 1

N

nacer to be born 11
nacimento *m* birth 11
nada nothing 8; **de nada** you're welcome 1
nadar to swim 12
nadie no one, nobody 8
naranja *f* orange (fruit) 4
narcotráfico *m* drug trafficking 15
nariz *f* nose 9
naturaleza *f* nature 12
náuseas *f, pl.* nausea 8
nave *f* **espacial** space ship 15
navegador *m* browser 14
navegar por la red to surf the Web 2
necesario: es... it's necessary 13
necesitar to need 4
negro/a black 5
nervioso/a nervous 3
nevar (ie) to snow 5; **está nevando** it's snowing 5
ni not, not even 8
ni... ni neither... nor 8
nicaragüense *m/f, n., adj.* Nicaraguan 1
nieta *f* granddaughter 3
nieto *m* grandson 3
nieva it's snowing 5
nieve *f* snow 5
ningún (ninguno/a) no, none, no one 8
niña *f* child 3
niñez childhood 11
niño *m* child 3
niños *m, pl.* children 11
noche *f* night 1; **buenas noches** good evening/night 1; **de la noche** p.m. (in the evening, at night) 1; **por/en la noche** in the evening, at night 2
normalmente normally 6
nos *dir. obj.* us 5; *ind. obj.* us (to/for us) 7; *refl. pron.* ourselves 5
nosotros/as *subj. pron.* we 1; *obj. prep.* us 6
nota *f* grade, score 2
noticias *f, pl.* news 7
noticiero *m* newscast 15
noveno/a ninth 14
novia *f* girlfriend 3
noviembre November 1
novio *m* boyfriend 3
nube *f* cloud 5
nublado cloudy 5; **está (muy) nublado** it's (very) cloudy 5
nuestro/a/os/as our 2;(of) ours 8
nuevo/a new 3
nunca never 2

O

o or 8; **o... o** either ... or 8
obra *f* **de teatro** play 7
obvio: es... it's obvious 13
océano *m* ocean 12
octavo/a eighth 14
octubre October 1
ocupado/a busy 3
oficina *f* office 2; **oficina de correos** post office 8
ojo *m* eye 9
oído *m* ear (inner) 9
oír to hear 5
ojalá que... I hope 11
ola *f* wave 12
olvidar to forget 11; **olvidarse de** to forget 11
ordenar (el cuarto) to tidy (the room) 10
oreja *f* ear (outer) 9
oro *m* gold 8
ordenar to tidy up 10
os *dir. obj.* you *pl.* 5; *ind. obj.* you (to/for you) 7; *refl. pron.* yourselves 5
oscuro/a dark 5
otoño *m* autumn, fall 5
otro/a another 4
otros/as other 4
oveja *f* sheep 12

P

paciente *m/f* patient 9
padrastro *m* stepfather 3
padre *m* father 2
padres *m, pl.* parents 3
pagar to pay (for) 7
página *f* page 2; **página web** Web page 2
país *m* country 13
pájaro *m* bird 12
pan *m* **(tostado)** bread (toast) 4
pantalla *f* screen 2
pantalones *m, pl.* pants 8; **pantalones cortos** shorts 8
papa *f* potato 4; **papas fritas** french fries 4
papel *m* paper 2; **papel higiénico** toilet paper 6
papelera *f* wastebasket 2
paquete *m* package 7
para for, in order to, toward, by 12; **para que** so that, in order that 14; **para + *infinitivo*** in order to (do something) 7
parabrisas *m* windshield 14
parada *f* **de autobús** bus stop 7
paraguas *m* umbrella 8
paramédicos *m, pl.* paramedics 9
parar to stop (movement) 14
parece que it seems that... 13
pared *f* wall 10
pareja *f* partner, significant other 3; couple 11
pariente *m* relative 3
parque *m* park 7
parrilla (a la parrilla) grilled 4
partido *m* game, match 5
pasado: el año/ mes/ verano... last year/ month/ summer 6
pasajero/a passenger 13
pasaporte *m* passport 13
pasar to spend (time), to happen, pass, 7

pasar la aspiradora to vacuum 10
pasillo *m* aisle (between rows of seats) 13
pasta *f* **de dientes** toothpaste 6
pastel *m* pie, pastry 4
pastelería *f* pastry shop, bakery 7
patata *f* potato 4
patio *m* yard 10
paz *f* peace 15
pedir (i, i) to ask for, request, order 4
pecho *m* chest, breast 9
peinarse to comb one's hair 6
peine *m* comb 6
película *f* film, movie 7
peligroso/a dangerous 12
pelo *m* hair 9; **secador** *m* **de pelo** hair dryer 6
pelota *f* ball 5
pendientes *m, pl.* earrings 8
pensar (ie) to think 4; **pensar (ie)** + infinitivo to intend/plan (to do something) 5; **pensar (ie) en** to think about (someone or something) 11
peor worse 10
pequeño/a small, little 3
pera *f* pear 4
perder (ie) to lose 7; **perder el tren** to miss the train 13
perdón pardon me, excuse me 1
perezoso/a lazy 3
periódico *m* newspaper 7
periodista *m/f* journalist 6
pero but 3
perro *m* dog 3
personalmente personally 6
pescado *m* fish 4
pescar to fish 12
pez *m* **(los peces)** fish 12
pie *m* foot 9; **estar de pie** to be standing 9
pierna *f* leg 9
piloto *m/f* pilot 13
pimienta *f* pepper 4
piña *f* pineapple 4
pintar to paint 5
piscina *f* swimming pool 13
piso *m* floor (of a building) 10
pizarra *f* chalkboard, board, blackboard 2
pizzería *f* pizzeria 7
planeta *m* planet 12
planta *f* plant 12
planta baja main floor 13
plata *f* silver 8
plátano *m* banana 4
plato *m* dish, course 3; plate 10
playa *f* beach 3
plaza *f* plaza, town square 7
pluma *f* pen 2
pobre poor 3
pobreza *f* poverty 15
poco *adv.* little 4; **un poco** *adv* a bit, a little, somewhat 3
poco/a *adj.* little (quantity) 4; **pocos/ as** *adj.* few 4
poder (ue) to be able, can 4
policía *m* policeman 14
política *f* **mundial** world politics 15
pollo *m* chicken 4
polución *f* pollution 12
poner to put, place 5; **poner la mesa** to set the table 10
poner una inyección/una vacuna to give a shot/vaccination 9
ponerse (los zapatos, la ropa, etc.) to put on (shoes, clothes, etc.) 6
por for, down, by, along, through 7
por favor please 1
por fin finally 9
por la mañana in the morning 2
por la noche in the evening, at night 2
por la tarde in the afternoon 2
¿por qué? why? 4
¡Por supuesto! Of course! 14
porque because 4
posible: es... it's possible 13
posiblemente possibly 6
póster *m* poster 10
postre *m* dessert 3
practicar to practice 2
practicar el descenso de ríos to go white-water rafting 12
practicar el *parasail* to go parasailing 12
precio *m* price 8
preciso: es... it's necessary 13
preferir (ie, i) to prefer 4
pregunta *f* question 2
prejuicio *m* prejudice 15
prender to turn on 10
preocupado/a worried 3
preocuparse (por) to worry (about) 9
preparar to prepare 2
prevenir to prevent 12
primavera *f* spring 5
primer first 14; **primer piso** *m* first floor, 10
primero *adv.* first 6; **primero/a** first 14; **de primera clase** first class 14
primo/a cousin 3
probable: es... it's probable 13
probablemente probably 6
problema *m* problem 12
profesor/a professor 2
programa (de computadora) *m* software 14
programador/a computer programmer 2
prohibir to prohibit 15
propina *f* tip 13
proteger to protect 12
próximo/a next 5; **el próximo mes/ año / verano** next month/year/ summer 5
prueba *f* quiz 2
psicología *f* psychology 2
pueblo *m* village (small town) 12
puente *m* bridge 14
puerta *f* door 2; **puerta de salida** gate 13
puerto (USB) *m* (USB) port 14
puertorriqueño/a *n., adj.* Puerto Rican 1
pues well 1
pues nada *(informal)* not much 1
pulmón *m* lung 9
pulsera *f* bracelet 8
pupitre *m* (student) desk 2

Q

que that 4; **lo que** what, that which 4; **¿qué?** what?, which? 4; **¿qué hay de nuevo?** what's new? (*informal*) 1; **¿qué pasa?** what's happening? (*informal*) 1; **¿qué tal?** how are you? (*informal*) 1
¡Qué barbaridad! How awful! 14
¡Qué lástima! What a shame! 14
¡Qué lío! What a mess! 14
¡Qué suerte! What luck!/ How lucky! 14
quedarse to stay 9
quejarse de to complain about 11
querer (ie) to want, love 4
queso *m* cheese 4
¿quién/quiénes? who? 3; **¿de quién?** whose? 4
química *f* chemistry 2
quinto/a fifth 14

quiosco *m* newsstand 7
quisiera I would like 4
quitar:... la mesa to clear the table 10
quitarse la ropa to take off (clothes, etc.) 6

R

***rafting:* practicar el...** to go white-water rafting 12
rápidamente rapidly 6
rápido/a fast 14
rascacielos *m* skyscraper 7
rasuradora *f* razor 6
ratón *m* mouse 2
rebajas *f* sales 8
recámara *f* bedroom 10
recepción *f* reception, front desk 9
recepcionista *m/f* receptionist 13
receta *f* prescription 9
recibir to receive 7
reciclar to recycle 12
recientemente recently 6
reclamo de equipajes *m, pl.* baggage claim 13
recoger to pick up, gather 12
recomendar (ie) to recommend 11
recordar (ue) to remember 11
recursos *m, pl.* **naturales** natural resources 12
red social *f* social network 14
reducir to reduce 12
refresco *m* soft drink 4
refrigerador *m* refrigerator 10
regalo *m* gift 8
registrarse to register 13
regresar to return 2
regular OK, so-so 1
reírse (de) to laugh at 11
religión *f* religion 2
reloj *m* clock 2; watch 8
reparar to repair 14
repente all of a sudden, suddenly 9
repetir (i, i) to repeat 7
reportar to report 15
reportero/a reporter 15
reproductor de DVD *m* DVD player 2
reservación *f* reservation 13
resfriado *m* cold 9
residencia f **estudiantil** student dorm 2
resolver (ue) to solve/resolve 10
responsable responsible 3
respuesta *f* answer 2
restaurante *m* restaurant 2
retirar take out, to withdraw 7
reunirse (con) to meet, get together 11
revisar to check over 14
revista *f* magazine 7
rico/a rich 3
ridículo: es... it's ridiculous 13
río *m* river 15
robar to rob, steal 15
rojo/a red 5
romper to break 10; **romper (con)** to break up (with) 11; **romperse** to get broken 14
ropa *f* clothes, clothing 8; **ropa** *f* **interior** underwear 8
ropero *m* closet 8
rosado/a pink 5
rubio/a blonde 3
ruido *m* noise 10
ruso *m* Russian (language) 5
rutina *f* routine 6

S

sábado *m* Saturday 1
sábana *f* sheet 13
saber to know (facts, information) 5; to know how to (skills) 5
sacar fotos *f, pl.* to take photos 11
sacar la basura to take out the garbage 10
sacar los pasaportes to get passports 13
sacar una nota to get a grade 2
sacar una radiografía to x-ray 9
sacar sangre to draw blood 9
saco *m* **de dormir** sleeping bag 12
sacudir to dust 10
sal *f* salt 4
sala *f* living room 10; **sala de espera** waiting room 9; **sala de urgencias** emergency room 9
salchicha *f* sausage 4
salida *f* departure 13
salir to leave, go out 2; **salir (con)** to go out (with), date 11
salud *f* health 8
saltar en paracaídas to go parachute jumping 12
sandalias *f, pl.* sandals 8
sandía *f* watermelon 4
sándwich *m* sandwich 4
sano/a healthy 9
satélite *m* satellite 14
se *reflex. pron.* yourself, himself, herself, themselves 5
secador *m* **de pelo** hair dryer 6
secadora *f* dryer 10
secar:... los platos to dry the dishes 9; **secarse** to dry (oneself) 6
secretario/a secretary 6
seda *f* silk 8
seguir (i, i) to continue, follow 14
segundo/a second 14; **de segunda clase** second class 14
segundo piso second floor 10
seguro *m* insurance 14
seguro/a safe 14
sello *m* stamp 7
selva *f* jungle 12
semáforo *m* traffic light 14
semana *f* week 1; **semana** f **pasada** last week 6
sentarse (ie, i) to sit down 9
sentir (ie, i) to be sorry, regret 11; **lo siento (mucho)** I'm (so) sorry 1; **sentirse (ie, i)** to feel 9
señal *f* sign 14
separarse (de) to separate 11
septiembre September 1
séptimo/a seventh 14
ser to be 2
serio/a serious, dependable 3
serpiente *f* snake 12
servicio de habitación room service 13
servilleta *f* napkin 10
servir (i, i) to serve 4
sexto/a sixth 14
SIDA *m* AIDS 15
silla *f* chair 2; **silla de ruedas** wheel chair 9
sillón *m* easy chair 10
simpático/a nice, likeable 3
sin without 4
sincero/a honest, sincere 11
sistema GPS *f* GPS 14
sitio web *m* Web site 2
sobre on 7; **sobre** *m* envelope 7
sobrepoblación f overpopulation 15
sobrina *f* niece 3
sobrino *m* nephew 3
sociedad *f* society 15
sociología *f* sociology 2
¡Socorro! Help! 14
sofá *m* sofa 10
sol *m* sun 12

solo *adv.* only 5
solicitar to apply for (job) 15
solicitud *f* application 15
soltero/a single 11
sombrero *m* hat 8
sonar (ue) to ring, to sound 6
sopa *f* soup 4
sortija *f* ring 8
sótano *m* basement 10
su/sus his, her, its, your (*formal*), their 2
subir to go up 10; **subirse a** to get on, board 13
sucio/a dirty 8
suegra *f* mother-in-law 3
suegro *m* father-in-law 3
suelo *m* floor 10
suéter *m* sweater 8
sufrir to suffer 15
sugerir (ie, i) to suggest 11
suyo/a/os/as (of) his, (of) hers, (of) theirs, (of) yours (*formal*) 8

T

talla *f* size (clothing) 8
taller *m* **mecánico** shop 14
también also 8
tampoco neither, not either 8
tan: tan... como as... as 9; **tan pronto como** as soon as 15
tanque *m* tank 14
tanto: tanto como as much as 10; **tanto/a/os/as... como** as much/many... as 10
taquilla *f* ticket window 13
tarde *f* afternoon 1; **buenas tardes** good afternoon 1; **de la tarde** P.M. (in the afternoon) 1; **por/en la tarde** in the afternoon 2
tarea *f* homework, assignment, task 2
tarjeta *f* card; **tarjeta de crédito/débito** credit/debit card 7
tarjeta de embarque boarding pass 13
tarjeta postal post card 7
tarjeta telefónica calling card 11
taxi *m* taxi 7
taza *f* cup 10
te *dir. obj.* you (*informal*) 5; *ind. obj.* you (to/for you) (*informal*) 8; **¿Te duele?** Does it hurt? 9
te presento (*informal*) I want to introduce ... to you 1; *reflex. pron.* yourself (*informal*) 5
té *m* tea 4
teatro *m* theater 7
techo *m* roof 10
teclado *m* keyboard 2
teléfono *m* **celular** cell phone 15
televisor *m* television set 2
temer to fear, be afraid of 11
temprano early 2
tenedor *m* fork 10
tener calor/frío to be hot/cold 5
tener celos to be jealous 11
tener cuidado to be careful 14
tener éxito to be successful 15
tener ganas de + *infinitivo* to feel like (doing something) 5
tener hambre/sed to be hungry/thirsty 4
tener miedo to be afraid 12
tener prisa to be in a hurry 13
tener que + *infinitivo* to have to ... (do something) 5
tener sueño to be sleepy, tired 6
tenis *m* tennis 5
tercero/a third 14
terminar to finish 7
termómetro *m* thermometer 9
terrorismo *m* terrorism 15
ti *obj. prep.* you (*informal*) 6
tía *f* aunt 3
tiempo m weather 5; **a tiempo** on time 2
tienda *f* store, shop 6; **tienda de campaña** tent 12
tienda *f* **de ropa** clothing store 5
tienda por departamentos *f* department store 8
tierra *f* earth, land 12
tigre *m* tiger 12
tijeras *f, pl.* scissors 6
tío *m* uncle 3
tirar to toss, throw (away) 10
tiza *f* chalk 2
toalla *f* towel 6
tobillo *m* ankle 9
tocar to play (instruments) 5
tocineta *f* bacon 4
tocino *m* bacon 4
todo *m, adj.* everything 8
todo/a/os/as *adj.* **toda la mañana** all morning 2; **toda la noche** all night 2; **toda la tarde** all afternoon 2; **todas las mañanas** every morning 2; **todas las noches** every evening, night 2; **todas las tardes** every afternoon 2; **todo el día** all day 2; **todos los días** every day 2
todavía still, yet 4
tomar to take, drink 4; **tomar apuntes** *m, pl.* to take notes 2; **tomar el sol** to sunbathe 5; **tomar fotos** *f, pl.* to take photos 12
tomar la temperatura to take one's temperature 9; **tomar la presión arterial** to take one's blood pressure 9; **tomar el pulso** to take one's pulse 9
tomate *m* tomato 4
Tome aspirinas/las pastillas/las cápsulas Take aspirin/the pills/the capsules. 9
tonto/a dumb, silly 3
torcer(se) (ue) to sprain (one's ankle) 9
torta *f* cake 4
tos *f* cough 9
toser to cough 9
trabajador/a hardworking 3
trabajar to work 2; **trabajar para...** to work for 6
trabajo *m* work 6; **trabajo** *m* **a tiempo completo** full-time job 5; **trabajo a tiempo parcial** part-time job 5; **trabajo** *m* **(escrito)** paper (academic) 2; **trabajo voluntario** *m* volunteer work 15; **en el trabajo** at work 3
traer to bring 5
tráfico *m* traffic 14
traje *m* suit 8; **traje de baño** bathing suit 8
tranquilamente calmly 6
tránsito *m* traffic 14
tratar de + *infinitivo* to try to (do something) 14
tren *m* train 14
triste sad 3
tú *subj. pron.* you (*informal*) 1**tu/tus** your (*informal*) 2
tutor/a tutor 15
tuyo/a/os/as (of) yours (*informal*) 7

U

un/uno/una a 2; one 1; **un poco** *adv.* a bit, a little, somewhat 3; **una vez** once, one time 9
una lástima: es... it's a pity 13
unos/unas some 2
universidad *f* college/university 2
uña *f* fingernail 9
urgente: es... it's urgent 13
uruguayo/a *n., adj.* Uruguayan 1
usar to use 2
usted *subj. pron.* you (*formal*) 1; *obj. prep.* you (*formal*) 6
ustedes *subj. pron.* **you** (*pl.*) 1; *obj. prep.* you (*pl.*) 6
uva *f* grape 4

V

vaca *f* cow 12
vacaciones *f, pl.* vacation 12
vacuna *f* vaccination 9
valle *m* valley 12
vaqueros *m, pl.* jeans 8
vaso *m* glass (drinking) 10
VCR *m* VCR, video 2
vecino/a neighbor 10
vejez old age 11
velocidad *f* speed 14
venda *f* bandage 9
vender to sell 4
venir (ie) to come 5
ventana *f* window 2
ventanilla *f* window (airplane, train, car) 13
ver to see 5; **ver la tele(visión)** to watch TV 5
verano *m* summer 5
verdad: es... it's true 13
verde green 5
verdura *f* vegetable 3
vestido *m* dress 8
vestirse (i) to get dressed 6
viajar to travel 5
viaje *m* a trip 14
víctima *f* victim 15
vida *f* life 11
videoconsola *f* video game playing device 14
videojuego *m* video game 14
viejo/a old 3
viernes Friday 1
vinagre *m* vinegar 4
vino *m* wine 4
violencia *f* violence 15
visitar to visit 3
viudo/a widower/widow 11
vivir to live 2
volante *m* steering wheel 14
volar (ue) to fly 13
voleibol *m* volleyball 5
voluntario/a volunteer 15
volver (ue) to return, to go back 4
vomitar to vomit 9
vómito *m* vomit 9
vosotros/as *subj.* you (*informal, pl., Sp.*) 1; *obj. prep.* you (*informal, pl., Sp.*) 6
votar (por) to vote (for) 15
vuelo *m* flight 13
vuestro/a/os/as your (*informal*) 2; (of) yours (*informal*) 7

Y

y and 3
ya already 6
yeso *m* cast 9
yo *subj. pron.* I 1

Z

zanahoria *f* carrot 4
zapatería *f* shoe store 7
zapatos *m, pl.* shoes 8; **zapatos de tenis** tennis shoes 8
zumo *m*, juice 4

Vocabulario: English-Spanish

A

a bit, a little, somewhat un poco *adv.* 3
a quarter cuarto 1
a trip viaje *m* 14
a.m. (in the morning) de la mañana 1
a; one un/uno/una 1; 2
abortion aborto *m* 15
accident accidente *m* 14
accountant contador/a 6
accounting contabilidad *f* 2
addicted adicto/a 14
address dirección 7
admission ticket entrada *f* 7
adolescence adolescencia 10
adolescents adolescentes *m, pl.* 10
adulthood, maturity madurez *f* 11
adults adultos *m, pl.* 11
adventure aventura *f* 12
affectionate cariñoso/a 11
after después de que *conj.* 15
after después de 2
afternoon tarde *f* 1
afterwards, later después de *prep.* 7
ahead of time con... de anticipación 13
AIDS SIDA *m* 15
air conditioning aire acondicionado 13
airline aerolínea *f* 13
airplane avión *m* 13
airport aeropuerto *m* 13
aisle (between rows of seats) pasillo *m* 13
alarm clock despertador *m* 6
algebra álgebra *f* (*but el* álgebra) 2
all afternoon toda la tarde 2
all day todos los días 2
all morning todo/a/os/as *adj.*: toda la mañana 2
all night toda la noche 2
all of a sudden, suddenly repente 9
allergy alergia *f* 9
(almost) always (casi) siempre 2
already ya 6
also también 8
ambulance ambulancia *f* 9
American (from the United States) estadounidense *m/f, n., adj.* 1
amusing, fun divertido/a 3
and y 3
angry enojado/a 11
animal animal *m* 11
ankle tobillo *m* 9
another otro/a 4
answer respuesta *f* 2
answering machine contestador automático *m* 11
any, some, someone algún (alguno/a/os/as) 8
anyone alguien 8
anything algo, nada 8
apartment apartamento *m* 2
apple manzana *f* 4
application solicitud *f* 15
April abril 1
area code código *m* de área 11
Argentinian argentino/a *n., adj.* 1
arm brazo *m* 9
army ejército *m* 15
arrival llegada *f* 13
art arte *m* (*but las* artes) 2
as... as tan: tan... como 9
as much as tanto: tanto como 10
as much/ many... as tanto/a/os/ as... como 10
as soon as tan pronto como 15
at home en casa 6
at work en el trabajo 3
at, to a 2
ATM machine cajero *m* automático 7
August agosto 1
aunt tía *f* 3
autumn, fall otoño *m* 5
avenue avenida *f* 7

B

baby bebé *m/f* 3
back espalda *f* 9
backpack mochila *f* 2
bacon tocineta *f* 4
bacon tocino *m* 4
bad malo/a 3
bad, badly mal 3
baggage claim reclamo de equipajes *m, pl.* 13
baked al horno 4
ball pelota *f* 5
banana banana *f* 4
banana plátano *m* 4
bandage venda *f* 9
bank; bench banco *m* 7
bar bar *m* 7
baseball béisbol *m* 5
basement sótano *m* 10
basketball baloncesto *m* 5
basketball básquetbol *m* 5
bathing suit traje de baño 8
bathroom baño *m* 10
bathroom los aseos/el servicio *m* 14
bathtub bañera *f* 10
beach playa *f* 3
beans frijoles *m, pl.* 4
because porque 4
because of causa (a causa de) 12
bed cama *f* 6
bedroom dormitorio *m* 10
bedroom recámara *f* 10
beer cerveza *f* 4
before antes de que *conj.* 15
before antes de *prep.* before 2
behind detrás de 7
beige beige 5
bellhop botones *m, pl.* 13
belt cinturón *m* 8
beneath, under debajo de 7
beside al lado de 7
beside lado: al... de 7
best mejor 7
best friend mejor amigo/a *m* 3
between, among entre 7
bicycle bicicleta *f* 5
big, large grande 3
bill, check; account cuenta *f* 7
biology biología *f* 2
bird pájaro *m* 12
birth nacimento *m* 11
birthday cumpleaños *m* 2
black negro/a 5
blanket cobija *f* 13
blanket manta *f* 13
blonde rubio/a 3
blouse blusa *f* 8
blue azul 5
boarding pass tarjeta de embarque 13
boat barco *m* 12
boat (small) bote *m* 12
body cuerpo *m* 9
Bolivian boliviano/a *n., adj.* 1
bomb bomba 15
bone hueso *m* 9
book libro *m* 2
bookshelf, shelf estante *m* 10

bookstore librería *f* 2
boots botas *f, pl.* 8
border frontera *f* 15
bored/boring aburrido/a 3
boss jefe/a 15
boy chico *m* 3
boy muchacho *m* 3
boyfriend novio *m* 3
bracelet pulsera *f* 8
brakes frenos *m, pl.* 14
bread (toast) pan *m* (tostado) 4
breakfast desayuno *m* 3
bridge puente *m* 14
briefcase, carry-on bag maletín *m* 13
broccoli brócoli *m* 4
brother hermano *m* 2
brother-in-law cuñado *m* 3
brown marrón 5
browser navegador 14
brunette, dark-skinned moreno/a 3
brush cepillo *m* 6
building edificio *m* 7
bureau cómoda *f* 10
bus autobús *m* 7
bus station estación de autobuses 14
bus stop parada *f* de autobús 7
business empresa *f* 6
businessman hombre de negocios 6
businesswoman mujer de negocios 6
busy ocupado/a 3
but pero 3
butter mantequilla *f* 4
butterfly mariposa *f* 12
bye, so-long chao 1

C

cable cable *m* 14
cafeteria cafetería *f* 2
cake torta *f* 4
calculator calculadora *f* 2
calculus cálculo *m* 2
calling card tarjeta telefónica 11
calmly tranquilamente 6
camera cámara *f* 12
camp campamento *m* 12
campfire fogata *f* 12
cancer cáncer *m* 15
candidate candidato/a *m/f* 15
cap gorra *f* 8
car auto *m* 3
car carro *m* 3
car coche *m* 3
card tarjeta *f* 7
carne de cerdo carne *f* de cerdo 4
carrot zanahoria *f* 4
cash efectivo *m* 7
cashier cajero/a 6
cast yeso *m* 9
cat gato *m* 3
cathedral catedral *f* 7
CD, compact disk CD *m* 2
CD, compact disk disco compacto *m* 2
cell phone teléfono *m* celular 15
cereal cereal *m* 4
chain cadena *f* 8
chair silla *f* 2
chalk tiza *f* 2
chalkboard, board, blackboard pizarra *f* 2
change, small change, exchange cambio *m* 7
chapter capítulo *m* 2
check cheque *m* 7
cheese queso *m* 4
chemistry química *f* 2
cherry cereza **f** 4
chest, breast pecho *m* 9
chicken gallina *f* 12
chicken pollo *m* 4
child niña *f* 3
child niño *m* 3
childhood niñez 11
children niños *m, pl.* 11
Chilean chileno/a *n., adj.* 1
chill escalofrío *m* 9
church iglesia *f* 7
citizen ciudadano/a 15
city ciudad *f* 3
city block cuadra *f* 14
class clase *f* 2
classroom aula *f* (*but el* aula) 1
clean limpio/a 8
clock; watch reloj *m* 2; 8
climate change cambio climático *m* 12
closed cerrado/a 3
closet clóset *m* 8
clothes, clothing ropa *f* 8
clothing store tienda *f* de ropa 5
cloud nube *f* 5
cloudy está (muy) nublado 5
coat abrigo *m* 8
coffee; coffee place café *m* 4
cold frío/a 5
cold resfriado *m* 9
college/university universidad *f* 2
Colombian colombiano/a *n., adj.* 1
comb peine *m* 6
comfortable cómodo/a 14
company compañía *f* 6
computer computadora *f* 2
computer programmer programador/a 2
computer science computación *f* 2
computer science informática *f* 2
congratulations felicidades *f, pl.* 11
connection conexión *f* 14
constantly constantemente 6
construct construir 15
contact lenses lentes *m* de contacto 8
cookie galleta *f* 4
corn maíz *m* 4
corruption corrupción *f* 15
Costa Rican costarricense *m/f, n., adj.* 1
cotton algodón *m* 8
cough tos *f* 9
country campo *m* 3
country país *m* 13
cousin primo/a *m/f* 3
cow vaca *f* 12
crash choque *m* 14
cream crema *f* 4
credit/debit card tarjeta de crédito/débito 7
crime delito *m* 15
cruise ship crucero *m* 12
crutches muletas *f, pl.* 9
Cuban cubano/a *n., adj.* 1
cup taza *f* 10
cure cura *f* 15
currency, money, coin moneda *f* 7
curtain cortina *f* 10
customs aduana *f* 13

D

dangerous peligroso/a 12
dark oscuro/a 5
date fecha *f* 1
date, appointment cita *f* 11
daughter hija *f* 3
day día *m* 1
day before yesterday anteayer 6
death muerte *f* 11
death penalty pena de muerte 15
December diciembre 1
deforestation desforestación *f* 12
delay demora *f* 13
delighted (to meet you) encantado/a 1
delinquent, offender, criminal delincuente *m* 15

deodorant desodorante *m* 6
department store tienda por departamentos *f* 7
departure salida *f* 13
depressed deprimido/a 9
dessert postre *m* 3
destroy destruir (y) 12
destruction destrucción *f* 12
device aparato *m* 14
diarrhea diarrea *f* 9
dictionary diccionario *m* 2
digital digital 14
difficult, hard difícil 3
dining room comedor *m* 10
dirty sucio/a 8
disagreeable, unpleasant (persons) antipático/a 3
discrimination discriminación *f* 15
dish, course, plate plato *m* 3, 10
dishwasher lavaplatos *m* 10
divorce divorcio 11
divorced divorciado/a 11
do a blood test hacer un análisis de sangre 9
doctor doctor/a 2
doctor médico/a 2
doctor's office consultorio *m* del médico/de la médica 9
Does it hurt? ¿Te duele? 9
dog perro *m* 3
dolphin delfín *m* 12
Dominican dominicano/a *n., adj.* 1
door puerta *f* 2
double bed cama doble 6
double room habitación doble 13
dress vestido *m* 8
drink, beverage bebida *f* 4
driver conductor/a 14
driver's license licencia *f* de conducir 14
drug addiction drogadicción *f* 15
drug trafficking narcotráfico *m* 15
drugs drogas *f, pl.* 15
dryer secadora *f* 10
dumb, silly tonto/a 3
DVD player el (reproductor) de DVD 2

E

each, every cada 9
ear (inner) oído *m* 9
ear (outer) oreja *f* 9
early temprano 2
earphone auricular *m* 14
earrings aretes *m, pl.* 8
earrings pendientes *m, pl.* 8
earth, land tierra *f* 12
easily fácilmente 6
easy fácil 3
easy chair sillón *m* 10
economics economía *f* 2
Ecuadorian ecuatoriano/a *n., adj.* 1
egg/fried eggs/scrambled eggs huevo *m*/huevos fritos/ huevos revueltos 4
eighth octavo/a 14
either...or o...o 8
elderly ancianos *m, pl.*/la anciana *f* /el anciano *m* 11
election elección *f* 15
electric shaver máquina *m* de afeitar 6
electronic reading device lector electrónico *m* 14
elephant elefante *m* 12
elementary school escuela *f* 3
elevator ascensor *m* 13
e-mail correo *m* electrónico 2
e-mail address dirección *f* electrónica 2
e-mail message mensaje *m* electrónico 2
emergency *f, pl.* emergencias 9
emergency room *f, pl.* sala de urgencias 9
exciting emocionante 12
employee empleado/a 6
English (language) inglés *m* 2
envelope sobre *m* 7
environment medio *m* ambiente 12
equality igualdad *f* 15
eraser borrador *m* 2
every afternoon todas las tardes 2
every day todo el día 2
every evening, night todas las noches 2
every morning todas las mañanas 2
everything todo *adj.* 8
exam examen *m* 2
exciting emocionante 12
exercise ejercicio *m* 2
expensive caro/a 8
explosion explosión *f* 15
eye ojo *m* 9
eyeglasses gafas *f, pl.* 8

F

face cara *f* 9
factory fábrica *f* 6
fair justo/a 13
faithful fiel 11
family familia *f* 2
family room la sala/el cuarto de estar *f/m* 10
far from lejos de 7
farm granja *f* 12
fashion moda *f* 8
fast rápido/a 14
fat gordo/a 3
father padre *m* 2
father-in-law suegro *m* 3
February febrero 1
fever fiebre *f* 9
few pocos/as *adj.* 4
fifth quinto/a 14
film, movie película *f* 7
finally por fin 9
finances finanzas *f, pl.* 2
fine, well bien 3
fine, ticket multa *f* 14
finger dedo *m* 9
fingernail uña *f* 9
fire fuego *m* 12
fireplace, chimney chimenea *f* 10
first primer 14
first primero/a 6
first class de primera clase 13
first floor primer piso *m* 10
first/second-class ticket boleto de primera/ segunda clase round trip ticket 13
fish pescado *m* 4
fish pez *m* (los peces) 12
flat tire llanta desinflada 14
flat, deflated (tire) desinflado/a 14
flight vuelo *m* 13
flight attendant asistente de vuelo 13
floor suelo *m* 10
floor (of a building) piso *m* 10
flowers flores *f, pl.* 5
flu gripe *f* 9
fly mosca *f* 12
food, main meal comida *f* 3
foot pie *m* 9
football fútbol americano *m* 5
for, down, by, along, through por 7
for, in order to, toward, by para 14
forest bosque *m* 12
forest fires incendios *m, pl.* forestales 12
fork tenedor *m* 10
fourth cuarto/a 14
free of charge gratis 14

freedom libertad *f* 15
French (language) francés *m* 2
French fries papas fritas 4
frequently frecuentemente 6
frequently con frecuencia 2
Friday viernes 1
fried frito/a 4
friend amigo/a 3
friendly, kind amable 3
friendship amistad *f* 11
from where? ¿de dónde...? 4
fruit fruta *f* 3
full-time job trabajo *m* a tiempo completo 5
furniture muebles *m, pl.* 10

G

game, match partido *m* 5
garage garaje *m* 10
garbage basura *f* 12
garbage can bote de basura *m* 10
garden jardín *m* 10
garlic ajo *m* 4
gas gasolina *f* 14
gas station gasolinera *f* 14
gate puerta de salida 13
gel gel *m* 6
generally generalmente 6
German (language) alemán *m* 2
gift regalo *m* 8
girl chica *f* 3
girl muchacha *f* 3
girlfriend novia *f* 3
glass (drinking) vaso *m* 10
global warming calentamiento global *m* 12
gloves guantes *m, pl.* 8
goblet copa *f* 10
gold oro *m* 8
golf golf *m* 5
good bueno/a 3
good afternoon buenas tardes 1
good evening/night buenas noches 1
good morning buenos días 1
good-bye adiós 1
good-looking, pretty bonito/a 3
good-looking, pretty/ handsome guapo/a 3
good-looking, pretty/ handsome hermoso/a 3
government gobierno *m* 15
GPS sistema GPS *m* 14
grade, score nota *f* 2
granddaughter nieta *f* 3
grandfather abuelo *m* 3
grandmother abuela *f* 3
grandparents abuelos *m, pl.* 3
grandson nieto *m* 3
grape úva *f* 4
grass hierba *f* 12
gray gris 5
great-grandfather bisabuelo *m* 3
great-grandmother bisabuela *f* 3
green verde 5
green bean judía *f* verde 4
grilled a la parrilla 4
Guatemalan guatemalteco/a *n., adj.* 1
guest huésped/a 13
guitar guitarra *f* 4
gurney camilla *f* 9
gym, gymnasium gimnasio *m* 2

H

hair pelo *m* 9
hair dryer secador *m* de pelo 6
half media *f* 1
half-brother medio hermano *m* 3
half-sister media hermana 3
ham jamón *m* 4
hamburger hamburguesa *f* 4
hand mano *f* 9
handsfree manos libres *m* 6
happy contento/a 3
hardworking trabajador/a 3
hat sombrero *m* 8
he; *obj. prep. pron.* **him** él *m, subj.* 6
head cabeza *f* 9
headache dolor *m* de cabeza *f* 9
headphones audífonos *m, pl.* 2
health salud *f* 8
healthy sano/a 9
heart corazón *m* 9
heating calefacción *f* 13
hello/hi hola 1
help! ¡Auxilio! 14
help! ¡Socorro! 14
here aquí 3
high school colegio *m* 3
highway autopista *f* 14
hill colina *f* 12
him, you, it lo *dir. obj. m* 5
his, her, its, your (*formal*), their su/sus 2
(of) his, (of) hers, (of) theirs, (of) yours (*formal*) suyo/a/os/as 8
history historia *f* 2
home, house casa 2
homeless people desamparados *m, pl.* 15
homemaker amo/a de casa 6
homework, assignment, task tarea *f* 2
Honduran hondureño/a *n., adj.* 1
honest, sincere sincero/a 11
honeymoon luna de miel 11
horse caballo *m* 12
hospital hospital *m* 9
hostel hostal *m* 13
hot (temperature, not spiciness) caliente 5
hotel hotel *m* 13
house keeper amo/a de casa 2
how are you? (*formal*) ¿cómo está usted?
how are you? (*informal*) ¿cómo estás? 1
how are you? (*informal*) ¿qué pasa? 1
how awful! ¡qué barbaridad! 14
how many? ¿cuántos/as? 3
how much? ¿cuánto/a? 4
how? ¿cómo? 1
human rights derechos *m, pl.* humanos 15
hunger hambre *f* (*but el* hambre) 15
husband esposo *m* 3
husband marido *m* 3
hybrid híbrido *m* 14

I

I yo *subj. pron.* 1
I am sorry Disculpe 1
I hope ojalá que... 11
I want to introduce... to you (*informal*); *reflex. pron.* **yourself (*informal*)** te presento 1
I would like quisiera 4
I'm (so) sorry lo siento (mucho) 1
ice hielo *m* 4
ice cream helado *m* 4
immediately inmediatamente 6
in case en caso de que 14
increase aumento *m* 12
in front of delante de 7
in front of, opposite enfrente de 7
in front of, opposite, facing frente a 7
in order to (do something) para que 12
in style a la moda 8
in the afternoon por la tarde 2

in the afternoon; p.m. (in the afternoon) de la tarde; por/en la tarde 2
in the evening, at night por la noche 2
in the evening, at night; p.m. (in the evening, at night) por/en la noche 1
in the morning por/en la mañana 2
in the morning por la mañana 2
in, at; on en 2; 7
inexpensive barato/a 8
infancy infancia *f* 11
infection infección *f* 9
injection inyección *f* 9
insects insectos *m, pl.* 12
inside dentro de 7
instead of en vez de 7
insurance seguro *m* 14
intelligent inteligente 3
interview entrevista *f* 15
island isla *f* 12
it rains llueve 5
it seems that... parece que 13
it's (very) cloudy nublado 5
it's (very) cold hace (mucho) frío 5
it's (very) hot/cool/cold/sunny/windy hace (mucho) calor/fresco/frío/sol/ viento 5
it's a pity una lástima: es... 13
it's a shame lástima: es una... 13
it's better es mejor 13
it's good es bueno 13
it's horrible horrible: es... 13
it's important importante: es... 13
it's impossible imposible: es... 13
it's improbable improbable: es... 13
it's interesting interesante: es... 13
it's necessary necesario: es... 13
it's necessary preciso: es... 13
it's obvious obvio: es... 13
it's possible posible: es... 13
it's probable probable: es... 13
it's raining está lloviendo 5
it's ridiculous ridículo: es... 13
it's snowing está nevando 5
it's snowing nieva 5
it's strange extraño: es... 13
it's sunny hace sol 5
it's true verdad: es... 13
it's true, correct cierto: es... 13
it's unfair no es... 13
it's urgent urgente: es... 13
it's wonderful es fenomenal 13
Italian (language) italiano *m* 5

J

jacket chaqueta *f* 8
jam mermelada *f* 4
January enero 1
Japanese (language) japonés *m* 5
jealous celoso/a 11
jeans jeans *m, pl.* 8
jeans vaqueros *m, pl.* 8
jewelry joyas *f, pl.* 8
jewelry shop joyería *f* 7
job empleo 15
journalist periodista *m/f* 6
juice jugo *m* 4
juice zumo *m* 4
July julio 1
June junio 1
jungle selva *f* 12
justice justicia *f* 15

K

kayak kayak *m* 12
key llave *f* 13
keyboard teclado *m* 2
kilometer kilómetro *m* 14
kitchen cocina *f* 10
knife cuchillo *m* 10

L

laboratory laboratorio *m* 2
lake lago *m* 5
lamp lámpara *f* 10
laptop computadora portátil *f* 14
laptop/notebook (computer) computadora portátil *f* 13
last night anoche 6
last week semana *f* pasada 6
last weekend fin de semana pasado 6
last year/month/summer pasado: el año/ mes/ verano 6
later más tarde 2
law ley *f* 15
lawyer abogado/a 6
lazy perezoso/a 3
leader líder *m/f* 15
leather cuero *m* 8
leave, depart, to go away irse 11
leaves hojas *f, pl.* 5
leg pierna *f* 9
lemon limón *m* 4
less menos 4
lesson lección *f* 2
letter carta *f* 7
lettuce lechuga *f* 4
library biblioteca *f* 2
life vida *f* 11
light luz *f* 10
line (of people or things) cola *f* 7
line (of people or things) fila *f* 7
link enlace *f* 14
lion león *m* 12
lip labio *m* 9
literature literatura *f* 2
little (quantity) poco/a *adj.* 4
little poco *adv.* 4
living room sala *f* 10
lobster langosta *f* 4
long largo/a 8
long-distance call llamada de larga distancia 11
long-/short-sleeved de manga larga/corta 8
long-sleeved de manga larga 8
love amor *m* 11
love at first sight amor a primera vista 11
luggage equipaje *m* 13
lunch almuerzo *m* 4
lung pulmón *m* 9

M

magazine revista *f* 7
maid (hotel) camarera *f* 13
mailbox buzón *m* 7
main floor planta baja 13
makeup maquillaje *m* 6
mall, shopping center centro comercial 7
man hombre *m* 3
manager gerente *m/f* 15
map mapa *m* 2
March marzo 1
market mercado *m* 3
married casado/a 11
mathematics matemáticas *f, pl.* 2
May mayo 1
me mí *obj. prep. pron.* 6
me; *ind. obj.* me (to/for me); *refl. pron.* myself me *dir. obj.* 5
meat, beef carne *f* 4
medicine medicina *f* 15
metro, subway metro *m* 7
Mexican mexicano/a *n., adj.* 1
microwave microondas *m* 10
midnight medianoche *f* 1

milk leche *f* 4
mirror espejo *m* 10
misdemeanor, crime delito *m* 15
Monday lunes *m* 1
money dinero *m* 6
monitor monitor 14
monkey mono *m* 12
month mes *m* 1
moon luna *f* 12
more más 4
mosquito mosquito *m* 12
mother madre *f* 3
mother-in-law suegra *f* 3
motor motor *m* 14
motorcycle motocicleta *f* 14
mountain biking ciclismo *m* de montaña 12
mountain climbing alpinismo/el andinismo *m* 11, 12
mountains montañas *f, pl.* 3
mouse ratón *m* 2
mouth boca *f* 9
movie theater, cinema cine *m* 7
much, a lot; mucho/a/os/as mucho *adv. adj.*
much, a lot, many times, often muchas veces *f* 8
museum museo *m* 7
music música *f* 2
my mi/mis 2
my name is... me llamo... 1
my soul mate, other half mi media naranja 11

N

napkin servilleta *f* 10
nasal congestion congestión *f* nasal 9
natural resources recursos *m, pl.* naturales 12
nature naturaleza *f* 12
nausea náuseas *f, pl.* 8
near cerca de 7
neck cuello *m* 9
necklace collar *m* 8
neighbor vecino/a 10
neither... nor ni... ni 8
neither, not either tampoco 8
nephew sobrino *m* 3
nervous nervioso/a 3
never nunca 2
new nuevo/a 3
newlyweds recién casados *m, pl.* 11
news noticias *f, pl.* 7
newscast noticiero *m* 15
newspaper periódico *m* 7
newsstand quiosco *m* 7
next próximo/a 5
next month/year/summer el próximo mes/ año / verano 5
Nicaraguan nicaragüense *n., adj.* 1
nice meeting you, too igualmente 1
nice, likeable simpático/a 3
niece sobrina *f* 3
night noche *f* 1
nightstand mesita *f* de noche 10
ninth noveno/a 14
no one, nobody nadie 8
no, none, no one ningún (ninguno/a) 8
noise ruido *m* 10
noon mediodía *m* 1
normally normalmente 6
nose nariz *f* 9
nor, not even ni 8
not much *(informal)* pues nada 1
notebook cuaderno *m* 2
notes apuntes *m, pl.* 2
nothing nada 8
November noviembre 1
now ahora 2
nurse enfermero/a 6

O

ocean océano *m* 12
October octubre 1
Of course! ¡Claro! 14
Of course! ¡Por supuesto! 14
of mine mío/a/os/as 7
of yours (*informal*) tuyo/a/os/as 7
of, from de prep 1
office oficina *f* 2
Oh, my gosh! ¡Caramba! 14
oil aceite *m* 4
OK, so-so regular 1
old viejo/a 3
old (elderly); older mayor 3
old age vejez 11
olive aceituna *f* 4
on sobre 7
only solo 5
on time a tiempo 2
on top of, above encima de 7
once, one time una vez 9
one-way ticket billete/boleto de ida/sencillo *m* 13
onion cebolla *f* 4
open abierto/a 3
or o 8
or... either o... o 8
orange (color) anaranjado/a 5
orange (fruit) naranja *f* 4
other otros/as 4
ought to, should (do something) deber + *infinitive* 5
our; (of) ours nuestro/a/os/as 8
outdoors aire libre *m* 12
outer space exploration exploración *f* del espacio 15
outside fuera de 7
oven horno *m* 10
overpopulation sobrepoblación *f* 15
ozone layer capa *f* de ozono 12

P

package paquete *m* 7
page página *f* 2
pants pantalones *m, pl.* 8
paper papel *m* 2
paper (academic) trabajo *m* escrito 15
paramedics paramédicos *m, pl.* 9
pardon me, excuse me con permiso 1
pardon me, excuse me perdón 1
parents padres *m, pl.* 3
park parque *m* 7
parking estacionamiento, aparcamiento *m* 14
partner, significant other, couple pareja *f* 11
part-time job trabajo a tiempo parcial 5
party fiesta *f* 2
passenger pasajero/a 13
passport pasaporte *m* 13
pastry shop, bakery pastelería *f* 7
patient paciente *m/f* 9
pea guisante *m* 4
peace paz *f* 15
peace agreement acuerdo *m* de paz *f* 15
peach durazno *m* 4
peach melocotón *m* 4
pear pera *f* 4
pen bolígrafo *m* 2
pen pluma *f* 2
pencil lápiz *m* 2
people gente *f* 7
pepper pimienta *f* 4
personally personalmente 6
pharmacy farmacia *f* 9

philosophy filosofía *f* 2
phone book guía *f* telefónica 11
physics física *f* 2
picture, painting cuadro *m* 4
pie, pastry pastel *m* 4
pig cerdo *m* 12
pillow almohada *f* 13
pilot piloto *m/f* 13
pineapple piña *f* 4
pink rosado/a 5
pizzeria pizzería *f* 7
place lugar *m* 7
planet planeta *m* 12
plant planta *f* 12
platform andén *m* 13
play obra *f* de teatro 7
plaza, town square plaza *f* 7
please por favor 1
pleased to meet you mucho gusto 1
policeman policía *m* 14
policewoman mujer policía 14
political science ciencias *f, pl.* políticas 2
pollution polución *f* 12
poor pobre 3
Poor me! (What am I going to do?) ¡Ay de mí! 14
pork carne de cerdo *f* 4
pork chop chuleta *f* de cerdo 4
possibly posiblemente 6
post card tarjeta postal 7
post office oficina de correos 8
poster póster, afiche *m* 10
potato patata, papa *f* 4
poverty pobreza *f* 15
pregnant embarazada 9
prejudice prejuicio *m* 15
prescription receta *f* 9
price precio *m* 8
printer impresora *f* 2
private bath baño privado 13
probably probablemente 6
problem problema *m* 12
professor profesor/a 2
psychology psicología *f* 2
Puerto Rican puertorriqueño/a *n., adj.* 1
purple morado/a 5
purse, bag bolso/a *m* 8

Q

question pregunta *f* 2
quiz prueba *f* 2

R

raft balsa *f* 12
rafting balsismo *m* 12
railroad station estación de ferrocarril 14
rain lluvia *f* 5
raincoat impermeable *m* 8
rapidly rápidamente 6
rarely casi nunca 2
razor rasuradora *f* 6
recently recientemente 6
reception, front desk recepción *f* 9
receptionist recepcionista *m/f* 13
red rojo/a 5
refrigerator refrigerador *m* 10
relative pariente *m* 3
religion religión *f* 2
remote control control remoto *m* 14
reporter reportero/a 15
research investigación *f* 15
reservation reservación *f* 13
responsible responsable 3
rest descanse 9
restaurant restaurante *m* 2
restroom aseos *m, pl.* 13
restroom baño *m* 14
rice arroz *m* 4
rich rico/a 3
ring anillo *m* 8
ring sortija *f* 8
river río *m* 15
road camino *m*, carretera *f* 14
roof techo *m* 10
room cuarto *m* 2
room habitación *f* 10
room service servicio de habitación 13
roommate compañero/a de cuarto 6
round trip ticket billete/boleto de ida y vuelta *m* 13
routine rutina *f* 6
rug, carpet alfombra *f* 10
Russian (language) ruso *m* 5

S

sad triste 3
safe seguro/a 14
salad ensalada *f* 4
sales rebajas *f* 8
salt sal *f* 4
sand arena *f* 12
sandals sandalias *f, pl.* 8
sandwich bocadillo *m* 4
sandwich sándwich *m* 4
satellite satélite *m* 14
Saturday sábado *m* 1
sausage chorizo *m* 4
sausage salchicha *f* 4
scarf bufanda *f* 8
schedule horario *m* 13
scissors tijeras *f, pl.* 6
screen pantalla *f* 2
sea mar *m* 12
seafood marisco *m* 3
search engine buscador *m* 14
season estación *f* 4
seat asiento *m* 13
second segundo/a 14
second class de segunda clase 14
second floor segundo piso 10
secretary secretario/a 6
see you soon hasta pronto 1
see you tomorrow hasta mañana 1
sign señal *f* 14
September septiembre 1
serious wound herida *f* grave 9
serious, dependable serio/a 3
service/gas station estación de servicio/la gasolinera 14
seventh séptimo/a 14
shampoo champú *m* 6
shaving cream crema de afeitar *f* 6
she *obj.* ***of*** *prep.* **her** ella *f, subj.* 1
sheep oveja *f* 12
sheet sábana *f* 13
sheet of paper hoja *f* de papel 2
shirt camisa *f* 8
shoe store zapatería *f* 7
shoes zapatos *m, pl.* 8
shop taller *m* mecánico 14
short bajo/a 3
short corto/a 8
short-sleeved de manga corta 8
shorts pantalones cortos 8
shoulder hombro *m* 9
shower ducha *f* 10
shrimp camarón *m* 4
sick enfermo/a 3
silk seda *f* 8
silver plata *f* 8
single soltero/a 11
single bed cama sencilla 6
single room habitación sencilla 13
sink (bathroom) lavabo *m* 10
sink (kitchen) fregadero *m* 10
sister hermana *f* 3
sister-in-law cuñada *f* 3

sixth sexto/a 14
size (clothing) talla *f* 8
skinny flaco/a 3
skirt falda *f* 8
sky cielo *m* 12
skyscraper rascacielos *m* 7
sleeping bag saco *m* de dormir 12
sleeve manga *f* 8
slow lento 14
slowly lentamente 6
small, little pequeño/a 3
snack merienda *f* 3
snake serpiente *f* 12
snow nieve *f* 5
so that, in order that para + *infinitivo* 7
soap jabón *m* 6
soccer fútbol *m* 5
social network red social *f* 14
society sociedad *f* 15
sociology sociología *f* 2
socks calcetines *m, pl.* 8
sofa sofá *m* 10
soft drink refresco *m* 4
software programa (de computadora) *m* 14
some unos/unas 2
someone, somebody alguien 8
something algo 8
sometimes a veces 2
son hijo *m* 3
sore throat dolor *m* de garganta 9
soup sopa *f* 4
space ship nave *f* espacial 15
Spaniard español/española *n., adj.* 1
Spanish (language) español *m* 2
speed velocidad *f* 14
speed limit limite de velocidad *m* 14
spider araña *f* 12
spoon cuchara *f* 10
sport deporte *m* 5
spring primavera *f* 5
stages of life etapas *f, pl.* de la vida 11
stairs escalera *f* 10
stamp estampilla *f* 7
stamp sello *m* 7
star estrella *f* 12
statue estatua *f* 7
steak bistec *m* 4
steering wheel volante *m* 14
stepbrother hermanastro *m* 3
stepfather padrastro *m* 3
stepmother madrastra *f* 3
stepsister hermanastra *f* 3
stereo estéreo *m* 10
still, yet todavía 4
stockings, hose, socks medias *f, pl.* 8
stomach estómago *m* 9
stomachache dolor *m* de estómago 9
store clerk dependiente/a 6
store, shop tienda *f* 6
stove estufa *f* 10
straight, straight ahead derecho 14
strawberry fresa *f* 4
street calle *f* 7
street corner esquina *f* 14
stressed estresado/a 3
strong fuerte 3
student alumno/a 2
student estudiante *m/f* 2
student center centro estudiantil 2
student desk pupitre *m* 2
student dorm residencia *f* estudiantil 2
suddenly de repente 9
sugar azúcar *m* 4
suit traje *m* 8
suitcase maleta *f* 13
summer verano *m* 5
sun sol *m* 12
Sunday domingo *m* 1
sunglasses gafas de sol 8
supper, dinner cena *f* 3
sweater suéter *m* 8
swimming pool piscina *f* 13

T

table mesa *f* 2
Take aspirin/the pills/the capsules. Tome aspirinas/las pastillas/las cápsulas. 9
take out, to withdraw retirar 7
tall alto/a 3
tank tanque *m* 14
taxi taxi *m* 7
tea té *m* 4
teacher maestro/a 2
teacher's desk escritorio *m* 2
team equipo *m* 5
teaspoon cucharita *f* 10
telephone call llamada *f* telefónica 11
television set televisor *m* 2
tennis tenis *m* 5
tennis shoes zapatos de tenis 8
tent tienda de campaña 12
tenth décimo/a 14
terrific fenomenal 1
terrorism terrorismo *m* 15
text message mensaje de texto *m* 14
thank you (very much) (muchas) gracias 1
thank you/thanks gracias 1
that aquel/aquella *adj.* 6
that ese/a *adj.* 6
that que 4
that on aquél/aquélla *pron.* 6
that one ése/a *pron.* 6
that which lo que 14
the el *m, definite article* 2
the las *f, pl. definite article* 2
the line is busy línea está ocupada 11
the pleasure is mine el gusto es mío 1
the weather is nice/bad hace buen/ mal tiempo 5
the; *dir. obj.* **her, you** *f*, **it** *f* la *f, definite article* 5
theater teatro *m* 7
them *f*, **you** *f, pl.* las *dir. obj.* 5
them, you; *m, pl., definite article* **the** los *m, dir. obj.* 6; 2
then entonces 6
then luego 6
there allí 3
there is/are hay 2
thermometer termómetro *m* 9
these estos/as *adj.* 6
these estos/as *pron.* 6
they *obj.* ***of*** *prep.* **them** ellas *f, subj* 1
they *obj.* ***of*** *prep.* **them** ellos *m, subj* 1
thin delgado/a 3
thing cosa *f* 8
third tercero/a 14
this este/a *adj.* 6
this afternoon esta tarde 3
this morning esta mañana 2
this one éste/a *pron.* 6
this, that esta 6
those aquéllos/as *pron.*; aquellos/as *adj.* 6
those esos/as *adj.* 6
those ésos/as *pron.* 6
throat garganta *f* 9

Thursday jueves *m* 1
ticket billete, boleto *m* 13
ticket window taquilla *f* 13
tie corbata *f* 8
tiger tigre *m* 12
time hora *f* 1
tip propina *f* 13
tire llanta *f* 14
tired cansado/a 3
to advise aconsejar 11
to answer contestar 7
to apply for (job) solicitar 15
to arrive llegar 2
to ask for, request, order pedir (i, i) 4
to attend asistir (a) 2
to avoid evitar 12
to be estar 3
to be ser 2
to be able, can poder (ue) 4
to be afraid tener miedo 12
to be against estar en contra de 15
to be annoying to, to bother molestar 11
to be born nacer 11
to be careful tener cuidado 14
to be engaged estar comprometido/a 11
to be engaged estar prometido/a 11
to be fascinating to, to fascinate fascinar 11
to be glad (about) alegrarse (de) 11
to be hot/cold tener calor/frío 5
to be hungry/thirsty tener hambre/ sed 4
to be important to, to matter importar 12
to be in a hurry tener prisa 13
to be in favor of estar a favor de 15
to be in love (with) estar enamorado/a de 11
to be interesting to, to interest interesar 12
to be jealous tener celos 11
to be married (to) estar casado/a (con) 11
to be on vacation estar de vacaciones *f, pl.* 12
to be pregnant estar embarazada 11
to be ready estar listo 12
to be ready listo/a: estar... 11
to be seated estar sentado/a 9
to be sleepy, tired tener sueño 6
to be sorry, regret sentir (ie, i) 11
to be standing estar de pie 8
to be successful tener éxito 15
to be sure of estar seguro/a (de) 12
to be together estar juntos/as 11
to be together juntos/as: estar... 11
to begin empezar (ie) (a) 7
to believe creer 11
to break romper 10, romperse 14
to break one's (arm/ leg) fracturar(se) (el brazo/ la pierna) 9
to break up (with) romper (con) 11
to bring traer 5
to brush one's hair cepillarse el pelo 6
to brush one's teeth cepillarse los dientes 6
to buy comprar 14
to call llamar 3
to camp acampar 12
to celebrate celebrar 11
to cash, to charge cobrar 7
to change, exchange cambiar 7
to check over revisar 14
to check (baggage) facturar 13
to choose escoger 15
to clean limpiar 5
to clear the table quitar:... la mesa 10
to climb (the mountain) escalar (la montaña) 12
to close cerrar (ie) 7
to comb one's hair peinarse 6
to come venir (ie) 5
to communicate comunicarse 11
to complain about quejarse de 11
to continue continuar 14
to continue, follow seguir (i, i) 14
to contribute contribuir (y) 12
to cook cocinar 4
to cost costar (ue) 4
to cough toser 9
to count, narrate (a story or incident) contar (ue) 7, 8
to crash, collide chocar 14
to cross cruzar 14
to cry llorar 11
to cut one's hair/nails/a finger cortarse el pelo/ las uñas/ el dedo 6
to cut oneself cortarse 5
to cut the lawn cortar:... el césped 10
to dance bailar 5
to delight encantar 11
to deposit depositar 7
to develop desarrollar 12
to die morir (ue, u) 7
to do, make hacer 2
to doubt dudar 12
to draw blood sacar sangre 9
to drink beber 2
to drive conducir 14
to drive manejar 5
to dry (oneself) secarse 6
to dry the dishes secar:... los *platos* 9
to dust sacudir 10
to eat comer 2
to eliminate eliminar 15
to enjoy (something) disfrutar de 13
to enter, go into entrar (en/a) 7
to examine examinar 9
to exercise, to do exercises hacer ejercicio 5
to exercise, work out, do exercises hacer ejercicio 5
to fall in love (with) enamorarse (de) 11
to fasten one's seat belt abrocharse el cinturón 13
to fear, be afraid of temer 11
to feed dar de comer 15
to feel sentirse (ie, i) 9
to feel like (doing something) tener ganas de + *infinitivo* 5
to fight (for) luchar (por) 15
to fill (the tank) llenar (el tanque) 14
to find encontrar (ue) 7
to find out, inquire averiguar 6
to finish terminar 7
to fish pescar 12
to fly volar (ue) 13
to forget olvidar/ olvidarse de 11
to get (stand) in line hacer cola 7
to get (stand) in line hacer fila 6
to get a grade sacar una nota 2
to get along well/badly llevarse bien/mal 11
to get angry enojarse 11
to get broken romperse 14
to get divorced divorciarse 11
to get dressed vestirse (i) 6
to get engaged (to) comprometerse (con) 11
to get married (to) casarse (con) 11

to get off, to get out of ... bajarse de 13
to get on, board subirse a 13
to get passports sacar los pasaportes 13
to get tired cansarse 9
to get up levantarse 6
to get/become sick enfermarse 9
to give dar 5
to give a shot/vaccination poner una inyección/ una vacuna 9
to give birth dar a luz 11
to go ir 2
to go down bajar 10
to go on vacation ir(se) de vacaciones 12
to go out (with), date salir (con) 11
to go parachute jumping saltar en paracaídas 12
to go parasailing practicar el *parasail* 12
to go shopping ir de compras 5
to go snorkeling hacer *esnórquel* 12
to go to bed acostarse (ue) 6
to go to sleep, to fall asleep dormir (ue) 6
to go up subir 10
to go white-water rafting *rafting*: practicar el... 12
to go white-water rafting practicar el descenso de ríos 12
to have a good time divertirse (ie) 6
to have a layover hacer escala 13
to have breakfast desayunar 2
to have dinner cenar 2
to have lunch almorzar (ue) 4
to have to... (do something) tener que + *infinitivo* 5
to hear oír 5
to help ayudar (a) 10
to hug abrazar 3
to hurt oneself lastimarse 9
to inform informar/ reportar 15
to insist (on) insistir (en) 11
to intend/plan (to do something) pensar (ie) + *infinitivo* 5
to invest invertir (ie, i) 7
to invite invitar (a) 7
to keep guardar 10
to kill matar 11
to kiss besar 3
to know (facts, information); to know how to (skills) saber 5
to land aterrizar 13
to laugh at reírse (de) 11
to learn aprender 2
to leave dejar 13
to leave a message dejar un mensaje 11
to leave behind dejarse 13
to leave, go out salir 2
to legalize legalizar 15
to lie mentir 11
to lift weights levantar pesas 5
to like gustar 4
to listen to escuchar 2
to live vivir 2
to look at mirar 8
to look for buscar 2
to lose perder (ie) 7
to love amar 3
to make an appointment hacer una cita 9
to make reservations hacer reservaciones/ reservas 14
to make the bed hacer la cama 10
to meet up (with) (by chance) encontrarse (ue) (con) 11
to meet, get together reunirse (con) 11
to meet, know, be acquainted with conocer 5
to miss extrañar 11
to miss the train perder el tren 13
to move (from house to house) mudarse 10
to move (oneself) mover(se) (ue) 10
to need necesitar 4
to open abrir 7
to pack empacar 13
to pack hacer las maletas 13
to paint pintar 5
to park estacionar 14
to pay (for) pagar 7
to pick up, gather recoger 12
to play (instruments) tocar 5
to play/to play (sport) jugar (ue)/ jugar al (deporte) 5
to practice practicar 2
to prefer preferir (ie, i) 4
to prepare preparar 2
to prevent prevenir 12
to print imprimir 2
to prohibit prohibir 15
to protect proteger 12
to put gas (in the tank) echar gasolina 14
to put on (shoes, clothes, etc.) ponerse (los zapatos, la ropa, etc.) 6
to put on makeup maquillarse 6
to put, place poner 5
to rain llover (ue) 5
to raise criar 11
to read leer 2
to delight encantar 12
to receive recibir 7
to recommend recomendar (ie) 11
to recycle reciclar 12
to reduce reducir 12
to register registrarse 13
to remember acordarse (ue) de 11
to remember recordar (ue) 11
to rent alquilar 10
to repair reparar 14
to repeat repetir (i, i) 7
to report reportar 15
to rest descansar 5
to return regresar 2
to return (something) devolver (ue) 8
to return, to go back volver (ue) 4
to ride horseback montar a caballo 12
to ring, to sound sonar (ue) 6
to rob robar 15
to run correr 5
to run, work, function (machine) funcionar 14
to save guardar 14
to save (money) ahorrar 7
to save, conserve conservar 12
to say good-bye despedirse (i, i) 13
to say, tell decir (i) 5
to scuba dive, skin dive bucear 12
to see ver 5
to sell vender 4
to send enviar 2
to send mandar 2
to separate separarse (de) 11
to serve servir (i, i) 4
to set the table poner la mesa 10
to shave afeitarse 6
to share compartir 10
to show mostrar (ue) 8
to sing cantar 5
to sit down sentarse (ie, i) 9

to ski esquiar 5
to sleep dormirse (ue) 4
to smoke fumar 5
to sneeze estornudar 9
to snow nevar (ie) 5
to solve/resolve resolver (ue) 10
to speak hablar 2
to spend gastar 7
to spend (time), to happen, pass pasar 7
to sprain (one's ankle) torcer(se) (ue) 9
to stay quedarse 9
to stop (movement) parar 14
to study estudiar 2
to suffer sufrir 15
to suggest sugerir (ie, i) 11
to sunbathe tomar el sol 5
to support (a candidate/cause) apoyar 15
to surf hacer surf 12
to surf the Web navegar por la red 2
to sweep barrer 10
to swim nadar 12
to take a bath, bathe bañarse 6
to take a hike dar una caminata 12
to take a shower ducharse 6
to take a walk/stroll dar un paseo 5
to take care of cuidar 2
to take notes tomar apuntes *m, pl.* 2
to take off despegar 13
to take off (clothes, etc.) quitarse la ropa 6
to take one's blood pressure tomar la presión arterial 9
to take one's pulse tomar el pulso 9
to take one's temperature tomar la temperatura 9
to take out the garbage sacar la basura 10
to take photos sacar fotos *f, pl.* 11
to take photos tomar fotos *f, pl.* 12
to take, drink tomar 4
to the left izquierda *f*: a la... 14
to the right derecha *f*: a la ... 14
to think pensar (ie) 4
to think about (someone or something) pensar (ie) en 11
to tidy up ordenar 10
to toss, throw (away) tirar 10
to travel viajar 5
to try intentar 14
to try to (do something) tratar de + *infinitivo* 14
to tune the motor afinar el motor 14
to turn doblar 14
to turn off apagar 10
to turn on prender 10
to understand comprender 2
to understand entender (ie) 4
to use usar 2
to vacuum pasar la aspiradora 10
to visit visitar 3
to vomit vomitar 9
to vote (for) votar (por) 15
to wait (for); to hope, expect esperar 7; 11
to wake up despertarse (ie) 6
to walk caminar 5
to want, love querer (ie) 4
to wash one's hands/face lavarse las manos/ la cara 6
to wash oneself lavarse 5
to wash the dishes lavar:... los platos 10
to waste desperdiciar 12
to watch TV ver la tele(visión) 5
to wear llevar 8
to win, to earn, make money ganar 5; 6
to work; trabajar para... to work for trabajar 6
to worry (about) preocuparse (por) 9
to write escribir 2
to x-ray sacar una radiografía 9
today hoy 1
toilet inodoro m 10
toilet paper papel higiénico 6
tomato tomate m 4
tomorrow, morning mañana *f* 1
tongue lengua *f* 9
tonight esta noche 2
too, too much demasiado *adv.* 14
tooth diente *m* 9
toothbrush cepillo de dientes 6
toothpaste pasta f de dientes 6
towel toalla *f* 6
traffic tráfico *m* 14
traffic tránsito *m* 14
traffic light semáforo *m* 14
train tren *m* 14
trash can cubo *m* de la basura 10
tree árbol *m* 5
truck camión *m* 14
trunk maletero *m* 14
T-shirt, undershirt camiseta *f* 8
Tuesday martes *m* 1
tune the motor afinar el motor 14
tutor tutor/a 15

U

ugly feo/a 3
umbrella paraguas *m* 8
uncle tío *m* 3
understanding comprensivo/a 11
underwear ropa *f* interior 8
unemployment desempleo *m* 15
unfortunately desafortunadamente 6
unless a menos (de) que 14
until hasta que 15
upon (doing something) al + *infinitivo* 7
Uruguayan uruguayo/a *n., adj.* 1
(USB) port puerto (USB) *m* 14
us; *ind. obj.* **us (to/for us);** *refl. pron.* **ourselves** nos *dir. obj.* 5

V

vacation vacaciones *f, pl.* 12
vaccination vacuna *f* 9
valley valle *m* 12
VCR, video VCR *m* 2
vegetable legumbre *f* 3
vegetable verdura *f* 3
very muy 3
very well muy bien 1
victim víctima *f* 15
(video) camera cámara (de video) *f* 14
video game videojuego *m* 14
video game playing device videoconsola *f* 14
village (small town) pueblo 12
vinegar vinagre *m* 4
violence violencia *f* 15
volleyball voleibol *m* 5
volunteer voluntario/a 15
volunteer work trabajo voluntario *m* 15
vomit vómito *m* 9

W

waiter/waitress mesero/a 6
waiting room sala de espera 9
wall pared *f* 10
wallet billetera/la cartera *f* 8
want, wish desear 4
war guerra *f* 15
washer lavadora *f* 10
wastebasket papelera 2
water agua *f* (*but el* agua) 4
waterfall cascada *f* 12
waterfall catarata *f* 12
watermelon sandía *f* 4
wave ola *f* 12
we; *obj. prep.* **us** nosotros/as *subj. pron.* 1
weak débil 3
weapon arma *f* 15
weather clima *m* 5
weather tiempo *m* 5
Web page página web 2
website sitio web *m* 2
wedding boda *f* 11
Wednesday miércoles *m* 1
week semana *f* 1
weekend fin *m* de semana 2
welcome bienvenido/a 13
well pues 1
what ¿qué? 4
What a mess! ¡Qué lío! 14
What a shame! ¡Qué lástima! 14
What luck!/ How lucky! ¡Qué suerte! 14
what, that which lo que 4
what's happening? (informal) ¿qué tal? 1
what's new? (*informal*) ¿qué hay de nuevo? 1
What's your name (*formal*)? ¿Cómo se llama usted? 1
What's your name? (*informal*) ¿Cómo te llamas? 1
wheel chair silla de ruedas 9
when cuando 4
when? ¿cúando? 2
where ¿dónde? 3
(to) where? ¿adónde? 2
which (one)? ¿cuál? 4
which (ones)? ¿cuáles? 4
while mientras 9
white blanco/a 5
who? ¿quién/quiénes? 3
whose? ¿de quién? 4
why? ¿por qué? 4
widower/widow viudo/a 11
wife esposa *f* 3
window ventana *f* 2
window (airplane, train, car) ventanilla *f* 13
windshield parabrisas *m* 14
wine vino *m* 4
winter invierno *m* 5
with con 4;
without sin 4
woman, wife mujer *f* 3
wool lana *f* 8
work trabajo *m* 6
world mundo *m* 12
world politics política *f* mundial 15
worried preocupado/a 3
worse peor 10

Y

yard patio *m* 10
year año *m* 4
years old tener… años 3
yellow amarillo/a 5
yesterday ayer 6
you (*formal*); *obj. prep.* **you (*formal*)** usted *subj. pron.* 1; 6
you (*informal*) ti *obj. prep.* 6
you (*informal*) tú *subj. pron.* 1
you (*informal*); *ind. obj.* **you (to/for you) (*informal*)** te *dir. obj.* 5
you (informal, pl., Sp.); *obj. prep.* **you (*informal, pl., Sp.*)** vosotros/as *subj.* 6
you (*pl.*); *ind. obj.* **you (to/for you)**; *refl. pron.* **yourselves** os *dir. obj.* 5
you (*pl.*); *obj. prep.* **you (*pl.*)** *ustedes subj. pron.* 1; 6
you, him, her (to/for…) le *ind. obj.* 8
you, them (to/for you, them) les *ind. obj.* 8
you're welcome de nada 1
young joven 3
young people, adolescents jóvenes *m, pl.* /los adolescentes 11
younger menor 3
your (*informal*) tu/tus 2
your (*informal*); **(of) yours (*informal*)** vuestro/a/os/as 7
yourself, himself, herself, themselves se *reflex. pron.* 5
youth juventud *f* 11

Índice

I

J

L

M

N

O

P

Q